臨床腫瘍薬学

第2版

編集 日本臨床腫瘍薬学会 JASPO

Clinical Pharmaceutical Oncology 2nd Edition

じほう

臨床腫瘍薬学

改訂第2版

編集 日本臨床腫瘍薬学会 / JASPO

Clinical
Pharmaceutical
Oncology
2nd Edition

じほう

改訂の序

　日本臨床腫瘍薬学会では，薬剤師が体系的に標準的ながん薬物療法を学べる書籍として，会員の協力を得て『臨床腫瘍薬学』を2019年に発刊しました。本書の対象となる初学者を中心に，多くの薬剤師がこの本を利用してがん薬物治療を学び，がん患者の安全な薬物治療にお役立ていただいているものと思っております。

　初版を発刊してから約3年，がん薬物療法は新たな分子標的治療薬が登場し，また，免疫チェックポイント阻害薬の併用療法などの新たなエビデンスが生まれ，標準的治療が日々更新されています。加えて薬機法改正による専門医療機関連携薬局の新設，それに伴う外来がん治療専門薬剤師の認定など，がんに携わる薬剤師を取り巻く環境も大きく変わってきました。このような背景を踏まえ，本学会では新たながん薬物療法や新たな薬剤師業務を伝えるべく，改訂版を発刊することにしました。

　改訂版は，新たな抗がん薬や治療法を追加するとともに，抗がん薬の解説では，作用機序の図を新たに挿入し，各薬剤の比較表を簡略化しました。また，疾患の解説では診断を割愛し，薬剤師として必要な治療の部分にフォーカスを当てた内容としました。さらに薬剤師の役割では，薬局薬剤師と病院薬剤師の連携業務など最新の薬剤師業務を盛り込みました。このように改訂版は，初学者がより理解しやすく，より学びやすく，より実践的に応用できる書籍となっております。

　国民の2人に1人ががんに罹患する今，多くのがん患者が抗がん薬治療を必要としています。そのため日々新たな抗がん薬が開発されていますが，その毒性は今までと変わりません。抗がん薬治療を安全かつ有効にがん患者に提供するには，専門の医療従事者がチームで取り組まなくてはなりません。薬剤師は抗がん薬治療の中心的な役割を担わなければならず，そのためには多くの知識や技能が求められます。本書ががん薬物療法を担う薬剤師のバイブルとなることを願っております。

2022年9月

一般社団法人 日本臨床腫瘍薬学会
監事（前理事長）　加藤　裕芳

初版の序

　がん薬物療法はがん領域の専門・認定の薬剤師の登場と機を同じくして，有効なレジメンの開発や新たな抗がん薬が登場し，その後に分子標的薬の開発が続き，最近では，免疫チェックポイント阻害薬の登場でがん薬物療法が大きく変化しています。また，がんゲノム医療にも大きな期待が寄せられています。医療現場においては，医師と薬剤師，看護師などの医療者の連携により，患者のためのがん治療が積極的に行われるようになっています。チーム医療において，医療者への情報提供，処方提案，患者ケア，治療モニタリング，支持療法提案など，がん薬物療法における薬剤師の役割りが非常に大きくなっています。

　日本臨床腫瘍薬学会（JASPO）が設立されて7年になりました。設立当初より，薬剤師が体系的に標準的ながん薬物療法を学べる書籍を発行するために構想を練ってきました。この度，会員薬剤師の執筆による「臨床腫瘍薬学」を発行することができました。本書の特徴は，がん領域に携わる薬剤師（病院・薬局）の初学者の導入本として必要な内容が網羅されており，この一冊でがん薬物療法の基本が学べること，患者への介入事例や，地域連携，曝露対策など実務的な内容を盛り込んでいること，各薬剤の説明の中に，薬学的介入の際に重要なポイントとなるスペシャルポピュレーションについても解説していること，支持療法については，副作用の発生機序についても丁寧に説明していること。用語，標準治療の成り立ちが理解できるように，臨床試験の基礎的内容を盛り込んでいることです。また，本書は，疾患や抗がん薬などの解説だけでなく，薬剤師の臨床の場における活動内容についても実例をもとに解説しています。できるだけ図や表を多く用いて薬学生や初学者にも基礎から高度な内容までわかりやすく解説しています。

　質の高いがん薬物療法の実施には，患者に寄りそった適切な説明や的確な患者指導がますます重要になっています。そのためには臨床で活用できる医療者側の深い知識や高い技術が求められています。本書が多くの医療者のがん薬物療法を学ぶためのバイブルとなることを願っています。

2019年3月

一般社団法人 日本臨床腫瘍薬学会
監事（元理事長）　遠藤　一司

執筆者一覧

■編集代表

加藤　裕芳	一般社団法人日本臨床腫瘍薬学会　監事／一般社団法人薬局共創未来人財育成機構	
近藤　直樹	一般社団法人日本臨床腫瘍薬学会　理事長／独立行政法人国立病院機構本部　総合研究センター　治験推進室	

■編集委員（五十音順）　☆：編集委員長　○：副編集委員長

池末　裕明	地方独立行政法人神戸市民病院機構神戸市立医療センター中央市民病院　薬剤部	
伊與田友和	公立大学法人福島県立医科大学附属病院　薬剤部／臨床腫瘍センター／がんゲノム医療診療部	
○内田まやこ	同志社女子大学　薬学部　医療薬学科　臨床薬学教育研究センター	
○大橋　養賢	国立研究開発法人国立国際医療研究センター病院　薬剤部	
小笠原信敬	株式会社リペリコ	
北田　徳昭	京都大学医学部附属病院　薬剤部	
工藤　浩史	国立研究開発法人国立国際医療研究センター病院　薬剤部	
○櫻井　洋臣	慶應義塾大学病院　薬剤部	
佐藤　淳也	国際医療福祉大学病院　薬剤部／国際医療福祉大学　薬学部	
清水　久範	公益財団法人がん研究会有明病院　薬剤部	
高橋　郷	独立行政法人国立病院機構相模原病院　薬剤部	
玉木　慎也	KKR札幌医療センター　薬剤科／治験管理センター	
土屋　雅美	地方独立行政法人宮城県立病院機構　宮城県立がんセンター　薬剤部／がんゲノム医療センター	
縄田　修一	昭和大学薬学部　病院薬剤学講座	
☆野村　久祥	国立研究開発法人国立がん研究センター東病院　薬剤部／臨床研究支援部門　シーズ開発推進部シーズ開発支援室	
橋口　宏司	国家公務員共済組合連合会横浜南共済病院　薬剤科	
林　稔展	福岡大学薬学部　臨床薬学教室	
藤田行代志	群馬県立がんセンター　薬剤部	
松尾　宏一	福岡大学　薬学部／福岡大学病院　薬剤部	
湊川　紘子	聖マリアンナ医科大学病院　薬剤部	
吉野　真樹	新潟県立がんセンター新潟病院　薬剤部	

■執筆者（五十音順）

青柳　吉博	国立研究開発法人国立がん研究センター東病院　臨床研究支援部門臨床研究推進部システム管理室	
青山　剛	公益財団法人がん研究会有明病院　薬剤部	
東　加奈子	東京医科大学病院　薬剤部	
飯原　大稔	岐阜大学医学部附属病院　薬剤部	
池末　裕明	地方独立行政法人神戸市民病院機構神戸市立医療センター中央市民病院　薬剤部	
池田　宗彦	九州大学病院　薬剤部	
石井　岳夫	琉球大学病院　薬剤部	
石森　雅人	医療法人社団東光会戸田中央総合病院　薬剤科	
板垣　文雄	帝京大学　薬学部　臨床薬剤学	
板垣　麻衣	国立研究開発法人国立がん研究センター東病院　リサーチアドミニストレータ室	
市倉　大輔	昭和大学薬学部　病院薬剤学講座	
伊藤　剛貴	草加市立病院　薬剤部	
伊與田友和	公立大学法人福島県立医科大学附属病院　薬剤部／臨床腫瘍センター／がんゲノム医療診療部	
入江　慶	神戸学院大学　薬学部	
岩本　義弘	国立研究開発法人国立がん研究センター東病院　薬剤部	
魚住　真哉	国立研究開発法人国立がん研究センター東病院　薬剤部	
宇佐美英績	大垣市民病院　薬剤部	
宇田川涼子	国立研究開発法人国立がん研究センター中央病院　薬剤部	
内田まやこ	同志社女子大学　薬学部　医療薬学科　臨床薬学教育研究センター	
衛藤　智章	独立行政法人国立病院機構九州がんセンター　薬剤部	

大谷　俊裕	公益社団法人地域医療振興協会石岡第一病院　薬剤室
大橋　養賢	国立研究開発法人国立国際医療研究センター病院　薬剤部
岡島　美侑	日本医科大学付属病院　薬剤部
尾形　晶子	株式会社オオノ　ひかり薬局　大学病院前調剤センター
岡野　朋果	国立研究開発法人国立がん研究センター東病院　薬剤部
岡本　禎晃	市立芦屋病院　薬剤科
小川　人介	医療法人大和会松田病院　薬剤部
小倉　敬史	公益財団法人日産厚生会玉川病院　薬剤科
小田　泰弘	国家公務員共済組合連合会虎の門病院　薬剤部
加藤　裕久	学校法人湘南ふれあい学園湘南医療大学　薬学部　医薬品情報解析学
香取　哲哉	医療法人徳洲会千葉西総合病院　薬剤部
金澤　裕子	株式会社保生堂薬局
川﨑　敏克	国立研究開発法人国立がん研究センター東病院　薬剤部
川尻　尚子	医療法人社団東邦鎌谷病院
金　　正興	昭和大学病院　薬剤部
工藤　浩史	国立研究開発法人国立国際医療研究センター病院　薬剤部
組橋　由記	徳島赤十字病院　薬剤部
栗原　竜也	昭和大学薬学部　臨床薬学講座　天然医薬治療学
計良　貴之	聖マリアンナ医科大学病院　薬剤部
小暮　友毅	独立行政法人国立病院機構東広島医療センター　薬剤部
小室　雅人	国立研究開発法人国立国際医療研究センター病院　薬剤部
近藤　直樹	独立行政法人国立病院機構本部　総合研究センター治験推進室
齊藤　達也	独立行政法人国立病院機構下志津病院　臨床研究部
阪田　安彦	地方独立行政法人広島市立病院機構広島市立北部医療センター安佐市民病院　薬剤部
坂田　幸雄	市立函館病院　薬剤部　薬物療法科
櫻井　洋臣	慶應義塾大学病院　薬剤部
櫻井　美満	静岡県立静岡がんセンター　薬剤部
笹津　備尚	星薬科大学薬学部　臨床教育研究学域　基礎実習研究部門／組織再生学
佐藤　淳也	国際医療福祉大学病院　薬剤部／国際医療福祉大学　薬学部
佐藤由美子	名古屋市立大学医学部附属西部医療センター　薬剤部
篠原　　旭	国立研究開発法人国立がん研究センター東病院　薬剤部
清水　久範	公益財団法人がん研究会有明病院　薬剤部
下川友香理	総合メディカル株式会社　そうごう薬局　天神中央店
杉　　富行	明治薬科大学　総合臨床薬学教育研究講座　循環薬理学研究室
鈴木　賢一	星薬科大学薬学部　臨床教育研究学域　実務教育研究部門
鈴木　康介	昭和大学薬学部　病院薬剤学講座
鈴木　秀隆	国立研究開発法人国立がん研究センター東病院　薬剤部／先端医療開発センター　バイオマーカー探索トランスレーショナルリサーチ分野
妹尾　啓司	地方独立行政法人広島市立病院機構広島市立広島市民病院　薬剤部
田内　淳子	国立研究開発法人国立がん研究センター東病院　薬剤部
高田　慎也	独立行政法人国立病院機構北海道がんセンター　薬剤部
滝澤　康志	飯山赤十字病院　薬剤部
龍島　靖明	独立行政法人国立病院機構埼玉病院　薬剤部
谷川　大夢	東海大学医学部付属病院　薬剤部
玉木　慎也	KKR札幌医療センター　薬剤科／治験管理センター
玉木　宏樹	島根大学医学部附属病院　薬剤部
辻　　大樹	静岡県立こども病院　薬剤部　臨床薬物動態学研究
土屋　雅美	地方独立行政法人宮城県立病院機構　宮城県立がんセンター　薬剤部／がん先端医療センター
藤堂　真紀	埼玉医科大学国際医療センター　薬剤部
長尾　嘉真	国立研究開発法人国立国際医療研究センター　病院　薬剤部

中島　寿久	国立研究開発法人国立がん研究センター中央病院　薬剤部	
中田　英夫	慶應義塾大学病院　薬剤部	
中村　暢彦	京都薬科大学臨床薬学教育研究センター	
縄田　修一	昭和大学薬学部　病院薬剤学講座	
新島　大輔	NTT東日本関東病院　薬剤部	
野村　充俊	社会医療法人財団慈泉会相澤病院　薬剤センター／遺伝子診療科	
橋本　直弥	愛知県がんセンター病院　薬剤部	
葉田　昌生	独立行政法人地域医療機能推進機構　南海医療センター　薬剤部	
花香　淳一	医療法人社団善仁会小山記念病院　薬剤部	
林　　稔展	福岡大学薬学部　臨床薬学教室	
葉山　達也	日本大学医学部附属板橋病院　薬剤部	
日置　三紀	滋賀医科大学医学部附属病院　薬剤部	
久田　健登	株式会社　望星薬局	
久松　大祐	独立行政法人国立病院機構九州がんセンター　薬剤部	
藤田行代志	群馬県立がんセンター　薬剤部	
藤宮　龍祥	東京薬科大学薬学部　医療薬学科　医療実務薬学教室	
文　　靖子	国立研究開発法人国立成育医療研究センター　薬剤部	
堀之内　藍	みやぎ県南中核病院　薬剤部	
槇枝　大貴	岡山大学病院　薬剤部	
牧野　好倫	埼玉医科大学国際医療センター　薬剤部	
槇原　克也	宗教法人在日本南プレスビテリアンミッション淀川キリスト教病院　薬剤部	
増田　信一	国立研究開発法人国立がん研究センター東病院　薬剤部	
湊川　紘子	聖マリアンナ医科大学病院　薬剤部	
蓑輪　雄一	公益財団法人がん研究会有明病院　薬剤部	
望月　伸夫	国立研究開発法人国立がん研究センター東病院　薬剤部	
森　　祐佳	公益財団法人がん研究会有明病院　薬剤部	
山口健太郎	地方独立行政法人佐世保市総合医療センター　薬剤部	
山口　俊司	株式会社アインホールディングス医薬運営統括本部　地域連携部	
山口　拓洋	東北大学大学院医学系研究科　医学統計学分野	
山本　紗織	社会医療法人敬愛会中頭病院　薬剤部	
山本　弘史	長崎大学病院　臨床研究センター	
吉澤　朝枝	地方独立行政法人栃木県立がんセンター　薬剤部	
吉田　幹宜	国立研究開発法人国立国際医療研究センター病院 薬剤部	
吉野　真樹	新潟県立がんセンター新潟病院　薬剤部	
輪湖　哲也	日本医科大学付属病院　薬剤部	
渡辺　大地	岐阜大学医学部附属病院　薬剤部	
渡部　仁美	九州大学病院　薬剤部	
渡邊　裕之	医療法人徳洲会福岡徳洲会病院　薬剤部	

本書の使い方

　本書の記載内容につきましては，著者，出版社ともに最新かつ正確な情報を記載するよう最善の努力はしておりますが，各医薬品の情報，治療法ともに，日々新しい知見により改訂・更新がなされます。そのため，医薬品の使用や治療に際しては，最新の添付文書等の医薬品情報ならびに治療ガイドラインをご確認ください。

　また本書では，添付文書，インタビューフォーム（IF）等につきましては，基本情報として原則参考文献には記載しておりません。

目次

第1章 抗がん薬概論 …… 1

1 がん薬物療法とは …… 藤田行代志 2
2 がん薬物療法 …… 栗原竜也, 藤宮龍祥 8
3 抗がん薬の理論 …… 板垣文雄 16
4 抗がん薬の薬物動態と薬力学 …… 望月伸夫 22
5 抗がん薬の個別化医療 …… 29
5-1 抗がん薬投与に注意が必要な患者 …… 林 稔展 29
5-2 バイオマーカー …… 辻 大樹 38
5-3 遺伝子多型 …… 辻 大樹 46
5-4 その他の遺伝子多型による個別化 …… 辻 大樹 52
6 抗がん薬の相互作用 …… 牧野好倫 55
7 Drug Delivery System（DDS） …… 笹津備尚 61

第2章 臨床試験の基本 …… 71

1 臨床試験とは …… 近藤直樹 72
2 がんにおける治療法開発と臨床試験 …… 山口拓洋 76
3 抗がん薬の臨床試験 …… 青柳吉博, 川崎敏克 79
4 臨床試験における倫理的事項と利益相反 …… 山本弘史 86

第3章 抗がん薬 …… 89

「①医薬品の特徴（基本知識）」（共通） …… 加藤裕久
1 アルキル化薬 …… 谷川大夢 90
2 代謝拮抗薬 …… 小田泰弘 99
3 微小管阻害薬 …… 吉田幹宜 118
4 白金製剤 …… 石森雅人 130
5 トポイソメラーゼ阻害薬 …… 136
5-1 トポイソメラーゼⅠ阻害薬 …… 石森雅人 136
5-2 トポイソメラーゼⅡ阻害薬（アントラサイクリン系含む） …… 齊藤達也 142
6 分子標的治療薬：高分子型抗体 …… 152
6-1 抗VEGF抗体 …… 金 正興 152
6-2 抗EGFR抗体 …… 金 正興 156
6-3 抗HER2抗体 …… 金 正興 159
6-4 抗CD抗原関連抗体：抗CD20抗体 …… 鈴木康介 162
6-5 抗CD抗原関連抗体：抗CD38抗体 …… 鈴木康介 166
6-6 抗CD抗原関連抗体：その他 …… 鈴木康介 169
6-7 その他 …… 長尾嘉真 171
6-8 ADC（抗体薬剤複合体） …… 長尾嘉真 174
7 分子標的治療薬：低分子型抗体 …… 182
7-1 EGFRチロシンキナーゼ阻害薬 …… 鈴木賢一 182
7-2 BCR-ABLチロシンキナーゼ阻害薬 …… 山口健太郎 190
7-3 ALK阻害薬 …… 鈴木賢一 198
7-4 マルチキナーゼ阻害薬 …… 市倉大輔 204
7-5 チロシンキナーゼ阻害薬 …… 梅林久日 210
7-6 セリン・スレオニンキナーゼ阻害薬 …… 中村暢彦 218
7-7 その他 …… 坂田幸雄 228
8 ホルモン療法薬 …… 240
8-1 LH-RHアゴニスト …… 新島人輔 240

8-2	抗エストロゲン薬	新島大輔	243
8-3	アロマターゼ阻害薬	新島大輔	246
8-4	Gn-RHアンタゴニスト	新島大輔	249
8-5	抗アンドロゲン薬	入江 慶	251
9	免疫調節薬		258
9-1	サリドマイド誘導薬	杉 富行	258
9-2	分化誘導薬	杉 富行	262
9-3	酵素製剤	杉 富行	264
10	免疫チェックポイント阻害薬	岡島美侑, 輪湖哲也	266

第4章 疾患 ... 273

1	神経膠腫	中島寿久	274
2	食道がん	久松大祐	282
3	頭頸部がん	堀之内藍	292
4	甲状腺がん	岡野朋果	305
5-1	肺がん（総論）	中田英夫	310
5-2	非小細胞肺がん	渡邊裕之, 渡部仁美	317
5-3	小細胞肺がん	中田英夫	344
6	乳がん	花香淳一	352
7	胃がん	石井岳夫	367
8	胆道系がん	篠原 旭	388
9	肝細胞がん	鈴木秀隆	394
10	膵がん	小暮友毅	403
11	卵巣がん	組橋由記	410
12-1	子宮がん（総論）	日置三紀	418
12-2	子宮頸がん	日置三紀	420
12-3	子宮体がん	日置三紀	426
13	大腸がん	岩本義弘, 板垣麻衣	431
14	前立腺がん	伊藤剛貴	443
15	腎がん	藤堂真紀	450
16	膀胱がん	高田慎也	456
17	精巣腫瘍	森 祐佳	462
18	悪性黒色腫	宇田川涼子	469
19-1	白血病（総論）	増田信一	477
19-2	急性リンパ芽球性白血病/リンパ芽球性リンパ腫（ALL/LBL）	衛藤智章	478
19-3	急性骨髄性白血病（AML）/急性前骨髄球性白血病（APL）	衛藤智章	498
19-4	慢性リンパ性白血病（CLL）	内田まやこ	514
19-5	慢性骨髄性白血病（CML）	内田まやこ	519
20	多発性骨髄腫	小室雅人	524
21-1	悪性リンパ腫（総論）	宇佐美英績	547
21-2	ホジキンリンパ腫（HL）	宇佐美英績	548
21-3	非ホジキン性リンパ腫（NHL）	葉山達也	554
22-1	骨肉腫	青山 剛	564
22-2	悪性軟部腫瘍	青山 剛	568

第5章 支持療法 ... 575

1	造血器系		576
1-1	好中球減少症（発熱性好中球減少症を含む）	大谷俊裕	576

1-2	貧血	妹尾啓司	584
1-3	血小板減少	妹尾啓司	587
2	消化器系		590
2-1	悪心・嘔吐	林 稔展	590
2-2	便秘	内田まやこ	601
2-3	下痢	大橋養賢	609
2-4	口内炎	山口俊司	616
2-5	B型肝炎ウイルス再活性化	大橋養賢	621
2-6	薬物性肝障害	佐藤由美子	627
3	心・血管系		633
3-1	高血圧	橋本直弥	633
3-2	静脈血栓塞栓症	阪田安彦	640
3-3	心機能障害	葉田昌生	646
4	腎・泌尿器系		654
4-1	薬剤性腎障害	野村充俊	654
4-2	蛋白尿，血尿（出血性膀胱炎）	玉木慎也	663
5	間質性肺炎	渡辺大地, 飯原大稔	669
6	内分泌・代謝異常		677
6-1	腫瘍崩壊症候群	中島寿久	677
6-2	糖代謝異常（高血糖）	田内淳子	683
6-3	電解質異常（高Ca血症，低Na血症，低Mg血症）	香取哲哉	691
7	皮膚毒性		700
7-1	皮膚障害	魚住真哉	700
7-2	手足症候群	伊與田友和	708
7-3	血管外漏出	龍島靖明	718
8	末梢神経障害	小倉敬史	725
9	その他		731
9-1	過敏反応・インフュージョンリアクション	槇枝大貴	731
9-2	味覚障害	玉木宏樹	741
9-3	疲労	日置三紀	746
9-4	脱毛	東加奈子	753
10	免疫関連有害事象（irAE）	池末裕明	762

第6章 がん疼痛の薬物療法 … 771

1	緩和ケア総論	岡本禎晃	772
2	がん疼痛治療		779
2-1	痛みの分類	滝澤康志	779
2-2	痛みの評価	滝澤康志	785
3	薬物療法		789
3-1	WHO方式がん疼痛治療	工藤浩史	789
3-2	非オピオイド鎮痛薬	工藤浩史	792
3-3	オピオイド鎮痛薬	工藤浩史	798
3-4	オピオイドの使い方	槇原克也	802
3-5	オピオイドの副作用対策	槇原克也	805
3-6	鎮痛補助薬	槇原克也	810
4	その他の症状緩和		815
4-1	呼吸困難	池田宗彦	815
4-2	胸水・腹水	小川大介	821
4-3	消化器症状	池田宗彦	831

4-4	倦怠感	小川大介	838
4-5	精神症状	佐藤淳也	842

第7章 がん薬物療法における薬剤師の役割 ... 849

1	がん薬物療法概要（図説）	土屋雅美, 湊川紘子	850
2	患者指導：コミュニケーション, 医療情報の正しい伝え方	川尻尚子	852
3	がん薬物療法における医療安全	土屋雅美	857
4	薬薬連携（連携充実加算）		861
4-1	薬局の取り組み（1）	金澤裕子	861
4-2	薬局の取り組み（2）	下川友香理	865
4-3	薬局の取り組み（3）	尾形晶子	871
4-4	薬薬連携に対する病院の取り組み	吉澤朝枝	878
4-5	地域薬局における病院連携への取り組み	久田健登	882
5	多職種チームの中での薬剤師の役割		889
5-1	AYA世代, 小児患者への介入	文 靖子	889
5-2	妊孕性への影響	文 靖子	895
5-3	栄養：NST, 悪液質	蓑輪雄一	904
5-4	【AST】がんと感染症	櫻井美満	910
5-5	免疫関連有害事象マネジメント（中小規模病院向け）	吉野真樹	917
5-6	がんゲノム医療・遺伝子診断	櫻井洋臣, 計良貴之	924
6	がん薬物療法におけるチーム医療		931
6-1	アピアランスケア	山本紗織	931
6-2	就労支援	縄田修一	938
6-3	医療経済	清水久範	944

ミニコラム

第1章	①がん遺伝子パネル検査	45
	②ミニクイズ	59
	③アブラキサン®に関して	66
	④抗体薬の抗体と命名法	68
第2章	①オプトアウトとは	78
	②遺伝子変異による被験者選択——バスケット型, アンブレラ型	80
	③集学的治療	84
第3章	①Calvert式	131
	②イリノテカンとUGT1A1遺伝子多型	138
	③リコール現象	145
第4章	①*RET*プロトオンコジーン	309
	②HER2検査法	373
	③シスプラチン使用回避時のカルボプラチン変更による検討	459
第5章	①血栓性微小血管症	655
	②その他, 血尿の原因	666
	③テタニー	678
	④ポイントなど	695
	⑤アナフィラキシーとアナフィラキシー様症状	734
第6章	①予後予測ツール——PPI	776
	②麻薬製剤を使用している患者への渡航手続き	778
	③ミニメンタルステート検査：MMSE	787
第7章	①中核拠点病院が取り組むがんゲノム医療に基づく臨床研究	930
	②アートメイクについて	933
	③まつげエクステンションについて	934

抗がん薬概論

第1章 抗がん薬概論

1 がん薬物療法とは

1 定義

　がん薬物療法とは，従来「抗がん薬」とよばれていた細胞障害性抗がん薬だけでなく，分子標的治療薬，内分泌療法薬（ホルモン療法薬），そして免疫チェックポイント阻害薬など，薬剤を用いたがん治療を指す。また，がん薬物療法に使用される薬剤を総称して「抗悪性腫瘍薬」または「抗がん薬」とよぶ。がん治療においては，制吐薬や鎮痛薬など，がん薬物療法に伴う副作用やがんの症状を和らげるための薬物療法も重要であるが，それらは支持療法あるいは緩和医療とよばれる。

2 がん医療における薬物療法の位置づけ

2-1 薬物療法の目標

　がん医療における集学的治療として，手術，放射線治療，そして薬物療法がある。特に固形がんにおいて「がん細胞が体の一部に局在し，それを取り除けば体内にがん細胞がなくなる」と考えられる場合に用いられるのが，手術あるいは放射線治療であり，治癒を目指すことが可能である。しかしながら，原発の局所以外にもがん細胞が転移し，手術や放射線治療のみではすべてのがん細胞を取り除けないと考えられる場合，薬物療法が用いられる。

　一部のがん種においては，抗がん薬による薬物療法が非常によく効き，治癒が期待できる（**表1**）[1]。しかし，未だに多くのがん種では，遠隔臓器にがん細胞が転移した場合，抗がん薬のみで治癒させることは困難である。その場合，がん薬物療法の目的は，延命あるいは症状緩和となる。一方で，乳がん，胃がん等一部のがん種においては，手術後の再発予防として，術後薬物療法の有効性が認められており，これも治癒を目指す治療といえる。

2-2 治療の目標と強度

　治癒を目指す治療においては，副作用発現のリスクが高くても，支持療法を強化して治療強度を保つことに重点が置かれるが，延命・症状緩和を目指す治療では患者のQOLを重視するため，重篤な副作用は許容されず，抗がん薬を減量する傾向にある。このように，治療の目標によって許容される副作用の強さ，およびその対処方法は異なるため，薬剤師は現在行われている治療が治癒を目指した治療なのか，あるいは延命・症状緩和を目指した治療なのかを明確に意識しておく必要がある。

　このことは，患者自身のその後の考え方・生き方にも影響する重要なことであるが，十分に理解

表1　各種悪性腫瘍に対するがん薬物療法の有効性

A群：治癒が期待できる	急性骨髄性白血病，急性リンパ性白血病，Hodgkinリンパ腫，非Hodgkinリンパ腫（中・悪性度），胚細胞腫瘍，絨毛がん
B群：症状緩和や延命の効果が十分に期待できる*	乳がん，卵巣がん，小細胞肺がん，非小細胞肺がん，大腸がん，多発性骨髄腫，慢性骨髄性白血病，慢性リンパ性白血病，非Hodgkinリンパ腫（低悪性度），胃がん，膀胱がん，悪性黒色腫
C群：延命効果・症状緩和が期待できる*	骨肉腫，軟部組織腫瘍，頭頸部がん，食道がん，子宮がん，腎がん，肝がん，胆道がん，膵がん，脳腫瘍，甲状腺がん，前立腺がん

*B群は薬物療法による治癒は難しいが，予後の延長が認められかつ50%以上の奏効割合が期待できるがん種が含まれている．薬物療法の効果がそれ以下のがん種はC群に含まれているが，同じがん種でもサブタイプにより薬物療法の有効性は異なる．

〔新野祐樹：2 がん薬物療法の基本概念．がん診療レジデントマニュアル 第8版（国立がん研究センター内科レジデント編），医学書院，p.19，2019〕

されていないケースもあり，主治医に確認しながら上手く伝えていく必要がある．

❸ がん細胞の特性と抗がん薬

がん細胞とは「遺伝子変異によって，正常な増殖調節機能が失われた細胞」である．正常な増殖調節機能とは何か？　通常，生体内の細胞は一定の数以上に増えないよう，その数が体からの命令によってコントロールされている．たとえば，ケガをしたとき，その傷を修復するまで皮膚細胞は増殖するが，傷が治ればそれ以上増殖することはない．それに対し，がん細胞は体からの命令に関係なく，無秩序に増殖する．さらに，浸潤や転移といった悪性の性質を持ち合わせているため，全身のさまざまな組織に転移し増殖することで，周囲の組織を侵食する．その結果，正常組織は本来の機能を保てなくなり，さまざまな病的症状を引き起こし，最終的には致死的な結果へと生体を導く．このようながん細胞の悪性の性質を抑えるために使用するのが，抗がん薬である．

抗がん薬は単剤で用いられることもあるが，治療効果を高め，副作用を軽減する目的で異なる作用機序の薬剤を併用して用いることが多い．その使い方を各施設で整理したものが，レジメンとよばれる治療計画である．レジメンでは各薬剤の投与量，投与日，投与間隔などが決まっており，施設全体で情報共有される．薬剤師は各レジメンの情報に基づき，医師の処方をチェックする．

❹ 有効性と安全性の評価方法

がん薬物療法における有効性・安全性は，世界共通の基準を用いて評価される．その際に用いられるのが，RECIST（Response Evaluation Criteria in Solid Tumors）とCTCAE（Common Terminology Criteria for Adverse Events）である．また，がん薬物療法適応の有無を判断するため，患者の全身状態を評価するにはECOG（Eastern Cooperative Oncology Group）によって設定されたperformance status（ECOG PS）がよく用いられる．

なお，CTCAEで扱う有害事象（adverse event）とは，医薬品との因果関係の有無を問わず，投薬後に発生した好ましくない出来事を指す．一方，副作用（side effect）とは，広義には「主作用以外の薬理作用」とされるが，多くの場合には「医薬品の投与によって生じた好ましくない作用」

とされ，投与された医薬品との因果関係が必須である点が有害事象と異なる．また，後者は意味を明確にするため，有害反応（adverse drug reaction）という言葉が用いられることもある．

4-1 RECIST

固形がんに対する薬物の効果判断基準として用いられる．ただし，RECISTは臨床試験において奏効割合や無増悪生存期間（PFS）を評価するために作られたものであり，実臨床において個々の患者の治療継続・中止を判断するための基準ではないことに注意が必要である．個々の患者の治療継続を検討する際には，腫瘍径の変化だけでなく，全身状態や症状の変化，検査値なども含めて総合的に判断するべきである．表2に示すように，RECISTでは画像診断で確認された病変を，標的病変・非標的病変および新規病変に分け，それらの変化から総合効果として判定する．詳細な判定方法は，JCOG（Japan Clinical Oncology Group）が公表しているRECISTガイドラインの日本語訳[2]など，他書を参照されたい．

また，免疫チェックポイント阻害薬による治療では，活性化したTリンパ球が腫瘍に集積することにより，一過性に腫瘍径が大きくなった後に縮小する偽増悪（pseudoprogression）が稀に認められる．そのため，改良された評価方法としてiRECISTも利用されている[3]．

4-2 CTCAE

種々の有害事象を，重症度のスケール（grade）によって評価する場合に用いられる基準である．JCOGによる日本語訳[4]を表3に示す．また近年は，主観的に判断される有害事象の評価において医療者と患者の評価にずれが生じやすいことが指摘され，患者自身による評価「Patient-Reported Outcome（PRO）-CTCAE」の重要性が認識されている[5]．

表2　各時点での効果：標的病変（非標的病変の有無にかかわらず）を有する場合のRECISTによる効果判定基準

標的病変	非標的病変	新病変	総合効果
CR	CR	なし	CR
CR	Non-CR/non-PD	なし	PR
CR	評価なし	なし	PR
PR	Non-PD or 評価の欠損あり	なし	PR
SD	Non-PD or 評価の欠損あり	なし	SD
評価の欠損あり	Non-PD	なし	NE
PD	問わない	ありorなし	PD
問わない	PD	ありorなし	PD
問わない	問わない	あり	PD

CR：完全奏効，PR：部分奏効，SD：安定，PD：進行，NE：評価不能
〔固形がんの治療効果判定のための新ガイドライン（RECISTガイドライン）―改訂版 version 1.1―日本語訳JCOG版　ver.1.0.　p.12〕

なお，先に述べたように，CTCAEの対象は有害事象であるため「治療や処置との因果関係は問わない」と定義されており，因果関係の有無でgradeを変更してはならない。また，gradingに関し，次の3つの原則がある[6,7]。

① "nearest much" の原則

観察された有害事象が複数のgradeの定義に該当するような場合には，総合的に判断してもっとも近いgradeに分類する

② "no modification at baseline" の原則

治療前（baseline）の状況によりgradeを調節しない。

③ "what should be done" の原則

実際に何が行われたかではなく，何がなされるべきかの医学的判断に基づいてgradingする。

4-3　ECOG-PS

ECOG-PS（Peformance Status）とは，日常生活の制限の程度に基づいた，全身状態の指標の一つである（表4）。一般に，がん薬物療法が適応となるのはECOG-PSが0〜2の場合であり，3以上は副作用が発現しやすくなると考えられるため推奨されない。ただし，薬物療法が著効する一部の固形がんや造血器腫瘍，奏効率の高い分子標的薬治療などでは，治療による全身状態の改善を期待して，ECOG-PSが3以上でも薬物療法が適応される場合がある。

表3　CTCAEによる各Gradeの定義

Grade 1	軽症；症状がない，または軽度の症状がある；臨床所見または検査所見のみ；治療を要さない
Grade 2	中等症；最小限/局所的/非侵襲的治療を要する；年齢相応の身の回り以外の日常生活動作の制限
Grade 3	重症または医学的に重大であるが，ただちに生命を脅かすものではない；入院または入院期間の延長を要する；身の回りの日常生活動作の制限
Grade 4	生命を脅かす；緊急処置を要する
Grade 5	有害事象による死亡

説明文中のセミコロン（；）は「または」を意味する

（有害事象共通用語規準 v5.0 日本語訳JCOG版. p.1, 2021）

表4　Performance Status Criteria：ECOG（Zubrod）

Score	定義
0	全く問題なく活動できる。発病前と同じ日常生活が制限なく行える。
1	肉体的に激しい活動は制限されるが，歩行可能で，軽作業や座っての作業は行うことができる。例：軽い家事，事務作業
2	歩行可能で自分の身の回りのことはすべて可能だが作業はできない。日中の50％以上はベッド外で過ごす。
3	限られた自分の身の回りのことしかできない。日中の50％以上をベッドか椅子で過ごす。
4	全く動けない。自分の身の回りのことは全くできない。完全にベッドか椅子で過ごす。

（National Cancer Institute-Common Toxicity Criteria, Version2.0〜日本語訳JCOG版-第2版〜 p.29, 2001）

5 がん薬物療法における副作用マネジメントと薬剤師の役割

　がん薬物療法に限らず，医療においては有効性と安全性のバランスを鑑みながら治療法が決定される。がん薬物療法は，「がん」という致死的な病態を対象としており，有効性が認められればベネフィットが大きいため，ほかの病態に用いられる薬剤と比較して，極めて高い頻度での副作用発現が許容され，しかも重篤な副作用が発現することも日常的にある。その理由として，一般薬は効果と有害事象を発現する血中濃度の差が大きく，治療域が広いのに対し，特に多くの細胞障害性抗がん薬では，効果と有害事象を発現する血中濃度の差が狭い，あるいは反転していることが挙げられる（図）。さらに細胞障害性抗がん薬は「許容不可能な副作用を生じない，最大の投与量あるいは治療」と定義される，最大耐用量で用いられることが多い。そのため，細胞障害性抗がん薬では副作用発現が不可避となり，副作用マネジメントの重要性が群を抜いて高い。分子標的治療薬では至適投与量が最大耐用量ではなく，最小有効量のこともあるが，多くの場合，副作用発現頻度は高く，重篤な副作用を発現する薬剤も少なくない。いずれにせよ，薬剤師は支持療法の知識と，肝・腎機能の影響など薬物動態の知識を活かして，副作用による患者の苦しみを可能な限り軽減させることが求められる。

　その一方で，十分な有効性を得るためには安易な減量は避けるべきである。肝・腎機能が低下していても，薬学的に薬物動態や副作用発現への影響がないと判断されるのであれば，自信をもって通常量の投与を提案したい。服薬指導や生活環境への配慮を通じた，高いアドヒアランスの維持も治療効果を担保するために重要である[8]。有効性・安全性いずれの面からも，一人ひとりの患者にあった適正使用が施されるよう，がん薬物療法における薬剤師としての役割は大きい。

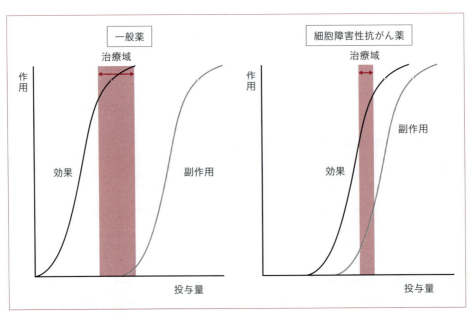

図　一般薬と細胞障害性抗がん薬の用量－作用曲線

【参考文献】

1) 新野祐樹：がん薬物療法の基本概念．がん診療レジデントマニュアル 第8版（国立がん研究センター内科レジデント・編），医学書院，p.9-29，2019
2) 固形がんの治療効果判定のための新ガイドライン（RECISTガイドライン）―改訂版 version 1.1―日本語訳JCOG版ver.1.0．(http://www.jcog.jp/doctor/tool/RECISTv11J_20100810.pdf)（2022年6月閲覧）
3) Seymour L at al: iRECIST: guidelines for response criteria for use in trials testing immunotherapeutics. Lancet Oncol, 18(3): e143-e152, 2017
4) 有害事象共通用語規準 v5.0 日本語訳JCOG版．(http://www.jcog.jp/doctor/tool/CTCAEv5J_20181106_v21_1.pdf)（2022年6月閲覧）
5) PRO-CTCAE™日本語版（https://healthcaredelivery.cancer.gov/pro-ctcae/pro-ctcae_japanese.pdf）
6) 江場淳子：有効性と安全性の評価．新臨床腫瘍学（改訂第6版）―がん薬物療法専門医のために―（日本臨床腫瘍学会・編），南江堂，p.130-134，2021
7) National Cancer Institute-Common Toxicity Criteria, Version2.0～ 日本語訳JCOG版-第2版 ～, 2001．(http://www.jcog.jp/doctor/tool/C_150_0011.pdf)（2022年6月閲覧）
8) Marin D, et al: Adherence is the critical factor for achieving molecular responses in patients with chronic myeloid leukemia who achieve complete cytogenetic responses on imatinib. J Clin Oncol, 28(14):2381-2388, 2010

（藤田　行代志）

第1章 抗がん薬概論

2 がん薬物療法

1 概要

　前項（第1章1）で述べたように，がん医療におけるがん薬物療法の適応はがん種や病期によって異なり，その治療効果も異なる。そのため，期待できる治療効果の違いから，がん薬物療法の目的は"治癒"と"延命・症状緩和"に大別される（第1章1，表1参照）。一方，がん薬物療法単独では治癒を期待できないがん種においては，相乗的な治療効果の向上を目的に，薬物療法と手術または放射線療法を組み合わせて使用することがある。

　このように，がん薬物療法はがん種や病期によって役割が異なり，主に①術前薬物療法，②術後薬物療法，③進行再発がんに対する薬物療法，④化学放射線療法，⑤局所薬物療法——が行われている[1]。そして，目的や役割の違いによってがん薬物療法における注意点も異なる。たとえば，延命・症状緩和を目的とした進行再発がんに対する薬物療法では，がんの随伴症状を管理しつつ，副作用発現時には適宜抗がん薬を減量・休薬し，全身管理をしながら患者の生活を支え，治療を継続することが求められる。一方で，根治を目指す術前・術後薬物療法は，しっかりと治療を完遂することが必要である。がん薬物療法自体が体やquality of life（QOL）に影響を及ぼすため，個々の患者の治療目的よって薬剤師の関わり方も異なる。本稿では，上述した5つのがん薬物療法について，それぞれの目的および対象となるがん種，治療の考え方（コンセプト），薬剤師の関わり方を概説する。

2 術前薬物療法

2-1 術前薬物療法の目的

　術前薬物療法（neoadjuvant chemotherapy）は手術に先行する薬物療法であり，腫瘍の縮小および微小転移の根絶により，治癒率を向上させることを目的とする。薬物療法の奏効によってダウンステージングが得られることで切除可能となったり，腫瘍径の大きいがんでは縮小手術が可能となったりする。患者の全身状態が良好なときに薬物療法を行い，手術を併用することでがんの治癒を目指すことが可能となる。一方で，抗がん薬が無効だった場合には，腫瘍が増大して切除不能となったり，抗がん薬の副作用が術後合併症に影響することもあり，注意を要する。

2-2 対象となるがん種

　術前薬物療法の効果が期待できるがん種は，乳がん[2]，食道がん[3]，直腸がん[4]，膀胱がん[5]，頭

頸部がん，骨肉腫などである。術前薬物療法では，術後薬物療法と同じレジメンを用いることもあるが，実施するタイミングにより効果が異なることが報告されている。乳がんの術前薬物療法と術後薬物療法を比較したCochrane Libraryのシステマティック・レビューでは，全生存期間（overall survival）や無病生存期間（disease-free survival）に有意な差を認めないが，乳房温存率が有意に向上することが示されている[2]。また，食道がんにおいて，StageⅡ/Ⅲの扁平上皮がんに対する術前薬物療法（フルオロウラシル＋シスプラチン療法）は，術後薬物療法と比較して，全生存期間を有意に延長することが示されている[3]。

2-3　術前薬物療法への関わり方

　術前薬物療法を行うがん種では，治療の中心は手術であり，薬物療法単独の効果は限定的である。よって，手術の成否に影響する体への障害を抑えながら，いかに腫瘍縮小効果を得るかがポイントである。目指す治療効果が，ダウンステージングによって切除可能となることか，または縮小手術をすることかなど，腫瘍の状況によって許容できる副作用の程度も異なるため，治療目的を正確に把握する。

　術前薬物療法では，治療効果の指標となる評価可能病変が存在するため，画像上の腫瘍縮小効果を見極めながら薬物療法の継続の可否を判断する。十分な効果を得るためには，治療強度を保ちつつ薬物療法が手術に悪影響を及ぼさないように，用量制限毒性を中心に副作用のマネジメントに注力する。

❸ 術後薬物療法

3-1　術後薬物療法の目的

　術後薬物療法（adjuvant chemotherapy）は，手術や放射線療法の後に行う薬物療法で，全身の微小転移を根絶することにより再発を予防し，治癒率を向上させることを目的とする。術後薬物療法は，評価可能病変となる原発巣が存在しないため，一定期間の薬物療法を継続することで残存する腫瘍が根絶されることを前提として実施する。よって，術後薬物療法のアウトカムは無再発生存期間（relapse-free survival），全生存期間などを評価する。

　術後薬物療法を支持する理論的根拠は，細胞増殖モデルのGompertzian modelに基づいたNorton-Simon仮説による[6]。詳細は「第1章 3. 抗がん薬の理論」に譲るが，これは小さな腫瘍では栄養や酸素が十分に供給されるため増殖速度が速く，増殖速度の速い細胞ほど抗がん薬の感受性が高く殺細胞効果が高いという理論である。よって，術後薬物療法は術後に残存する微小腫瘍に対して効果が高いという考えのもとに実施する。

3-2　対象となるがん種

　対象は主に再発リスクの高いがんであり，がん種によって適応範囲は異なる。術後薬物療法の効果が期待できるがん種として，胃がん[7-10]，大腸がん[11-13]，膵がん[14]，非小細胞肺がん[15]，乳が

ん[2]，卵巣がん，骨肉腫，GIST（Gastrointestinal Stromal Tumor）などがある。治療の開始時期はがん種によって異なるが，原則として術後早期に開始し，定められた期間投与する。例として，胃がん，大腸がん，膵がん，食道がんの術後薬物療法について示す（表1）。StageⅡ/ⅢのD2以上のリンパ節郭清を行った胃がん患者では，テガフール・ギメラシル・オテラシルカリウム（S-1）を術後6週間以内に開始し，12カ月間投与することで，手術単独群と比較して有意に無再発生存期間，全生存期間が延長することが報告されている[7,8]。最近では，食道がんに対して術後にニボルマブを12カ月投与することで，プラセボ群と比較して無病生存期間が延長することが報告されており，免疫チェックポイント阻害薬の術後薬物療法における有用性も明らかになりつつある[18]。

3-3 術後薬物療法への関わり方

術後薬物療法では，臨床試験の結果に基づき，厳密に投与期間を定めて実施するため，投与期間を正確に把握する。一定期間の治療の継続には，適切な副作用マネジメントが重要である。用量制限毒性や頻度の高い副作用を把握し，適切なタイミングで減量・休薬を行うことで最適な治療強度を見極め，治療を完遂して効果が最大となるように努める。また，経口抗がん薬も多く使用されるため，服薬アドヒアランスの維持にも注意を払う。患者が服薬アドヒアランスを維持しつつ，副作用発現時には患者自身で適切に内服を休止して連絡するように，初期症状などをわかりやすく指導する。

術後薬物療法の効果は，評価可能病変の変化によって評価できないため，治療効果を再発の有無や，腫瘍マーカー（第1章5-2），臨床症状，必要に応じてCTなどの画像検査などで評価する。そのため，術前に高値を示した腫瘍マーカーなどを把握し，再発の指標を想定しておく。また，再発しやすい部位を把握し，再発した場合に呈すると予想される臨床症状も念頭に置き，面談時の症状聴取にあたる。

術後薬物療法では内服薬と注射薬を組み合わせたレジメンも多く，カペシタビンのように単剤と併用レジメンで用法・用量が異なる抗がん薬も存在する。添付文書上の用法・用量を確認するだけでなく，医療スタッフ間で連携して情報の共有を図り，レジメンを正確に理解して治療に関わることが不可欠である。

表1 消化器がんの術後薬物療法

がん種	治療レジメン	治療期間	開始時期
胃がん	S-1[7,8] S-1＋DTX[9,10]	12カ月間 12カ月間（DTX：2～7コース目）	術後6週間以内
大腸がん （主に結腸がん）	FOLFOX[11,12] CAPOX（XELOX）[13]	6カ月間 6カ月間（3カ月間[16]）※	術後4～8週間以内
膵がん	S-1[14]	6カ月間	術後4～11週間以内
食道がん	ニボルマブ[18]	12カ月間	術後4～16週間以内

※大腸癌治療ガイドライン医師用2019年版では，StageⅢ大腸癌術後補助薬物療法の治療期間は6カ月を強く推奨しており，CAPOX療法を再発低リスクの結腸がんに用いる場合は3カ月行うことを弱く推奨している[17]。

4 進行再発がんに対する薬物療法

4-1　進行再発がんに対する薬物療法の目的と考え方

　進行再発がんに対する薬物療法の効果は，固形腫瘍と造血器腫瘍で大きく異なる。ほとんどの固形腫瘍では薬物療法の効果は限定的であり，治療の目的は延命や症状緩和となる。がんの増殖と遠隔転移を抑え，腫瘍の増大による随伴症状を予防・改善し，日常生活を過ごせる期間を可能な限り延ばすこと，QOLを維持することが目的の中心となる。一方で，第1章1，表1のA群の胚細胞腫瘍などの一部の固形腫瘍や造血器腫瘍では，薬物療法への感受性が高く，進行がんでも治癒を得る可能性があるため，治癒を目的としてより強力な薬物療法を行うことがある。

　また，再発がんでは，これまでに実施した薬物療法を詳細に把握することが重要である。特に，術後再発の場合は，術前後の薬物療法を行ってから再発するまでの期間が，抗がん薬の感受性および再投与の可否を考えるうえで重要となる。がん種により，感受性の定義が異なるため，個々の抗がん薬の使用歴や使用量，投与時期を正確に把握する。アントラサイクリン系や白金製剤などの，蓄積毒性がある抗がん薬では，総投与量や毒性の発現状況の把握も必要である。

4-2　治癒を目的とする薬物療法への関わり方

　治癒が望めるがんでは，重篤な副作用が生じても，治療効果を優先して，減量・休薬をせずに薬物療法を継続する場合がある。例として，胚細胞腫瘍に対するBEP療法[19]ではGrade4の好中球減少が発現しても，次コースの減量は行わない。十分な支持療法のもとで薬物療法を行い，可能な限り治療強度を維持し，薬物療法の延期も最小限になるように努める。この際に使用される抗菌薬やG-CSF製剤などの支持療法は，感染症の予防と治療の目的によって用量・用量や使用方法が異なるため，正確に把握する。

4-3　延命・症状緩和を目的とする薬物療法への関わり方

　薬物療法に伴う副作用が重篤な場合は，適切なタイミングで減量・休薬を行う。十分な支持療法を行わず，減量・休薬もせずに漫然と薬物療法を継続することは，余命の短縮につながることを理解する。患者の希望や生活環境を考慮して薬物療法を継続することが重要である。長期予後を望めない患者では，適切なタイミングでbest supportive care（BSC）に移行することも常に選択肢の1つとしておく。たとえば，大腸がんでは1次治療〜3次治療以降まで標準治療の選択肢が多くあるが，1次治療の増悪時に患者の全身状態が悪い場合には，BSCを選択することで日常生活をより穏やかに過ごせる場合もある。全身状態の評価と患者の希望を踏まえて治療方針を練り出し，患者に寄り添い，健やかに余命を全うできるように支援することも，延命や症状緩和を目的としたがん薬物療法では重要である。

5 化学放射線療法

5-1 化学放射線療法の目的と対象となるがん種

化学放射線療法（chemoradiotherapy）は，放射線療法で腫瘍の局所制御効果を高め，薬物療法で微小遠隔転移を制御することで，生存率の向上や，臓器や組織の形態・機能の温存することを目的とする。白金製剤，タキサン系，代謝拮抗薬などの特定の抗がん薬は，放射線療法の感受性を高める作用が報告されており，放射線療法の局所制御効果を最大限に高める目的で，抗がん薬と放射線療法が併用されることがある。放射線療法と薬物療法の併用には，同時期に行う方法（concurrent）と逐次的に行う方法（sequential）があり，それぞれの特性や治療効果をふまえて選択する。また，治療毒性を軽減するために，放射線に関連する副作用（表2）と重複しないような抗がん薬が選択される。

効果が期待できる腫瘍として肺がん[20〜22]，頭頸部がん[23,24]，食道がん[25]，直腸がん[26]，肛門管がん[27]，子宮頸がん[28]，びまん性大細胞型B細胞リンパ腫[29]などがある（表3）。

5-2 化学放射線療法への関わり方

化学放射線療法では，がん薬物療法の副作用に加え，放射線療法による副作用も注意深く観察・評価する。放射線療法の副作用は治療中に発症する早期反応，数カ月経った後に発生する遅発性反応，数年後に生じる晩期反応がある。代表的な早期反応としては，悪心，倦怠感，皮膚・粘膜障害

表2 がん薬物療法と共通する放射線療法の主な副作用

・脱毛	・悪心・嘔吐
・皮膚炎	・食欲不振
・粘膜炎	・下痢
・味覚障害	・骨髄抑制

表3 化学放射線療法

がん種	治療レジメン
小細胞肺がん 非小細胞肺がん	CDDP＋ETP＋RT[20,21] CBDCA＋PTX＋RT[22]
頭頸部がん	CDDP＋RT[23] セツキシマブ＋RT[24]
食道がん	FP＋RT[25]
直腸がん	カペシタビン＋RT[26]
肛門管がん	5-FU＋MMC＋RT[27]
子宮頸がん	CDDP＋RT[28]
びまん性大細胞型B細胞リンパ腫	R-CHOP＋IFRT[29]

※RT：Radiationtherapy，放射線治療
IFRT：involved-field radiotherapy

〔文献20〜29）をもとに作成〕

などがあり，制吐薬や外用薬などの支持療法を実施する。一方，遅発性反応や晩期反応としては，間質性肺炎，骨壊死，脳壊死，白内障などの重篤な副作用がある。これらの毒性は照射部位に生じることが多く，副作用の評価には，治療歴として照射の部位と線量を詳細に確認することが重要である。また，放射線療法中の支持療法では，G-CSF製剤の使用に制限があり，照射部位やG-CSF製剤の使用時期によっては毒性を増強するとの報告もあり，注意が必要である。

6 局所薬物療法

6-1 局所薬物療法の目的と種類

局所薬物療法は，抗がん薬を腫瘍に直接または血流を介して間近から投与することで，抗がん薬を局所の腫瘍組織に選択的に曝露させる薬物療法である。薬物移行性の乏しい組織に対する抗腫瘍効果を高め，正常組織への影響を避けることが期待できる。

例として，肝細胞がんに対する肝動脈［化学］塞栓療法（transcatheter arterial [chemo] embolization：TA［C］E）[30, 31]や肝動注化学療法（transcatheter arterial infusion：TAI），卵巣がんに対する腹腔内薬物療法（intraperitoneal chemotherapy：IP）[32]，膀胱がんに対する膀胱内注入療法（intravesical chemotherapy）[33, 34]などがある。実際に臨床で行われ，一定の効果が報告されている。また，薬物移行性の乏しい組織に直接投与する治療の例として，がん性髄膜炎（白血病，悪性リンパ腫，乳がんなどで起こりやすい）に対する髄注薬物療法（intrathecal chemotherapy：IT）[35]がある（表4）。脳血管関門を通過しづらい抗がん薬が多いため，脳脊髄液内に直接投与するITが行われることがある[35]。

6-2 局所薬物療法への関わり方

副作用は全身投与に比べ軽度であるが，全身投与と同様の注意を要する。TACEでは，投与する抗がん薬だけでなく，塞栓物質による合併症も含めて，発熱，悪心などを高率で生じるため，症状に合わせて適切に支持療法を行う。ただし，全身のがん薬物療法と比べて有効性が確立した支持療法は少ないため，薬剤の選択に注意する。また，局所薬物療法は，調製や投与方法が特殊なため，医療スタッフ間で手順を共有することも重要である。局所薬物療法は，十分なエビデンスやコンセンサスがなく，標準治療として確立していない治療法もあるため，有効性と安全性を慎重に評価したうえで，適応を検討することが求められる。

表4 代表的な局所薬物療法[36]

投与方法	がん種
選択的動脈内投与	肝細胞がん[30, 31]
腹腔内投与	卵巣がん[32]
膀胱内投与	膀胱がん[33, 34]
髄腔内投与	がん性髄膜炎[35]

【参考文献】

1) 日本臨床腫瘍学会　編：新臨床腫瘍学 改訂第6版，南江堂，p.204-209, 2021
2) Mieog JSD et al：Preoperative chemotherapy for women with operable breast cancer. Cochrane Database Syst Rev, 2007(2):CD005002, 2007
3) Ando N et al：A randomized trial comparing postoperative adjuvant chemotherapy with cisplatin and 5-fluorouracil versus preoperative chemotherapy for localized advanced squamous cell carcinoma of the thoracic esophagus（JCOG9907）. Ann Surg Oncol, 19(1):68-74, 2012
4) Hofheinz RD et al：Chemoradiotherapy with capecitabine versus fluorouracil for locally advanced rectal cancer: a randomised, multicentre, non-inferiority, phase 3 trial. Lancet Oncol, 13(6):579-588, 2012
5) Advanced Bladder Cancer（ABC）Meta-analysis Collaboration：Neoadjuvant chemotherapy in invasive bladder cancer: update of a systematic review and meta-analysis of individual patient data advanced bladder cancer（ABC）meta-analysis collaboration. Eur Urol, 48(2):202-205, 2005
6) Norton L：Conceptual and practical implications of breast tissue geometry: toward a more effective, less toxic therapy. Oncologist, 10(6):370-381, 2005
7) Sakuramoto S et al：Adjuvant chemotherapy for gastric cancer with S-1, an oral fluoropyrimidine. N Engl J Med, 357(18):1810-1820, 2007
8) Sasako M et al：Five-year outcomes of a randomized phase III trial comparing adjuvant chemotherapy with S-1 versus surgery alone in stage II or III gastric cancer. J Clin Oncol, 29(33):4387-4393, 2011
9) Yoshida K et al：Addition of Docetaxel to Oral Fluoropyrimidine Improves Efficacy in Patients With Stage III Gastric Cancer: Interim Analysis of JACCRO GC-07, a Randomized Controlled Trial. J Clin Oncol, 37(15):1296-1304, 2019
10) Kakeji Y et al：Three-year outcomes of a randomized phase III trial comparing adjuvant chemotherapy with S-1 plus docetaxel versus S-1 alone in stage III gastric cancer: JACCRO GC-07. Gastric Cancer, 25(1):188-196, 2022
11) André T et al：Improved overall survival with oxaliplatin, fluorouracil, and leucovorin as adjuvant treatment in stage II or III colon cancer in the MOSAIC trial. J Clin Oncol, 27(19):3109-3116, 2009
12) Allegra CJ et al：Initial safety report of NSABP C-08: A randomized phase III study of modified FOLFOX6 with or without bevacizumab for the adjuvant treatment of patients with stage II or III colon cancer. J Clin Oncol, 27(20):3385-3390, 2009
13) Haller DG et al：Capecitabine plus oxaliplatin compared with fluorouracil and folinic acid as adjuvant therapy for stage III colon cancer. J Clin Oncol, 29(11):1465-1471, 2011
14) Uesaka K et al：Adjuvant chemotherapy of S-1 versus gemcitabine for resected pancreatic cancer: a phase 3, open-label, randomised, non-inferiority trial（JASPAC 01）. Lancet, 388(10041):248-257, 2016
15) Pignon JP et al：Lung adjuvant cisplatin evaluation: a pooled analysis by the LACE Collaborative Group. J Clin Oncol, 26(21):3552-3559, 2008
16) Grothey A et al：Duration of Adjuvant Chemotherapy for Stage III Colon Cancer. N Engl J Med, 378(13):1177-1188, 2018
17) 大腸癌研究会　編：大腸癌治療ガイドライン医師用2019年版，金原出版，p.69-70, 2019
18) Kelly RJ et al：Adjuvant Nivolumab in Resected Esophageal or Gastroesophageal Junction Cancer. N Engl J Med, 384(13):1191-1203, 2021
19) Williams SD et al：Treatment of disseminated germ-cell tumors with cisplatin, bleomycin, and either vinblastine or etoposide. N Engl J Med, 316(23):1435-1440, 1987
20) Turrisi AT 3rd et al：Twice-daily compared with once-daily thoracic radiotherapy in limited small-cell lung cancer treated concurrently with cisplatin and etoposide. N Engl J Med, 340(4):265-271, 1999
21) Kubota K et al：Etoposide and cisplatin versus irinotecan and cisplatin in patients with limited-stage small-cell lung cancer treated with etoposide and cisplatin plus concurrent accelerated hyperfractionated thoracic radiotherapy（JCOG0202）: a randomised phase 3 study. Lancet Oncol, 15(1):106-113, 2014

22) Yamamoto N et al：Phase III study comparing second- and third-generation regimens with concurrent thoracic radiotherapy in patients with unresectable stage III non-small-cell lung cancer: West Japan Thoracic Oncology Group WJTOG0105. J Clin Oncol, 28(23):3739-3745, 2010

23) Forastiere AA et al：Concurrent chemotherapy and radiotherapy for organ preservation in advanced laryngeal cancer. N Engl J Med, 349(22):2091-2098, 2003

24) Bonner JA et al：Radiotherapy plus cetuximab for squamous-cell carcinoma of the head and neck. N Engl J Med, 354(6):567-578, 2006

25) Ishida K et al：Phase II study of cisplatin and 5-fluorouracil with concurrent radiotherapy in advanced squamous cell carcinoma of the esophagus: a Japan Esophageal Oncology Group (JEOG) /Japan Clinical Oncology Group trial (JCOG9516). Jpn J Clin Oncol, 34(10):615-619, 2004

26) Hofheinz RD et al：Chemoradiotherapy with capecitabine versus fluorouracil for locally advanced rectal cancer: a randomised, multicentre, non-inferiority, phase 3 trial. Lancet Oncol, 13(6):579-588, 2012

27) Ajani JA et al：Fluorouracil, mitomycin, and radiotherapy vs fluorouracil, cisplatin, and radiotherapy for carcinoma of the anal canal: a randomized controlled trial. JAMA, 299(16):1914-1921, 2008

28) Rose PG et al：Concurrent cisplatin-based radiotherapy and chemotherapy for locally advanced cervical cancer. N Engl J Med, 340(15):1144-1153, 1999

29) Persky DO et al：Phase II study of rituximab plus three cycles of CHOP and involved-field radiotherapy for patients with limited-stage aggressive B-cell lymphoma: Southwest Oncology Group study 0014. J Clin Oncol, 26(14):2258-2263, 2008

30) Oliveri RS et al：Transarterial (chemo) embolisation for unresectable hepatocellular carcinoma. Cochrane Database Syst Rev, (3):CD004787, 2011

31) Llovet JM et al：Systematic review of randomized trials for unresectable hepatocellular carcinoma: Chemoembolization improves survival. Hepatology, 37(2):429-442, 2003

32) Jaaback K et al：Intraperitoneal chemotherapy for the initial management of primary epithelial ovarian cancer. Cochrane Database Syst Rev, 2016(1):CD005340, 2016

33) Sylvester RJ et al：A single immediate postoperative instillation of chemotherapy decreases the risk of recurrence in patients with stage Ta T1 bladder cancer: a meta-analysis of published results of randomized clinical trials. J Urol, 171 (6 Pt 1) :2186-2190, 2004

34) Shelley MD et al：Intravesical Bacillus Calmette-Guerin in Ta and T1 Bladder Cancer. Cochrane Database Syst Rev, 2000(4):CD001986, 2000

35) 日本臨床腫瘍学会　編：新臨床腫瘍学 改訂第6版，南江堂，p.644-646, 2021

36) 国立がん研究センター内科レジデント　編：がん診療レジデントマニュアル 第8版，医学書院，p.449-463, 2019

〔栗原　竜也，藤宮　龍祥〕

第1章 抗がん薬概論

3 抗がん薬の理論

I がん薬物療法における理論

1-1 Norton-Simon理論

1）GompertzianモデルとNorton-Simon理論

　多くの固形腫瘍においては，分裂増殖している細胞と分裂していない細胞が混在して存在するため，腫瘍が増殖するスピードは必ずしも均一ではなく，腫瘍増大に伴い血流の乏しい部分は壊死にいたる。Gompertzianモデルに表されるように，腫瘍が増大するにつれて増殖速度は次第に遅くなり"プラトー相"（分裂停止期）に到達していく（図1）。

　Norton-Simonの理論とは，"治療により退縮する腫瘍の量は，腫瘍の大きさで規定される増殖速度に比例する"という説である。すなわち，腫瘍の大きさが小さいときは増殖速度が速いために指数関数的に薬剤による死滅する細胞量が多い（曲線の刻みの振幅が大きい）が，腫瘍が大きくなるにつれて増殖速度が遅くなるため，同じ薬剤を投与しても死滅する細胞量は少なくなってしまう。

2）術後薬物療法の根拠

　Norton-Simon理論に従えば，腫瘍がごく小さい時期に治療を行うことが効果的であり，術後薬物療法を支持する根拠となっている。しかし，腫瘍細胞がわずかでも残存してしまった場合，治療

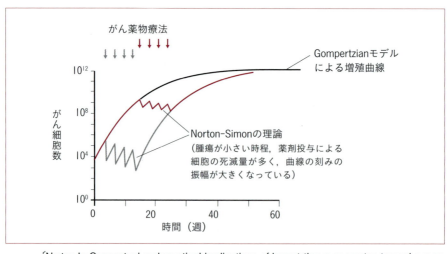

〔Norton L: Conceptual and practical implications of breast tissue geometry: toward a more effective, less toxic therapy. Oncologist, 10(6):370-381, 2005をもとに作成〕

図1　GompertzianモデルとNorton-Simonの理論

休止によりGompertzianモデルに従い腫瘍細胞は速度を上げて再増殖するので，最終的な予後は治療しない場合と重なってしまう。一方，すべての腫瘍細胞を根絶できれば治癒に導くことが可能となる（図1）。

3）Dose dense療法

　Dose dense療法は，がん薬物療法の投与間隔を短縮することにより，従来スケジュールに比較してdose intensity（通常mg/m²/weekで表示）を増大させて，再増殖するまでの期間を短くする方法である。ホルモン受容体陰性乳がんのランダム化比較試験のメタアナリシスにおいて，従来スケジュールに比較して，dose dense療法は無病生存期間，全生存期間において有意に良好な結果を示している[1]。

4）逐次療法

　そして，Norton-Simonの理論に基づく逐次療法（sequential therapy）とは，まずひとつの有効なレジメンを最大の効果を挙げるまで繰り返した後に，次のレジメンに切り替える方法である（図2）。感受性が高く増殖の速い細胞集団をできるだけ根絶し，次に薬剤耐性が生じる前に別のレジメンに変更し緩徐に増殖する細胞集団を根絶しようとするものである。逐次療法は，交替療法（後述）に比較してdose denseな治療法であり，dose intensityが大きい。高リスクstage IIの乳がんを対象とした臨床試験では，ドキソルビシンとCMF療法（シクロホスファミド＋メトトレキサート＋フルオロウラシル）の逐次療法は，交替療法と比較して無再発生存期間，全生存期間において有意に良好な結果を示している[2,3]。

1-2　Goldie-Coldmanの仮説と交替療法[4,5]

　Goldie-Coldmanの仮説とは，「がん細胞は，細胞増殖とともに一定の確率で突然変異を起こし

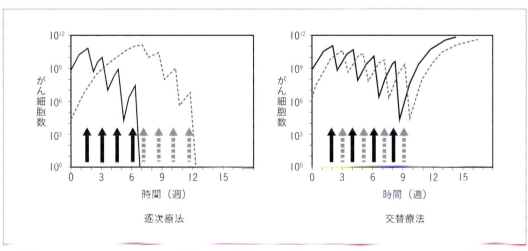

(Norton L. Theoretical concepts and the emerging role of taxanes in adjuvant therapy. Oncologist, 6 Suppl 3,30-5 2001 参考に作成)

図2　逐次療法と交替療法

て，自然に耐性細胞を生じていく」との説である（図3）。たとえば，突然変異は10^5個の細胞に1個の確率で出現し，10^9個の細胞（1gの腫瘍）の中には任意の薬物に耐性の10^4個のクローンが存在することになる。しかし，各々の薬物耐性が独立しているならば，2つの薬剤に耐性を併せてもつ確率は大幅に小さくなる（$10^5 \times 10^5 = 10$gの腫瘍の中に耐性細胞1個未満）。したがって，理論的には細胞増殖に伴って耐性細胞を生じる前に，多く種類の有効な薬剤を早期に投与する戦略が有効と考えられるが，現実的には毒性のリスクも増大するために不可能である。そこで，同等の効果をもち，互いに交差耐性がみられない2つの多剤併用療法を交互に繰り返して投与する交替療法（alternating therapy）が提唱された（図2）。この理論に沿って，骨肉腫やユーイング肉腫において治療が行われているが，多くの腫瘍においてこの交替療法は標準治療となっていない。その理由として，同等に有効であり，かつ真に交差耐性のない多剤併用療法が複数存在しないことが挙げられている。

❷ 多剤併用療法

がん薬物療法では，複数の注射剤あるいは注射剤と経口剤を組みあわせた多剤併用療法が行われることが多い。多剤併用療法における目的および薬剤選択の原則を，次に列挙する。

(1) 多剤併用療法の目的[6]
①各々の薬剤同士の相互作用により治療効果を増強する
②がんの多様性に対して薬剤の効果のスペクトラムを広げる
③薬剤耐性細胞の出現を回避，または遅延させる

(2) 薬剤選択の原則[7]
①各々の薬剤がそのがん腫に抗腫瘍活性を示すこと

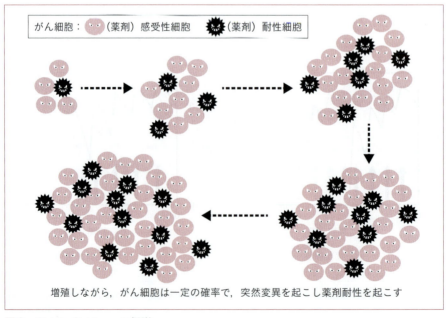

図3　Goldie-Coldmanの仮説

②併用薬剤の構造式や作用機序が異なり，非交差耐性であること
③相乗効果，少なくとも相加効果以上が期待できること
④可能なかぎり副作用の重複がないこと
⑤各々の薬剤の至適な投与量比と最適なスケジュールで投与すること

③ 薬剤耐性

抗がん薬の開始初期には良好な治療効果がみられても，治療を継続するうちに次第に抗がん薬の効果が得られなくなり，やがて腫瘍が増大し，抗がん薬の種類やレジメンの変更または中止しなければならなくなる。このような薬剤耐性には，治療のはじめから薬剤が無効である"自然耐性"と，治療を続けていく過程で最初は有効であった薬剤が無効に変わる"獲得耐性"がある。

3-1 細胞障害性薬剤に対する耐性機序[8]

細胞障害性薬剤に対する耐性機序を表1に示す。がん細胞を薬剤耐性に導く過程には，薬物の細胞内取り込みの低下による耐性，薬物の細胞外排出の増加，薬物代謝の亢進など，がん細胞のさまざまな生化学的特性が関与している。がん発生の初期に耐性細胞がほんのわずかであったとしても，がん薬物療法を重ねるにつれて，耐性細胞が選択的優位に生存し，その集団が急速に支配的になると，臨床的には耐性が獲得された印象を与えることがある。

表1　細胞障害性薬剤に対する耐性機序

耐性機序	薬物
薬物の細胞内取り込みの低下（薬物とその輸送体の結合親和性の低下，輸送タンパク質の減少，輸送体の移動性の減少）	メトトレキサートなどの代謝拮抗薬，シスプラチン
薬物の細胞外排出の増加（P糖蛋白質，MRP1，BCRPの発現増加）	アントラサイクリン系薬，ビンカアルカロイド系薬，タキサン系薬，エトポシド，メトトレキサート
薬物活性の減少（活性化酵素の活性やそのレベルが低下）	フルオロウラシル，シタラビン等の代謝拮抗薬
薬物代謝の亢進（活性や薬物を解毒する酵素の活性やそのレベルが上昇）	フルオロウラシル，シタラビン等の代謝拮抗薬
薬物標的酵素の減少または増加	トポイソメラーゼ阻害薬，メトトレキサート，フルオロウラシル等の代謝拮抗薬
薬物標的酵素の変化（標的蛋白質をコードしている遺伝子が変異を獲得し，薬物との親和性が低下）	メトトレキサート等の代謝拮抗薬，トポイソメラーゼ阻害薬
スルフヒドリル化合物への結合による不活化（例．グルタチオン，メタロチオネイン）	アルキル化薬，シスプラチン
DNA修復の増強	アルキル化薬，アントラサイクリン系薬，シスプラチン，エトポシド
アポトーシス能の低下	アルキル化薬，アントラサイクリン系薬，シスプラチン，エトポシド

［Ian F.Tannock 他 編；がんのベーシックサイエンス 日本語版 第3版（谷口直之 他 監訳），メディカル・サイエンス・インターナショナル，p.420-443，2006をもとに作成］

3-2 分子標的治療薬の耐性機序[9]

分子標的治療薬は，それぞれの標的分子を発現するがんに対して有効性を示すが，ほぼすべての症例で獲得耐性により再発することが問題となっている．分子標的治療薬にみられる主な耐性機序としては，標的遺伝子の変化，側副経路の活性化，標的の下流の活性化，がんの組織学的変化，上皮間葉移行（EMT）やがん幹細胞形質，その他の機序が知られている（図4）．標的遺伝子の変化としては，チロシンキナーゼ阻害薬（TKI）がATPと競合的に結合する部位をコードする遺伝子に変異が生じるゲートキーパー（gatekeeper）変異とその他の二次突然変異がある（表2）．近年，単一腫瘍内における耐性機序が均一ではなく，1つの腫瘍内においても，異なる耐性機序を有するクローンが混在していることが明らかとなりつつある．また，中枢神経系における分子標的治療薬の耐性機序は，中枢神経系以外の肺転移や肝転移とは異なることが明らかになってきている．

1）EGFR-TKI耐性変異[10]

*EGFR*遺伝子変異陽性進行非小細胞肺がんの1次治療において，EGFR-TKIを投与すると約1年で多くの患者に耐性の獲得がみられる．耐性化した症例のおおよそ半数において，*EGFR*遺伝子exon20領域でのT790Mゲートキーパー変異を認める．T790M変異の獲得は，*EGFR*のATPへの結合能を高めるため，EGFR-TKIによる阻害作用が相対的に低下して薬剤耐性が惹起されると考えられる．その他の耐性機序として，*MET*遺伝子増幅，HGF過剰発現，HER2増幅，*CRKL*遺伝子増幅，*PI3K*遺伝子変異，*BRAF*変異，*MAPK1*増幅，PTEN発現喪失などが報告されている．

2）ALK-TKI耐性変異[11,12]

*ALK*融合遺伝子陽性非小細胞肺がんに対するクリゾチニブの無増悪生存期間は10カ月であり，当初は感受性があってもEGFR-TKIと同様に耐性が獲得される．この機序として*ALK*遺伝子のL1196M, C1156Y, G1269A, I1151Tins, G1202R, S1206Y, I1171Tをはじめ，数多くの二

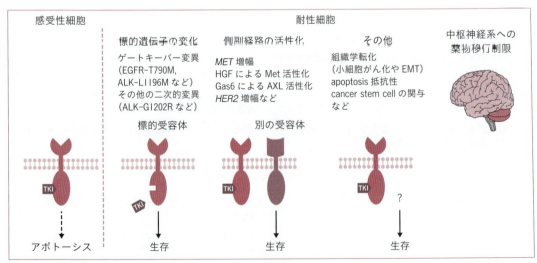

（矢野聖二：分子標的薬の耐性メカニズム．日本臨床，75（9）：1308-10, 2017）

図4 分子標的薬に対する獲得耐性の主なメカニズム

ある。

4) バイオアベイラビリティの確認

添付文書に「絶対的バイオアベイラビリティである」との記載がない場合は，インタビューフォームや承認審査概要などで確認をする必要がある。ただし，経口製剤しかない医薬品の場合，静注製剤を作りヒトでの試験を行うことの難しさから，ヒトでの絶対的バイオアベイラビリティを検討していない場合があり，承認審査資料がないこともある。しかし，そのような経口製剤しかない医薬品においても，米国FDAの審査ではヒトでの静注製剤にて絶対的バイオアベイラビリティを検討している場合もあるため，時にFDAなどの海外審査資料にも目を通す必要がある。

2-2　分布（distribution）

分布とは，投与された薬物が体内で溶けている仮想の体液量である。

1) 分布容積

分布容積はVd（volume of distribution）で表される。薬物動態試験において，データとして得られるのは投与量（dose：D），薬物血中濃度（concentration：C）である。仮に薬物血中濃度の単位を【μg/mL】，投与量の単位を【mg】とすると，それぞれを結びつけるためになんらかの液体量が必要となり，仮想の体液量である分布容積【L】（単位）が用いられ，【μg/mL】＝【mg】/【L】が成り立つこととなる。

仮想の体液量であるものの，分布容積が小さい薬物（15L以下）は血管内にとどまって分布し，分布容積が大きい薬物（50L以上）は血管外にまで分布し，脂肪組織などに取り込まれることが想定されるなど，組織移行性の指標となる。

2) 蛋白結合率

（1）蛋白結合率と遊離形薬物

薬物は血中において，アルブミンやα_1-酸性糖蛋白質（AGP），脂質，組織などに結合している薬剤と，結合していない遊離形薬物（free体）として存在する。添付文書などでも主にヒト血清を用いた実験上のデータとして蛋白結合率が記載されている例が多い。

（2）蛋白結合率の変動の考え方

蛋白結合率が80％以上の薬剤は，蛋白結合依存性の薬剤として遊離形濃度の変動に注意が必要とされてきた。ワルファリンなどによる蛋白結合を介した相互作用などの例も取り上げられることが多かったが，現在では一部の薬剤を除いて相互作用や一時的な病態変動による蛋白結合率の変動について，遊離形薬物濃度の変動を考慮する必要はないと考えられている。これは，一時的に遊離形薬物濃度が上昇しても，試験管内とは異なり排泄や分布なども亢進するため，遊離形血中濃度としては一定に保たれるからと考えられているからである。

蛋白結合率の変動を考慮しないといけない薬剤としては，蛋白結合率依存性の薬剤のうち「肝固有クリアランス律速（肝抽出率が高い）」という特徴をもつ薬剤で，「静注投与」時にのみ注意が必要である。

3）α₁-酸性糖蛋白質（AGP）

　AGPは，がんや火傷，その他炎症性疾患時に血清中濃度が数倍程度まで上昇することが報告されている。AGPは主に塩基性薬物と結合し，イマチニブ，ゲフィチニブ，ドセタキセルなどで報告されている。AGPには遺伝多型が存在し，薬物との結合率が異なる事が報告されている。がん患者においてAGPが増加する可能性は示されているものの，詳細に推移を追った報告や臨床的にも濃度測定がされている例は稀である。AGPが一時的な増減ではなく，中長期的に上昇した状態にある場合などより詳細な検討が必要であると思われる。

4）中枢移行性の高い薬物

　薬物の中枢移行性は，循環血液と脳実質の間に位置する血液脳関門（blood-brain barier：BBB）と，循環血液と脳脊髄液の間に存在する血液脳脊髄液関門（blood-cerebrospinal fluid barrier：BCSFB）により制御される。中枢への移行を期待する場合は高いBBB透過性が必要であり，中枢性副作用のリスクを考慮するうえではBBB透過性が低い方が有用な場合もある。薬物の中枢移行性の指標としては，分子量が小さく脂溶性が高い方がBBB透過性は大きい傾向がある。ヒトBBBには，薬物排泄トランスポーターとも称されるP糖蛋白質（P-gp/MDR1/ABCB1），breast cancer resistance protein（BCRP/ABCG2）などが発現しており，物性としてはBBB透過性が高い可能性がある薬剤でも，P糖蛋白などにより排泄されて低い可能性がある。添付文書などにP糖蛋白の基質であるかどうかの記載などがあり参考指標となる。

2-3 代謝（metabolism），排泄（excretion）

1）代謝

　体内循環にのった薬物は体にとっては異物であり，より無害な物質へ，あるいはより体外へ排出されやすい物質へと変換を受ける。これを代謝といい，最終的にはなんらかの形で体外へと排泄されていく。

2）一般的な代謝

　近年相次いで上市されている抗体薬の代謝は特別なため，まず一般的な代謝について述べる。
　投与後の薬物血中濃度推移から時間当たりの消失定数が求まり，全身クリアランス（CL）や半減期，消失速度定数などで表される。
　このCLで表される代謝・排泄において重要な役割を担うのは，肝臓と腎臓である。

（1）腎クリアランス

　腎臓からの排泄は，尿中の薬物濃度から唯一簡便に観察可能な指標であり，腎クリアランス（renal clearance：CLr）は尿中未変化体排泄率（Ae）と全身クリアランスより求めることが可能である。

（2）腎外クリアランス

　肝臓やその他の代謝・排泄（呼気，消化管など）を客観的に見積もることは困難であるため，腎以外のクリアランスを腎外クリアランス（CLer）としてまとめたり，主な代謝器官である肝臓にまとめて肝クリアランスとする場合がある。

(3) 尿中未変化体排泄率80％以上＝腎排泄

尿中未変化体排泄率が80％以上の場合，ほぼ腎クリアランスで説明ができるとして「腎排泄型の薬剤」と表す。なお，添付文書などで尿中未変化体排泄率を確認する場合は，①静脈内投与による検討か？ ②未変化体濃度を測っているか？ ③十分な期間（半減期の最低4～5倍以上）尿中濃度をモニタリングしたか？ に注意が必要である。

①静脈内投与による検討
経口投与の場合，肝初回通過効果などの影響なども入ってしまうため，純粋な尿中未変化体排泄率として求めることができない。

②未変化体濃度
尿中薬物濃度を放射性標識を用いて測定している場合には，未変化体以外の代謝物などもあわせて測定されている可能性がある。

③尿中濃度モニタリング
半減期に対して短い期間（半減期の4～5倍未満）の観察の場合は，十分に排泄されているとは言い難く，尿中未変化体排泄率を過小評価している可能性がある。

吸収と同様に，経口薬のみの医薬品では，ヒトでの静注投与時の尿中未変化体排泄率を添付文書，インタビューフォームなどで得ることが難しい場合がある。

同様に全身クリアランス（CL）を把握する際にも，静脈内投与による試験によって得られた値であることが重要であり，経口投与では吸収や肝初回通過効果の影響などがあるため不適となる。

3）半減期

半減期（$t_{1/2}$）は血中濃度推移の傾きから簡単に求めることが可能であり，添付文書などにも古くから記載されている。半減期の4～5倍を指標として用いることにより，定常状態に達する時間または消失するまでの時間を簡易的に推計することが可能である。

半減期と投与間隔により，蓄積がある薬剤なのかの判別も可能である。

4）定常状態

定常状態（steady state：ss）に到達する時間は，投与量に依存しない（図1）。よって，負荷投

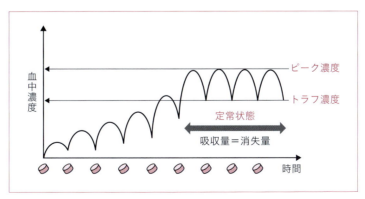

〔山本武人 編，安武夫 他：「ニガテさん」のための薬物動態．じほう，17(10)：1621，2021〕

図1 定常状態におけるピーク値とトラフ値

与を行うのは早く定常状態へ到達させるために行っているのではなく，"定常状態に達する前の中継ぎ"として有効域の血中濃度域を維持するために投与されている．なお，フルオロウラシルの急速静注と持続静注の組み合わせにおいては薬力学的な機序より検討されているため，有効濃度血中域へのより速い到達とは別目的と考えられる．

3 薬物動態解析

3-1　非モデル解析

　抗がん薬の薬物動態解析としては，第Ⅰ相試験あるいは第Ⅱ相試験では，数理モデルに依存しない解析法であるモーメント解析（ノンコンパートメント解析や台形法などとも称される）にて検討される．1症例あたり数点の血中濃度を得て，その血中濃度推移よりAUC（血中濃度-時間曲線下面積），クリアランス（CL），最高血中濃度（C_{max}），最低血中濃度（C_{min}），最高血中濃度到達時間（t_{max}），定常状態分布容積（V_{dss}），消失速度定数（Kあるいはkel），消失半減期（$t_{1/2}$）などを算出する．

3-2　コンパートメントモデル解析

　体内で薬物が分布する区画（コンパートメント）を仮定してモデルを構築し，投与された薬物量と血中濃度推移より，物質収支があてはまるようにクリアランスや分布容積などのPKパラメータの係数や定数を検討していく（図2，3）．コンパートメントモデル解析により得られたクリアランス（CL）や分布容積（Vd）などのPKパラメータを用いて，別の条件下（用法・用量を変えるなど）での血中濃度予測などに用いることが可能である．

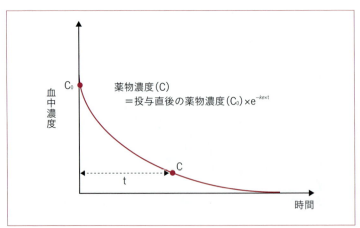

〔山本武人　編，安武夫　他：「ニガテさん」のための薬物動態．じほう，17(10)：1630, 2021〕

図2　1-コンパートメントモデルにおける血中薬物濃度の推移

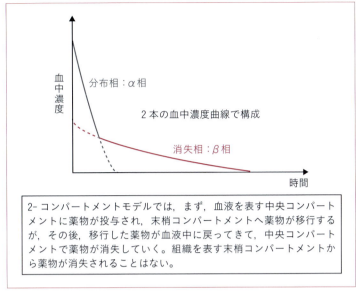

〔山本武人 編, 安武夫 他:「ニガテさん」のための薬物動態. じほう, 17(10):1631, 2021〕

図3　2-コンパートメントモデルにおける分布相と消失相

3-3　母集団薬物動態解析

　多くの試験結果を組み合わせて母集団薬物動態解析を行い，その結果を記載している添付文書やインタビューフォームなども増えてきた。添付文書に記載の母集団薬物動態解析は，治験症例を対象としているため，患者背景としてはばらつきが少ない点に考慮が必要であると考える。母集団薬物動態解析により，薬物動態の性差や年齢の影響などが明らかになることもある。

❹ 薬力学解析

　抗がん薬の治験においては，第Ⅰ相試験において最大耐用量などを検討していくが，これも薬力学的解析といえる。

1）体表面積に基づいた投与量について

　細胞障害性抗がん薬は治療域が狭く，副作用域と隣接あるいは重複している場合がある。細胞障害性抗がん薬は，体表面積（body-surface area：BSA）あたりの投与量として決定される場合が多い。1950年代に小児がんの治療において，小さな患者と大きな患者に対して同様の有効血中濃度に到達させるためにはBSAでの補正が望ましいと考えられ導入された方法を，成人にもあてはめて行われているのが現状である。

2）抗体薬の薬物動態

　抗体薬は，生体内に存在する免疫グロブリンのクラスG（IgG）の構造を基本としたものが多く，体内動態もIgGと類似したものとなる。IgGの半減期が約25日と長いことと同様に，抗体薬の半

減期も非常に長く，ニボルマブでは約13日とされる．抗リウマチ薬の薬物動態試験などの報告では，ターゲットとなる抗原量の推移により，薬物動態も影響を受けるような結果も報告されている．がん領域においても，今後エビデンスの蓄積により治療効果が得られ腫瘍量が減ることにより，半減期が延び投与間隔を延長できるなども期待できるかもしれない．

【参考文献】
1) 緒方宏泰 他 編著：臨床薬物動態学 薬物治療の適正化のために 第3版，丸善出版，2015
2) Michael E Winter：新訂 ウィンターの臨床薬物動態学の基礎―投与設計の考え方と臨床に役立つ実践法（樋口駿 監訳），じほう，2013
3) 松元一明 編：エキスパートが教える薬物動態；月刊薬事 10月臨時増刊号，じほう，2017

（望月　伸夫）

5-1 抗がん薬投与に注意が必要な患者

1 概要

　副作用が重篤化しやすい背景をもつ患者では，個々にリスクとベネフィットを判断したうえで，抗がん薬投与量の決定，支持療法，副作用のマネジメントや薬物相互作用の回避を適切に行うことが重要である。

2 臓器障害がある患者

　薬剤の多くは肝代謝または腎排泄であり，肝障害や腎障害がある場合は薬物曝露が増大し，毒性が増強する。また，臓器障害時は薬剤のクリアランスが変化しなくても毒性が増す場合があるため，注意が必要である。臓器障害がある患者へのがん薬物療法については，臨床試験のデータが乏しいのが現状であり，治療の適応を十分に検討したうえで，臓器障害時の薬物動態や安全性のデータに基づいて治療を行う。

2-1　腎機能障害

　腎機能障害のある患者では，腎排泄型の抗がん薬の排泄の遅延により，毒性が増強するリスクがある。そのため，腎機能に応じた投与量の調節が必要である（表1）。透析患者における抗がん薬投与の安全性や薬物動態などに関する情報は乏しい。投与する場合は，透析による薬剤除去を考慮した投与タイミングの調節も必要である。また，腎機能低下は薬物の排泄のみならず，間接的に薬物動態にも影響を及ぼす。例えば，腎機能低下時に低アルブミン血症があれば遊離型薬物濃度が上昇し，薬効や毒性，肝クリアランスの上昇をもたらす。

1）腎機能の評価
(1) 抗がん薬の投与量調節において用いられる評価指標はGFRであるが，実臨床ではクレアチニンクリアランス（Ccr）が代用される。
(2) Ccrを求めるためには蓄尿が必要であるが，実臨床では，Cockcroft-Gault式（CG式）を用いた推定Ccrが用いられることが多い。
(3) CG式を用いた推定Ccrは，肥満の場合は真の値より大きくなり，高齢者では小さく見積もられること，日本と欧米では血清クレアチニン（Cr）の測定方法に違いがある点にも注意が必要である。CG式はJaffe法で測定された血清Cr値から計算されることから，酵素法（わが国で一般的な方法）で測定された血清Cr値を用いる場合は，実測血清Cr値に0.2を加え

表1 主な抗がん薬の腎機能低下時の投与量調節

抗がん薬	減量方法	
	腎機能低下時	透析
シスプラチン	Ccr46〜60mL/min：75%に減量 Ccr31〜45mL/min：50%に減量 Ccr30mL/min以下：禁忌だが，必要な場合は50%量で投与	禁忌だが，必要な場合は透析後に50%量で投与
カルボプラチン	Calvert式：AUC×（GFR+25）mgによって算出する	GFRは5〜10を代入する
メトトレキサート	Ccr16〜60mL/min：50%に減量 Ccr15mL/min以下：禁忌	禁忌
S-1	Ccr60〜80mL/min：標準量より必要に応じて1段階減量 Ccr40〜59mL/min：原則として1段階減量 Ccr30〜39mL/min：原則として2段階減量 Ccr30mL/min未満：禁忌	禁忌
カペシタビン	Ccr30〜50mL/min：75%に減量 Ccr30mL/min未満：禁忌	禁忌

〔日本腎臓病薬物療法学会：腎機能低下時に最も注意の必要な薬剤投与量一覧（2018改訂31版），2018をもとに作成〕

て補正することを考慮する。

■ Cockcroft-Gault式

Ccr＝［140－年齢（歳）］÷［72×血清Cr（mg/dL）］

（女性の場合は，上記計算式の結果に×0.85とする）

(4) 年齢や性別に応じた標準的な体格であれば，日本腎臓学会の推算式であるeGFRが利用できるが，この推算式では1.73m^{2}あたりに体表面積補正された値（mL/分/1.73m^2）となっていることに注意が必要である。現時点では，日本腎臓学会のeGFR推算式の抗がん薬の投与量調節における有用性は十分に検証されていない。

抗がん薬ごとの具体的な投与量調節の目安については，添付文書（国内，米国）やガイドライン[1,2]，総説[3,4]，成書[5〜7]を参照されたい。

2-2 肝機能障害

肝機能障害のある患者への抗がん薬の用量調節については，明確には定められていない場合が多い。一般に肝機能評価に用いられるAST/ALTや総ビリルビン値は，薬物代謝能ではなく肝障害の程度を評価していることに注意する。現状では肝代謝型薬物のクリアランスを正確に予測できる指標はない。2003年にFDAから肝障害患者におけるPK試験のガイダンスが公表され，Child-Pugh分類に応じた患者ごとの試験をすることが推奨されている。近年，このFDAのガイダンスに基づき，Child-Pugh分類に応じた投与量調節を行う抗がん薬が増えてきている。ドキソルビシン，ビノレ

ルビン，イリノテカン，ドセタキセルなどは，肝障害時にクリアランスが低下することが知られており，それに応じた減量を行う。薬剤ごとの具体的な投与量調節の目安については，添付文書（国内，米国），総説[3,4,8]，成書[5〜7]を参考にされたい。

❸ 高齢のがん患者

　高齢者の定義は必ずしも統一されていない。行政上は65〜74歳を前期高齢者，75〜89歳を後期高齢者，90歳以上を超高齢者としているが，日本老年学会・日本老年医学会や日本肺癌学会では，75歳以上を高齢者と定義している。

　高齢者ががん患者の多数を占めるにもかかわらず，治療のエビデンスは少なく，個々の症例を検討し治療を決定している場合が多い。65歳で患者を分別した臨床試験で，年齢による治療効果の差はみられなかったという報告[9]や80歳以上でも全身状態が良好な場合，80歳以下と比較して治療効果，毒性に差がみられなかったとする報告[10]がある。これらの結果より，暦年齢より実際の全身状態が重要であり，暦年齢のみで化学療法の対象外とすべきではないとされている。分子標的治療薬は非高齢者と同程度の副作用で高齢者に投与できるものが多く，高齢者に対する有望な治療法になると考えられる。わが国で行われたNEJ001試験[11]では，高齢者やPS（performance status）不良例に分子標的治療薬が有効であることが報告されている。臨床試験では，高齢者は原則として除外基準に相当し，十分に検討されていないことが多い。高齢者を対象とした一部の臨床試験においても，PSが良好であることや，併存症や合併症がない，または軽微であること，臓器予備能が保たれていることなどの選択基準が設けられているため，臨床試験の結果をすべての同一年齢層に適用することはできないことに注意が必要である。

　高齢者に対する化学療法の目的は，延命か症状緩和である場合が多く，患者本人や家族とよく話し合い，治療効果と生活の質（quality of life：QOL）とのバランスを考えて治療を選択する必要がある。特に健康関連QOL（HR QOL）が重要であるとの報告がある[12]。

3-1　高齢者への化学療法における注意点

　高齢者は生理機能が低下している場合が多いため，治療開始前に肝機能や腎機能などを丁寧に確認する。高齢者では，筋肉量の低下によりクレアチニンの生成が減少するため，血清Cr値ではなく，年齢と体重を加味したCcrの算出が必要である。また，肝体積や肝血流は減少し，薬物代謝機能は低下傾向となるが，これらを考慮して薬剤の投与量を調整する必要性はないとされている。しかし，原疾患による肝病変や，ウイルス性肝炎などの背景を有する患者では，薬物代謝機能の低下が懸念されるため，注意深い肝機能モニタリングが必要である。投与量の調節は，ビリルビンやAST/ALT値を参考にする場合が多いが，臨床症状やアルブミン，凝固能などほかのパラメータも考慮して評価することが重要である。

　また，高齢者は併存疾患を有する場合が多く，ポリファーマシーが問題となっている。併用薬が多いほど副作用の発現が増加することが報告されており，がん化学療法と併せて注意が必要である。併存疾患の治療薬と抗がん薬や支持療法薬との薬物相互作用にも注意が必要である。ADLや認知機能が低下していることも多いため，服薬支援やセルフケアの支援などアドヒアランスの維持に努

める必要がある。

3-2　高齢者評価

　一般にがん化学療法は，臓器機能，年齢やPSをもとに投与可否の判断や治療計画が行われる。特にPSは成人の身体機能評価として汎用されているが，高齢者では種々の要因で個体差が大きいためPSでの評価は困難である。ASCOガイドライン[13]では，65歳以上の患者の化学療法開始前には何らかの高齢者機能評価（Geriatric Assessment：GA）を実施することが推奨されており，その結果に応じた介入を行うこととしている。なお，GAの結果をふまえて介入まで行うことを高齢者総合的機能評価（Comprehensive Geriatric Assessment：CGA）という。GAでは30分程度，CGAでは1時間以上の時間を要するため，実臨床ですべての高齢者に実施するのは困難である。そのため，これらのアプローチが効果的と考えられる患者をスクリーニングするためにGeriatric 8（G8）[14]（表2）などのツールが開発されている。G8は，各項目のスコアを合算（0〜17点）し，合計点数が低いほどGAで問題が見つかる可能性が高い。ただし，合計点数だけではなく，どの項目のスコアが低いのかを考慮し，臨床的状況を加味してGAを行う患者を選ぶ必要がある。さまざまな領域別のGAツールや高齢がん患者における包括的なGAツールとしてCancer-Specific

表2　Geriatric 8（G8）

過去3カ月間で食欲不振，消化器系の問題，そしゃく・嚥下困難などで食事量が減少したか？	0：著しい食事量の減少 1：中等度の食事量の減少 2：食事量の減少なし
過去3カ月間で体重の減少はあったか？	0：3kg以上の減少 1：わからない 2：1〜3kgの減少 3：体重減少なし
自力で歩けるか？	0：寝たきりまたは車椅子を常時使用 1：ベッドや車椅子を離れられるが，歩いて外出できない 2：自由に歩いて外出できる
神経や精神的な問題があるか？	0：高度の認知症またはうつ状態 1：中程度の認知障害 2：精神的問題なし
BMI値	0：19未満 1：19以上21未満 2：21以上23未満 3：23以上
1日に4種類以上の処方薬を飲んでいるか？	0：はい 1：いいえ
同年齢の人と比べて，自分の健康状態をどう思うか？	0：よくない 0.5：わからない 1：同じ 2：よい
年齢	0：86歳以上 1：80歳〜85歳 2：80歳未満

表3 CARGスコア

項目	スコア
72歳以上	2
消化器がんまたは泌尿器がん	2
標準量（減量なし）で化学療法実施	2
多剤併用レジメンによる化学療法	2
貧血あり（男性：11g/dL未満，女性：10g/dL未満）	3
クレアチニン・クリアランス低下（34mL/min未満）	3
聴力低下あり	2
過去6カ月以内に転倒あり	3
服薬の自己管理が困難	1
歩行距離が短い（100m程度歩くのが困難）	2
社会活動性の低下	1

〔Hurria A et al：Developing a cancer-specific geriatric assessment: a feasibility study. Cancer, 104(9):1998-2005, 2005をもとに作成〕

Geriatric Assessment（CSGA）[15]が提唱されているが，どのツールを用いてGAを実施するのがよいかは国際的にも定まっていないのが現状である。

　NCCNガイドラインOlder Adult Oncology[16]では，有害事象発現の予測ツールを用いることを推奨している。予測ツールには，CARG（Cancer and Aging Research Group）スコア[17]やCRASH（Chemotherapy Risk Assessment Scale for High-Age Patients）スコア[18]などがある。CARGスコア（表3）は，grade3以上の有害事象を予測するツールであり，0〜5点：Low risk，6〜9点：Moderated risk，10〜19点：High riskと分類した場合のgrade3以上の有害事象の発現は，それぞれ30%，52%，83％であり，Karnofsky performance status（KPS）による評価と比較して，良好に有害事象と関係していたと報告されている[17]。CARGスコアは，日本語版も公開されているが，日本人におけるバリデーションが行われていないことや，スコア開発時にホルモン薬や分子標的薬，免疫チェックポイント阻害薬は対象となっていない点には注意が必要である。

参考となる情報源（2022年6月閲覧）
- 高齢者のがん薬物療法ガイドライン（日本臨床腫瘍学会・日本癌治療学会）
  https://minds.jcqhc.or.jp/docs/gl_pdf/G0001132/4/cancer_drug_therapies_for_the_elderly.pdf
- 高齢者がん医療Q&A　総論（日本がんサポーティブケア学会）
  http://jascc.jp/wp/wp-content/uploads/2020/03/501ec314f7e8e08138be7ed233062ef0.pdf

❹ 肥満の患者

　肥満は，がんを含むさまざまな疾病を引き起こす危険因子であり，国や地域差はあるものの，世界的な問題となっている。肥満を評価する方法として，body mass index（BMI）＝体重（kg）÷身長（m）^{2}が広く用いられている。BMIの計算式は世界共通であるが，肥満の判定基準は国により

表4 ASCOガイドラインの概要

- 肥満の有無にかかわらず，殺細胞性抗がん薬は実体重ベースの用量で投与を行う
- 殺細胞性抗がん薬の固定用量での投与は，特定の殺細胞性抗がん薬（ブレオマイシンなど）に限定することを推奨する。殺細胞性抗がん薬の固定用量での投与は，臨床試験で使用されている場合はあるが，固定用量投与が毒性と有効性の点で体重または体表面積（BSA）ベースの投与と同等であるというエビデンスは限られている
- 免疫チェックポイント阻害薬の処方は，肥満の有無にかかわらずすべての患者に同様に行う
- 分子標的治療薬の処方は，肥満の状態にかかわらず，すべての患者に同様に行う
- 肥満の患者が，抗悪性腫瘍薬の全身投与でグレードの高い毒性を経験した場合，臨床医は肥満の状態にかかわらず，すべての患者に対して同じ減量基準に従って対応する
- 体表面積（BSA）は，標準的な計算式のいずれかを用いて計算することを推奨する。特定のBSA計算式が他の計算式よりも優先されるだけのエビデンスはない

異なる。日本肥満学会ではBMIが25以上を肥満と判定するが，世界保健機関（WHO）の基準ではBMIが30以上を肥満と判定するため，データを解釈する際には出典に注意が必要である。

　分子標的薬など一部の薬剤を除き，抗がん薬の投与量は多くの場合，体表面積を基準に算出する。肥満であることを理由に減量する必要はなく，肥満の程度にかかわらず実体重で算出するのが原則である。肥満患者に対して実体重を用いて投与量算出した場合の副作用については，非肥満患者と比べて血液毒性と非血液毒性に違いはみられなかったとの報告されている[19]。がん化学療法では治療強度の維持が重要であり，標準投与量からの減量はできるだけ慎重に行う必要がある。臨床試験で決定された用量や投与スケジュールを遵守しなければ期待される効果と安全性は担保できない。

　米国臨床腫瘍学会（ASCO）より，肥満患者への抗がん薬投与に関するガイドライン[20]が公表されている（表4）。

⑤ 妊娠中・授乳中の患者

　全妊娠の約15%は自然流産となり，大奇形の発生率は，3〜5%と報告されている。妊娠中の薬剤の影響については，これらの状況を踏まえて，薬剤の使用によりどの程度リスクが増加するか評価し，丁寧に説明することが肝要である。ほとんどの抗がん薬や支持療法薬では，妊娠・授乳期における投与は添付文書上禁忌とされている。したがって，使用にあたっては，患者とその家族に対してリスクとベネフィットを十分に説明する必要がある。

5-1　妊娠初期

　妊娠初期の抗がん薬の投与は，先天異常や流産，胎児死亡のリスクを伴う[21]。

　母体の予後に大きな影響がない場合は，抗がん薬投与を延期する場合があるが，抗がん薬投与により妊娠の継続が困難と考えられる場合は，妊娠が終了してからがん化学療法を行う。進行が早い場合は，治療開始の遅延により母体や胎児の予後が悪化する可能性がある。

5-2　妊娠中期・後期

　妊娠中期以降は，薬剤の胎児毒性が問題となる。子宮内胎児発育不全や低出生体重，早産が報告されている。分娩前の2〜3週間は，分娩時に骨髄抑制状態となるのを回避するため，骨髄抑制作用のある薬剤の投与は避けることが推奨される[21]。

5-3 授乳期

抗がん薬投与後の授乳は推奨されていない[22]。

参考となる情報源
- 妊娠と薬情報センター（国立成育医療研究センター）
  https://www.ncchd.go.jp/kusuri/
- 妊孕性への影響については第7章 5-2を参照

❻ 社会的配慮（療養生活や医療費）

がん患者は，疾患の治療そのものだけではなく，医療費や療養生活，就労など多くの問題や課題を抱えていることが多い。高額療養費制度，障害年金などさまざまな支援制度が存在するため，有効に活用できるようソーシャルワーカーなどと連携して情報提供を行う。

治療や療養生活に関する相談先として，全国の「がん診療連携拠点病院」や「小児がん拠点病院」，「地域がん診療病院」に設置されている「がん相談支援センター」があり，がん相談支援センターがある病院にかかっていなくても，がんに関連するさまざまな相談を無料で受けることができる。

参考となる情報源
- がん相談支援センターとは（がん情報サービス）
  https://ganjoho.jp/public/institution/consultation/cisc/cisc.html
- 高額療養費制度を利用される皆さまへ（厚生労働省）
  https://www.mhlw.go.jp/stf/seisakunitsuite/bunya/kenkou_iryou/iryouhoken/juuyou/kougakuiryou/index.html
- がんと仕事（がん情報サービス）
  https://ganjoho.jp/public/institution/qa/index.html
- 仕事とがん治療の両立お役立ちノート（厚生労働省）
  https://www.mhlw.go.jp/content/000506257.pdf
- 障害年金（日本年金機構）
  https://www.nenkin.go.jp/service/jukyu/shougainenkin/jukyu-yoken/20150401-01.html

❼ 補完代替医療や嗜好品

健康食品やサプリメントなどいわゆる補完代替医療（CAM）を使用している患者は少なくないが，その使用を医療者に報告している患者は少ない[23]。CAMの有効性や安全性については，信頼できる情報は非常に少ない。補完代替療法を選択すると，標準的がん治療を拒否する傾向があり，5年生存率の低下につながることや死亡の独立したリスク因子となるとの報告[24]がある。また，代替医療を選んだ患者の5年以内の死亡リスクは，標準治療を選んだ患者の2.5倍であり，標準治療を拒否して科学的根拠のない代替医療を選んだことで死亡率に差が出た可能性があるとの報告[25]もある。現時点では，直接的な抗腫瘍効果が証明された補完代替医療はなく，標準治療に代わるよ

うなものは存在しない。患者が補完代替医療に依存・傾倒して，標準治療を受ける機会を失わないようにすることが重要である。

抗腫瘍効果ではなく，プロバイオティクスなどの機能性食品，鍼灸やアロママッサージなど患者QOLの改善やがん治療の副作用軽減効果が臨床試験によって示されているものは一部存在する[26]。標準治療と並行して行う場合，明らかに有害でなければ患者の心情に配慮して個別に対応する姿勢も必要であろう。その場合，医薬品との相互作用や予期せぬ有害事象が発現する可能性があることは十分に説明し，効果が実感できているか，費用はそれに見合っているかなどといった点も確認しながらフォローしていく必要がある。

参考となる情報源

・がん補完代替医療クリニカルエビデンス（日本緩和医療学会）
https://www.jspm.ne.jp/guidelines/cam/cam01.pdf
・がんの補完代替医療ガイドブック第3版
https://hfnet.nih.go.jp/usr/kiso/pamphlet/cam_guide_120222.pdf

【参考文献】

1) 腎機能低下時に最も注意が必要な薬剤投与一覧（2018年改訂31版）（日本腎臓病薬物療法学会）.(https://www.jsnp.org/docs/JSNP-yakuzai_dosing_30.pdf)
2) 日本腎臓学会，日本癌治療学会，日本臨床腫瘍学会，日本腎臓病薬物療法学会・編：がん薬物療法時の腎障害診療ガイドライン2016.（https://www.jsmo.or.jp/about/doc/guideline_160630.pdf）
3) Kintzel et al：Anticancer drug renal toxicity and elimination: dosing guideline for altered renal function. Cancer treat Rev, 21:33-64, 1995
4) Superfin D et al：Commentary: Oncologic drugs in patients with organ dysfunction: a summary. Oncologist, 12:1070-1087, 2007
5) 今村知世：スペシャルポピュレーションへの抗がん薬用量調節ハンドブック（谷川原祐介・監）.南山堂，2010.
6) 髙野利実，他・編：ハイリスクがん患者の化学療法ナビゲーター 改訂第2版.メジカルビュー社，2017.
7) 安藤雄一，寺田智祐・編：ハイリスク患者のがん薬物療法ハンドブック（南博信・監）.羊土社，2017.
8) Floyd J et al：Hepatotoxicity of chemotherapy. Semin Oncol, 33(1):50-67, 2006
9) Maione P et al：Pretreatment quality of life and functional status assessment significantly predict survival of elderly patients with advanced non-small-cell lung cancer receiving chemotherapy: a prognostic analysis of the multicenter Italian lung cancer in the elderly study. J Clin Oncol, 23(28):6865-6872, 2005
10) Hesketh PJ et al：Chemotherapy in patients > or = 80 with advanced non-small cell lung cancer: combined results from SWOG 0027 and LUN 6. J Thorac Oncol, 2(6):494-498, 2007
11) Inoue A et al：First-line gefitinib for patients with advanced non-small-cell lung cancer harboring epidermal growth factor receptor mutations without indication for chemotherapy. J Clin Oncol, 27(9):1394-1400, 2009
12) 林直美，他：超高齢がん患者，なにをどこまでやるべきか－臨床での意思決定を支える評価法とスクリーニングツール. Cancer Board Square, 2(2):44-50, 2016.
13) Mohile SG et al：Practical Assessment and Management of Vulnerabilities in Older Patients Receiving Chemotherapy: ASCO Guideline for Geriatric Oncology. J Clin Oncol, 36(22):2326-2347, 2018
14) 日本臨床腫瘍研究グループ（JCOG）ホームページ. G8 Screening tool（http://www.jcog.jp/basic/org/committee/A_040_gsc_20170530.pdf）（2021年12月20日アクセス）
15) Hurria A et al：Developing a cancer-specific geriatric assessment: a feasibility study. Cancer, 104(9):1998-2005, 2005
16) NCCN Guidelines, Older Adult Oncology 2021 ver.1（https://www.nccn.org/professionals/physician_gls/pdf/senior.pdf）（2021年12月20日アクセス）

17) Hurria A et al：Predicting chemotherapy toxicity in Older adults with cancer: A prospective multicenter study. J Clin Oncol, 29(5):3457-3465, 2011
18) Extermann M et al：Predicting the risk of chemotherapy toxicity in Older patients: the Chemotherapy Risk Assessment Scale for High Age Patients (CRASH) score. Cancer, 118(13):3377-3386, 2012
19) Rosner GL et al：Relationship between toxicity and obesity in women receiving adjuvant chemotherapy for breast cancer: results from cancer and leukemia group B study 8541. J Clin Oncol, 14(11):3000-3008, 1996
20) Griggs JJ et al：Appropriate chemotherapy dosing for obese adult patients with cancer: American Society of Clinical Oncology clinical practice guideline. J Clin Oncol, 30(13):1553-1561, 2012
21) 日本がん・生殖医療学会 編：乳癌患者の妊娠・出産と生殖医療に関する診療ガイドライン2021年版. 金原出版, 2021
22) 伊藤真也 他・編：妊娠と授乳 第3版. 南山堂, 2020
23) Hyodo I et al：Nationwide survey on complementary and alternative medicine in cancer patients in Japan. J Clin Oncol, 23(12):2645-2654, 2005
24) Johnson SB et al：Complementary Medicine, Refusal of Conventional Cancer Therapy, and Survival Among Patients With Curable Cancers. JAMA Oncol, 4(10):1375-1381, 2018
25) Johnson SB et al：Use of Alternative Medicine for Cancer and Its Impact on Survival. J Natl Cancer Inst, 110(1):djx145, 2018
26) Deng GE et al：Evidence-based clinical practice guidelines for integrative oncology: complementary therapies and botanicals. J Soc Integr Oncol, 7(3):85-120, 2009

〈林　稔展〉

5-2 バイオマーカー

1 バイオマーカーとは

　バイオマーカーとは血液，尿，唾液などの体液や組織などに含まれる蛋白，遺伝子などの生体情報を数値化・定量化したものであり，病気の診断，病態の変動や治療に対する反応に相関する指標（マーカー）となるものである。バイオマーカーの定義[1]としては，2001年にFDAなどの米国の産官学によるバイオマーカー定義ワーキンググループ（Biomarkers Definitions Working Group）によって定義づけされた「正常な生物学的過程，発病の過程もしくは治療介入に対する薬理学的な応答の指標として客観的に測定・評価される特性」が現在最も一般的なものとして認識されている。
　広義のバイオマーカーには日常診療で用いられる生化学検査，血液検査，腫瘍マーカーなどの臨床検査値やCT，MRI，PETなどの画像診断データなどが含まれ，狭義にはDNA，RNA，マイクロRNA，蛋白，ペプチド，代謝産物などのことをいう。本稿ではこれらのうち，ゲノムバイオマーカーを中心に解説する。

2 バイオマーカーの種類

　バイオマーカーは以下に示すように目的に応じてさまざまな種類が存在する。
（1）diagnostic marker（診断マーカー）：疾患の診断に用いる
（2）prognostic marker（予後予測マーカー）：疾病の予後を予測する
（3）predictive marker（効果予測マーカー）：薬物治療の効果を予測する
（4）toxicity marker（毒性発現予測マーカー）：薬物の毒性発現を予測する

　がん薬物療法の領域におけるバイオマーカーの意義は，新薬の開発において初期の段階から有効性や安全性を予測できるバイオマーカーを探索し，そのマーカーを用いて迅速な抗がん薬の開発を行うこと，臨床においてバイオマーカーを活用し，十分な治療効果を有し，毒性の少ない個々の患者にとって最適な治療を提供することの2つに大別される。
　薬剤師が臨床において効果的かつ安全ながん薬物療法を実践し，薬物治療を客観的に評価できるようになるためには，特に（3），（4）についての理解を深め，後者の観点から最適な薬物を最適な投与量で最適な患者に提供できるように，バイオマーカーを活用した個別化医療の実践を意識して臨床に向き合うことが求められる。
　効果予測バイオマーカーとしては，乳がんのトラスツズマブ治療における*HER2*遺伝子増幅，非小細胞肺がんのEGFR阻害薬投与時の*EGFR*遺伝子変異などが挙げられる。一方，毒性発現予測マーカーとしては，イリノテカンによる好中球減少症や下痢の発現と関連する*UGT1A1*遺伝子多型

などがある。

③ 遺伝子関連検査

　近年，ゲノムバイオマーカーなどに関する解析技術やそれを活用した研究開発の急速な進展により，個別化医療が強く認識されるようになってきている。

　ゲノムバイオマーカーを用いた個別化医療を実践するためには，「遺伝子関連検査」を実施し，その結果に基づき治療薬の選択を行うこととなる。「遺伝子関連検査」は，①ヒトに感染症を引き起こす外来性の病原体を検出・解析する検査である病原体遺伝子検査，②がん細胞特有の遺伝子の構造異常などを検出する検査であるヒト体細胞遺伝子検査，③単一遺伝子疾患，多因子疾患，薬物などの効果・副作用などに関わるヒト遺伝学的検査（生殖細胞系列遺伝子検査）の3つに分けられる。

　現在，がん領域で利用されている代表的な遺伝子検査としては，オシメルチニブ，アファチニブなどのEGFR阻害薬投与時のEGFR遺伝子変異解析や，セツキシマブ，パニツムマブなどの抗EGFR抗体薬投与時のRAS遺伝子変異解析などが②の体細胞遺伝子検査として臨床応用されている。また，イリノテカンなどの毒性発現に関わるUGT1A1遺伝子多型検査が③の生殖細胞系列の遺伝子検査として実施されている。

④ 医薬品添付文書に記載が認められているバイオマーカー

　近年，バイオマーカー研究が盛んに実施されており，その成果が臨床で活用できるようになってきている。米国では2005年より医薬品添付文書に記載が認められたバイオマーカーについて「Table of Pharmacogenomic Biomarkers in Drug Labeling」としてFDAのホームページ上で公開している[2]。

　掲載数は年々増加し，2021年6月時点において本リストに収載されている医薬品数は327件であり，そのうちoncology領域の医薬品は112件である。がん関連の遺伝子として掲載されているものは，EGFRやERBB2（HER2）など体細胞の遺伝子に関するものがほとんどである。

⑤ 効果予測マーカーによる治療の個別化

　分子生物学の進歩に伴い，がんの特性が明らかになるにつれ，がん治療における新規抗がん薬の開発戦略は大きく変わった。2001年にヒトがん遺伝子HER2/neuの遺伝子産物であるHER2蛋白を標的とした分子標的治療薬であるトラスツズマブが，HER2陽性乳がんの治療薬として認可されたのを契機に続々と分子標的治療薬が臨床導入され，現在では標準治療として用いられているものも多い。

　表に代表的な分子標的治療薬とバイオマーカーを示した。

　この中で，BCR-ABL融合遺伝子，PML-RARA融合遺伝子，KIT遺伝子変異については，それぞれの対象疾患において大半の患者が陽性であり，同一がん種内でのレスポンダー・ノンレスポンダーの層別化というバイオマーカーによる治療の個別化においては有用ではない。

表 代表的な分子標的治療薬と効果予測バイオマーカー

バイオマーカー	がん種	標的分子の異常	主な治療薬
HER2	乳がん，胃がん	増幅・過剰発現	トラスツズマブ，ラパチニブ，トラスツズマブ エムタンシン
BCR-ABL	慢性骨髄性白血病	遺伝子相互転座による融合遺伝子	イマチニブ，ダサチニブ，ニロチニブ，ボスチニブ，ポナチニブ
KIT	消化管間質腫瘍	遺伝子変異	イマチニブ，スニチニブ，レゴラフェニブ
EGFR	非小細胞肺がん	遺伝子変異	ゲフィチニブ，エルロチニブ，アファチニブ，オシメルチニブ，ダコミチニブ
ALK	非小細胞肺がん	遺伝子再構成による融合遺伝子	クリゾチニブ，アレクチニブ，セリチニブ，ブリグチニブ
ROS1	非小細胞肺がん	遺伝子再構成による融合遺伝子	クリゾチニブ，エヌトレクチニブ
RAS	結腸・直腸がん	遺伝子変異	セツキシマブ，パニツムマブ
BRAF	悪性黒色腫 非小細胞肺がん	遺伝子変異	ベムラフェニブ，ダブラフェニブ，エンコラフェニブ
PML-RARA	急性前骨髄球性白血病	遺伝子相互転座による融合遺伝子	トレチノイン，三酸化二ヒ素，タミバロテン
FGFR2	胆管がん	遺伝子再構成による融合遺伝子	ペミガチニブ
NTRK	固形がん	遺伝子再構成による融合遺伝子	エヌトレクチニブ，ラロトレクチニブ

　これまで，がんに対する薬物療法では，基本的に臓器別に全例同じ治療薬が用いられてきた。近年，腫瘍組織の体細胞遺伝子変異を調べて，個々の患者で最も効果が高いと考えられる抗がん薬を選択する個別化医療が徐々に広がっている。現時点において個別化医療が確立していると考えられるバイオマーカーはHER2，EGFR，ALK，ROS1，RASなどである。

6 代表的なバイオマーカー

6-1 HER2

　*HER2*は受容体チロシンキナーゼ（receptor tyrosine kinase：RTK）ファミリーに属し，17番染色体に位置する。乳がんをはじめ卵巣がん，胃がんなど多くのがん種で*HER2*遺伝子の増幅または蛋白の過剰発現が認められ，腫瘍形成促進と病因そのものに関与している。
　乳がんにおいて*HER2*遺伝子の増幅・過剰発現は20〜25％に認められ，予後不良因子と考えられている[3,4]。HER2過剰発現に着目して開発されたHER2を標的とするモノクローナル抗体のトラスツズマブは，HER2強陽性の症例に適応となる。腫瘍組織を用いて，免疫組織化学法（IHC法）により0，1＋，2＋，3＋の4段階の分類が行われる。3＋は陽性，0および1＋は陰性と診断され，2＋の場合はFISH法で再検査を実施し，遺伝子増幅があるか否かを検討する。FISH法でHER2/CEP17のシグナル比が2.2以上を陽性と診断する。

トラスツズマブは，HER2過剰発現が確認された乳がんと胃がんに適応となっている。トラスツズマブの登場により，予後不良であったHER2陽性乳がんの予後が著名に改善され，HER2は効果予測マーカーとしての意義が強い。

6-2　BCR-ABL

慢性骨髄性白血病（CML）の95％以上でフィラデルフィアとよばれる異常染色体がみられる。慢性骨髄性白血病の病因は，22番染色体と9番染色体間での相互転座により，9番染色体にある*ABL*遺伝子と22番染色体にある*BCR*遺伝子が融合し，異常な蛋白を生じる。この融合遺伝子が作るBCR-ABL蛋白は，BCR-ABLチロシンキナーゼを恒常的に活性化させるため，白血病細胞が常に増え続ける状態となる。

イマチニブはこのチロシンキナーゼの働きを選択的に阻害する小分子化合物であり，従来の標準治療であるインターフェロンαとシタラビンの併用療法とを比較したIRIS試験[5]により驚異的な臨床的有用性を示し，CMLの標準治療の1つとなっている。2017年に約11年間の追跡調査の結果が報告され，イマチニブの有効性は長期間持続することが明らかとなっている[6]。

6-3　KIT

消化管間質腫瘍（GIST）は，消化管に発生する間葉系腫瘍の中で最も高頻度にみられる腫瘍である。1998年に*CD117*（*KIT*）の遺伝子異常が発見され，GISTの主要な原因の1つであることが明らかとなった[7]。KITは幹細胞因子（stem cell factor：SCF）をリガンドとするレセプター型チロシンキナーゼであり，SCFがKITに結合することでチロシンキナーゼが活性化し，細胞の分化・増殖が促進される。GISTはKIT蛋白質を発現し，高頻度に*KIT*遺伝子変異を有する。

BCR-ABLチロシンキナーゼ阻害薬として開発されていたイマチニブが強力なKITキナーゼ阻害効果を有することが判明し，GIST患者を対象とした臨床試験により，劇的な治療効果を有することが報告された[8]。現在では，GISTに対する一次治療薬として用いられている。

6-4　EGFR

EGFRはHER1，ErbB1ともよばれ，HER2と同様RTKファミリーに属し，*EGFR*遺伝子は7番染色体に存在する。非小細胞肺がんをはじめ，さまざまながんで遺伝子増幅または過剰発現が認められる。

EGFRは，上皮成長因子（EGF）などのリガンドの結合により細胞内のチロシンキナーゼの活性化が起こり，チロシン自己リン酸化を介して細胞内にシグナルを伝え，細胞の増殖を活性化する。

2004年に*EGFR*遺伝子変異のある症例にゲフィチニブが奏効することが報告され，その後，*EGFR*遺伝子変異陽性の患者を対象としたNEJ002試験[9]などの結果によりEGFRチロシンキナーゼ阻害薬の個別化治療の有効性がより明確に示された。EGFR変異はエクソン19の欠失とエクソン21のL858Rで*EGFR*遺伝子変異の約90％を占める。

現在ではゲフィチニブ，エルロチニブ，アファチニブ，オシメルチニブ，ダコミチニブの5剤が

使用できる。

6-5　ALK

　*ALK*遺伝子は2番染色体上に位置し，受容体チロシンキナーゼをコードしている。当初はリンパ腫で遺伝子異常が発見されたRTKであるが，2007年に肺がんの一部に*EML4-ALK*融合遺伝子をもつものがあることが報告された[10]。*ALK*融合遺伝子とは，*ALK*遺伝子とほかの遺伝子が融合してできた異常ながん遺伝子であり，ALK融合蛋白はALKチロシンキナーゼを恒常的に活性化させ細胞増殖シグナルが出続けるため，がん細胞が増殖し続ける状態となる。
　クリゾチニブ，アレクチニブなどのALK阻害薬はALKチロシンキナーゼを阻害することで抗腫瘍効果を発揮する。

6-6　ROS1

　*ROS1*遺伝子はインスリン受容体ファミリーのRTKをコードする遺伝子であり，6番染色体に位置する。*ROS1*融合遺伝子は染色体再構成によって生じ，非小細胞肺がん，胃がんなどさまざまながんで確認されている。非小細胞肺がんにおける*ROS1*融合遺伝子は，*ROS1*遺伝子のチロシンキナーゼ部分と種々のパートナー遺伝子の一部が融合することで生じる。
　*ROS1*のパートナー遺伝子は，これまで15種類報告されており，このうちCD74，EZR，SLC34A2，SDC4の4種類で98%を占めるとされている。*ROS1*融合遺伝子から作られる融合タンパク質はがん化のドライバーとして作用する。ALKのチロシンキナーゼを阻害するクリゾチニブはROS1チロシンキナーゼの阻害活性も有する。
　わが国においても2017年に*ROS1*融合遺伝子陽性の切除不能な進行・再発の非小細胞肺がんに対する承認を取得している。また，NTRK融合遺伝子陽性の固形がんの治療薬であるエヌトレクチニブが，ROS1融合遺伝子陽性患者に対する有効性が示され，2020年に適応追加の承認を取得している。

6-7　RAS

　*RAS*遺伝子には*KRAS*，*NRAS*，*HRAS*の3つの遺伝子があり，RASファミリーに属する。細胞表面には細胞の増殖に重要な役割を果たすEGFRがあり，ここにEGFなどのリガンドが結合すると，EGFRが活性化され，増殖シグナルを細胞内に伝達することで細胞が増殖する。
　RAS蛋白は，細胞膜の内側に存在し，上流のEGFRからのシグナルを下流に伝達する役割を担っている。RAS蛋白質をコードしている*RAS*遺伝子に変異が起きると，RAS蛋白質が常に活性化した状態になる。そのため，下流にシグナルを送り続け細胞の成長や増殖が制御不能になり，発がんやがんの増殖に関与する。
　抗EGFR抗体薬であるセツキシマブにおいては，CRYSTAL試験，OPUS試験などの臨床試験の後解析により，*KRAS*遺伝子変異を有する患者では効果が期待できないことが示されている。パニツムマブにおいては，PRIME試験により*KRAS*遺伝子変異の有無が効果を規定することが示され

ている。
　このように，*KRAS*遺伝子変異はnegative selection biomarkerとして認識されるようになった。さらに，その後の臨床試験の後ろ向き解析において，*KRAS*遺伝子に加え*NRAS*遺伝子変異例においても抗EGFR抗体薬の効果が期待できないことが示され，2015年に*KRAS*および*NRAS*遺伝子変異を検出するキットが承認され，保険適用となっている。

6-8　BRAF

　BRAFはEGFRなどにより活性化されたRAS蛋白質と直接結合し，BRAFやCRAFと二量体を形成することで活性化され，下流のMEK-ERK経路を活性化させ細胞増殖を促進するシグナルが伝達される。*BRAF*遺伝子変異の90%はコドン600のバリン（V）がグルタミン酸（E）に変わる変異（V600E）であり，この変異により活性化されたBRAFが下流の経路を活性化させて異常な細胞増殖を惹起する。
　BRAF阻害薬はBRAFの酵素活性を阻害し，MEKのリン酸化を阻害することで下流へのシグナル伝達を抑制する。この結果，がん細胞の増殖を抑制する。ベムラフェニブ，ダブラフェニブ，エンコラフェニブの3剤が*BRAF*遺伝子変異を有する悪性黒色腫に対してBRAF阻害薬として承認されている。また，非小細胞肺がんにおいてもダブラフェニブとトラメチニブの併用療法が*BRAF*遺伝子変異を有する切除不能な進行・再発の非小細胞肺がんに対する承認を取得している。

6-9　PML-RARA

　*PML-RARA*は急性前骨髄性白血病（APL）に特異的にみられる融合遺伝子である。17番染色体にあるレチノイン酸受容体αをコードする遺伝子である*RARA*遺伝子と，特定のいくつかの遺伝子が切れて互いに入れ代わる相互転座により融合し異常な蛋白を生じる。ほとんどの場合，15番染色体上の*PML*遺伝子との相互転座であり，PML-RARA融合蛋白が産生される。
　この融合遺伝子が作る蛋白は，*RARA*遺伝子，*PML*遺伝子がそれぞれ作る蛋白がもともともっている白血球の分化・成熟作用を阻止する。その結果として，APLでは前骨髄球の段階で細胞の分化・成熟が停止し，前骨髄球が異常に増える状態となる。APLでは全トランスレチノイン酸（ATRA）を中心とする分化誘導療法が第一選択となっている。ATRAはPML-RARA融合蛋白に働きかけ，レチノイン酸受容体としての作用を回復させる。三酸化ヒ素はAPL細胞に対するアポトーシス誘導やPML-RARA融合蛋白の分解を引き起こすことで効果を発揮するとされる。

6-10　FGFR2

　FGFRはFGFR1〜4の4種類のファミリーからなる受容体型チロシンキナーゼである。FGFRは線維芽細胞増殖因子（FGF）が結合することで二量体が形成され，FGFRキナーゼの活性化が起こる。これにより下流にあるシグナル伝達経路が活性化され，がん細胞の増力が促進される。ペミガチニブはFGFRのキナーゼ部位に結合し，FGFR1〜3のキナーゼ活性を選択的に阻害し，そのシグナルを遮断することにより，FGFRの遺伝子異常を有するがん細胞の増殖を抑制する。胆管がん患

者ではFGFR経路の遺伝子異常として，FGFR2融合遺伝子が高頻度に認められる。FGFR阻害薬であるペミガチニブは，化学療法歴のあるFGFR2融合遺伝子陽性の治癒切除不能な胆管がん患者を対象とし第Ⅱ相試験で有効性および安全性が示され，2021年にFGFR2融合遺伝子陽性の治癒切除不能な胆道がんに対する承認を取得している。

6-11　NTRK

　NTRKはNTRK1〜3まで知られており，NTRK1/2/3遺伝子はそれぞれトロポミオシン受容体キナーゼ（TRK）であるTRKA，TRKB，TRKCをコードする。TRKA，TRKB，TRKCは，リガンドである神経成長因子（NGF），脳由来神経栄養因子（BDNF）ニューロトロフィン（NT-3，NT-4）などの神経栄養因子と結合することで，細胞内にシグナルが伝達され，神経細胞の分化および生存維持に関わっている。NTRK融合遺伝子は複数の腫瘍における発がんドライバー遺伝子である。NTRK融合遺伝子はTRK蛋白質をコードするNTRK1/2/3遺伝子とほかの遺伝子（ETV6，LMNA，TPM3など）とが融合して異常な遺伝子を生じる。NTRK遺伝子が遺伝子融合を起こすとTRKA，TRKB，TRKCは，MAPK経路，PLCγ経路，PI3K経路のシグナル伝達経路を恒常的に活性化する融合蛋白に翻訳される。このNTRK融合遺伝子から作られるTRK融合蛋白によりチロシンキナーゼが恒常的に活性化され，がん細胞の増殖が促進される。NTRK阻害薬はTRK融合蛋白のリン酸化およびTRKシグナルの下流に位置するシグナル伝達分子のリン酸化を阻害することによって，がん細胞の増殖を抑制する。エヌトレクチニブおよびラロトレクチニブの2剤がNTRK融合遺伝子陽性の進行・再発の固形がんに対する適応を有しており，がん種横断的な使用が認められている。

6-12　MSI

　細胞のゲノムDNAは，放射線や紫外線，薬物などの外的要因および細胞増殖などの細胞活動に伴って発生する活性酸素種による酸化ストレスなどの内因性の要因によって絶えず損傷を受けている。生物は損傷したDNAを修復するための機能を備えており，DNA損傷の修復機構として，直接修復，除去修復，組換え修復，ミスマッチ修復などがある。この中で，消化器がんなどの発生において重要な役割を果たしていると考えられているのが，ミスマッチ修復遺伝子の異常である。ミスマッチ修復機構に異常がある細胞では，ゲノム中に存在する1〜数塩基の繰り返し配列であるマイクロサテライトの反復回数に変化が生じやすくなる。このような変化はマイクロサテライト不安定性（microsatellite instability：MSI）とよばれ，MSIが高頻度に認められる場合がMSI-Highである。MSI-Highである固形がんでは，ミスマッチ修復機能の欠損や低下によって多数のアミノ酸置換を伴う遺伝子変異が生じ，その一部がネオアンチゲンとして免疫系に認識され免疫反応が惹起される。また，この過程において，さまざまな免疫チェックポイント分子が誘導される。MSI-High固形がんは免疫原性が高いため，免疫チェックポイント阻害薬に対する感受性が高いと考えられている。ニボルマブ，ペムブロリズマブ，イピリムマブの3剤がMSI-High固形がんに対する承認を取得している。

> **ミニコラム ①がん遺伝子パネル検査**
>
> がん遺伝子パネル検査は，大量のゲノムの情報を高速で読み取ることが可能な「次世代シークエンサー」という解析装置を用いて，手術などで採取された固形がん患者の腫瘍組織／細胞や血液から100以上のゲノムDNAの遺伝子変異情報を同時に調べる検査である。
>
> がん遺伝子パネル検査は2019年6月より保険適用となっており，検出した遺伝子変異に対して効果が期待できる抗がん薬がある場合には使用を検討することができる。しかし，遺伝子変異に適合した抗がん薬が見つかり，実際に投与に至った割合は10%程度と報告されている。

【参考文献】

1) Biomarkers Definitions Working Group: Biomarkers and surrogate endpoints: preferred definitions and conceptual framework. Clin Pharmacol Ther, 69(3):89-95, 2001
2) FDA: Table of Pharmacogenomic Biomarkers in Drug Labeling, Last Updated: 12/2017 (https://www.fda.gov/downloads/Drugs/ScienceResearch/UCM578588.pdf)
3) Owens MA et al : HER2 amplification ratios by fluorescence in situ hybridization and correlation with immunohistochemistry in a cohort of 6556 breast cancer tissues. Clin Breast Cancer, 5(1):63-69, 2004
4) Sjögren S et al : Prognostic and predictive value of c-erbB-2 overexpression in primary breast cancer, alone and in combination with other prognostic markers. J Clin Oncol, 16(2):462-469, 1998
5) O'Brien SG et al : Imatinib compared with interferon and low-dose cytarabine for newly diagnosed chronic-phase chronic myeloid leukemia. N Engl J Med, 348(11):994-1004, 2003
6) Hochhaus A et al : Long-Term Outcomes of Imatinib Treatment for Chronic Myeloid Leukemia. N Engl J Med, 376(10):917-927, 2017
7) Hirota S et al : Gain-of-function mutations of c-kit in human gastrointestinal stromal tumors. Science, 279(535D):577-580, 1998
8) Demetri GD et al : Efficacy and safety of imatinib mesylate in advanced gastrointestinal stromal tumors. N Engl J Med, 347(7):472-480, 2002
9) Maemondo M et al : Gefitinib or chemotherapy for non-small-cell lung cancer with mutated EGFR. N Engl J Med, 362(25):2380-2388, 2010
10) Soda M et al : Identification of the transforming EML4-ALK fusion gene in non-small-cell lung cancer. Nature, 448(7153):561-566, 2007

（辻　大樹）

5-3 遺伝子多型

1 遺伝子多型とは

　抗がん薬（特に細胞障害性抗がん薬）は，治療効果が期待される投与量と毒性が発現する投与量の差が小さく，治療域が一般薬と比べて狭いため，薬物の動態および感受性の個体差が重篤な有害反応を引き起こすことがある。その原因の1つとして遺伝子多型の関与が指摘され，毒性発現予測マーカーとしての意義や設定投与量の個別化が検討されている。本稿では，生殖細胞系列の遺伝子変異で医薬品添付文書上に記載のあるものに焦点をあてて説明する。

　遺伝子多型とは「遺伝子を構成している塩基配列の個体差で，ある遺伝子座にある対立遺伝子が2種類以上存在し，頻度が母集団の1%以上である状態」と定義される。一方，1%未満の頻度で存在するものはレアバリアント（rare variant）とよばれ，遺伝子多型の範疇では意味のない違いとされ扱われないことが多い。しかし，1%を閾値とした判定基準は恣意的なものである。

2 遺伝子多型の種類

　ヒトゲノムは，約30億にも及ぶ塩基配列で構成されており，その99.9%は同一で，0.1%程度に違いがあることがわかっている。遺伝子多型はDNAの塩基がどのように変化するかにより，主に以下のように分類される。

1) 一塩基置換（SNP）

　ゲノムDNA中の塩基が何らかの原因で別の種類の塩基に置き換わったものである。特に一塩基だけがほかの塩基に置換したものであり，その頻度がある母集団の1%以上の場合，その個所を示してsingle nucleotide polymorphism（SNP）とよぶ。

2) 欠失（delation）・挿入（insertion）

　ゲノムへのDNAの塩基配列が抜け落ちたりしたもの。1つまたは複数の塩基の欠失による遺伝子変異。体細胞の遺伝子である*EGFR*の変異は東アジア人の非小細胞肺がんで遺伝子変異陽性者が多く，EGFRチロシンキナーゼ阻害薬の効果予測因子として重要である。*EGFR*遺伝子Exon19およびExon21変異が約90%と多くを占めるが，Exon19の変異はコドン746-750を中心とする部位の欠失である。一方，1つまたは複数の塩基配列が挿入されたものが挿入（insertion）である（図1-a）。

3）リピート配列

ゲノムDNA上に散在する数塩基単位の反復配列の反復回数には個人差がある。STRP（short tandem repeat polymorphism）やマイクロサテライトとよばれ，2塩基から数塩基程度の繰り返し配列で反復の回数に個人差があるものや，数重塩基の区間が反復したミニサテライトとよばれるものがある。イリノテカンによる好中球減少症などの毒性発現との関連が示されているグルクロン酸抱合酵素（UGT1A1）の遺伝子多型である*28は，*UGT1A1*遺伝子の5'-上流のプロモーター領域（遺伝子の発現量を制御する領域）に存在するチミン（T）とアデニン（A）の繰り返し配列であるTATAボックスのTAのリピート回数の多型である。通常は6回であるが，*28では7回繰り返される（図1-b）。

4）コピー数多型（CNP）

Copy number variation（CNV）とは，ある集団の中で1細胞あたりのコピー数が個人間で異なるゲノムの領域のことをいう。通常ヒトの細胞には遺伝子は2個（2コピー）存在し，父方，母方から1コピーずつ，合計2コピーである。しかし，個人によってはその数が1細胞あたりある遺伝

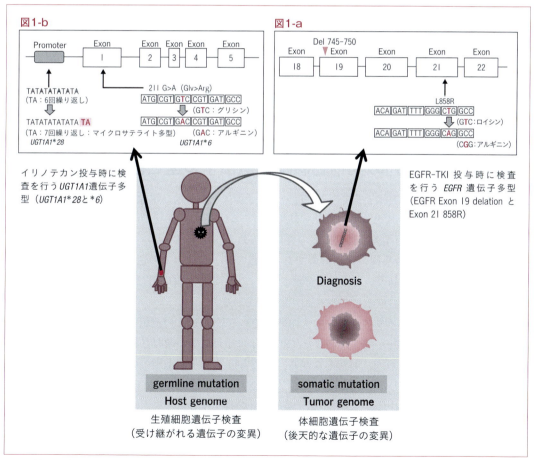

図1　抗がん薬に関係する遺伝子検査

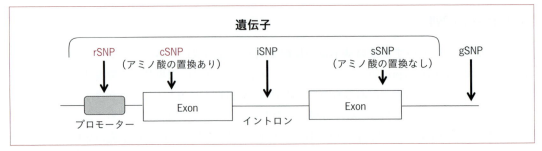

図2 SNPの種類

子が1コピーあるいは3コピー以上存在するといった遺伝子の数が異なるケースが知られている。CNVが起こる領域は通常まれなリピート配列に挟まれていることが多い。ある集団に1％以上の頻度で存在するCNVを特にcopy number polymorphism（CNP，コピー数多型）とよんでいる。

③ SNPの種類

すべての遺伝子多型の約85％はSNPであると想定されており，30億塩基対よりなるヒトゲノムでは0.1％に相当する約300万カ所にSNPが存在すると推定されている。SNPは遺伝子の中の占める位置によって，区別されてよばれることがある。遺伝子のプロモーター領域にあるものをrSNP，蛋白に翻訳されるExon領域にありアミノ酸の変化を伴うものをcSNP，蛋白に翻訳されるExon領域にあるが，アミノ酸が変化しないものをsSNP，イントロン領域にあるものをiSNP，遺伝子領域外のSNPをgSNPとよぶ（図2）。これらのうちrSNPとcSNPが遺伝子の機能に関係する可能性が高いと考えられている。

④ 生殖細胞系列の薬物動態関連遺伝子多型と医薬品添付文書

抗がん薬ではないが，遺伝子多型検査を行い遺伝子型に基づく投与量設定が実臨床で実践されている例として，エリグルスタット（効能・効果：ゴーシェ病の諸症状の改善）およびシポニモド（効能・効果：二次性進行型多発性硬化症の再発予防および身体的障害の進行抑制）の2つがある。薬剤投与前にそれぞれの薬物の代謝酵素であるCYP2D6，CYP2C9の遺伝子多型検査を実施し，遺伝子多型検査の結果に基づいて投与量を設定することが添付文書に明記されている。前者は先進医療として，後者は保険診療としての承認が得られている。

がん領域においては，イリノテカンの代謝酵素であるUGT1A1の遺伝子多型と毒性（主に好中球減少症や下痢）との関連が明らかとなり，2008年に添付文書が改訂され，UGT1A1遺伝子検査が保険診療として認められた。しかしながら，*UGT1A1*遺伝子多型別のイリノテカンの推奨投与量を検討すること目的としたUGT0601試験[1]が実施されたが，患者ごとの薬物動態の差が大きく，耐容性に個体差が認められたことから遺伝子多型ごとの推奨投与量の決定には至っていない。近年，チオプリン製剤（アザチオプリン，メルカプトプリン）による骨髄抑制や脱毛などの有害反応とNUDT15遺伝子多型との関連が明らかとなった[2]。これにより2019年に添付文書改訂が行われ，NUDT15遺伝子多型検査が保険適用となっている。アザチオプリンは主に炎症性腸疾患に対して

免疫調節薬として用いられるのに対し，メルカプトプリンは主に小児の急性リンパ性白血病に対して抗がん薬として用いられる。

遺伝子情報に基づき抗がん薬を効果的かつ安全に使用するためには，体細胞遺伝子変異と生殖細胞系列遺伝子変異についての情報を得る必要があるが，毒性発現を予測するための情報は生殖細胞系列の遺伝子変異が中心となる（図1）。わが国の医薬品添付文書において遺伝子多型に関する情報が記載されている主な抗がん薬は次の5剤である。

4-1 イリノテカン

イリノテカンはわが国で開発されたカンプトテシン誘導体で，主として肝臓のカルボキシルエステラーゼにより加水分解を受け，活性体代謝物SN-38に変換される。SN-38は主にUGT1A1によるグルクロン酸抱合を受けてSN-38Gとなり，不活化された後腸管内に排泄される。抗腫瘍効果を有するSN-38を，SN-38Gへ解毒的に代謝するUGT1A1をコードする*UGT1A1*遺伝子には40種類以上の遺伝子多型が報告されているが，日本人においては*UGT1A1**28（プロモーター領域にあるTAのマイクロサテライト多型）および*6（211G＞A：アミノ酸置換を伴うSNP）の2つの遺伝子多型が重要であり，*UGT1A1**6，*28のいずれかを有する患者群では，変異をもたない患者群と比較して，SN-38G/SN-38のAUC比が有意に低下することが報告されている。現在，*UGT1A1**28および*UGT1A1**6の2つの遺伝子多型を診断するキットが承認され，遺伝子診断が保険適用となっている。しかしながら，特異度は93％と高いものの，感度は19％であり，遺伝子多型解析の結果*UGT1A1**28や*6を有さないことがわかった場合であっても，毒性発現の可能性を除外できない。イリノテカンによる好中球減少症の発現には，*UGT1A1*遺伝子多型以外にも年齢，性別，PS，治療開始前の好中球数など多くの因子が関与しており，好中球減少症の発現を予測するノモグラムが開発されている[3]。

イリノテカンの添付文書には次の記載がある。「*UGT1A1*には*UGT1A1**6，*UGT1A1**28等の遺伝子多型が存在し，*UGT1A1**6，もしくは*UGT1A1**28においては，これら遺伝子多型をもたない患者に比べてヘテロ接合体，ホモ接合体としてもつ患者の順にSN-38Gの生成能力が低下し，SN-38の代謝が遅延する。」

4-2 フルオロウラシル，カペシタビン

フルオロウラシル（5-FU）は肝代謝型の薬物であり，主として肝臓に存在するジヒドロピリジンデヒドロゲナーゼ（DPYD）により代謝され，α-fluoro-β-alanine（FBAL）として尿中へ排泄される。

カペシタビンは，体内で5-FUに変換され抗腫瘍効果を発揮するプロドラッグである。DPYD活性の欠損または活性低下を認める患者では，5-FUのDPYDによる代謝が阻害される。このため，好中球減少症などの骨髄抑制，粘膜炎などの毒性が重篤化する[4]。

*DPYD*遺伝子多型は古くから検討されており，最も報告数の多い*DPYD**2Aを含め20以上の酵素活性が低下する遺伝子多型が報告されている。薬理遺伝学臨床実装コンソーシアム（Clinical Pharmacogenetics Implementation Consortium：CPIC）では，*DPYD**2Aを含む4つの遺伝子多

型を考慮したフッ化ピリミジン系抗がん薬の投与量設定に関するガイドラインが作成されている[5]。しかしながら，日本人を含む東アジア人においてこれら4種類のバリアントは同定されておらず，わが国では*DPYD*遺伝子多型による投与量の個別化は行われていない。

　各薬剤の添付文書には次の記載がある。「フルオロウラシルの異化代謝酵素であるジヒドロピリミジンデヒドロゲナーゼ（DPD）欠損等の患者がごくまれに存在し，このような患者にフルオロウラシル系薬剤を投与した場合，投与初期に重篤な副作用（口内炎，下痢，血液障害，神経障害等）が発現するとの報告がある。」

4-3　レトロゾール

　レトロゾールは閉経後のER陽性乳がんに用いられるアロマターゼ阻害薬であり，主としてCYP2A6で代謝を受ける肝代謝型の薬物である。代謝酵素であるCYP2A6には30以上の遺伝子多型が報告されており，遺伝子多型により薬物代謝酵素活性能が欠損または低下することが知られている。遺伝子多型の頻度は人種間で異なり，日本人では遺伝子全欠損型である*CYP2A6*4*，酵素活性や転写活性が低下する*CYP2A6*7*や*CYP2A6*9*の頻度が高い。レトロゾールが投与された乳がんの臨床試験登録患者を対象とした研究において，*CYP2A6*遺伝子多型とレトロゾールの血中濃度との有意な関連が明らかとなっている[6]。しかし，レトロゾールは治療域が広く，毒性発現との関連についての検討は行われていないため臨床的な意義は不明である。

　レトロゾールの添付文書には次の記載がある。「閉経後乳癌患者にレトロゾール2.5mgを1日1回反復経口投与したとき，薬物代謝酵素CYP2A6の欠損あるいは活性低下を引き起こす遺伝子型（*CYP2A6*4*，*CYP2A6*7*，*CYP2A6*9*，*CYP2A6*10*）同士の組み合わせを有する群（SM群），野生型遺伝子である*CYP2A6*1A*あるいは*CYP2A6*1B*を有する群（EM群）ともに，血漿中トラフ濃度は投与開始4〜8週で定常状態に達したものの，平均血漿中トラフ濃度はEM群に比較してSM群で約2倍高かった。」

4-4　メルカプトプリン

　メルカプトプリンは，主に小児の急性白血病治療に用いられる主要な薬物の1つである。チオプリン製剤の応答性は個人差が大きく，毒性発現による治療の中断や投与量の大幅な減量を要することも少なくない。チオプリン製剤の代謝には多くの酵素が関与しており，主要代謝酵素であるTPMTには遺伝子多型が存在することが古くから知られ，TPMT遺伝子多型に基づくチオプリン製剤の投与量設定が検討されてきた。しかし，東アジア人において低活性となるTPMT遺伝子変異を有する患者は極めて稀であり，遺伝子多型検査を実施する意義は疑問視されていた。そのため，ほかの遺伝的要因を探索するためクローン病患者を対象としたゲノムワイド関連解析が韓国で実施され，代謝酵素の1つであるNUDT15の遺伝子多型（*3）がチオプリン誘発性白血球減少症の決定因子であることが示唆された[7]。その後，小児急性リンパ性白血病患者を対象とした検討においても*NUDT15*3*がメルカプトプリンの血液毒性に強く影響することが明らかとなっている[8]。*NUDT15*3*は，NUDT15の139番目のアミノ酸がアルギニン（Arg）からシステイン（Cys）に変化する遺伝子多型であり，アミノ酸置換により酵素活性が著しく低下する。そのため，Cys/Cys型

の患者では，メルカプトプリンの活性型分子の分解が抑制されるため，重篤な血液毒性を発症するリスクが高くなると考えられる。

メルカプトプリンの添付文書には次の記載がある。「本剤の代謝に関わる酵素であるNudix hydrolase 15（NUDT15）について，遺伝子多型が報告されており，NUDT15 Arg139Cys遺伝子多型を有する患者では，本剤投与後に白血球減少等の発現の可能性が高くなるとの報告がある。」

【参考文献】

1) Esaki T et al：Prospective PGx and PK/PD dose-finding study of irinotecan based on *UGT1A1*6* and **28* genotyping (UGT0601). J Clin Oncol, 27(Suppl):abstr e14560, 2009（https://ascopubs.org/doi/10.1200/jco.2009.27.15_suppl.e14560）（2022年6月閲覧）
2) Kakuta Y et al：NUDT15 codon 139 is the best pharmacogenetic marker for predicting thiopurine-induced severe adverse events in Japanese patients with inflammatory bowel disease: a multicenter study. J Gastroenterol, 53(9):1065-1078, 2018
3) Ichikawa W et al：An internally and externally validated nomogram for predicting the risk of irinotecan-induced severe neutropenia in advanced colorectal cancer patients. Br J Cancer, 112(10):1709-1716, 2015
4) Van Kuilenburg AB et al：Genotype and phenotype in patients with dihydropyrimidine dehydrogenase deficiency. Hum Genet, 104(1):1-9, 1999
5) Amstutz U et al：Clinical Pharmacogenetics Implementation Consortium（CPIC）Guideline for Dihydropyrimidine Dehydrogenase Genotype and Fluoropyrimidine Dosing: 2017 Update. Clin Pharmacol Ther, 103(2):210-216, 2018
6) Desta Z et al：Plasma letrozole concentrations in postmenopausal women with breast cancer are associated with CYP2A6 genetic variants, body mass index, and age. Clin Pharmacol Ther, 90(5):693-700, 2011
7) Yang SK et al：A common missense variant in NUDT15 confers susceptibility to thiopurine-induced leukopenia. Nat Genet, 46(9):1017-1020, 2014
8) Tanaka Y et al：Susceptibility to 6-MP toxicity conferred by a NUDT15 variant in Japanese children with acute lymphoblastic leukaemia. Br J Haematol, 171(1):109-115, 2015

〔辻　大樹〕

第1章 抗がん薬概論 | 5 抗がん薬の個別化医療

5-4 その他の遺伝子多型による個別化

1 概要

　がん化学療法においては，がん細胞の遺伝子変異などのバイオマーカーにより，抗がん薬の適応の可否を決定するprecision medicineの時代が到来している。非小細胞肺がんでは*EGFR*遺伝子変異，*ALK*融合遺伝子や*ROS1*融合遺伝子，大腸がんでは*RAS*遺伝子変異などがん細胞の遺伝子情報を活用した個別化が急速に進んでいる。

　がん患者を対象とし，薬物治療の個別化を目的とした遺伝子検査の対象は，somatic mutationを解析する体細胞遺伝子検査とgermline mutationを解析する生殖細胞系列遺伝子検査に分類される（第1章5-3，図1）。生殖細胞系列遺伝子検査においては，単一遺伝子疾患の診断を目的としたもの，薬物の応答性に関与するファーマコゲノミクス検査に大きく分けられる。

　薬物の動態や感受性と関連するファーマコゲノミクスは，薬物治療の個別化を考えるうえで薬剤師にとって重要な分野である。「第1章5-2」では添付文書上に記載のあるものをとりあげたが，本稿では，臨床応用には至っていないが臨床応用への期待が高まるもの，がん薬物療法において薬剤師が理解しておいた方がよいと考えられるものを中心に記載する。後述の例に示すように，薬物動態・感受性関連遺伝子多型は抗がん薬の毒性発現のみならず，治療効果にも影響する可能性がある。

2 薬物動態に関連する遺伝子多型

2-1 タモキシフェンとCYP2D6遺伝子多型

　タモキシフェンはプロドラッグであり，CYP2D6により活性代謝物である4-ヒドロキシタモキシフェンやエンドキシフェンを生成することで抗腫瘍効果を発揮する。CYP2D6には遺伝子多型が存在し，変異アレルの数に応じて4-ヒドロキシタモキシフェンおよびエンドキシフェン濃度が低下することが示されている。日本人においては*4，*5といった酵素活性欠損が認められる変異を有する患者は少なく，酵素活性の低下が認められる*10を有する患者が多い。酵素活性の低下を起こす*10を有する患者に対しては，タモキシフェンの投与量を20mgから40mgに増量することで変異アレルを有さない患者と同レベルのエンドキシフェン濃度が得られることが明らかとなっている[1]。また，*CYP2D6*10変異保有者の多い日本人患者を対象とした後ろ向き研究においても変異アレルの数に応じて無再発生存期間が低下することが報告されている[2]。ホルモン受容体陽性転移・再発乳がん患者を対象とし，*CYP2D6*遺伝子型に基づきタモキシフェンの投与量を40mgに増量する群（増量群）と通常の20mgを投与する群（固定用量群）で投与を行う群とのランダム化第

Ⅱ相試験（TARGET-1）がわが国で実施された。エンドキシフェンのトラフ濃度は，増量群で固定用量群と比較して有意に高い結果であったが，主要評価項目である6カ月後の無増悪生存の割合に有意差は認められなかった。しかし，無増悪生存期間中央値は，増量群で14.4カ月，固定用量群が11.8カ月であり，増量群で延長する傾向が示された[3]。

2-2 テガフール・ギメラシル・オテラシルカリウム（S-1）と*CYP2A6*遺伝子多型

　S-1はテガフール，ギメラシル，オテラシルカリウムの3成分からなる配合剤である。5-FUのプロドラッグであるテガフールは，CYP2A6による代謝を受け5-FUへ変換され抗腫瘍効果を発揮する。ギメラシルは5-FUを分解するDPD活性を阻害することで5-FUの血中濃度を高めて抗腫瘍効果を増強する役割を果たしている。CYP2A6には酵素活性に影響を与える遺伝子多型が存在し，日本人に多いとされる遺伝子全欠損型の*CYP2A6*4*変異保持者では5-FUの生成が不十分となり抗腫瘍効果が低下する可能性がある。S-1が投与された非小細胞肺がん患者での検討で，*CYP2A6*4*アレルを有する患者では5-FUのC_{max}およびAUCが増加するとの報告[4]がある一方で，S-1の5-FUの体内動態の律速段階はCYP2A6によるテガフールから5-FUへの生成ではなく，ギメラシルによるDPD阻害作用であるため，*CYP2A6*遺伝子多型は5-FUの動態に影響を与えないとの報告もある[5]。

　S-1による胃がん術後薬物療法およびS-1とシスプラチンの併用療法が行われた進行胃がんを対象とした研究において，*CYP2A6*遺伝子多型が無再発生存期間および全生存期間に影響を及ぼすことが報告されている[6,7]。

③ 薬物の感受性に関連する遺伝子多型

3-1 プラチナ製剤と*ERCC1*遺伝子多型

　シスプラチンなどのプラチナ製剤が引き起こすDNA鎖間架橋は，DNAの複製時に修復される。Excision repair cross-complementation group1（ERCC1）は核酸分解酵素であり，生体に備わるDNA修復機構の1つであるヌクレオチド除去修復（nucleotide excision repair：NER）経路において，律速酵素として機能している。ERCCのmRNAやその蛋白発現量はプラチナ製剤の感受性と関連するとされており，*ERCC1*遺伝子の3′非翻訳領域に存在する8092C＞Aおよびエクソン4に存在する19007C＞Tなどの遺伝子多型とプラチナ製剤による治療効果や毒性発現と関連することが多く報告されている[6,8]。胃がん，結腸・直腸がんや非小細胞肺がんに対するプラチナベースのがん薬物療法を受けた患者では，*ERCC1*遺伝子多型が全生存期間等の効果に影響を及ぼすことがメタアナリシスで示されている[9,10]。

3-2 抗体医薬品と*FCGR*遺伝子多型

　免疫グロブリンG（IgG）のγ鎖のFc領域に特異的に結合するFcγ受容体（FcγR）は，種々の免疫応答に関与する。FcγRⅡa，Ⅱb，Ⅱc，Ⅲa，Ⅲbの5つのファミリーからなり，このう

ちFcγRⅡaおよびFcγRⅢaをコードする*FCGR2A*および*FCGR3A*遺伝子には，それぞれアミノ酸置換を伴うコドン131G＞A〔ヒスチジン（H）がアルギニン（R）に変わる変異：H131R〕およびコドン158T＞G〔フェニルアラニン（F）がバリン（V）に変わる変異：F158V〕の2つのSNPが存在する。これらはFc領域との結合親和性を変化させる機能的なSNPである。リツキシマブやトラスツズマブ，セツキシマブなどの抗体医薬品は，エフェクター細胞であるNK細胞や単球のFcγRを介した抗体依存性細胞介在性細胞傷害（ADCC）活性によりがん細胞の細胞増殖を抑制し細胞死を誘導すると考えられている。そのため，ADCC活性に影響するFCGR2AおよびFCGR3Aの遺伝子多型も抗体薬の感受性を規定する可能性がある。*FCGR*遺伝子多型は生存期間の延長との関連があるとされる報告とないとされる報告があるが，リツキシマブが投与された非ホジキンリンパ腫を対象とした研究およびセツキシマブが投与された遠隔転移を有する結腸直腸がんを対象としたメタアナリシスで有意な関連性が示されている[11,12]。

【参考文献】

1) Kiyotani K et al：Dose-adjustment study of tamoxifen based on CYP2D6 genotypes in Japanese breast cancer patients. Breast Cancer Res Treat, 131(1):137-145, 2012
2) Kiyotani K et al：Significant effect of polymorphisms in CYP2D6 and ABCC2 on clinical outcomes of adjuvant tamoxifen therapy for breast cancer patients. J Clin Oncol, 28(8):1287-1293, 2010
3) Tamura K et al：CYP2D6 Genotype-Guided Tamoxifen Dosing in Hormone Receptor-Positive Metastatic Breast Cancer（TARGET-1）：A Randomized, Open-Label, Phase II Study. J Clin Oncol, 38(6):558-566, 2020
4) Kaida Y et al：The CYP2A6*4 allele is determinant of S-1 pharmacokinetics in Japanese patients with non-small-cell lung cancer. Clin Pharmacol Ther, 83(4):589-594, 2008
5) Fujita K et al：CYP2A6 and the plasma level of 5-chloro-2, 4-dihydroxypyridine are determinants of the pharmacokinetic variability of tegafur and 5-fluorouracil, respectively, in Japanese patients with cancer given S-1.Cancer Sci, 99(5):1049-1054, 2008
6) Park SR et al：CYP2A6 and ERCC1 polymorphisms correlate with efficacy of S-1 plus cisplatin in metastatic gastric cancer patients. Br J Cancer, 104(7):1126-1134, 2011
7) Jeong JH et al：Associations between CYP2A6 polymorphisms and outcomes of adjuvant S-1 chemotherapy in patients with curatively resected gastric cancer. Gastric Cancer, 20(1):146-155, 2017
8) Gossage L et al：Current status of excision repair cross complementing-group 1（ERCC1）in cancer. Cancer Treat Rev, 33(6):565-577, 2007
9) Yang Y et al：The association between the ERCC1/2 polymorphisms and the clinical outcomes of the platinum-based chemotherapy in non-small cell lung cancer（NSCLC）：a systematic review and meta-analysis. Tumour Biol, 35(4):2905-2921, 2014
10) Ma SC et al：Association between the ERCC1 rs11615 polymorphism and clinical outcomes of oxaliplatin-based chemotherapies in gastrointestinal cancer: a meta-analysis. Onco Targets Ther, 8:641-648, 2015
11) Liu D et al：The FCGR3A polymorphism predicts the response to rituximab-based therapy in patients with non-Hodgkin lymphoma: a meta-analysis. Ann Hematol, 95(9):1483-1490, 2016
12) Ying HQ et al：FCGR2A, FCGR3A polymorphisms and therapeutic efficacy of anti-EGFR monoclonal antibody in metastatic colorectal cancer. Oncotarget, 6(29):28071-28083, 2015

（辻　大樹）

6 抗がん薬の相互作用

I 薬物間相互作用とは

　がん薬物療法を受ける患者は，抗がん薬のみならず，その副作用対策のための薬を服用することが多い。また，がんは高齢者で多く発病することから，糖尿病や高血圧などさまざまな生活習慣病を併発している場合が少なくない。

　薬物を併用している場合，その薬物の特徴から薬物同士が相互に関係し，作用が増強・減弱されることがある。これを薬物間相互作用とよぶ。また，経口薬物は，代謝などの過程において食事や特定の食物（たとえば，グレープフルーツなど）による影響を受けることがある。

　薬物間相互作用は発現機序によって大きく2つの仕組みに分けることができる。

1）薬物動態学的相互作用

- 薬物が生体内に入って出ていくまでの過程（吸収，分布，代謝，排泄）において，その類似性や代謝酵素やトランスポーターなどの阻害，誘導といった特徴により，主に影響される側の薬剤の体内の曝露量（血中濃度やAUC*）の変化を伴う相互作用。
- 吸収における金属との錯体形成による阻害の例：エストラムスチンは牛乳によって吸収効率の指標であるBA**が60％低下する。
- 代謝における酵素阻害の例：ゲフィチニブ服用中は，代謝酵素CYP2D6の阻害により，メトプロロールのAUCが約35％上昇する。
- 排泄におけるトランスポーター阻害の例：バンデタニブ服用中は，尿細管取り込み型トランスポーターOCT2の阻害により，メトホルミンのAUC，Cmaxはそれぞれ74％および50％増加する。

＊：血中濃度－時間曲線下面積，area under the concentration time curve
＊＊：生物学的利用率（Bioavailability）

2）薬力学的相互作用

　ある薬物が併用する別の薬物の作用する部位（受容体）に影響を及ぼしたり，異なる機序により同一の薬理作用（薬効や副作用）を示す薬剤が併用されたりした場合に起こる相互作用で，体内曝露量の変化を伴わない。

　例：バンデタニブは，QT間隔延長を起こすおそれがあるほかの薬剤との併用により，作用が増強するおそれがある。

　図に抗がん薬に関連するものを中心に主な薬物間相互作用の概念を示す。

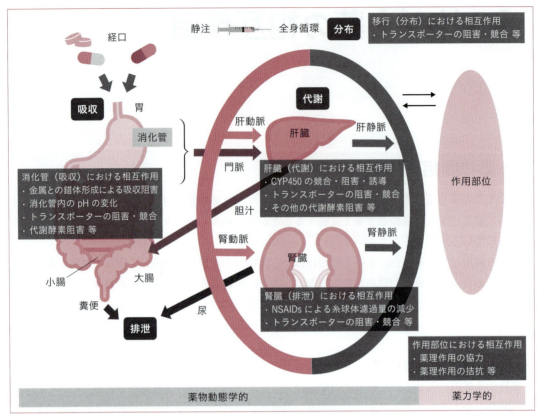

図　主な薬物間相互作用の概念図（抗がん薬に関連するものを中心に）

❷ 抗がん薬が関連する相互作用

　抗がん薬が別の薬剤により影響を受ける場合と，抗がん薬そのものが別の薬剤に影響を及ぼす場合があり，個々の薬剤の特徴により，その影響の度合いや組み合わせはさまざまである。
　特に肝臓における代謝酵素CYP450に関係する相互作用が多く，これは，抗がん薬を含めた多くの薬剤がこの酵素によって代謝されることや，この酵素群がさまざまな薬剤や食品によって阻害・誘導されることによる。

❸ チトクロムP450が関与する薬物動態学的相互作用（競合・阻害・誘導）

　薬物動態学的な相互作用の多くは，肝臓での代謝過程における酵素反応を伴うものであり，その90％はチトクロム（CYP）が関与している。また，消化管（主に小腸）におけるグレープフルーツ（ジュース）などによるCYP3A4の阻害も多くの薬剤に影響を及ぼす。

1）競合

　代謝酵素の基質同士（同じ分子種のCYPにより代謝される薬剤）が併用されることで生じる相互作用を競合阻害とよぶ。

2）阻害

　CYPによる代謝を受ける薬剤のうち，反応性の高い代謝物がCYPと共有結合することがあり，その場合，不可逆的な阻害となる。また，薬物中の窒素原子を含む複素環がCYPのヘム部分へ配位することにより阻害する場合もある（半不可逆的阻害）。これらは阻害作用が強く，重篤な副作用を引き起こしやすいため，併用禁忌（原則禁忌含む）となっていることが多い。

- 不可逆阻害薬物の代表的な例：14員環マクロライド系抗生物質（エリスロマイシン，クラリスロマイシンなど）。
- 半不可逆的阻害薬物の代表的な例：イミダゾール環含有薬物（ケトコナゾール，イトラコナゾールなど），フルボキサミン，シメチジン，グレープフルーツジュース。

3）誘導

　薬物代謝酵素の含量や活性が増大させることを誘導とよぶ。ある薬物を服用後，その薬物自体の代謝活性が増大する場合を自己酵素誘導，ほかの薬物の代謝が亢進する場合を外部酵素誘導とよぶ。

- 自己酵素誘導の代表的な例：オシメルチニブによるCYP3A4の誘導
- 外部酵素誘導の代表的な例：フェニトインによるCYP3A4の誘導

　別表に，ケトコナゾール，リファンピシンといった薬剤が多くの場面で出てくるのは，新薬開発における相互作用試験の対象薬として広く用いられるためである。詳細は「医薬品開発と適正な情報提供のための薬物相互作用ガイドライン」を参照されたい。

4 経口抗がん薬（分子標的治療薬）に対する食事の影響

　経口薬剤の消化管からの吸収においては，溶解性，安定性，膜透過性などがさまざまな影響因子により変化する。なかでも溶解性については，イオン性物質の場合，制酸剤などの併用により胃内pHが変化すると溶解度に影響する可能性がある。また，脂溶性薬剤の場合，脂質成分を多く含む食事などを摂取することにより，界面活性作用を有する胆汁酸の分泌が活発となり，その結果薬剤の消化管内での溶解度を上昇させ，吸収が増大する。

　表に主な経口分子標的薬剤に対する食事の影響についてまとめた。

　影響の大きい薬剤は効果・副作用両面において食事や服薬の時間の管理を精密にすることが治療成功の鍵となる。

5 臨床における対処方法

　薬物間相互作用回避のための臨床における対処方法は1つではない。基本的には，薬物動態学的特徴や薬力学的特徴を考慮し，できる限り相互作用の少ない組み合わせを選択すべきである。また，製剤的な特徴等も含め，時間をずらして投与することで回避できる場合などもある。どうしても併用しなければならない場合においては，有益性が危険性を上回る場合にのみ併用することもあるが，その場合であっても観察を注意深く行い，早期に副作用の発見などに努めるべきであろう。また，介入時すでに相互作用が疑われる薬剤同士が併用されている場合など，急に一方の薬剤を中止，変更するということにも注意が必要である。

表 分子標的抗がん薬に対する食事の影響

薬剤名	食事	薬剤曝露に対する影響	投与に関する推奨
ダサチニブ	高脂肪食	↑AUC 14%	―
エルロチニブ	高脂肪食, 高カロリー食	単回投与：↑AUC 200% 連続投与：↑AUC 37〜66%	空腹時
ゲフィチニブ	低脂肪朝食	↓AUC 14%, ↓C_{max} 35%	―
	高脂肪朝食	↑AUC 32%, ↑C_{max} 35%	
イマチニブ	高脂肪食	バイオアベイラビリティに変化なし	食事とともに*
ラパチニブ	低脂肪食（脂肪5%）	↑AUC 167%, ↑C_{max} 142%	空腹時
	高脂肪食（脂肪50%）	↑AUC 325%, ↑C_{max} 203%	―
ニロチニブ	高脂肪食	↑AUC 82%	空腹時
ソラフェニブ	中脂肪食（脂肪30%）	バイオアベイラビリティに変化なし	空腹時
	高脂肪食（脂肪50%）	↓バイオアベイラビリティ 29%	―
スニチニブ	高脂肪食, 高カロリー食	↑AUC 18%	―
エベロリムス	高脂肪食	↓AUC 16%, ↓C_{max} 60%	―
ボリノスタット	高脂肪食	↑AUC 37%	食事とともに**
パゾパニブ	高脂肪食	↑AUC 2.3倍, ↑C_{max} 2.1倍	食事の1時間前または2時間後
	低脂肪食	↑AUC 1.9倍, ↑C_{max} 2.1倍	
ベネトクラクス	高脂肪食	↑AUC 5.1倍, ↑C_{max} 5.3倍	食後投与
	低脂肪食	↑AUC 約3.4倍, ↑C_{max} 約3.4倍	
レゴラフェニブ	高脂肪食	【未変化体】AUC 148%, C_{max} 173% 【M-2】AUC 80%, C_{max} 72% 【M-5】AUC 49%, C_{max} 41%	空腹時, 高脂肪食後は避ける
	低脂肪食	【未変化体】AUC 136%, C_{max} 154% 【M-2】AUC 約140%, C_{max} 130% 【M-5】AUC 約123%, C_{max} 112%	
カボザンチニブ	※添付文書・IF上指定されていない	↑AUCinf 41%, ↑C_{max} 57%	食事の1時間前から食後2時間までの間の服用は避ける
チラブルチニブ	※添付文書・IF上指定されていない	↑AUCinf 29%, ↑C_{max} 74%	空腹時
ベムラフェニブ	高脂肪食, 高カロリー食	↑AUCinf 4.6倍, ↑C_{max} 2.5倍	食事の1時間前から食後2時間までの間の服用は避けることが望ましい
ダブラフェニブ	高脂肪食, 高カロリー食	↓AUC 約31%, ↓C_{max} 約51%	空腹時投与（食事の影響を避けるため, 食事の1時間前から食後2時間までの間の服用は避けること）
トラメチニブ	高脂肪食, 高カロリー食	↓AUC 約10%, ↓C_{max} 約70%	空腹時投与（食事の影響を避けるため, 食事の1時間前から食後2時間までの間の服用は避ける）

薬剤名	食事	薬剤曝露に対する影響	投与に関する推奨
イキサゾミブ	高脂肪食	↓AUC 28%, ↓C_{max} 69%	空腹時投与（食事の1時間前から食後2時間までの間の服用は避ける）
アビラテロン	高脂肪食	↑AUC 10倍, ↑C_{max} 17倍	空腹時投与（食事の1時間前から食後2時間までの間の服用は避ける）
	低脂肪食	↑AUC 5倍, ↑C_{max} 7倍	
アファチニブ	高脂肪食	↓AUC 39%, ↓C_{max} 50%	空腹時
オラパリブ	高脂肪食	↑AUC 8%, ↓C_{max} 21%	記載なし
サリドマイド	高脂肪食	C_{max}, AUCおよび$t_{1/2}$に影響は認められなかったが, T_{max}は食事摂取により約1時間延長	食事に対する影響は不明
テモゾロミド	高脂肪食	↓AUC 約9%, ↓C_{max} 約32%	空腹時
トリフルリジン・チピラシル	※添付文書・IF上指定されていない	【トリフルリジン】↓AUC 変化なし, ↓C_{max} 61% 【チピラシル】↓AUC 56%, ↓C_{max} 56%	食後
レナリドミド	高脂肪食, 高カロリー食	↓AUC 約20%, ↓C_{max} 約50%	高脂肪食摂取前後を避けて投与

＊：イマチニブは食事とともに摂取することで吐き気が減少する
＊＊：ボリノスタットは治験時のデータは食後のデータ

〔Mathijssen RH et al：Nat Rev Clin Oncol, 11(5):272-281, 2014, 各添付文書, インタビューフォームをもとに作成〕

ミニコラム②ミニクイズ

問題1　CYP3A4を誘導する抗がん薬は？
次のうち，CYP（チトクロムP450）3A4を誘導する薬剤はどれか，正しいものを1つ選べ。

①ソラフェニブ
②レゴラフェニブ
③オシメルチニブ
④パゾパニブ
⑤スニチニブ

問題2　食事の影響を受ける抗がん薬は？
次のうち，用法・用量に関連する使用上の注意として「食事の1時間前から食後3時間までの間の服用は避けること」と記載されている薬剤はどれか，正しいものを1つ選べ。

①アファチニブ
②アレクチニブ
③エルロチニブ
④クリゾチニブ
⑤ゲフィチニブ

問題1解答　③，問題2解答　①

【参考文献】

1) Mathijssen RH et al：Determining the optimal dose in the development of anticancer agents. Nat Rev Clin Oncol, 11(5):272-281, 2014
2) Horikawa M et al：Reduced gastrointestinal toxicity following inhibition of the biliary excretion of irinotecan and its metabolites by probenecid in rats. Pharm Res, 19(9):1345-1353, 2002
3) Leo MA et al：Metabolism of retinol and retinoic acid by human liver cytochrome P450IIC8. Arch Biochem Biophys, 269(1):305-312, 1989
4) Fukami T et al：In vitro evaluation of inhibitory effects of antidiabetic and antihyperlipidemic drugs on human carboxylesterase activities. Drug Metab Dispos, 38(12):2173-2178, 2010
5) Yanjiao X et al：Evaluation of the inhibitory effects of antihypertensive drugs on human carboxylesterase in vitro. Drug Metab Pharmacokinet, 28(6): 468-474, 2013
6) Yonezawa A：[Platinum agent-induced nephrotoxicity via organic cation transport system]. Yakugaku Zasshi, 132(11):1281-1285, 2012
7) Nakamura T et al：Disruption of multidrug and toxin extrusion MATE1 potentiates cisplatin-induced nephrotoxicity. Biochem Pharmacol, 80(11):1762-1767, 2010
8) 厚生労働省医薬・生活衛生局医薬品審査管理課長通知：「医薬品開発と適正な情報提供のための薬物相互作用ガイドライン」について，薬生薬審発0723第4号，平成30年7月23日

(牧野　好倫)

7 Drug Delivery System（DDS）

1 概要

　DDS（Drug Delivery System，薬物送達システム）とは，薬物の投与方法も含めた投与形態を最適化することで薬物の体内動態を制御し，より効率のよい治療の実現を目的とした新規の薬物投与形態およびその概念の総称のことである。

　DDSは薬物の薬効を十分に引き出し，安全かつ有効に利用するために「薬物を，①標的作用部位に，②必要な時間，③必要な量を送り届ける」ことが最大の目的である。例えば細胞障害性抗がん薬は，抗腫瘍効果と毒性を発現する血中濃度が近いため，副作用も強い。さらに，がん細胞だけでなく正常細胞にも作用してしまう。抗がん薬を選択的に腫瘍組織にだけ必要な量を送り込むことができれば，多くの副作用などが抑えられるわけである。薬物の薬効，対象とする病態，さらには治療方法に合わせた製剤の設計や投与方法の確立は，これからの創薬開発の中でも重要な技術要素として位置づけられており，多くの製剤がDDSの概念を基盤として開発されている。

2 DDS開発の目的と方法論

　DDS製剤を考えるうえで重要なことは，薬物の「吸収」，「分布」，「代謝」，「排泄」（ADME）からなる過程のどこを制御するかにある。この課題に対して，開発された技術は3つに大別される。①ターゲティング（標的指向化），②コントロールドリリース（放出制御），③吸収改善であり，特にがん治療に関わるDDS製剤に関してはターゲティングとコントロールドリリースの技術が応用されている。

　これらDDSの技術開発の方法論として，物理化学的方法，化学的方法，生物化学的方法が挙げられる。

1）物理化学的方法

　物理化学的方法とは，製剤技術を駆使し主に剤形の形状の工夫により薬物を修飾する方法である。微粒子キャリアーや放出制御を目的とした剤形への応用がそれにあたり，ターゲティングやコントロールドリリースで利用されているDDS製剤が多い。

2）化学的方法

　化学的方法は，薬物の分子構造を化学合成により新たな機能を修飾し，薬物の体内動態の制御を目的とした方法である。最も多く利用されているのがプロドラッグ化であり，ターゲティング，コントロールドリリース，吸収改善のすべての分野で幅広く応用されている手法である。

3）生物学的方法

生物学的方法は，抗体，蛋白，細胞をはじめとする生物由来の素材を用いるものや生体側のもつ機能を製剤に修飾する手法である．主にactive targeting（能動的標的化）や吸収改善に利用されており，がん領域では抗体医薬品の開発が進んでいる．

❸ DDS開発の技術

本稿では特にターゲティング製剤およびコントロールドリリース製剤を中心に，現在のがん治療領域に関わるDDSに関して焦点を当てる．

3-1 ターゲティング（標的指向化）

薬物は"ただ体内にあるだけ"ではその薬効を有効に発揮することはできない．作用させたい組織に移行しなければ，本来の薬効を発揮できないまま代謝・排泄を受けるか，多くの副作用の発現を引き起こしかねない．特に抗がん薬など治療域と毒性発現域の近い薬物は，薬物が全身に分布することで正常な組織にも影響を与えてしまう．

ターゲティングの基本概念は，病巣など特定の部位を「標的」として定め，薬物を選択的に送達させ効率的に薬効を発揮させる技術である．さらには標的以外の組織への送達量が抑えられることで，副作用発現のリスクを低下させることができる特徴がある．薬物の動態を制御し，より安全により効率よく薬効を引き出すということは，DDSの基本概念を形にしたものの一つといえる．

がん治療に関わるターゲティングには，リポソームをはじめとした微粒子を用いたpassive targeting（受動的標的化）や，抗体を用いたactive targetingがある（表1）．また，標的部位のみで薬物を放出もしくは活性化するという意味では，プロドラッグによるターゲティングもある．

1）Passive targeting（受動的標的化）

Passive targetingは，標的とする部位が有する機能的または組織的特性に対して，ドラッグキャリアーが有する物理化学的方法を利用して薬物を標的部位に送達させる方法である．

（1）腫瘍組織における血管新生の活性化とEPR効果

腫瘍組織においての特性として挙げられるのが，血管新生の活発化とそれに伴う血管透過性の亢進である．正常な血管であれば血管内皮細胞は密になっているが，新生血管の内皮細胞間には隙間がある．そのため，微粒子や高分子など通常は血管外に透過しない大きさの物質や分子でも，血管外に漏出してしまう（図1）．さらに，がん組織においてはリンパ系が未発達であるため，異物を組織外に排出する能力が低い．その結果，血中から漏出した微粒子や高分子はがん組織内へ滞留しやすくなる．この効果をEPR（enhanced permeability and retention）効果とよび，微粒子や高分子を腫瘍組織に送達させるのに，特に重要な要素である[1,2]．

（2）血中での滞留性向上

次にpassive targetingの効果を引き出すには，ドラッグキャリアーである微粒子や高分子のサイズ，電荷，表面の構造などを工夫する必要がある．サイズを200nm以下，電荷をマイナスに，微粒子や高分子をPEG修飾することなどで，肝臓や脾臓に多く存在し体内の異物を取り除く細網

表1 抗がん薬のターゲティング

一般名	商品名/開発番号	ターゲティングの種類		
イリノテカン塩酸塩水和物	オニバイド	微粒子	リポソーム	passive targeting
ドキソルビシン塩酸塩	ドキシル		リポソーム	passive targeting
パクリタキセル	NK-105		ナノパーティクル	passive targeting
SN-38	NK-012		ナノパーティクル	passive targeting
リツキシマブ	リツキサン	抗体		active targeting
ベバシズマブ	アバスチン			active targeting
トラスツズマブ	ハーセプチン			active targeting
トラスツズマブ エムタンシン	カドサイラ			active targeting
トラスツズマブ デルクステカン	エンハーツ			active targeting
ブレンツキシマブ ベドチン	アドセトリス			active targeting
イットリウム (^{90}Y) イブリツモマブ チウキセタン	ゼヴァリン			active targeting
カペシタビン	ゼローダ	プロドラッグ		
ゲムシタビン塩酸塩	ジェムザール			

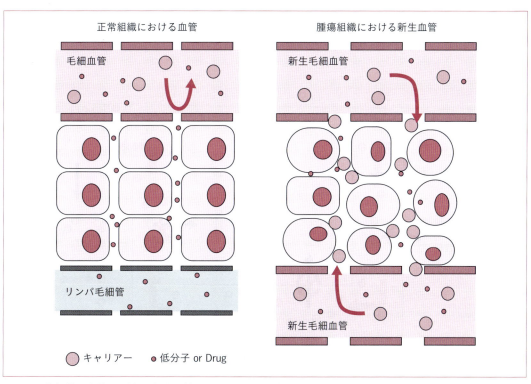

図1 正常組織の血管とがんの新生血管における分子の移動の違い

内皮系への取り込みや，腎排泄が抑制され血中での滞留性が向上する。ドラッグキャリアーの血中での滞留性が向上すれば，正常な血管での取り込みは抑えられ，腫瘍組織の血管など透過性の高い血管から漏出することで，薬物の集積性を上げることができるのである（図2）。

　抗がん薬においては，ドキシルや臨床試験中のNK105がそれにあたる。ドキシル（ドキソルビシン塩酸塩リポソーム製剤）はリポソームの内水相にドキソルビシンを内包し，サイズは85nm～100nm，リポソーム膜表面をPEGで修飾することで，細網内皮系の取り込みを押さえ，EPR効果向上により腫瘍集積性を高めた代表的なpassive targeting 製剤である[3,4]。ドキシルと注射用ドキソルビシン塩酸塩製剤の血中濃度と比較しても，血中での滞留性が向上しているのがわかる。

2）Active targeting（能動的標的化）

　Active targetingは，生体が有する特異的な認識機能を利用して，キャリアー自体に標的となる部位に対して指向性をもたせる方法である。生体内の認識機構としては抗原抗体反応，特異的に発現するレセプターに対するリガンド，トランスポーターの利用が挙げられる。

(1) モノクローナル抗体

　特にがん治療の領域に関しては，モノクローナル抗体を利用した分子標的薬の臨床応用が顕著である。モノクローナル抗体の種類は，どの生物のDNAから作られるかによって違い，現在はマウス抗体，キメラ抗体，ヒト化抗体，ヒト抗体などが使用されている。モノクローナル抗体による分子標的薬は，抗体そのものが抗原に対する生理活性を有している「薬物」的な側面と，「送達」させるというDDSの概念を両方兼ね揃えた理想的な医薬品といえる。また，トラスツズマブ エムタ

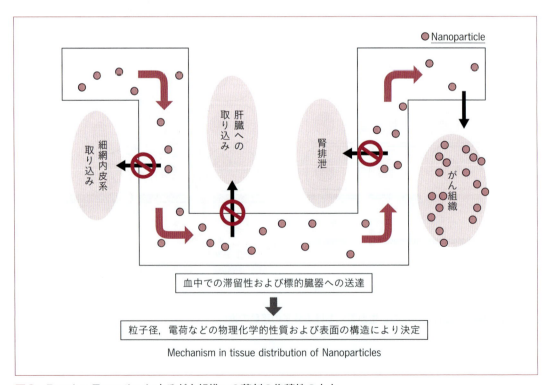

図2　Passive Targetingによるがん組織への薬剤の集積性の向上

ンシン（カドサイラ®）のように抗がん作用を有する薬物にモノクローナル抗体を結合させることで（図3），自身のがん細胞に対する障害作用に加え，選択的に薬物を標的に作用させることが可能となった医薬品も存在する．さらに，がん放射線治療にも利用されており，イブリツモマブ チウキセタン（ゼヴァリン®）はモノクローナル抗体にβ線放出核種をキレート結合させることにより腫瘍部位への核種の集積性を高めた製剤である．

3）プロドラッグによるターゲティング

プロドラッグによるターゲティング製剤も存在する．プロドラッグとは，そのままの状態では薬理活性を示さないが，標的である病変部位に存在する酵素反応や化学反応によって活性体となって薬効を発揮するよう設計されたものである（図4）．抗がん薬にも応用されており，ピリミジンヌクレオチドホスホリラーゼなど腫瘍組織内に特異的に存在する酵素により活性体となる．カペシタ

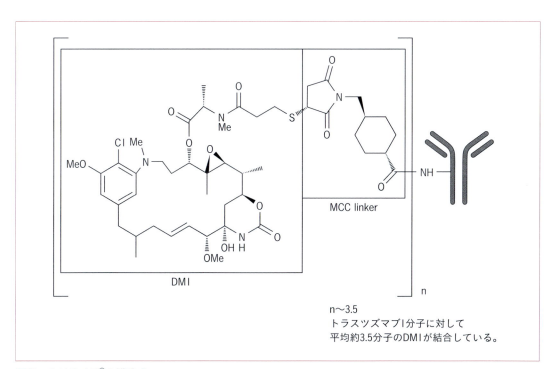

図3 カドサイラ®の構造式

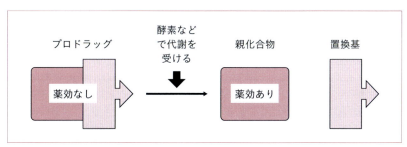

図4 プロドラッグ

ビン（ゼローダ®）は，肝臓内および腫瘍組織内で計3段階の酵素反応を受けることで活性体になるプロドラッグであり，消化管での副作用の回避と腫瘍への送達を可能としたものである．

3-2　コントロールドリリース（放出制御）

　コントロールドリリースは，DDSの概念のなかで，特に「必要な時間」，「必要な量」というところに特化したDDS技術であり，DDSの分野でも数多くの医薬品が実用化されている．剤形や投与経路の工夫により製剤からの薬物放出を制御することは，その後の薬物吸収をはじめとする体内動態に影響を与え，より効果的に薬効を引き出すための手段となる．また，その概念は新たな剤形や投与経路の開発だけにとどまらず，多くの医薬品原薬そのものの開発にも導入されている．

　抗がん薬は薬効発現の重要性が高いものが多く，治療に有効な血中濃度とその作用時間の最適化が鍵となる．そのため，コントロールドリリースの概念を基盤とした製剤も多く開発され，臨床応用されている．薬物放出の観点からの製剤があるが，抗がん薬においてはそのほとんどが放出調整型製剤であり，特に徐放性製剤が主に用いられている（図5）．薬物放出を徐放化することで，薬物の血中濃度をより長く治療域内に維持するだけでなく，投与回数を減らし，さらには副作用の軽減も可能となる．

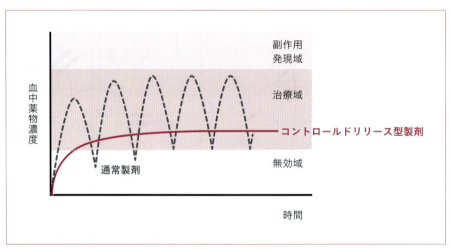

図5　コントロールドリリース製剤

ミニコラム ③アブラキサン®に関して

　パクリタキセル（アルブミン懸濁型）〔アブラキサン®〕は，アルブミンにパクリタキセルを結合させ粒子化した製剤である．粒子径が130nmとされており，その粒子サイズのイメージから投与後も粒子サイズを維持しEPR効果によるターゲティング製剤であると誤解されがちである．しかしながらインタビューフォームから，調製したアブラキサン®（5mg/mL）を擬血漿溶液（5％ヒト血清アルブミン溶液）で希釈しサイズを測定すると，パクリタキセル濃度約50〜60μg/mLにおいて急速にサイズが変化し，ヒト血清アルブミンと同等のサイズを示している．このことは粒子状のアブラキサンが血中に入ると急速に崩壊が起こることを示していると考えられる．アブラキサン®はあくまでパクリタキセルの可溶化が目的の製剤であり，血中においても微粒子を維持し，EPR効果によるターゲティング製剤ではない[5]ということを理解してもらいたい．

1）生体内分解性高分子を用いたコントロールドリリース

抗がん薬コントロールドリリースとして代表的な製剤として，リュープロレリン酢酸塩（リュープリン®）がある。生体内分解性高分子を有する乳酸グリコール酸共重合体（PLGA）をマイクロカプセルの基剤として用い，そのなかに主薬であるリュープロレリン酢酸塩を封入した製剤である。PLGAは生体内において非酵素的に加水分解をうけ，生体内に存在する乳酸やグリコール酸に変換される高分子である。そのPLGAをマイクロカプセルの基剤に用いることで，基剤が徐々に分解するにしたがいリュープロレリン酢酸塩を持続放出し，有効な血中濃度を長期間にわたり持続できるよう設計された製剤である（図6）。このリュープリン®の開発により，以前は水溶液注射剤を毎日，腹部に皮下注射していた治療が激変したのはいうまでもない。現在，長いもので6カ月もの間持続放出する製剤が臨床応用され，患者のQOL改善につながった製剤である。ほかにもゴセレリン酢酸塩（ゾラデックス®）をはじめこのシステムを導入した製剤が，がん治療領域で臨床応用されている。

2）プロドラッグを利用したコントロールドリリース

薬物をプロドラッグ化して，その薬物動態を大きく変化させることができる。抗がん薬の開発においてもコントロールドリリースの概念を取り入れたプロドラッグ化が臨床応用されている。テガフール・ギメラシル・オテラシルカリウム（ティーエスワン®）に配合されているテガフールは，肝臓のCYP2A6によって，徐々に活性を有するフルオロウラシルに変換されるように設計された抗がん薬である。イリノテカンもプロドラッグであり，肝臓のカルボキシルエステラーゼにより

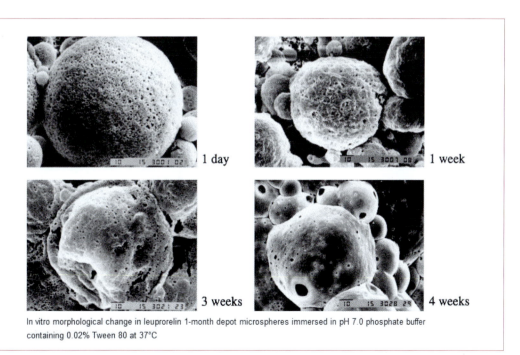

In vitro morphological change in leuprorelin 1-month depot microspheres immersed in pH 7.0 phosphate buffer containing 0.02% Tween 80 at 37℃

〔村田直之：DDS開発の最前線 連載20 リュープリン（マイクロカプセル型長期徐放性注射製剤）．Drug Delivery System, 28(1):59, 2013〕

図6　リュープリン®の放出過程

徐々に活性代謝物であるSN-38に変換され，持続的な抗腫瘍効果を発現するよう設計されている[6,7]。

3）がん疼痛とコントロールドリリース

がん治療において，がん疼痛の管理は非常に重要である。世界保健機構（WHO）により1986年がん疼痛管理指針が示され，がんそのものの治療だけでなく，がん疼痛の管理が患者のQOLの改善のために必要不可欠である（第6章参照）。そのがん疼痛の管理において，コントロールドリ

ミニコラム ④抗体薬の抗体と命名法

抗体薬は，名前が似通っており覚えにくい。ただし法則性があり，その点を把握すると抗体薬に対して理解が高まる。

がん種	商品名	一般名	抗体	標的分子	構造
血液がん	リツキサン	リツキシマブ	キメラ抗体	CS20	IgG1k
	アーゼラ	オファツムマブ	ヒト抗体		IgG1k
	マブキャンパス	アレムツズマブ	ヒト化抗体	CD52	IgG1k
	ポテリジオ	モガムリズマブ	ヒト化抗体	CCR4	IgG1k
乳がん	ハーセプチン	トラスツズマブ	ヒト化抗体	HER2	IgG1k
	パージェタ	ペルツズマブ	ヒト化抗体		IgG1k
大腸がん	アバスチン	ベバシズマブ	ヒト化抗体	VEGF	IgG1k
	アービタックス	セツキシマブ	キメラ抗体	EGFR	IgG1k
	ベクティビックス	パニツムマブ	ヒト抗体		IgG2k
胃がん	サイラムザ	ラムシルマブ	ヒト抗体	VEGFR-2	IgG1k
悪性黒色腫	ヤーボイ	イピリムマブ	ヒト抗体	CTLA-4	IgG1k
	オプジーボ	ニボルマブ	ヒト抗体	PD-1	IgG4

【命名法】

標的となる疾患・臓器		
腫瘍	tumor	tu(m)
黒色腫	melanoma	me(l)

+

抗体のDNAの由来		
ヒト	human	u
マウス	mouse	o
キメラ	chimeric	xi
ヒト化抗体	humanized	zu

+

抗体の種類		
モノクローナル抗体	monoclonal antibodies	mab

【例】

	固有名詞	標的となる疾患・臓器	抗体のDNA由来 キメラ抗体	抗体の種類 モノクローナル抗体
リツキシマブ rituximab	ri +	tu +	xi +	mab
トラスツズマブ trastuzumab	tras +	tu +	ヒト化抗体 zu +	mab

表2 コントロールドリリース型オピオイド

剤形	商品名	一般名	作用時間
錠剤	MSコンチン®錠	モルヒネ硫酸塩水和物	12時間
	オキシコンチン錠®	オキシコドン塩酸塩水和物	12時間
経皮吸収型	フェントス®テープ	フェンタニル	24時間
	ワンデュロ®パッチ	フェンタニル	24時間
	デュロテップ®MTパッチ	フェンタニル	72時間

リース型DDS製剤がその一翼を担っているのはいうまでもない。鎮痛薬のコントロールドリリース型製剤としては，痛みの機序や薬物動態に合わせ，剤形だけでなく経皮吸収など投与経路も工夫されているものが多い（表2）。

【参考文献】

1) Matsumura Y et al：A new concept for macromolecular therapeutics in cancer chemotherapy: mechanism of tumoritropic accumulation of proteins and the antitumor agent smancs. Cancer Res, 46(12Pt1): 6387-6392, 1986
2) 松村保広　他：高分子物質の腫瘍内蓄積性のメカニズム：高分子型制癌剤の有用性. 癌と化学療法, 14(3):821-829, 1987
3) 高原富弘　他：ドキシル®の開発経緯. Drug Delivery System, 28(3):205-214, 2013
4) Gabizon A et al：Prolonged circulation time and enhanced accumulation in malignant exudates of doxorubicin encapsulated in polyethylene-glycol coated liposomes. Cancer Res, 54(4): 987-992, 1994
5) 山田一彦：タキソール包理アルブミンAbraxaneの臨床開発. Drug Delivery System, 24(1):38-44, 2009
6) 橋田充：薬物体内動態の制御に関する新技術. 最新医学, 61(6):1117-1122, 2006
7) Kaneda N et al：Plasma Pharmacokinetics of 7-Ethy-10-hydroxycamptothecin(SN-38) after Intravenous Administration of SN-38 and Irinotecan(CPT-11) to Rats. Biol Pharm Bullm, 20(9)992-996, 1997

（笹津　備尚）

第2章
臨床試験の基本

第2章 臨床試験の基本

I 臨床試験とは

1 臨床研究と臨床試験の枠組み

　臨床研究とは，ヒトを対象にする医学研究全般を指し，診断方法，治療方法，予防方法などの安全性や有効性の評価などを目的に行われている。臨床試験・治験も臨床研究に含まれるが，一般に介入研究を臨床試験とよび，さらに医薬品などの承認を得るために実施されるものを治験とよぶ（図1）。

1-1　臨床研究・臨床試験の目的

　医薬品，医療機器，再生医療等製品等の創製や新治療法の導入，あるいは標準治療法の確立，エビデンスに基づいた医療の構築などにおいて，"人を対象にする研究"，いわゆる「臨床研究」の実施は必要不可欠である。

　これはすなわち，試験管内や動物試験などのいわゆる基礎研究で得られた結果は，必ずしもヒトにおいて再現性があるわけではない。一般診療上経験的に明らかとなった効果や副作用の発現状況は客観性に欠ける。そのため，臨床研究を通してそれらが証明されなければ，根拠に基づく医療（EBM）では，臨床上広く使用することはできない。

臨床研究
ヒトを対象とした研究
・患者個人を対象とする症例報告，研究対象を観察する観察研究等も含む
・「人を対象とする生命科学・医学系研究に関する倫理指針」による規制

介入研究（臨床試験）
介入・前向き研究，臨床試験
・臨床研究のうち，薬・手術等の治療手段を研究者側が前向きに制御して行われる研究
・「人を対象とする生命科学・医学系研究に関する倫理指針」による規制

特定臨床研究
未承認・適応外の医薬品等の臨床試験
・製薬企業から資金提供を受けた医薬品等の臨床試験
・臨床研究法による規制

治験
医薬品・医療機器・再生医療等製品の承認申請を目的とした臨床試験
・薬機法および厚生労働省令（GCP）等による規制

〔寺元剛：Clinical Research Professionals, (61):2-14, 2017 をもとに作成〕

図1　臨床研究の分類

1-2 臨床研究の種類

臨床研究は多種多様であるため，画一化した分類づけは困難であるが，一般的に「観察研究」と「介入研究」に大別され，臨床試験（治験を含む）は介入研究に分類される（図1）。

1）観察研究

「観察研究」は，研究のために積極的な治療などの介入を行わず，すでに実施されている治療の効果や予後などを観察する研究である（時間の方向によって，「前向き研究」と「後ろ向き研究」に分けることができる）。例えば，ある傷病に罹患した患者に対して，研究目的で診断および治療のための投薬，検査などの有無および程度を介入することなく，その転帰や予後などの診療情報を収集するようなものが該当する。

2）介入研究

これに対し「介入研究」は，研究目的で人の健康に関する事象に影響を与える要因（健康の保持増進につながる行動および医療における傷病の予防，診断または治療のための投薬，検査などを含む）の有無または程度を制御する行為（通常の診療を超える医療行為であって，研究目的で実施するものを含む）をいう。具体的には，研究目的でない診療で従前より受けている治療方法を研究目的で一定期間継続することとして，ほかの治療方法の選択を制約するような行為（例えばランダム化など）を伴うようなものが該当する。

2 臨床試験

「臨床試験」は，「臨床研究」の中の「介入研究」のことを指し，一般的に臨床試験は，バイアスを排除するように計画して研究することから，観察研究に比し，エビデンスレベルが高くなっている（表）。観察研究または臨床試験のどちらによって臨床研究を計画，実施するかどうかは，研究目的，研究仮説，規模，先行する非臨床，臨床成績などに応じて，適切なものを選択することになる。いずれにせよ，その目的を達成するためには倫理規範を踏まえ，適切な科学的原則に従ったデザイン，実施，解析が行われるべきであり，その試験結果は試験終了後適切に報告されなければならない。特に臨床試験の場合は，主要な目的が明確でなければならず，臨床試験実施計画書（プロトコル）にあらかじめ明確に記述されていなければならない。

表　エビデンスレベル（高い順）

1. システマティックレビュー，メタアナリシスレベル
2. 1つ以上のランダム化比較試験（RCT）によるレベル
3. 非ランダム化比較試験によるレベル
4. 分析疫学的研究（コホート研究や症例対照研究）によるレベル
5. 記述研究（症例報告やケースシリーズ）によるレベル
6. 患者データに基づかない，専門委員会や専門家個人の意見

（田中希世：3 臨床試験．がん診療レジデントマニュアル第8版（国立がん研究センター内科レジデント　編），医学書院，p.30-31, 2019より一部抜粋）

❸ 臨床試験の遵守すべき各種規制

臨床試験はさまざまな観点により分類することができるが，遵守すべき規制によって分類することで体系的に整理することができる（図2）。特にわが国において臨床試験を実施する場合には，後述のとおり法律の遵守が求められるものと，法の規制を受けずに国の指針に従う必要があるものとに大別されるが，いずれの規制においても共通することは，基本理念にヒトを対象とする医学研究の倫理原則である「ヘルシンキ宣言」に基づいていることである。

3-1　法律の遵守が義務づけられる臨床試験

1）治験

法規制を受ける臨床試験として代表的なものは「治験」である。治験は「医薬品，医療機器等の品質，有効性及び安全性の確保等に関する法律（薬機法）」または「再生医療等の安全性の確保等に関する法律」に基づき医薬品，医療機器，再生医療等製品の承認申請に添付する資料として，薬物，機械器具等，加工細胞等を実際に使用する際の効果や副作用を確認するための臨床試験である。当該臨床試験については，「医薬品の臨床試験の実施の基準に関する省令」または「医療機器の臨床試験の実施の基準に関する省令」あるいは「再生医療等製品の臨床試験の実施の基準に関する省令」に従い実施しなければならない。

また，治験には2つのタイプがあり，企業が国に治験計画届を提出したうえで実施医療機関と契約を行い実施する「企業依頼治験」と，医師自ら治験を企画・立案し，国に治験計画届を提出して治験を実施，管理を行う「医師主導治験」がある。医師主導治験は，外国で承認されているにもかかわらず，国内未承認，あるいは適応外使用が一般的となっている医薬品や医療機器の薬事承認を取得し，臨床の現場で適切に使用することが可能となる有用な手段となる。

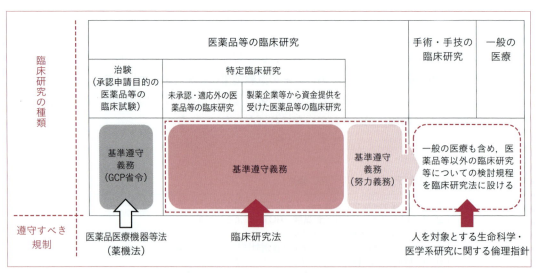

〔厚生労働省医政局研究開発振興課：臨床研究法について，平成29年度治験推進地域連絡会議（東京）2018年3月17日，p.6, 2018をもとに作成〕

図2　臨床試験の遵守すべき各規制

2)「臨床研究法」の施行

さらに，臨床研究の実施の手続や，臨床研究に関する資金等の提供に関する情報の公表の制度等を定める「臨床研究法（平成29年法律第16号）」が2018年4月1日より施行された。

同法において，臨床研究法の遵守が義務づけられるものは「特定臨床研究」と定められており，特定臨床研究の範囲については，①薬機法における未承認・適応外の医薬品等の臨床研究（治験計画届の国への届出が義務づけられている治験を除く），②製薬企業等から資金提供を受けて実施される当該製薬企業等の医薬品等の臨床研究（GCP遵守の責務のある製造販売後臨床試験を除く），と定義づけられている。なお，同法は施行後5年以内に見直しを行うこととなっており，2021年12月13日に「臨床研究法施行5年後の見直しに係る検討の中間とりまとめ」が発出されている。

3-2 法律の遵守が義務づけられていない臨床試験

法的な遵守を義務づけられない臨床試験は，治験および特定臨床研究を除く，臨床試験となる。当該臨床試験の遵守すべき指針は，「人を対象とする生命科学・医学系研究に関する倫理指針」を原則とする。ただし，分野ごとの指針（遺伝子治療等臨床研究，ヒト受精胚の作成を行う生殖補助医療研究等）の適用範囲に含まれる研究において，「人を対象とする生命科学・医学系研究に関する倫理指針」に規定されていない事項については，分野ごとの指針の規定により行うことに留意する必要がある。なお，特定臨床研究の対象外であるものの「医薬品等を人に対して用いることにより，当該医薬品等の有効性又は安全性を明らかにする研究（医薬品等の臨床研究）」については，臨床研究法において，政省令として発出される臨床研究実施基準等に従い実施するよう努めなければならないとされていることもつけ加えておく（図2）。

3-3 日本国外において実施される臨床試験の規制

国際共同臨床試験の実施が増大していることに伴い，わが国における規制のほか，他国への規制への遵守が求められることがある。わが国における関係指針においても，わが国の研究機関が日本国外において研究を実施する場合（海外の研究機関と共同して研究を実施する場合を含む）は，わが国における指針に従うとともに，実施地の法令，指針などの基準を遵守しなければならない。ただし，わが国における指針の規定と比較して実施地の法令，指針等の基準の規定が厳格な場合には，わが国の指針の規定に代えて当該実施地の法令，指針等の基準の規定により研究を実施すると定められていることに留意しなければならない。

【参考文献】
1) 寺元 剛：臨床研究法の概要と医療機関における対策. Clinical Research Professionals, (61):2-14, 2017
2) 国立がん研究センター内科レジデント 編：がん診療レジデントマニュアル第8版. 医学書院，p.30-45，2019
3) 厚生労働省：厚生科学審議会（臨床研究部会）（http://www.mhlw.go.jp/stf/shingi/shingi-kousei.html?tid=467561）

（近藤　直樹）

2 がんにおける治療法開発と臨床試験

1 概要

新しい治療法のヒトでの有効性や安全性などの評価は，さまざまな臨床試験のステップを経て行われる。臨床試験とはヒトに対する実験であるため，科学的に実施しなければならないのはもちろんであるが，それと同時に試験に参加する患者の人権やプライバシーに配慮した，倫理的な実験であることも要求される。このため，臨床試験を実施する際に守らなければならないさまざまなガイドライン，規制，法律などが定められている。

2 臨床試験の手順

新しい試験を計画する際には，その目的を明確にすることが重要である。動物や細胞での安全性を確認した後，新しい治療法や候補薬などの臨床試験が始まる。臨床試験は，古典的には第Ⅰ相から第Ⅲ相（あるいは第Ⅳ相）までの開発段階から分類される（図）。第Ⅰ相試験では安全性，第Ⅱ相試験では有効性がふるいにかけられ，第Ⅲ相試験においては新たな標準治療，標準薬となるかどうかが検証される。臨床試験とは，これらの段階を経て有望でない治療法をふるい落としていくためのスクリーニングのプロセスである。

2-1 抗がん薬以外の薬剤の臨床試験の手順

抗がん薬以外の一般薬の開発は，原則以下の通りである。
第Ⅰ相試験では，一般的に健康成人を対象に治療法の安全性および薬物動態が確認される。第Ⅱ相において初めて患者を対象に試験が行われ，安全性および有効性の検討，特に用量反応関係の確認や至適用法・用量の決定がなされる。最終的に第Ⅲ相試験にて，標準治療やプラセボ等と比較が行われ，主として有効性の検証がなされた場合に承認申請され，販売承認を得て，標準治療の一つとなる。その後，臨床現場において治療の対象となる患者の最適な選択や，適切な用法・用量の検討，併用療法に関する有効性・安全性の検討など，治療最適化のための研究が研究者主導で行われることになる。

2-2 抗がん薬の臨床試験の手順

一方で，がんの治療法開発は一般薬のそれとは異なる。がんの治療においては，薬物療法，外科的切除（手術），放射線療法など，さまざまな治療法を組み合わせた，いわゆる集学的治療（併用

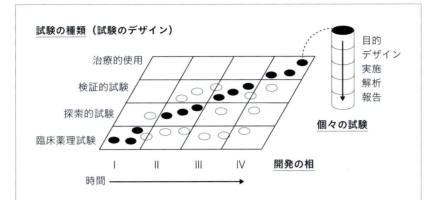

（医薬品医療機器総合機構：臨床試験の一般指針をもとに作成）

図 開発の相と試験デザイン ICH-E8：臨床試験の一般指針

化学療法，補助化学療法，化学放射線療法など）が行われる。そのため，抗がん薬以外の一般薬の開発とは大きく異なる。

　抗がん薬の臨床試験における第Ⅰ相試験は，通常の薬剤などの臨床試験と異なり，患者を対象に行われる。目的は，用量規制毒性の把握と推奨用量の決定である。第Ⅱ相試験にて腫瘍縮小による有効性を確認し，抗がん薬の開発であれば，乳がんなどの患者数が多いがん種以外は，この段階である程度の成績が得られれば承認申請，許認可される（早期開発とよばれる）。第Ⅲ相試験では，複数の治療法を組み合わせて標準治療との比較が行われる。胃がんや乳がんなど，比較的患者数の多いがん種については，抗がん薬などの開発段階で第Ⅲ相試験が要求される。この分類はあくまで便宜的なものであり，状況に応じて相のスキップや，Ⅰ/Ⅱ相試験，Ⅱ/Ⅲ相試験などのように相をまたいだ試験が行われることもある。一般薬の場合は，治験の第Ⅲ相試験にて有効性・安全性が認められればそのまま標準薬の一つとなり得るが，がんの場合にはさまざまな治療法の組み合わせで標準治療が確立されるため（後期開発とよばれる），企業主導の治験ではなく，研究者主導の臨床試験が必要不可欠である。がんとそれ以外の疾患における治療法開発で大きく異なる点である。しかしながら，研究者独自で大規模の多施設臨床試験を計画実施することは困難であり，データセンターを含む恒常的な組織により臨床試験が実施されることになる。このような研究者主導多施設臨床試験グループ（Cooperative Groupとよばれる）が1950年代から欧米で組織され，多数のエビデンスを創出してきた。日本おいても1990年代から組織され始め，現在ではJapan Clinical

Oncology Group（JCOG）など複数のグループが存在する。

３ 急速に発展した抗がん薬市場

　この10年で，非常に高価な分子標的治療薬の開発などが盛んに行われるようになったが，従来のいわゆる細胞障害性の抗がん薬の開発など，2000年代までは製薬企業にとって必ずしも魅力的な市場ではなかった。マーケットは小さく，患者１人あたりの抗がん薬の消費量は多くない。疾患の特徴から開発リスクや負担が大きく，臨床試験においては，がん種ごとに適応をとる必要があり，また，有害事象報告の手間や煩雑性，補償などの問題もある。さらに，抗がん薬治療はがん治療の一部にすぎず，新薬もあまり出てこなかった。企業にとって，集学的治療の臨床試験を実施する経済的なメリットは大きくなく，経済的なインセンティブは働かない。市場原理，製薬企業まかせでは抗がん薬開発は進まなかったのが現実であった。しかしながら，この10年で状況は一変し，抗がん薬市場に急激な変化が生じている。複数の抗がん薬が国内売上高上位以内に含まれ，分子標的薬やニボルマブに代表される免疫チェックポイント阻害薬などの有用な薬剤の登場は，製薬企業の抗がん薬開発に対する積極性が増す結果となった。一方で，承認効能は細分化され，がん種横断的な承認事例も出てきている。

　このように，さまざまな作用機序の抗がん薬や治療法が開発されてきており，抗がん薬開発における従来の相という考え方から一歩進んだ，より柔軟で効率的，かつ個別化を意図した治療法開発が求められている。治療法開発においては，アウトカム研究や医療経済性評価なども重要な要素となる。対象集団の細分化により，企業治験がカバーする範囲が相対的に縮小し，研究者主導臨床試験の開発範囲の拡大（集学的治療，手術・放射線治療，希少がんを対象とした試験など，製薬企業が実施しない臨床試験など）が必要とされ，重要性がさらに増している。最適化医療（Precision Medicine）への対応に向けて，バイオマーカーを考慮した臨床試験の実施，臨床開発も重要である。ディオバン事件に代表されるような臨床試験の信頼性を貶める事態も散見されてきており，臨床試験方法論の教育，研究者主導臨床試験の実施基盤を盤石なものにする必要がある。

（山口　拓洋）

ミニコラム ①オプトアウトとは

　オプトアウトとは，「原則自由にしておき，問題がある場合にだけ禁止・規制する」という概念をいいます。
　通常，臨床試験は患者に文書または口頭で説明を行い，同意（インフォームド・コンセント）を得て行われます。これを臨床試験においてのオプトインといいます。対象となる患者さんの診療データのみを匿名加工して用いる観察研究のような試験においては，積極的な侵襲や介入がないことから，必ずしも患者１人ずつからインフォームド・コンセントを得る必要がないとされています。しかし，患者には可能な限り拒否の機会を確保する必要があるため，研究の目的を含め，実施についての情報を通知，公開することが定められています。このような手法を「オプトアウト」といいます。

第2章 臨床試験の基本

3 抗がん薬の臨床試験

I 第Ⅰ相試験[1]

1-1 試験デザイン

1) 目的
　第Ⅰ相試験は，非臨床試験の成績をもとに治験薬を初めて人に投与する試験，またはそれに準ずる試験である。その主な目的は，治験薬の安全性を検討することである。安全性を評価したうえで，第Ⅱ相試験における投与スケジュールや用量を決定する。検討する内容は，用量制限毒性（Dose Limiting Toxicity：DLT）の有無，最大耐用量（Maximum tolerated dose：MTD）および推奨用量（recommended dose：RD）の決定，薬物動態学的検討である。また，対象とするがん種の絞り込みやバイオマーカーの探索的評価のために，治療効果の観察を行うこともある。分子標的治療薬などの場合，治療効果を予測するバイオマーカーの探索を行う。

2) 対象
　第Ⅰ相試験の対象となるのは一般的にがん患者であり，一般的な疾患の場合のように健康成人を対象とするのとは異なる。試験に参加するにあたっては，以下の条件を満たすものとする。
a) 原則として組織診または細胞診により悪性腫瘍であることが確認されていること。
b) 治験参加の時点で通常の治療法では効果が期待できないか，または学会の診療ガイドラインなどで認められた標準的治療がない悪性腫瘍を有する患者であること。標準的治療がある状態で探索的試験を実施する場合には，科学的および倫理的な妥当性を十分に検討する必要がある。
c) 十分な生理的な代償機能があり，造血器，心臓，肺，肝，腎などに著しい障害や重篤な合併症のないこと，すなわち治験薬投与時の有害事象を適確に評価しうる臓器機能や全身状態が維持されていること。
d) 前治療の影響がないか，または治験薬投与時の有害事象を適確に評価しうる程度に軽度であること，すなわち試験開始時点では安定した生理状態にあること。前治療から臨床的に妥当と判断される間隔をあけることが必要とされる。
e) 腫瘍縮小効果と有害事象が観察できるよう，十分な期間（例えば3カ月以上）の生存が期待できること。
f) 薬物動態に影響する合併症など，有害事象の判定を困難にする要因がないこと。

　昨今では，遺伝子異常に基づいた治療戦略が検討される中，マスタープロトコル型といわれる試験デザインがあり，薬剤またはがん種ごとに新しいプロトコルを立案するのではなく，単一のプロ

トコルで複数の薬剤または複数のがん種を対象として並行して評価することがある．マスタープロトコルにはバスケット試験，アンブレラ試験，プラットフォーム試験などが含まれ，希少がん，希少なサブタイプに対する抗悪性腫瘍薬の開発を促進できるものと期待されている．

第Ⅰ相試験では，人に対して初めて投与される医薬品であるということで，リスクの高い試験である．よって，前臨床試験では想定されないような安全性の問題が発生する可能性があり，厳密な被験者管理が必要であるという観点から，通常単施設もしくはごく少数の施設に限って実施される．

> **ミニコラム ②遺伝子変異による被験者選択──バスケット型，アンブレラ型**
>
> 遺伝子変異結果に基づいてデザインされる試験のこと．最近では，次世代シークエンサーの性能向上により複数の遺伝子異常を迅速に測定できるようになった．
> アンブレラ型とは特定のがん種を対象としつつ，さまざまな遺伝子変異を対象とした試験を同時に実施すること．バスケット型とは，特定の遺伝子を対象とした試験で，がん種を問わず被験者を選択すること．

3）投与開始用量・用法の設定

人で初めて行う試験（First in human 試験）では，非臨床試験での結果に基づいて設定される必要があり，「抗悪性腫瘍薬の非臨床評価に関するガイドラインについて」や「医薬品開発におけるヒト初回投与試験の安全性を確保するためのガイダンス」などを参考としながら投与量を検討する．初回の投与量は原則，非臨床試験においてげっ歯類の10％に重篤な毒性が発現する投与量の1/10量，げっ歯類でない場合には重篤な毒性が発現しない最大投与量の1/6量に基づいて初回投与量を設定する．また，必要に応じて，動物での投与量（mg/kg）を体表面積（mg/m^2）に換算したうえで，初回投与量を設定することも検討する．

免疫系に作用する薬物のうち，人に対して高い特異性を示す抗体薬では，非臨床試験の段階でFirst in human 試験の初回投与量の設定が困難な場合も想定される．免疫系に対し活性化作用となる可能性のある抗体薬については，非臨床試験の結果から予期できない有害作用が発現する可能性があることを考慮し，推定最小薬理作用量などの科学的根拠に基づいて初回投与量を設定する．

海外において信頼できる臨床成績が示されており，有効性や安全性，MTD，薬物動態/薬力学などが明らかにされている場合，国内における第Ⅰ相試験では，これらの海外の試験成績を利用して初回投与量，用法および増量計画を設定することが可能である．ただし，薬物動態/薬力学などの情報の利用可能性について試験開始時より慎重に評価することが必要である．

4）増量法

一般的に細胞毒性をもつ抗がん薬は治療域と中毒域が近いため，十分注意して治験薬の増量の方法を検討すべきである．一般的な増量法としては，伝統的方法であるFibonacciの変法を用いた3例コホート法などがある．最近ではBayes流デザインなどの科学の進歩に従ってCRM法（continual reassessment method，連続再評価法）などの適切なデザインを採用することもある．実際に用量を増加する際には，非臨床試験における用量の増加に伴う毒性発現状況や，薬理試験成績などの結果も踏まえて慎重に進める．さらに既承認の類似薬がある場合は，その臨床試験や非臨床試験成績なども参考にして，MTDを決定するまで，または生物学的な効果が得られる用量まで慎重に増

量する．被験薬が非臨床試験で遅発性の毒性を有していた場合には，十分な観察期間を設定する．

原則として同一患者での増量は行わないが，条件によっては同一患者での増量が可能なこともある．増量した患者の忍容性に関しては，安全性の評価には用いても増量後の用量におけるDLT評価には用いない．

1-2 評価項目（エンドポイント）

主たる評価項目はDLTの発現の有無，薬物動態および薬物胴体/薬力学の評価，探索的に腫瘍縮小効果が挙げられる．その他，コンセプト実証（POC：proof of concept）の観点からさまざまなエンドポイントが設定されることがある．

一般的には，DLTを明らかにしMTDおよびRDを決定する．標的分子ではDLTが観察されない場合もあるので，その際には非臨床試験での結果や臨床試験での薬物動態/薬力学的な結果をもとに，その後の試験における用法・用量などを決定することもある．また，瘍縮小効果が明らかでなくても腫瘍での生物学的反応などが認められる場合は，これらも参考に用法・用量を決定することもある．DLTとは，治験薬と有害事象の関連について評価を行い，因果関係がある，または否定できないもの（副作用）のうち用量を制限するものであり，研究計画書などで規定される．急性毒性および亜急性毒性が取り上げられる．毒性については有害事象共通用語規準（Common Terminology Criteria for Adverse Events：CTCAE）に基づいた評価が行われる．DLT，MTDの推定方法およびRDの設定は対象となる薬剤の特性や試験のデザインなどに左右されるため，一様とはならない．

また，近年では薬剤の特徴などにより第Ⅰ相試験で拡大コホートを設定し，有効性および安全性を探索的に評価して，第Ⅱ相試験を省略する場合などの試験デザインも行われることがある．

1-3 統計学的事項

第Ⅰ相試験では，Bayes流を除いてこれまでの経験をもとに増量方法や被験者数が決定されるため，必ずしも統計学的な観点から設定されているわけではない．また，DLTやMTDに関する結果も不完全な情報であり，第Ⅱ相試験以降でも引き続き検討される．有効性についても，同様に第Ⅱ相以降で検討される．よって，第Ⅰ相試験のみの結果をもとに高い有効性が示されるという解釈をすべきではない．一方で，前述のような経験的な観点からの試験デザインについて統計学的な精度などがコントロールされていないことが試験のクオリティ低下の要因ではなく，今後の開発を進めるための意思決定に必要な結果が得られればよいと考えられる．

2 第Ⅱ相試験[1]

2-1 試験デザイン

1）目的

第Ⅱ相試験では，主にプロトコル治療単体での有効性および安全性をさらに深く評価する．第Ⅰ

相試験において設定された用量・用法に従って投与した際の有効性・安全性について検討し，第Ⅲ相試験へ進めるかどうかの判定も行われる。第Ⅱ相試験結果の取り扱いについては，医薬品の開発戦略によって異なる。一般的には，第Ⅱ相試験の結果をもとに標準治療との比較（第Ⅲ相試験）が行われるが，抗がん薬の場合，第Ⅱ相試験の結果をもとに規制当局から医薬品の承認を得られることもある。よって，開発対象が置かれている社会的状況や当該疾患の治療戦略における位置づけなどを見極めたうえで，第Ⅱ相試験以降の方針が検討される。また，有害事象についてもより深く検討される。例えば，薬物動態と特定の有害事象との関連性，稀な有害事象の発見，亜急性や蓄積性に出現する副作用の検討，副作用に対する対処法の検討などが行われる。

2) 対象

第Ⅱ相試験はがんの種類を限定して測定可能な病変を有する被験者が対象となる。対象患者は第Ⅰ相試験と類似するが，原則として下記の条件を満たすものとする。

a) 組織診または細胞診により悪性腫瘍であることが確認されていること。
b) 標準的治療に不応，または標準的治療もしくはそれに相当する治療が存在しない患者。ただし，第Ⅰ相とは異なり，治験治療によって標準的治療と同等以上の有効性が期待される場合や，既存治療との併用が科学的および倫理的に妥当と判断される場合には，標準的治療未施行の患者も許容される。
c) 適切な生理機能（造血器，心臓，肺，肝，腎など）および全身状態を有する患者であること。
d) 前治療の影響がないか，または治験薬投与時の有害事象を適確に評価しうる程度に軽度であること，すなわち試験開始時点では安定した生理状態にあること。前治療から臨床的に妥当と判断される間隔をあけることが必要である。
e) 腫瘍縮小効果と有害事象が観察できるよう，十分な期間（例えば3カ月以上）の生存が期待できること。
f) 重篤な合併症，重複がん，薬物動態に影響する合併症など，効果や有害事象の判定を困難にする要因がないこと。
g) 第Ⅱ相試験では奏功割合を深く検討するが，主要エンドポイントが奏効割合である場合は，腫瘍縮小効果を定量的に測定するために，客観的に測定可能な病変を有するもの。

参加施設は第Ⅰ相試験よりも幅広く複数施設において実施されることが多い。ただし，安全性情報は依然として未知のものが多く，専門性の高い施設において実施される。

2-2　評価項目（エンドポイント）

1) 一般的評価基準

主要な評価項目としては，一定の規準で評価される腫瘍の縮小に関するものが一般的である。また，全生存期間・無増悪生存期間，有害事象の種類・程度および頻度，QOL，バイオマーカー，薬物動態，曝露-反応関係（有効性，安全性）の検討などが行われる。奏効の定義については固形がんの場合，治療効果判定のためのガイドライン（RECISTガイドライン，第1章1）に準拠した方法が一般的であるが，治験薬に応じて適切な基準を使用する。安全性の評価としてはCTCAEが

用いられる。

2) 免疫療法薬の効果発現を考慮した評価基準

　最近では，免疫療法薬などの免疫機能特有の作用機序による抗がん薬が開発されている。そのため，免疫機能特有の作用機序による遅延性の効果発現が想定される場合があり，その効果発現パターンを考慮した腫瘍縮小の評価基準である，免疫関連効果判定基準（immune related response criteria：irRC）などが提唱されている。免疫療法では，腫瘍縮小効果が得られなくとも増悪の遅延や生存延長が期待できる可能性があり，早期試験においても，生存期間を主要な評価項目として検討することが考えられる。初期治療後で評価可能病変のない患者が主な対象となる状況も考えられる[2]。

2-3　統計学的事項

　第Ⅱ相試験では第Ⅰ相試験より幅広い施設で実施されているものの，依然として十分な安全性の蓄積はないため第Ⅲ相試験で引き続き検討する。奏効割合を評価する際には単群で行い，閾値奏効割合および期待奏効割合を設定して検定を行うことが多いが，試験の目的や対象などのデザインによりさまざまな評価方法があるため，生物統計家との議論を行いながら適切な評価方法を設計することも重要である。また，評価可能なエンドポイントを設定して，試験の結果を適切に解釈できるよう被験者数の設定を行うことが重要である。特に第Ⅱ相試験にて評価を行ううえで重要なことは，評価の検証を行うことではなく，第Ⅲ相試験に進められるだけの有効性があるかどうかを確認することである。奏効割合と生存期間との相関は必ずしも明確ではなく，より検証的な試験である第Ⅲ相試験などにおいて生存期間の延長等効果の証明が必要となる。

3　第Ⅰ/Ⅱ相試験

3-1　試験デザイン

1) 目的

　第Ⅰ/Ⅱ相試験は一般的に毒性に加えて効果の評価も行う。第Ⅰ/Ⅱ相試験は通常単剤での効果がわかっており，毒性のみならず一定の効果が期待される状況において，がんの種類を特定して効果の評価が行われる。

2) 対象

　対象となる被験者は単剤の第Ⅰ相試験と同様であるが，原則として有効性が期待できるがん種で，測定可能病変がある被験者を対象とすることが多い。

3) 投与開始用量・用法の設定

　第Ⅰ/Ⅱ相試験に関する理論的根拠は個別性が高く，方法論のうえでのコンセンサスはない。また，開発戦略によって次に実施される試験もがん種によって異なることから，用量・投与スケジュ

ールについても既知の治療方法などから参考にするが，全く同じとなることはなくあらためて投与量の設計から開始となる。

4）安全性・有効性の評価

第Ⅰ/Ⅱ相試験では併用療法における安全性・有効性の評価も行われるが，その際の増量法についてもさまざまな方法がある。

最近の事例としては，免疫チェックポイント阻害薬であるニボルマブの肝細胞がんにおける，PD-1を発現する腫瘍浸潤リンパ球の存在と結果の相関などをもとに本剤の投与が有効である旨の予測から，進行肝細胞がん患者に対するニボルマブの第Ⅰ/Ⅱ相試験（CheckMate 040試験）において，ニボルマブ単剤の安全性および有効性を探索する第Ⅰ/Ⅱ相試験が行われた。第Ⅰ相試験の結果，2017年9月22日にニボルマブはソラフェニブによる治療歴を有する肝細胞がんに対してFDAに迅速承認された。2018年9月現在ソラフェニブとニボルマブを比較する第Ⅲ相試験が行われている[3]。

4 第Ⅲ相試験

4-1 試験デザイン

第Ⅲ相試験では，延命効果などを中心とした臨床的有用性を検討する。新しい標準治療を決めるという観点から，検証的試験デザインが用いられる。一般に，現状で最も有効とされる多剤併用や集学的治療を含む標準治療を対照に，新しい治療法と直接比較をするランダム化比較試験が行われる[1,4]。標準治療がいまだ確立されていない場合は，支持療法群やプラセボ群を含む無治療群と比較することもある[4]。

> **ミニコラム ③集学的治療**
>
> がんの治療法としては，主に，手術治療，放射線治療，薬物療法（化学療法）などがあるが，これらを単独で行うのではなく，がんの種類や進行度に応じて，さまざまな治療法を組み合わせた治療を行う場合がある。これを「集学的治療」とよんでいる。

4-2 評価項目（エンドポイント）

第Ⅲ相試験は，その検証性から真のエンドポイントを用いて評価する。全生存期間（overall survival：OS）が第一選択となるが，無増悪生存期間（progression free survival：PFS）などを用いることも一般的になってきている[5]。

4-3 統計学的事項

第Ⅲ相試験が検証的であるためには，ランダム化し，よくコントロールすることによって群間の比較可能性を確保する。そして，αエラーを厳守し，かつ検出力（登録数）を確保することが重要である。また，新しい治療法が有効性で優れるべきであるなら優越性試験，新しい治療法が有効性

で劣らなければよいなら非劣性試験とする[6]。非劣性試験の場合，臨床的に意味のある副次評価項目（secondary endpoint）が定義されていて，それが標準治療に勝っていることが必要である。ランダム化比較試験ではランダム化された全例を解析対象にするIntention-to-treat（ITT）の原則に基づく解析が一般的である[4]。

5 第Ⅳ相試験

5-1 試験デザイン

　第Ⅳ相における試験とは，承認された医薬品について，承認された用法・用量，効能・効果に従い実施される市販後臨床試験のことを指し，新たな治療法の開発を目指し実施される臨床試験とはその目的，方法が異なる。治療的使用での試験となり，必ず実施されるわけではないが，医薬品の最適な使用法を明らかにするうえで重要である（例：医療経済学的試験）[7]。

5-2 評価項目（エンドポイント）

　一般的な患者または特殊な患者集団および（または）環境におけるリスク・ベネフィットの関係についての理解をより確実に示すことができるものを評価項目とする。例えば，長期投与での安全性に関するものとして出現頻度の低い副作用の検出などが挙げられる[7]。

5-3 統計学的事項

　第Ⅳ相試験は，さまざまな形態をとるかもしれないが，統計的原則が適切に適用されていなければならない[7]。

【参考文献】
1) 厚生労働省：「抗悪性腫瘍薬の臨床評価方法に関するガイドライン」について（令和3年3月31日，薬生薬審発0331第1号）
2) ICR臨床研究入門：免疫療法の効果判定基準《講師：中村健一》(https://www.icrweb.jp/course/view.php?id=281)（2022年6月閲覧）
3) Yau T et al：Nivolumab versus sorafenib in advanced hepatocellular carcinoma（CheckMate 459）: a randomised, multicentre, open-label, phase 3 trial. Lancet Oncol, 23(1):77-90, 2022
4) がん診療 UP TO DATE（日経BP社2013/10/7）
5) ICR臨床研究入門：がん臨床試験のエンドポイントはPFSかOSか？《講師：大橋靖雄》(https://www.icrweb.jp/course/view.php?id=177)（2022年6月閲覧）
6) ICR臨床研究入門：がん臨床試験のデザイン《講師：水澤純基》(https://www.icrweb.jp/course/view.php?id=297)（2022年6月閲覧）
7) 臨床試験の一般指針（ICH-E8）

（青柳　吉博，川﨑　敏克）

第2章 臨床試験の基本

4 臨床試験における倫理的事項と利益相反

I 臨床試験が従うべき倫理の原則

1）基本的な枠組み

　現在わが国では，ヒトを対象とする臨床試験はその試験の種類に応じて，①「医薬品，医療機器等の品質，有効性及び安全性の確保等に関する法律」（昭和35年法律第145号，以下，医薬品医療機器等法／薬機法）に基づく「医薬品の臨床試験の実施の基準に関する省令」（平成9年厚生省令第28号，以下，GCP省令），②「臨床研究法」（平成29年法律第16号）に基づく「臨床研究法施行規則」（平成30年厚生労働省令第17号），③「人を対象とする生命科学・医学系研究に関する倫理指針」（令和3年文部科学省・厚生労働省・経済産業省告示第1号，以下，倫理指針）のいずれかに従って実施する必要がある。

　GCP省令，臨床研究法施行規則，倫理指針ともに基本的な考え方は，世界医師会のヘルシンキ宣言（人間を対象とする医学研究の倫理原則：1964年採択，2013年最終改正）に従っている。ヘルシンキ宣言で確立された臨床試験に関する倫理（表）は，研究以外の医療に関する倫理に比較して，また，医学以外の分野の研究に関する倫理に比較して，著しく厳格である。これは，臨床試験において，研究対象となる人の安全，人権が侵害されるリスクが著しく高く，また，実際に重大な問題が多く発生してきたためである。

2）GCP省令

　GCP省令は，1996年に医薬品規制調和国際会議（International Council for Harmonisation of Technical Requirements for Pharmaceuticals for Human Use：ICH）において，日米欧の間で合意されたGuideline for Good Clinical Pracitce（以下，ICH-GCP）をわが国に適用するために策定され，実施されているものである[1]。ICH-GCPは，医薬品申請データとして使用される臨床試験成績に互換性，共通性をもたせるために作成されたガイドラインであるため，ヘルシンキ宣言と同じく，基本的に世界共通のルールとしての性格を有する。

表　臨床試験に関する倫理（ヘルシンキ宣言より一部抜粋）

- 臨床試験による医学研究は必要不可欠なものである。
- 臨床試験は研究対象となる人の安全および人権が最大限に確保されなければ実施してはならない。
- 臨床試験は適切に作成された計画に従って実施される必要があり，その計画は外部の中立的な委員を含む倫理委員会での事前の審査，承認を要する。
- 研究対象となる人が十分な説明に基づき自発的な同意（インフォームド・コンセント）しない限り，臨床試験を実施してはならない。

GCP省令の適応範囲は，医薬品医療機器等法の規制に従った承認申請のために行う臨床試験（治験）に限定されている．したがって，前項（第2章3）で解説する第Ⅰ相，第Ⅱ相，第Ⅲ相等の治験は，GCP省令に従って実施される．大多数の国では，ICH-GCPは臨床試験実施のための標準手続きとみなされて，治験以外の臨床試験にも適用されている．

GCP省令の目的は，①治験の科学的な質と成績の信頼性を確保するとともに，②被験者の人権，安全および福祉を保護することである．このために，治験における遵守事項として計画，実施，モニタリング，監査，記録，解析および報告について規定している．

GCP省令では，まず治験に関する原則として，ヘルシンキ宣言と同様の枠組みを規定する．次に，治験の準備に関する基準として，計画・依頼段階で作成すべき業務手順書，試験実施計画書，治験薬概要書，治験依頼者から業務の委託を受けて実施する企業である開発業務受託機関（Contract Research Organization：CRO），治験実施医療機関から業務の一部の委託を受ける治験施設支援機関（Site Managaement Organization：SMO）等との契約等の文書，手続き等を定める．第三に，治験の管理における治験依頼者（通常は製薬企業，医師主導治験の場合は医師）についての基準として，治験薬管理，モニタリング，監査，総括報告書の作成等を規定する．第四に，治験を行う基準として治験を実施する医療機関の治験審査委員会（Institutional Review Board：IRB）での倫理審査，治験責任医師，被験者の選定，インフォームド・コンセント等について定める．

医療機関において，治験の実施を専門的に支援する臨床試験コーディネーター（Clinical Research Coordinator：CRC）については，GCP省令では特に規定していないが，治験の実施に際しては，GCP省令の詳細に関して専門知識を有するCRCが，治験実施医療機関において治験を実地に管理することが事実上不可欠である．

なお，ICHでのGCPガイドラインの国際合意の更新に基づき，2020年からわが国の「GCPガイダンス」が改正された．

3）臨床研究法施行規則

2017年に成立し，2018年に施行された臨床研究法は，未承認・適応外の医薬品等に関する臨床研究のうち，「治験以外」と「医薬品企業から研究資金の提供を受ける当該企業の医薬品等に関する研究」を法的規制の対象としていて，その実施に際しては，GCP省令とは別個に規定された臨床研究法施行規則を守らなければならない．

臨床研究法施行規則はGCP省令と類似した規則であって，倫理審査，インフォームド・コンセント等を規定しているが，モニタリングに関する規定が緩やかである等の相違がある．また，臨床研究法では倫理審査を行う委員会として，厚生労働大臣から認定を受けた認定臨床研究倫理審査委員会の制度を規定しているところが従前の制度とは大きく異なっている．前項（第2章3）の第Ⅳ相試験のうち一部は，臨床研究法施行規則の規制を受ける．

4）倫理指針

医薬品医療機器等法または臨床研究法の適用を受けない臨床試験は，倫理指針の対象となる．

倫理指針は，従前の「臨床研究に関する倫理指針」（2003年）と「疫学研究に関する倫理指針」（2002年）を一本化した「人を対象とする医学系研究に関する倫理指針」（2015年）に，さらに「ヒトゲノム・遺伝子解析に関する倫理指針」（2001年）を統合して，2021年から施行されている．

この指針でも，研究計画書，倫理審査，インフォームド・コンセント等を規定している。観察研究，すなわち侵襲および介入のない臨床研究における，インフォームド・コンセントの取得に相当する手続きを定めていることが，GCP省令および臨床研究法施行規則にはない特色である。

GCP省令や臨床研究法施行規則とは違って，法律に基づかない指針であるため遵守は法的義務ではないが，研究発表や学術誌への投稿に際して倫理審査を受けることを前提としていること，また公的研究資金の交付を受けることを要件としていること等から，倫理指針違反は事実上許されない。

5）研究一般の倫理

医学系研究以外の科学研究と共通する倫理として，捏造（fabrication），改竄（falsification）および盗用（plagiarism）の禁止がある。また，多くの学会や学術誌では，二重投稿が禁止されている。

これらに違反した研究者は，臨床試験に関する倫理に違反した場合と同様に厳しく糾弾され，研究者としての社会活動は，事実上行えなくなる[2]。

❷ 利益相反の管理

利益相反（conflict of interest：COI）とは，ある者の果たすべき責任・役割と，その者の経済的・社会的利益が相反する関係にあることをいう。医学研究だけでなく，診療や物品調達等の社会活動についても生じうるものであるが，1999年の米国ゲルシンガー事件以来，特に臨床試験分野で取り組みが進められてきた。

前述の倫理とは違って，現時点で国内共通に確立した原則やルールはまだ存在していなく，各学会や研究機関等が，それぞれの基準や管理の仕組みを設けて対応している。多くの場合，管理の手法として，一定の金額等の基準のもとに，研究者が研究に関わる企業等のCOI状態の申告を行い，研究機関または学会が，研究あるいは発表の実施の可否について審査を行い，著しいCOIが存在する場合には研究の実施もしく発表を不許可にし，そうでない場合は，利益相反の存在を公表している。

利益相反の管理の目標は，利益相反を解消することではなく，利益相反の存在が研究対象者の人権および安全の保護に関して悪影響を及ぼすという懸念を排除することにある。

ICH-GCPおよびGCP省令には利益相反管理という考え方は入っていないが，GCP省令に従って契約，インフォームド・コンセントの実施等を行うことによって問題の発生が未然に抑えられてきた。臨床研究法や倫理指針では，利益相反については，制度上，一定の考慮が行われている。

【参考文献】
1) ポケット資料集製作委員会：GCPポケット資料集2021年版, キタメディア, 2021
2) 日本学術振興会「科学の健全な発展のために」編集委員会：科学の健全な発展のために, 丸善出版, 2015

（山本　弘史）

第3章

抗がん薬

第3章 抗がん薬　I　アルキル化薬

I アルキル化薬

1 医薬品の特徴（基本知識）

　アルキル化薬は，第一次世界大戦中に毒ガスとして使用されたマスタードガス（イペット）より研究開発され，白血病治療薬・ナイトロジェンマスタード（図1）が最初の抗がん薬として登場した。アルキル化薬は，がん細胞の核内のDNAにアルキル基（メチル基，エチル基，プロピル基など）を共有結合させDNA鎖間で架橋を形成することにより，DNAの合成を阻害する。細胞周期に非特異的に作用する。

　アルキル化薬は，ナイトロジェンマスタード類（シクロホスファミド，イホスファミド，メルファラン，ベンダムスチンなど），ニトロソウレア類（ラニムスチンなど），トリアゼン類（ダカルバジン，テモゾロミドなど）に分類される。

　シクロホスファミドはプロドラッグであり，主に肝薬物代謝酵素シトクロムP450（CYP）2B6により体内で活性化される（図2）。シクロホスファミドによる副作用の1つである出血性膀胱炎は，代謝過程で産生されるアクロレインが膀胱粘膜を障害することによる。その予防にはメスナが有効である。メスナはアクロレインの二重結合部に付加し，メスナ付加体となり解毒する。

（加藤　裕久）

2 各論（医薬品ごとの特徴）

2-1　ナイトロジェンマスタード類

1）シクロホスファミド（CPA，CPM）

　米国で1958年に，わが国でも1962年に注射用抗がん薬として認可された歴史のある薬剤である。多くの固形腫瘍や造血器腫瘍に適応症を有しているが，標準治療としては，主に悪性リンパ腫（R-CHOP療法など）や乳がん（AC療法など）のレジメンに含まれており，現在も頻用されている。また，適応疾患や治療によって使用される用量が大きく異なる。造血幹細胞移植の骨髄破壊的前処置（High-dose CY療法など）において，120mg/kgを超えるような高用量投与が施行される際には，骨髄抑制はもちろんのこと，出血性膀胱炎（予防的なメスナの投与）や心毒性に注意が必要である。揮発性を有することから，混合調製の際には閉鎖式調製器具を使用することが望ましい。

2）イホスファミド（IFM）

　シクロホスファミドの誘導体であり，標準治療としては，主に骨・軟部腫瘍（AI療法など）や悪性リンパ腫（ICE療法など）などのレジメンに含まれている。副作用として出血性膀胱炎のリス

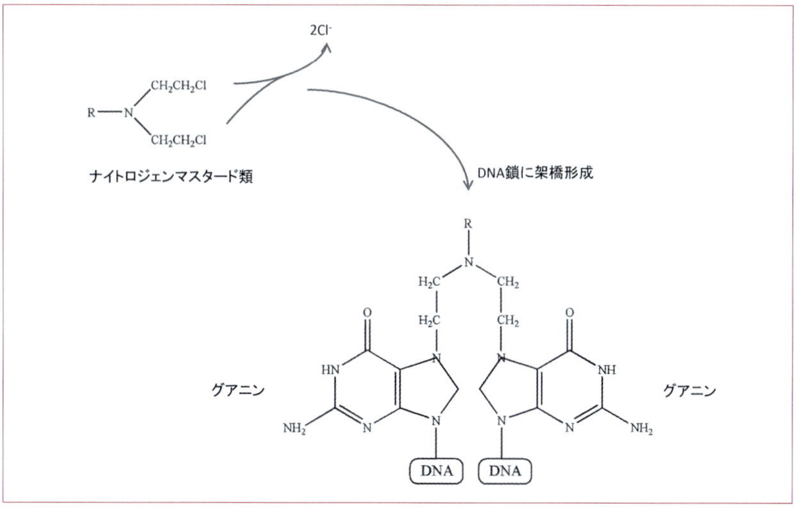

図1 ナイトロジェンマスタード類によるアルキル化

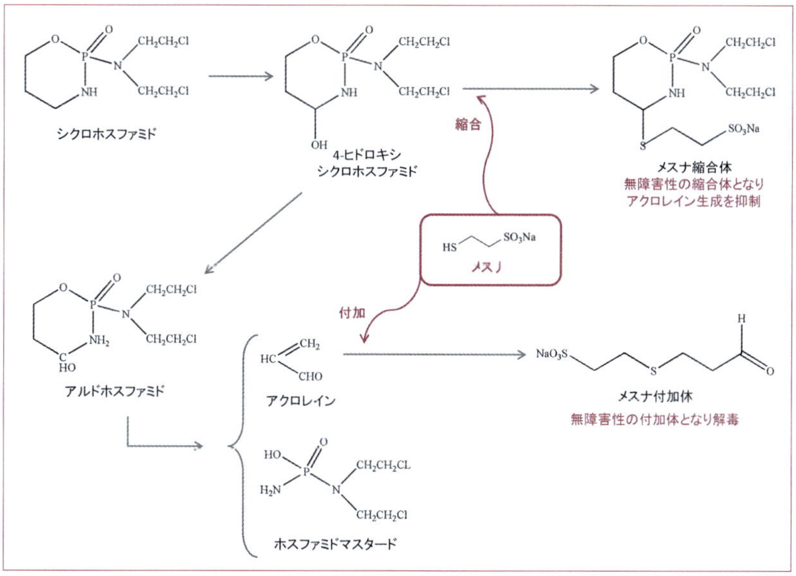

図2 シクロホスファミドの代謝とメスナによる解毒

クがあるため，輸液負荷やメスナの併用，尿のアルカリ化を検討する。また，致死的な副作用となりうるイホスファミド脳症の報告があるため，傾眠や錯乱などの中枢神経障害を生じた際は投与を中止する。揮発性を有することから，混合調製の際には閉鎖式調製器具を使用することが望ましい。

3）ブスルファン（BUS）

経口薬と注射薬が承認されているが，注射薬が主に用いられる。主に骨髄系腫瘍における同種造血幹細胞移植の骨髄破壊的前処置（BU/CY療法など）として用いられる薬剤である。重篤な副作用として，肝中心静脈閉塞症/肝類洞閉塞症候群（VOD/SOS）があり，致死的な副作用となりうることから肝機能のモニタリングに注意を要する。また，髄液移行性が高く，抗けいれん薬の予防

投与がない場合，10％以上の患者でけいれんを生じることから予防投与の実施が推奨される[1]。

4）メルファラン（L-PAM）

　経口薬は，高齢者などの移植非適応の多発性骨髄腫（D-MPV療法など）に用いられる。また，注射薬は多発性骨髄腫の自家末梢血幹細胞移植の前処置（High-dose MEL療法など）や，同種造血幹細胞移植の骨髄非破壊的前処置（FLU/MEL療法など）で用いられる。副作用として，注射薬では粘膜障害（口内炎，下痢など）が頻発し，用量規定因子となっている。移植前処置における大量療法時の口内炎の予防として，クライオセラピー（冷却療法）が推奨されていたが，近年否定的な結果も報告されており，結論には至っていない[2,3]。

2-2　ニトロソウレア類

1）ラニムスチン（MCNU）

　脂溶性が高く，血液脳関門を通過しやすい。主に悪性リンパ腫の自家末梢血幹細胞移植の前処置（MEAM療法など）や脳腫瘍（PMV療法など）に用いられる薬剤である。諸外国ではカルムスチン（BCNU）が用いられるがわが国では認可されておらず，同系統のニトロソウレア系薬剤であるニムスチン（ACNU）やラニムスチン（MCNU）が用いられている。副作用として，遅延性の骨髄抑制があり投与後6週間は1週間ごとの血液検査が推奨される。また，BCNUにおいては肺毒性の報告があり，注意を要する[4]。

2）ストレプトゾシン（STZ）

　諸外国では1992年に有効性が報告されていたが，わが国では2015年に認可された。高分化型の膵・消化管神経内分泌腫瘍に用いられる薬剤である。諸外国ではアドリアマイシンやフルオロウラシルなどとの併用療法も認可されているが，わが国では単独療法のみ認可されている。副作用として悪心・嘔吐や静脈炎が多く認められるため，高度催吐性リスクに準じた制吐薬[5]，側管からの輸液投与などを併用することが望ましい。また，用量依存性・蓄積性の腎毒性を生じるため，腎機能低下患者では減量投与が推奨される。

2-3　その他

1）ダカルバジン（DTIC, DIC）

　主にホジキンリンパ腫（ABVD療法など）で用いられる薬剤である。副作用として悪心・嘔吐や静脈炎が多く認められるため，高度催吐性リスクに準じた制吐薬[5]，側管からの輸液投与や点滴速度を遅くするなどの対応を検討することが望ましい。また，光分解物によっても血管痛を生じるため，溶解後は投与ルートを含めて遮光する必要がある。

2）テモゾロミド（TMZ）

　脂溶性が高く血液脳関門を通過しやすいことから，主に悪性神経膠腫（TMZ+RT療法など）に用いられる薬剤である。経口薬と注射薬はAUCが同等であり，患者の経口摂取可否により使い分

けが可能である。放射性療法のスケジュールにより投与期間（42日 or 49日），単独投与時において血液毒性の程度により標準投与量（150mg/m^2 or 200mg/m^2）が変動するなど，レジメン監査時に注意が必要である。副作用として，リンパ球減少によるニューモシスチス肺炎があるため，リンパ球減少がgrade1（＞800/mm^3）以上になるまで，ST合剤の予防内服が推奨される。放射線療法併用時には，リンパ球数に関係なくST合剤を併用する。

3）ベンダムスチン

悪性リンパ腫や慢性リンパ性白血病に用いられる薬剤である。また，腫瘍特異的T細胞輸注療法（CAR-T療法）の前処置としても用いられる。CD20陽性例においては，リツキシマブと併用（RB療法）にて用いられる。副作用として，アレルギー反応やリンパ球減少（CD4）がある。リンパ球減少によるニューモシスチス肺炎のリスクがあるため，ST合剤の予防内服を検討する。揮発性を有することから，混合調製の際には閉鎖式調製器具を使用することが望ましい。

4）チオテパ

諸外国では数十年使用されてきたが，わが国においては2019年に認可された薬剤である。悪性リンパ腫（BuTT療法など）や小児悪性固形腫瘍（メルファランとの併用療法）に対する自家末梢血幹細胞移植の前処置として使用する薬剤である。血液脳関門を通過しやすいため，中枢神経浸潤を伴う疾患にも効果が期待できる。副作用として，高用量投与時において皮膚へチオテパが移行することにより，皮膚障害が発生することがある[6]。皮膚へのクリーム塗布・テープ類の貼付禁止や，投与終了24時間まで頻回な清拭や入浴が推奨される[7]。

5）プロカルバジン（PCZ）

脂溶性が高く，血液脳関門を通過しやすいことから，主に悪性神経膠腫（PMV療法など）や中枢神経系原発悪性リンパ腫（R-MPV療法など）に用いられる薬剤である。高度催吐リスクに分類されるため，投与時には制吐薬を併用することが望ましい。アルコールによるジスルフィラム様作用以外にも，チラミンを多く含有する食物（チーズ，赤ワイン，レバーなど）の摂取によりMAO阻害作用が増強され，血圧上昇，頭痛などの副作用を生じるため，摂取を避けるよう患者指導する必要がある。適応上，簡易懸濁による経管投与が必要となることが多く，曝露対策に注意を要する。

（谷川　大夢）

【参考文献】

1) Santos GW：Busulfan（Bu）and cyclophosphamide（Cy）for marrow transplantation. Bone Marrow Transplant, Suppl 1:236-239, 1989
2) Merchesi F et al：Cryotherapy reduces oral mucositis and febrile episodes in myeloma patients treated with high-dose melphalan and autologous stem cell transplant: a prospective, randomized study. Bone Marrow Transplant, 52(1):154-156, 2017
3) Johansson JE et al：Cryotherapy as prophylaxis against oral mucositis after high-dose melphalan and autologous stem cell transplantation for myeloma: a randomised, open-label, phase 3, non-inferiority trial. Bone Marrow Transplant, 54(9):1482-1488, 2019
4) Weiss RB et al：The nitrosoureas and pulmonary toxicity. Cancer Treat Rev, 8(2):111-125, 1981
5) 日本癌治療学会：制吐薬適正使用ガイドライン第2版（ver.2.2）（http://jsco-cpg.jp/item/29/index.html）（2022

表 アルキル化薬 比較表

一般名	シクロホスファミド	
商品名	エンドキサン	
剤形	注射用	錠, 末
分類	ナイトロジェンマスタード類	
がん種	多発性骨髄腫, 悪性リンパ腫, 肺癌, 乳癌, 急性白血病, 真性多血症, 子宮頸癌, 子宮体癌, 卵巣癌, 神経腫瘍, 骨腫瘍, 慢性リンパ性白血病, 慢性骨髄性白血病, 咽頭癌, 胃癌, 膵癌, 肝癌, 結腸癌, 睾丸腫瘍, 絨毛性疾患 (絨毛癌など), 横紋筋肉腫, 悪性黒色腫	
投与量	・単剤療法 1日100〜200mgを連日または, 300〜500mgを週1〜2回間欠投与し, 総量3,000〜8,000mg投与 ・併用療法 〈乳癌〉 AC, EC療法:600mg/m² 〈悪性リンパ腫〉 CHOP療法:750mg/m² 〈移植前処置〉 50mg/kg/日 4日間, 60mg/kg/日 2日間など ・その他 〈治療抵抗性リウマチ性疾患〉 500〜1,000mg/m² (成人) など	・単剤療法 1日100〜200mgを連日 ・併用療法 単独療法時に準じて適宜減量 ・その他 〈ネフローゼ症候群〉 50〜100mg (成人) など
腎障害	・Ccr 10〜60mL/min:減量不要[1] ・Ccr＜10mL/min:50〜75%に減量[1]	
肝障害	・T-Bil 3.1〜5mg/dLまたはAST/ALT＞3.0×ULN以上:75%に減量 ・T-Bil＞5mg/dL:投与中止	
相互作用	・主に肝代謝酵素CYP2B6で代謝・活性化される。CYP2C8, 2C9, 3A4, 2A6も代謝に関与する ・併用禁忌:ペントスタチン, コホリン ・アロプリノールとの併用:骨髄抑制の増加	
特に注意すべき有害事象	・骨髄抑制 (好中球減少は用量依存), 出血性膀胱炎 (特に高用量使用時), 性腺毒性 (特に女性の無月経や小児への影響)	
注意点 (内服薬:食事との影響/注射薬:調製・投与時)	・シクロホスファミド (無水物換算) 100mgあたり5mLの生理食塩液, 注射用水などを加えて溶解。静脈内などへのワンショット投与では, 溶液が低張となるため注射用水を使用しない	・食事による影響はない ・原末は安全キャビネット内でシリンジを用いて, 10mg (1瓶) を5mLの注射用水で泡立たないように溶解する。溶解後投薬瓶に移し, 単シロップで10mLに調製する
文献	1) Nolin TD et al:Clin Pharmacol Ther, 83(6):898-903, 2008	

年6月閲覧)

6) Horn TD et al:Observations and proposed mechanism of N,N',N''-triethylenethiophosphoramide (thiotepa)-induced hyperpigmentation. Arch Dermatol, 125(4): 524-527, 1989
7) St. Jude Children's Research Hospital:Patient medication. Thiotepa. (https://www.stjude.org/treatment/patient-resources/caregiver-resources/medicines/a-z-list-of-medicines/thiotepa.html) (2022年6月閲覧)

	イホスファミド	ブスルファン	
	イホマイド	ブスルフェクス	マブリン
	注射用	注射用	散
	ナイトロジェンマスタード類		
	肺小細胞癌，前立腺癌，子宮頸癌，骨肉腫，胚細胞腫瘍（精巣腫瘍など），悪性リンパ腫，悪性骨・軟部腫瘍，小児悪性固形腫瘍（ユーイング肉腫ファミリー腫瘍，横紋筋肉腫など）	同種造血幹細胞移植の前治療，ユーイング肉腫ファミリー腫瘍，神経芽細胞腫，悪性リンパ腫における自家造血幹細胞移植の前治療	慢性骨髄性白血病，真性多血症
	〈肺小細胞癌，前立腺癌，子宮頸癌，骨肉腫〉 1日1.5～3g（30～60mg/kg）を3～5日間連日投与 〈胚細胞腫瘍〉 1日1.2g/m^2を5日間連日投与 〈悪性リンパ腫〉 1日0.8～3g/m^2を3～5日間連日投与 総投与量は1コース10g/m^2以下，小児では全治療コース80g/m^2以下 〈悪性骨・軟部腫瘍〉 1日1.5～3g/m^2を3～5日間連日投与 ドキソルビシン併用時：1コース10g/m^2以下 単独投与時：総投与量14g/m^2以下 〈悪性骨・軟部腫瘍，小児悪性固形腫瘍〉 1日1.5～3g/m^2を3～5日間連日投与 総投与量は1コース10g/m^2以下，全治療コース80g/m^2以下	・成人 A法：1回0.8mg/kgを6時間ごとに1日4回，4日間投与 B法：1回3.2mg/kgを1日1回，4日間投与 ・小児 C法：体重別投与量を6時間ごとに1日4回，4日間投与	〈慢性骨髄性白血病〉 1日2～6mgを連日投与 維持療法としては1日2mgを週1回または2週に1回投与 〈真性多血症〉 1日2～6mgを連日投与
	・Ccr≧10mL/min：減量不要[1] ・Ccr＜10mL/min：75％に減量[1]	・該当資料なし	
	・T-Bil＞3mg/dL：25％に減量[2]	・該当資料なし	
	・主に肝代謝酵素CYP3A4で代謝・活性化される ・併用禁忌：ペントスタチン，コホリン ・アロプリノールとの併用にて骨髄抑制の増加	・グルタチオン抱合（GSTA1）により代謝される ・イトラコナゾール，メトロニタゾールとの併用にて血中濃度上昇，作用増強（機序不明）	
	・骨髄抑制，出血性膀胱炎，性腺毒性（特に女性の無月経や小児への影響）	・骨髄抑制，静脈閉塞性肝疾患（ブスルフェクス），痙攣（ブスルフェクス）	
	・生理食塩液または注射用水25mLを加えて溶解。30分以上かけてゆっくり投与する	・10倍量の生理食塩液または5％ブドウ糖液に希釈。希釈後，安定性が低下するため，調製から8時間以内に投与を終了する	・食事による影響はない。吸収のばらつきが大きい
	1) Aronoff GR et al : American College of Physicians, p.100, 2007 2) Floyd J et al : Semin Oncol, 33(1):50-67, 2006	―	

一般名	メルファラン		ラニムスチン
商品名	アルケラン		サイメリン
剤形	注射用	錠	注射用
分類	ナイトロジェンマスタード類		ニトロソウレア類
がん種	白血病，悪性リンパ腫，多発性骨髄腫，小児固形腫瘍	多発性骨髄腫	膠芽腫，骨髄腫，悪性リンパ腫，慢性骨髄性白血病，真性多血症，本態性血小板増多症
投与量	〈白血病，悪性リンパ腫〉 1日1回60mg/m^{2}を3日間投与 〈多発性骨髄腫〉 1日1回100mg/m^{2}を2日間投与 〈小児（白血病，小児固形腫瘍）〉 1日1回70mg/m^{2}を3日間投与	・1日1回2〜4mgを連日投与 ・1日1回6〜10mgを4〜10日間投与。休薬後，1日2mgの維持量を投与 ・1日1回6〜12mgを4〜10日間投与。休薬後，同用量を反復投与	〈膠芽腫，骨髄腫，慢性骨髄性白血病，真性多血症，本態性血小板増多症〉 1回50〜90mg/m^{2}を6〜8週ごとに投与 〈悪性リンパ腫（成人T細胞白血病リンパ腫）〉 ほかの悪性腫瘍薬と併用して1回50〜90mg/m^{2}を4週ごとに投与
腎障害	・投与量調整*		・該当資料なし
肝障害	・減量不要		・該当資料なし
相互作用	・シクロスポリン，タクロリムスを本剤投与後に投与した際，腎不全の発現	・該当資料なし	・該当資料なし
特に注意すべき有害事象	・骨髄抑制，粘膜障害（口内炎，下痢）		・骨髄抑制
注意点（内服薬：食事との影響／注射薬：調製・投与時）	・専用溶解液10mLを加え激しく振とうして完全に溶解し，希釈する場合には100mL以上の生理食塩液を用いる。溶解後は，安定性が低下するため調製から1.5時間以内に投与を終了する	・高脂肪食との併用で，36〜54%まで曝露量が減少した	・生理食塩液または5%ブドウ糖注射液100〜250mLに溶解し，30〜90分で点滴静注。または，10〜20mLに溶解し，ゆっくり（30〜60秒）静脈内に投与
文献	*腎機能低下により本剤のAUCが増加する可能性あり		−

ストレプトゾシン	ダカルバジン	テモゾロミド	
ザノサー	ダカルバジン	テモダール	
注射用	注射用	注射用	カプセル
ニトロソウレア類	その他		
膵・消化管神経内分泌腫瘍	悪性黒色腫，ホジキン病（ホジキンリンパ腫），褐色細胞腫	悪性神経膠腫，ユーイング肉腫	
・5日間連日投与法 1回500mg/m^{2}を1日1回5日間連日投与し，37日間休薬 ・1週間間隔投与法 1回1,000mg/m^{2}を1週間ごとに1日1回投与。1回の投与量は1,500mg/m^{2}を超えない	〈悪性黒色腫〉 1回100〜200mgを5日間連日投与し，約4週間休薬 〈ホジキン病〉 ほかの抗悪性腫瘍薬との併用において，1回375mg/m^{2}を投与し，13日間休薬 〈褐色細胞腫〉 シクロホスファミドとビンクリスチンとの併用において，1回600mg/m^{2}を2日間連日投与し，19日間休薬	〈悪性神経膠腫〉 初発：放射線照射との併用にて，75mg/m^{2}を1日1回42日間投与し，4週間休薬。その後，単独にて，150mg/m^{2}を1日1回5日間投与し，23日間休薬。2コース目以降は200mg/m^{2}に増量可能 再発：150mg/m^{2}を1日1回5日間投与し，23日間休薬。2コース目以降は200mg/m^{2}に増量可能 〈ユーイング肉腫〉 イリノテカンとの併用において，1回100mg/m^{2}を1日1回5日間連日投与し，16日間以上休薬	
・Ccr 10〜50mL/min：75%に減量[1] ・Ccr＜10mL/min：50%に減量[1]	・Ccr 46〜60mL/min：80%に減量[1] ・Ccr 31〜45mL/min：75%に減量[1] ・Ccr＜30mL/min：70%に減量[1]	・Ccr＜36mL/min：該当資料なし，注意が必要[1]	
・速やかに肝臓にて代謝されるため，注意が必要	・減量不要	・Child-Pugh分類C：該当資料なし，注意が必要[1]	
・アミノグリコシド系抗菌薬との併用：腎毒性を増悪 ・ドキソルビシンとの併用：骨髄抑制の増加 ・ステロイドとの併用：高血糖	・肝代謝酵素CYP1A2，2E1が代謝に関与する（minor）	・pH依存的な加水分解と脱炭酸により代謝され，薬物代謝酵素に依存しない	
・骨髄抑制，血清クレアチニン上昇，耐糖能異常	・骨髄抑制，肝機能障害，血管痛	・骨髄抑制，ニューモシスチス肺炎	
・生理食塩液9.5mLを加え，十分転倒混和させた後，澄明で均一な溶液となるまで数分間静置。溶解後は速やかに使用する	・注射用水10mLを加えて溶解し，希釈する場合は生理食塩液または5%ブドウ糖液を用いる。点滴静注する場合，血管痛を防止する目的で点滴経路全般を遮光して投与する	・注射用水にて用時溶解後，必要に応じて生理食塩液にて希釈し，90分かけて投与する。調製後は14時間以内に投与を終了する	・食後投与は，空腹時投与に比較してT$_{max}$が1時間遷延し，C$_{max}$およびAUCはそれぞれ32%および9%低下した
1) Aronoff GR et al：American College of Physicians, p.101, 2007	1) Kintzel PE et al：Cancer Treat Rev, 21(1)：33-64, 1995	1) US Food and Drug Administration：Temozolomide package insert.	

一般名	ベンダムスチン	チオテパ	プロカルバジン
商品名	トレアキシン	リサイオ	塩酸プロカルバジン
剤形	注・注射用	注	カプセル
分類	その他		
がん種	低悪性度B細胞性非ホジキンリンパ腫，マントル細胞リンパ腫，びまん性大細胞型B細胞リンパ腫，慢性リンパ性白血病，腫瘍特異的T細胞輸注療法の前処置	悪性リンパ腫，小児悪性固形腫瘍における自家造血幹細胞移植の前治療	悪性リンパ腫（ホジキン病，細網肉腫，リンパ肉腫），悪性星細胞腫，乏突起膠腫成分を有する神経膠腫
投与量	〈悪性リンパ腫〉 ・1回90mg/m^2を2日間連日投与し，26日間休薬 ・1回120mg/m^2を2日間連日投与し，19日間休薬 〈慢性リンパ性白血病〉 100mg/m^2を1日1回2日間連日投与し，26日間休薬	〈悪性リンパ腫〉 ブスルファンとの併用で1日1回5mg/kgを2時間かけて2日間連日投与 〈小児悪性固形腫瘍〉 メルファランとの併用で1日1回200mg/m^2を24時間かけて2日間連日投与	〈悪性リンパ腫〉 1日50〜100mgを1〜2回に分割して経口投与。その後約1週間以内に漸増し，プロカルバジンとして1日150〜300mgを3回に分割投与し，臨床効果が明らかとなるまで連日投与 〈悪性星細胞腫，神経膠腫〉 ほかの抗悪性腫瘍薬と併用して1日量60〜75mg/m^2を14日間経口投与。これを6〜8週ごとに繰り返す
腎障害	・Ccr＜40mL/min：投与は推奨されない[1]	・Ccr＜60mL/min：注意が必要[1]	・減量不要
肝障害	・AST/ALT＞2.5〜10.0×ULN，T-Bil＞1.5〜3.0×ULN：投与中止[1]	・T-Bil＞1.5×ULN以上：毒性が増強する可能性があるため注意が必要[1]	・T-Bil＞5mg/dLかつAST/ALT＞3.0×ULN以上：投与中止[1] ・AST/ALT＞1.6〜6.0×ULN：75%に減量[1] ・AST/ALT＞6.0×ULN以上：臨床医の判断による[1]
相互作用	・BCRP/ABCG2，CYP1A2，P糖タンパク質が代謝に関与する	・肝代謝酵素CYP3A4およびCYP2B6で代謝される。CYP2B6の阻害作用をもつ	・バルビツール酸誘導体，フェノチアジン誘導体，三環系抗うつ薬，交感神経興奮薬の作用増強（MAO阻害作用）
特に注意すべき有害事象	・骨髄抑制，感染症	・骨髄抑制，肺水腫，体液貯留，粘膜障害（口内炎，悪心，下痢）	・骨髄抑制，消化器症状（悪心）
注意点（内服薬：食事との影響/注射薬：調製・投与時）	・生理食塩液で希釈し，最終投与液を250mLに調製して10分かけて投与する	・100mgあたり20〜200mLの生理食塩液または5%ブドウ糖注射液に添加し，十分に混和して使用。0.2μmのインラインフィルターを用いて，希釈調製から26時間以内に投与を終了する	・アルコールはジスルフィラム様作用を来す可能性があるため，併用禁忌
文献	1) US Food and Drug Administration：Bendamustine package insert.	1) US Food and Drug Administration：Thiotepa package insert.	1) Floyd J et al：Semin Oncol, 33(1):50-67, 2006

第3章 抗がん薬　｜　2 代謝拮抗薬

2 代謝拮抗薬

I 医薬品の特徴（基本知識）

核酸はDNAとRNAに大別され，塩基（DNA：チミン・シトシン・アデニン・グアニン，RNA：ウラシル・シトシン・アデニン・グアニン），糖（DNA：デオキシリボース，RNA：リボース），リン酸で構成されるヌクレオチドが連なった構造からなる。DNAは二本鎖で，らせん構造である。RNAは一本鎖である。代謝拮抗薬は，核酸の合成に関わる化合物と類似する構造をもつことにより，核酸合成を阻害する。代表的な代謝拮抗薬の1つであるフルオロウラシル（5-FU，図1）の作用機序を図2に示す。

1）葉酸代謝拮抗薬

葉酸代謝拮抗作用を有する代表的な抗がん薬は，メトトレキサートである。葉酸はビタミンの一種で，核酸の合成には必須の補酵素である。メトトレキサートは葉酸と類似した構造をもち，核酸合成に関わるジヒドロ葉酸レダクターゼ（DHFR）を阻害することにより，核酸合成を阻止する。

その他，ペメトレキセドはDHFRやチミジル酸シンターゼなどに作用し，DNAの合成を阻害する。ペメトレキセドの副作用（骨髄抑制など）を軽減するため，葉酸およびビタミンB_{12}を服用する。

2）ピリミジン系代謝拮抗薬

(1) フッ化ピリミジン系代謝拮抗作用

代表的な抗がん薬として5-FUがある。5-FUはDNAを構成するチミンの合成酵素であるチミジ

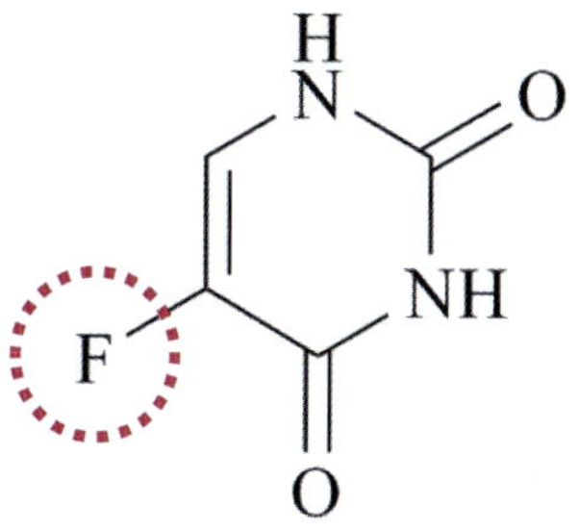

※ウラシルの5位の水素原子がフッ素に置換している

図1　フルオロウラシルの構造式

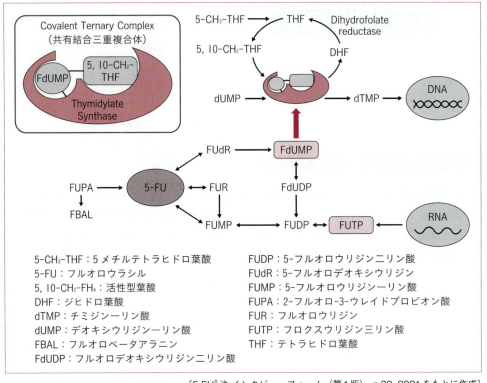

〔5-FU® 注 インタビューフォーム（第1版），p.32, 2021 をもとに作成〕

図2 フルオロウラシルの作用機序

ル酸シンターゼを阻害し，がん細胞の増殖を抑制する（図2）。

　5-FUのプロドラッグであるテガフールを配合したテガフール・ギメラシル・オテラシルカリウム配合薬は，薬理学的・製剤学的に特徴のある抗がん薬である。テガフールは，体内でCYP2A6により5-FUに代謝され抗腫瘍効果を発揮するため，5-FUによる消化器毒性などの副作用が軽減される。ギメラシルは，5-FUを代謝するジヒドロピリミジンデヒドロゲナーゼを阻害することにより5-FUの抗腫瘍効果を増強する。オテラシルカリウムは，消化管での5-FUのリン酸化を阻害することにより5-FUによる消化管毒性を軽減する。

（2）フルオロチミジン系代謝拮抗作用

　トリフルリジンは，体内でトリフルオロチミジン一リン酸からトリフルオロチミジン三リン酸となり，チミジンの代わりにDNAに取り込まれて抗腫瘍効果を発揮する。

（3）シチジン系代謝拮抗作用

　シタラビン（Ara-C，図3）は，デオキシシチジンキナーゼによりリン酸化されAra-C三リン酸となり，デオキシシチジン三リン酸と競合してDNA合成を阻害する。

　また，ゲムシタビン（GEM，図3）はAra-Cと同様に，デオキシシチジンキナーゼによりリン酸化されGEM三リン酸となり，DNAの合成を阻害する。GEMの中間代謝物であるGEM二リン酸は，リボヌクレオチドレダクターゼを阻害することにより，デオキシシチジン二リン酸の生成を抑制し

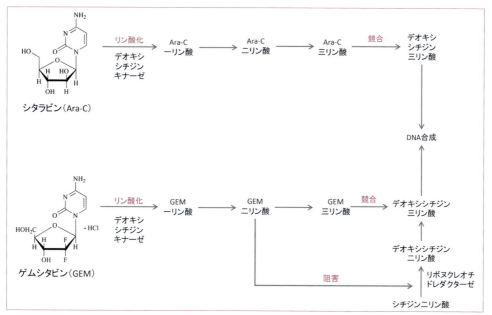

図3 シタラビン（Ara-C）とゲムシタビン（GEM）の作用機序

DNAの合成を阻害する。

3）プリン代謝拮抗作用

プリン代謝拮抗薬である6-メルカプトプリン（6-MP）はグアニンに類似し、ヒポキサンチン-グアニンホスホリボシルトランスフェラーゼの作用によりホスホリボシル二リン酸と反応して、6-チオイノシン5-一リン酸（TIMP）に変換される。TIMPはイノシン酸と拮抗し、プリンヌクレオチドの合成を阻害する。また、代謝物である6-チオグアニンヌクレオチドはDNAおよびRNAの合成を阻害する。

（加藤　裕久）

2 各論（医薬品ごとの特徴）

2-1 葉酸代謝拮抗薬

1）メトトレキサート（MTX）

米国で合成されたアミノプテリンから合成された誘導体の1つである。その後、メトトレキサート・ロイコボリン救援療法が開発され、1984年にわが国で承認された。肉腫、急性白血病の中枢神経系および睾丸浸潤、中枢神経系原発悪性リンパ腫、尿路上皮がん、絨毛性疾患など多くのがん種に用いられる。静脈内投与、髄腔内または筋肉内、動脈内または腫瘍内に注射が可能である。髄腔内投与は、脳脊髄液中の薬物濃度を高くするためである。

血液腫瘍において、6〜24時間かけて大量（≧1〜7.5g/m^2）に点滴投与する場合は、血中薬物濃度を測定し、必要に応じてロイコボリン救援療法を実施するため、本薬剤の投与時間と血中濃度測

定時間の確認が重要である[1]。

　主な副作用は骨髄抑制，口内炎や悪心・嘔吐，腎障害（急性を含む），肝障害，脳症や中枢神経障害などである。

　胸水や腹水などがある場合，メトトレキサートの貯蔵部として働き，薬物放出が遅くなることで血漿中濃度が長時間上昇し，骨髄毒性が重篤となるため禁忌である[1]。

　制吐薬については，体表面積あたりの投与量に応じて催吐性リスクが異なるため[2]制吐薬の選択には注意が必要である。

　本薬剤はPPIやNSAIDs，抗菌薬などの併用薬との相互作用に注意する。また，尿が酸性側に傾くことで，メトトレキサートの結晶が尿細管に沈着するおそれがある。その結果，腎機能障害をもたらす。そのため，尿のアルカリ化のための輸液処方の確認や，十分な水分補給量，尿量などのIn-Outバランス（心機能低下症例は特に注意）を確認するなどのモニタリングが必要である[3]。腎障害に関しては，尿のアルカリ化についてはPH≧7を維持するように述べられている[4]。さらに，アルカリ化のための炭酸水素ナトリウム[5]やアセタゾラミドの投与[6]については，海外文献やプロトコルを参照することが望ましい。また，利尿薬を併用する場合は，尿のPHが酸性となるようなループ利尿薬，チアジド系利用薬などの使用を避ける。

　2021年9月現在，薬価基準未収載ではあるがメトトレキサート・ロイコボリン救援療法によるメトトレキサート排泄遅延時の解毒に対して，注射用グルカルピダーゼの製造販売承認が行われた。今後，その動向には注意が必要である。

2）ペメトレキセド（PEM）

　2004年に欧米で承認，わが国では2009年に承認された葉酸代謝拮抗薬で，悪性胸膜中皮腫や非小細胞肺がんに適応を有する。PEMの添付文書には，前者はシスプラチンとの併用について記載があるが，国内の肺がん診療ガイドラインでは，カルボプラチン＋PEMについては，CDDP不耐な患者に対しては選択肢の1つにしてよいと判断されると記載がある。また，悪性胸膜中皮腫ではPEMを用いた維持療法の有効性について検証した比較試験で，論文化されたものは見当たらないため，単剤投与については注意が必要である[7]。一方，非小細胞肺がんの場合，プラチナ製剤との併用療法や，その後の維持療法，二次治療での単剤投与についてガイドラインに記載がされている。ただし，扁平上皮がんでは薬効が減少することが示されている。国内ガイドラインでは，PS＝0-1，EGFR変異陽性の一次治療ではゲフィチニブ＋カルボプラチン＋PEM併用療法やペムブロリズマブ＋プラチナ製剤＋PEM併用療法についての記載がある。このことから，投与前に組織型やドライバー遺伝子変異などの病理組織結果を確認することが重要である[8]。

　副作用は骨髄抑制，消化器症状などメトトレキサートと類似するが，紅斑性および掻痒性の発疹が特徴的である。開発初期の臨床試験では，予防投与としてデキサメタゾンを使用し，発疹の発現率および重症度が抑えられたことから，本薬剤の投与前日から投与翌日までの3日間，デキサメタゾンを1回4mg，1日2回経口投与した。その結果，発疹の発現頻度が低下することが報告された[9,10]。なお，用量制限毒性（DLT）は骨髄抑制であるが，重篤な骨髄抑制の発症を防ぐために，初回投与開始7日以上前から葉酸（0.5mg）の連日内服とビタミンB_{12} 1mgを9週ごとに1回筋注で投与，本薬剤終了後も22日目まで投与する必要がある。津田らは，これら前投薬投与開始7日よりも短い期間での投与でも安全にPEM治療を施行できる可能性を示唆している[11]。また，これ

らの服薬アドヒアランスの確認が重要である。

2-2　ピリミジン代謝拮抗薬

1）テガフール・ウラシル（UFT）

　テガフールとウラシルを1：4で配合し，毒性を強めずに抗腫瘍効果を高めたわが国開発の抗悪性腫瘍薬である。

　1983年以降，カプセル剤にて胃がんをはじめとするさまざまながん種に承認された。そして，1992年にテガフールを腸溶化した顆粒が承認，2003年にはホリナート・テガフール・ウラシル療法が承認された。肺がんや大腸がんでは国内のガイドラインに配合剤に関して記載がされており，前者では，病変全体径＞2cmの術後病理病期ⅠA/ⅠB/ⅡA期完全切除，腺癌症例に対して治療が強く推奨されている。後者ではStageⅢの術後補助薬物療法や切除不能進行再発大腸がんに対して治療選択肢となるため，病理結果や治療経過を確認する。この療法の用法は，体表面積に応じた用量を28日間連日投与し，その後7日間休薬，これを1クールとする。空腹時に比べ，テガフールおよびウラシルから変換されたフルオロウラシルのAUCは各37%，66%減少したため，食事の前後1時間を避けて投与する。顆粒は腸溶性なので，かまずに服用する。

　カプセルを一包化調剤する場合は，脱カプセルした薬剤を分包機で再分包すると充填量にばらつきがでるため，脱カプセル後の再分包は避ける。また，顆粒は，テガフール顆粒とウラシル顆粒が振動によって分離し均一混合とならないため，分割分包を避ける[12]。主な副作用は，消化器症状。DLTは下痢であり，400mg/m²/日以上では重篤度と副作用発現率が上昇する。UFT減量時，ホリナートは減量しないので注意する。

2）シタラビン（Ara-C）

　ピリミジンヌクレオシド系の代謝拮抗薬である。わが国では，1973年にほかの抗がん薬との併用，1984年に注入療法による膀胱腫瘍，2002年に悪性リンパ腫，2019年に腫瘍特異的T細胞輸注療法の前処置へ承認された。

　細胞周期のDNA合成期に作用させるには，少なくとも1細胞周期に相当する時間（約8～12時間）の持続したDNA阻害が必要である[1]。

　主な副作用は，骨髄抑制，眼症状，皮膚症状。特徴的な副作用としてシタラビン症候群があり，発熱，筋肉痛，骨痛，斑状丘疹性皮疹などが投与後6～12時間で発現する。また，眼症状は結膜炎，眼痛，羞明，角膜潰瘍などが発現するが，副腎皮質ホルモン薬および人工涙液などの点眼薬で対応する。皮膚症状は，四肢末端に発疹，発赤，紅斑などが発現するが，副腎皮質ホルモン薬で軽減できる。DLTは中枢神経症状。

　全身への高用量メトトレキサートと本薬剤の同時投与は，くも膜炎，てんかん発作，せん妄などを起こすことがある[1]。40歳以上や腎機能低下患者での髄腔内投与や高用量投与後に，てんかん発作，認知症，昏睡が生じることがある[1]。60歳以上は中枢神経障害が現れやすく，1回投与量を1.5g/m²への減量も考慮する。

　大量療法では，点滴時間の短縮は血中濃度上昇による中枢神経系毒性増加，時間の延長は薬剤の曝露時間増加による骨髄抑制遷延に伴う感染症・敗血症の増加のおそれがあるため，注意が必要で

ある。

急性骨髄性白血病の治療として低用量シタラビン（20mg/m²）とベネトクラクスの併用療法が2021年3月に承認された。

3）ゲムシタビン（GEM）

1983年に米国で合成したデオキシシチジンのヌクレオシド誘導体であり，わが国では1999年に非小細胞肺がん，2001年に膵がん，2006年に胆道がん，2008年に尿路上皮がん，2010年に乳がんで適応，卵巣がん，再発または難治性の悪性リンパ腫に対する適応追加および非小細胞肺がんに対するシスプラチンとの併用投与における用法・用量の追加は，それぞれ2011年，2013年および2019年に承認された。非常に強い放射線の増感作用を有し，胸部への放射線療法の同時併用は禁忌，腹部への同時併用は併用注意であるため，照射部位の確認が重要である[1]。

また，週2回以上あるいは1回の点滴を60分以上かけて行うと副作用が増強するため，投与指示の変更には注意する。10％未満ではあるが，投与中に注射部位反応（血管炎，紅斑），血管痛が発症する。この場合は刺入部を温めたり，調製時に溶解液を5％ブドウ糖液へ変更する[13]。

主な副作用は，骨髄抑制，インフルエンザ様症状，疲労感，発熱などである。何カ月も投与する場合には，溶血性尿毒症症候群を起こすことがある[1]。DLTは骨髄抑制である。

4）カペシタビン（Cape）

わが国で開発されたフルオロシチジン誘導体である。段階的にフルオロウラシルに変換されるため，全身曝露を抑え，高用量の5-FUを腫瘍選択的に供給する。切除不能または再発乳がん，結腸・直腸がん，胃がんに承認された。がん種，注射抗がん薬の有無，術後補助薬物療法や放射線併用療法などにより用法・用量が異なるため，これらの確認が重要である。

放射線照射との同時治療では，効果が増強する。D法では本薬剤を5日間連日投与し，2日間休薬する用法であるため，服用日を確認する。また，本薬剤は腎臓で排泄されるため，腎機能に応じた用量調節の検討や，Ccr＜30mL/min未満では禁忌であることに注意する。

副作用は，骨髄抑制，消化器症状，手足症候群などである。手足症候群は，保湿薬やステロイド外用薬などの適切な使用が重要である。患者面談時は，使用方法や部位，使用量の確認が重要である。なお，ワルファリン（死亡例の報告あり）など，併用薬との相互作用に注意が必要である。

本薬剤は錠剤が長径約13mm，最低1回服用は3錠である。既報では指標として用いた相対用量強度の中央値が平均93％であり，服薬アドヒアランスは重要と考える[14]。

5）トリフルリジン・チピラシル（FTD・TPI）

わが国で開発されたトリフルリジン（FTD）とチピラシル塩酸塩（TPI）を1：0.5のモル比で配合したヌクレオシド系悪性腫瘍薬である。FTDは，直接DNAに取り込まれてDNA機能障害を起こす。TPIはFTDの分解酵素を特異的に阻害し，FTDのバイオアベイラビリティを高める。

2014年に治癒切除不能な進行・再発の結腸・直腸がん，2019年にがん化学療法後に増悪した治癒切除不能な進行・再発の胃がんに承認された。

用法は1日2回，5日間連続で投与した後2日間休薬。これを計2回繰り返した後14日間の休薬を繰り返す。初回基準量は，体表面積に応じて1回あたり5mgずつ調節するため，20mg錠と

15mg錠の組み合わせが多く存在する。また，空腹時に投与した場合，FTDのC_{max}が上昇するため，食後に投与する。このように用法・用量が煩雑であり，専用のブリスターカードでの管理など服用間違いが生じないようにすることが重要である。

DLTは，白血球数減少，好中球数減少，血小板数減少である。Grade3以上の骨髄抑制の発現時期（中央値）の多くはコース開始3週後であることから，休薬期間中の推移・症状には注意する[15]。

6）テガフール・ギメラシル・オテラシルカリウム（S-1，TS-1）

テガフール（FT）から代謝された血中5-FU濃度を上げ，抗腫瘍効果を高め，付随する消化器毒性も軽減する目的で，わが国で開発された抗悪性腫瘍薬である。FTとギメラシル（CDHP）とオテラシル（Oxo）を1：0.4：1で配合し，CDHPは5-FU異化代謝酵素を阻害，Oxoは5-FUから5-フルオロヌクレオチドへの生成を抑制する。

1994年に胃がん，2001年に頭頸部がん，2003年に結腸・直腸がん，2004年から2007年までに非小細胞肺がん，手術不能または再発乳がん，膵がん，胆道がんに承認が得られた。服薬アドヒアランスや嚥下障害の有無などに応じて口腔内崩壊錠などの剤形を選択する。用法は体表面積に応じた用量を1日2回，28日間連日投与し14日間休薬，これを1クールとする。空腹時投与は抗腫瘍効果が減弱するため，食後に投与する。ただし，進行再発胃がんでのSP療法，G-SOX療法，大腸がんでのSOX療法，IRIS療法などでは投与方法が異なる。また，単剤療法でも胃がんの術後補助薬物療法では4週間投与2週間休薬が行われたが，2週間投与1週間休薬の投与方法も報告されている[16, 17]。そのため，がん種，注射抗がん薬の有無を確認する。また，CDHPは腎臓で排泄されるため，腎機能障害時は減量が必要であり，適正使用ガイドを参照とした減量方法や，2021年にTakeuchiらが報告した投与量調節などを参照することが望ましい[18]。

副作用は，骨髄抑制，消化器症状，口内炎，皮疹，流涙などがあげられる。DLTは骨髄抑制。

7）フルオロウラシル（5-FU）

フルオロウラシルはピリミジン系代謝拮抗薬である。わが国では，1972年に軟膏薬での皮膚悪性腫瘍，経口薬は1980年に承認されたが，2020年5月に販売中止となった。2005年に注射薬で頭頸部がんおよび結腸・直腸がんに対して，2013年に膵がんに対するFOLFIRINOX療法の適応，2018年に小腸がんに対する適応が承認された。

放射線照射併用療法は，抗腫瘍効果が増強し，頭頸部がん，食道がん，肺がん，直腸がん，肛門がんなどにおいて局所的な抑制作用を有する[1]。

副作用として，骨髄抑制，消化器症状（下痢・悪心・口内炎など），手足症候群，肝障害，高アンモニア血症，胸痛などがある。一般的に，骨髄抑制は急速投与の方が持続投与よりも起こりやすいとされ，手足症候群は持続投与で頻度が高いとされている。胸痛は，冠動脈攣縮の結果，静脈投与中もしくは投与直後に起こる。DLTは下痢，口内炎（持続投与時）である。

テガフール・ギメラシル・オテラシルカリウム配合薬投与中止後，ギメラシルの作用消失および骨髄機能抑制が回復するまでの期間を考慮し，同配合薬の投与中止後も7日以内は本剤の投与は禁忌であるため，併用薬ならびに治療歴の確認が必要である。

2-3　プリン代謝拮抗薬

1) フルダラビン

フルダラビンは，わが国では1999年に承認されたアデニンヌクレオシド誘導体である。

2000年にCLL，2008年に同種造血幹細胞移植の前治療，2019年に腫瘍特異的T細胞輸注療法の前処置での使用が承認された。また，低悪性度B細胞性非ホジキンリンパ腫およびMCLは2007年に経口薬で承認後，2009年に注射薬の使用が承認。2019年に腫瘍特異的T細胞輸注療法の前処置，2022年6月には，FLAG（フルダラビン＋シタラビン＋G-CSF）およびFLAG-IDA（FLAG＋イダルビシン塩酸塩）治療などの併用療法における再発・難治性急性骨髄性白血病の適応を取得した。

本薬剤は，DNA，RNA合成阻害やDNA損傷を蓄積し抗腫瘍効果を示すとともに，遷延性のリンパ球減少を伴う免疫抑制作用を有する。重篤な骨髄抑制に注意するとともに，ニューモシスチス肺炎，サイトメガロウイルス，カンジダなどの感染症に対する抗菌薬，抗ウイルス薬，抗真菌薬の併用を確認する。また，投与前にB型肝炎ウイルス抗原，抗体（HBc，HBs）の陰性を確認する。

本薬剤投与後，自己免疫性溶血性貧血・血小板減少症，赤芽球癆などの自己免疫疾患が起きる可能性がある。これらの治療などに用いる輸血療法では，放射線非照射血による移植片対宿主病が出現することがあり，照射処理された血液を輸血する。高齢者は，精神状態の変化，てんかん，視神経炎，昏睡などがみられるため注意する。

2) メルカプトプリン（6-MP）

メルカプトプリンは，わが国では1956年に承認され，急性白血病，慢性骨髄性白血病の効能・効果を有する。

投与量は，体重換算で算出するため体重を確認する。本薬剤のバイオアベイラビリティは16%であるが，メトトレキサートとの併用によりバイオアベイラビリティが増加する。小児のALL患者では併用治療を行うことがある。

本薬剤は，キサンチンオキシダーゼによる酸化により不活性代謝産物となるが，同酵素阻害薬のフェブキソスタットやトピロキソスタット併用時は，本薬剤の血中濃度が増加し骨髄抑制などが出現するため禁忌である。本薬剤の投与量を1/3～1/4に減量すればアロプリノールとの併用は可能である。

主な副作用は骨髄抑制であるが，進行が遅く，数週間以内での血小板減少，顆粒球減少または貧血が現れることはない。減量をすると骨髄抑制は通常急速に回復する[1]。代謝に関わる酵素であるNudix hydrolase15の遺伝子多型を有する患者では，白血球減少，肝障害などの発現頻度が高くなる。日本人は，この遺伝子多型のホモ接合体を有する頻度は1%程度，ヘテロ接合体を有する頻度は20%程度と報告されており，注意が必要である。

3) アザシチジン

アザシチジンは2004年に米国で承認され，わが国では2011年に骨髄異形成症候群（MDS），2021年に急性骨髄性白血病への承認が行われたヌクレオシドアナログである。

作用機序はDNAおよびRNAに取り込まれ，蛋白質合成を阻害する。MDSではDNAシトシンメチルトランスフェラーゼを阻害し，細胞増殖抑制作用を示す[1]。

15～20％の患者において骨髄を正常化し，1/3の患者で輸血必要量を減らすことができる。原則，皮下に投与するが，出血傾向などにより皮下投与が困難な場合は点滴静注を行う。点滴静注を行う場合，調製から1時間以内に投与を終える必要がある。そのため，調製時に看護師と投与時間の確認をすることが望ましい。皮下投与では，投与直前に懸濁液を両掌に挟んで激しく転がすなど均一に懸濁させる必要がある。また，懸濁液は冷蔵条件下（2～8℃）で8時間まで保存が可能であり，投与時間の調整がしやすい[1]。

ベネトクラクス併用時は，他剤相互作用の確認や腫瘍崩壊症候群の管理がより重要である。

投与量調節に際して，治療開始前値の血液学的検査値と減少した割合を確認するとともに血清クレアチニン値，血清重炭酸塩の確認が必要である。

（小田　泰弘）

【参考文献】

1) 髙折修二　他　監訳：第Ⅷ節　腫瘍疾患の化学療法．グッドマン・ギルマン薬理書（下）第12版―薬物治療の基礎と臨床―，廣川書店，p.2196-2215，2013
2) 日本癌治療学会：制吐療法診療ガイドライン（http://jsco-cpg.jp/guideline/29.html#list02.）（2022年6月閲覧）
3) Yang Y et al：Renal Function and Plasma Methotrexate Concentrations Predict Toxicities in Adults Receiving High-Dose Methotrexate. Med Sci Monit, 24:7719-7726, 2018
4) Howard SC et al：Preventing and Managing Toxicities of High-Dose Methotrexate. Oncologist, 21(12):1471-1482, 2016
5) Relling MV et al：Patient characteristics associated with high-risk methotrexate concentrations and toxicity. J Clin Oncol, 12(8):1667-1672, 1994
6) Shamash J et al：Acetazolamide for alkalinisation of urine in patients receiving high-dose methotrexate. Cancer Chemother Pharmacol, 28(2):150-151, 1991
7) 日本肺癌学会：肺癌診療ガイドライン2021年版（https://www.haigan.gr.jp/guideline/2021/2/2/210202030100.html#3-2）（2022年6月閲覧）
8) 日本肺癌学会：肺癌診療ガイドライン2021年版ホームページ（https://www.haigan.gr.jp/guideline/2021/1/2/210102070100.html）（2022年6月閲覧）
9) Rusthoven JJ et al：Multitargeted antifolate LY231514 as first-line chemotherapy for patients with advanced non-small-cell lung cancer: A phase II study. National Cancer Institute of Canada Clinical Trials Group. J Clin Oncol, 17(4):1194, 1999
10) Cripps C et al：Phase II study of first-line LY231514 (multi-targeted antifolate) in patients with locally advanced or metastatic colorectal cancer: an NCIC Clinical Trials Group study. Ann Oncol , 10(10):1175-1179, 1999
11) 津田泰正　他：ペメトレキセド治療開始時の前投薬期間による安全性の検討．癌と化学療法, 42(4):471-475, 2015
12) 大鵬薬品：ユーエフティ®よくある質問と回答（https://www.taiho.co.jp/medical/product/qa/detail/index.html?_questionAnswerId=1274）
13) Nagai H et al：Use of glucose solution for the alleviation of gemcitabine-induced vascular pain: a double-blind randomized crossover study. Supportive Care Cancer. 21(12), 3271-3278, 2013
14) 山口高史　他：ステージⅢ大腸癌に対する術後補助化学療法としてのカペシタビン（Xeloda）内服療法の検討．癌と化学療法, 39(3) :389-393, 2012
15) ロンサーフCTD
16) Ogawa K et al：Comparison of 2- and 4-week S-1 administration as adjuvant chemotherapy for advanced gastric cancer. Int J Clin Oncol, 25(10):1807-1813, 2020
17) Yamatsuji T et al：Feasibility of oral administration of S-1 as adjuvant chemotherapy in gastric cancer: 4-week S-1 administration followed by 2-week rest vs. 2-week administration followed by 1-week rest. Mol Clin Oncol,

表 代謝拮抗薬 比較表

一般名	メトトレキサート	
商品名	メソトレキセート	
剤形	錠	注・注射用
分類	葉酸代謝拮抗薬	
がん種	急性白血病，慢性リンパ性白血病，慢性骨髄性白血病，絨毛性疾患（絨毛癌，破壊胞状奇胎，胞状奇胎）	肉腫（骨肉腫，軟部肉腫等），急性白血病，悪性リンパ腫
投与量	〈急性白血病，慢性リンパ性白血病，慢性骨髄性白血病〉 1日量として，幼児：1.25〜2.5mg，小児：2.5〜5mg，成人：5〜10mgを1週間に3〜6日 〈絨毛性疾患（絨毛癌，破壊胞状奇胎，胞状奇胎）〉 成人：10〜30mgを5日間投与後，7〜12日間休薬	・MTX＋LV救援療法 〈肉腫（骨肉腫，軟部肉腫等）〉 1週間に1回100〜300mg/kgを約6時間で点滴静注，1〜4週間ごと 〈急性白血病，悪性リンパ腫〉 1週間に30〜100mg/kgを約6時間で点滴静注，1〜4週間ごと
腎障害	・60＞Ccr＞20mL/min：50%に減量[1]	・60＞Ccr＞20mL/min：50%に減量[1]
肝障害	・禁忌	・禁忌
相互作用	・NSAIDs，ST合剤，スルホンアミド系，ペニシリン，プロベネシド，シプロフロキサシン，レフルノミド，PPI，ポルフィマーナトリウム，尿を酸性化する薬剤（例：フロセミド，チアジド系利尿薬など）の使用を避けること ・本剤投与中は生ワクチンの接種は行わない	
特に注意すべき有害事象	・骨髄抑制，肝障害，腎障害，出血性腸炎，消化管潰瘍，腸管出血，食欲不振，悪心・嘔吐，ALT・AST上昇，口内炎，下痢，腹痛	
注意点（内服薬：食事との影響/注射薬：調製・投与時）	・メトトレキサート通常療法で副作用が発現した場合，適切な処置を行いながら，ロイコボリンを1回6〜12mgを6時間間隔で4回筋肉内注射する。あるいは1回10mgを6時間間隔で4回経口投与する。なお，過剰投与した場合には，投与した本剤と同量のロイコボリンを投与する。胸水，腹水などのある患者では，メトトレキサートが第三スペースに移行し，重大な副作用を招く	・メトトレキサートの血中濃度の危険限界は24時間値で1×10^{-5}モル濃度，48時間値で1×10^{-6}モル濃度，72時間値で1×10^{-7}モル濃度である。危険限界以上の濃度の際はロイコボリンの増量・救援投与などを行うこと。胸水，腹水などのある患者では，メトトレキサートが第三スペースに移行し，重大な副作用を招く
文献	1) 日本腎臓病薬物療法学会：腎機能別薬剤投与方法一覧 2020年4月 改訂45版（https://www.jsnp.org/ckd/JSNP_HP_45s.pdf）（2022年6月閲覧）	1) 日本腎臓病薬物療法学会ホームページ

3(3):527-532, 2015

18) Takeuchi M et al：Prospective evaluation and refinement of an S-1 dosage formula based on renal function for clinical application. Cancer Sci, 112(2), 751-759, 2021

	ペメトレキセド	テガフール・ウラシル
	アリムタ	ユーエフティ
	注射用	カプセル・顆粒
	葉酸代謝拮抗薬	ピリミジン系代謝拮抗薬
	悪性胸膜中皮腫，切除不能な進行・再発の非小細胞肺癌	頭頸部癌，胃癌，結腸・直腸癌，肝臓癌，胆のう・胆管癌，膵臓癌，肺癌，乳癌，膀胱癌，前立腺癌，子宮頸癌
	〈悪性胸膜中皮腫〉 シスプラチン併用のもと，1回500mg/m²を点滴静注し，20日間休薬 〈切除不能な進行・再発の非小細胞肺癌〉 1回500mg/m²を点滴静注し，20日間休薬	〈子宮頸癌〉 テガフール600 mg/日相当量を2～3回に分割投与 〈それ以外〉 テガフール300～600 mg/日相当量を2～3回に分割投与 ・ホリナート・テガフール・ウラシル療法 〈結腸・直腸癌〉
	・Ccrが45～60mL/min未満の患者に本剤およびシスプラチンを投与する場合には，危険性と有用性を十分考慮すること	・Ccr＞15mL/min：1日300mg[1]
	・慎重投与	・慎重投与
	・NSAIDs，ペニシリン，プロベネシドは併用注意	・テガフール・ギメラシル・オテラシルカリウム配合薬は禁忌。フェニトイン，ワルファリンカリウム，トリフルリジン・チピラシル塩酸塩配合薬など
	・骨髄抑制，間質性肺炎，食欲不振，悪心，嘔吐，大腸炎，AST・ALT上昇，血中LDH上昇，血中ALP上昇，発疹，倦怠感，発熱，CRP上昇，放射線照射リコール反応，溶血性貧血	・劇症肝炎，肝機能障害，腎機能障害，重篤な下痢，白質脳症などの精神神経症状，うっ血性心不全，心筋梗塞，安静狭心症
	・胸水，腹水など体腔液の本剤投与への影響については不明であるが，ほかの葉酸代謝拮抗薬で，胸水または腹水などのある患者に投与した場合，薬剤が胸水，腹水などに長時間貯留し，毒性が増強することが報告されている ・葉酸：本剤初回投与の7日以上前から1日1回0.5mgを連日経口投与する。なお，中止または終了する場合には，本剤最終投与日から22日目まで可能な限り葉酸を投与 ・ビタミンB₁₂：本剤初回投与の少なくとも7日前に，1回1mgを筋肉内投与する。その後，本剤投与期間中および投与中止後22日目まで9週ごと（3コースごと）に1回投与する	―
	―	1) 日本腎臓病薬物療法学会ホームページ

一般名	シタラビン	
商品名	キロサイド	キロサイドN
剤形	注	
分類	ピリミジン系代謝拮抗薬	
がん種	急性白血病（赤白血病，慢性骨髄性白血病の急性転化例を含む），消化器癌（胃癌，膵癌，肝癌，結腸癌等），肺癌，乳癌，女性性器癌（子宮癌等），膀胱腫瘍	急性白血病（急性骨髄性白血病，急性リンパ性白血病），悪性リンパ腫，腫瘍特異的T細胞輸注療法の前処置
投与量	〈急性白血病〉 寛解導入：通常1日小児0.6〜2.3mg/kg，成人0.8〜1.6mg/kgを2〜3週間連続投与を行う 維持療法：寛解導入の投与量を1週1回投与 シタラビン少量療法：1回10〜20mgを1日2回または1回20mg/m^{2}を1日1回10〜14日間投与する 髄腔内化学療法：1回25〜40mgを1週間に1〜2回髄腔内投与する（小児に投与する場合には，1歳：15〜20mg，2歳：20〜30mg，3歳以上：25〜40mgを参考に年齢・体格等に応じて投与量を調整する） 〈消化器癌，肺癌，乳癌，女性性器癌等に他の抗腫瘍剤と併用するとき〉 静脈内注射：1回0.2〜0.8mg/kgを1週間に1〜2回投与 局所動脈注射：他の抗腫瘍剤と併用して1日0.2〜0.4mg/kgを持続注入ポンプで投与を行う 〈膀胱腫瘍〉 単独膀胱内注入：200〜400mgを1日1回，週2〜3回膀胱内注射 他の抗腫瘍剤と併用：100〜300mgを1日1回，週2〜3回膀胱内注射	・シタラビン大量療法 〈急性骨髄性白血病〉 1回2g/m^{2}を12時間ごとに3時間かけて最大6日間連日投与 小児に投与する場合は，1回3g/m^{2}を12時間ごとに3時間かけて3日間連日投与 〈急性リンパ性白血病〉 1回2g/m^{2}を12時間ごとに3時間かけて最大6日間連日投与 小児に投与する場合は，1回2g/m^{2}を12時間ごとに3時間かけて3日間連日投与 〈悪性リンパ腫〉 1回2g/m^{2}を12時間ごとに1日2〜3回3時間かけて連日投与 小児に投与する場合は，1回2g/m^{2}を12時間ごとに3時間かけて3日間連日投与 〈腫瘍特異性T細胞輸注療法の前処置〉 再生医療等製品の用法および用量または使用方法に基づき使用する
腎障害	・慎重投与	・慎重投与
肝障害	・該当資料なし	・慎重投与
相互作用	・フルダラビン：骨髄機能抑制などの副作用が増強するおそれがある	
特に注意すべき有害事象	・骨髄抑制，シタラビン症候群，中枢神経系障害，肝障害，眼症状	
注意点（内服薬：食事との影響/注射薬：調製・投与時）	〈急性白血病（赤白血病，慢性骨髄性白血病の急性転化例を含む）〉 250〜500mLの5%ブドウ糖液あるいは生理食塩液に混合して点滴で静脈内投与するか，または20mLの20%ブドウ糖液あるいは生理食塩液に混合して，ワンショットで静脈内投与 〈膀胱腫瘍〉 10〜40mLの生理食塩液または注射用水に混合して膀胱内に注入	
文献	−	

	ゲムシタビン	カペシタビン
	ジェムザール	ゼローダ
	注射用	錠
	ピリミジン系代謝拮抗薬	
	非小細胞肺癌，膵癌，胆道癌，尿路上皮癌，乳癌，卵巣癌，悪性リンパ腫	手術不能または再発乳癌，結腸・直腸癌，胃癌
	〈膵癌，胆道癌，尿路上皮癌，がん化学療法後に増悪した卵巣癌，再発または難治性の悪性リンパ腫，非小細胞肺癌〉 ・単剤治療の場合：1回1,000mg/m^{2}を30分かけて点滴静注し，週1回投与を3週連続し，4週目は休薬する．これを1コースとして投与を繰り返す 〈非小細胞肺癌〉 ・シスプラチン併用の場合：1回1,250mg/m^{2}を30分かけて点滴静注し，週1回投与を2週連続し，3週目は休薬する．これを1コースとする 〈手術不能または再発乳癌〉 1回1,250mg/m^{2}を30分かけて点滴静注し，週1回投与を2週連続し，3週目は休薬する．これを1コースとして投与を繰り返す	〈手術不能または再発乳癌〉 A法またはB法，ラパチニブトシル酸塩水和物と併用する場合はC法 〈結腸・直腸癌における術後補助化学療法〉 B法，オキサリプラチンと併用する場合はC法 〈治癒切除不能な進行・再発結腸・直腸癌〉 他の抗悪性腫瘍剤との併用でC法またはE法を使用 〈直腸癌における補助化学療法〉 放射線照射と併用する場合はD法 〈胃癌〉 白金製剤との併用ではC法 ※各法の投与方法，投与量についてはp.116を参照
	・慎重投与	・XELOX療法 Ccr：30〜50mL/min：75%で投与[1]
	・慎重投与	・該当資料なし
	・腹部放射線療法（体外照射）と同時併用する場合，重篤となる局所の合併症が発現することがある	・テガフール・ギメラシル・オテラシルカリウム配合薬：併用禁忌 ・フェニトイン，ワルファリン：作用を増強する ・ワルファリン：血液凝固能検査値異常，出血が発現し死亡に至った例の報告があることから警告の項目に記載されており，注意が必要である
	・骨髄抑制，間質性肺炎，倦怠感，皮疹	・激しい下痢，手足症候群，悪心・嘔吐，食欲不振，色素沈着
	・週2回以上あるいは1回の点滴を60分以上かけて行うと，副作用が増強した例が報告されている	―
	―	1）適正使用ガイド

一般名	トリフルリジン・チピラシル	テガフール・ギメラシル・オテラシルカリウム
商品名	ロンサーフ	ティーエスワン
剤形	錠	OD錠・カプセル
分類	ピリミジン系代謝拮抗薬	
がん種	結腸・直腸癌, 胃癌	胃癌, 結腸・直腸癌, 頭頸部癌, 非小細胞肺癌, 乳癌, 膵癌, 胆道癌
投与量	・トリフルリジンとして1回35mg/m^{2}を1日2回5日間連日投与, その後2日間休薬を2回繰り返し, 14日間休薬	・1.25m^{2}未満：40mg/回, 1.25〜1.5m^{2}未満：50mg/回, 1.5m^{2}以上：60mg/回 1日2回を28日間連日投与, その後14日間休薬
腎障害	・軽度腎機能障害, 中程度腎機能障害：35mg/m^2/回[1] ・重度腎機能障害：20mg/m^2/回の投与を検討[1]	・Ccr 60mL/min：減量を考慮[1,2] ・Ccr 40〜60mL/min：1段階減量[1,2] ・Ccr 30〜40mL/min：2段階減量[1,2] ・Ccr 30mL/min未満：休薬[1,2]
肝障害	・T-Bilが2.0mg/dLを超える場合：休薬 AST・ALTは, 施設基準値上限の2.5倍（肝転移症例では5倍）を超える場合[1]：休薬	・T-Bil ULN×1.5倍以上（2mg/dL以上）, AST・ALTはULN×2.5倍以上：休薬を考慮する[1]
相互作用	・フッ化ピリミジン系抗悪性腫瘍薬・抗真菌薬, 葉酸代謝拮抗薬：併用注意	・フッ化ピリミジン系抗悪性腫瘍薬, 抗真菌薬：併用禁忌。フェニトイン, ワルファリンの作用を増強する
特に注意すべき有害事象	・骨髄抑制, 消化器症状	・悪心・嘔吐, 下痢, 口内炎, 食欲不振, 味覚障害, 色素沈着, 発疹, 流涙
注意点（内服薬：食事との影響／注射薬：調製・投与時）	・空腹時に本剤を投与した場合, 食後投与と比較してトリフルリジンのC$_{max}$の上昇が認められることから, 空腹時投与を避けること[1]	・空腹時投与ではオテラシルカリウムのバイオアベイラビリティが変化し, フルオロウラシルのリン酸化が抑制されて抗腫瘍効果の減弱が起こることが予想されるため, 食後投与[1]
文献	1) 適正使用ガイド	1) 適正使用ガイド 2) 日本腎臓病薬物療法学会ホームページ

	フルオロウラシル
	5-FU注
	注
	ピリミジン系代謝拮抗薬
	胃癌, 肝癌, 結腸・直腸癌, 乳癌, 膵癌, 子宮頸癌, 子宮体癌, 卵巣癌, 食道癌, 肺癌, 頭頸部腫瘍, 小腸癌
	〈頭頸部癌〉 1日1,000mg/m²（体表面積）までを，4～5日間連日で持続点滴する。投与を繰り返す場合には少なくとも3週間以上の間隔をあけて投与する。本剤単独投与の場合には併用投与時に準じる 〈結腸・直腸癌〉 ・レボホリナート・フルオロウラシル持続静注併用療法 ・通常，成人にはレボホリナートとして1回100mg/m²（体表面積）を2時間かけて点滴静脈内注射する。レボホリナートの点滴静脈内注射終了直後にフルオロウラシルとして400mg/m²（体表面積）を静脈内注射，さらにフルオロウラシルとして600mg/m²（体表面積）を22時間かけて持続静注する。これを2日間連続して行い，2週間ごとに繰り返す ・通常，成人にはレボホリナートとして1回250mg/m²（体表面積）を2時間かけて点滴静脈内注射する。レボホリナートの点滴静脈内注射終了直後にフルオロウラシルとして2,600mg/m²（体表面積）を24時間持続静注する。1週間ごとに6回繰り返した後，2週間休薬する。これを1コースとする ・通常，成人にはレボホリナートとして1回200mg/m²（体表面積）を2時間かけて点滴静脈内注射する。レボホリナートの点滴静脈内注射終了直後にフルオロウラシルとして400mg/m²（体表面積）を静脈内注射，さらにフルオロウラシルとして2,400～3,000mg/m²（体表面積）を46時間持続静注する。これを2週間ごとに繰り返す[1] 〈小腸癌，治癒切除不能な膵癌〉 ・レボホリナート・フルオロウラシル持続静注併用療法 ・通常，成人にはレボホリナートとして1回200mg/m²（体表面積）を2時間かけて点滴静脈内注射する。レボホリナートの点滴静脈内注射終了直後にフルオロウラシルとして400mg/m²（体表面積）を静脈内注射，さらにフルオロウラシルとして2,400mg/m²（体表面積）を46時間持続静注する。これを2週間ごとに繰り返す
	・血清クレアチニン1.5～3.0mg/dL。臨床試験では，5-FUのクリアランスが低下する傾向や副作用が増加する傾向はなかった。Ccr＜30mL/minのとき，5-FU投与量を75%以下に調節するとよいという指摘もある。透析によっても除去（除去率79.5%）されやすいため，透析時にも減量の必要はないとされているが，急速静注の場合には透析中の投与が望ましいとする報告がある
	・血清ビリルビン＞5.0mg/dL：投与禁止
	・テガフール・ギメラシル・オテラシルカリウム配合薬は禁忌。フェニトイン，ワルファリンカリウム，トリフルリジン・チピラシル塩酸塩配合薬など
	・下痢，脱水症状，口内炎は用量制限毒性である。手足症候群，意識障害を伴う高アンモニア血症，白質脳症などの精神神経症状，うっ血性心不全，心筋梗塞，安静狭心症
	―

1）適正使用ガイド

一般名	フルダラビン	
商品名	フルダラ	
剤形	錠	注射用
分類	プリン代謝拮抗薬	
がん種	低悪性度B細胞性非ホジキンリンパ腫，マントル細胞リンパ腫，貧血または血小板減少症を伴う慢性リンパ性白血病	貧血または血小板減少症を伴う慢性リンパ性白血病，低悪性度B細胞性非ホジキンリンパ腫，マントル細胞リンパ腫，急性骨髄性白血病，骨髄異形成症候群，慢性骨髄性白血病，慢性リンパ性白血病，悪性リンパ腫，多発性骨髄腫
投与量	・$40mg/m^2$を1日1回5日間連日経口投与し，23日間休薬する	〈悪性リンパ腫〉 1日量$20mg/m^2$を5日間連日点滴静注し，23日間休薬する 〈同種造血幹細胞移植の前治療〉 1日量$30mg/m^2$を6日間連日点滴静注する
腎障害	・腎機能が低下している患者（Ccr=が30〜70mL/min）では，腎機能の低下に応じて添付文書の表のような目安により投与量を減量	・Ccr =70mL/dL：$18mg/m^2$/日 ・Ccr =50mL/min：$14mg/m^2$/日 ・Ccr = 30mL/min：$12mg/m^2$/日
肝障害	・慎重投与	・慎重投与
相互作用	・ペントスタチン：致命的な肺毒性が発現することがある ・シタラビン：骨髄抑制などの副作用が増強するおそれがある	・ペントスタチン：致命的な肺毒性が発現することがある ・シタラビン：骨髄抑制などの副作用が増強するおそれがある
特に注意すべき有害事象	・骨髄抑制，腫瘍崩壊症候群，日和見感染，自己免疫性溶血性貧血・血小板減少症，赤芽球癆	
注意点（内服薬：食事との影響／注射薬：調製・投与時）	—	
文献	—	1）日本腎臓病薬物療法学会ホームページ

	メルカプトプリン	アザシチジン
	ロイケリン	ビダーザ
	散	注射用
	プリン代謝拮抗薬	
	急性白血病，慢性骨髄性白血病	骨髄異形成症候群，急性骨髄性白血病
	・寛解導入量：1日2〜3mg/kgを単独またはほかの抗がん薬と併用して投与 ・寛解後：寛解導入量を下回る量を単独またはほかの抗がん薬と併用して投与	・1日1回75mg/m^{2}を7日間，皮下投与または10分かけて点滴静注，その後3週間休薬
	・Ccr＜60mL/min：48時間ごとに投与[1]	・BUNまたは血清Crが施設基準値上限を超え，治療開始前値の2倍以上に上昇した場合は，施設基準値または治療開始前値に回復した後，次サイクル投与量を50%量に減量
	・慎重投与	・該当資料なし
	・生ワクチン：免疫抑制下で生ワクチンを接種すると発症するおそれがある ・フェブキソスタット・トピロキソスタット：骨髄抑制などの副作用を増強する可能性がある ・アロプリノール：本剤の副作用を増強する。併用する場合は本剤の用量を通常量の1/3〜1/4に減量する	・該当資料なし
	・骨髄抑制	・骨髄抑制，腫瘍崩壊症候群
	—	・溶解後は室温で1時間の安定性が確認されている
	1) 日本腎臓病薬物療法学会ホームページ	—

カペシタビン（ゼローダ）の投与方法について

A法：体表面積にあわせて次の投与量を朝食後と夕食後30分以内に1日2回，21日間連日経口投与し，その後7日間休薬する。これを1コースとして投与を繰り返す。

体表面積	1回用量
1.31m² 未満	900mg
1.31m² 以上 1.64m² 未満	1,200mg
1.64m² 以上	1,500mg

B法：体表面積にあわせて次の投与量を朝食後と夕食後30分以内に1日2回，14日間連日経口投与し，その後7日間休薬する。これを1コースとして投与を繰り返す。なお，患者の状態により適宜減量する。

体表面積	1回用量
1.33m² 未満	1,500mg
1.33m² 以上 1.57m² 未満	1,800mg
1.57m² 以上 1.81m² 未満	2,100mg
1.81m² 以上	2,400mg

C法：体表面積にあわせて次の投与量を朝食後と夕食後30分以内に1日2回，14日間連日経口投与し，その後7日間休薬する。これを1コースとして投与を繰り返す。なお，患者の状態により適宜減量する。

体表面積	1回用量
1.36m² 未満	1,200mg
1.36m² 以上 1.66m² 未満	1,500mg
1.66m² 以上 1.96m² 未満	1,800mg
1.96m² 以上	2,100mg

D法：体表面積にあわせて次の投与量を朝食後と夕食後30分以内に1日2回，5日間連日経口投与し，その後2日間休薬する。これを繰り返す。なお，患者の状態により適宜減量する。

体表面積	1回用量
1.31m² 未満	900mg
1.31m² 以上 1.64m² 未満	1,200mg
1.64m² 以上	1,500mg

E法：体表面積にあわせて次の投与量を朝食後と夕食後30分以内に1日2回，14日間連日経口投与し，その後7日間休薬する。これを1コースとして投与を繰り返す。なお，患者の状態により適宜減量する。

体表面積	1回用量
1.31m^2未満	900mg
1.31m^2以上1.69m^2未満	1,200mg
1.69m^2以上2.07m^2未満	1,500mg
2.07m^2以上	1,800mg

（ゼローダ®添付文書 第2版，2020）

3 微小管阻害薬

I 医薬品の特徴（基本知識）

　微小管は，細胞内にある管状の構造物であり，細胞の運動や形の保持に関与する細胞骨格の1つで，チューブリンという蛋白質からなる（図）。チューブリンは，αおよびβの2つのサブユニットからなり，これらが円筒状に配列して中空の蛋白質繊維を構成している。チューブリンは細胞分裂の際には紡錘体となって現れる。チューブリンが重合すると微小管は伸び，脱重合すると短くなる。微小管の重合と脱重合によって，細胞分裂の際，染色体を移動させる重要な役割を担っている。代表的な微小管阻害薬は，ビンカアルカロイド系抗悪性腫瘍薬，エリブリン，タキサン系抗悪性腫瘍薬がある。

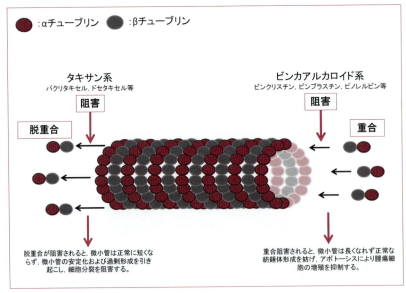

図　微小管の構造と微小管阻害薬

1）重合阻害作用

　微小管の重合を阻害すると微小管が伸びることができず，染色体を正常な位置に移動させることができないため，細胞分裂が行われない。微小管の重合阻害作用をもつ主な抗悪性腫瘍薬は，ビンカアルカロイド系抗悪性腫瘍薬（ビンクリスチン，ビンブラスチン，ビノレルビンなど）とエリブリンである。ビンカアルカロイド系抗悪性腫瘍薬はβチューブリン（ヘテロ二量体）に結合し重合を阻害し，紡錘体を形成させず細胞分裂を停止させる。

エリブリンも微小管の重合阻害作用を有し，チューブリンの重合を阻害して微小管の伸長を抑制することで正常な紡錘体形成を妨げる。その結果，G2～M期で細胞分裂を停止させてアポトーシスによる細胞死を誘導し，腫瘍増殖抑制作用を示す。

2) 脱重合阻害作用

　微小管の脱重合を阻害すると微小管が正常に短縮されず，細胞分裂が阻害される。微小管の脱重合阻害作用をもつ代表的な抗悪性腫瘍薬は，タキサン系抗腫瘍薬（パクリタキセル，ドセタキセルなど）である。微小管の重合を促進することにより，微小管の安定化および過剰形成を引き起こし，紡錘体の機能を障害することにより細胞分裂を阻害して抗腫瘍活性を示す。

（加藤　裕久）

2 各論（医薬品ごとの特徴）

2-1　タキサン系薬

1) ドセタキセル（DTX, DOC, TXT）

　ヨーロッパイチイの針葉抽出物に含まれる10-デアセチルバッカチンIIIから半合成された，タキサン系抗悪性腫瘍薬である。微小管に対する作用は，チューブリンの重合促進作用および微小管安定化（脱重合抑制）作用である。その結果，細胞周期をM期で停止させることで，腫瘍増殖抑制作用を示すと考えられている。

　本剤は主に固形がんに対して使用されている薬剤であるが，後述するパクリタキセルと比較し微小管に対する結合親和性が2倍程度高く，重合促進作用も強いとされている。しかし，本剤とパクリタキセルにおいて臨床的に意義のある治療効果の差を認めているわけではない[1]。また，本剤とパクリタキセルは交叉耐性が認められるものの，乳がん，卵巣がんおよび非小細胞肺がんにおいて，パクリタキセルに対して耐性となった腫瘍に対しても本剤の効果が認められたとの報告[2]があることから，パクリタキセルによる治療後に本剤が治療選択肢としてあげられる場合がある。

　用量制限毒性は好中球減少であり，添付文書において，好中球数2,000/mm^{3}未満であれば投与延期が必要である旨が注意喚起されている。また，末梢神経障害の頻度および程度については，パクリタキセルと比較し軽度である場合が多い[2]。

　本剤は，わが国においては過敏症予防目的の前投薬は必須とされていないものの，海外において重篤な過敏症による死亡例を認めていることなどを考慮すると，主に初回および2回目の投与時は十分な経過観察をすべきである。

2) パクリタキセル（PTX, PAC, TXL）

　太平洋イチイの針葉抽出物に含まれる10-デアセチルバッカチンIIIから半合成されたタキサン系抗悪性腫瘍薬である。微小管に対する作用は，チューブリンの重合促進作用および微小管安定化（脱重合抑制）作用である。その結果，細胞周期をM期で停止させることで，腫瘍増殖抑制作用を示すと考えられている。

　本剤は主に固形がんに対して使用されている薬剤であるが，血漿中の約40%が腹水に移行する

ことから，主に卵巣がんや胃がんの腹膜播種に対して臨床的な有効性を認める場合がある[3]。

用量制限毒性は好中球減少および末梢神経障害である。特に，末梢神経障害は本剤投与時にほぼ必発で認められる副作用であり，四肢および足底部（主に手袋と靴下で覆われる箇所）の知覚異常や灼熱感などを伴い，1回投与量および総投与量に相関して発現が認められる傾向がある[4]。

パクリタキセルは水に難溶であるため，ポリオキシエチレンヒマシ油（Cremophor EL®）および無水エタノールの混液の非水溶媒で製剤化されている。よって，本剤投与時はポリオキシエチレンヒマシ油によるヒスタミン遊離作用などによる過敏反応を予防するため，デキサメタゾン，ファモチジンおよびジフェンヒドラミンの前投与を行う必要がある。また，投与後の自動車の運転は避けるように指導が必要であることに加え，アルコール不耐の患者には投与することができないことに注意する。なお，含有アルコール量の目安として，標準的な日本人患者に対して本剤を175mg/m^2で投与した場合，ビール（アルコール濃度5％）に換算すると約500mLと同等のアルコール量となる。

3）パクリタキセル（アルブミン懸濁型）（nab-PTX）

水に難溶なパクリタキセルとヒト血清アルブミンを1：8の重量比率で含む平均130nmのナノ粒子製剤であり，難溶性のパクリタキセルをポリオキシエチレンヒマシ油（Cremophor EL®）および無水エタノールの混合溶解液を用いることなく，生理食塩液に懸濁することを可能とした製剤である。その結果，本剤では過敏反応を予防するための前投薬は必須ではなくなり，高用量を短時間で投与することが可能となった。また，アルコール非添加であることからアルコール不耐の患者にも投与が可能である。

用量制限毒性は好中球減少であり，通常のパクリタキセル製剤と比較し，1回投与量が高用量となっていること，神経組織への移行性が良好であることなどから，末梢神経障害の発現頻度および重篤度が高くなる傾向にあり，注意が必要である。

4）カバジタキセル　アセトン付加物（CBZ）

ヨーロッパイチイの針葉抽出物に含まれる10-デアセチルバッカチンⅢから半合成されたタキサン系抗悪性腫瘍薬である。微小管に対する作用は，チューブリンの重合促進作用および微小管安定化（脱重合抑制）作用である。その結果，細胞周期をM期で停止させることで，腫瘍増殖抑制作用を示すと考えられている。

本剤は，ドセタキセル抵抗性の細胞株，およびドセタキセル非感受性／低感受性細胞株を移植したマウスそれぞれにおいて非臨床的な抗腫瘍効果を認めていることなどから，現在はドセタキセルによる化学療法歴を有する去勢抵抗性前立腺がんに対して推奨されている薬剤である。

用量制限毒性は好中球減少および下痢である。特に好中球減少については，国内第Ⅰ相試験において，全例でGrade3以上の好中球減少症が認められており，また，外国人患者と比較し日本人患者において発熱性好中球減少症の発現頻度が高い傾向にあったことから，発熱性好中球減少症のリスク因子を有する患者に対して本剤を投与する場合は，持続型G-CSF製剤の予防投与（一次予防）を考慮すべきである。

また，本剤による過敏反応を軽減させるために，本剤投与の30分前までに，抗ヒスタミン薬，副腎皮質ホルモン薬，H_2受容体拮抗薬などの前投与を行う必要がある。

5）開発中のタキサン系抗がん薬

現在，臨床で使用されているタキサン系抗悪性腫瘍薬は，すべて点滴静注製剤である。経口製剤（テセタキセルなど）は海外において開発が行われているものの，わが国における開発の目途はたっていない。

2-2 ビンカアルカロイド系薬

1）ビンデシン硫酸塩（VDS）

ニチニチソウから抽出されたアルカロイド（ビンブラスチン硫酸塩）から半合成された，ビンカアルカロイド誘導体である。微小管に対する作用は，チューブリンの重合阻害作用である。その結果，細胞周期をM期で停止させることで，腫瘍増殖抑制作用を示すと考えられている。

用量制限毒性は骨髄抑制および末梢神経障害である。頻度は低いものの，ほかのビンカアルカロイド系薬と同様に運動障害や麻痺性イレウスも報告されている。また，虚血性心疾患のある患者では心筋虚血症状が強く発現する可能性があることから，注意が必要である[5~7]。

なお，本剤は髄腔内投与が禁忌であることから，特に本剤を血液腫瘍に対する治療として使用する場合は，注意が必要である。

2）ビノレルビン酒石酸塩（VNR，VRB，NVB）

ニチニチソウから抽出されたアルカロイドより半合成された，ビンカアルカロイド誘導体である。微小管に対する作用は，チューブリンの重合阻害作用である。その結果，細胞周期をM期で停止させることで，腫瘍増殖抑制作用を示すと考えられている。

本剤は脂溶性が高く肺組織への移行が良好であることから，非小細胞肺がんに対して白金系抗悪性腫瘍薬と併用で投与される場合がある。

用量制限毒性は白血球減少および好中球減少であり，添付文書において，白血球数2,000/μL未満であれば投与延期が必要である旨が注意喚起されている。また，末梢神経障害の頻度および程度については，ほかのビンカアルカロイド系薬と比較し軽度である一方で，腸管運動の抑制による便秘が比較的多く，麻痺性イレウスの報告も認められていることから，特に本剤投与後2週間程度は便秘を含め，腹痛，排ガスの有無などのイレウス兆候に注意する必要がある。

また，疼痛を伴う静脈炎を5.4~30%程度認めていることから，添付文書において，本剤を50mLの生理食塩液，5%ブドウ糖注射液，リンゲル液などで希釈し，10分以内に投与を終了することに加え，投与終了後にフラッシュを行うことが推奨されている。なお，静脈炎により末梢から投与することが困難な場合は，皮下埋め込み型ポートを造設することも選択肢として検討される。

3）ビンクリスチン硫酸塩（VCR，LCR）

ニチニチソウから抽出されたアルカロイドである。微小管に対する作用は，チューブリンの重合阻害作用である。その結果，細胞周期をM期で停止させることで，腫瘍増殖抑制作用を示すと考えられている。

本剤は主に血液腫瘍に対して使用されている薬剤であるが，一部の固形腫瘍（主に骨軟部腫瘍）に対してはキードラッグの1つとされている。

用量制限毒性は神経毒性であり，1回投与量の上限は2mgとされている。本剤による末梢神経障害は主に蓄積性であることが知られており，成人では通常，累積投与量として4～10mg以降に症状が認められる場合が多いとされている[8, 9]。主に，指先の痺れ感を呈し，その後，神経痛，運動機能障害へと進展する傾向にあり，下肢よりも上肢において早期に発現し，重篤性も高い。これらの神経毒性は，投与中止後も長期的に症状が持続することも多いとされているものの，治癒を目指した治療の一環として本剤を投与している場合，軽度の末梢神経障害により投与量を減量することは，ベネフィット・リスクバランスを考慮したうえで慎重に判断すべきである。

なお，本剤は髄腔内投与が禁忌であることから，特に本剤を血液腫瘍に対する治療として使用する場合は，注意が必要である。

4）注射用ビンブラスチン硫酸塩（VLB，VBL）

ニチニチソウから抽出されたアルカロイド塩である。微小管に対する作用は，チューブリンの重合阻害作用である。その結果，細胞周期をM期で停止させることで，腫瘍増殖抑制作用を示すと考えられている。

本剤は，ビンクリスチンと構造上は類似（ビンドリンの窒素に結合する側鎖の違いのみ）しているものの，一部の悪性リンパ腫を除き，主に泌尿器腫瘍（主に胚細胞腫瘍）に対してはキードラッグの1つとされている。

用量制限毒性は骨髄抑制（特に好中球減少）である。腸管運動の抑制を含む神経毒性は，ほかのビンカアルカロイド系薬と比較し軽度であるものの，作用機序としては十分に想定される副作用であることから，注意が必要である。

2-3　その他の微小管阻害薬

1）エリブリンメシル酸塩

海綿動物のクロイソカイメンから単離，構造決定されたハリコンドリンBの合成誘導体である。微小管に対する作用は，チューブリン重合阻害による微小管（プラス端）伸長抑制であり，脱重合には作用しない[10, 11]。その結果，細胞周期をG2/M期で停止し，アポトーシスを誘導することなどにより，腫瘍増殖抑制作用を示すと考えられている[10, 12, 13]。

用量制限毒性は好中球減少および発熱性好中球減少症である。本剤は，手術不能または再発乳がんに対しては，主に細胞障害性抗悪性腫瘍薬による治療後の患者に対する治療の選択肢とされていることから，すでに前治療にて造血機能が低下している患者に対して投与される場合も想定され，注意が必要である。

1バイアル中に0.1mLの無水エタノールを含有しているものの，患者に投与される量としてはごくわずかである。よって，添付文書においては投与後の自動車の運転に関する注意喚起は規定されていない。

2-4　ADCにおける微小管阻害薬

近年，有用性のエビデンスが積まれているADC（抗体−薬物複合体）において，ペイロード（平

たくいえば，抗体にくっついている低分子化合物）として微小管阻害作用を有する薬が用いられている品目は，開発中のものを含めて非常に多く存在する（トラスツズマブ エムタンシンの「DM-1」，ブレンツキシマブ ベドチンおよびポラツズマブ ベドチンの「MMAE」などが当該微小管阻害薬にあたる）。

いわゆる，微小管に作用する薬として認識されているタキサン系薬やビンカアルカロイド系薬のみではなく，近年のADCなどの技術を用いた薬剤においても，「微小管」という作用点は非常に重要視されていることを，あらためて認識する必要がある。

【参考文献】

1) Díaz JF et al：Assembly of purified GDP-tubulin into microtubules induced by taxol and taxotere: reversibility, ligand stoichiometry, and competition. Biochemisty, 32(11):2747-2755, 1993
2) Hilkens PH et al：Peripheral neurotoxicity induced by docetaxel. Neurology, 46(1):104-108, 1996
3) Rowinskey EK et al：Paclitaxel (Taxol). N Engl J Med, 332(15):1004-1014, 1995
4) Postma TJ et al：Paclitaxel-induced neuropathy. Ann Oncol, 6(5):489-494, 1995
5) Blijham GH et al：Angina pectoris associated with infusions of 5-FU and vindesine. Cancer Treat Rep, 70(2):314-315, 1986
6) Yancey RS et al：Vindesine-associated angina and ECG changes. Cancer Treat Rep, 66(3):587-589, 1982
7) Aymard JP et al：[Cardiac toxicity of vinca alkaloids. Critical review of the literature]. Therapie, 40(5):361-364, 1985
8) Sandler SG et al：Vincristine-induced neuropathy. A clinical study of fifty leukemic patients. Neurology, 19(4):367-374, 1969
9) Miltenburg NC et al：Chemotherapy-induced neuropathy: A comprehensive survey. Cancer Treat Rev, 40(7):872-882, 2014
10) Mary Ann Jordan et al：The primary antimitotic mechanism of action of the synthetic halichondrin E7389 is suppression of microtubule growth. Mol Cancer Ther, 4(7):1086-1095, 2005
11) Jennifer A Smith et al：Eribulin binds at microtubule ends to a single site on tubulin to suppress dynamic instability. Biochemistry, 49(6):1331-1337, 2010
12) Towle MJ et al：In vitro and in vivo anticancer activities of synthetic macrocyclic ketone analogues of halichondrin B. Cancer Res, 61(3):1013-1021, 2001
13) Galina Kuznetsov et al：Induction of morphological and biochemical apoptosis following prolonged mitotic blockage by halichondrin B macrocyclic ketone analog E7389. Cancer Res, 64(16):5760-5766, 2004

（吉田　幹宜）

表 微小管阻害薬 比較表

一般名	ドセタキセル
商品名	タキソテール ワンタキソテール
剤形	注射用，注
分類	タキサン系
がん種	乳癌，非小細胞肺癌，胃癌，頭頸部癌，卵巣癌，食道癌，子宮体癌，前立腺癌
投与量	〈乳癌，非小細胞肺癌，胃癌，頭頸部癌〉 1回60mg/m^{2}を3〜4週間間隔で投与，1回最高用量は75mg/m^2 〈卵巣癌〉 1回70mg/m^{2}を3〜4週間間隔で投与，1回最高用量は75mg/m^2 〈食道癌，子宮体癌〉 1回70mg/m^{2}を3〜4週間間隔で投与 〈前立腺癌〉 1回75mg/m^{2}を3〜4週間間隔で投与
腎障害	・減量不要[1]
肝障害	・T-Bil＞ULN：禁忌[1] ・AST/ALT＞1.5×ULNかつALP＞2.5×ULN：禁忌[1] （参考：CDDPおよび5-FUとの併用時） ・2.5×ULN＜AST/ALT≦5.0×ULNかつALP≦2.5×ULN：80％に減量[1] ・1.5×ULN＜AST/ALT≦5.0×ULNかつ2.5×ULN＜ALP≦5.0×ULN：80％に減量[1] ・AST/ALT＞5.0×ULNかつ/またはALP＞5.0×ULN：禁忌[1]
相互作用	・ほかの抗悪性腫瘍剤，放射線照射，アゾール系抗真菌剤（ミコナゾール等），エリスロマイシン，クラリスロマイシン，シクロスポリン，ミダゾラム
特に注意すべき有害事象	・骨髄抑制，倦怠感，浮腫
注意点（内服薬：食事との影響/注射薬：調製・投与時）	・溶解液が添付されている製剤を使用する場合，調製時は添付文書巻末の調製方法を参照すること ・現在，溶解液（日局エタノール）添付の製剤，アルコール溶解済みの製剤，アルコール非含有の製剤の3剤形が上市されており，それぞれ濃度が異なることから，調剤時および調製時には注意すること
文献	1）TAXOTERE米国添付文書

パクリタキセル
タキソール
注
タキサン系

非小細胞肺癌,子宮体癌,乳癌,卵巣癌,胃癌,胚細胞腫瘍,頭頸部癌,食道癌,血管肉腫,子宮頸癌
〈非小細胞肺癌,子宮体癌〉 A法:1回210mg/m^{2}を3時間かけて投与,3週間休薬 〈乳癌〉 A法:1回210mg/m^{2}を3時間かけて投与,3週間休薬 B法:1回100mg/m^{2}を1時間かけて投与,週1回投与を6週連続し,2週間休薬 〈卵巣癌〉 A法:1回210mg/m^{2}を3時間かけて投与,3週間休薬 E法:カルボプラチンとの併用において,1回80mg/m^{2}を1時間かけて投与,週1回投与を3週連続し,2週間休薬 〈胃癌〉 A法:1回210mg/m^{2}を3時間かけて投与,3週間休薬 E法:1回80mg/m^{2}を1時間かけて投与,週1回投与を3週連続し,2週間休薬 〈胚細胞腫瘍〉 A法:他の抗悪性腫瘍剤との併用において,1回210mg/m^{2}を3時間かけて投与,3週間休薬 〈頭頸部癌,食道癌,血管肉腫〉 B法:1回100mg/m^{2}を1時間かけて投与,週1回投与を6週連続し,2週間休薬 〈子宮頸癌〉 D法:シスプラチンとの併用において,1回135mg/m^{2}を24時間かけて投与,3週間休薬
・減量不要[1]
・AST/ALT<10×ULNかつT-Bil≦1.25×ULN:減量不要[1] ・AST/ALT<10×ULNかつ1.26×ULN≦T-Bil≦2.0×ULN:135mg/m^2 [1] ・AST/ALT<10×ULNかつ2.01×ULN≦T-Bil≦5.0×ULN:90mg/m^2 [1] ・AST/ALT≧10×ULNまたはT-Bil>5.0×ULN:禁忌[1]
・放射線照射,抗悪性腫瘍剤,シスプラチン,ドキソルビシン塩酸塩,ビタミンA,アゾール系抗真菌剤(ミコナゾール等),マクロライド系抗生剤(エリスロマイシン等),ステロイド系ホルモン剤(エチニルエストラジオール等),ジヒドロピリジン系カルシウムチャンネルブロッカー(ニフェジピン等),シクロスポリン,ベラパミル塩酸塩,キニジン硫酸塩水和物,ミダゾラム,フェナセチン,ラパチニブトシル酸塩水和物,N-メチルテトラゾールチオメチル基を有するセフェム系抗生物質(セフメノキシム塩酸塩,セフォペラゾンナトリウム,セフブペラゾンナトリウム,セフミノクスナトリウム水和物,セフメタゾールナトリウム,ラタモキセフナトリウム)メトロニダゾール
・末梢神経障害,関節痛,過敏症
・5%ブドウ糖注射液および生理食塩液を除くほかの薬剤とは混合しないこと ・本剤の希釈液は過飽和状態であることから,投与時には0.22μm以下のインラインフィルターを使用すること ・DEHPの溶出が認められることから,ポリ塩化ビニル製の輸液バッグおよびポリウレタン製の輸液セットの使用は避けること

1) TAXOL米国添付文書

一般名	パクリタキセル(アルブミン懸濁型)
商品名	アブラキサン
剤形	注射用
分類	タキサン系
がん種	乳癌,胃癌,非小細胞肺癌,膵癌
投与量	〈乳癌〉 A法:1回260mg/m^{2}投与,20日間休薬 E法:他の抗悪性腫瘍剤との併用において,1回100mg/m^{2}投与,週1回投与を3週間連続し,4週目は休薬 〈胃癌〉 A法:1回260mg/m^{2}投与,20日間休薬 D法:1回100mg/m^{2}投与,週1回投与を3週間連続し,4週目は休薬 〈非小細胞肺癌〉 B法:1回100mg/m^{2}投与,6日間休薬 〈膵癌〉 C法:ゲムシタビンとの併用において,1回125mg/m^{2}投与,週1回投与を3週間連続し,4週目は休薬
腎障害	・30≦Ccr<90mL/min:減量不要[1] ・Ccr<30mL/min:該当資料なし[1]
肝障害	〈膵癌肝転移以外の患者〉 ・T-Bil≦5.0×ULNかつAST≦10×ULN:減量不要[1] ・T-Bil≧5.0×ULNまたはAST≧10×ULN:禁忌[1] 〈膵癌肝転移の患者〉 ・1.5×ULN<T-Bil≦5.0×ULNかつAST≦10×ULN:禁忌[1] ・T-Bil≧5.0×ULNまたはAST≧10×ULN:禁忌[1]
相互作用	・放射線照射,抗悪性腫瘍剤,シスプラチン,ドキソルビシン塩酸塩,ビタミンA,アゾール系抗真菌剤(ミコナゾール等),マクロライド系抗生剤(エリスロマイシン等),ステロイド系ホルモン剤(エチニルエストラジオール等),ジヒドロピリジン系カルシウムチャンネルブロッカー(ニフェジピン等),シクロスポリン,ベラパミル塩酸塩,キニジン硫酸塩水和物,ミダゾラム,フェナセチン,ラパチニブトシル酸塩水和物,N-メチルテトラゾールチオメチル基を有するセフェム系抗生物質(セフメノキシム塩酸塩,セフォペラゾンナトリウム,セフブペラゾンナトリウム,セフミノクスナトリウム水和物,セフメタゾールナトリウム,ラタモキセフナトリウム)メトロニダゾール
特に注意すべき有害事象	・骨髄抑制,末梢神経障害
注意点(内服薬:食事との影響/注射薬:調製・投与時)	・懸濁液の調製には必ず生理食塩液を使用すること ・懸濁液の調製方法は添付文書を参照すること ・本剤の懸濁液はヒト血清アルブミンが含まれていることから,投与時にはインラインフィルターは使用しないこと ・本剤は特定生物由来製品に該当するため,本剤を投与した記録(患者氏名,ロット番号など)を少なくとも20年間保管する必要がある
文献	1) ABRAXANE米国添付文書

カバジタキセル　アセトン付加物	ビンデシン硫酸塩
ジェブタナ	フィルデシン
注	注射用
タキサン系	ビンカアルカロイド系
前立腺癌	急性白血病，悪性リンパ腫，肺癌，食道癌
・プレドニゾロンとの併用において，1回25mg/m²を3週間間隔で投与	〈急性白血病，悪性リンパ腫〉 成人：1回3mg（0.06mg/kg）を1週間間隔で投与 小児：0.07〜0.1mg/kgを1週間間隔で投与 〈肺癌，食道癌〉 成人：1回3〜4.5mg（0.06〜0.09mg/kg）を1週間間隔で投与
・減量不要（ただし，Ccr＜15mL/minの患者は要注意）[1]	・減量不要
・T-Bil≦1.5×ULNまたはAST＞1.5×ULN：20mg/m² [1] ・1.5×ULN＜T-Bil≦3.0×ULN（かつASTはいずれの結果でも）：15mg/m² [1] ・T-Bil＞3.0×ULN：禁忌[1]	・T-Bil＞1.5mg/dL：50％に減量[1,2] ・T-Bil＞3mg/dL：25％に減量[1,2]
・ケトコナゾール（注射剤，経口剤は国内未承認），イトラコナゾール，クラリスロマイシン，インジナビル，ネルフィナビル，リトナビル，サキナビル，ボリコナゾール，リファンピシン，カルバマゼピン，フェニトイン等	・ほかの抗悪性腫瘍剤，放射線照射，マイトマイシンC，アゾール系抗真菌剤（イトラコナゾール等），フェニトイン
・骨髄抑制，発熱性好中球減少症	・骨髄抑制，末梢神経障害
・調製時は添付文書巻末の調製方法を参照すること ・本剤の希釈液は過飽和状態であることから，投与時は0.22μm以下のインラインフィルターを使用すること ・DEHPの溶出が認められることから，ポリ塩化ビニル製の輸液バッグおよびポリウレタン製の輸液セットの使用は避けること	・1mgあたり1mLの注射用水または生理食塩液で溶解すること
1) JEVTANA KIT米国添付文書	1) Perry MC et al：The Chemotherapy Source Book Williams & Wilkins, 362, 1992 2) Rowinsky EK et al：Antimitotic drug. Cancer Chemotherapy and Biotherapy, 5th ed, Chabner BA et al：Lippincott-Reven, Philadelphia, p216-266, 2010

一般名	ビノレルビン酒石酸塩	ビンクリスチン硫酸塩
商品名	ナベルビン	オンコビン
剤形	注	注射用
分類	ビンカアルカロイド系	ビンカアルカロイド系
がん種	非小細胞肺癌，乳癌	白血病，悪性リンパ腫，小児腫瘍，多発性骨髄腫，悪性星細胞腫，神経膠腫，褐色細胞腫
投与量	〈非小細胞肺癌〉 1回20〜25mg/m^{2}を1週間間隔で投与。1回最高用量は25mg/m^2 〈乳癌〉 1回25mg/m^{2}を1週間間隔で2週投与，3週目休薬	〈白血病，悪性リンパ腫，小児腫瘍〉 成人：1回0.02〜0.05mg/kgを週1回投与。最高2mg/body 小児：1回0.05〜0.1mg/kgを週1回投与。最高2mg/body 〈多発性骨髄腫〉 1回0.4mgを24時間持続投与，17〜24日間休薬（EPOCHなど） 〈悪性星細胞腫，神経膠腫〉 1回1.4mg/m^{2}を3週間間隔で2回投与，3〜5週間休薬。最高2mg/body（PCV等） 〈褐色細胞腫〉 1回1.4mg/m^{2}を静脈内投与し，20日間休薬。最高2mg/body（CVD等）
腎障害	・減量不要	・減量不要
肝障害	・T-Bil＞1.5mg/dL：50％に減量[1,2] ・T-Bil＞3mg/dL：25％に減量[1,2]	・T-Bil＞1.5mg/dL：50％に減量[1,2] ・T-Bil＞3mg/dL：25％に減量[1,2]
相互作用	・アゾール系抗真菌剤：イトラコナゾール等 ・マクロライド系抗生剤：エリスロマイシン，クラリスロマイシン等 ・カルシウム拮抗剤：ジルチアゼム，ニフェジピン，ベラパミル等 ・ベンゾジアゼピン系薬剤：ジアゼパム，トリアゾラム，ミダゾラム等	・アゾール系抗真菌剤：イトラコナゾール，ミコナゾール等 ・神経毒性を有する薬剤：白金含有の抗悪性腫瘍剤等 ・フェニトイン，L-アスパラギナーゼ，マイトマイシンC，ほかの抗悪性腫瘍剤，放射線照射
特に注意すべき有害事象	・骨髄抑制	・末梢神経障害，便秘
注意点（内服薬：食事との影響／注射薬：調製・投与時）	・約50mLの生理食塩液などで希釈して投与する。投与は10分以内に終了し，十分にフラッシュを行うこと	・1mg（1バイアル）あたり10mLの注射用水，生理食塩液などで溶解すること
文献	1) Perry MC et al：The Chemotherapy Source Book Williams & Wilkins, 362, 1992 2) Robieux I et al：Clin Pharmacol Ther, 59(1):32-40, 1996	1) Perry MC et al：The Chemotherapy Source Book, Lippincott Williams & Wilkins, 362, 2012 2) Chabner BA et al：Antimitotic drugs；Cancer Chemotherapy and Biotherapy, 5th ed, Lippincott Williams & Wilkins, p216-266, 2010

	注射用ビンブラスチン硫酸塩	エリブリンメシル酸塩
	エクザール	ハラヴェン
	注射用	注
	ビンカアルカロイド系	その他
	悪性リンパ腫，絨毛性疾患，難治性胚細胞腫瘍，ランゲルハンス細胞組織球症	乳癌，悪性軟部腫瘍
	〈悪性リンパ腫，絨毛性疾患〉 1回0.1mg/kgを週1回，次いで0.05mg/kgずつ増量し，0.3mg/kgを週1回投与 〈難治性胚細胞腫瘍〉 1回0.11mg/kgを2日間投与，19日間休薬（VeIP等） 〈ランゲルハンス細胞組織球症〉 1回6mg/m²を1週間間隔で投与（導入療法），その後，2～3週間間隔で投与（維持療法）	・1回1.4mg/m²投与，週1回投与を2週間連続し，3週目は休薬
	・減量不要	・15≦Ccr≦49mL/min：1.1mg/m² [1, 2]
	・T-Bil＞1.5mg/dL：50％に減量[1, 2] ・T-Bil＞3mg/dL：25％に減量[1, 2]	・軽度（Child-Pugh A相当）：1.1mg/m² [1, 3] ・中等度（Child-Pugh B相当）：0.7mg/m² [1, 3] ・重度（Child-Pugh C相当）：該当資料なし[1, 3]
	・アゾール系抗真菌剤：イトラコナゾール，ミコナゾール等 ・マクロライド系抗生物質：エリスロマイシン ・フェニトイン，白金含有の抗悪性腫瘍剤，マイトマイシンC，ほかの抗悪性腫瘍剤，放射線照射	・抗悪性腫瘍剤，放射線照射
	・骨髄抑制	・骨髄抑制，末梢神経障害
	・1mgあたり1mL（＝1バイアルあたり10mL）の注射用水または生理食塩液で溶解すること	・5％ブドウ糖注射液で希釈した場合，反応生成物が検出されることから，生理食塩液で希釈すること ・安定性が確認されていないことから，0.01mg/mL未満の濃度に希釈しないこと
	1) Perry MC et al：The Chemotherapy Source Book Williams & Wilkins, 362, 1992 2) Rowinsky EK et al：Antimitotic drug. Cancer Chemotherapy and Biotherapy, 5th ed, Chabner BA et al：Lippincott-Reven, Philadelphia, p216-266, 2010	1) HALAVEN米国添付文書 2) Devriese LA et al：Cancer Chemother Pharmacol, 70(6): 823-832, 2012 3) Tan AR et al：Cancer Chemother Pharmacol, 76(5): 1051-1061, 2015

第3章 抗がん薬　4 白金製剤

4 白金製剤

1 医薬品の特徴（基本知識）

　シスプラチンに代表される白金製剤は，細胞内で活性型の白金錯体となり，白金－DNA付加体を生成し，DNA鎖間の架橋を形成することにより抗腫瘍効果を示す（図1）。抗腫瘍活性は白金原子（Pt）を中心に塩素とアンモニアがシス配位していることが重要である（図2）。細胞周期に非特異的に作用する。

　シスプラチンは腎毒性と悪心・嘔吐による有害事象の発現率が特に高く，注意が必要である。カルボプラチンの投与量は，AUCとGFRを用いるCalvert式で算出される。

（加藤　裕久）

2 各論（医薬品ごとの特徴）

2-1 シスプラチン（CDDP）

　白金製剤の中で最も古く，静脈内注射用製剤だけでなく，肝細胞がんに対する肝動注用製剤も使

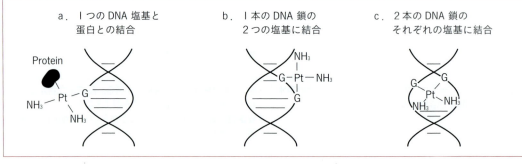

〔ランダ®注 インタビューフォーム（第19版），2021〕

図1　CDDPのDNA結合様式

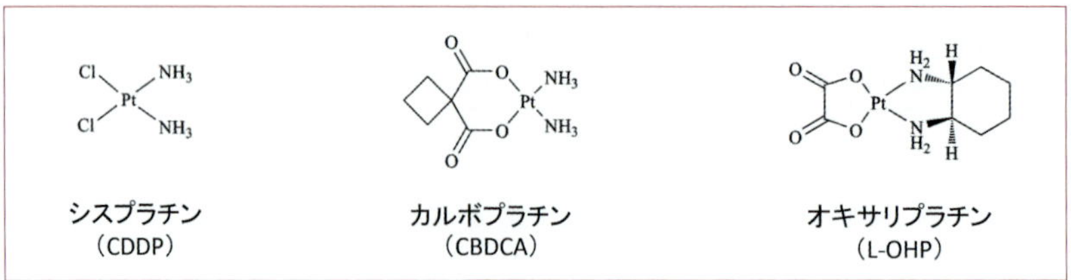

図2　代表的な白金製剤の構造式

用されている。作用機序はDNAとの架橋形成によるアポトーシスの誘導が主である。

シスプラチンの主な排泄経路は腎であり、重篤な腎障害のある患者には投与禁忌である。また、腎機能に応じた減量に関する報告[1,2]は散見されるが、明確な基準は存在しない。

主な有害事象の1つである腎障害（用量制限毒性）は近位尿細管障害によるものとされており[3]、遊離型（血漿タンパク非結合型）シスプラチンが主に関与すると考えられている[4]。24時間持続点滴静注（80mg/body）した際の遊離型シスプラチンの血中濃度は投与終了時にピークに達し、2時間後には測定限界まで低下する。腎障害予防のために3,000mL/日以上のハイドレーションが強く推奨されている[1]。近年、シスプラチン投与直後から2時間の尿量に留意しながら、点滴の代わりに経口で1L程度の補液を行うショートハイドレーション法[5]が用いられることも多い。

2-2 カルボプラチン（CBDCA）

カルボプラチンは、シスプラチンの抗腫瘍活性を弱めることなく、腎毒性および悪心・嘔吐などの副作用を軽減することを目的に開発された薬剤である。

カルボプラチンは構造上シスプラチンと脱離配位子が異なるのみであり、作用機序はシスプラチンと同じくDNAとの架橋形成によるアポトーシスの誘導が主である。

投与されたカルボプラチンの約70％は未変化体のまま尿中へ排泄され[6]、そのほとんどは尿細管からの再吸収・分泌を受けずに糸球体で濾過される。そのため、カルボプラチンのクリアランスは糸球体濾過量（GFR）と相関することから、CalvertらはGFRを用いて投与量を算出する式を開発[7]し、日常臨床ではCalvert式による投与量の算出が広く行われている。

> **Calvert式**
> 投与量（mg/body）＝目標AUC（mg×min/mL）×［GFR（mL/min）＋25］

カルボプラチンの用量制限毒性は骨髄抑制であり、血小板減少とAUCには正の相関があるとされている[8]。また、シスプラチンと比べ腎障害の発現率が低く、腎障害予防のためのハイドレーションは不要である。さらに、本剤は投与回数を重ねる（特に8回以上）とショック、アナフィラキシーの発現頻度が高くなる傾向がみられるため、注意が必要である。

ミニコラム①Calvert式

Calvert式に用いられる実測GFRを日常的に測定することは煩雑であるため、Cockcroft-Gault式（CG式）によるCcrで代用することが多い[1]。わが国では一般的に血清Cr値の測定に酵素法を用いるが、CG式ではJaffé法で測定された値を用いる。Jaffé法では酵素法に比べCr値が0.2mg/dL高く測定されるため、酵素法の値に0.2を加えた補正をしたうえでCcrを算出する必要がある。

【参考文献】
1) 今村知世　他：カルボプラチン投与量算出におけるCalvert式利用に関する実態調査. 医療薬学, 41(11):759-767, 2015

2-3 オキサリプラチン（L-OHP）

オキサリプラチンはシスプラチンやカルボプラチンと異なり，1,2-ジアミノシクロヘキサン（DACH）を構造中にもち，適応も異なる。作用機序はDACH基を含む生体内変化体がDNA鎖と架橋形成することで，DNA複製および転写を阻害し，殺細胞作用を発揮すると考えられている。

本剤は主に腎排泄型の薬剤であり，外国人のデータでは，本剤投与（130mg/m^2）後120時間までの累積白金排泄率が約50%と，長時間に渡り体内に貯留していた。腎機能障害患者（Ccr：59〜20mL/min）では，正常患者（Ccr：60mL/min以上）と比べてAUCの増加およびクリアランスの低下が認められたが，副作用が重篤でなかったとの研究結果[9, 10]からCcr：20mL/min以上の場合，用量調節は不要とされている。

主な有害事象は，本剤のDLTである末梢神経障害が挙げられる。その症状には投与直後から出現する急性症状と，累積投与量の増大に伴い回復が遅延する持続性の症状がある。主に寒冷刺激により症状が誘発または悪化するとされており，咽頭喉頭感覚異常を伴うこともあることから，冷たい飲料の摂取を避けるなど日常生活にも注意が必要である。

ほかにも，投与開始後30分以内に発現することの多いアナフィラキシー，および6〜7コース目に多いとされているアレルギー症状にも十分な注意が必要となる。

【参考文献】

1) 日本腎臓学会　他：がん薬物療法時の腎障害診療ガイドライン2016，ライフサイエンス出版，2016
2) Kintzel PE et al：Anticancer drug renal toxicity and elimination: dosing guidelines for altered renal function. Cancer Treat Rev, 21(1):33-64, 1995
3) Dobyan DC et al：Mechanism of cis-platinum nephrotoxicity:II. Morphologic observations. J Pharmacol Exp Ther, 213(3): 551-556, 1980
4) Cole WC et al：Renal toxicity studies of protein-bound platinum（cis）. Chem Biol Interact, 35(3):341-348, 1981
5) 日本肺癌学会　他：シスプラチン投与におけるショートハイドレーション法の手引き（https://www.haigan.gr.jp/uploads/files/photos/1022.pdf）（2022年6月閲覧）
6) Gaver RC et al：The disposition of carboplatin in ovarian cancer patients. Cancer Chemother Pharmacol, 22(3):263-270, 1988
7) Calvert AH et al：Carboplatin dosage：prospective evaluation of a simple formula based on renal function. J Clin Oncol, 7(11):1748-1756, 1989
8) Egorin MJ et al：Pharmacokinetics and dosage reduction of cis-diammine（1,1-cyclobutanedicarboxylato）platinum in patients with impaired renal function. Cancer Res, 44(11):5432-5438, 1984
9) Takimoto CH et al：Dose-escalating and pharmacological study of oxaliplatin in adult cancer patients with impaired renal function: a National Cancer Institute Organ Dysfunction Working Group Study. J Clin Oncol, 21(14):2664-2672, 2003
10) Takimoto CH et al：Administration of oxaliplatin to patients with renal dysfunction: a preliminary report of the national cancer institute organ dysfunction working group. Semin Oncol, 30(4 Suppl 15):20-25, 2003

（石森　雅人）

第3章 抗がん薬 ---- 4 白金製剤

表 白金製剤 比較表

一般名	シスプラチン
商品名	ランダ，動注用アイエーコール
剤形	注，注射用（動注）
分類	白金製剤
がん種	睾丸腫瘍，膀胱癌，腎盂・尿管腫瘍，前立腺癌，卵巣癌，頭頸部癌，非小細胞肺癌，食道癌，子宮頸癌，神経芽細胞腫，胃癌，小細胞肺癌，骨肉腫，胚細胞腫瘍（精巣腫瘍，卵巣腫瘍，性腺外腫瘍），悪性胸膜中皮腫，胆道癌，悪性骨腫瘍，子宮体癌（術後化学療法，転移・再発時化学療法），再発・難治性悪性リンパ腫，小児悪性固形腫瘍（横紋筋肉腫，神経芽腫，肝芽腫その他肝原発悪性腫瘍，髄芽腫等），尿路上皮癌（M-VAC療法），肝細胞癌（アイエーコール）
投与量	〈睾丸腫瘍，膀胱癌，腎盂・尿管腫瘍，前立腺癌〉 A法を標準的用法・用量とし，患者の状態によりC法を選択 〈卵巣癌〉 B法を標準的用法・用量とし，患者の状態によりA法，C法を選択 〈頭頸部癌〉 D法を標準的用法・用量とし，患者の状態によりB法を選択 〈非小細胞肺癌〉 E法を標準的用法・用量とし，患者の状態によりF法を選択 〈食道癌〉 B法を標準的用法・用量とし，患者の状態によりA法を選択 〈子宮頸癌〉 A法を標準的用法・用量とし，患者の状態によりE法を選択 〈神経芽細胞腫，胃癌，小細胞肺癌〉 E法を選択 〈骨肉腫〉 G法を選択 〈胚細胞腫瘍〉 確立された標準的なほかの抗悪性腫瘍剤との併用療法としてF法を選択 〈悪性胸膜中皮腫〉 ペメトレキセドとの併用療法としてH法を選択 〈胆道癌〉 ゲムシタビン塩酸塩との併用療法としてI法を選択
腎障害	・Ccr=60〜46mL/min：75%に減量[1] ・Ccr=45〜31mL/min：50%に減量[1] ・Ccr=30mL/min未満：禁忌だが必要な場合は50%に減量[1]
肝障害	・特記事項なし
相互作用	・放射線照射，ほかの抗悪性腫瘍薬：副作用（骨髄抑制など）増強のおそれ ・パクリタキセル（PTX）：PTX血中濃度上昇のおそれがあるため，PTXを先に投与 ・腎毒性・聴器毒性を有する薬剤（アミノグリコシド系抗菌薬など）：腎障害・聴器障害増強のおそれ ・フェニトイン：フェニトインの血中濃度低下
特に注意すべき有害事象	・悪心，嘔吐 ・腎障害 ・聴器障害（1回80mg/m^2，累積投与量300mg/m^2を超えるとリスク増大。特に高音域）
注意点（内服薬：食事との影響/注射薬：調製・投与時）	・500〜1,000mLの生理食塩液またはブドウ糖-食塩液に混和（成人の場合） ・クロールイオン濃度の低い輸液に混和しない（活性が低下するため） ・アルミニウムを含む医療器具は用いない（活性が低下するため）
文献	1）日本腎臓学会 他：がん薬物療法時の腎障害診療ガイドライン2016，ライフサイエンス出版，2016

カルボプラチン	オキサリプラチン
パラプラチン	エルプラット
注	注
白金製剤	
頭頸部癌，肺小細胞癌，睾丸腫瘍，卵巣癌，子宮頸癌，悪性リンパ腫，非小細胞肺癌，乳癌，小児悪性固形腫瘍（神経芽腫・網膜芽腫・肝芽腫・中枢神経系胚細胞腫瘍，ユーイング肉腫ファミリー腫瘍・腎芽腫）	結腸・直腸癌，結腸癌（術後補助化学療法），膵癌，胃癌，小腸癌
・成人 　300～400mg/m^{2}を3～4週ごとに投与 ※実臨床ではレジメンごとの目標AUC値を設定したCalvert式により投与量を決定している	〈結腸・直腸癌，結腸癌（術後補助化学療法），膵癌，小腸癌〉 A法：ほかの抗悪性腫瘍薬との併用で85mg/m^{2}投与，13日間休薬 〈結腸・直腸癌，結腸癌（術後補助化学療法），胃癌〉 B法：ほかの抗悪性腫瘍薬との併用で130mg/m^{2}投与，20日間休薬
・Calvert式により算出する	・Ccr>20mL/min：減量不要[1,2] ・Ccr=30mL/min未満：65mg/m^{2}に減量（米国の添付文書）
・特記事項なし	・特記事項なし
・放射線照射，ほかの抗悪性腫瘍薬：副作用（骨髄抑制など）増強のおそれ ・放射線照射：放射線感受性増加 ・腎毒性・聴器毒性を有する薬剤（アミノグリコシド系抗菌薬など）：腎障害・聴器障害増強	・ほかの抗悪性腫瘍薬，放射線照射：副作用（骨髄抑制など）増強のおそれ
・骨髄抑制（用量制限毒性） ・悪心，嘔吐 ・ショック，アナフィラキシー（プラチナ投与回数中央値8回を超えると発現頻度が高くなる傾向）	・末梢神経症状（感覚性の機能障害時には休薬・減量などを考慮） ・アレルギー症状（7サイクル前後から発現頻度が上昇）
・250mL以上のブドウ糖注射液または生理食塩液に混和し，30分以上かけて投与 ・イオウを含むアミノ酸（メチオニンおよびシスチン）輸液中で分解が起こるため配合を避ける ・無機塩類（NaClなど）を含有する輸液に混和した際は，8時間以内に投与終了する	・5%ブドウ糖に注入し，全量250～500mLとし，2時間かけて投与 ・塩化物，塩基性溶液，アルミニウムとの配合は行わない（本剤が分解するため）
－	1) Takimoto CH et al：J Clin Oncol, 21(14):2664-2672, 2003 2) Takimoto CH et al：Semin Oncol, 30（4 Suppl 15）:20-25, 2003

第3章 抗がん薬　5 トポイソメラーゼ阻害薬

5-I トポイソメラーゼI阻害薬

I 医薬品の特徴（基本知識）

　トポイソメラーゼ阻害薬は，トポイソメラーゼI阻害薬とトポイソメラーゼII阻害薬に大別される。代表的なトポイソメラーゼI阻害薬はイリノテカン，トポイソメラーゼII阻害薬はエトポシド，ソブゾキサンなどである。

1）トポイソメラーゼI阻害作用

　DNAの複製や転写は，2本鎖のねじれをほどき行われる。トポイソメラーゼは二重らせん構造のDNAの一部を切断し再結合させる酵素である。トポイソメラーゼには2種類あり，トポイソメラーゼIはDNAの1本鎖を切断し再結合する（図）。

（加藤　裕久）

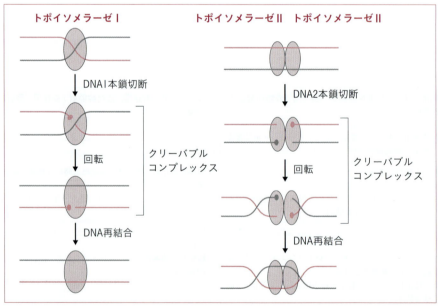

〔日本薬学会・編：薬物治療（2）および薬物治療に役立つ情報．スタンダード薬学シリーズ6 薬と疾病III，東京化学同人，2005〕

図　トポイソメラーゼI・IIの作用様式

2 各論（医薬品ごとの特徴）

2-1 イリノテカン（CPT-11）

　わが国で開発されたイリノテカンは，活性代謝物であるSN-38がI型トポイソメラーゼおよびDNAと複合体を形成し，複合体を安定化させることにより，DNA複製を阻害，細胞死を誘導するプロドラッグである。

　イリノテカンは肝および各組織においてカルボキシルエステラーゼ（CE）によりSN-38に変換され，一部はCYP3A4により酸化代謝物に代謝された後，CEによりSN-38に変換される。また，SN-38は主に肝のUDP-グルクロン酸転移酵素（UGT）1A1によりグルクロン酸抱合体（SN-38G）となり，主に胆汁中に排泄され腸管に移行する。腸管内のSN-38Gの一部は腸内細菌による脱抱合を受け，再び活性体であるSN-38となり腸肝循環するとされている。

　UGT1A1には遺伝子多型が存在するため，SN-38の代謝には個人差が認められる。その活性が低い患者では，SN-38の代謝遅延により本剤の用量制限毒性である白血球減少，好中球減少および下痢などの重篤な副作用の発現率が高いことが報告されている[1〜3]。治療開始前に遺伝子多型を検査することが望ましい。

2-2 ノギテカン（NGT）

　ノギテカン（国際一般的名称：トポテカン）は，DNAと複合体を形成したI型トポイソメラーゼに選択的に結合し，その構造を安定化させることによりDNA複製を阻害，細胞死を誘導する。ノギテカンは生体内でラクトン環を有する閉環体（ノギテカン）およびその開環体が可逆的な平衡状態で存在し，その薬理作用は閉環体に由来するとされる。

　本剤を5日間連日投与（1.0〜1.5mg/m^2/日）した際の投与24時間以内の尿中排泄率は，1日目および5日目とも投与量の60％程度であったことから，主な排泄経路は尿中排泄と考えられている[4]。また海外の試験において，腎機能正常患者と比較し腎機能低下患者では，ノギテカンおよび総ノギテカンの血漿クリアランスの低下および半減期の延長が認められている。これらより，腎機能低下患者（クレアチニンクリアランス：20〜39mL/分）での投与量は，通常用量の半量が推奨されている[5]。

　ノギテカンの用量制限毒性は好中球減少などの骨髄抑制であり，国内臨床試験におけるGrade3以上の好中球減少の発現率は84.5％であった。また，頻度は低い（1.2％）が消化管出血を認めることがあり，血小板減少を伴う死亡例の報告もあるため注意が必要である。

2-3 イリノテカン リポソーム化製剤

　本剤は，リポソームのナノ粒子にイリノテカンを封入した高分子製剤である。「腫瘍組織では高分子が浸透しやすい」というEPR（Enhanced Permeability and Retention）効果により，薬剤の腫瘍組織への集積増加を目的として開発された。本剤は腫瘍組織のマクロファージにより貪食された後にSN-38に変換されるため，腫瘍内でのSN-38曝露による抗腫瘍効果の増強も期待されている。

本剤は，従来のイリノテカン製剤とは効能・効果，用法・用量，有効性，安全性などが異なるため，従来製剤の代替品として使用することができない点には注意する必要がある。本剤はがん化学療法後に増悪した膵がんのみでしか使用できない（2022年3月現在）。

　また，活性本体がSN-38であるため，予想される有害事象は従来製剤と大きく変わらず，骨髄抑制，下痢，間質性肺炎などが挙げられる。しかし，従来製剤と異なり，リポソーム製剤であることから，稀にinfusion reactionを発現することもある。他剤との相互作用については，従来製剤と同様である。

ミニコラム②イリノテカンとUGT1A1遺伝子多型

　UGT1A1には*UGT1A1*6*および**28*などの遺伝子多型が存在し，南らはいずれかをホモ接合体またはいずれもヘテロ接合体としてもつ患者（ハイリスク群）ではイリノテカン単独投与におけるGrade3以上の好中球減少発現率が80%（非ハイリスク群で20%）であったと報告[1]している。またリポソーム化製剤についても国内第Ⅱ相試験において，同様の結果（ハイリスク群33%，非ハイリスク群7%）が示されている。ハイリスク群患者に対する投与量についてわが国のイリノテカン従来製剤に明確な基準はなく，リポソーム化製剤では開始用量を50mg/m^{2}とすることが明記されている。

【参考文献】
1) Minami H et al：Irinotecan pharmacokinetics/pharmacodynamics and UGT1A genetic polymorphisms in Japanese: roles of UGT1A1*6 and *28. Pharmacogenet Genomics, 17(7):497-504, 2007

【参考文献】
1) Minami H et al：Irinotecan pharmacokinetics/pharmacodynamics and UGT1A genetic polymorphisms in Japanese: roles of UGT1A1*6 and *28. Pharmacogenet Genomics, 17(7):497-504, 2007
2) Ando Y et al：Polymorphisms of UDP-glucuronosyltransferase gene and irinotecan toxicity: a pharmacogenetic analysis. Cancer Res, 60(24):6921-6926, 2000
3) Innocenti F et al：Genetic variants in the UDP-glucuronosyltransferase 1A1 gene predict the risk of severe neutropenia of irinotecan. J Clin Oncol, 22(8):1382-1388, 2004
4) Kobayashi K et al：Phase I studies of nogitecan hydrochloride for Japanese. Int J Clin Oncol, 7(3):177-186, 2002
5) S O'Reilly et al：Phase I and pharmacologic study of topotecan in patients with impaired renal function. J Clin Oncol, 14(12):3062-3073, 1996

　　　　　　　　　　　　　　　　　　　　　　　　　　　　　　　　　　　　（石森　雅人）

第3章 抗がん薬

5 トポイソメラーゼ阻害薬

I トポイソメラーゼI阻害薬

表 トポイソメラーゼⅠ阻害薬 比較表

一般名	イリノテカン	
商品名	カンプト	
剤形	注	
分類	トポイソメラーゼⅠ阻害薬	
がん種	小細胞肺癌，非小細胞肺癌，子宮頸癌，卵巣癌，胃癌（手術不能または再発），結腸・直腸癌（手術不能または再発），乳癌（手術不能または再発），有棘細胞癌，悪性リンパ腫（非ホジキンリンパ腫），小児悪性固形腫瘍，治癒切除不能な膵癌	
投与量	〈小細胞肺癌，非小細胞肺癌，子宮頸癌，卵巣癌，胃癌（手術不能または再発），結腸・直腸癌（手術不能または再発），乳癌（手術不能または再発），有棘細胞癌〉 A法：100mg/m^{2}を1週ごとに3〜4回投与，2週間休薬 〈子宮頸癌，卵巣癌，胃癌（手術不能または再発），結腸・直腸癌（手術不能または再発）〉 B法：150mg/m^{2}を2週ごとに2〜3回投与，3週間休薬 〈悪性リンパ腫（非ホジキンリンパ腫）〉 C法：40mg/m^{2}を1週ごとに3日間連日投与，これを2〜3回繰り返し2週間休薬 〈小児悪性固形腫瘍〉 D法：20mg/m^{2}を1週ごとに5日間連日投与，これを2回繰り返し1週間休薬 〈治癒切除不能な膵癌〉 E法：180mg/m^{2}を2週間間隔で投与	
腎障害	・慎重に投与する	
肝障害	・T-Bil=1.5〜3.0mg/dL：75％に減量[1]	
相互作用	〈併用禁忌〉 アタザナビル：本剤の代謝が遅延 〈併用注意〉 末梢性筋弛緩薬：末梢性筋弛緩作用減弱 CYP3A4阻害薬：SN-38全身曝露量上昇 CYP3A4誘導薬：SN-38全身曝露量低下 ソラフェニブ，レゴラフェニブ：イリノテカンおよびSN-38；AUC上昇 ラパチニブ：イリノテカンおよびSN-38；AUC上昇	
特に注意すべき有害事象	・骨髄抑制，下痢・腸炎，腸管麻痺・腸閉塞，間質性肺炎，肝機能障害など	
注意点（内服薬：食事との影響/注射薬：調製・投与時）	・それぞれ下記用量の生理食塩液，ブドウ糖注射液または電解質維持液に混和し，下記時間で点滴静注 A，B，E法：500mL以上，90分以上かけて C法：250mL以上，60分以上かけて D法：100mL以上，60分以上かけて	
文献	1) Floyd J et al：Semin Oncol, 33(1):50-67, 2006	

	ノギテカン	イリノテカンリポソーム化製剤
	ハイカムチン	オニバイド
	注射用	注
	トポイソメラーゼⅠ阻害薬	
	小細胞肺癌，がん化学療法後に増悪した卵巣癌，小児悪性固形腫瘍，進行または再発の子宮頸癌	がん化学療法後に増悪した治癒切除不能な膵癌
	〈小細胞肺癌〉 1.0mg/m^2 を 5 日間連日投与，16 日間休薬 〈がん化学療法後に増悪した卵巣癌〉 1.5mg/m^2 を 5 日間連日投与，16 日間休薬 〈小児悪性固形腫瘍〉 ほかの抗悪性腫瘍薬との併用で 0.75mg/m^2 を 5 日間連日投与，16 日間休薬 〈進行または再発の子宮頸癌〉 シスプラチンとの併用で 0.75mg/m^2 を 3 日間連日投与，18 日間休薬	・フルオロウラシルおよびレボホリナートと併用し，イリノテカンとして 1 回 70mg/m^2 を 2 週間間隔で投与
	・Ccr≧40mL/min：減量不要 ・Ccr=20〜39mL/min：50％に減量 ・Ccr<20mL/min：該当資料なし	・Ccr<30mL/min：該当資料なし
	・影響しない（T-Bil：10mg/dL までは安全に使用できる可能性がある[1]）	・T-Bil>ULN，AST/ALT>2.5×ULN（肝転移有は AST/ALT>5×ULN）：該当資料なし
	・ほかの抗悪性腫瘍薬，放射線照射：副作用（骨髄抑制など）増強のおそれあり ・腎陰イオン輸送系阻害薬（プロベネシドなど）：本剤の腎クリアランス低下の可能性あり	〈併用禁忌〉 アタザナビル：本剤の代謝が遅延 〈併用注意〉 末梢性筋弛緩薬：末梢性筋弛緩作用減弱 CYP3A4 阻害薬：SN-38 全身曝露量上昇 CYP3A4 誘導薬：SN-38 全身曝露量低下 ソラフェニブ，レゴラフェニブ：イリノテカンおよび SN-38；AUC 上昇 ラパチニブ：イリノテカンおよび SN-38；AUC 上昇
	・骨髄抑制（用量制限毒性），消化管出血，間質性肺炎，肺塞栓症，深部静脈血栓症	・骨髄抑制，下痢，間質性肺疾患，感染症（敗血症，肺炎など），肝機能障害，infusion reaction など
	・100mL の生理食塩液に混和し，30 分かけて点滴静注	・500mL の生理食塩液または 5％ブドウ糖注射液で希釈し，穏やかに混和。90 分かけて点滴静注。調製後保存する場合，遮光し常温で 6 時間以内，2〜8℃で 24 時間以内に使用
	1) King PD et al：Oncologist, 6(2):162-176, 2001	−

5-2 トポイソメラーゼⅡ阻害薬（アントラサイクリン系含む）

Ⅰ 医薬品の特徴（基本知識）

トポイソメラーゼⅡはDNAの2本鎖を切断し再結合する酵素である。この酵素の働きを阻害する代表的なトポイソメラーゼⅡ阻害薬はエトポシドなどである。

1）トポイソメラーゼⅡ阻害作用

トポイソメラーゼⅡはDNAの2本鎖を切断し再結合することにより，DNAの構造変換を行う酵素である（図）。トポイソメラーゼⅡ阻害薬のエトポシドは，細胞周期のS期後半からG2期にある細胞に対して殺細胞作用を示し，DNAに対する直接作用ではなく，トポイソメラーゼⅡの活性を阻害する。

（加藤　裕久）

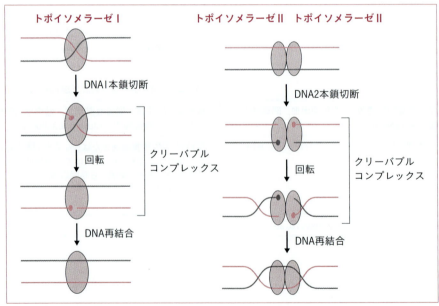

〔日本薬学会・編：薬物治療（2）および薬物治療に役立つ情報．スタンダード薬学シリーズ6 薬と疾病Ⅲ，東京化学同人，2005〕

図　トポイソメラーゼⅠ・Ⅱの作用様式

各論（医薬品ごとの特徴）

2-1　ブレオマイシン塩酸塩（BLM）

　本剤は，福岡県の土壌から分離された放射菌の培養中に生産された抗腫瘍性抗生物質である。本剤はほとんど代謝を受けることなく尿中に排泄される。用量制限毒性は肺毒性であり，間質性肺炎や肺線維症などの重篤な肺障害が認められるため，総投与量の上限は300mg/body（胚細胞腫瘍におけるBEP療法においては360mg/body）である。また，年齢が高くなるにつれて肺障害が発現しやすいため慎重に投与する。そのほかの副作用として発熱や悪寒が認められているため，投与前後に解熱薬の投与が必要である。

2-2　ダウノルビシン（DNR）

　本剤は肝臓にて代謝され，代謝物であるダウノルビシノールは抗腫瘍活性を有する。用量制限毒性は心毒性である。副作用はイダルビシンと同様である。本剤の心毒性に対する総投与量は25mg/kgとされており，これを超えると重篤な心筋障害を起こすことが多くなる。肝障害時や腎障害時には減量が必要である。

2-3　ドキソルビシン（DXR，ADM）

　本剤は悪性リンパ腫，乳がん，膀胱腫瘍，子宮体がんなど多くのがん種に適応がある。用量制限毒性は骨髄抑制と心毒性であり，本剤の総投与量が500mg/m^{2}を超えると重篤な心筋障害が起こりやすくなる。通常，累積投与量が400mg/m^{2}を超えるとリスクが上昇し，550mg/m^{2}を上限として考えることが多い[1, 3)]。また，心毒性のリスクは心疾患の合併および既往，高齢，縦隔への放射線照射などで増強される。本剤とほかの抗悪性腫瘍薬を併用した場合，二次がん（急性骨髄性白血病，骨髄異形成症候群）が発生することがある。本剤は肝代謝であり，肝障害時では血中濃度が高くなるため減量が必要である。腎障害時には減量は不要である。本剤の前にパクリタキセルを投与した場合，本剤の未変化体の血中濃度が上昇し，骨髄抑制などの副作用が増強するおそれがあるため，パクリタキセルの投与前に本剤を投与することが必要である。

　ピラルビシンは，ドキソルビシンの4-O-置換誘導体の化合物の中から開発された薬剤であり，尿路上皮がんなどに適応がある。用量制限毒性は心毒性であり，総投与量は950mg/m^{2}を超えるとうっ血性心不全を起こす可能性がある。

2-4　ブレオマイシン硫酸塩（軟膏，BLM-S）

　本剤はブレオマイシンの外用軟膏であり，皮膚悪性腫瘍に適応がある。塗布方法として，深部への浸透性を高めるため密封閉鎖療法（ODT）が勧められている。塗布量は，患部100cm^{2}につき1～2.5g（成分として5～12.5mg）とする。本剤は難吸収性の硫酸塩であり，血中濃度は測定限界以下であるが，間質性肺炎などの合併症を引き起こすことがあるため注意が必要である。副作用と

して塗布部の疼痛や発赤，皮膚炎，色素沈着がある．

2-5　アクラルビシン（ACR）

本剤はわが国で開発された薬剤であり，急性白血病などに適応がある．低濃度から抗腫瘍効果を発揮し，低濃度では時間依存型，高濃度では濃度依存型の性質を示す．本剤の総投与量が600mg（力価）以上になる症例で心電図異常の発現が増加する．

2-6　エトポシド（VP-16，ETP）

本剤は植物由来のポドロフィロトキシンの半合成誘導体である．濃度依存性と時間依存性の殺細胞作用を有する薬剤であり，CYP3A4により代謝される．用量制限毒性は骨髄抑制である．また，クリアランスはクレアチニンクリアランスと相関しており，腎障害時には減量が必要である．アルブミン結合率が96％と高く，血清アルブミン値が3.5g/dL未満の患者では，遊離型エトポシドの割合が増え，AUCの増加や好中球減少が認められるとの報告がある[1]．また，血中ビリルビンが本剤とアルブミンの結合を阻害することで，遊離型エトポシドの割合が増える報告もある[2]．肝障害時には減量が必要である．本剤により二次性白血病を発症することがあり（発現時期：本剤治療後2～3年以内），染色体の相互転座を認めることが多い．急速静脈内投与により一過性血圧低下，不整脈が報告されているため，30～60分かけてゆっくり点滴静注する．

2-7　アムルビシン（AMR）

本剤は，わが国で開発された全合成アントラサイクリン系薬剤である．主な代謝酵素はNADPH-P450還元酵素，NAD（P）H-キノン還元酵素，ケトン還元酵素である．活性代謝物であるアムルビシノールは，本剤の5～200倍強い作用を示す．肝障害時，腎障害時の減量基準は定かではない．

ほかのアントラサイクリン系と異なり，心毒性に対する総投与量の規定はないが，過去にほかのアントラサイクリン系薬剤など心毒性を有する薬剤による治療歴がある場合，心筋障害が現れるおそれがあるため，慎重に投与することが必要である．用量制限毒性は白血球減少，好中球減少，血小板減少および消化器症状（悪心・嘔吐，下血および吐血）である．そのほかの副作用として間質性肺炎，肝障害，脱毛などがあり，間質性肺炎による死亡例が報告されている．

2-8　エピルビシン（EPI）

本剤は心毒性の軽減を目的に開発されたドキソルビシンの誘導体である．活性代謝物であるエピルビシノールは，本剤よりやや弱い抗腫瘍活性を有する．用量制限毒性は心毒性，骨髄抑制である．肝障害時には減量が必要であり，肝がんに対する肝動脈化学塞栓療法（TACE）の場合，総ビリルビン値が3mg/dL以上の患者または重度の肝障害（Child-Pugh分類C）のある患者では，肝不全を起こすことがあるため原則禁忌である．重度の腎障害時においても減量が必要である．副作用はド

> **ミニコラム③リコール現象**
>
> 放射線照射によるリコール現象は，放射線照射による皮膚炎が軽快した後に化学療法を行うことで皮膚障害と同じ部位に症状が再燃する現象である。エピルビシンやパクリタキセルなどで発現することが報告[1]され，発症率を8.8%とする報告[2]もある。また，抗がん薬によるリコール現象は，抗がん薬の血管外漏出によって皮膚障害を受けた部位が治癒した後に，再度同一薬剤の投与によって症状が再燃する現象である。
>
> 【参考文献】
> 1) Howard A et al：Radiation Recall with Anticancer Agents. Oncologist, 15(11):1227-1237, 2010
> 2) Kodym E et al：Frequency of radiation recall dermatitis in adult cancer patients. Onkologie, 28(1):18-21, 2005

キソルビシンと同様であり，心毒性に対する総投与量は900mg/m^{2}とされている。シメチジンとの併用は本剤のAUCを増加させるため注意が必要である。

2-9　ドキソルビシン塩酸塩リポソーム化製剤

本剤はドキソルビシンをPEG化したリポソームを封入したDDS製剤である。ドキソルビシンの腫瘍組織内滞留時間を延長させ，腫瘍組織内濃度を高め，血漿中のドキソルビシン濃度が抑えられるため，骨髄抑制などが軽減される。適応はドキソルビシンと異なり，がん化学療法後に増悪した卵巣がん，エイズ関連カポジ肉腫のみである。副作用は基本的にドキソルビシンと同様であるが，本剤に特徴的な副作用としてinfusion reactionや手足症候群が挙げられる。また，水素添加大豆ホスファチジルコリンを含有することから，大豆アレルギーのある患者では過敏症を発現する可能性がある。縦隔に放射線療法やシクロホスファミドなどの心毒性のある薬剤の併用では，ドキソルビシンの総投与量が400mg/m^{2}を超えると心筋障害の発症に注意する。総投与量が300mg/m^{2}を超えた時点で心機能検査を実施し，400mg/m^{2}を超えるとコースごとに心機能の検査を行う。また，肝障害時には減量が必要である。

2-10　イダルビシン（IDAR）

本剤はダウノルビシンの4位が脱メトキシ化されたダウノルビシン誘導体である。脂溶性が高く，速やかかつ高濃度で細胞内に取り込まれる。副作用はダウノルビシンと同様であるが，ダウノルビシンと比較し心毒性が低いことが特徴である。用量制限毒性は消化器症状である。肝臓で代謝され，主代謝物であるイダルビシノールはイダルビシンの抗腫瘍効果と同程度の効果を示す。本剤の投与限界量を明確に規定することはできないが，ドイツの添付文書においては120mg/m^{2}を超えないとされている。肝障害時や腎障害時では減量が必要である。

【参考文献】
1) Joel SP et al：Predicting etoposide toxicity: relationship to organ function and protein binding. J Clin Oncol, 14(1):257-267, 1996

2) Stewart CF et al : Changes in the clearance of total and unbound etoposide in patients with liver dysfunction. J Clin Oncol, 8(11):1874-1879, 1990
3) Shan K et al : Anthracycline-induced cardiotoxicity. Ann Inern Med, 125(1):47-58, 1996

(齊藤　達也)

第3章 抗がん薬 --- 5 トポイソメラーゼ阻害薬 --- 2 トポイソメラーゼⅡ阻害薬（アントラサイクリン系含む）

表 トポイソメラーゼⅡ阻害薬と抗がん薬抗生物質　比較表

一般名	ブレオマイシン	ダウノルビシン
商品名	ブレオ	ダウノマイシン
剤形	注射用	注射用
分類	ブレオマイシン類	アントラサイクリン系
がん種	皮膚癌, 頭頸部癌 (上顎癌, 舌癌, 口唇癌, 咽頭癌, 喉頭癌, 口腔癌など), 肺癌 (特に原発性および転移性扁平上皮癌), 食道癌, 悪性リンパ腫, 子宮頸癌, 神経膠腫, 甲状腺癌, 肺細胞腫瘍 (精巣腫瘍, 卵巣腫瘍, 性腺外腫瘍)	慢性骨髄性白血病 (急性転化), 急性白血病
投与量	・静脈内注射, 筋肉内注射, 皮下注射：1日15〜30mg ・動脈注射：1日5〜15mg 〈小児の胚細胞腫瘍, 悪性リンパ腫〉 1日10〜20mg/m^{2}を静脈内に投与, 1〜4週間ごと	・成人は1日0.4〜1.0mg/kgを, 小児は1日1.0mg/kgを連日あるいは隔日に3〜5回静脈内または点滴静注, 約1週間の観察期間をおく ・ほかの抗悪性腫瘍薬との併用：成人は1日25〜60mg/m^{2}を2〜5回, 小児は1日25〜45mg/m^{2}を2〜4回, 連日あるいは1〜6日あけて静脈内投与
腎障害	・Ccr40〜50mL/min：70%に減量[1] ・Ccr30〜40mL/min：60%に減量[1] ・Ccr20〜30mL/min：55%に減量[1] ・Ccr10〜20mL/min：45%に減量[1] ・Ccr5〜10mL/min：40%に減量[1]	・血清Cr＞3.0mg/dL：50%に減量
肝障害	—	・T-Bil 1.5〜3.0mg/dL：75%に減量, 3.1〜5.0mg/dL：50%に減量, ＞5.0mg/dL：投与不可
相互作用	・抗悪性腫瘍薬	・アントラサイクリン系, 抗悪性腫瘍薬
特に注意すべき有害事象	・間質性肺炎, 発熱	・骨髄抑制, 消化管障害, 口内炎, 心毒性, 脱毛
注意点 (内服薬：食事との影響／注射薬：調製・投与時)	【溶解】 静脈内注射：15〜30mgを生理食塩液またはブドウ糖液等5〜20mLを加えて溶解 筋肉内注射・皮下注射：15〜30mgを生理食塩液等約5mLに溶解 動脈内注射：5〜15mgを生理食塩液またはブドウ糖液等を加えて溶解	【溶解】 20mgに10mLの生理食塩液を加えて溶解
文献	1) Aronoff GR et al：eds: Drug Prescribing in Renal Failure, American College of Physicians, 2007	—

	ドキソルビシン	ブレオマイシン硫酸塩	アクラルビシン
	アドリアシン	ブレオS	アクラシノン
	注射用	軟膏	注射用
	アントラサイクリン系	ブレオマイシン類	アントラサイクリン系
	悪性リンパ腫，肺癌，各種消化器癌，乳癌，膀胱腫瘍，骨肉腫，子宮体癌，悪性骨・軟部腫瘍，悪性骨腫瘍，多発性骨髄腫，小児悪性固形腫瘍	皮膚悪性腫瘍	胃癌，肺癌，乳癌，卵巣癌，悪性リンパ腫，急性白血病の自覚的ならびに他覚的症状の寛解および改善
	〈悪性リンパ腫，肺癌，各種消化器癌，乳癌，骨肉腫，悪性骨・軟部腫瘍〉 ・単剤：10～30mg 〈悪性リンパ腫〉 ・併用療法：(1) 25～50mg/m²，(2) 1日目40mg/m²，8日目30mg/m² 〈乳癌，子宮体癌〉 ・併用療法：60mg/m² 〈悪性骨・軟部腫瘍〉 ・併用療法：20～30mg/m² 〈悪性骨腫瘍〉 ・併用療法：20mg/m² 〈多発性骨髄腫〉 ・併用療法：9mg/m² 〈小児悪性固形腫瘍〉 ・併用療法：20～40mg/m² 〈膀胱腫瘍〉 ・単剤：30～60mg	・1日1回閉鎖密封療法（ODT） ・ODTが困難な場合には1日2～3回単純塗布	〈固形癌および悪性リンパ腫〉 ・1日量40～50mg（力価）（0.8～1.0mg（力価）/kg）を1週間に2回，1, 2日連日または1, 4日に静脈内へワンショット投与または点滴投与する 〈急性白血病〉 ・1日量20mg（力価）（0.4mg（力価）/kg）を7日間連日静脈内へワンショット投与または点滴投与後，7日間休薬し，これを反復する
	−	−	副作用が強くあらわれるおそれがある
	・T-Bil 1.5～3.0mg/dL：50%に減量，3.1～5.0mg/dL：25%に減量，＞5.0mg/dL：投与不可	−	副作用が強くあらわれるおそれがある
	・アントラサイクリン系，パクリタキセル，抗悪性腫瘍薬	・抗悪性腫瘍薬	・抗悪性腫瘍薬，放射線照射
	【共通】 ・骨髄抑制，悪心・嘔吐，脱毛，口内炎，心毒性，皮膚毒性（爪の色素沈着，放射線毒性のリコール現象），二次がん（急性骨髄性白血病，骨髄異形成症候群）	・間質性肺炎	・白血球減少，血小板減少，汎血球減少，骨髄抑制，貧血，食欲不振，悪心・嘔吐
	【溶解】 10mgあたり1mL以上の注射用水または生理食塩液を加えて溶解	−	【溶解】 生理食塩液または5%ブドウ糖液10mLを加えて溶解
	−		

一般名	エトポシド		アムルビシン
商品名	ベプシド，ラステット		カルセド
剤形	注	カプセル	注射用
分類	−		アントラサイクリン系
がん種	肺小細胞癌，悪性リンパ腫，急性白血病，睾丸腫瘍，膀胱癌，絨毛性疾患，胚細胞腫瘍，小児悪性固形腫瘍	肺小細胞肺癌，悪性リンパ腫，子宮頸癌，がん化学療法後増悪した卵巣癌	非小細胞肺癌，小細胞肺癌
投与量	・1日60〜100mg/m²を5日間連日点滴静注し，3週間休薬 〈胚細胞腫瘍〉 ・併用療法：1日100mg/m²を5日間連続点滴静注し，16日間休薬 〈小児悪性固形癌〉 ・併用療法：1日100〜150mg/m²を3〜5日間連日点滴静注し，3週間休薬	〈肺小細胞肺癌，悪性リンパ腫〉 ・A法：1日175〜200mgを5日間連続経口投与，3週間休薬 ・B法：1日50mgを3週間連続経口投与，1〜2週間休薬 〈悪性リンパ腫，子宮頸癌〉 ・1日50mgを3週間連続経口投与，1〜2週間休薬 〈がん化学療法後増悪した卵巣癌〉 ・1日50mg/m²を3週間連続経口投与，1週間休薬	・1日45mg/m²を3日間連日静脈内に投与し，3〜4週間休薬
腎障害	・Ccr 10〜50mL/min：75%に減量，<10mL/min：50%に減量	・Ccr 10〜50mL/min：75%に減量，<10mL/min：50%に減量	・腎障害への投与には注意
肝障害	・T-Bil 1.5〜3.0mg/dL：50%に減量，>3.0mg/dL：投与不可 ・AST 60〜180IU/L：50%に減量，>180IU/L：投与不可	・T-Bil 1.5〜3.0mg/dL：50%に減量，>3.0mg/dL：投与不可 ・AST 60〜180IU/L：50%に減量，>180IU/L：投与不可	・肝障害への投与には注意
相互作用	・抗悪性腫瘍薬	・抗悪性腫瘍薬	・アントラサイクリン系
特に注意すべき有害事象	・骨髄抑制，消化器毒性，脱毛	・骨髄抑制，消化器毒性，脱毛	・骨髄抑制，間質性肺炎，心毒性，消化管障害
注意点（内服薬：食事との影響／注射薬：調製・投与時）	【希釈】 100mgあたり250mL以上の生理食塩液などで希釈（溶解時の濃度により結晶が析出するため0.4mg/mL以下で調製する）	・食事による影響はない	【溶解】 45mg/m²を約20mLの生理食塩液あるいは5%ブドウ糖注射液を加えて溶解 ・注射用水は溶解時の生理食塩液に対する浸透圧比が約0.2であり，投与時に疼痛などの刺激性が懸念されるため，溶解液としては望ましくない
文献	−	−	−

エピルビシン	ドキソルビシン塩酸塩リポソーム化製剤	イダルビシン
ファルモルビシン	ドキシル	イダマイシン
注	注	注射用
アントラサイクリン系	アントラサイクリン系	
急性白血病, 悪性リンパ腫, 乳癌, 卵巣癌, 胃癌, 肝癌, 尿路上皮癌	がん化学療法後に増悪した卵巣癌, エイズ関連カポジ肉腫	慢性骨髄性白血病（急性転化），急性骨髄性白血病
〈急性白血病〉 ・1日15mg/m² を5～7日間連日静脈内に投与，3週間休薬 〈悪性リンパ腫〉 ・1日40～60mg/m² を静脈内に投与，3～4週間休薬 〈乳癌，卵巣癌，胃癌，尿路上皮癌〉 ・1日60 mg/m² を静脈内に投与，3～4週間休薬 〈肝癌〉 ・1日60 mg/m² を肝動脈内に投与，3～4週間休薬 〈膀胱癌（表在性膀胱癌）〉 ・1日60 mg を3日間連日膀胱腔内に注入，4日間休薬 〈乳癌（併用療法）〉 ・1日100 mg/m² を静脈内に投与，20日間休薬	〈がん化学療法後に増悪した卵巣癌〉 ・1日50 mg/m² を静脈内に投与，4週間休薬 〈エイズ関連カポジ肉腫〉 ・1日20 mg/m² を静脈内に投与，2～3週間休薬	・1日12mg/m² を3日間静脈内投与
・血清Cr＞5.0mg/dL：減量を考慮する	―	・Ccr 10～50mL/min：25%減量 ・Ccr＜10mL/min：50%減量
・T-Bil 1.2～3.0mg/dL，AST 2～4×ULN：50%に減量 ・T-Bil 3.1～5.0mg/dL，AST＞4×ULN：25%に減量	・T-Bil 1.5～3.0mg/dL：50%に減量, 3.1～5.0mg/dL：25%に減量, ＞5.0mg/dL：投与不可	・T-Bil 2.6～5.0mg/dL：50%に減量 ・T-Bil＞5.0mg/dL：投与不可
・アントラサイクリン系, パクリタキセル, シメチジン	・アントラサイクリン系, 抗悪性腫瘍薬	・アントラサイクリン系, 抗悪性腫瘍薬
・骨髄抑制, 悪心・嘔吐, 心毒性, 脱毛	【共通】 ・骨髄抑制, 悪心・嘔吐, 脱毛, 口内炎, 心毒性, 皮膚毒性（爪の色素沈着, 放射線毒性のリコール現象）, 二次がん（急性骨髄性白血病, 骨髄異形成症候群） 【リポソーム化製剤】 ・infusion reaction, 手足症候群	・骨髄抑制, 消化管障害, 口内炎, 心毒性, 脱毛
【粉末製剤】 ・静脈内投与および動脈内投与（TACE除く）：注射用水を加えて溶解 ・膀胱内注入：生理食塩液を加えて溶解 ・TACE：生理食塩液, 非イオン性造影剤などで溶解後に, ヨード化ケシ油脂肪酸エチルエステルを加える	【希釈】 5%ブドウ糖注射液に希釈 ・90mg未満→250mLで希釈 ・90mg以上→500mLで希釈 ・フィルターを使用しないこと 【投与速度】 ・1mg/minを超える速度で投与しないこと。infusion reaction後の再開時には投与速度を0.7mg/minに遅くして投与する	【溶解】 5mgに5mLの注射用水を加えて溶解
―	―	―

6-1 抗VEGF抗体

1 医薬品の特徴（基本知識）

　高分子型の抗体薬は細胞外に存在する増殖因子（リガンド）に作用して抗腫瘍効果を発揮する（図）。代表的なリガンド標的抗体薬のベバシズマブは，ヒト血管内皮増殖因子（VEGF）と特異的に結合することにより，VEGFと血管内皮細胞上に発現しているVEGF受容体との結合を阻害する。ベバシズマブは腫瘍組織での血管新生を抑制し，腫瘍の増殖を阻害する。

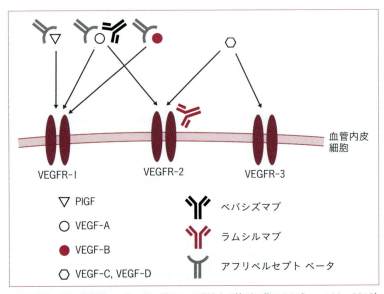

（濱 敏弘 監，鈴木賢一 他 編：整理して理解する抗がん薬，じほう，p.138，2019）
図　VEGF経路阻害薬の作用機序

（加藤　裕久）

2 各論（医薬品ごとの特徴）

2-1　ベバシズマブ（BEV）

　VEGF-Aを標的としたIgG1モノクローナル抗体であり，93％のヒト化部分と7％のマウス部分からなるヒト化モノクローナル抗体である。
　ベバシズマブはVEGF-Aに結合することにより，血管内皮細胞上に発現しているVEGFR1およ

びVEGFR2との結合を阻害して，VEGFのシグナル経路を遮断することで腫瘍組織での血管新生を抑制する．さらにVEGFの阻害により腫瘍血管を正常化し，併用されるほかの抗悪性腫瘍薬の透過性を改善させ抗腫瘍効果を示す．

喀血（2.5mL以上の喀血）の既往のある患者は禁忌とされていて，海外第Ⅱ相試験[1]において扁平上皮がん患者に重篤な喀血・肺出血が認められたため，適応から除外されている．

また，ベバシズマブでは第Ⅰ相試験において，脳転移を有する患者において重篤な脳出血が報告されたため，添付文書上の警告にも記載されているが，脳転移症例への安全性を検討したPASSPORT試験を含んだ検討にて，中枢神経系の出血リスクはベバシズマブとは関連がないと報告され[2]，また，AVAglio試験[3]では悪性膠芽腫への効果も報告され，現在では脳転移を有する症例に対する投与は原則禁忌から慎重投与に変更となった．

希釈にブドウ糖を用いるとベバシズマブの力価が減弱する可能性があるため，必ず生理食塩液に溶解する．

2-2　ラムシルマブ（RAM）

VEGFR2に特異的にかつ高い親和性で結合するIgGモノクローナル抗体であり，完全ヒト型モノクローナル抗体である．VEGFR2に特異的に結合することにより，VEGF-A，-C，-DとVEGFR2の結合を阻害することで，VEGFR2から下流のシグナルの活性化を阻害して腫瘍での血管新生を抑制する．

わが国では，消化器がんでは胃がん，大腸がん，肝細胞がんでの使用が保険承認されており，胃がん，肝細胞がんに関してはラムシルマブ単独投与で有効性が認められている．また，非小細胞肺がんに対しては，REVEL試験[4]において二次治療としてドセタキセルとの併用療法で有効性が示されたが，ベバシズマブとは異なり，扁平上皮がんも含めた非小細胞肺がんで有効性が示されている．さらに，RELAY試験[5]にてEGFR変異陽性の非小細胞肺がん患者ではエルロチニブなどとの併用療法でも有効性を示しているが，TKI併用時とドセタキセル併用時では投与間隔が違うため注意が必要である．

臨床試験においてinfusion reactionが認められており，抗VEGF薬では唯一，発症軽減のため抗ヒスタミン薬の前投薬を考慮することとされている．infusion reactionが軽度の場合は，抗ヒスタミン薬に追加して解熱鎮痛薬，副腎皮質ホルモン薬を前投薬し，投与速度を50％に減速する．Grade3以上の重篤な場合には投与を中止し，再投与は行わない．

2-3　アフリベルセプト ベータ（AFL）

VEGFR1の第2免疫グロブリン様C2ドメインと，ヒトVEGFR2の第3免疫グロブリン様C2ドメインを融合，さらにヒトIgG1の定常領域（Fcドメイン）に融合させたVEGF標的融合蛋白質である．アフリベルセプト ベータは「～セプト」の名称でも理解できるように，VEGF-A，VEGF-B，胎盤増殖因子（PlGF）などのVEGFファミリーに結合する可溶性デコイ受容体であり，これらのリガンドがVEGFRに結合することを抑制し，腫瘍血管の内皮細胞増殖，血管新生，血管透過性亢進を阻害し抗腫瘍効果を示す．

アフリベルセプトは，わが国では加齢黄斑変性治療における硝子体内注として先行して承認されている薬剤であったが，2017年に大腸がんに対して承認された。承認に寄与した海外第Ⅲ相試験（VELOUR試験）[6]では，オキサリプラチンベースの化学療法施行後増悪の大腸がん患者の二次治療としてイリノテカンとの併用で投与されているため，基本的にはFOLFIRI療法と併用される。有害事象に関しては，蛋白尿と尿中蛋白／クレアチニン比（UPCR）の程度により減量・休薬の規定が詳細に添付文書上に規定されているため定期的なUPCRを含めた尿検査が必須である。

【参考文献】

1) Sandler A et al：Paclitaxel-carboplatin alone or with bevacizumab for non-small-cell lung cancer. N Engl J Med, 355(24):2542-2550, 2006
2) Besse B et al：Bevacizumab safety in patients with central nervous system metastases. Clin Cancer Res, 16(1):269-278, 2010
3) Chinot OL et al：Bevacizumab plus radiotherapy-temozolomide for newly diagnosed glioblastoma. N Engl J Med, 370(8):709-722, 2014
4) Garon EB et al：Ramucirumab plus docetaxel versus placebo plus docetaxel for second-line treatment of stage IV non-small-cell lung cancer after disease progression on platinum-based therapy (REVEL): a multicentre, double-blind, randomised phase 3 trial. Lancet, 384(9944):665-673, 2014
5) Nakagawa K et al：Ramucirumab plus erlotinib in patients with untreated, EGFR-mutated, advanced non-small-cell lung cancer (RELAY): a randomised, double-blind, placebo-controlled, phase 3 trial. Lancet Oncol, 20(12):1655-1669, 2019
6) Cutsem EV et al：Addition of aflibercept to fluorouracil, leucovorin, and irinotecan improves survival in a phase III randomized trial in patients with metastatic colorectal cancer previously treated with an oxaliplatin-based regimen. J Clin Oncol, 30(28):3499-3506, 2012

（金　正興）

表　抗VEGF抗体　比較表

一般名	ベバシズマブ	ラムシルマブ	アフリベルセプト　ベータ
商品名	アバスチン	サイラムザ	ザルトラップ
剤形	注射用	注	注
分類	抗VEGFヒト化モノクローナル抗体	抗VEGFR2ヒト型モノクローナル抗体	VEGF標的融合蛋白質
がん種	治癒切除不能な進行・再発の結腸・直腸癌，扁平上皮癌を除く切除不能な進行・再発の非小細胞肺癌，卵巣癌，進行または再発の子宮頸癌，手術不能または再発乳癌，悪性神経膠腫，切除不能な肝細胞癌	治癒切除不能な進行・再発の胃癌，治癒切除不能な進行・再発の結腸・直腸癌，切除不能な進行・再発の非小細胞肺癌，切除不能な肝細胞癌（AFP≧400ng/mL）	治癒切除不能な進行・再発の結腸・直腸癌
投与量	〈治癒切除不能な進行・再発の結腸・直腸癌〉 ・1回5mg/kgまたは10mg/kgを2週間間隔，もしくは1回7.5mg/kgを3週間間隔 〈扁平上皮癌を除く切除不能な進行・再発の非小細胞肺癌，卵巣癌，進行または再発の子宮頸癌，切除不能な肝細胞癌〉 ・1回15mg/kgを3週間間隔 〈手術不能または再発乳癌〉 ・1回10mg/kgを2週間間隔 〈悪性神経膠腫〉 ・1回10mg/kgを2週間間隔または1回15mg/kgを3週間間隔	〈治癒切除不能な進行・再発の胃癌，切除不能な肝細胞癌〉 ・1回8mg/kgを2週間間隔 〈治癒切除不能な進行・再発の結腸・直腸癌〉 ・1回8mg/kgを2週間間隔（CPT-11，もしくはLV+5-FU併用） 〈切除不能な進行・再発の非小細胞肺癌〉 ・1回10mg/kgを3週間間隔（ドセタキセル併用） ・1回10mg/kgを2週間間隔（EGFR-TKI：エルロチニブ，もしくはゲフィチニブ併用）	・1回4mg/kgを2週間間隔で点滴静注（CPT-11，もしくはLV+5-FU併用）
腎障害	・減量不要	・減量不要	・減量不要
肝障害	・減量不要	・減量不要	・減量不要
相互作用	・抗凝固薬（ヘパリン，ワルファリンなど）：出血のリスクを増強させるおそれのため	・抗凝固薬（ヘパリン，ワルファリンなど）：出血のリスクを増強させるおそれのため	・抗凝固薬（ヘパリン，ワルファリンなど）：出血のリスクを増強させるおそれのため
特に注意すべき有害事象	・出血，動脈血栓塞栓症，高血圧，蛋白尿，創傷治癒遅延，消化管穿孔，可逆性後頭葉白質脳症症候群（PRES）	・血栓塞栓症，infusion reaction，消化管出血，出血，高血圧，蛋白尿，可逆性後頭葉白質脳症症候群（PRES）	・高血圧，蛋白尿，出血，血栓塞栓症，消化管穿孔，瘻孔，可逆性後頭葉白質脳症症候群（PRES），血栓性微小血管症，infusion reaction
注意点（内服薬：食事との影響/注射薬：調製・投与時）	・調製は生理食塩液を使用する。ブドウ糖溶液と混合した場合，ベバシズマブの力価減弱が生じる可能性があり，本剤とブドウ糖液との混合は避け，ブドウ糖溶液と同じ点滴ラインを用いた同時投与は行わない ・投与速度は忍容性に応じて調節が可能（初回90分，2回目60分，3回目以降30分）	・調製は生理食塩液のみ使用する ・投与前に抗ヒスタミン薬（ジフェンヒドラミンなど）の前投薬を考慮する ・蛋白質透過型フィルター（0.2または0.22ミクロン）を使用する ・投与速度は忍容性に応じて調節が可能（初回60分，2回目以降30分）	・調製は生理食塩液または5%ブドウ糖液で行い，0.6〜8mg/mLの濃度になるように調製する ・0.2ミクロンのポリエーテルスルホン製フィルターを用いて投与する。ポリフッ化ビニリデン（PVDF）製またはナイロン製のフィルターは使用しない ・DEHPを含むポリ塩化ビニル（PVC）製あるいはポリオレフィン（ポリエチレン，ポリプロピレンなど）製の輸液バッグを使用すること
文献	−	−	−

6-2 抗EGFR抗体

1 医薬品の特徴（基本知識）

　腫瘍細胞の膜表面に存在するEGFRと特異的に結合し，受容体からの増殖シグナルを抑制することにより抗腫瘍効果を発揮する．EGFR阻害薬の1つであるセツキシマブは，ヒトIgG1の定常領域とマウス抗体の可変領域からなるキメラ型モノクローナル抗体で，EGFR発現細胞のEGFRに対して高い親和性で結合することにより抗腫瘍効果を発揮する（図）．

（加藤　裕久）

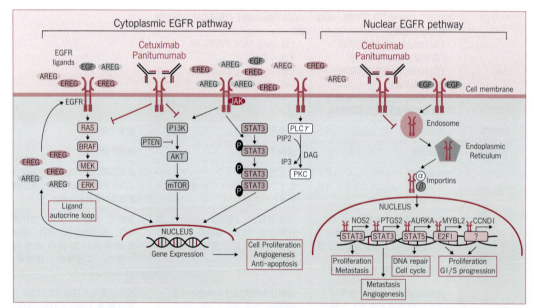

〔Anuratha Sakthianandeswaren et al：Predictive Biomarkers for Monoclonal Antibody Therapies Targeting EGFR（Cetuximab, Panitumumab）in the Treatment of Metastatic Colorectal Cancer. p.3, Molecular Understanding of Colorectal Cancer, 2018
（https://www.researchgate.net/publication/330911071_Predictive_Biomarkers_for_Monoclonal_Antibody_Therapies_Targeting_EGFR_Cetuximab_Panitumumab_in_the_Treatment_of_Metastatic_Colorectal_Cancer）（2022年6月閲覧）〕
図　セツキシマブ，パニツムマブの作用機序

2 各論（医薬品ごとの特徴）

2-1 抗EGFR抗体薬剤に共通する有害事象

　すべての抗EGFR抗体薬剤に共通する有害事象として，皮膚障害（ざ瘡様皮疹，皮膚乾燥，搔痒

症，爪囲炎など）と低マグネシウム血症を主体とする電解質異常が発現する可能性がある。外用ステロイドや保湿薬などを用いた皮膚障害のマネジメントと，定期的な血中電解質のモニタリング，必要に応じた電解質補充は，抗EGFR抗体薬による治療を継続するうえで重要なファクターである。

2-2　セツキシマブ（CET/Cmab）

EGFRを標的とするIgGキメラ型ヒト／マウスモノクローナル抗体である。リガンドとの結合阻害によるEGFRシグナルを抑え，細胞膜表面からのEGFRの内在化を誘導して，受容体発現量を減少（ダウンレギュレーション）させることや，ADCC（抗体依存性細胞傷害）活性も抗腫瘍効果に寄与している。わが国では大腸がん，頭頸部がんで保険承認がされている。大腸がんに関しては*RAS*遺伝子野生型であることが必須の条件であり，近年の報告[1]では左側結腸，直腸でのEGFR抗体薬剤の効果が報告されていて，遺伝子変異だけではなく腫瘍占拠部位も治療選択の検討事項となっている。またBEACON CRC試験[2]では，BRAF V600E変異のある大腸がん患者に対して，二次治療以降でBRAF阻害薬であるエンコラフェニブとMEK阻害薬であるビニメチニブと併用する治療が有効性を示し，予後が悪いとされるBRAF変異陽性大腸がん患者にも使用されている。投与方法は，添付文書記載では毎週250mg/m^{2}の投与となっているが，2週間ごとに500mg/m^{2}での投与も審査上認めるとする社会保険診療報酬支払基金の審査情報事例が提示されている。前投薬に関しては，infusion reaction予防目的に抗ヒスタミン薬（必須），副腎皮質ホルモンの投与がされる。

2-3　パニツムマブ（PANI/Pmab）

EGFRに特異的に結合するIgG2完全ヒト型モノクローナル抗体であり，セツキシマブ，ネシツムマブにはあるADCC活性はもっていないが，EGFRとの親和性はセツキシマブよりも5～10倍高いといわれている。わが国でのパニツムマブの適応は*KRAS*遺伝子野生型大腸がんのみであり，セツキシマブとの違いは完全ヒト化抗体であり，前投薬（抗ヒスタミン薬，副腎皮質ホルモン）の投与の必要性がない。調製は生理食塩液で行い，投与の際はインラインフィルター（0.2または0.22ミクロン）を用いる。

2-4　ネシツムマブ（NECI/Nmab）

EGFRに対するIgG1ヒト型モノクローナル抗体であり，セツキシマブ同様にリガンドとの結合阻害によるEGFRシグナルの抑制，細胞膜表面からのEGFRの内在化・分解作用や，ADCC（抗体依存性細胞傷害）活性にて抗腫瘍効果を示している。

わが国での承認は，進行・再発の扁平上皮非小細胞肺がんのみであり，肺腺がんなどには使用できない。SQUIRE試験[3]では，プラチナ製剤併用療法（CDDP＋GEM）にネシツムマブを追加することにより，生存期間を有意に延長することを示した。プラチナ製剤併用療法は④コースを施行し，以降は維持療法としてネシツムマブ単独療法が行われる。投与量はほかのEGFR抗体薬と異なり800mg/Bodyの固定投与量となっていて，調製は生理食塩液で行う。

表 抗EGFR抗体 比較表

一般名	セツキシマブ	パニツムマブ	ネシツムマブ
商品名	アービタックス	ベクティビックス	ポートラーザ
剤形	注	注	注
分類	抗EGFRキメラ型モノクローナル抗体	抗EGFRヒト型モノクローナル抗体	抗EGFRヒト型モノクローナル抗体
がん種	RAS遺伝子野生型の治癒切除不能な進行・再発の結腸・直腸癌, 頭頸部癌	KRAS遺伝子野生型の治癒切除不能な進行・再発の結腸・直腸癌	切除不能な進行・再発の扁平上皮非小細胞肺癌
投与量	・初回：400mg/m^2を2時間かけて点滴静注 ・2回目以降：250mg/m^2を1時間かけて, 1週間に1回点滴静注	・1回6mg/kgを60分以上かけて, 2週間に1回点滴静注	・1回800mgを60分かけて点滴静注, 週1回投与を2週連続, 3週目休薬（2投1休）
腎障害	・減量不要	・減量不要	・減量不要
肝障害	・減量不要	・減量不要	・減量不要
相互作用	・該当資料なし	・該当資料なし	・該当資料なし
特に注意すべき有害事象	infusion reaction, 皮膚障害（ざ瘡様皮疹・皮膚の乾燥）, 間質性肺炎, 低Mg血症, 爪囲炎	infusion reaction, 低Mg血症, 皮膚障害（ざ瘡様皮膚炎・発疹, 爪囲炎, 皮膚乾燥）, 間質性肺炎, 下痢	血栓塞栓症, infusion reaction, 低Mg血症, 間質性肺炎, 皮膚障害（ざ瘡様皮疹・皮膚の乾燥）
注意点（内服薬：食事との影響/注射薬：調製・投与時）	・調製は生理食塩液を使用する ・投与前に抗ヒスタミン薬とステロイドによる前投薬を行う ・頭頸部癌では放射線療法と併用する場合がある	・調製は生理食塩液を使用する ・蛋白結合率の低いインラインフィルター（0.2または0.22ミクロン）を使用する ・投与量が1,000mgを超える場合は生理食塩液にて約150mLに希釈して投与時間も90分以上とする	・調製は生理食塩液を使用する ・調製後室温保存では4時間以内に投与を開始する ・ほかのEGFR抗体薬剤と違い800mg/Bodyの固定投与量である
文献	－	－	－

【参考文献】

1) Arnold D et al：Prognostic and predictive value of primary tumour side in patients with RAS wild-type metastatic colorectal cancer treated with chemotherapy and EGFR directed antibodies in six randomized trials. Ann Oncol, 28(8):1713-1729, 2017
2) Kopetz S et al：Encorafenib, Binimetinib, and Cetuximab in *BRAF* V600E-Mutated Colorectal Cancer. N Engl J Med, 381(17):1632-1643, 2019
3) Thatcher N et al：Necitumumab plus gemcitabine and cisplatin versus gemcitabine and cisplatin alone as first-line therapy in patients with stage IV squamous non-small-cell lung cancer（SQUIRE）: an open-label, randomised, controlled phase 3 trial. Lancet Oncol. 16(7):763-774, 2015

（金　正興）

6-3 抗 HER2 抗体

1 医薬品の特徴（基本知識）

　ヒト上皮増殖因子受容体（HER）ファミリーは，HER1からHER4までの4種類があり，HERがリガンドと結合後，二量体を形成することにより活性化される。代表的なHER2阻害薬のトラスツズマブは，HER2に対するヒト化抗体で，腫瘍細胞の膜表面に存在するHER2の細胞外ドメインⅣと結合しHER2の受容体数を低下させ，増殖シグナルを阻害する（図）。

（加藤　裕久）

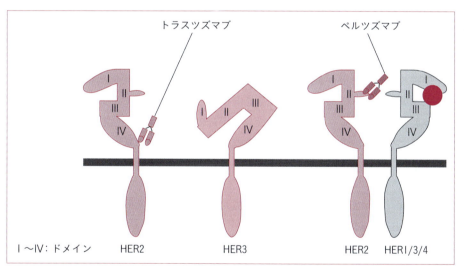

〔Hervent AS et al：Int J Mol Sci, 13（10）：12268-12286, 2012 を参考に作成〕

図　トラスツズマブとペルツズマブのHERファミリーとの結合

2 各論（医薬品ごとの特徴）

2-1　トラスツズマブ（Tmab/TRA）

　HER2蛋白に特異的に結合するヒト化IgG1モノクローナル抗体であり，マウス由来部分は5％，ヒト由来部分は95％となっている。トラスツズマブの結合部位はHER2ドメインⅣであり，HER2ホモダイマー由来のシグナル伝達を阻害するが，リガンド依存性のHER2-HER3ヘテロダイマー由来のシグナル伝達は遮断できない。

　わが国での適応は，HER2過剰発現が確認された乳がん，治癒切除不能な進行・再発の胃がんで

ある。乳がんにおいては術前・術後補助薬物療法に対しても有用性を示し、その至適投与期間は1年間とされている。胃がんにおいては、ToGA試験[1]によりトラスツズマブのHER2陽性胃がんに対する効果が確認され、XP（Cape/CDDP）/FP（5-FU/CDDP）などのシスプラチンベースレジメンとの併用が標準治療となっていたが、近年国内Ⅱ相試験[2]の報告で同等の有効性が示され、SOX療法との併用もガイドライン上で推奨される治療となってきている。有害事象に関しては、infusion reactionが初回投与患者の40%に発現するとされているが、前投薬の規定はない。症状は軽度の場合が多く、再投与に対する忍容性も比較的高いが、必要時は抗ヒスタミン薬や解熱鎮痛薬の使用も考慮する。心毒性も特徴的な副作用であり、3〜7%[3]の割合で心機能低下が認められているが、抗がん薬治療関連心筋障害Type2に分類され投与中止により心機能低下は改善するとされており、近年では心機能低下症例における抗HER2薬剤の再投与を評価した試験[4]も報告されている。

調製に関しては注射用水で溶解し、必ず生理食塩液に調製する。5%ブドウ糖溶液で希釈した場合に蛋白凝集することがある。

2-2　ペルツズマブ（PER）

HER2蛋白に特異的に結合するヒト化IgG1モノクローナル抗体である。ペルツズマブの結合部位はHER2のダイマー形成に必須な細胞外領域ドメインⅡであり、HER2-HER3ヘテロダイマーなどの形成を阻害することにより、HER2ヘテロダイマーからのシグナル伝達系を阻害して、細胞増殖の抑制やアポトーシスを誘導し抗腫瘍効果を発揮する。また、ADCC活性もペルツズマブの抗腫瘍効果に寄与している。ペルツズマブ単独投与の場合の有効性は確立していないため、トラスツズマブとの併用により包括的にHER2シグナルを遮断し抗腫瘍効果を高める必要がある。わが国では未承認ではあるが、最近ではトラスツズマブとペルツズマブを混合した皮下注製剤[5]の開発も行われている。

適応に関しては、HER2陽性の乳がんとなっており、以前は切除不能・再発乳がんのみ適応であったが、NEOSPHERE試験[6]やAPHINITY試験[7]の結果より術前・術後にも適応が拡大された。

投与量は固定用量であり初回840mgで2回目以降420mgとなっているが、前回投与日から6週間以上経過した場合は、あらためて初回投与量の840mgで投与できる。

【参考文献】

1) Bang YJ et al：Trastuzumab in combination with chemotherapy versus chemotherapy alone for treatment of HER2-positive advanced gastric or gastro-oesophageal junction cancer（ToGA）: a phase 3, open-label, randomised controlled trial. Lancet, 376(9742):687-697, 2010
2) Takahari D et al：Multicenter phase II study of trastuzumab with S-1 plus oxaliplatin for chemotherapy-naïve, HER2-positive advanced gastric cancer. Gastric Cancer, 22(6):1238-1246, 2019
3) Seidman A et al：Cardiac dysfunction in the trastuzumab clinical trials experience. J Clin Oncol, 20(5):1215-1221, 2002
4) Lynce F et al：Prospective evaluation of the cardiac safety of HER2-targeted therapies in patients with HER2-positive breast cancer and compromised heart function: the SAFE-HEaRt study. Breast Cancer Res Treat, 175(3):595-603, 2019
5) Tan AR et al：Fixed-dose combination of pertuzumab and trastuzumab for subcutaneous injection plus

表 抗HER2抗体 比較表

一般名	トラスツズマブ	ペルツズマブ
商品名	ハーセプチン	パージェタ
剤形	注射用	注
分類	抗HER2抗体	
がん種	HER2過剰発現が確認された乳癌, HER2過剰発現が確認された治癒切除不能な進行・再発の胃癌	HER2陽性の乳癌
投与量	〈HER2過剰発現が確認された乳癌〉 ・初回投与：4mg/kg ・2回目以降：2mg/kgを1週間間隔 〈HER2過剰発現が確認された乳癌, HER2過剰発現が確認された治癒切除不能な進行・再発の胃癌〉 ・初回投与：8mg/kg ・2回目以降：6mg/kgを3週間間隔	・初回投与時には840mg, 2回目以降は420mgを60分かけて3週間間隔（トラスツズマブと併用投与）
腎障害	・減量不要	・減量不要
肝障害	・減量不要	・減量不要
相互作用	・アントラサイクリン系薬剤：心障害の発生頻度が上昇することが報告されている	・アントラサイクリン系薬剤：心障害の発生頻度が上昇することが報告されている
特に注意すべき有害事象	・心障害, infusion reaction, 間質性肺炎, 腫瘍崩壊症候群, 下痢	・infusion reaction, 間質性肺炎, 腫瘍崩壊症候群, 下痢・粘膜炎, 心障害
注意点（内服薬：食事との影響/注射薬：調製・投与時）	・ブドウ糖溶液と混合すると配合変化あり。必ず注射用水で溶解し21mg/mLとして生理食塩液に調製する ・投与速度は忍容性に応じて調節が可能（初回90分, 2回目以降30分） ・投与予定日より1週間を超えた場合は, あらためて初回投与量で投与を行うことが可能である	・必ず生理食塩液で調製する ・投与速度は忍容性に応じて調節が可能（初回60分, 2回目以降30分） ・前回投与日から6週間以上の場合は, あらためて初回投与量で投与を行う事が可能である ・必ずトラスツズマブ製剤と併用して投与する
文献	―	―

chemotherapy in HER2-positive early breast cancer (FeDeriCa): a randomised, open-label, multicentre, non-inferiority, phase 3 study. Lancet Oncol, 22(1):85-97, 2021

6) Gianni L et al：Efficacy and safety of neoadjuvant pertuzumab and trastuzumab in women with locally advanced, inflammatory, or early HER2-positive breast cancer (NeoSphere): a randomised multicentre, open-label, phase 2 trial. Lancet Oncol, 13(1):25-32, 2012

7) Minckwitz Gv et al：Adjuvant Pertuzumab and Trastuzumab in Early HER2-Positive Breast Cancer. N Engl J Med, 377(2):122-131, 2017

（金　正興）

6-4 抗CD抗原関連抗体：抗CD20抗体

I 医薬品の特徴（基本知識）

1）CD20標的作用

腫瘍細胞表面の分化抗原に抗体が結合すると，補体成分が活性化し，補体依存性細胞障害作用（CDC）と抗体依存性細胞介在性細胞傷害作用（ADCC）により抗腫瘍効果が発揮される。CDCは，分化抗原と抗体の結合により補体成分が活性化され，抗体が結合している細胞を溶解させる。

ヒトCD20抗原は，Pro-B細胞，形質細胞を除くほとんどすべての正常および腫瘍化したBリンパ球に発現している分化抗原（リン蛋白質）であり，Bリンパ球以外の細胞には発現していない。

代表的なCD20標的薬のリツキシマブは抗CD20キメラ抗体で，腫瘍化したBリンパ球表面に発現するCD20抗原に結合し，CDCおよびADCCを引き起こす（図）。infusion reactionに注意する必要がある。

（加藤　裕久）

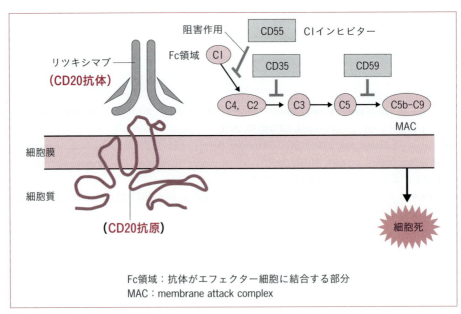

図　リツキシマブの作用機序

2 各論（医薬品ごとの特徴）

2-1 リツキシマブ

　2001年6月にCD20陽性の低悪性度または濾胞性B細胞性非ホジキンリンパ腫，マントル細胞リンパ腫に対して，2003年9月にはB細胞性非ホジキンリンパ腫に対して承認されたマウス－ヒトキメラ型抗CD20モノクローナル抗体である。現在では，多発血管炎性肉芽腫症，難治性ネフローゼ症候群など多くの適応を有している。2017年9月よりリツキシマブのバイオシミラー（BS）製剤も登場しており，国内の薬剤経済に貢献している。2019年3月に適応が追加されたCD20陽性の慢性リンパ性白血病に対して使用する場合は，1サイクル目と2サイクル目以降では投与量が異なる点や，BS製剤には適応疾患とならない点などに注意が必要である。

　infusion reactionの軽減のために，投与30分前に抗ヒスタミン薬，解熱鎮痛薬の前投与が必要である。また，副腎皮質ホルモン薬と併用しない場合は，副腎皮質ホルモン薬の前投与を考慮する。投与速度はinfusion reactionが生じていないか注視し，漸増していく。詳細は本書の比較表や添付文書を確認されたい。

　2020年12月に，先発品に限り希釈調製法が変更となり，生理食塩液または5％ブドウ糖注射液にて1～4mg/mLに調製し，使用することが可能となった。先発品をB細胞性非ホジキンリンパ腫に用いる場合に，条件を満たせば90分での投与が可能となっている。

2-2 イブリツモマブ チウキセタン

　2008年1月に再発または難治性の低悪性度B細胞性ホジキンリンパ腫，マントル細胞リンパ腫に対する適応が承認された，放射標識抗CD20モノクローナル抗体である。イブリツモマブはCD20抗原に対するマウス型モノクローナル抗体であり，キレート薬であるMX-DTPAを結合させた薬剤がイブリツモマブ チウキセタンである。このキレートに^{111}In（インジウム）や^{90}Y（イットリウム）を標識させ，放射標識として用い，薬理作用を有しているのが特徴である。^{111}Inの抗体標識による抗体の生体内分布をガンマカメライメージングで確認し，^{90}Yからのベータ線放出による細胞傷害作用にて抗腫瘍効果を発揮する。

　標識調製は各施設で行う必要があり，国内ではRIを取り扱う施設基準を満たし，関連学会ならびに日本アイソトープ協会が開催する講習会を受講した医師，薬剤師が常勤している施設のみで実施が可能である。

　非標的細胞・臓器に対する影響を抑えるためにリツキシマブの前投与，異常な生体内分布の有無を検索するために^{111}Inイブリツモマブチウキセタンの前投与を行い，^{90}Yイブリツモマブチウキセタンの適格性を判断したのちに投与が可能である。

　遅発性の骨髄抑制の可能性があり，投与後約2カ月後に最低値を示し，1～3週間で軽快する[1]。

2-3 オビヌツズマブ

　白血球などの食細胞と結合できる抗体のFc領域の糖鎖を改変した，ヒト化抗CD20モノクロー

ナル抗体である。2018年7月にCD20陽性の濾胞性リンパ腫の効能・効果にて承認されており，未治療の濾胞性リンパ腫にも用いることができる。

抗体のFc領域糖鎖を改変することで，B細胞腫瘍に発現するヒトCD20に高い親和性で選択的に結合し，高い抗体依存性細胞傷害（ADCC）活性および抗体依存性細胞貪食（ADCP）活性を示すと考えられている。

ほかの抗CD20抗体薬と同様に，infusion reactionの軽減のために投与30分から1時間前に抗ヒスタミン薬，解熱鎮痛薬の前投与が必要である。また，副腎皮質ホルモン薬と併用しない場合は，副腎皮質ホルモン薬の前投与を考慮する。

【参考文献】
1) Tobinai K et al : Japanese phase II study of 90Y-ibritumomab tiuxetan in patients with relapsed or refractory indolent B-cell lymphoma. Cancer Sci, 100(1):158-164, 2009

（鈴木　康介）

表　抗CD抗原関連抗体：抗CD20抗体　比較表

一般名	リツキシマブ	イブリツモマブ チウキセタン	オビヌツズマブ
商品名	リツキサン	ゼヴァリン	ガザイバ
剤形	注	注射用（セット）	注
分類	キメラ型抗CD20モノクローナル抗体	放射標識マウス型抗CD20モノクローナル抗体	ヒト化抗CD20モノクローナル抗体
がん種	CD20陽性のB細胞性非ホジキンリンパ腫，CD20陽性の慢性リンパ性白血病，免疫抑制状態下のCD20陽性のB細胞性リンパ増殖性疾患	CD20陽性の再発又は難治性の低悪性度B細胞性非ホジキンリンパ腫，マントル細胞リンパ腫	CD20陽性の濾胞性リンパ腫
投与量	〈CD20陽性のB細胞性非ホジキンリンパ腫〉1回量375mg/m²を1週間間隔，最大投与回数8回 〈CD20陽性の慢性リンパ性白血病〉初回1回量375mg/m²，2回目以降500mg/m²を併用薬サイクルにあわせて，最大投与回数6回 〈免疫抑制状態下のCD20陽性のB細胞性リンパ増殖性疾患〉1回量375mg/m²を1週間間隔，最大投与回数8回	〈⁹⁰Y イブリツモマブ チウキセタン〉・リツキシマブを点滴静注後，速やかに，⁹⁰Yイブリツモマブ チウキセタンとして14.8MBq/kg（最大1,184MBq）を10分間かけて静脈内投与する 〈¹¹¹Inイブリツモマブ チウキセタン〉・リツキシマブを点滴静注後，速やかに¹¹¹Inイブリツモマブ チウキセタンとして130MBqを，静脈内に10分間かけて投与する	1日1回1,000mgを点滴静注。導入療法：1コース目：day1, 8, 15，2コース目以降はday1に投与。維持療法：単独投与で2カ月に1回，最長2年間，繰り返し投与 〈他剤併用〉・シクロホスファミド，ドキソルビシン，ビンクリスチンとプレドニゾロンまたはメチルプレドニゾロン併用：1コース3週間とし，8コース ・シクロホスファミド，ビンクリスチンとプレドニゾロンまたはメチルプレドニゾロン併用：1コース3週間とし，8コース ・ベンダムスチン併用：1コース4週間とし，6コース
腎障害	・減量不要	・減量不要	・減量不要
肝障害	・減量不要	・減量不要	・減量不要
相互作用	・生ワクチンまたは弱毒生ワクチン，不活化ワクチン，免疫抑制作用を有する薬剤，降圧薬	・生ワクチンまたは弱毒生ワクチン，不活化ワクチン，免疫抑制薬	・生ワクチンまたは弱毒生ワクチン，降圧薬（一過性の血圧低下が現れることがある）
特に注意すべき有害事象	・infusion reaction，腫瘍崩壊症候群，B型肝炎ウイルスの再活性化	・遅発性の骨髄抑制（約2カ月後に最低値となり，1〜3週間で軽快する）	・infusion reaction，腫瘍崩壊症候群，B型肝炎ウイルスの再活性化
注意点（内服薬：食事との影響/注射薬：調製・投与時）	〈希釈〉使用時1〜4mg/mLに希釈調製 〈投与速度〉初回投与：50mg/hで開始，その後30分ごとに50mg/hずつ上げて，最大400mg/hまで。2回目以降：100mg/hで開始し，その後30分ごとに100mg/hずつ上げて，最大400mg/hまで。B細胞性非ホジキンリンパ腫に用いる場合は2回目以降に90分投与が可能	・施設内での⁹⁰Yの標識調製が必要であり，RI取り扱い基準を満たした施設のみで使用可能 ・投与は1回サイクルのみであり再投与は認められない ・投与前血小板数が100,000/μL以上150,000/μL未満の患者には，イットリウム（⁹⁰Y）イブリツモマブ チウキセタン（遺伝子組換え）注射液の投与量は11.1MBq/kgに減量すること	〈希釈〉1,000mg（40mL）を抜き取り，生理食塩液で希釈し全量を250mLとする。0.2または0.22μmのインラインフィルターを使用すること 〈投与速度〉 第1サイクル ・初回投与：50mg/hより開始し30分ごとに50mg/hずつ最大400mL/hで投与 ・2回目以降：100mg/hより開始し30分ごとに100mg/hずつ最大400mL/hで投与 第2サイクル以降 ・100mg/hより開始し30分ごとに50mg/hずつ最大900mL/hで投与
文献	−	−	−

6-5 抗CD抗原関連抗体：抗CD38抗体

1 医薬品の特徴（基本知識）

　CD38は内在性膜蛋白で，リンパ球の増殖を活性化する。CD38抗原は骨髄腫細胞表面に著しく発現している。抗CD38抗体はCD38抗原を標的として抗腫瘍効果を発揮する。ダラツムマブの作用機序を図に示す。有害事象としてのinfusion reactionに注意する。

（加藤　裕久）

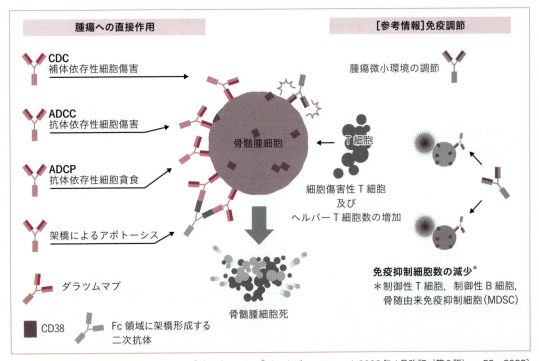

〔ダラザレックス®インタビューフォーム2022年4月改訂（第9版），p.58，2022〕

図　ダラツムマブの作用機序

2 各論（医薬品ごとの特徴）

2-1　ダラツムマブ

　造血器悪性腫瘍の細胞表面に発現するCD38抗原に結合することにより薬理作用を有する，ヒト型免疫グロブリンG1κ型モノクローナル抗体である。2017年9月にボルテゾミブ，デキサメタゾ

ンとの併用において「再発又は難治性の多発性骨髄腫」の効能・効果が承認された。また、日本人を含む国際共同第Ⅲ相試験（MMY3007試験）[1]において，ボルテゾミブ，メルファラン，プレドニゾロン（VMP）との併用で未治療の多発性骨髄腫症例においても効果を示したことから，2019年8月に「多発性骨髄腫」の効果・効能が承認された。上記薬剤以外に，カルフィルゾミブ，レナリドミドとの併用も認められているが，併用する薬剤により適応となる患者が異なるので各臨床試験を参照されたい。

infusion reactionを軽減させるために，投与1〜3時間前に副腎皮質ホルモン薬，解熱鎮痛薬，抗ヒスタミン薬の投与が必須である。

2021年3月には皮下注製剤も承認され，投与時間の短縮や輸液負荷の軽減が期待されている。

2-2　イサツキシマブ

ダラツムマブと同様に，ヒト細胞表面抗原CD38に選択的に作用するIgG1κ型抗CD38モノクローナル抗体であるが，CD38を認識するエピトープ（抗原決定基）が異なる。イサツキシマブは補体依存性細胞傷害（CDC）や抗体依存性細胞傷害（ADCC）および抗体依存性細胞貪食（ADCP）作用を示すだけでなく，Fc領域に依存しない直接的なアポトーシス誘導効果や，CD38の細胞外酵素阻害作用も有すると考えられている。

ポマリドミド，デキサメタゾンとの併用試験（ICARIA試験[2]），カルフィルゾミブ，デキサメタゾンとの併用試験（IKEMA試験[3]）にてイサツキシマブ併用により無増悪生存期間を有意に延長したことから，それぞれ2020年6月，2020年12月に「再発又は難治性の多発性骨髄腫」の効果・効能が承認された。現在では単独療法，デキサメタゾンとの併用療法も上記疾患に対する適応を有している。

infusion reactionを軽減させるために，投与開始15〜60分前に，デキサメタゾン，抗ヒスタミン薬，H_2受容体拮抗薬および解熱鎮痛薬を投与する。

【参考文献】
1) Mateos MV et al：Overall survival with daratumumab, bortezomib, melphalan, and prednisone in newly diagnosed multiple myeloma（ALCYONE）: a randomised, open-label, phase 3 trial. Lancet, 395(10218):132-141, 2020
2) Attal M et al：Isatuximab plus pomalidomide and low-dose dexamethasone versus pomalidomide and low-dose dexamethasone in patients with relapsed and refractory multiple myeloma（ICARIA-MM）: a randomised, multicentre, open-label, phase 3 study. Lancet, 394(10214):2096-2107, 2019
3) Moreau P et al：Isatuximab, carfilzomib, and dexamethasone in relapsed multiple myeloma（IKEMA）: a multicentre, open-label, randomised phase 3 trial. Lancet, 397(10292):2361-2371, 2021

〈鈴木　康介〉

表 抗CD38抗体 比較表

一般名	ダラツムマブ	イサツキシマブ
商品名	ダラザレックス，ダラキューロ	サークリサ
剤形	注	注
分類	抗CD38ヒト型モノクローナル抗体	抗CD38キメラ型モノクローナル抗体
がん種	多発性骨髄腫	再発または難治性の多発性骨髄腫
投与量	・ほかの抗悪性腫瘍薬との併用において，注射は1回16mg/kg，皮下注は15mLを，併用する抗悪性腫瘍薬の投与サイクルを考慮して，A法またはB法の投与間隔で点滴静注 A法：1週間間隔，2週間間隔および4週間間隔の順で投与 B法：1週間間隔，3週間間隔および4週間間隔の順で投与	・ポマリドミド・デキサメタゾン併用療法およびカルフィルゾミブ・デキサメタゾン併用療法は1回10mg/kgを，デキサメタゾン併用療法および単独療法は1回20mg/kgを点滴静注する。28日間を1サイクルとし，最初のサイクルは1週間間隔で4回（1，8，15，22日目），2サイクル以降は2週間間隔で2回（1，15日目）点滴静注する
腎障害	・減量不要	・減量不要
肝障害	・減量不要	・減量不要
相互作用	・なし	・なし
特に注意すべき有害事象	・infusion reaction，骨髄抑制，感染症，腫瘍崩壊症候群，間質性肺疾患	・infusion reaction，骨髄抑制，感染症
注意点（内服薬：食事との影響/注射薬：調製・投与時）	〈ダラザレックスの注意点〉 〈希釈〉初回投与：生理食塩液にて総量を1,000mLに調製。2回目以降生理食塩液にて500mLに調製 〈投与速度〉初回投与，2回目：50mL/hより開始し，1時間ごとに50mL/h上げる（最大200mL/h）。3回目以降：100mL/hより開始し，1時間ごとに50mL/h上げる（最大200mL/h）	〈希釈〉生理食塩液，5％ブドウ糖にて総量250mLに希釈 〈投与速度〉初回投与：開始60分は175mg/h，以後30分ごとに50mg/h上げる（最高400mg/h）。2回目以降：開始60分は175mg/h，以後30分ごとに100mg/h上げる（最高400mg/h）
文献	―	―

6-6 抗CD抗原関連抗体：その他

1 医薬品の特徴（基本知識）

　抗CD20抗体薬や抗CD38抗体薬以外にも，それぞれのCD抗原を標的とする抗体薬が開発されている．CD52抗原を標的としたアレムツズマブやCD19抗原を標的としたブリナツモマブがある．ブリナツモマブはけいれん発作，サイトカイン放出症候群，腫瘍崩壊症候群などの多様な有害事象が知られている．

（加藤　裕久）

2 各論（医薬品ごとの特徴）

2-1　アレムツズマブ

　2014年9月に「再発又は難治性の慢性リンパ性白血病」に対し効果・効能が承認された，ヒト化IgG1抗CD52モノクローナル抗体である．CD52抗原を標的として病的免疫細胞に結合し，抗体依存性細胞傷害作用（ADCC）および補体依存性細胞傷害作用（CDC）を介して細胞溶解を引き起こし，抗腫瘍効果を発揮する．2020年12月には，アレムツズマブのCD52抗原を介した強力なリンパ球数減少作用を利用し，ほかの抗がん薬や全身放射線照射と併用し，同種造血幹細胞移植の前治療にも用いることが可能となった．

　infusion reactionを軽減するため，投与前に抗ヒスタミン薬および解熱鎮痛薬の前投与が必要である．Grade3以上のinfusion reactionが認められない場合，1日1回3mgの連日投与は1日1回10mgの連日点滴静注に，1日1回10mgの連日投与は1日1回30mgの週3回隔日点滴静注に，それぞれ増量することができる．また，リンパ球減少が原因の免疫抑制作用によって重篤な感染症リスクが高くなることから，サイトメガロウイルスなどへの感染予防が推奨されている．

　好中球数および血小板数が減少した際には休薬・減量が必要であり，細やかなモニタリングが必要である．

2-2　ブリナツモマブ

　ブリナツモマブは2種類の抗原認識基をもつマウスモノクローナル抗体であり，T細胞膜上に発現しているCD3およびB細胞膜上に発現するCD19の両者に結合する性質を有し，CD19陽性悪性B細胞を標的にT細胞と架橋させることで抗腫瘍効果を示す．わが国では2018年9月に「再発又は難治性のB細胞性急性リンパ性白血病」に対し効果・効能を取得している．

表　その他抗CD抗原関連薬　比較表

一般名	アレムツズマブ	ブリナツモマブ
商品名	マブキャンパス	ビーリンサイト
剤形	注	注射用
分類	ヒト化抗CD52モノクローナル抗体	CD19／CD3二重特異性T細胞誘導モノクローナル抗体
がん種	再発または難治性の慢性リンパ性白血病，同種造血幹細胞移植の前治療	再発または難治性のB細胞性急性リンパ性白血病
投与量	〈再発または難治性の慢性リンパ性白血病〉 1日1回3mgから開始，1日1回10mgを連日点滴静注した後，1日1回30mgを週3回隔日投与 〈同種造血幹細胞移植の前治療〉 1日1回，1回0.16mg/kgを6日間投与	・体重45kg以上 1コース目：day1〜7；9μg/日，day8〜28；28μg/日 2コース目以降：day1〜28；28μg/日 ・体重45kg未満 1コース目：day1〜7；5μg/m²/日，day8〜28；15μg/m²/日 2コース目以降：day1〜28；15μg/m²/日（ただし体重45kg以上の投与量を超えない） 上記投与量を28日間持続点滴静注の後，14日間休薬，これを1コースとして最大5コース。その後，上記の投与量を28日間持続点滴静注の後，56日間休薬，これを1コースとして最大4コース
腎障害	・減量不要	・減量不要
肝障害	・減量不要	・減量不要
相互作用	・生ワクチンまたは弱毒生ワクチン，不活化ワクチン，免疫抑制薬，降圧薬（一過性の血圧低下が現れることがある）	・生ワクチンまたは弱毒生ワクチン
特に注意すべき有害事象	・infusion reaction，血球減少，感染症，腫瘍崩壊症候群	・神経学的事象（脳神経障害，けいれん発作，失語症など），サイトカイン放出症候群，腫瘍崩壊症候群
注意点（内服薬：食事との影響／注射薬：調製・投与時）	〈希釈〉必要量を採取し生理食塩液もしくは5%ブドウ糖注射液100mLで希釈する 〈投与速度〉①2時間以上かけて投与 ②3mgを2時間かけて投与し，問題なければ残りを2時間かけて投与する。2回目以降の投与は1日量を4時間かけて投与する	〈希釈〉輸液安定化液5.5mLを生理食塩液270mLに加えた後，注射用水3mLで溶解した本剤を必要分加える 〈点滴速度〉用量や投与時間の設定により大きく異なるため，添付文書などを参照すること
文献	—	

　投与は28日間連続での持続点滴が必要であり，0.2μmの無菌フィルターを用いることや過量投与を防ぐためにフラッシュを行わないこと，調製した溶液でのプライミングが必須になるなど，投与時に注意する点が多い。適正使用ガイド[1]などを用い，他職種と共同して適切な投与が実施できるよう努めたい。

　ブリナツモマブの副作用として，けいれん発作，脳神経障害などの神経学的事象，発熱，頭痛，無力症などを随伴症状とするサイトカイン放出症候群，腫瘍崩壊症候群などが挙げられる。これらの副作用の発現軽減のために，骨髄芽球が50%以上もしくは末梢芽球が15,000/μL以上の場合はデキサメタゾンによる前治療の実施を検討する。また，サイトカイン放出症候群の発現を軽減するため，ブリナツモマブ投与前には全症例でデキサメタゾンの前投与を行う。

【参考文献】
1) ビーリンサイト適正使用ガイド（https://blincyto.jp/member_only/aabp/images/basic-info/documents/pug_blc.pdf）（2022年6月閲覧）

（鈴木　康介）

6-7　その他

1　医薬品の特徴（基本知識）

　ヒト化抗CCケモカイン受容体4（CCR4）を標的とするモガムリズマブは，抗体を構成する糖鎖の1つであるフコースを減少させることにより，抗体依存性細胞傷害作用を増強している。
　ヒト化IgG1モノクローナル抗体であるエロツズマブは，ナチュラルキラー（NK）細胞を介して抗腫瘍効果を発揮する。両薬剤とも有害事象のinfusion reactionの発現に注意する。

（加藤　裕久）

2　各論（医薬品ごとの特徴）

2-1　モガムリズマブ

　ヒト化抗CCケモカイン受容体4（CCR4）モノクローナル抗体であるモガムリズマブは，CCR4を発現している腫瘍細胞に結合することで，抗体依存性細胞傷害（ADCC）活性により抗腫瘍効果をもたらす。さらに，ADCC活性が飛躍的に向上した世界初のポテリジェント抗体である。
　CCR4の発現率は，成人T細胞白血病リンパ腫（ATL）で約90%[1]，末梢性T細胞リンパ腫（PTCL）で約40%[2]とされている。
　ATL，PTCLの場合，投与前にフローサイトメトリーまたは免疫組織化学染色法によりCCR4抗原が陽性であることを確認する必要がある。皮膚T細胞リンパ腫（CTCL）に関しては，CCR4は制御性T細胞（Treg）に発現していることが報告[3]されており，CTCLの末梢血中のTreg数が低下[4]し，CTCL細胞に対して腫瘍増殖抑制を示すと考えられている。また，国際共同第Ⅲ相臨床試験（MAVORIC試験[5]）の結果に基づき，腫瘍細胞のCCR4陽性の確認が不要となった。
　CCR4陽性のATLに多剤併用投与としてモガムリズマブとmLSG15療法（VCAP療法/AMP療法/VECP療法）が行われる。投与スケジュールは造血器腫瘍診療ガイドラインを参照されたい。なお，臨床試験では，1回1mg/kgを超える用量での使用経験がない。
　副作用として皮膚障害は，投与中だけではなく投与終了後以降も現れることが報告されているため注意する必要がある。また，ATL皮膚病変を有する症例では，皮膚障害と鑑別する必要がある。ATL皮膚病変の有無と皮膚障害の発現に関連性はないとされている[6]。infusion reactionの発現時期は初回投与時に高頻度で認められ，特に投与開始後0.5〜2時間以内に集中して起こりやすいため，バイタルサインなどをモニタリングすることが大事である。

2-2 エロツズマブ

　ヒト化IgG1モノクローナル抗体であるエロツズマブは，骨髄腫細胞上のsignaling lymphocyte activation molecule family member 7（SLAMF7）に特異的に結合し，NK細胞との相互作用によりADCCを誘導することにより，抗腫瘍効果を示すと考えられる。また，*in vitro*においてNK細胞膜上のSLAMF7へ結合することにより，NK細胞を直接活性化し，傷害活性が増強することで細胞死を誘導する。

　副作用として，infusion reactionの発現時期は初回投与時に多く認められているが，2回目以降にも認められることがあるため十分に注意が必要である。infusion reactionを軽減させるため，デキサメタゾンは投与開始3〜24時間前に28mgを経口投与，投与45分前に6.6mgを点滴静注する。そのうえ，投与開始45〜90分前に抗ヒスタミン薬，H_2受容体拮抗薬，解熱鎮痛薬の前投薬を行う。投与速度は細やかな速度指示があるため，上昇幅に関しては添付文書を参照されたい。

【参考文献】

1) Ishida T et al: Clinical significance of CCR4 expression in adult T-cell leukemia/lymphoma: its close association with skin involvement and unfavorable outcome. Clin Cancer Res, 9(10 Pt1):3625-3634, 2003
2) Ishida T et al: CXC chemokine receptor 3 and CC chemokine receptor 4 expression in T-cell and NK-cell lymphomas with special reference to clinicopathological significance for peripheral T-cell lymphoma, unspecified. Clin Cancer Res, 10(16):5494-5550, 2004
3) Iellem A et al: Unique chemotactic response profile and specific expression of chemokine receptors CCR4 and CCR8 by CD4(+)CD25(+) regulatory T cells. J Exp Med, 194(6):847-853, 2001
4) Ni X et al: Reduction of Regulatory T cells by Mogamulizumab, a defucosylated anti-CC chemokine receptor 4 antibody, in patients with aggressive/refractory mycosis fungoides and Sézary syndrome. Clin Cancer Res, 21(2):274-285, 2015
5) Kim YH et al: Mogamulizumab versus vorinostat in previously treated cutaneous T-cell lymphoma (MAVORIC): an international, open-label, randomised, controlled phase 3 trial. Lancet Oncol, 19(9):1192-1204, 2018
6) ポテリジオ®点滴静注，再発又は難治性のCCR4陽性の成人T細胞白血病リンパ腫患者を対象とした特定使用成績調査（全例調査）

（長尾　嘉真）

表 高分子型抗体：その他　比較表

一般名	モガムリズマブ	エロツズマブ
商品名	ポテリジオ	エムプリシティ
剤形	注	注射用
分類	ヒト化抗CCR4モノクローナル抗体	ヒト化抗ヒトSLAMF7モノクローナル抗体
がん種	CCR4陽性の成人T細胞白血病リンパ腫，再発または難治性のCCR4陽性の末梢性T細胞リンパ腫，再発または難治性の皮膚T細胞性リンパ腫	再発または難治性の多発性骨髄腫
投与量	〈CCR4陽性の成人T細胞白血病リンパ腫〉 1回量1mg/kgを1週間間隔で8回（ほかの抗悪性腫瘍薬と併用する場合は，1回量1mg/kgを2週間間隔で8回）点滴静注する 〈再発又は難治性のCCR4陽性の末梢性T細胞リンパ腫〉 1回量1mg/kgを1週間間隔で8回点滴静注する 〈再発又は難治性の皮膚T細胞性リンパ腫〉 1回量1mg/kgを1週間間隔で5回点滴静注し，その後2週間間隔で点滴静注する	・レナリドミドおよびデキサメタゾン併用：28日間を1コースとし，1回10mg/kgを最初の2コースは1週間間隔で4回（day1, 8, 15, 22）点滴静注する。3コース以降は2週間間隔で2回（day1, 15）点滴静注する ・ポマリドミドおよびデキサメタゾン併用：28日間を1コースとし，最初の2コースは1回10mg/kgを1週間間隔で4回（day1, 8, 15, 22）点滴静注する。3コース以降は1回20mg/kgを4週間間隔（day1）で点滴静注する
腎障害	・当該資料なし*1	・減量不要
肝障害	・当該資料なし*2	・減量不要
相互作用	・不活化ワクチン，生ワクチン，弱毒生ワクチン	・当該参考データなし
特に注意すべき有害事象	・infusion reaction，皮膚障害，感染症，B型肝炎ウイルスによる劇症肝炎，腫瘍崩壊症候群	・infusion reaction，感染症，リンパ球減少，白内障
注意点（内服薬：食事との影響/注射薬：調製・投与時）	・投与時には必要量を注射筒で抜き取り，生理食塩液200〜250mLに添加する。投与時は2時間かけて点滴静脈内投与する	・調製時は300mg製剤を注射用水13mL，400mg製剤を注射用水17mLで穏やかに溶解し，25mg/mLの濃度とする。完全溶解後5〜10分静置し，必要量を注射筒で抜き取り，各体重に応じ生理食塩液または5％ブドウ糖液（50kg未満：150mL，50〜90kg：250mL，90kg超：350mL）に添加する。投与時は0.22ミクロ以下のメンブランフィルターを用いたインラインフィルターを通して投与する
文献	*1・分子量約149000のIgG1クラス抗体蛋白質であることから，腎臓は関与してないと推定される *2・肝臓に比べて網内系細胞が主に関与していると推定され，肝機能の影響する可能性は低い	―

第3章 抗がん薬　6 分子標的治療薬：高分子型抗体

6-8 ADC（抗体薬剤複合体）

1 医薬品の特徴（基本知識）

　ADC（抗体薬剤複合体）とは，抗体と薬物をリンカーを介して結合させ，がん細胞など特定の細胞を殺傷する機能を付加した抗体医薬品である。抗がん薬としては，イノツズマブ　オゾガマイシンやトラスツズマブ　エムタンシンなどがある。抗CD22抗体のイノツズマブ，抗CD33抗体のゲムツズマブ，抗HER2抗体であるトラスツズマブが抗体として用いられる。

（加藤　裕久）

2 各論（医薬品ごとの特徴）

2-1　ゲムツズマブ　オゾガマイシン

　ヒト化抗CD33モノクローナル抗体であるhP67.6に，細胞障害性抗腫瘍性抗生物質であるカリケアマイシン誘導体のオゾガマイシンが結合したADCである。CD33抗原を発現した腫瘍細胞に結合し，細胞内へ取り込まれた後にカリケアマイシン誘導体がDNA二本鎖を切断することにより抗腫瘍効果を示す。

　投与前に，フローサイトメトリー法によりCD33抗原が陽性であることを確認する必要がある。そのうえ，末梢血芽球数の多い症例は肺障害・腫瘍崩壊症候群を発現するリスクが高いため，末梢血白血球数を30,000/μL未満に抑えるよう白血球除去を考慮する必要がある。

　効能・効果は「再発又は難治性のCD33陽性の急性骨髄性白血病」となっている。骨髄異形成症候群から進行した急性骨髄性白血病や，抗悪性腫瘍薬に関連して発症した2次性の急性骨髄性白血病，60歳以上の高齢者において第2再発以降の症例での再寛解導入療法，本剤を投与した後の再発症例に対しての有効性・安全性は確立していない。また，本剤の投与は2回までとする。

　副作用としてinfusion reactionが高頻度で発現し，発現時期は投与開始後24時間以内に現れるため，投与中および投与終了後4時間はバイタルサインなどをモニタリングすることが重要である。肝中心静脈閉塞症（VOD）は造血幹細胞移植（HSCT）施行歴の有無で発現リスクが高いことが示されている。腫瘍崩壊症候群による高尿酸血症を予防するため，適切な処置を行うことが必要である。また，infusion reactionを軽減させるため，投与開始1時間前に抗ヒスタミン薬，解熱鎮痛薬，副腎皮質ホルモン薬を投与する。

2-2　トラスツズマブ　エムタンシン（T-DM1）

　抗HER2ヒト化モノクローナル抗体であるトラスツズマブと，チューブリン重合阻害作用を有するメイタンシン誘導体を，リンカーを介して結合させたADCである。トラスツズマブ自体が有す

るHER2シグナル伝達の抑制，ADCC活性の誘導に加え，腫瘍細胞上に発現するHER2に結合し，細胞内へ取り込まれたのち，メイタンシン誘導体がG2/M期で細胞周期を停止およびアポトーシス誘導作用により抗腫瘍効果を示す。

投与前に心毒性のモニタリングのため，心エコーなどで左室駆出率の確認を行う。

副作用として，血小板減少症，肝機能障害の好発時期は各サイクルday8付近で最も異常値を示すことが臨床試験より報告されている。特に1サイクル目day8付近が異常値を示すため，血小板数および肝機能のモニタリングが重要である。術後補助療法では14サイクルまでとする。

また，以下の症例の有効性・安全性について検討した臨床試験成績は得られていないため，注意が必要である。
・術後の病理組織学的に乳房内または腋下リンパ節にがん細胞が認められる症例
・術後の病理組織学的に乳房内または腋下リンパ節に非浸潤がんのみ認められる症例
・トラスツズマブおよびタキサン系抗がん薬を含まないレジメンの術前薬物療法施行症例
・術前薬物療法未施行症例

肝機能障害者への投与において，投与開始前の血清トランスアミナーゼ値が手術不能または再発乳がんでは$2.5×ULN$（正常値上限），T-bil値$1.5×ULN$，術後薬物療法では$1.5×ULN$，T-bil値$1.0×ULN$を超えた症例に対する使用経験はない。

2-3　ブレンツキシマブ　ベドチン

抗CD30モノクローナル抗体と微小管阻害作用を有するモノメチルアウリスタチンE（MMAE）を，リンカーを介して結合させたADCである。CD30を発現した腫瘍細胞に結合し，細胞内へ取り込まれたのち，遊離したMMAEがチューブリンに結合することによって微小管形成を阻害，細胞周期の停止とアポトーシスが誘導され，抗腫瘍効果を示す。

投与前に免疫組織化学法などの検査を実施し，CD30抗原が陽性であることを確認する必要がある。効能・効果は，再発又は難治性のCD30陽性のホジキンリンパ腫（HL）及び末梢性T細胞リンパ腫（PTCL），未治療のCD30陽性のHL，未治療のCD30陽性のPTCLとなっている。また，ブレオマイシン投与中の患者には肺毒性が発現するおそれがあるため，禁忌となっている。

副作用の発熱性好中球減少症は，ドキソルビシン，ビンブラスチン，ダカルバジン併用投与時，またはシクロホスファミド，ドキソルビシン，プレドニゾロン併用時に高頻度に発現するため，ガイドラインなどに準じてG-CSF製剤の一次予防投与を検討する必要がある。微小管阻害薬特有の末梢神経障害は，国内特定使用成績調査（全例調査）において約40%と報告されている。大半がGrade1～2で，Grade3は約7%に発現し，症状はおおよそ可逆性である。

2-4　イノツズマブ　オゾガマイシン

ヒト化抗CD22モノクローナル抗体であるイノツズマブに，細胞障害性抗腫瘍性抗生物質であるカリケアマイシン誘導体のオゾガマイシンが結合したADCである。腫瘍細胞表面のCD22抗原に結合すると，エンドサイトーシスにより細胞内へ取り込まれる。その後，加水分解を受けてカリケアマイシン誘導体のジスルフィド結合が還元的に開裂され活性体となり，DNA二本鎖を切断する

ことにより抗腫瘍効果を示す。

　投与前に，フローサイトメトリー法などによりCD22抗原が陽性であることを確認する必要がある。

　臨床試験において最大耐量（MTD）と判定された用量（4週間に1回1.8mg/m^{2}投与）に基づき，総投与量は1.8mg/m^2/cycleと設定されている。用法の設定において1.3〜1.8mg/m^2/cycle，21〜28日間を1サイクルとして分割せずに投与したときと比較し，1.8mg/m^2/cycleを3分割（day1：0.8mg/m^2，day8, 15：0.5mg/m^2）したときの有効性は同程度であり，有害事象の発現率が低い傾向であった。2サイクル目以降は完全寛解（CR）または血球数の回復を伴わない完全寛解（CRi）が得られなかった場合は，1サイクル目と同様に繰り返し投与する。CRまたはCRiが得られた場合はday1, 8, 15：0.5mg/m^2，21〜28日間として投与する。サイクル数は，造血幹細胞移植（HSCT）の施行予定を考慮し決定する。HSCTを予定している場合は，治療上やむを得ない場合を除き，3サイクル終了までに投与を中止することが望ましい。HSCTを予定してない場合は，6サイクルまで投与を繰り返すことができるが，3サイクル終了までに効果が得られない場合には，投与を中止すること。7サイクル以上投与した際の有効性および安全性は確立していない。

　副作用としてVOD，類洞閉塞症候群（SOS）を含む肝障害は，HSCT施行歴の有無，肝疾患や肝炎既往の有無で発現するリスクが高まるとされている。また，HSCT予定の症例では，投与サイクル数の増加がVODおよびSOSの発現リスク因子である。infusion reactionを軽減させるため，投与開始約0.5〜2時間前に副腎皮質ホルモン薬，解熱鎮痛薬または抗ヒスタミン薬の前投薬を考慮する。

2-5　トラスツズマブ　デルクステカン

　抗HER2ヒト化モノクローナル抗体であるトラスツズマブと，トポイソメラーゼI阻害作用を有するエキサテカン誘導体を，リンカーを介して結合させたADCである。腫瘍細胞上に発現するHER2に結合し，細胞内へ取り込まれたのち，カンプトテシン誘導体がDNA傷害作用およびアポトーシス誘導作用により抗腫瘍効果を示す。

　化学療法歴のあるHER2陽性の手術不能または再発乳がんでは，トラスツズマブ，タキサン系抗悪性腫瘍薬およびトラスツズマブ エムタンシンの治療歴がない患者への有効性・安全性は確立していない。また，がん化学療法後に増悪したHER2陽性の治癒切除不能な進行・再発胃がんにおいても，トラスツズマブを含む化学療法による治療歴のない患者における有効性・安全性は確立していない。

　副作用として，間質性肺炎は明確な好発時期はなく，投与開始前に胸部CT検査，胸部X線検査などを実施するだけでなく，治療期間中の定期的なモニタリングが重要である。特に，人種（日本人）および過去に10レジメン以上の化学療法歴がリスク因子と同定されている。

〈長尾　嘉真〉

第3章 抗がん薬 --- 6 分子標的治療薬：高分子型抗体 --- 8 ADC（抗体薬剤複合体）

表 ADC(抗体薬剤複合体)比較表

一般名	ゲムツズマブ オゾガマイシン
商品名	マイロターグ
剤形	注射用
分類	抗CD33ヒト化モノクローナル抗体(ADC)
がん種	再発または難治性のCD33陽性の急性骨髄性白血病
投与量	1回 9mg/m^{2}を2時間かけて点滴静注(投与回数は14日間以上の投与間隔をあけて2回まで)
腎障害	・減量不要[*1]
肝障害	・減量不要[*2]
相互作用	・本剤はCYP3A,代謝物はCYP1A2, 2A6, 2C8, 2C9, 2C19, 2D6, 3Aに対して阻害作用を示したが,薬物動態学的相互作用が認められる可能性は低い
特に注意すべき有害事象	・静脈閉塞性肝疾患,骨髄抑制,infusion reaction,腫瘍崩壊症候群,間質性肺炎
注意点(内服薬:食事との影響/注射薬:調製・投与時)	・調製時,投与時は遮光する。調製時は注射用水5mLで穏やかに溶解し,1mg/mLの濃度とする。必要量を注射筒で抜き取り,生理食塩液100mLへ添加する。投与時は孔径1.2μm以下の蛋白結合性の低いメンブランフィルターを用いたインラインフィルター通して,2時間かけて点滴静脈内投与する
文献	＊1・副作用が強く現れるおそれあり。腎機能障害の有無で副作用の発現率に差異は認められない ＊2・肝機能障害の有無で副作用の発現率に差異は認められない。T-bil値が2mg/dLを超す患者を対象とする試験は実施されていない

トラスツズマブ　エムタンシン
カドサイラ
注射用
抗HER2ヒト化モノクローナル抗体（ADC）
HER2陽性の手術不能または再発乳癌，HER2陽性の乳癌における術後薬物療法
1回3.6mg/kgを90分かけて3週間間隔で点滴静注，初回の忍容性が良好の場合2回目以降投与時間は30分間まで短縮できる。術後薬物療法の場合には14回までとする
・減量不要
〈HER2陽性の手術不能または再発乳癌〉 ・AST，ALT＞5〜20×ULN：休薬。Grade2以下に回復後，1段階減量して再開可能 　AST，ALT＞20×ULN：中止 ・T-bill＞1.5〜3×ULN：休薬。Grade1以下に回復後，減量せず再開可能 ・T-bill＞3〜10×ULN：休薬。Grade1以下に回復後，1段階減量して再開可能 ・T-bill＞10×ULN：中止 ※ASTまたはALT＞3×ULN かつ T-bill＞2×ULN：中止 〈HER2陽性の乳癌における術後薬物療法〉 ・ALT＞3〜20×ULN：休薬。Grade1以下に回復後，1段階減量して再開可能 ・ALT＞20×ULN：中止 ・AST＞3〜5×ULN：休薬。Grade1以下に回復後，減量せず再開可能 ・AST＞5〜20×ULN：休薬。Grade1以下に回復後，1段階減量して再開可能 ・AST＞20×ULN：中止 ・T-bil＞1.0〜2.0×ULN：休薬。T-bil≦1.0×ULN以下に回復後，1段階減量して再開可能 ・T-bil＞2.0×ULN：中止
・代謝酵素CYP3A4，一部CYP3A5で代謝
・血小板減少症，肝機能障害，infusion reaction，心障害，末梢神経障害
・調製時は160mg製剤は注射用水8mL，100mg製剤は注射用水5mLで穏やかに溶解し，20mg/mLの濃度とする。必要量を注射筒で抜き取り，生理食塩液250mLへ添加する。投与時は0.2μmまたは0.22μmインラインフィルターを通して投与する
―

一般名	ブレンツキシマブ ベドチン
商品名	アドセトリス
剤形	注射用
分類	抗CD30キメラ型モノクローナル抗体（ADC）
がん種	未治療のCD30陽性のホジキンリンパ腫，CD30陽性の末梢性T細胞リンパ腫，再発または難治性のCD30陽性のホジキンリンパ腫および末梢性T細胞リンパ腫
投与量	〈未治療のCD30陽性のホジキンリンパ腫〉 2週間に1回1.2mg/kgを最大12回点滴静注 〈CD30陽性の末梢性T細胞リンパ腫〉 3週間に1回1.8mg/kgを最大8回点滴静注 〈再発又は難治性のCD30陽性のホジキンリンパ腫および末梢性T細胞性リンパ腫〉 3週間に1回1.8mg/kgを点滴静注
腎障害	・Ccr＜30mL/min：減量を考慮
肝障害	・Child-Pugh分類A～C：減量を考慮
相互作用	・MMAEは主に肝代謝酵素CYP3A4で代謝 〈併用禁忌〉 ・ブレオマイシン：肺毒性（間質性肺炎など）の頻度が増加 〈併用注意〉 ・CYP3A4阻害薬：MMAWの血中濃度上昇によりMMAEによる毒性の発現頻度が高まる
特に注意すべき有害事象	・末梢神経障害，感染症，骨髄抑制，infusion reaction
注意点（内服薬：食事との影響／注射薬：調製・投与時）	・調製時は注射用水10.5mLで穏やかに溶解し，5mg/mLの濃度とする。必要量を注射筒で抜き取り，生理食塩液または5％ブドウ糖注射液へ添加し，最終濃度が0.4～1.2mg/mLになるよう調製する。投与時は30分以上かけて点滴静脈内投与する
文献	－

	イノツズマブ オゾガマイシン	トラスツズマブ デルクステカン
	ベスポンサ	エンハーツ
	注射用	注射用
	抗CD22ヒト化モノクローナル抗体（ADC）	抗HER2ヒト化モノクローナル抗体（ADC）
	再発または難治性のCD22陽性の急性リンパ性白血病	化学療法歴のあるHER2陽性の手術不能又は再発乳癌（標準的な治療が困難な場合に限る），がん化学療法後に増悪したHER2陽性の治癒切除不能な進行・再発の胃癌
	・day1：0.8ng/m²，day8：0.5ng/m²，day15：0.5ng/m²を1日1回1時間以上かけて点滴静注，その後休薬。1コース目は21〜28日間，2コース目以降は28日間を1コースとする。	〈化学療法歴のあるHER2陽性の手術不能又は再発乳癌（標準的な治療が困難な場合に限る）〉 1回5.4mg/kgを90分かけて3週間間隔で点滴静注，初回の忍容性が良好の場合2回目以降投与時間は30分間まで短縮できる 〈がん化学療法後に増悪したHER2陽性の治癒切除不能な進行・再発の胃癌〉 1回6.4mg/kgを90分かけて3週間間隔で点滴静注，初回の忍容性が良好の場合2回目以降投与時間は30分間まで短縮できる
	・減量不要*1	・該当資料なし
	・減量不要*2	・T-bill＞1.5〜3×ULN：Grade1以下に回復するまで休薬。7日以内に回復時，減量せず再開可能。7日過ぎて回復時は1段階減量して投与再開 ・T-bill＞3〜10×ULN：Grade1以下に回復するまで休薬。7日以内に回復時，一段階減量して再開可能。7日過ぎてから回復時，投与中止 ・T-bill＞10×ULN：中止 ・AST，ALT＞5〜20×ULN：Grade1以下に回復するまで休薬。7日以内に回復時，減量せず再開可能。7日過ぎて回復時は1段階減量して投与再開 ・AST，ALT＞20×ULN：中止
	・該当資料なし	・代謝酵素CYP3Aが関与
	・VOD・SOSを含む肝障害（VOD・SOSは用量依存性），骨髄抑制，感染症，infusion reaction，腫瘍崩壊症候群	・間質性肺炎，骨髄抑制，infusion reaction，心機能障害，嘔吐
	・調製時，投与時は遮光する。調製時は注射用水4mLで穏やかに溶解し，0.25mg/mLの濃度とする。必要量を注射筒で抜き取り，生理食塩液へ加え総液量約50mLへ調製する。投与時，ろ過する場合はポリエーテルスルホン（PES）製，ポリフッ化ビニリデン（PVDF）製または親水性ポリスルホン（HPS）製のフィルターを使用する方が望ましい。ナイロン製または合成繊維素エステル（MCE）製のフィルターは使用しない。溶解から希釈までは4時間以内に行う。溶解から投与終了までは8時間以内とする。	・調製時は注射用水5mLで穏やかに溶解し，20mg/mLの濃度とする。必要量を注射筒で抜き取り，5％ブドウ糖注射液100mLへ添加する。投与時は0.2μmのインラインフィルターを通して，遮光下で点滴静脈内投与する
	*1・重度腎機能低下への投与は限定的。末期腎不全への投与経験なし *2・肝疾患のある患者では肝疾患の増悪またはVOD・SOSの発現リスクが増加するため注意して投与する	―

第3章 抗がん薬　7 分子標的治療薬：低分子型抗体

7-1 EGFR チロシンキナーゼ阻害薬

1 医薬品の特徴（基本知識）

　代表的なEGFRチロシンキナーゼ阻害薬の1つであるゲフィチニブは，変異型EGFRの細胞内チロシンキナーゼを特異的に阻害し，細胞内シグナル伝達を抑制することにより抗腫瘍効果を発揮する（図1）。さらに，ゲフィチニブは野生型EGFRよりも変異型EGFRに対してより低濃度で阻害作用を示し，アポトーシスを誘導することにより，悪性腫瘍の増殖抑制あるいは退縮を引き起こす。

（加藤　裕久）

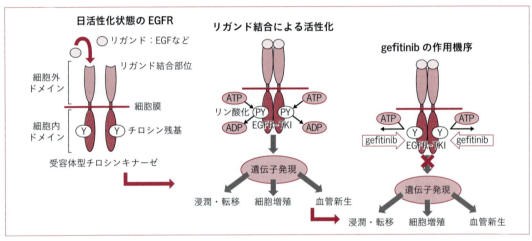

（相羽惠介　編：抗がん薬の臨床薬理，南山堂，p416，2013）

図1　ゲフィチニブの作用機序

2 各論（医薬品ごとの特徴）

2-1　ゲフィチニブ

　ゲフィチニブは2002年にわが国ではじめて上市されたEGFR-TKI（上皮成長因子受容体チロシンキナーゼ阻害薬：epidermal growth factor receptor tyrosine kinase inhibitors）であり，エルロチニブと同様に第一世代のEGFR-TKIとされている。

　ゲフィチニブはPS0〜1，エクソン19欠失またはL858R変異陽性の患者に対して，エルロチニブ，アファチニブと同様に一次治療の1つとして推奨されている[1]。また，PS2においてはエルロチニブと，PS3〜4では，肺がんに適応を有するEGFR-TKIのうち唯一推奨されている薬剤である[2]。た

だし，PS不良は薬剤性間質性肺炎のリスク因子とする報告もあるため，慎重に適応を検討すべきである[3]。

主な副作用は皮疹，下痢，爪囲炎，肝機能障害などである。それぞれ別の試験結果ではあるが，ほかのEGFR-TKIと比較し，下痢（54%），爪囲炎（28%）の発現率は少ない一方で，肝機能障害（70%）は高く発現する可能性がある。ゲフィチニブの肝機能障害により治療継続が難しい場合，あるいは治療開始時に肝機能障害を有する症例では，ほかのEGFR-TKIを選択することも考慮すべきと思われる。

2-2　エルロチニブ

エルロチニブはPS0〜1，エクソン19欠失またはL858R変異陽性の患者に対して，ゲフィチニブ，アファチニブと同様に一次治療の1つとして推奨されている[1]。また，ゲフィチニブと同様にPS2の患者においても推奨されている[4]。

副作用に関しては皮疹，下痢，爪囲炎などにおいてゲフィチニブよりも発現率が高い傾向であるが，肝機能障害はゲフィチニブのほうが発現しやすい。

エルロチニブはゲフィチニブと異なり，最大耐用量である150mg/日がそのまま承認用量となっているが，臨床的効果における差は不明瞭である。わが国での第Ⅱ相試験の結果などから奏効率や生存率はほぼ同等と考えられている。

2-3　アファチニブ

アファチニブはゲフィチニブやエルロチニブと異なり，EGFRのほかHER2やErbB4のキナーゼ活性も阻害するため，不可逆的な作用を有している。また，ランダム化第Ⅱ相試験では，ゲフィチニブに対してPFSは統計学的な有意差を示したが，毒性はアファチニブの方が高度であった[5]。特に下痢，皮疹はほぼ全例に発現しており[6]，下痢に対しては，ロペラミドの大量療法を考慮する（わが国では保険適応外）。また，アファチニブはチトクロムP450などによる肝代謝をほとんど受けない薬剤である。Child Pugh分類のAおよびBに該当する患者と肝機能正常患者間において，血中濃度に相異はなかったことが報告されている[7]。よって，肝機能障害時は原則的に用量調節が不要と考えられている。

LUX-lung7試験では，投与量が40mg以上で維持された群と，副作用により40mg未満に減量された群において，減量群では副作用発現率，重篤度ともに減少傾向であったが，PFSでは両群間でほぼ同等の成績が確認されている（図2）[8]。よって，副作用発現時は積極的な支持療法とともに減量することも選択肢の1つとして考慮すべきである。

2-4　オシメルチニブ

EGFR-TKI投与中に発現するT790M耐性変異に対しても効果を有するEGFR-TKIである。

EGFR遺伝子変異陽性の一次治療（エクソン19欠失またはL858R変異陽性）においてゲフィチニブと比較した第Ⅲ相試験では，全生存期間は有意に延長した（図3）[9]。しかしながら，全生存

期間の層別解析では,「アジア人」,「L858R」においては両薬剤ともほぼ同等の結果（OS-HR：1.00（95%CI：0.75-1.32），1.00（95%CI：0.71-1.40））である点は留意すべきである。

前述の第Ⅲ相試験では，オシメルチニブは下痢58%，ざ瘡様皮疹25%，AST上昇9%，間質性肺疾患4%であり，皮疹，肝機能障害に関してはゲフィチニブと比較してオシメルチニブの方が軽い傾向であった。ただし，日本人集団における間質性肺炎の発現率は12.3%（8例/65例）とされており[10]，リスクを考慮する必要がある。

また，オシメルチニブではQT間隔延長が約5%に発現するとされている。500msecを超えるQTc値が認められる場合には481msec未満，またはベースラインに回復するまで休薬する。その

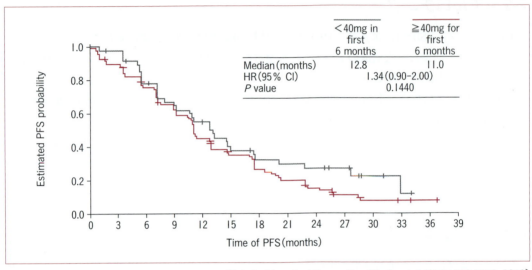

〔Schuler M et al：J Cancer Res Clin Oncol, 145(6):1569-1579, 2019〕

図2 アファチニブの投与量40mg/day以上，または未満におけるPFSの比較

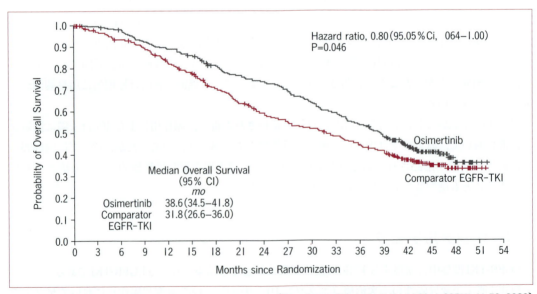

〔Ramalingam SS et al：N Engl J Med, 382(1):41-50, 2020〕

図3 第Ⅲ相試験におけるゲフィチニブとオシメルチニブの全生存期間の比較

後減量し投与を再開するが，3週間以内に回復しない場合は投与を中止する。

2-5 ダコミチニブ

EGFR，HER2およびHER4を阻害するチロシンキナーゼ阻害薬であり，EGFR変異（エクソン19欠失またはL858R変異）に対して高い親和性を有する。

1）臨床試験の成績

EGFR遺伝子変異（エクソン19欠失またはL858R変異）陽性，PS0-1のⅣ期非小細胞肺がん患者に対するダコミチニブとゲフィチニブを比較した第Ⅲ相試験（ARCHER1050試験）では，主要評価項目であるPFSがHR0.59（14.7カ月vs 9.2カ月，95%CI：0.47-0.74，P＜0.0001），また副次評価項目であるOSは，HR0.760（34.1カ月vs 26.8カ月，95%CI：0.582-0.993）であった[11,12]。また，副作用の発現率はゲフィチニブ群，ダコミチニブ群各々で下痢56%，87%，爪囲炎20%，62%，ざ瘡様皮疹29%，49%であった。本試験では日本人40例中，1回以上減量されたのは34例，同じく1回以上休薬されたのは37例であった。副作用管理においては，適切な支持療法を実施するとともに，減量または休薬も考慮すべきと考えられる。

【参考文献】

1) 日本肺癌学会：肺癌診療ガイドライン―悪性胸膜中皮腫・胸腺腫瘍含む2021年度版（https://www.haigan.gr.jp/guideline/2021/1/2/210102070100.html#cq52）（2022年6月閲覧）
2) Inoue A et al：First-line gefitinib for patients with advanced non-small-cell lung cancer harboring epidermal growth factor receptor mutations without indication for chemotherapy. J Clin Oncol, 27(9):1394-1400, 2009
3) Mitsudomi T et al：Gefitinib versus cisplatin plus docetaxel in patients with non-small-cell lung cancer harbouring mutations of the epidermal growth factor receptor（WJTOG3405）: an open label, randomised phase 3 trial. Lancet Oncol, 11(2):121-128, 2010
4) Zhou C et al：Erlotinib versus chemotherapy as first-line treatment for patients with advanced EGFR mutation-positive non-small-cell lung cancer（OPTIMAL, CTONG-0802）: a multicentre, open-label, randomised, phase 3 study. Lancet Oncol, 12(8):735-742, 2011
5) Park K et al：Afatinib versus gefitinib as first-line treatment of patients with EGFR mutation-positive non-small-cell lung cancer（LUX-Lung 7）: a phase 2B, open-label, randomised controlled trial. Lancet Oncol, 17(5):577-589, 2016
6) Kato T et al：Afatinib versus cisplatin plus pemetrexed in Japanese patients with advanced non-small cell lung cancer harboring activating EGFR mutations: Subgroup analysis of LUX-Lung 3. Cancer Sci, 106(9):1202-1211, 2015
7) Schnell D et al：Pharmacokinetics of afatinib in subjects with mild or moderate hepatic impairment. Cancer Chemother Pharmacol, 74(2):267-275, 2014
8) Schuler M et al：First-line afatinib vs gefitinib for patients with EGFR mutation-positive NSCLC（LUX-Lung 7）: impact of afatinib dose adjustment and analysis of mode of initial progression for patients who continued treatment beyond progression. J Cancer Res Clin Oncol, 145(6):1569-1579, 2019
9) Ramalingam SS et al：Overall Survival with Osimertinib in Untreated, *EGFR*-Mutated Advanced NSCLC. N Engl J Med, 382(1):41-50, 2020
10) Ohe Y et al：Osimertinib versus standard-of-care EGFR-TKI as first-line treatment for EGFRm advanced NSCLC: FLAURA Japanese subset. Jpn J Clin Oncol, 49(1): 29-36, 2019

11) Wu YL et al：Dacomitinib versus gefitinib as first-line treatment for patients with EGFR-mutation-positive non-small-cell lung cancer（ARCHER1050）: a randomised, open-label, phase 3 trial. Lancet Oncol, 18(11):1454-1466, 2017
12) Mok TS et al：Improvement in Overall Survival in a Randomized Study That Compared Dacomitinib With Gefitinib in Patients With Advanced Non-Small-Cell Lung Cancer and EGFR-Activating Mutations. J Clin Oncol, 36(22):2244-2250, 2018

（鈴木　賢一）

第3章 抗がん薬 ── 7 分子標的治療薬：低分子型抗体 ── I EGFRチロシンキナーゼ阻害薬

表　EGFRチロシンキナーゼ阻害薬　比較表

一般名	ゲフィチニブ	エルロチニブ
商品名	イレッサ	タルセバ
剤形	錠	錠
分類	EGFRチロシンキナーゼ阻害薬	
がん種	EGFR遺伝子変異陽性の手術不能または再発非小細胞肺癌	切除不能な再発・進行性で, がん化学療法施行後に増悪した非小細胞肺癌, EGFR遺伝子変異陽性の切除不能な再発・進行性で, がん化学療法未治療の非小細胞肺癌, 治癒切除不能な膵癌
投与量	・1日1回250mgを経口投与 ・食後投与が望ましい（日本人高齢者に無酸症が多いとの報告あり）	〈切除不能な再発・進行性で, がん化学療法施行後に増悪した非小細胞肺癌, EGFR遺伝子変異陽性の切除不能な再発・進行性で, がん化学療法未治療の非小細胞肺癌〉 1日1回150mg, 食事の1時間以上前または食後2時間以降。適宜減量 〈治癒切除不能な膵癌〉 ゲムシタビン併用：1日1回100mg, 食事の1時間以上前または食後2時間以降。適宜減量
腎障害	・減量不要*	・減量不要
肝障害	・Child-Pugh 分類による中等度および重度の肝機能障害患者では, ゲフィチニブ250mg服用時の未変化体のAUCが健常人の3.1倍まで上昇することが報告されている[1]	・Grade4：投与中止, Grade2以上ではGrade1に回復するまで休薬し, 1段階減量して再開する（国内第Ⅱ相試験）
相互作用 （酸分泌抑制薬以外）	・CYP3A4阻害薬との併用で作用増強, 同じく誘導薬で作用減弱の懸念あり ・ワルファリンとの併用・INR上昇の報告あり（機序不明）[2]	・CYP3A4阻害薬との併用で作用増強, 同じく誘導薬で作用減弱の懸念あり ・ワルファリンとの併用：INR上昇の報告あり（機序不明）[1] ・喫煙によりCYP1A2が誘導され, 本剤の代謝が亢進し血中濃度が低下
特に注意すべき有害事象	・皮膚症状, ざ瘡, 爪囲炎, 口内炎, 下痢, 肝機能障害など	・皮膚症状, ざ瘡, 爪囲炎, 口内炎, 下痢, 肝機能障害など
注意点（内服薬：食事との影響/注射薬：調製・投与時）	・日本人高齢者において無酸症が多いことが報告されているので, 食後投与が望ましい[3] ・フラノクマリン誘導体を含む柑橘類との併用で毒性増強, 健康食品などに含まれるセイヨウオトギリソウとの併用で効果減弱の懸念あり	・食事の1時間前から食後2時間の服用は避ける
文献	*米国の添付文書ではCcr20以下では注意が必要とされている 1) Rosell R et al：Lancet Oncol, 13(3):239-246, 2012 2) Hiraide M et al：J Oncol Pharm Pract, 25(7):1599-1607, 2019 3) Morihara M et al：Biol Pharm Bull, 24(3):313-315, 2001	1) Hiraide M et al：J Oncol Pharm Pract, 25(7):1599-1607, 2019 2) Katsuya Y et al：Cancer Chemother Pharmacol, 76(1):125-132, 2015

アファチニブ	オシメルチニブ	ダコミチニブ
ジオトリフ	タグリッソ	ビジンプロ
錠	錠	錠
EGFRチロシンキナーゼ阻害薬		
EGFR遺伝子変異陽性の手術不能または再発非小細胞肺癌	EGFRチロシンキナーゼ阻害薬に抵抗性のEGFR T790M変異陽性の非小細胞肺がん，EGFR遺伝子変異陽性の手術不能または再発非小細胞肺癌	EGFR遺伝子変異陽性の手術不能または再発非小細胞肺癌
・1日1回40mgを空腹時経口投与，適宜増減するが1日1回50mgまで増量可能	・1日1回80mgを経口投与，適宜減量	・1日1回45mgを経口投与，適宜減量
・Ccr > 60 mL/min：減量不要 ・Ccr < 60 mL/min：AUC上昇報告あり	・減量不要	・減量不要*
・原則的に用量調節不要。ただしChild-Pugh分類重度におけるデータなし	・Child-Pugh分類の中等度では，正常値の患者と比較してAUCやC$_{max}$に変化がなかった[1]。ただし，主な臨床試験では肝転移がない場合AST，ALTは2.5倍，肝転移を有する場合は5倍を超える患者は除外されており，重度の肝機能障害時の投与に関しては慎重に考慮すべき[2]	・国際共同第Ⅲ相試験ではChild-Pugh分類の中等度までの患者，およびAST，ALTがULNの2.5倍，肝転移例では5倍までが許容されていた
・P糖タンパク阻害薬との併用：AUC，C$_{max}$は上昇 ・P糖タンパク誘導薬との併用：AUC，C$_{max}$ともに低下	・CYP3誘導薬との併用：本剤の効果が減弱 ・P糖タンパクの基質薬およびBCRP基質薬との併用：本剤の副作用が増強するおそれ ・QTを延長する薬剤との併用：本剤のQT延長が増強するおそれ	・CYP2D6で代謝されるほかの薬剤の曝露量を増加させる可能性あり。特に治療域の狭いCYP2D6の基質薬は，本剤との併用を避けるべき
・皮膚症状，ざ瘡，爪囲炎，下痢など	・皮膚症状，ざ瘡，爪囲炎，下痢などが発現するが，ほかのEGFR-TKIと比較して頻度，重篤度ともに低い傾向である	・下痢，爪囲炎，ざ瘡様皮疹
・食事摂取1時間前から食後3時間の服用は避ける	・空腹時や高脂肪食摂取後に服用した際のAUCやC$_{max}$に変化がないことが確認されている[3]	・高脂肪・高カロリー食後投与時のAUC，およびC$_{max}$は空腹時投与と比較してその変化はわずか
1) Wiebe S et al：Eur J Drug Metab Pharmacokinet, 42(3):461-469, 2017	1) Grande E et al：J Pharmacol Exp Ther, 369(2):291-299, 2019 2) Mok TS et al：N Engl J Med, 376(7):629-640, 2017 3) Vishwanathan K et al：J Clin Pharmacol, 58(4):474-484, 2018	*国際共同第Ⅲ相試験ではCcr30以上（尿蛋白3+未満）まで許容されていた[1] 1) Wu YL et al：Lancet Oncol, 18(11):1454-1466, 2017

7-2　BCR-ABL チロシンキナーゼ阻害薬

1　医薬品の特徴（基本知識）

　遺伝情報をもつ染色体に異常な変化が生じ，この染色体から異常なタンパク質（BCR-ABL）が作られ，ここからBCR-ABLチロシンキナーゼが活性化されることにより腫瘍細胞が増殖する（図）。BCR-ABLチロシンキナーゼはATPによって活性化する。BCR-ABLチロシンキナーゼ阻害薬は，チロシンキナーゼに対しATPの代わりに結合することにより，このチロシンキナーゼを阻害することで，がん細胞の増殖を抑制する。

（加藤　裕久）

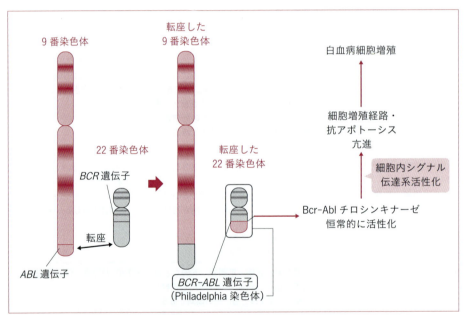

（濱 敏弘 監，鈴木賢一 他 編：整理して理解する抗がん薬，じほう，p.176, 2019）
図　BCR-ABL 遺伝子（Philadelphia 染色体）の形成

2　各論（医薬品ごとの特徴）

2-1　イマチニブ

　2001年に登場した，第一世代のBCR-ABLチロシンキナーゼ阻害薬である。慢性骨髄性白血病（CML），KIT（CD117）陽性消化管間質腫瘍（GIST），フィラデルフィア染色体陽性急性リンパ性白血病，FIP1L1-PDGFRα陽性の好酸球増多症候群，慢性好酸球白血病を適応にもつ。

CML，フィラデルフィア染色体陽性急性リンパ性白血病の病因となるBCR-ABLチロシンキナーゼおよびKIT（CD117）陽性GISTの病因となるKITチロシンキナーゼ，好酸球増多症候群／慢性好酸球性白血病の病因の1つであるFIP1L1-PDGFRαチロシンキナーゼに対して，ATP結合部位でATPと競合的に結合することでチロシンキナーゼ活性を阻害する。

CMLの慢性期には1日1回食後に400mg（最大600mgまで），移行期または急性期には1日1回食後に600mg〔最大1日800mg（1回400mgを1日2回）まで〕投与する。フィラデルフィア染色体陽性急性リンパ性白血病には1日1回食後に600mg投与する。KIT（CD117）陽性消化管間質腫瘍（GIST）には1日1回食後に400mg投与する。FIP1L1-PDGFRα陽性の好酸球増多症候群，慢性好酸球白血病には1日1回食後に100mg（最大400mg）投与する。

直接的な消化管刺激作用による嘔吐，下痢を最小限に抑えるため，食後に多めの水で服用する。主に肝臓，CYP3A4によって代謝される。第二世代，第三世代のTKI登場により臨床での使用頻度は限られるが，後発品があることや，発売から20年ほど経過し使用経験が豊富なことから，第二世代，第三世代のTKIが使用しにくい患者へ適用される。

2-2　ダサチニブ

アミノチアゾール基を有する第二世代の経口TKIである。BCR-ABL以外にSRCファミリーキナーゼ（SRC，LCK，YES，FYN），c-KIT，EPH（エフリン）A2受容体およびPDGF（血小板由来増殖因子）β受容体を阻害する作用を有している。イマチニブ耐性ABLキナーゼドメイン変異のうち，T315I以外の18種類の変異に対し細胞障害作用を有している。

CMLおよび再発または難治性のフィラデルフィア染色体陽性急性リンパ性白血病を適応にもつ。CMLの慢性期には1日1回100mg（最大140mgまで），移行期または急性期には1回70mgを1日2回（最大1回90mgまで）投与する。再発または難治性のフィラデルフィア染色体陽性急性リンパ性白血病には1回70mgを1日2回（最大1回90mgまで）投与する。食事の影響はわずかにあるものの，臨床上問題ではないと考えられている。主に肝臓，CYP3A4により代謝され，活性代謝物は主にCYP3A4を介して生成される。吸収が抑制され，血中濃度が低下する可能性があるため，H₂受容体拮抗薬またはプロトンポンプ阻害薬との併用は推奨されていない。また，水酸化アルミニウムや水酸化マグネシウム含有の制酸薬の投与が必要な場合は，ダサチニブ投与の少なくとも2時間前または2時間後に投与することとされている。

重大な副作用として骨髄抑制，出血，体液貯留，感染症，間質性肺疾患，腫瘍崩壊症候群，心電図QT延長，心筋梗塞，急性腎障害，肺動脈性肺高血圧症がある。QT間隔延長を起こすことが知られている薬剤(イミプラミン塩酸塩，ピモジドなど，抗不整脈薬)については併用に注意が必要となる。『肺高血圧症治療ガイドライン（2017年改訂版）』においても関連性のある薬剤として取り上げられており，注意が必要である。WHO肺高血圧症機能分類のⅠ度ではほぼ無症状，Ⅱ度では「普通の身体活動で呼吸困難や疲労，胸痛や失神が起こる」となっており，問診，心エコー検査などをあわせてスクリーニングを行うことが必要である。体液貯留については胸水が約2割に認められ，呼吸困難，乾性咳嗽などの胸水を示唆する症状に注意する。

2-3　ニロチニブ

　第二世代の経口TKIである。BCR-ABL，幹細胞因子（SCF）受容体のKITおよび血小板由来成長因子受容体（PDGFR）チロシンキナーゼに対するATPの結合と競合的に拮抗し，阻害作用を示す。野生型BCR-ABLには，イマチニブと比較して約30倍強力な阻害作用を有している。KITおよびPDGFRチロシンキナーゼの阻害作用はイマチニブと同程度である。イマチニブ抵抗性のBCR-ABL変異体発現細胞株33種のうち，T315I変異体を除く32種に対し，細胞増殖を抑制する。

　慢性期または移行期の慢性骨髄性白血病を適応にもつ。1回400mgを食事の1時間以上前または食後2時間以降に1日2回，12時間ごとを目安に投与する。ただし，初発の慢性期の慢性骨髄性白血病の場合，1回投与量は300mgとする。食後に投与した場合，血中濃度が増加するとの報告があるため，食事の1時間前から食後2時間までの服用は避けることとされている。

　主に肝臓・CYP3A4および一部CYP2C8で代謝され，また，P糖蛋白質の基質であるため，ニロチニブの吸収と消失は，CYP3A4またはP糖蛋白質に影響を及ぼす薬剤の影響を受けると考えられている。また，溶解度がpHの上昇により低下するため，プロトンポンプ阻害薬などの胃内pHを上昇させる薬剤とは併用注意となっている。しかし，ファモチジン，制酸薬については，ニロチニブと服用時間をずらすことでC_{max}およびAUCに影響を与えなかったとの報告がある[1]（ファモチジン：ニロチニブ投与の10時間前および2時間後に投与，制酸薬：ニロチニブ投与2時間前または2時間後に投与）。

　重大な副作用として骨髄抑制，QT延長，心筋梗塞，末梢動脈閉塞性疾患，脳梗塞，高血糖，心膜炎，出血，感染症，肝炎・肝機能障害，膵炎，体液貯留，間質性肺疾患，脳浮腫，消化管穿孔，腫瘍崩壊症候群などが認められる。

2-4　ボスチニブ

　BCR-ABLチロシンキナーゼおよびSrcファミリーキナーゼの選択的かつ強力な阻害薬である。PDGFRおよびKITチロシンキナーゼに対する阻害作用は低い。BCR-ABLチロシンキナーゼのATP結合部位にATPと競合的に結合することにより，基質のチロシンリン酸化を阻害するとともに，BCR-ABLチロシンキナーゼの直下に位置するSrcファミリーキナーゼなどの下流シグナル伝達系の数カ所のポイントにおいてもリン酸化を阻害し，腫瘍の異常増殖を抑制する。

　慢性骨髄性白血病を適応にもち，1日1回500mgを食後に投与する（初発の慢性期の慢性骨髄性白血病の場合には，1回投与量400mg）。最大で1日1回600mgまで増量が可能である。肝機能障害を有する患者，中等度以上の腎機能障害を有する患者では用法用量の調節を考慮する。

　主にCYP3A4で代謝されるため，阻害薬・誘導薬との併用については注意が必要である。胃内pHの上昇により吸収が抑制され，血中濃度が低下する可能性があるため，プロトンポンプ阻害薬とは併用注意となっている。

　重大な副作用として，肝炎，重度の下痢，骨髄抑制，体液貯留，ショック，心障害，感染症，出血，膵炎，間質性肺疾患，腎不全，肺高血圧症，腫瘍崩壊症候群，中毒性表皮壊死融解症が認められている。

　また，浮動性めまい，疲労，視力障害が現れることがあるため，自動車の運転など危険を伴う機

械の操作に従事させないよう説明が必要である。下痢は発現頻度が高い副作用で，国内第Ⅰ／Ⅱ相試験（B1871007試験）では，日本人慢性期CML患者において93.7％に認められ，Grade3以上の重度の下痢は12.7％に認められた。患者に十分な指導を行う，止痢薬の使用，用量調節など，導入開始より細やかな介入を行うことで服薬が継続できるようにすることが肝要である。

2-5　ポナチニブ

　第三世代TKIである。ポナチニブはその構造に炭素間三重結合を有する新規化合物であり，BCR-ABLにアミノ酸1残基の変異が存在しても，活性部位への結合阻害が生じにくいように設計されている。このため，T315Iを含む14種類の変異型BCR-ABLチロシンキナーゼに対する阻害活性を有する。前治療薬に抵抗性又は不耐容の慢性骨髄性白血病，再発又は難治性のフィラデルフィア染色体陽性急性リンパ性白血病の適用をもつ。1日1回45mgを経口投与する。食事の影響を受けないが，CYP3A4阻害作用，誘導作用を有する薬剤はそれぞれAUCの上昇，低下が認められ注意が必要である。

　ポナチニブは多くのキナーゼ活性を阻害し，血管内皮機能に関連するキナーゼも強く阻害する[2]。このため，ポナチニブの服薬継続については血管閉塞性事象，高血圧などの副作用を十分に管理していくことが重要となる。血管閉塞性事象およびGrade3以上の心不全以外の副作用が発現した場合には，添付文書記載の基準を参考に休薬，減量または投与中止する必要がある。

　重篤な副作用として冠動脈疾患，脳血管障害，末梢動脈閉塞性疾患，静脈血栓塞栓症，骨髄抑制，高血圧，肝機能障害，膵炎，体液貯留，不整脈，ニューロパチーなどがある。

【参考文献】
1) Yin OQ et al : Effects of famotidine or an antacid preparation on the pharmacokinetics of nilotinib in healthy volunteers. Cancer Chemother Pharmacol, 71(1):219-226, 2013
2) Moslehi JJ et al : Tyrosine Kinase Inhibitor-Associated Cardiovascular Toxicity in Chronic Myeloid Leukemia. J Clin Oncol, 33(35):4210-4218, 2015

〈山口　健太郎〉

表　BCR-ABLチロシンキナーゼ阻害薬　比較表

一般名	イマチニブ	ダサチニブ
商品名	グリベック	スプリセル
剤形	錠	錠
分類	BCR-ABLチロシンキナーゼ阻害薬	
がん種	慢性骨髄性白血病，KIT（CD117）陽性消化管間質腫瘍，フィラデルフィア染色体陽性急性リンパ性白血病，FIP1L1-PDGFRα陽性好酸球増多症候群，FIP1L1-PDGFRα陽性慢性好酸球性白血病	慢性骨髄性白血病，再発または難治性のフィラデルフィア染色体陽性急性リンパ性白血病
投与量	〈慢性骨髄性白血病〉 ・慢性期：1日1回400mg，1日600mgまで増量可能 ・移行期または急性期：1日1回600mg，1日800mg（1日2回，1回400mg）まで増量可能 〈KIT（CD117）陽性消化管間質腫瘍〉 1日1回400mg，適宜減量 〈フィラデルフィア染色体陽性急性リンパ性白血病〉 1日1回600mg，適宜減量 〈FIP1L1-PDGFRα陽性好酸球増多症候群，FIP1L1-PDGFRα陽性慢性好酸球性白血病〉 1日1回100mg，1日1回400mgまで増量可能	〈慢性骨髄性白血病〉 ・慢性期：1日1回100mg，1日1回140mgまで増量可能，移行期または急性期：1回70mgを1日2回，経口投与，1回90mgを1日2回まで増量可能 〈再発または難治性のフィラデルフィア染色体陽性急性リンパ性白血病〉 1回70mgを1日2回経口投与，1回90mgを1日2回まで増量可能
腎障害	・減量不要	・減量不要
肝障害	・ビリルビン，AST，ALTの上昇（ビリルビン：正常値上限の3倍以上，またはAST，ALT値：正常値上限の3倍以上）→ビリルビン値が1.5倍未満に，AST，ALT値が2.5倍未満に低下するまで本剤を休薬→本剤を減量して治療を再開	慎重投与：本剤は主に肝臓で代謝されるため，肝障害のある患者では高い血中濃度が持続するおそれがある 肝機能障害患者におけるダサチニブの薬物動態の成績は得られていない。中等度～重度の肝機能障害患者での使用経験はない
相互作用（酸分泌抑制薬以外）	併用禁忌：ロミタピド 併用注意：L-アスパラギナーゼ（肝障害の発現上昇），アゾール系抗真菌薬（本剤の血中濃度が上昇），ニロチニブ（本剤およびニロチニブの血中濃度が上昇），CYP3A4阻害薬（本剤の血中濃度が上昇），CYP3A4誘導薬（本剤の血中濃度が低下），CYP3A4の基質となる薬剤（対象薬剤の血中濃度が上昇），ワルファリン（ワルファリンの血中濃度が上昇），アセトアミノフェン（肝障害），など	・CYP3A4阻害薬：本剤の血中濃度が上昇 ・CYP3A4誘導薬：本剤の血中濃度が低下 ・CYP3A4の基質となる薬剤（本剤および対象薬剤の血中濃度が上昇），抗不整脈薬，QT間隔延長を起こすおそれのある薬剤（QT間隔延長を増強させるおそれ）
特に注意すべき有害事象	・骨髄抑制，出血（脳出血，硬膜下出血），消化管出血，消化管穿孔，肝機能障害，重篤な体液貯留，重篤な腎障害，間質性肺炎，横紋筋融解症　など	・骨髄抑制，体液貯留（胸水，心嚢液貯留など），出血（消化管，脳，硬膜下），QT延長，心不全，間質性肺疾患，肺高血圧症　など
注意点（内服薬：食事との影響/注射薬：調製・投与時）	・食後に服用する	・食事の影響はわずかにあるが臨床上問題ない程度
文献	―	―

	ニロチニブ	ボスチニブ	ポナチニブ
	タシグナ	ボシュリフ	アイクルシグ
	カプセル	錠	錠
	BCR-ABL チロシンキナーゼ阻害薬		
	慢性期または移行期の慢性骨髄性白血病	慢性骨髄性白血病	前治療薬に抵抗性または不耐容の慢性骨髄性白血病，再発または難治性のフィラデルフィア染色体陽性急性リンパ性白血病
	・成人：1回400mg（初発：1回300mg），小児：1回約230mg/m²を投与（添付文書の換算表を参照）いずれもを1日2回12時間ごとを目安に，食事の1時間以上前または食後2時間以降に投与	・1日1回500mg，1日1回600mgまで増量可能（初発の慢性期の慢性骨髄性白血病の場合：1日1回400mg)	・1日1回45mgを経口投与，適宜減量
	・減量不要	・減量を考慮（中等度および重度の腎機能障害被験者のAUCはそれぞれ，35％および60％上昇）	・減量不要
	・減量不要（AUC上昇はChild-Pugh分類A，B，およびCの被験者でそれぞれ，1.35倍，1.35倍，および1.19倍で影響は小さい）	・減量を考慮（C_{max}はChild-Pugh分類A，B，およびCの被験者でそれぞれ，142％，99％および52％上昇し，AUCは125％，100％および91％上昇，$t_{1/2}$が健康被験者よりも延長）	・減量不要（AUC：Child-Pugh分類A患者で123％に上昇，Child-Pugh分類B，C患者ではそれぞれ91％，79％に減少）
	・CYP3A4阻害薬（本剤の血中濃度が上昇），CYP3A4誘導薬（本剤の血中濃度が低下），CYP3A4により代謝される薬剤（ミダゾラム：血中濃度が上昇），CYP3A4，P糖蛋白の基質および阻害する薬剤（本剤および対象薬剤の血中濃度が上昇），抗不整脈薬，QT間隔延長を起こすおそれのあるほかの薬剤（QT間隔延長を起こすまたは悪化させるおそれ）	・CYP3A4阻害薬：本剤の血中濃度が上昇 ・CYP3A4誘導薬：本剤の血中濃度が低下	・CYP3A4阻害薬：本剤の血中濃度が上昇 ・CYP3A4誘導薬：本剤の血中濃度が低下
	・骨髄抑制，QT間隔延長，心筋梗塞，狭心症，心不全，末梢動脈閉塞疾患，脳梗塞，一過性脳虚血発作，高血糖，肝炎，肝機能障害，膵炎，体液貯留，間質性肺疾患 など	・肝炎，肝機能障害，重度の下痢，骨髄抑制，体液貯留，心障害，出血，膵炎，間質性肺疾患，腎不全，肺高血圧症 など	・冠動脈疾患，脳血管障害，末梢動脈閉塞性疾患，静脈血栓塞栓症，骨髄抑制，高血圧，肝機能障害，膵炎，体液貯留，重度の皮膚障害，出血，心不全，うっ血性心不全，不整脈 など
	・食事の影響を受けるため，服用は食前1時間前，または食後2時間以降に服用する	・食後に服用する	―
	―	―	―

7-3 ALK 阻害薬

1 医薬品の特徴（基本知識）

　チロシンキナーゼの1つのALK（未分化リンパ腫キナーゼ）遺伝子がほかの遺伝子と融合して異常なALK融合遺伝子ができ，腫瘍化する（図1）。ALK阻害薬はALK融合タンパク質のチロシンキナーゼ活性を阻害することで抗腫瘍効果を現す。

（加藤　裕久）

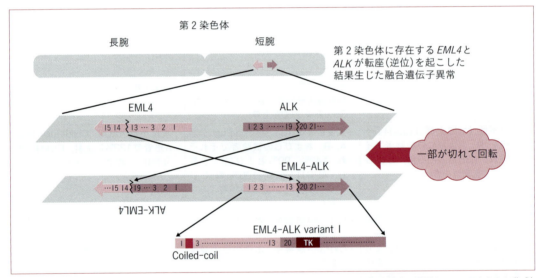

（日本肺癌学会：肺癌患者におけるALK遺伝子検査の手引き，2015をもとに作成）

図1　ALK遺伝子転座変異

2 各論（医薬品ごとの特徴）

2-1　クリゾチニブ

　クリゾチニブは国内で最初に承認されたALK阻害薬である。クリゾチニブはもともと，c-METとNPM-ALKを標的としたチロシンキナーゼ阻害薬として開発が進められていたが，その後ALK融合遺伝子陽性肺がん患者に対する高い奏効率が確認されたため，ALK融合遺伝子陽性肺がんに対する治療薬として早期承認された。『肺癌診療ガイドライン2020年版』では，PS0-1のALK融合遺伝子陽性例に対して「2A」として推奨されている。

1）ROS1-TKIとしての作用を有する

　クリゾチニブは，ALK融合遺伝子陽性の患者に対するALK-TKIとしての作用のほか，ROS1-TKIとしての作用も有する薬剤である。*ROS1*融合遺伝子は，*EGFR*遺伝子変異や*ALK*融合遺伝子変異と同様に，肺がんにおけるドライバー遺伝子の1つである。*ROS1*融合遺伝子陽性例は，非小細胞肺がんの1〜2％と非常に少ない割合で存在している。クリゾチニブはこの*ROS1*融合遺伝子陽性肺がんに対しても，非常に高い治療効果が得られている。*ROS1*融合遺伝子陽性の非小細胞肺がんでは，クリゾチニブの効果が複数報告されている。わが国を含む東アジアで実施された試験では，127例が登録され，ORR 71.7％，PFS中央値15.9カ月であった[1]。なお，『肺癌診療ガイドライン2020年版』では*ROS1*融合遺伝子陽性例に対してクリゾチニブは「1C」として推奨されている。

2-2　アレクチニブ

1）薬物間物間相互作用

　アレクチニブは肝薬物代謝酵素CYP3Aにより代謝を受けM4に代謝される。また代謝物M4は未変化体と同等の薬理活性を有しており，これらの濃度が効果に反映していると考えられている。また同様にM4もCYP3Aの基質となるため，CYP3A阻害薬または誘導薬との併用により薬物動態に変動が生じる可能性がある。

2）ALK融合遺伝子陽性，PS0-1のⅣ期非小細胞肺がんにおける位置づけ

　ALK融合遺伝子陽性，PS0〜1のⅣ期非小細胞肺がんを対象として，アレクチニブとクリゾチニブを比較した複数の第Ⅲ相試験が実施されている。わが国で実施されたJ-ALEX試験では，PFSのHRが0.38（25.9カ月vs10.2カ月，95％CI：0.26-0.55，$P<0.0001$）と，良好な成績が示された[2]。『肺癌診療ガイドライン2020年版』ではALK融合遺伝子陽性，PS0〜1のⅣ期非小細胞肺がんにおいて「1A」として推奨されている。

3）PS不良例への投与

　アレクチニブは，PS不良例に対する有効性が報告されている。わが国において，少数例ではあるがALK融合遺伝子陽性のPS不良患者を対象として，アレクチニブの有効性および安全性を評価した第Ⅱ相試験（LOGiK1401試験）が行われた。主要評価項目であるORRは72.2％，同試験のアップデートでは，PFS中央値が16.2カ月，OS中央値は30.3カ月であったと報告されている[3]。『肺癌診療ガイドライン2020年版』において，ALK融合遺伝子陽性のPS不良例に対しては，唯一本剤のみが「1C」として推奨されている。

2-3　セリチニブ

1）体内動態からみた服用のタイミング

　発売当初は空腹時に750mg服用とされていたが，食後の450mgと空腹時の750mgにおいて両群間で同等の体内動態を示し，なおかつ奏効率も同等であったことから，2019年2月より，添付

文書上1日1回450mg食後服用に改訂された（**図2**）[4]。

2）減量規定
ジカディア®インタビューフォームにおいて減量休薬基準が**表1**のとおり示されている。

2-4　ロルラチニブ

1）耐性変異に対する感受性
　ALK耐性変異にはL1196M，C1156Y/T，L1152P/R，G1202R，S1206Y，I1171T/N，1151Tinなどの二次変異が報告されている。特にG1202R，1151Tinに対してはクリゾチニブ，アレクチニブ，セリチニブのいずれもが耐性となり，効果が得られにくいことが示唆されている。しかしながらロルラチニブはこれらの変異に対しても感受性を有しており，『肺癌診療ガイドライン2020年版』では，一次治療のALK-TKI耐性または増悪後（二次治療以降）のPS0〜2の患者に対して，「2C」として推奨されている（**表2**）[5]。

2）特徴的な副作用
　従来のALK阻害薬で好発していた悪心や下痢などは少ない傾向であるが，高コレステロール血症，高トリグリセリド血症，浮腫，末梢神経障害，体重増加，認知症状などが発現しやすい。自覚症状では気づかない可能性もあるため，定期的に採血を実施することが重要である。また頻度は少ないが，ほかのALK阻害薬と同様にQT間隔延長には注意が必要である[6]。

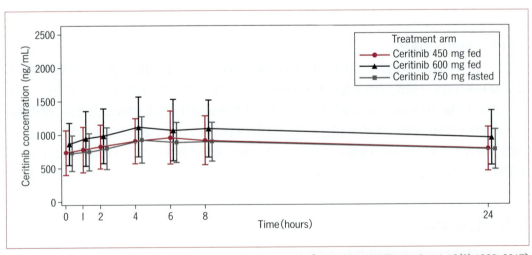

〔Cho BC et al：J Thorac Oncol, 12(9):1363, 2017〕

図2　用量ごとの体内動態

表1 副作用に対する休薬，減量及び中止基準

	基準[注]	本剤の投与量調節
間質性肺疾患	Gradeを問わない	投与中止。
肝機能障害	・Grade1以下のAST増加又はALT増加，かつGrade2の血中ビリルビン増加 ・Grade2又は3のAST増加又はALT増加，かつGrade1以下の血中ビリルビン増加	AST増加，ALT増加及び血中ビリルビン増加がGrade1以下に回復するまで休薬する。投与再開時には，7日間以内に軽快した場合は休薬前と同じ投与量，7日間を超えて軽快した場合は投与量を150mg減量する。
	・Grade1以下のAST増加又はALT増加，かつGrade3の血中ビリルビン増加 ・Grade2以上のAST増加又はALT増加，かつ正常上限の1.5倍超，2倍以下の血中ビリルビン増加	AST増加，ALT増加及び血中ビリルビン増加がGrade1以下に回復するまで休薬する。7日間以内に軽快した場合は，投与量を150mg減量して投与再開する。7日間以内に軽快しない場合は，投与中止する。
	・Grade4のAST増加又はALT増加，かつGrade1以下の血中ビリルビン増加	AST増加及びALT増加がGrade1以下に回復するまで休薬する。投与再開時には，投与量を150mg減量する。
	・Grade4の血中ビリルビン増加 ・Grade2以上のAST増加又はALT増加，かつ正常上限の2倍超の血中ビリルビン増加	投与中止。
QT間隔延長	QTc 500msec超が2回以上認められた場合	ベースライン又は481msec未満に回復するまで休薬する。投与再開時には，投与量を150mg減量する。
	QTc 500msec超，又はベースラインからのQTc延長が60msec超，かつTorsade de pointes，多形性心室性頻脈又は重症不整脈の徴候・症状が認められた場合	投与中止。
徐脈	症候性で治療を要する重篤な場合	無症候性又は心拍数が60bpm以上に回復するまで休薬する。投与再開時には，投与量を150mg減量する。
	生命の危険があり緊急治療を要する場合	投与中止。
悪心・嘔吐・下痢	・Grade3以上 ・適切な制吐剤又は止瀉剤の使用にもかかわらずコントロールできない場合	Grade1以下に回復するまで休薬する。投与再開時には，投与量を150mg減量する。
高血糖	適切な治療を行っても250mg/dLを超える高血糖が持続する場合	血糖がコントロールできるまで休薬する。投与再開時には，投与量を150mg減量して再開する。
リパーゼ又はアミラーゼ増加	Grade3以上	Grade1以下に回復するまで休薬する。投与再開時には，投与量を150mg減量する。

注）GradeはCTCAE ver. 4に準じる。

〔ジカディア®インタビューフォーム（第7版），p.12，2021〕

表2 耐性変異に対する各薬剤の感受性

ALK inhibitor	Crizotinib	Ceretinib	Alectinib	PF-06463922
Resistance mutation				
G1123S		Resistant	Sensitive	
1151Tins	Resistant	Resistant	Resistant	Sensitive
L1152P/R	Resistant	Resistant	Sensitive	Sensitive
C1156Y/T	Resistant	Resistant	Sensitive	Sensitive
I1171T/N	Resistant	Sensitive	Resistant	Sensitive
F1174L/C	Resistant	Resistant	Sensitive	Sensitive
V1180L	Resistant	Sensitive	Resistant	Sensitive
L1196M	Resistant	Sensitive	Sensitive	Sensitive
G1202R	Resistant	Resistant	Resistant	Sensitive
S1206Y	Resistant	Sensitive	Sensitive	Sensitive
G1269A/S	Resistant	Sensitive	Sensitive	Sensitive

＊PF-06463922：ロルラチニブ

〔Bayliss R et al：Cell Mol Life Sci, 73(6):1209-1224, 2016〕

【参考文献】
1) Wu YL et al：Phase Ⅱ Study of Crizotinib in East Asian Patients With ROS1-Positive Advanced Non-Small-Cell Lung Cancer. J Clin Oncol, 36(14):1405-1411,2018
2) Hida T et al：Alectinib versus crizotinib in patients with ALK-positive non-small-cell lung cancer（J-ALEX）：an open-label, randomised phase 3 trial. Lancet, 390(10089):29-39, 2017
3) Iwama E et al：Survival Analysis for Patients with ALK Rearrangement-Positive Non-Small Cell Lung Cancer and a Poor Performance Status Treated with Alectinib: Updated Results of Lung Oncology Group in Kyushu 1401. Oncologist, 25(4):306-e618, 2020
4) Cho BC et al：ASCEND-8: A Randomized Phase 1 Study of Ceritinib, 450 mg or 600 mg, Taken with a Low-Fat Meal versus 750 mg in Fasted State in Patients with Anaplastic Lymphoma Kinase（ALK）-Rearranged Metastatic Non-Small Cell Lung Cancer（NSCLC）. J Thorac Oncol, 12(9):1357-1367, 2017
5) Bayliss R et al：Molecular mechanisms that underpin EML4-ALK driven cancers and their response to targeted drugs. Cell Mol Life Sci, 73(6):1209-1224, 2016
6) Solomon BJ et al：Lorlatinib in patients with ALK-positive non-small-cell lung cancer: results from a global phase 2 study. Lancet Oncol, 19(12):1654-1667, 2018

（鈴木　賢一）

第3章 抗がん薬――7 分子標的治療薬：低分子型抗体――3 ALK阻害薬

表　ALK阻害薬　比較表

一般名	クリゾチニブ	アレクチニブ
商品名	ザーコリ	アレセンサ
剤形	カプセル	カプセル
分類	ALK-TKI	
がん種	ALK融合遺伝子陽性およびROS1融合遺伝子陽性の切除不能な進行・再発の非小細胞肺癌	ALK融合遺伝子陽性の切除不能な進行・再発の非小細胞肺癌，再発または難治性のALK融合遺伝子陽性の未分化大細胞リンパ腫
投与量	・1回250mgを1日2回経口投与，適宜減量	〈ALK融合遺伝子陽性の切除不能な進行・再発の非小細胞肺癌〉 1回300mgを1日2回経口投与 〈再発または難治性のALK融合遺伝子陽性の未分化大細胞リンパ腫〉 1回300mgを1日2回経口投与，体重35kg未満：1回150mg
腎障害	・慎重投与*	・未変化体の尿中排泄率は0.5%とされており腎機能の影響は受けにくい[1]。ただし，もともと血清Cr値（2.5mg/dL）の高い患者に投与した際に，さらにCr値が上昇（3.7mg/dL）したとの報告あり[2]
肝障害	・Grade1以下の血中ビリルビン増加を伴うALTまたはAST上昇⇒Grade1〜2は投与継続，Grade3以上はGrade1以下またはベースラインに回復するまで休薬する。回復後は200mg 1日2回から投与を再開する ・Grade2〜4の血中ビリルビン増加を伴うALTまたはAST上昇⇒Grade1は投与継続，Grade2以上は投与中止（GradeはNCI-CTCAEによる）	・アレクチニブは未変化体，代謝物M4ともに肝薬物代謝酵素の影響を受ける。肝機能障害時は代謝が遅延し副作用が増強する可能性がある
相互作用（酸分泌抑制薬以外）	・CYP3A4阻害薬との併用で本剤の副作用増強の懸念あり。CYP3A4誘導薬との併用で効果減弱の懸念あり	・本剤は肝薬物代謝酵素CYP3Aにより分解されるため，CYP3A阻害薬または誘導薬との併用時は注意が必要である
特に注意すべき有害事象	・視覚障害（71%，薄暗い環境でオレンジ色の光がちらつくなど，特徴的な訴えあり），その他悪心（56%），下痢（61%），嘔吐（46%），浮腫（49%）など[2]	・ALEX試験結果より，クリゾチニブと比較し悪心，下痢，浮腫，視覚障害などにおいてアレクチニブでは少ない頻度であった。一方筋肉痛，貧血などがクリゾチニブよりも高い頻度であったが，Grade3以上の重症例は認めなかった[3]
注意点（内服薬：食事との影響/注射薬：調製・投与時）	・食事との併用によるクリゾチニブの薬物動態の変動はごくわずかであり，臨床的な影響は極めて小さいとされている[2]	・食後服用と空腹時とでAUCとC$_{max}$は同程度であったとのデータがある。そのため，臨床上の影響はごくわずかと考えられ，食事のタイミングにこだわることなく服用しやすいタイミングを考慮すべきである
文献	*ケースレポートではあるがクリゾチニブ250mgをCcr<30mL/minとCcr≧90mL/minの患者に投与した際のC$_{max}$は1.3倍，AUCは1.8倍に上昇したとの報告あり[1] 1) Shimada M et al：Onco Targets Ther, 10:3211-3214, 2017 2) Solomon BJ et al：N Engl J Med, 371(23):2167-2177, 2014	1) Izzedine H et al：Invest New Drugs, 34(5):643-649, 2016 2) Shimada M et al：Onco Targets Ther, 10:3211-3214, 2017 3) Peters S et al：N Engl J Med, 377(9):829-838, 2017

	セリチニブ	ロルラチニブ
	ジカディア	ローブレナ
	錠，カプセル	錠
	ALK-TKI	
	ALK融合遺伝子陽性の切除不能な進行・再発の非小細胞肺癌	ALK融合遺伝子陽性の切除不能な進行・再発の非小細胞肺癌
	・1日1回450mgを食後に経口投与，適宜減量	・1日1回100mgを経口投与，適宜減量
	・減量不要	・K/DOQI（Kidney Disease Outcome Quality Initiative）[1] 分類による腎機能正常，軽度および中等度の腎機能障害におけるロルラチニブのCLには，意義のある変化は認められなかった。ただし，重度（Ccr<30mL/min）の腎機能障害におけるPKデータは得られていない
	・重度肝機能障害被験者ではAUCが1.66倍（血漿タンパク非結合形濃度のAUCは2.08倍）に増加したとの報告あり。また，肝薬物代謝酵素CYP3Aで代謝を受けるため，肝機能障害時は副作用が増強する可能性がある	・NCI-ODWG（National Cancer Institute-organ dysfunction working group）基準による肝機能正常（A）および軽度（B1-B2）の肝機能障害では，ロルラチニブのクリアランスに意義のある変化は認められなかった。中等度以上の肝機能障害を有する患者のデータは不明である
	・CYP3A誘導薬との併用で効果減弱，CYP3A阻害薬との併用で副作用増強の懸念あり	・本剤はCYP3Aにより代謝され，かつCYP3Aを誘導する。よって阻害薬との併用でAUCおよびC_{max}の増加が懸念される。また，誘導薬との併用では代謝が亢進し効果が減弱する可能性がある
	・食後450mg服用時の副作用発現率：悪心（45.5%），下痢（47.7%），嘔吐（22.7%），食欲不振（38%）など[1]	・高コレステロール血症（66%），高トリグリセリド血症（45%），浮腫（41%），末梢神経障害（28%）など[2]
	・空腹時に服用することで，AUCやC_{max}が低下するおそれがあるため，食後服用とされている	・高脂肪食，空腹時における服用後の体内動態に大きな差はなく，食事の影響は極めて小さいと考えられている
	1) Cho BC et al：J Thorac Oncol, 12(9):1357-1367, 2017	1) National Kidney Foundation：Am J Kidney Dis, 39(2 Suppl 1):S1-266, 2002 2) Solomon BJ et al：Lancet Oncol, 19(12): 1654-1667, 2018

第3章 抗がん薬　7 分子標的治療薬：低分子型抗体

7-4 マルチキナーゼ阻害薬

1 医薬品の特徴（基本知識）

複数のキナーゼに対して阻害作用を有する低分子型分子標的治療薬を**表1，図**に示す。

代表的なマルチキナーゼ阻害薬の1つであるスニチニブは，血小板由来増殖因子受容体（PDGFR-α，PDGFR-β），血管内皮増殖因子受容体（VEGFR-1，VEGFR-2およびVEGFR-3），幹細胞因子受容体（KIT），fms様チロシンキナーゼ3（FLT-3），コロニー刺激因子-1受容体（CSF-1R）およびグリア細胞由来神経栄養因子受容体（RET）の受容体チロシンキナーゼ活性を阻害する。

（加藤　裕久）

表1　代表的なマルチキナーゼ阻害低分子型分子標的薬

医薬品名	構造	標的分子
ソラフェニブ	低分子	VEGFR, PDGFR, KIT, FLT-3, RET, RAF-1, BRAF
スニチニブ	低分子	VEGFR, PDGFR-α，β, KIT, FLT-3, CSF-1R, RET
パゾパニブ	低分子	VEGFR, PDGFR-α，β, KIT
レゴラフェニブ	低分子	VEGFR, PDGFR-α，β, KIT, RET, FGFR, RAF-1, BRAF
バンデタニブ	低分子	VEGFR, EGFR, RET
レンバチニブ	低分子	VEGFR, FGFR, RET, KIT, PDGFR
カボザンチニブ	低分子	VEGFR, MET, AXL

2 各論（医薬品ごとの特徴）

2-1　ソラフェニブ

化学構造式にジアリルエーテル骨格を有し，主にピリジン骨格とカルバモイル基の位置が受容体との結合部位とされる。レゴラフェニブのアミノベンゼン骨格のフッ素を水素に置換した化学構造式である。腫瘍進行に関与する受容体型チロシンキナーゼ（C-Raf，B-Raf，FLT-3，RET）および腫瘍血管新生に関与する受容体型チロシンキナーゼ（VEGFR，PDGFR）のチロシンキナーゼ活性を阻害することで抗腫瘍効果を発揮する。

主な代謝酵素はCYP3A4とUGT1A9であり，ヒトにおける代謝経路は，代謝物M-2への第Ⅰ相酸化的反応と代謝物M-7への第Ⅱ相グルクロン酸抱合反応の2経路である。ヒトにおける排泄経路は主に糞中であり，投与された77％が糞中，19％が尿中に排泄される。

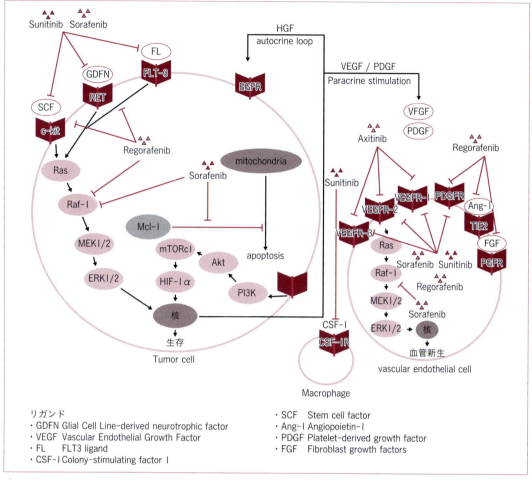

図　マルチキナーゼの作用機序

〔Wilhelm SM et al：Cancer Res, 64(19): 7099-7109, 2004, Liu L et al：Cancer Res, 66(24): 11851-11858, 2006, Semela D et al：J Hepatol, 41(5): 864-880, 2004, Mendel DB et al：Clin Cancer Res, 9(1): 327-337, 2003, O'Farrell AM et al：Blood, 101(9): 3597-3605, 2003, Hu-Lowe DD et al：Clin Cancer Res, 14(22): 7272-7283, 2008, Wilhelm SM et al：Int J Cancer, 129(1): 245-255, 2011, Zhu Y et al：Cancer Res, 74(18): 5057-5069, 2014をもとに作成〕

2-2　スニチニブ

　化学構造式にインドール骨格を有し，キナーゼドメインのATP結合部位に競合的に結合して自己リン酸化を抑制する．特定の受容体型チロシンキナーゼ（VEGFR-1・2・3，PDGFR-α・β，KIT，CSF-1R，FLT-3，RET）のチロシンキナーゼ活性を選択的に阻害し，血管新生と細胞増殖の抑制によって抗腫瘍効果を発揮する．

　主な代謝酵素はCYP3A4であり，ヒトにおける代謝経路は，親化合物と同程度の活性を有するN-脱エチル体へ代謝された後，活性をもたないN-脱メチル体（M3）となる．ヒトにおける排泄経路は主に糞中であり，投与された61％が糞中，16％が尿中に排泄される．

2-3　アキシチニブ

　化学構造式にインダゾール骨格を有する置換インダゾール誘導体である。ほかのチロシンキナーゼ阻害薬より選択性が高く，VEGFRの阻害活性はPDGFR-βより10〜50倍高いとされる。腫瘍血管新生に関与する受容体型チロシンキナーゼ（VEGFR-1・2・3）のチロシンキナーゼ活性を阻害することにより，血管およびリンパ管の新生を阻害して，腫瘍の増殖および転移を抑制し，抗腫瘍効果を発揮する。

　主な代謝酵素はCYP3A4/5であり，一部はCYP1A2，CYP2C19およびUGT1A1によって代謝される。ヒトにおける代謝経路は，さまざまな一次・二次代謝物への広範囲な代謝を受けるが，主にグルクロン酸抱合体およびスルホキシド体となる。ヒトにおける排泄経路は主に糞中であり，投与された30〜60％が糞中，22％が尿中に排泄される。肝細胞への取り込みにはOAP1B1，排泄にはP糖蛋白やBCRPが関与する。

2-4　パゾパニブ

　化学構造式にインダゾール骨格を有し，化合物の水溶性を高め，受容体への作用強度を増加させるスルホンアミドが導入された薬剤である。腫瘍血管新生に関与する受容体型チロシンキナーゼ（VEGFR-1・2・3，PDGFR-α・β，c-Kit）のチロシンキナーゼ活性を阻害することで抗腫瘍効果を発揮する。一部の悪性軟部腫瘍に対しては，血管新生阻害作用を介さない直接的な腫瘍増殖抑制作用により抗腫瘍効果を発揮する可能性が示唆される。

　主な代謝酵素はCYP3A4であるが，ほとんど代謝を受けず未変化体として存在する。ヒトにおける排泄経路は主に糞中であり，投与された82％が糞中，3％が尿中に排泄される。

2-5　レゴラフェニブ

　化学構造式にジアリルエーテル骨格を有し，主にピリジン骨格とカルバモイル基の位置が受容体との結合部位とされる。ソラフェニブのアミノベンゼン骨格にフッ素が導入された化学構造式である。血管新生に関与する受容体型チロシンキナーゼ（VEGFR-1・2・3，TIE2，PDGFR-β，FGFR，KIT，RET，RAF-1，BRAF）のチロシンキナーゼ活性を阻害することで抗腫瘍効果を発揮する。消化管間質腫瘍においては，その発症および進行に関わるとされる変異型KITおよび変異型PDGFRαの活性を阻害し，腫瘍細胞増殖を抑制する。

　主な代謝酵素はCYP3A4であり，ヒトにおる代謝経路は，主にN-オキサイド体（M2）への酸化反応である。ほかにN-オキサイドアミド体（M5）やグルクロン酸抱合体（M7）なども存在する。ヒトにおける排泄経路は主に糞中であり，投与された71％が糞中，19％が尿中に排泄される。

2-6　バンデタニブ

　化学構造式にキナゾリン骨格およびピペリジン骨格を有しているが，化学構造式のどの部位が受容体のどの部位に関与し作用を現しているかは明確にされていない。受容体型チロシンキナーゼ

（VEGFR-2，EGFR，RET）の活性を阻害し，血管新生に関わるVEGFR-2を抑制して間接的に腫瘍増殖を抑制するとともに，EGFRおよびRETのチロシンキナーゼを介する腫瘍細胞の増殖を直接的に抑制することで，相乗的な抗腫瘍効果を示す。

主な代謝酵素はCYP3A4であり，ヒトにおける代謝経路は，主にN-脱メチル体およびN-オキシド体，ならびにグルクロン酸抱合体である。N-脱メチル体は親化合物と同程度の活性を示す。ヒトにおける排泄経路は糞中および尿中のいずれもあり，投与された44％が糞中，25％が尿中に排泄される。

本薬剤の処方に際しては，間質性肺疾患，QT間隔延長およびTorsade de pointesに関して，早期検出と適切な診断・治療のための研修を実施し，当該事象による健康被害を最小化することを目的として，医師は投与前にe-Learningの受講が必要となる。

2-7　レンバチニブ

化学構造式にジアリルエーテル骨格を有し，主にキノリン骨格とカルバモイル基の位置が，VEGFR-2のATP結合領域および隣接するアロステリック領域に結合して，キナーゼ阻害作用を示す。血管新生に関与する受容体型チロシンキナーゼ（VEGFR-1・2・3，FGFR-1・2・3・4，PDGFRα，KIT，RET）のチロシンキナーゼ活性を阻害することで抗腫瘍効果を発揮する。甲状腺がんにおいては，その悪性化に関わるFGFRシグナルおよびRETシグナルを阻害し，肝細胞がんにおいては，その悪性化に関わるFGFRシグナルを阻害し，胸腺がんにおいては，その悪性度との相関が知られているVEGFシグナルを阻害する。

主な代謝酵素はアルデヒドオキシダーゼ（AO）およびCYP3Aであり，グルタチオン（GSH）抱合も関与する。ヒトにおける代謝経路は，AOによる酸化，CYP3Aによる脱メチル化，キノリン骨格へのGSH抱合であり，およそ3：4：3で寄与していると推定される。ヒトにおける排泄経路は主に糞中であり，投与された64％が糞中，25％が尿中に排泄される。

2-8　カボザンチニブ

化学構造式にキノリン骨格を有し，主にキノリン部位窒素原子およびフェニルマロンアミド部位，中央のフェニル環が受容体との作用部位とされる。受容体型チロシンキナーゼ（VEGFR-2，MET，AXL）のチロシンキナーゼ活性を阻害し，腫瘍細胞の増殖を抑制することで抗腫瘍効果を発揮する。

腎細胞がんにおいて，VEGFR治療薬耐性例への治療効果を得るためにはVEGFシグナルのみならず，ほかの主要な受容体下流シグナルへの阻害作用が重要となる。METおよびAXLは耐性克服に有望な治療標的と考えられ，これらを同時に阻害する薬剤として本剤が開発された。

主な代謝酵素はCYP3A4であり，ヒトにおける代謝経路は，一水酸化および硫酸抱合体（M9），6-脱メチル化およびアミド結合加水分解体の硫酸抱合体（M2a），N-オキシド体（M19）である。ヒトにおける排泄経路は糞中および尿中のいずれもあり，投与された54％が糞中，27％が尿中に排泄される。

（市倉　大輔）

表 マルチキナーゼ阻害薬 比較表

一般名	ソラフェニブ	スニチニブ	アキシチニブ
商品名	ネクサバール	スーテント	インライタ
剤形	錠	カプセル	錠
分類	マルチキナーゼ阻害薬		VEGFR阻害薬
がん種	根治切除不能または転移性の腎細胞癌，切除不能な肝細胞癌，根治切除不能な甲状腺癌	イマチニブ抵抗性の消化管間質腫瘍，根治切除不能または転移性の腎細胞癌，膵神経内分泌腫瘍	根治切除不能または転移性の腎細胞癌
投与量	・1回400mgを1日2回経口投与，適宜減量	〈イマチニブ抵抗性の消化管間質腫瘍，根治切除不能または転移性の腎細胞癌〉 1日1回50mgを4週間連日経口投与した後に2週間休薬，適宜減量 〈膵神経内分泌腫瘍〉 1日1回37.5mgを経口投与，適宜増減するが1日1回50mgまで増量可能	・1回5mgを1日2回経口投与，適宜増減するが1回10mg1日2回まで増量可能
腎障害	・減量不要	・減量不要	・減量不要
肝障害	・軽度および中等度：減量不要 ・重度：慎重判断	・軽度および中等度：減量不要 ・重度：該当資料なし	・中等度：慎重判断（AUC2倍） ・重度：該当資料なし
相互作用（酸分泌抑制薬以外）	・イリノテカンおよびSN-38の血中濃度上昇 ・ドキソルビシンのAUC増加 ・CYP3A4誘導薬：本剤の血中濃度低下 ・ワルファリン：PT-INR上昇 ・ドセタキセルのAUC増加 ・パクリタキセルと本剤のAUC増加 ・カペシタビンのAUC増加	・CYP3A4阻害薬：本剤の血中濃度上昇 ・CYP3A4誘導薬：本剤の血中濃度低下 ・QT間隔延長を起こす薬剤，抗不整脈薬：QT間隔を延長	・CYP3A4阻害薬：本剤の血中濃度上昇 ・CYP3A4誘導薬：本剤の血中濃度低下
特に注意すべき有害事象	・手足症候群，出血，高血圧，肝障害，間質性肺炎，骨髄抑制，膵炎，ネフローゼ症候群，甲状腺機能障害	・心不全，左室駆出率低下，QT間隔延長，高血圧，出血，間質性肺炎，骨髄抑制，甲状腺障害，急性膵炎，ネフローゼ症候群，口内炎，手足症候群	・高血圧，心不全，出血，甲状腺機能障害，肝障害，手足症候群，発声障害
注意点（内服薬：食事との影響/注射薬：調製・投与時）	・高脂肪食後はAUC 0.7倍，中脂肪食後はAUC1.1倍	・食事との影響なし	・食事との影響なし
文献	—	—	—

	パゾパニブ	レゴラフェニブ	バンデタニブ	レンバチニブ	カボザンチニブ
	ヴォトリエント	スチバーガ	カプレルサ	レンビマ	カボメティクス
	錠	錠	錠	カプセル	錠
	マルチキナーゼ阻害薬				
適応	悪性軟部腫瘍, 根治切除不能または転移性の腎細胞癌	治癒切除不能な進行・再発の結腸・直腸癌, がん化学療法後に増悪した消化管間質腫瘍, がん化学療法後に増悪した切除不能な肝細胞癌	根治切除不能な甲状腺髄様癌	根治切除不能な甲状腺癌, 切除不能な胸腺癌, 切除不能な肝細胞癌	根治切除不能または転移性の腎細胞癌, がん化学療法後に増悪した切除不能な肝細胞癌
用法・用量	・1日1回800mgを食事の1時間以上前または食後2時間以降に経口投与, 適宜減量	・1日1回160mgを食後に3週間連日経口投与し, その後1週間休薬, これを1サイクルとして繰り返す。適宜減量	・1日1回300mgを経口投与, 適宜減量	〈根治切除不能な甲状腺癌, 切除不能な胸腺癌〉1日1回24mgを経口投与, 適宜減量 〈切除不能な肝細胞癌〉体重60kg以上の場合は12mg, 体重60kg未満の場合は8mgを1日1回経口投与, 適宜減量	・1日1回60mgを空腹時に経口投与, 適宜減量
腎障害	・Ccr≧30mL/min：減量不要 ・Ccr＜30mL/min：該当資料なし	・Ccr≧60mL/min：減量不要 ・Ccr＜60mL/min：慎重判断	・Ccr≧50mL/min：減量不要 ・30mL/min≦Ccr＜50mL/min：200mg/日が推奨 ・Ccr＜30mL/min：該当資料なし	・減量不要	・Ccr≧30mL/min：減量不要 ・Ccr＜30mL/min：該当資料なし
肝障害	・中等度および重度：200mg/日が推奨	・軽度および中等度：減量不要 ・重度：該当資料なし	・減量不要	・軽度および中等度：減量不要 ・重度：慎重判断（AUC1.8倍）	・軽度および中等度：減量を考慮 ・重度：該当資料なし
相互作用	・CYP3A4阻害薬：本剤の血中濃度上昇 ・CYP3A4誘導薬：本剤の血中濃度低下 ・パクリタキセルのAUC増加 ・ラパチニブ：本剤の血中濃度上昇 ・QT間隔延長を起こす薬剤, 抗不整脈薬：QT間隔を延長	・CYP3A4阻害薬：本剤の血中濃度上昇 ・CYP3A4誘導薬：本剤の血中濃度低下 ・イリノテカンおよびSN-38の血中濃度上昇 ・BCRPの基質となる薬剤（ロスバスタチンなど）のAUC増加	・CYP3A4誘導薬：本剤の血中濃度低下 ・P-gpの基質となる薬剤（ジゴキシンなど）の血中濃度上昇 ・OCT2の基質となる薬剤（メトホルミンなど）の血中濃度上昇 ・QT間隔延長を起こす薬剤, 抗不整脈薬：QT間隔を延長	・P-gp阻害薬：本剤の血中濃度上昇 ・P-gp誘導薬：本剤の血中濃度低下 ・CYP3A4誘導薬：本剤の血中濃度低下	・CYP3A4阻害薬：本剤の血中濃度上昇 ・CYP3A4誘導薬：本剤の血中濃度低下
副作用	・肝障害, 高血圧, 心障害, QT間隔延長, 出血, 甲状腺機能障害, ネフローゼ症候群, 間質性肺炎, 膵炎, 毛髪・皮膚色素減少	・肝障害, 手足症候群, 出血, 間質性肺炎, 高血圧	・間質性肺炎, QT間隔延長, 心障害, 皮膚障害, 光線過敏症, 高血圧, 眼障害, 腎障害, 肝障害, 下痢, 出血	・高血圧, 出血, 肝障害, 高血圧, 手足症候群, 間質性肺炎	・手足症候群, 下痢, 高血圧, 肝障害, 出血, 顎骨壊死, 膵炎, 腎障害, 間質性肺炎
食事	・高脂肪食後はAUC2.3倍, 中脂肪食後はAUC1.9倍	・食後投与は空腹時投与より未変化体のAUC 1.4倍	・食事との影響なし	・食事との影響なし	・食後投与は空腹時投与よりAUC1.5倍
	—	—	—	—	—

第3章 抗がん薬　7 分子標的治療薬：低分子型抗体

7-5 チロシンキナーゼ阻害薬

1 医薬品の特徴（基本知識）

　チロシンキナーゼ阻害薬には，EGFRなどの受容体を標的とする受容体型チロシンキナーゼ阻害薬と受容体を標的としない非受容体型チロシンキナーゼ阻害薬がある。非受容体型チロシンキナーゼ阻害薬は，ALK融合遺伝子，BCR-ABL，ブルトン型チロシンキナーゼ（BTK），ヤヌスキナーゼ（JAK）を標的とし，抗腫瘍効果を発揮する。

（加藤　裕久）

2 各論（医薬品ごとの特徴）

2-1 BTK阻害薬

1）イブルチニブ

　慢性リンパ性白血病，再発または難治性のマントル細胞リンパ腫に使用されるBTK阻害薬であるイブルチニブは，BTKの活性部位に不可逆的に結合し，ケモカイン受容体やB細胞受容体（BCR）のシグナル伝達を阻害する。また，リンパ節や骨髄から循環血液への腫瘍細胞の遊離を促進し，ホーミング（接着）を阻害することで腫瘍細胞の増殖を抑制する。

　投与量は，慢性リンパ性白血病（420mg/日）とマントル細胞リンパ腫（560mg/日）で異なる。経口投与時の絶対的バイオアベイラビリティは7.6％と低く，食事（高脂肪食）や腸管細胞のCYP3A4による薬物間相互作用の影響を受けやすい。強力なCYP3A4阻害作用を有するケトコナゾール，イトラコナゾール，クラリスロマイシンと併用したときにイブルチニブの血中濃度が大幅に上昇するため，これらの薬剤とは併用禁忌である。また，ボリコナゾールやエリスロマイシンと併用するときは，イブルチニブを140mg/日に減量するなどの対応が必要である。

　主な副作用は，好中球減少症，貧血，発疹，下痢，口内炎がある。イブルチニブはBTK以外にもCSK，FGR，BRK，RETなどのキナーゼに対しても同程度の濃度で阻害活性を示す[1]。その広範囲なキナーゼ選択性から，留意すべき有害事象として，脳出血，下痢，心房細動なども報告されている[2,3]。2021年9月にステロイド剤で効果不十分な場合の造血幹細胞移植後の慢性移植片対宿主病に対して効能追加となった。

2）チラブルチニブ

　チラブルチニブは，再発または難治性の中枢神経系原発リンパ腫，原発性マクログロブリン血症，リンパ形質細胞リンパ腫に使用される。チラブルチニブはBTKの活性部位に不可逆的に共有結合し，

腫瘍細胞において恒常的に活性化されているBCRのシグナル伝達を阻害することで，腫瘍の増殖を抑制する．チラブルチニブはイブルチニブよりもBTKの選択性が高く，安全性が高い薬剤とされている[3,4]．

投与量は前述のいずれの疾患においても同一であり，1日1回480mgを空腹時に経口投与する．併用禁忌薬はないが，中程度から強度のCYP3A阻害薬や誘導薬とは併用注意となっている．主な副作用には，皮疹，好中球減少症，白血球減少症などがある．

2-2　FLT3阻害薬

FLT3阻害薬は，FLT3を介したシグナル伝達を阻害することで腫瘍の増殖を抑制し，抗腫瘍効果を示す．また，ATP結合ポケットのみに結合するTypeⅠ阻害薬と，ATP結合ポケットに加えて，近傍のバックポケットにも結合するTypeⅡ阻害薬に大別される．TypeⅡ阻害薬の方がFLT3への選択性が高められている．ギルテリチニブはTypeⅠ阻害薬，キザルチニブはTypeⅡ阻害薬となる[5]．

1）ギルテリチニブ

ギルテリチニブは，再発または難治性の*FLT3*遺伝子変異陽性の急性骨髄性白血病に使用されるFLT3阻害薬である．TypeⅠのFLT3阻害薬であり，遺伝子内縦列重複（ITD）変異およびチロシンキナーゼドメイン（TKD）変異を有するFLT3チロシンキナーゼに対して阻害活性を示す．

後述のキザルチニブと同様に主にCYP3A4で代謝され，半減期が86〜126時間と長い．主な副作用は肝機能障害や骨髄抑制などがある．また，血漿中濃度依存的にQT間隔延長，肝機能障害，クレアチニンホスホキナーゼ上昇などの発現頻度が増加することが報告されているため注意が必要である．

2）キザルチニブ

キザルナニブは，ITD変異を有するFLT3に結合してシグナル伝達を阻害する薬剤であり，再発または難治性のFLT3-ITD変異陽性の急性骨髄性白血病（AML）に使用される．

AMLは，骨髄における白血病細胞の異常な増殖の結果，正常な血液細胞の産生が著しく阻害され，治療をしないと短期間で致死的になる予後不良な血液疾患である．*FLT3*遺伝子変異は，AMLにおいて比較的頻度の高い遺伝子変異であり，AML患者20〜30%に認められる[6]．*FLT3*遺伝子変異は，ITD変異とTKD変異があり，AML患者における頻度はITD変異が約23%，TKD変異が約7%である．FLT3-ITD変異を有するAML患者は，変異のない患者と比べ，再発率が高く生存期間が短いと考えられている．キザルチニブはFLT3-ITD変異を標的として，FLT3を介したシグナル伝達を阻害することで腫瘍の増殖を抑制する．また，キザルチニブはTypeⅡ阻害薬であり，FLT3-TKDには阻害活性をもたない．

主にCYP3Aで代謝されるため，CYP3A阻害薬との併用には注意が必要である．半減期は約73時間と長く，血中濃度が定常状態に到達するまでに時間を要する．主な副作用にQT間隔延長と心室性不整脈がある．特にQT間隔延長は濃度依存的に発現頻度が上昇する可能性がある．QT間隔延長の副作用があるキニジン，プロカインアミドとの併用に注意する．

2-3 MET阻害薬

1) テポチニブ

　テポチニブは後述のカプマチニブと同様に*MET*遺伝子エクソン14スキッピング変異陽性の切除不能な進行・再発の非小細胞肺がんに使用される。ATP競合的で可逆的であり，METチロシンキナーゼのリン酸化を阻害し，PI3K/AKT経路およびMAPK/ERK経路の下流のシグナル伝達を阻害することにより，METの活性化によって形質転換したがん細胞の増殖，生存，遊走および転移を阻害する。テポチニブは1日1回500mgを経口投与し，空腹時投与で血中濃度が低下するため，必ず食後に内服するように指導する。

　テポチニブはCYP3A4および2C8によって代謝を受ける。P糖タンパク質の阻害作用を示すため，P糖タンパク質の基質となるダビガトランエテキシラート，ジゴキシンなどの血中濃度を上昇させるため注意が必要である。主な副作用に末梢性浮腫，悪心・嘔吐，クレアチニン値上昇がある。

2) カプマチニブ

　カプマチニブは，*MET*遺伝子エクソン14スキッピング変異陽性の切除不能な進行・再発の非小細胞肺がんに使用される。METチロシンキナーゼのATP結合部位を競合的に阻害し，下流のシグナル伝達を阻害することにより腫瘍増殖抑制作用を示す。

　*MET*遺伝子変異は非小細胞肺がんを含む種々のがんで報告されており，この遺伝子異常によって生じるMET経路の制御異常が，腫瘍細胞の増殖，生存，浸潤および転移，ならびに腫瘍血管新生を促進すると考えられている[7]。非小細胞肺がん患者の約3～4%に*MET*遺伝子エクソン14変異陽性が認められ[8]，肺がんのなかでも予後不良な集団であり，治療選択肢が限られている。

　カプマチニブは1回400mgを1日2回経口投与し，適宜減量する。先に登場したテポチニブとは異なり，食事の影響は受けない。カプマチニブは主にCYP3Aで代謝される。また，CYP1C2，P糖タンパク質およびBCRPの阻害作用を示す。したがって，それぞれの基質となる薬剤との併用には注意する。さらに胃内pHを上昇させるプロトンポンプ阻害薬との併用は避けるほうが望ましい。10%以上に認められる副作用として，食欲減退，悪心・嘔吐，下痢，リパーゼ増加，疲労などがある。

2-4 JAK阻害薬

1) ルキソリチニブ

　ルキソリチニブは，真性多血症および骨髄線維症に使用されるJAK阻害薬である。真性多血症や骨髄線維症などの骨髄増殖性腫瘍は造血幹細胞の異常により，一系統以上の骨髄系細胞が異常な増殖を引き起こす病気である。骨髄増殖性腫瘍の原因は十分には解明されていないが，JAKという酵素が関わるシグナル伝達経路（JAK-STAT経路）の活性化が大きな役割を果たしているとされる[9]。

　ルキソリチニブは変異の有無にかかわらずJAK1およびJAK2を選択的に阻害することで，JAK-STAT経路のシグナル伝達を抑える作用を現す。JAK1とJAK2の両方を阻害することによって，骨髄線維症においては主な症状の1つである脾腫を縮小させ，随伴する全身症状を改善する効果が期

待でき，真性多血症においては赤血球数や白血球数をコントロールすることで脾腫を縮小させ，症状を改善する効果が期待できるとされている[10]。

ルキソリチニブは1日2回12時間ごとを目安に経口投与する。真性多血症に対しては1回10mgから開始し適宜増減するが，最大投与量は1回25mgまでとなっている。一方，骨髄線維症においては，血小板数に基づいて投与量を調節し，1回5〜25mgで開始する。

ルキソリチニブは，主にCYP3A4で代謝され，一部CYP2C9でも代謝される。主な副作用には，好中球減少症，貧血，発疹，下痢，口内炎などがある。

2-5 その他

1）エヌトレクチニブ

エヌトレクチニブは*NTRK*融合遺伝子陽性の進行・再発の固形がんと*ROS1*融合遺伝子陽性の切除不能な進行・再発の非小細胞肺がんに使用され，*NTRK1/2/3*遺伝子によってコードされるトロポミオシン受容体キナーゼファミリー（TRKA/B/C）と*ROS1*遺伝子によってコードされるROS1に対して選択的なチロシンキナーゼ阻害活性を示す。

*NTRK1/2/3*遺伝子，または，*ROS1*遺伝子が染色体上で遺伝子融合を起こした場合，それぞれTRKA/B/CはMAPK経路・PLCγ経路・I3K経路など，ROS1はMAPK経路・PI3K経路・JAK/STAT経路などのシグナル伝達を恒常的に活性化する融合タンパクに翻訳される[11, 12]。TRK融合タンパクまたはROS1融合タンパクにより，恒常的にチロシンキナーゼが活性化され，生存および増殖シグナルを発し続けることで，がん細胞の過剰増殖および生存延長が起こる[13〜15]。エヌトレクチニブは，TRK融合タンパクおよびROS1融合タンパクのリン酸化に加えてTRKシグナルの下流に位置するシグナル伝達分子のリン酸化を阻害することで細胞増殖抑制作用を示す[16]。

*NTRK*融合遺伝子は，主要な固形がん（大腸がん，非小細胞肺がんなど）から希少がん（乳腺分泌がん，唾液腺分泌がん，脳腫がん，軟部肉腫など），小児がん（乳児型線維肉がん，中胚葉性腎腫など）までさまざまながん腫で確認されており，*NTRK*融合遺伝子陽性固形がんであれば，治療歴，成人や小児を問わずがん腫横断的にエヌトレクチニブを使用できる。また，*ROS1*融合遺伝子は，非小細胞肺がん（特に腺がん）で確認されている[16]。非小細胞肺がんにおける*ROS1*融合遺伝子の陽性率は1.7％と報告されている[17]。

*NTRK*融合遺伝子陽性の進行・再発の固形がんに対しては1日1回600mg，小児の場合は1日1回300mg/m²（最大600mg）を経口投与する。また，*ROS1*融合遺伝子陽性の切除不能な進行・再発の非小細胞肺がんにおいては1日1回600mgを経口投与し，適宜減量する。

食事の影響はほとんど受けない。主にCYP3Aで代謝され，CYP3Aの阻害作用も示す。主な副作用には，味覚異常，めまい，便秘，下痢，悪心などがあり，これらは休薬や減量で回復することが多い。また，注意する副作用としてQT間隔延長，間質性肺炎，成長発達遅延がある。さらに，TRKは正常な神経細胞において，記憶や認知を含む神経系機能の維持に関与しており，TRK阻害による認知障害の発現にも注意が必要である[18]。

【参考文献】

1) Honigberg LA et al : The Bruton tyrosine kinase inhibitor PCI-32765 blocks B-cell activation and is efficacious in models of autoimmune disease and B-cell malignancy. Proc Natl Acad Sci USA, 107(29):13075-13080, 2010
2) Shatzel JJ et al : Ibrutinib-associated bleeding: pathogenesis, management and risk reduction strategies. J Thromb Haemost, 15(5):835-847, 2017
3) Owen C et al : Review of Bruton tyrosine kinase inhibitors for the treatment of relapsed or refractory mantle cell lymphoma. Curr Oncol, 26(2):e233-e240, 2019
4) Walter HS et al : A phase 1 clinical trial of the selective BTK inhibitor ONO/GS-4059 in relapsed and refractory mature B-cell malignancies. Blood, 127(4):411-419, 2016
5) Larrosa-Garcia M et al : FLT3 inhibitors in Acute Myeloid Leukemia: Current Status and Future Directions. Mol Cancer Ther, 16(6):991-1001, 2017
6) Wang ES et al : Genomic, immunophenotypic, and NPM1/FLT3 mutational studies on 17 patients with normal karyotype acute myeloid leukemia (AML) followed by aberrant karyotype AML at relapse. Cancer Genet Cytogenet, 202(2):101-107, 2010
7) Christensen JG et al : c-Met as a target for human cancer and characterization of inhibitors for therapeutic intervention. Cancer Lett, 225(1):1-26, 2005
8) Salgia R : MET in Lung Cancer: Biomarker Selection Based on Scientific Rationale. Mol Cancer Ther, 16(4):555-565, 2017
9) Delhommeau F et al : Molecular aspects of myeloproliferative neoplasms. Int J Hematol, 91(2):165-173, 2010
10) Verstovsek S et al : Safety and efficacy of INCB018424, a JAK1 and JAK2 inhibitor, in myelofibrosis. N Engl J Med, 363(12):1117-1127, 2010
11) Vaishnavi A et al : TRKing down an old oncogene in a new era of targeted therapy. Cancer Discov, 5(1):25-34, 2015
12) Davies KD et al : Molecular pathways: ROS1 fusion proteins in cancer. Clin Cancer Res, 19(15):4040-4045, 2013
13) Weinstein IB et al : Mechanisms of disease: Oncogene addiction--a rationale for molecular targeting in cancer therapy. Nat Clin Pract Oncol, 3(8):448-457, 2006
14) Weinstein IB et al : Oncogene addiction. Cancer Res, 68(9):3077-3080, 2008
15) Kheder ES et al : Emerging Targeted Therapy for Tumors with *NTRK* Fusion Proteins. Clin Cancer Res, 24(23):5807-5814, 2018
16) Rolfo C et al : Entrectinib: a potent new TRK, ROS1, and ALK inhibitor. Expert Opin Investig Drugs, 24(11):1493-1500, 2015
17) Bergethon K et al : ROS1 rearrangements define a unique molecular class of lung cancers. J Clin Oncol, 30(8):863-870, 2012
18) Skaper SD : The biology of neurotrophins, signalling pathways, and functional peptide mimetics of neurotrophins and their receptors. CNS Neurol Disord Drug Targets, 7(1):46-62, 2008

（槇枝　大貴）

第3章 抗がん薬

7 分子標的治療薬：低分子型抗体

5 チロシンキナーゼ阻害薬

表 チロシンキナーゼ阻害薬 比較表

一般名	イブルチニブ	チラブルチニブ	ギルテリチニブ	キザルチニブ
商品名	イムブルビカ	ベレキシブル	ゾスパタ	ヴァンフリタ
剤形	カプセル	錠	錠	錠
分類	BTK阻害薬	BTK阻害薬	FLT3阻害薬	FLT3阻害薬
がん種	慢性リンパ性白血病（小リンパ球性リンパ腫を含む），再発または難治性のマントル細胞リンパ腫，造血幹細胞移植後の慢性移植片対宿主病（ステロイド剤の投与で効果不十分な場合）	再発または難治性の中枢神経系原発リンパ腫，原発マクログロブリン血症およびリンパ形質細胞リンパ腫	再発または難治性のFLT3遺伝子変異陽性の急性骨髄性白血病	再発または難治性のFLT3-ITD変異陽性の急性骨髄性白血病
投与量	〈慢性リンパ性白血病（小リンパ球性リンパ腫を含む）〉1日1回420mgを経口投与，適宜減量〈再発または難治性のマントル細胞リンパ腫〉1日1回560mgを経口投与，適宜減量〈造血幹細胞移植後の慢性移植片対宿主病（ステロイド剤の投与で効果不十分な場合）〉1日1回420mgを経口投与，適宜減量（成人または12歳以上の小児）	・1日1回480mgを空腹時経口投与，適宜減量	・1日1回120mgを経口投与，適宜増減するが1日1回200mgを超えないこと	・1日1回26.5mgを2週間経口投与，以降は1日1回53mgを経口投与，適宜減量
腎障害	・該当資料なし	・該当資料なし	・該当資料なし	・該当資料なし
肝障害	・中等度以上：投与しない（著しく血中濃度が上昇）・軽度：減量を考慮（血中濃度が上昇）	・該当資料なし*	・該当資料なし*	・該当資料なし*
相互作用（酸分泌抑制薬以外）	〈併用禁忌〉・CYP3A阻害薬：ケトコナゾール，イトラコナゾール，クラリスロマイシン〈併用注意〉・CYP3A阻害薬（抗HIV薬，アゾール系抗真菌薬，マクロライド系抗菌薬，抗不整脈薬，アプレピタント，グレープフルーツ含有食品）・CYP3A誘導薬（カルバマゼピン，リファンピシン，フェニトイン，セイヨウオトギリソウ含有食品）・抗凝固薬，抗血小板薬（出血傾向）	〈併用注意〉・中程度〜強いCYP3A阻害薬（アゾール系抗真菌薬，マクロライド系抗菌薬）・中程度〜強いCYP3A誘導薬（カルバマゼピン，リファンピシン，フェニトインなど）・抗凝固薬，抗血小板薬（出血傾向）	〈併用注意〉・強いCYP3A阻害薬＆P-gp阻害作用を有する薬剤（アゾール系抗真菌薬，マクロライド系抗菌薬）・強いCYP3A誘導薬＆P-gp誘導作用を有する薬剤（カルバマゼピン，リファンピシン，フェニトインなど，セイヨウオトギリソウ含有食品）・キニジン，プロカインアミド，オンダンセトロンなど（QT間隔延長）	〈併用注意〉・強いCYP3A阻害薬（アゾール系抗真菌薬，マクロライド系抗菌薬）・強いCYP3A誘導薬（カルバマゼピン，リファンピシン，フェニトインなど，セイヨウオトギリソウ含有食品）・キニジン，プロカインアミド，オンダンセトロンなど（QT間隔延長）
特に注意すべき有害事象	・骨髄抑制，出血，感染症，不整脈，腫瘍崩壊症候群，過敏症，眼障害，間質性肺疾患，肝不全・肝機能障害，二次性悪性腫瘍	・骨髄抑制，感染症，間質性肺疾患，肝機能障害，出血	・QT間隔延長，肝機能障害，腎障害（血中濃度依存的に出現）・その他：骨髄抑制，感染症，出血，心不全，心膜炎，心嚢液貯留，消化管穿孔，間質性肺疾患，過敏症，可逆性後白質脳症症候群	・QT間隔延長（血中濃度依存的に出現）・その他：骨髄抑制，感染症，出血
注意点（内服薬：食事との影響/注射薬：調製・投与時）	・食事の影響は考慮しなくてもよい（絶食時内服で血中濃度低下するが，毎日同じ時間帯に内服することを優先）	・食事の影響あり，空腹時に内服すること（食後内服で血中濃度上昇）	・食事の影響は考慮しなくてもよい（空腹時内服で血中濃度低下の可能性はあるが，毎日同じ時間帯に内服することを優先）	・食事の影響なし
文献	—	*血中濃度上昇のおそれがあるが，肝機能障害患者への投与に関するデータは十分ではない	*重度の肝機能障害患者への投与に関するデータはない	*血中濃度上昇のおそれがあるが，肝機能障害患者への投与に関するデータは十分ではない

	テポチニブ	カプマチニブ	ルキソリチニブ	エヌトレクチニブ
	テプミトコ	タブレクタ	ジャカビ	ロズリートレク
	錠	錠	錠	カプセル
	MET阻害薬		JAK阻害薬	その他
	MET遺伝子エクソン14スキッピング変異陽性の切除不能な進行・再発の非小細胞肺がん	MET遺伝子エクソン14スキッピング変異陽性の切除不能な進行・再発の非小細胞肺がん	骨髄線維症, 真性多血症	NTRK融合遺伝子陽性の進行・再発の固形がん, ROS1融合遺伝子陽性の切除不能な進行・再発の非小細胞肺がん
	・1回500mgを1日1回食後に経口投与, 適宜減量	・1回400mgを1日2回経口投与, 適宜減量	〈骨髄線維症〉 1日2回, 12時間ごとを目安に経口投与. 1回5〜25mgの範囲内とする 〈真性多血症〉 1回10mgを開始用量とし, 1日2回, 12時間ごとを目安に経口投与, 適宜増減するが1回25mg, 1日2回を超えないこと	〈NTRK融合遺伝子陽性の進行・再発の固形がん〉 1日1回600mgを経口投与, 小児：1日1回300mg/m² (600mgを超えないこと), 適宜減量 〈ROS1融合遺伝子陽性の切除不能な進行・再発の非小細胞肺がん〉 1日1回600mgを経口投与, 適宜減量
	・該当資料なし	・該当資料なし	・減量を考慮するとともに, 慎重に観察する（血中濃度上昇の報告あり）	・該当資料なし
	・肝酵素（ALT/AST）, ビリルビン上昇を認めた場合は, 減量または休薬を考慮する	〈投与中止〉 ・AST/ALT＞3×ULN かつ 総ビリルビン＞2×ULN ・AST/ALT：Grade4, 総ビリルビン：Grade4 〈Grade1以下となるまで休薬〉 ・AST/ALT：Grade3, 総ビリルビン：Grade2 7日以内に回服 → 同一用量で再開 7日を過ぎて回復 → 一段階減量で再開 ・総ビリルビン：Grade3 7日以内に回服 → 一段階減量で再開 7日を過ぎて回復 → 投与中止	・減量を考慮するとともに, 慎重に観察する（血中濃度上昇の報告あり）	・該当資料なし*
	〈併用注意〉 ・P-gp基質の薬剤（ダビガトランエテキシラート, ジゴキシン, フェキソフェナジンなど）	〈併用注意〉 ・中等〜強いCYP3A阻害薬（抗HIV薬, アゾール系抗真菌薬, マクロライド系抗菌薬など） ・CYP1A2基質の薬剤（テオフィリン, チザジン, ピルフェニドンなど） ・P-gp基質の薬剤（ジゴキシン, フェンタニル, タクロリムスなど） ・BCRP基質の薬剤（ロスバスタチン, アトルバスタチン, メトトレキサートなど）	〈併用注意〉 ・CYP3A阻害薬（抗HIV薬, アゾール系抗真菌薬, マクロライド系抗菌薬） ・CYP3A誘導薬（リファンピシン, フェニトイン, セイヨウオトギリソウ含有食品） ・抗凝固薬, 抗血小板薬（出血傾向）	〈併用注意〉 ・CYP3A阻害薬（アゾール系抗真菌薬, マクロライド系抗菌薬, 抗不整脈薬, グレープフルーツジュース） ・CYP3A誘導薬（リファンピシン, フェニトイン, モダフィニルなど） ・CYP3A基質の薬剤（ミダゾラム, シンバスタチン, リバーロキサバンなど）
	・間質性肺疾患, 肝機能障害, 腎機能障害, 体液貯留	・間質性肺疾患, 肝機能障害, 腎機能障害, 体液貯留	・骨髄抑制, 感染症, 結核, 肝機能障害, 出血性有害事象, 間質性肺疾患, 心不全	・心臓障害, 認知障害, 運動失調, QT間隔延長, 失神, 間質性肺疾患, 成長発達障害
	・食事の影響あり, 食後に内服すること（空腹時内服で血中濃度低下）	・食事の影響なし	・食事の影響なし	・食事の影響なし
	−	−	−	*血中濃度上昇のおそれがあるが, 肝機能障害患者への投与に関するデータは十分ではない

7-6 セリン・スレオニンキナーゼ阻害薬

I 医薬品の特徴（基本知識）

1）mTORセリン・スレオニンキナーゼ阻害作用

　哺乳類ラパマイシン標的蛋白質（mTOR）は，抗菌作用，免疫抑制作用をもつラパマイシン（シロリムス）の標的分子として発見された細胞内蛋白質キナーゼである．mTOR complex1とmTOR complex2の2種類の複合体が存在し，細胞増殖を制御する代表的なシグナル経路であるPI3K/AKT経路の下流に位置し，T細胞，がん細胞の増殖に関与している（図）．代表的なmTORセリン・スレオニンキナーゼ阻害薬であるエベロリムスは，細胞内イムノフィリンであるFK506結合蛋白質-12（FK506 binding protein：FKBP-12）に結合し，その複合体がセリン・スレオニンキナーゼであるmTORを選択的に阻害する．

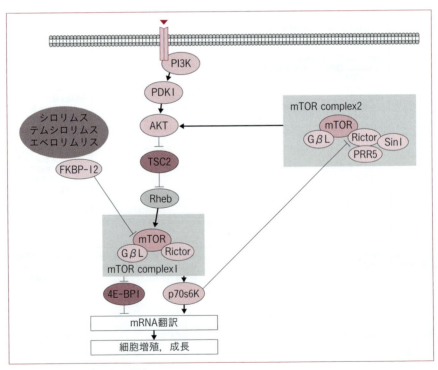

図　mTOR阻害薬の作用機序

2）BRAFセリン・スレオニンキナーゼ阻害作用

　代表的なBRAFセリン・スレオニンキナーゼ阻害薬であるベムラフェニブは，BRAF V600変異（V600E，V600D，V600R，V600K，V600G，V600M）を含む活性化変異型のBRAFキナーゼ活性を阻害することにより，BRAF活性化によるMEKおよびERKのリン酸化を阻害し，BRAF V600変異を有する腫瘍細胞の増殖を抑制する。

（加藤　裕久）

2 各論（医薬品ごとの特徴）

2-1　エベロリムス

　エベロリムスは，FKBP-12と結合した複合体が，セリン・スレオニンキナーゼであるmTORを選択的に阻害する。細胞周期の移行および血管新生を抑制することにより，腫瘍細胞の増殖・転移を抑えアポトーシスを誘導する。

　有害事象として，口内炎は国内第Ⅱ相臨床試験において投与開始から28日目までに66.0%が認められている。国際共同第Ⅲ相臨床試験の29.9%より高い発現率である。アルコールあるいは過酸化水素を含む含嗽薬で処置すると，状態を悪化させる可能性があるため避ける。

2-2　テムシロリムス

　テムシロリムスは，エベロリムスと同様の作用機序を示し，腫瘍細胞の増殖・転移を抑えアポトーシスを誘導する。

　有害事象として，間質性肺疾患は国際共同第Ⅱ相臨床試験で17.1%，海外第Ⅲ相臨床試験で1.9%に発現が認められている。発現時期は45日以内が最も多いが，105日を超えても認められる。患者に対しては呼吸器症状が現れた，あるいは症状が悪化した場合は直ちに連絡するように指導する。無症候性の場合もあり，その場合はテムシロリムスの休薬は必要がないものの，厳重に観察を行う必要がある。

　infusion reactionに対しては，前投薬として抗ヒスタミン薬（*d*-クロルフェニラミンマレイン酸塩，ジフェンヒドラミン塩酸塩など）を投与する。infusion reactionが認められた場合は，投与を直ちに中止し，症状に応じて抗ヒスタミン薬，気管支拡張薬，ステロイド薬，アドレナリン，輸液を投与するなどの適切な処置を行う。

2-3　ベムラフェニブ

　ベムラフェニブは*BRAF*遺伝子変異のキナーゼ活性を阻害することにより腫瘍細胞の増殖を抑制する。*BRAF*遺伝子変異を有する根治切除不能な悪性黒色腫にベムラフェニブを経口投与する。ほかの抗悪性腫瘍薬との併用について安全性は確立していない。

　悪性黒色腫患者の治療における，BRAF阻害薬・MEK阻害薬併用の心血管の有害事象リスクの特性が示されている[1]。BRAF阻害薬＋MEK阻害薬併用療法は，BRAF阻害薬単独療法と比較して

肺塞栓症のリスク増加（リスク比，4.36；95％信頼区間，1.23-15.44；P=.02），左室駆出率（left ventricular ejection fraction：LVEF）の低下（リスク比，3.72；95％信頼区間，1.74-7.94；P<.001）および動脈性高血圧（リスク比，1.49；95％信頼区間，1.12-1.97；P=.005）と関連することが認められた。なお，ほかの主要評価項目である心筋梗塞，心房細動およびQTc間隔延長に関して有意差は認められなかった。

2-4　ダブラフェニブ

　ダブラフェニブは*BRAF*遺伝子変異のキナーゼ活性を阻害することにより腫瘍細胞の増殖を抑制する。*BRAF*遺伝子変異を有する悪性黒色腫には，ダブラフェニブを空腹時に経口投与する。悪性黒色腫の術後補助療法および根治切除不能な非小細胞肺がんの場合には，トラメチニブと併用する。

　国際共同臨床試験のダブラフェニブ・トラメチニブ併用療法において，8.6％に心障害が認められている。定期的に心エコーを実施し，LVEFをモニタリングすることが大切である。無症候性ではあるが，ベースライン値と比較して10％を超えるLVEF低下（絶対値）が4週間以内に回復しなかった場合，トラメチニブの投与を中止する。症候性であり，安静時LVEFがベースラインから20％未満の低下（絶対値）が認められた場合，ダブラフェニブ・トラメチニブを中止し，症状が軽快しLVEFが回復した場合にダブラフェニブの単回投与を検討する。

2-5　トラメチニブ

　セリン・スレオニンキナーゼの一種である分裂促進因子活性化タンパク質キナーゼ（Mitogen-activated Protein Kinase：MAPK）経路は，細胞の分化・増殖などに関わるシグナル伝達機構である。がん細胞に高頻度に認められているBRAFの遺伝子変異は，RASの活性化の有無にかかわらずMEK，ERKの順に活性化し，細胞の異常増殖を助長する。

　トラメチニブは，MAPK経路のシグナル伝達分子であるMEK1，MEK2の活性化およびキナーゼ活性を選択的かつ可逆的に阻害する。

　国際共同臨床試験のダブラフェニブ・トラメチニブ併用療法において，体温38.5℃以上の発熱が49.5％に認められている。必要に応じてイブプロフェン，アセトアミノフェンなどの解熱薬を投与する。解熱薬の効果が不十分な場合には，経口ステロイド薬（例：プレドニゾロン10mgを5日間以上）の投与を検討する。

　また，同じ国際共同臨床試験において31.2％に皮膚障害が認められている。発疹の予防的治療として皮膚防護係数（SPF）15以上の広域スペクトル日焼け防止薬，皮膚軟化クリームを1日2回塗布する。症状の程度により，外用ステロイド（例：ヒドロコルチゾン1％クリーム）および経口抗生物質（例：ミノサイクリン1回100mgを1日2回）の投与を検討する。

　トラメチニブは2〜8℃の冷所保存の錠剤である。併用するダブラフェニブは室温保存のカプセル剤であり，保管方法が異なることを患者へ説明する必要がある。

2-6　パルボシクリブ

　サイクリン依存性キナーゼ（Cyclin Dependent Kinase：CDK）であるCDK4やCDK6は，サイクリンDと複合体を形成し，網膜芽細胞腫タンパク質（Retinoblastoma protein：Rbp）のリン酸化を介して，細胞周期のG1からS期への移行を促進する。腫瘍細胞では，CDK4やCDK6が過剰に活性化され，細胞増殖の制御が不能となる。
　パルボシクリブは，CDK4およびCDK6によるRbpのリン酸化を阻害することで，細胞周期の進行を停止し，腫瘍細胞の細胞増殖を抑制する。
　手術不能または再発乳がんに適応があり，内分泌療法薬（レトロゾールまたはフルベストラント）と併用する。患者はホルモン受容体陽性，HER2陰性の患者を対象とする。化学療法および放射線療法と併用した場合の有効性と安全性は確立していない。
　国際共同臨床試験では，80.2%に好中球減少症（全Grade）が認められている。初回の好中球減少症の発現時期の中央値は15日であり，66.3%にGrade3以上の好中球減少症が発現する。必要に応じて休薬，減量または次サイクル投与の開始の延期を考慮し，同時に顆粒球コロニー刺激因子（G-CSF）などの適切な処置を行う必要がある。

2-7　アベマシクリブ

　アベマシクリブは，CDK4およびCDK6によるRbpのリン酸化を可逆的に阻害することで，細胞周期の進行を停止し，腫瘍細胞の細胞増殖を抑制する。
　アベマシクリブの適応は，「ホルモン受容体陽性かつHER2陰性の手術不能又は再発乳癌」であり，単剤ではなく内分泌療法薬（ホルモン製薬）と併用する。国際共同臨床試験では，フルベストラントまたはレトロゾール，あるいはアナストロゾールとの併用における有効性および安全性が確認された[2,3]。一方で，エキセメスタンまたはタモキシフェンとの併用した成績は得られていない。
　アベマシクリブ＋内分泌療法の併用は，フルベストラント単剤療法と比較して下痢が出現する（86.4%対24.7%）[2]。患者のライフスタイルに合わせてロペラミドなどの止瀉薬の使用を事前に説明することが望ましい。

2-8　エンコラフェニブ

　エンコラフェニブは，MAPK経路のシグナル伝達である*BRAF*遺伝子変異のキナーゼ活性を阻害し，腫瘍細胞の増殖を抑制する。
　エンコラフェニブは，*BRAF*遺伝子変異を有する根治切除不能な悪性黒色腫にはビニメチニブと併用する。また，がん化学療法後に憎悪した切除不能な結腸・直腸がんには，ビニメチニブとの併用またはセツキシマブを加えた3剤を併用する。なお，悪性黒色腫の術後補助療法における有効性および安全性は確立していない。
　本剤は，国際共同臨床試験において40.6%に眼障害が報告されている。発現時期は3カ月以内が高く，転帰は180件のうち回復が145件，未回復が27件である。定期的に目の異常の有無を確認することが望ましい。

2-9 ビニメチニブ

　ビニメチニブは，MAPK経路のシグナル伝達分子であるMEK1およびMEK2の活性化，キナーゼ活性を阻害する．同じMAPK経路のシグナル伝達であるBRAF阻害薬エンコラフェニブおよびMEK阻害薬ビニメチニブの併用において，ビニメチニブ単独に比べ腫瘍の増殖を抑制する．
　悪性黒色腫において，エンコラフェニブ単独投与と比較して，ビニメチニブとの併用投与時には手掌・足底発赤知覚不全症候群などの発現頻度が増加する傾向が認められている．この場合，ビニメチニブの投与は休薬する．エンコラフェニブを継続投与する場合には，減量，休薬を考慮し，手掌や足底は皮膚状態を観察して適切な処置を行うことが必要である．

【参考文献】
1) Mincu RI et al：Cardiovascular Adverse Events Associated With BRAF and MEK Inhibitors: A Systematic Review and Meta-analysis. JAMA Netw Open, 2(8):e198890, 2019
2) Sledge GW Jr et al：MONARCH 2: Abemaciclib in Combination With Fulvestrant in Women With HR+/HER2-Advanced Breast Cancer Who Had Progressed While Receiving Endocrine Therapy. J Clin Oncol, 35(25):2875-2884, 2017
3) Goetz MP et al：MONARCH 3: Abemaciclib As Initial Therapy for Advanced Breast Cancer. J Clin Oncol, 35(32):3638-3646, 2017

（中村　暢彦）

第3章 抗がん薬

7 分子標的治療薬：低分子型抗体

6 セリン・スレオニンキナーゼ阻害薬

表　セリン・スレオニンキナーゼ阻害薬　比較表

一般名	エベロリムス	テムシロリムス	
商品名	アフィニトール	トーリセル	
剤形	錠	注	
分類	mTOR阻害薬		
がん種	根治切除不能または転移性の腎細胞癌，神経内分泌腫瘍，結節性硬化症に伴う腎血管筋脂肪腫，手術不能または再発乳癌，結節性硬化症に伴う上衣下巨細胞性星細胞腫	根治切除不能または転移性の腎細胞癌	
投与量	〈根治切除不能または転移性の腎細胞癌，神経内分泌腫瘍，結節性硬化症に伴う腎血管筋脂肪腫〉 1日1回10mgを経口投与，適宜減量 〈手術不能または再発乳癌〉 内分泌療法薬との併用：1日1回10mgを経口投与，適宜減量 〈結節性硬化症に伴う上衣下巨細胞性星細胞腫瘍〉 成人の結節性硬化症に伴う腎血管筋脂肪腫：1日1回10mgを経口投与，適宜増減 〈その他の場合〉 3.0mg/m^{2}を1日1回経口投与，適宜増減	・25mgを1週間に1回，30〜60分間かけて点滴静脈内投与，適宜減量	
腎障害	・投与量の調節は不要。薬物動態に対し有意な影響を及ぼさない	・減量不要	
肝障害	・Clid-Pugh分類クラスBまたはClid-Pugh分類クラスCの場合は慎重投与。1日1回5mgを目安に減量を考慮	・重度の肝機能障害のある患者：減量を考慮	
相互作用 （酸分泌抑制薬以外）	・CYP3A4により代謝される。CYP3A4阻害薬あるいは誘導薬，またP-gpの基質となる薬剤との併用は血中濃度が変化する可能性があるため，代替薬を考慮 ・併用禁忌：生ワクチン	・CYP3A4により代謝される。CYP3A4阻害薬あるいは誘導薬との併用は血中濃度が変化する可能性があるため，代替薬を考慮 ・併用禁忌：生ワクチン	
特に注意すべき有害事象	・間質性肺疾患（息切れ，咳，発熱などの症状を確認），感染症（感染の有無を確認），高血糖（血糖値を測定し，血糖をコントロール），口内炎（含嗽および口腔ケア）	・間質性肺疾患（息切れ，咳，発熱などの症状を確認），感染症（感染の有無を確認），高血糖（血糖値を測定し，血糖をコントロール）口内炎（含嗽および口腔ケア），Infusion reaction（抗ヒスタミン薬の前投薬）	
注意点（内服薬：食事との影響/注射薬：調製・投与時）	・食事の影響を避けるため，空腹時に服用する。高脂肪食摂取後の服用は，空腹時と比較してT$_{max}$が1.75時間遅延し，C$_{max}$およびAUC$_{0-\infty}$はそれぞれ54％および22％低下した	・過量充填されている。無菌的に二段階の希釈調製を行う。1バイアルに対し添付の希釈用液1.8mLを加え，攪拌後2.5mL（25mg）を抜き取り生理食塩液250mLに混和する	
文献	−	−	

ベムラフェニブ	ダブラフェニブ
ゼルボラフ	タフィンラー
錠	カプセル
BRAF阻害薬	
BRAF遺伝子変異を有する根治切除不能な悪性黒色腫	BRAF遺伝子変異を有する悪性黒色腫，BRAF遺伝子変異を有する切除不能な進行・再発の非小細胞肺癌
・1回960mgを1日2回経口投与	〈BRAF遺伝子変異を有する悪性黒色腫〉 1回150mgを1日2回空腹時経口投与，適宜減量 〈BRAF遺伝子変異を有する切除不能な進行・再発の非小細胞肺癌〉 トラメチニブと併用：1回150mgを1日2回空腹時経口投与，適宜減量
・Cr＞1.5×ULTまたは（忍容可能な）1.5～3.0×ULT：減量・休薬不要 ・Cr＞（忍容不能な）1.5～3.0×ULTまたは3.0～6.0×ULT：休薬 ・Cr＞6.0×ULT：投与中止	・減量不要
・AST/ALT＞3.0×ULTまたは（忍容可能な）3.0～5.0×ULT：減量・休薬不要 ・AST/ALT＞（忍容不能な）3.0～5.0×ULTまたは5.0～20.0×ULT：休薬 ・AST/ALT＞20.0×ULT：投与中止	・減量不要。しかし，肝臓での代謝と胆汁排泄が主な消失経路であり，代謝が低下する可能性があるため慎重な投与が必要である
・CYP3A4により代謝される。CYP3A4阻害薬あるいは誘導薬，またCYP1A2，CYP2C9およびP-gpの基質となる薬剤との併用は血中濃度が変化する可能性があるため，代替薬を考慮	・CYP3A4および2C8により代謝される。これら阻害薬あるいは誘導薬，また，CYP3A，CYP2C9，OATP1B1およびOATP1B3の基質となる薬剤との併用は血中濃度が変化する可能性があるため，代替薬を考慮
・アナフィラキシー，過敏症有棘細胞がん，皮膚粘膜眼症候群，薬剤性過敏症症候群（全身の皮膚の状態を確認），心機能障害（心エコーなどの検査），眼障害（目の異常の有無を確認），肝・腎機能障害（定期的に肝・腎機能検査を行う）	・発熱（高頻度），有棘細胞癌（皮膚の状態を確認），心機能障害（心エコーなどの検査），眼障害（目の異常の有無を確認），肝機能障害（定期的に肝機能検査を行う）
・食事の1時間前から食後2時間までの間の服用は避けること。飲み忘れた場合，次の服用まで4時間を切っている場合には，服用しない	・食事の1時間前から食後2時間までの間の服用は避けること。飲み忘れた場合，次の服用まで6時間を切っている場合には，服用しない
－	－

一般名	トラメチニブ	パルボシクリブ
商品名	メキニスト	イブランス
剤形	錠	錠, カプセル
分類	MEK阻害薬	CDK4/6阻害薬
がん種	BRAF遺伝子変異を有する悪性黒色腫，BRAF遺伝子変異を有する切除不能な進行・再発の非小細胞肺癌	ホルモン受容体陽性かつHER2陰性の手術不能または再発乳癌
投与量	・ダブラフェニブとの併用：1日1回2mgを空腹時経口投与，適宜減量	・内分泌療法薬との併用：1日1回125mgを3週間連続して経口投与，その後1週間休薬，これを1サイクルとして繰り返す。適宜減量
腎障害	・減量不要	・Ccr≧15mL/min：用量調節は不要
肝障害	・減量不要。しかし，肝臓での代謝と胆汁排泄が主な消失経路であり代謝が低下する可能性があるため，慎重な投与が必要である	・T-Bil>3.0×ULNかつAST規定なし：減量（1日1回75mgを投与）を考慮
相互作用（酸分泌抑制薬以外）	・記載なし	・CYP3A4により代謝される。CYP3A4阻害薬あるいは誘導薬，また基質となる薬剤との併用は血中濃度が変化する可能性があるため，代替薬を考慮
特に注意すべき有害事象	・発熱（高頻度），心機能障害（心エコーなどの検査），眼障害（目の異常の有無を確認），肝機能障害（定期的に肝機能検査を行う），横紋筋融解症（CK，クレアチニンなどの検査）	・骨髄抑制（定期的に血液検査を行う），間質性肺疾患（息切れ，咳，発熱などの症状を確認）
注意点（内服薬：食事との影響/注射薬：調製・投与時）	・食事の1時間前から食後2時間までの間の服用は避けること。飲み忘れた場合，次の服用まで12時間以上ある場合のみ服用する	・食事に関係なく服用できる。空腹時と比較して，C_{max}および$AUC_{0-\infty}$はそれぞれ38.0および21%増加した。これらにより食事による用法・用量の条件は規定されていない
文献	−	−

アベマシクリブ	エンコラフェニブ	ビニメチニブ
ベージニオ	ビラフトビ	メクトビ
錠	カプセル	錠
CDK4/6阻害薬	BRAF阻害薬	MEK阻害薬
ホルモン受容体陽性かつHER2陰性の手術不能または再発乳癌	*BRAF*遺伝子変異を有する根治切除不能な悪性黒色腫	*BRAF*遺伝子変異を有する根治切除不能な悪性黒色腫
内分泌療法薬との併用：1回150mgを1日2回経口投与，適宜減量	・ビニメチニブとの併用：1日1回450mgを経口投与，適宜減量	・エンコラフェニブとの併用：1回45mgを1日2回経口投与，適宜減量
・血清Cr値の上昇（ベースラインの1.4倍程度まで）は，休薬または減量は不要	・血清CK＞5.0×ULT（血清Cr上昇を伴う）：2.5×ULT以下まで休薬	・血清CK＞5.0×ULT（筋症状または血清Cr上昇を伴う）および＞10×ULT：2.5×ULT以下まで休薬
・AST/ALT＞3.0〜5.0×ULT：同一用量で継続 ・AST/ALT＞5.0〜20.0×ULT：3.0×ULT以下まで休薬 ・AST/ALT＞5.0〜20.0×ULT：投与中止	・AST/ALT＞3.0〜5.0×ULT：3.0×ULT以下まで休薬 ・AST/ALT＞5.0〜20.0×ULT：3.0×ULT以下まで休薬 ・AST/ALT＞5.0〜20.0×ULT（血清ビリルビン上昇を伴う）：投与中止	・AST/ALT＞3.0〜5.0×ULT：3.0×ULT以下まで休薬 ・AST/ALT＞5.0〜20.0×ULT：3.0×ULT以下まで休薬 ・AST/ALT＞5.0〜20.0×ULT（血清ビリルビン上昇を伴う）：投与中止
・CYP3A4により代謝される。CYP3A4阻害薬あるいは誘導薬との併用は血中濃度が変化する可能性があるため，代替薬を考慮	・CYP3A4により代謝される。CYP3A4阻害薬との併用により血中濃度が上昇する可能性があるため，代替薬を考慮するか，併用する場合はエンコラフェニブの減量を考慮する必要がある	・記載なし
・間質性肺疾患（息切れ，咳，発熱などの症状を確認），肝機能障害（定期的に肝機能検査を行う），骨髄抑制（定期的に血液検査を行う），下痢（回数，症状に合わせた止瀉薬の服用方法を指導）	・皮膚悪性腫瘍，手掌・足底発赤知覚不全症候群（皮膚の状態を確認），眼障害（目の異常の有無を確認）	・眼障害（目の異常の有無を確認），心機能障害（心エコーなどの検査），横紋筋融解症（CK，Crなどの検査），高血圧（血圧の推移などに注意）
・食事に関係なく服用できる。空腹時と比較して，C_{max}および$AUC_{0-\infty}$はそれぞれ30.0および13％増加し，T_{max}の中央値は同程度であった。これらにより食事による用法・用量の条件は規定されていない	・食事条件は規定されていない。空腹時または食後（高脂肪食）で，空腹時と比較して，C_{max}および$AUC_{0-\infty}$はそれぞれ64.0および95.9％であった。しかし，食後投与によるC_{max}の低下が臨床使用時に問題となる可能性は低いとされる	・食事条件は規定されていない。空腹時または食後（高脂肪食）で，空腹時と比較して，C_{max}および$AUC_{0-\infty}$はそれぞれ82.8および99.3％であった。また，低脂肪食では129％および100％であった。これらにより食事による用法・用量の条件は規定されていない
−	−	−

7-7 その他

I 医薬品の特徴（基本知識）

　ユビキチン・プロテアソームシステムは，細胞内の蛋白質の清掃装置として機能する．ユビキチンは，細胞内の蛋白質のなかで分解すべき不要な蛋白質に目印を付ける役目を担っており，プロテアソームはその蛋白質を分解する．ユビキチン活性化酵素から始まり，ユビキチン結合酵素，ユビキチン蛋白質結合酵素の3つの酵素が順にユビキチンを活性化する．分解すべき蛋白質に活性化されたユビキチンが多数結合する（ポリユビキチン化）．この蛋白質をプロテアソームが選択的に分解する．ボルテゾミブは，がん細胞のプロテアソームを阻害することにより，その増殖を抑制しアポトーシスを誘導する（図）．

（加藤　裕久）

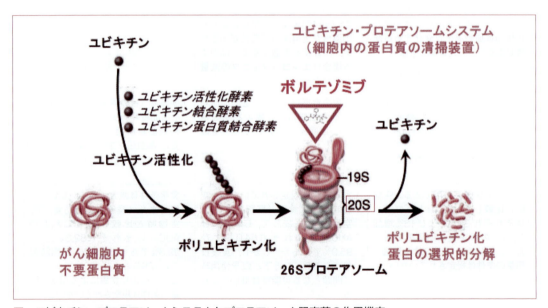

図　ユビキチン・プロテアソームシステムとプロテアソーム阻害薬の作用機序

2 各論（医薬品ごとの特徴）

2-1 ボルテゾミブ

　本剤はプロテアソームを選択的かつ可逆的に阻害して抗腫瘍作用を発揮する。

　注意を要する副作用として，肺障害（間質性肺炎など）・骨髄抑制・末梢神経障害などが挙げられる。末梢神経障害の推定発現率は，5サイクル目（1サイクル3週）までの累積投与量の増加とともに上昇する。本剤の累積投与量約26mg/m^{2}でプラトーに達し，5サイクル終了時までに発現することが多い傾向がみられている[1]。不可逆な症状を呈する場合があるため早期発見が重要であり，本剤投与前に患者またはその家族へ末梢神経障害に対する知識を深めさせることが非常に重要である。また，静脈内投与と皮下投与の2つの投与方法があるが，末梢神経障害軽減を期待して皮下投与を選択されるケースが多い。

2-2 ボリノスタット

　本剤はヒストン脱アセチル化酵素（HDAC）を阻害して抗腫瘍効果を発揮する。米国では2006年に「2種類以上の全身療法の施行中又は施行後に再発又は難治性の病態を示すCTCL患者の皮膚病変の治療」として，わが国では2011年に「皮膚T細胞性リンパ腫」として承認された[2]。

　特に注意を要する副作用は，肺塞栓症・深部静脈血栓症，血小板減少症，貧血，脱水症状，高血糖，腎不全である。本剤は1日1回400mgを食後経口投与するが，軽度の肝障害患者に対する最大耐用量は300mg，中等度の肝障害患者に対する最大耐用量は200mgである。重度の肝障害患者への投与は副作用が強く発現するおそれがあるため禁忌である[3]。

2-3 パノビノスタット

　クラスⅠ，Ⅱ，ⅣのHDACを強力に阻害することにより，ヒストンおよび非ヒストン蛋白の脱アセチル化の阻害を介し，がん抑制遺伝子の転写促進，腫瘍細胞のアポトーシスや細胞周期停止の誘導および血管新生や転移の阻害によって，抗腫瘍効果を発揮すると考えられている。また，ボルテゾミブとの併用により，ユビキチン化蛋白分解経路であるプロテアソーム経路およびアグリソーム経路が阻害され，細胞ストレスやアポトーシス誘導が増強されると考えられている。

　使用にあたっては，再発または難治性の多発性骨髄腫に対してボルテゾミブおよびデキサメタゾンと併用する。

2-4 カルフィルゾミブ

　本剤はプロテアソームのβ5ユニットのみに不可逆的に結合するため，ボルテゾミブが無効である場合にも効果が期待できる。

　治療法としてKRd[4]，Kd[5]，wKd[6]，DKd[7]の4つの療法を有しており，それぞれに応じてレジメン選択が可能である。一方，心障害や高血圧といった副作用が報告されており，マネジメントが

重要である。投与前は心電図や血圧測定によりCVリスクをスクリーニング，投与中はバイタルサインや血圧を定期的にモニタリングすることでマネジメントが可能である。また，多発性骨髄腫では腎機能障害を合併する患者が多いが，透析有無にかかわらず使用が可能な薬剤である。

2-5　イキサゾミブ

本剤は20Sプロテアソームのβ5サブユニットに可逆的かつ選択的に結合して，そのキモトリプシン様活性を阻害することで腫瘍細胞のアポトーシスを誘導する経口プロテアソーム阻害薬である。治療法として単独療法とレブラミド，デキサメタゾンとの併用療法がある。

効能・効果は「再発又は難治性の多発性骨髄腫」および「多発性骨髄腫における維持療法」であり，主な副作用として血小板減少症，下痢などの胃腸障害，帯状疱疹などの感染症，末梢神経障害が挙げられる。重度の腎機能障害のある患者（Ccr：30mL/min未満），および中等度以上の肝機能障害のある患者（総ビリルビン値が基準値上限の1.5倍超）については，本剤の血中濃度上昇により副作用が強く現れるおそれがあるため，減量を考慮し，有害事象の発現に注意が必要である。

2-6　ロミデプシン

Chromobacterium violaceum 968株から単離された二環式デプシペプチドであり，HDACの阻害を特徴とする新規の抗腫瘍薬である。HDAC活性阻害によりヒストンなどの脱アセチル化が阻害され，細胞周期停止およびアポトーシス誘導が生じることにより，腫瘍増殖が抑制されると推測されている。2016年8月に厚生労働省より希少疾病用医薬品の指定を受けている。

副作用として，血小板減少，好中球減少，非血液毒性，QT間隔，不整脈が挙げられる。また，肝機能障害時において用量の調節が必要である。

2-7　オラパリブ

本剤はDNA一本鎖切断修復の主要酵素であるポリアデノシン5'二リン酸リボースポリメラーゼ（PARP）を選択的に阻害する経口薬である。DNAの二本鎖切断修復機構である相同組換え修復が機能していないがん細胞に選択的に作用し，細胞死に導く。相同組換え修復機能不全（HRD）にはBRCAなどの関与が知られており，乳がん，卵巣がん，膵がん，前立腺がんなどの一部にBRCA遺伝子変異が認められている。本剤は乳がん，卵巣がん，膵がん，前立腺がんに適応を有する。用法および用量に関連する注意として，100mg錠と150mg錠の生物学的同等性は示されていないため，300mgを投与する際には100mg錠を使用しないこと。また，本剤投与により副作用が発現した場合には，休薬，減量する場合がある。

2-8　ベネトクラクス

B細胞性リンパ腫-2（B-cell lymphoma-2：BCL-2）阻害薬は，BCL-2と結合することにより腫瘍細胞を速やかなアポトーシスに誘導する[8]，世界初の作用機序である。2011年に米国で臨床開

発が開始され，慢性リンパ性白血病を対象に2016年に承認，日本においては2019年9月に承認された。また，米国では2018年，国内では2021年3月に，アザシチジンおよび低用量シタラビンと併用にて急性骨髄性白血病の適応が追加された。適応疾患や併用薬に応じて，投与方法や投与量が異なるため注意が必要である。

特に注意すべき副作用は腫瘍崩壊症候群（TLS）であり，TLS予防のため用量漸増期間が設けられている。TLS発現時には，高尿酸血症治療薬などで対処する必要がある。排泄経路は糞中99.9％，尿0.1％未満であるため，腎機能障害に対する減量などの規定はない。一方，肝機能障害に対しては，重度肝機能障害（Child-Pugh分類C）においては減量が推奨されている。欧州では，重度肝機能障害は用量を50％以下に減量するよう推奨されている。

2-9　ニラパリブ

ヒトPARP-1およびPARP-2の酵素活性を阻害することでDNA一本鎖切断の修復不全となりDNA二本鎖切断が起こる。相同組換え修復欠損（HRD）を有する卵巣がんではDNA二本鎖切断を修復することができないため，結果としてがん細胞死を誘導する。効能・効果は①卵巣がんにおける初回化学療法後の維持療法，②白金系抗悪性腫瘍剤感受性の再発卵巣がんにおける維持療法，③白金系抗悪性腫瘍剤感受性の相同組換え修復欠損を有する再発卵巣がんである。

2-10　セツキシマブ サロタロカンナトリウム

本剤は，キメラ型抗ヒト上皮成長因子受容体（EGFR）モノクローナル抗体（IgG1）であるセツキシマブと光感受性物質である色素IR700を結合させた抗体-光感受性物質複合体である。

頭頸部がんにおける治療は，セツキシマブ サロタロカンナトリウムと医療機器のBioBladeレーザシステムとを併用する新しい局所治療である。本治療は，①本剤の点滴静注，②本剤が結合した腫瘍細胞へのBioBladeレーザシステムによる波長690nmのレーザ光照射の2段階で構成される。本剤が腫瘍細胞の細胞膜上に発現するEGFRに結合し，レーザ光照射により励起されたIR700が光化学反応を起こして，腫瘍細胞の細胞膜を傷害することにより殺細胞効果を示すと考えられている[9]。

主な副作用として頸動脈出血および腫瘍出血があり，頸動脈への腫瘍浸潤が認められる患者は禁忌である。また，本剤は光感受性物質を含有しているため，光線過敏症が発現する可能性がある。したがって，本剤投与後一定期間は適切な光曝露対策を実施する必要がある。例として，読書灯などの強い光を放つ家庭用製品に注意する，日中にどうしても外出しなければならない場合は，顔および手を含むすべての皮膚をカバーし，暗い色のサングラスを着用するなどである。

【参考文献】

1) Richardson PG et al : Reversibility of symptomatic peripheral neuropathy with bortezomib in the phase III APEX trial in relapsed multiple myeloma: impact of a dose-modification guideline. Br J Haematol, 144(6):895-903, 2009
2) Wada H et al : Phase I and pharmacokinetic study of the oral histone deacetylase inhibitor vorinostat in Japanese patients with relapsed or refractory cutaneous T-cell lymphoma. J Dermatol, 39(10):823-828, 2012

3) Ramalingam SS et al : Phase I study of vorinostat in patients with advanced solid tumors and hepatic dysfunction: a National Cancer Institute Organ Dysfunction Working Group study. J clin Oncol, 28(29):4507-4512, 2010
4) Stewart AK et al : Carfilzomib, lenalidomide, and dexamethasone for relapsed multiple myeloma. N Engl J Med, 372(2):142-152, 2014
5) Dimopoulos MA et al : Carfilzomib or bortezomib in relapsed or refractory multiple myeloma (ENDEAVOR) : an interim overall survival analysis of an open-label, randomised, phase 3 trial. Lancet Oncol, 8(10):1327-1337, 2017
6) Moreau P et al : Once weekly versus twice weekly carfilzomib dosing in patients with relapsed and refractory multiple myeloma (A.R.R.O.W.) : interim analysis results of a randomised, phase 3 study. Lancet Oncol, 19(7):953-964, 2018
7) Dimopoulos M et al : Carfilzomib, dexamethasone, and daratumumab versus carfilzomib and dexamethasone for patients with relapsed or refractory multiple myeloma (CANDOR) : results from a randomised, multicentre, open-label, phase 3 study. Lancet, 396(10245):186-197, 2020
8) Souers AJ et al : ABT-199, a potent and selective BCL-2 inhibitor, achieves antitumor activity while sparing platelets. Nat Med, 19(2): 202-208, 2013
9) Mitsunaga M et al : Cancer cell-selective in vivo near infrared photoimmunotherapy targeting specific membrane molecules. Nat Med, 17(12):1685-1691, 2011

(坂田　幸雄)

第3章 抗がん薬

- 7 分子標的治療薬：低分子型抗体
- 7 その他

表 分子標的治療薬：低分子型抗体　その他　比較表

一般名	オラパリブ
商品名	リムパーザ
剤形	錠
分類	PARP阻害薬
がん種	白金系抗悪性腫瘍剤感受性の再発卵巣癌における維持療法，BRCA遺伝子変異陽性の卵巣癌における初回化学療法後の維持療法，相同組換え修復欠損を有する卵巣癌におけるベバシズマブ（遺伝子組換え）を含む初回化学療法後の維持療法，がん化学療法歴のあるBRCA遺伝子変異陽性かつHER2陰性の手術不能または再発乳癌，BRCA遺伝子変異陽性の遠隔転移を有する去勢抵抗性前立腺癌，BRCA遺伝子変異陽性の治癒切除不能な膵癌における白金系抗悪性腫瘍剤を含む化学療法後の維持療法
投与量	・1回300mgを1日2回経口投与，適宜減量（単剤投与，ベバシズマブ併用）
腎障害	・重度の腎機能障害または末期腎不全〔Ccr：30mL/min以下〕患者を対象とした有効性および安全性を指標とした臨床試験は実施していない
肝障害	・重度の肝機能障害（Child-Pugh分類C）患者を対象とした有効性および安全性を指標とした臨床試験は実施していない
相互作用（酸分泌抑制薬以外）	・主にCYP3Aにより代謝される ・強いCYP3A阻害薬：イトラコナゾール，リトナビル，ボリコナゾールなど ・中程度のCYP3A阻害薬：シプロフロキサシン，ジルチアゼム，エリスロマイシン，フルコナゾール，ベラパミルなど ・グレープフルーツ含有食品 ・CYP3A誘導薬：リファンピシン，カルバマゼピン，フェノバルビタール，フェニトイン，セイヨウオトギリソウ（St.John's Wort）含有食品など
特に注意すべき有害事象	・骨髄抑制（貧血，好中球減少，白血球減少，血小板減少，リンパ球減少など），間質性肺疾患
注意点（内服薬：食事との影響/注射薬：調製・投与時）	・固形がん患者（56例）に本剤300mgを食後投与したとき，空腹時投与と比較して，オラパリブのC$_{max}$は21％（90％信頼区間：14～28％）低下し，AUCは8％（90％信頼区間：1～16％）増加した（外国人データ）
文献	─

	ニラパリブ	ベネトクラクス
	ゼジューラ	ベネクレクスタ
	錠，カプセル	錠
	PARP阻害薬	BCL-2阻害薬
	卵巣癌における初回化学療法後の維持療法，白金系抗悪性腫瘍剤感受性の再発卵巣癌における維持療法，白金系抗悪性腫瘍剤感受性の相同組換え修復欠損を有する再発卵巣癌	再発または難治性の慢性リンパ性白血病（小リンパ球性リンパ腫を含む），急性骨髄性白血病
	・1日1回200mgを経口投与。ただし，本剤初回投与前の体重が77kg以上かつ血小板数が150,000/μL以上の場合には，1日1回300mgを経口投与が可能。適宜減量	〈再発または難治性の慢性リンパ性白血病（小リンパ球性リンパ腫を含む）〉 第1週目20mg，第2週目50mg，第3週目100mg，第4週目200mg，第5週目400mg。その後400mgを1日1回，食後に経口投与。適宜減量 〈急性骨髄性白血病〉 アザシチジン併用の場合：1日目100mg，2日目200mg，3日目400mg。その後400mgを1日1回，食後に経口投与。適宜減量 シタラビン少量療法併用の場合：1日目100mg，2日目200mg，3日目400mg，4日目600mg。その後600mgを1日1回，食後に経口投与。適宜減量
	・特定の背景を有する患者に関する注意　腎機能障害患者：設定されていない[1] ・血中クレアチニン増加：5〜10%，腎・尿路障害：5%[2,3]	・規定なし （参考） ・Ccr 30mL/min以上，90mL/min未満：減量不要 ・Ccr 30mL/min未満，透析患者：安全性は確立されていない（推奨用量は設定なし） ・Ccr 80mL/min未満：TLSのリスク増加のため，徹底した予防措置とモニタリングが必要となる
	・中等度以上の肝機能障害のある患者（T-Bil値が基準値上限の1.5倍超）は減量を考慮し，有害事象の発現に十分注意すること ・重度の肝機能障害のある患者（T-Bil値が基準値上限の3倍超）を対象とした臨床試験は実施していない[1]	・軽度または中等度の肝機能障害患者：減量不要 ・重度の肝機能障害患者（Child-Pugh分類C）：減量を考慮すること（欧州では，50%以上の減量が推奨されている）
	・主に薬物代謝酵素カルボキシエステラーゼで代謝される。併用禁忌および併用注意に該当する薬剤はない	・主にCYP3A4により代謝される。本剤はP-gpの基質であり，P-gpを阻害する。CYP3A阻害作用を有する薬剤との併用時，減量規定が設けられており，用量漸増期における強いCYP3A阻害薬（リトナビル，クラリスロマイシン，イトラコナゾール，ボリコナゾール，ポサコナゾール，コビシスタット含有製剤）を投与中の患者は禁忌
	・血小板減少と骨髄抑制（貧血，好中球減少），悪心，高血圧，疲労倦怠感，嘔吐，便秘，血中Cr増加[2,3]	・腫瘍崩壊症候群，骨髄抑制，感染症
	・包装状態での貯法：2〜8℃，取扱い上の注意：PTP包装から薬剤を取り出した後は，速やかに服用し，残りのPTPシートは冷蔵（2〜8℃）かつ遮光下で保管すること ・食事による影響はない	・絶食下と比較して，低脂肪食および高脂肪食摂取後にそれぞれ約3.4倍および5.1〜5.3倍であった

1) Sandhu SK et al：Lancet Oncol, 14(9):882-892, 2013
2) Mirza MR et al：N Engl J Med, 375(22):2154-2164, 2016
3) Moore KN et al：Lancet Oncol, 20(5):636-648, 2019

一般名	ボルテゾミブ
商品名	ベルケイド
剤形	注射用
分類	プロテアソーム阻害薬
がん種	多発性骨髄腫，マントル細胞リンパ腫，原発性マクログロブリン血症およびリンパ形質細胞リンパ腫，全身性ALアミロイドーシス
投与量	〈多発性骨髄腫〉 1.3mg/m^{2}を静脈内投与または皮下投与する。ほかの抗悪性腫瘍剤との併用において，週2回，2週間（1，4，8，11日目）投与した後，10日間休薬する。3または9サイクル以降は，週1回，2週間（1，8日目）投与し，13日間休薬する 〈マントル細胞リンパ腫〉 ほかの抗悪性腫瘍剤との併用において，1.3mg/m^{2}を1，4，8，11日目に静脈内投与した後，10日間休薬する。皮下投与も可 〈原発性マクログロブリン血症およびリンパ形質細胞リンパ腫〉 1.3mg/m^{2}を1，4，8，11日目に静脈内投与または皮下投与した後，10日間休薬する 〈全身性ALアミロイドーシス〉 ほかの薬剤との併用において，1.3mg/m^{2}を1，8，15，22日目に皮下投与する。28日間を1サイクルとする
腎障害	・腎障害患者に対する特別な投与方法（投与量調整の必要性）：なし[1]
肝障害	・減量不要
相互作用（酸分泌抑制薬以外）	・CYP3A4，2C19および1A2の基質であること示されている。本剤とのCYP3A4の基質，阻害薬または誘導薬を併用している患者においては，副作用または効果の減弱について注意深く観察すること
特に注意すべき有害事象	・骨髄抑制，末梢神経障害，肺障害（間質性肺炎など），イレウス，肝機能障害，腫瘍崩壊症候群
注意点（内服薬：食事との影響／注射薬：調製・投与時）	・投与経路により注射液の調製法および最終濃度が異なるので注意 〈皮下投与〉1バイアルを生理食塩液1.2mLで溶解（濃度：2.5mg/mL） 〈静脈内投与〉1バイアルを生理食塩液3.0mLで溶解（濃度：1.0mg/mL）
文献	1) Mulkerin D et al：Blood, 110(11):3477, 2007

	カルフィルゾミブ	イキサゾミブ
	カイプロリス	ニンラーロ
	注射用	カプセル
	プロテアソーム阻害薬	
	再発または難治性の多発性骨髄腫	再発または難治性の多発性骨髄腫，多発性骨髄腫における維持療法
	・KRd療法 Day1, 2に20mg/m^2，Day8, 9, 15, 16に27mg/m^{2}を投与し，12日間休薬する。2サイクル目以降は27mg/m^{2}で投与する。13サイクル目以降は，Day1, 2, 15, 16に投与する。10分かけて点滴静注。適宜減量 ・Rd療法およびDKd療法 Day1, 2に20mg/m^2，Day8, 9, 15, 16に56mg/m^{2}を投与し，12日間休薬する。2サイクル目以降は56mg/m^{2}で投与する。30分かけて点滴静注。適宜減量 ・weekly Kd療法 Day1に20mg/m^2，Day8, 15に70mg/m^{2}を投与し，13日間休薬する。1サイクル目以降は70mg/m^{2}で投与する。30分かけて点滴静注。適宜減量	〈再発または難治性の多発性骨髄腫〉 IRd療法において，1日1回4mgを空腹時に週1回，3週間（1, 8, 15日目）経口投与した後，13日間休薬（16～28日）。この4週間を1サイクルとし，投与を繰り返す。適宜減量 〈多発性骨髄腫における維持療法〉 イキサゾミブ単剤療法で4サイクルまでは3mg，5サイクル以降は4mg。適宜減量
	・Ccrが15mL/min未満：休薬	・Ccr<30mL/min：減量[1]
	・減量不要	・T-Bil値が基準値上限の1.5倍超[2]：減量を考慮
	・CYP3A4を阻害。その他のCYP（CYP1A2, 2C8, 2C9, 2C19, 2D6）は阻害せず，CYP1A2, 3Aを誘導しない	・主にCYP3A4で代謝される ・リファンピシン600mgを1日1回反復投与時に，本剤4mgを併用投与した時，本剤のC$_{max}$が54%，AUCが74%減少した[3]
	・心障害，高血圧，腫瘍崩壊症候群	・血小板減少症，末梢性感覚ニューロパチー，末梢性ニューロパチー，帯状疱疹
	・溶解時は泡立つため，注射用水をバイアル内壁に当てながら緩徐に注入し，2mg/mLの濃度にて溶解する。必要量を5%ブドウ糖液に希釈し投与する	・食後投与では，空腹時投与時に比べてT$_{max}$は延長し，C$_{max}$, AUC 0-216はそれぞれ69%，28%減少した[3]
	—	1) Gupta N et al：Br J Haematol, 174(5):748-759, 2016 2) Gupta N et al：Br J Clin Pharmacol, 82(3):728-738, 2016 3) Gupta N et al：J Clin Pharmacol, 56(10):1288-1295, 2016

一般名	ボリノスタット	パノビノスタット
商品名	ゾリンザ	ファリーダック
剤形	カプセル	カプセル
分類	HDAC阻害薬	
がん種	皮膚T細胞性リンパ腫	再発または難治性の多発性骨髄腫
投与量	・1日1回400mgを食後経口投与，適宜減量	・ボルテゾミブおよびデキサメタゾンと併用：1日1回20mgを週3回，2週間（1，3，5，8，10，12日目）経口投与した後，9日間休薬（13〜21日目）。これを1サイクルとして投与を繰り返す。適宜減量
腎障害	〈Grade3以上の腎不全〉 初回発現時：Grade1以下に回復するまで最大2週間休薬し，1段階減量する（300mg/日） 投与再開後の再発時：再度Grade1以下に回復するまで最大2週間休薬し，もう一段階減量する（300mg/日を5投2休） Cr>4.0mg/dL：休薬 Cr≦2.0mg/dL：再開	・減量不要
肝障害	T-bil>3.0mg/dL：休薬 ・軽度の肝障害患者に対する最大耐用量は300mg，中等度の肝障害患者に対する最大耐用量は200mgである	・減量不要
相互作用（酸分泌抑制薬以外）	・本剤はCYPによりほとんど代謝されないことが示されており，CYPの阻害薬および誘導薬と併用しても薬物−薬物間相互作用は起こさないと推察される。併用注意薬は，クマリン系抗凝血薬のワルファリンおよびバルプロ酸	・本剤はCYP3A4の基質となる。また，本剤はCYP2D6を阻害することが示されている。強いCYP3A誘導薬との併用で本剤の血中濃度が低下するおそれがある。CYP2D6の基質との併用にて，これらの薬剤の血中濃度が上昇するおそれがある
特に注意すべき有害事象	・肺塞栓症・深部静脈血栓症，血小板減少症，貧血，脱水症状，高血糖，腎不全	・血小板減少症，下痢，疲労，貧血，好中球減少症
注意点（内服薬：食事との影響／注射薬：調製・投与時）	・固形がん患者におけるボリノスタット400mg食後（高脂肪食）単回経口投与後のAUC 0〜∞およびC_{max}は空腹時単回経口投与後のそれぞれ1.38倍および0.91倍であった ・摂食によりT_{max}は1.5時間から4時間に遅延したが，$t_{1/2}$は変化しなかった[1]	・食事により臨床上問題となる影響なし
文献	1) Rubin EH et al：Clin Cancer Res, 12(23):7039-7045, 2006	―

	ロミデプシン	セツキシマブ サロタロカンナトリウム
	イストダックス	アキャルックス
	注射用	注
	HDAC阻害薬	抗体-光感受性物質複合体
	再発または難治性の末梢性T細胞リンパ腫	切除不能な局所進行または局所再発の頭頸部癌
	・14mg/m^{2}を1, 8, 15日目に4時間かけて点滴静注した後, 休薬 (16〜28日目)。これを1サイクルとして投与を繰り返す。適宜減量	・1日1回640mg/m^2 (体表面積) を2時間以上かけて点滴静注。終了20〜28時間後にレーザ光を病巣部位に照射
	・減量不要	・規定はないが, 臨床試験での除外基準では, 血清Crが2mg/dLを上回る場合となっている
	・減量不要	・規定はないが, 臨床試験での除外基準は, ALP (肝臓由来), AST, またはALTが正常値上限の3倍を上回り, かつT-Bilが2mg/dLを上回る場合となっている
	・主にCYP3A4で代謝される	・規定なし
	・骨髄抑制, 感染症, QT間隔延長, 腫瘍崩壊症候群, 過敏症	・頸動脈出血, 腫瘍出血, 舌膨張, 喉頭浮腫, infusion reaction
	・専用溶解用液より2.2mL抜き取り, ゆっくりとバイアル内に注入する (濃度：5mg/mL)。澄明で均一になるまで, ゆっくりと泡立てないように十分に溶解させる (振り混ぜないこと)。溶解後, 8時間以内に使用すること。また, 投与時は生理食塩液500mLに希釈し, 希釈後は速やかに使用すること。なお, やむを得ず保存を必要とする場合でも, 24時間以内に使用すること	・直接照明, 直接昼光, あるいは間接昼光を避けて調製。また, 点滴静注バッグ, インラインフィルター (0.2または0.22μm), チューブなどは常に遮光カバーで被覆するとともに, 投与を行う部屋の窓はカーテンやブラインドなどで覆うこと
	−	−

第3章 抗がん薬　8 ホルモン療法薬

8-1 LH-RH アゴニスト

1 医薬品の特徴（基本知識）

　LH-RHアゴニストは乳がんと前立腺がんの治療に使用される。視床下部から分泌されるLH-RH（黄体形成ホルモン放出ホルモン）を高濃度かつ継続的に供給することで，LH-RH受容体のダウンレギュレーションを来す。その結果，エストロゲンとアンドロゲンの分泌を抑制する（図1）。ゴセレリンとリュープロレリンがある。図2に閉経前後のエストロゲン産生経路を示す。

（加藤　裕久）

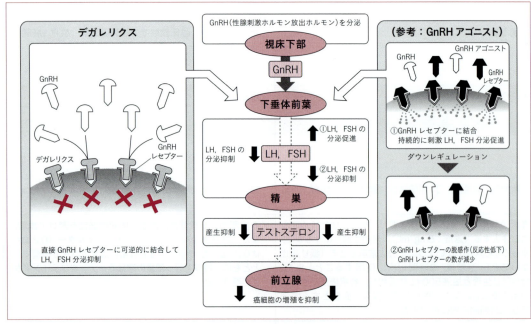

〔ゴナックス® インタビューフォーム（第7版），2022〕

図1　LH-RHアゴニストの作用機序

2 各論（医薬品ごとの特徴）

2-1 ゴセレリン

　適応がん種は閉経前乳がんと前立腺がんであり，いずれも皮下注で4週または12〜13週ごとに投与する。蓄積性に乏しいため，腎機能や肝機能による用量調節は不要である。
　代表的な有害事象として，ホットフラッシュやフレアアップ現象がある。フレアアップ現象とは，

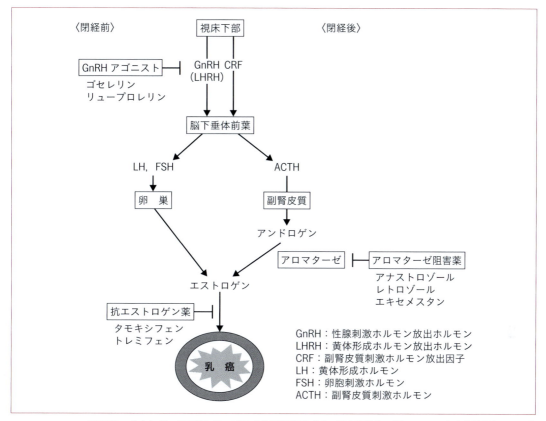

〔和田敦,スタンダード薬学シリーズⅡ-6 医療薬学Ⅳ(4),日本薬学会 編,p.252,東京化学同人,2017〕
図2 閉経前後のエストロゲン産生経路と阻害薬

LH-RHアゴニストの投与により,投与開始から1〜2週間は一時的に性腺刺激ホルモンの分泌が亢進されるため,エストロゲン作用もしくはアンドロゲン作用が増強する現象である。前立腺がんで使用する場合には,このフレアアップ現象が尿閉,骨転移の増悪などの症状を引き起こし,問題となることがある。フレアアップ現象に対しては,LH-RHアゴニスト投与7日前から抗アンドロゲン薬を予防的に投与することが推奨される。

2-2 リュープロレリン

薬理作用や適応がん種,治療効果,代表的な有害事象,肝・腎機能障害者への投与時の注意点はゴセレリンと同様である。リュープロレリンは4週間,12週間製剤だけではなく,24週間製剤があることが特徴となっている。また,薬剤の形状として,ゴセレリン(ゾラデックス)は固形,リュープロレリン(リュープリン)は微小カプセルの含まれた液体となっている。薬剤の形状の差から,ゾラデックスでは針が太く(16G),穿刺後の出血が起こる場合がある。一方,リュープリンは液体であるため針は細いものの,皮下に投与した薬剤が皮下硬結,発赤などの注射部位反応を起こすことがある。

(新島 大輔)

表 LH-RHアゴニスト 比較表

一般名	ゴセレリン	リュープロレリン
商品名	①ゾラデックス（3.6mg）， ②ゾラデックスLA（10.8mg）	リュープリン 〔①3.75mg，②11.25mg（SR）， ③22.5mg（PRO）〕
剤形	注（キット）	注（キット）
分類	LH-RHアゴニスト	
がん種	前立腺癌，閉経前乳癌	前立腺癌，閉経前乳癌
投与量	①1日1回3.6mg（1筒）を4週ごとに皮下投与 ②1日1回10.8mg（1筒）を12〜13週ごとに皮下投与	①1日1回3.75mgを4週ごとに皮下投与 ②1日1回11.25mgを12週ごとに皮下投与 ③1日1回22.5mgを24週ごとに皮下投与
腎障害	腎機能には注意して投与する	〈前立腺癌〉腎機能には注意して投与する
肝障害	異常が認められた場合は投与中止する	異常が認められた場合は適切に処置する
相互作用	該当しない	該当しない
特に注意すべき有害事象	ホットフラッシュ，肝機能異常，注射部位反応 前立腺癌：フレアアップ（症状増悪）	ホットフラッシュ，注射部位硬結・疼痛 前立腺癌：フレアアップ（症状増悪）
注意点（内服薬：食事との影響／注射薬：調製，投与時）	・血管を損傷する可能性の少ない投与部位を選択する ・投与部位は毎回変更し，同一部位への反復投与は行わない	・注射部位は毎回変更し，同一部位への反復注射は行わない ・注射針が血管内に入っていないことを確認する ・注射部位を揉まないよう患者に指示する
文献	―	―

第3章 抗がん薬　　8　ホルモン療法薬

8-2 抗エストロゲン薬

1 医薬品の特徴（基本知識）

　抗エストロゲン薬は，腫瘍細胞のエストロゲン受容体に結合し，エストロゲンと競合阻害することで抗腫瘍効果を発揮する（p.241，図2参照）。抗エストロゲン薬の服用によるホットフラッシュといわれるほてりやのぼせなどの有害事象がある。

（加藤　裕久）

2 各論（医薬品ごとの特徴）

2-1　タモキシフェン（TAM）

　タモキシフェンは腸管循環することから半減期が長く，血中濃度が長い期間安定する。内服時点の制約はない。内服後CYP3A4などで代謝を受けた後，CYP2D6により活性代謝物へ変換され抗腫瘍効果を発揮する。代謝には主にCYP2D6が関わっていることから，CYP2D6の遺伝子多型やCYP2D6に対する阻害・誘導作用をもつ薬剤との相互作用には十分注意が必要である。特に，CYP2D6を阻害する薬剤であるパロキセチンなどと併用することにより，タモキシフェンの作用減弱による乳がんの再発リスクや死亡リスクが高まることが報告されている[1]。

　代表的な有害事象として，ホットフラッシュ，子宮内膜がん，静脈血栓塞栓症がある。

　ホットフラッシュは投与初期に症状が出現するが，治療開始数カ月を経過すると徐々に軽減する場合が多く，軽微な症状であれば経過観察でもかまわない。これらの症状は自律神経機能障害による体温調節機能の低下が原因と考えられている。頻度はアロマターゼ阻害薬（第3章8-3参照）と比較して，抗エストロゲン薬の代表的薬剤であるタモキシフェンの方が高い。

　タモキシフェン投与による子宮内膜がんの発症リスクは投与期間が長くなるほど増加し[2]，投与中止とともに低下する[3]。不正出血がみられた場合には受診が必要であるが，定期的な子宮体がん検診は推奨されていない[4]。

2-2　トレミフェン（TOR）

　食事による吸収の影響はほとんどなく，内服時点の制約はない。一方で，ほかのがん領域での臨床試験においてQT延長がみられたため，QT延長またはその既往がある患者に対する投与は禁忌となっている。また，同様の理由で低カリウム血症の患者に対する投与も禁忌である。併用禁忌薬としては，QT延長を増強し，Torsade de pointesを含む心室性頻拍などを起こすおそれがあると

して，クラスⅠA（キニジン，プロカインアミドなど）またはクラスⅢ（アミオダロン，ソタロールなど）が添付文書に記載されている。

2-3 フルベストラント

　フルベストラントはステロイド構造を有している。左右の臀部に1筒ずつ筋肉内投与する。フルベストラントは欧米では250mgの4週ごと投与が承認されていたが，現在の投与法である500mg筋注をday1，day14，day28，以降4週ごとに投与する方法との比較により，後者の有効性の高さが示されたことなどから，用量依存的に効果が得られることがわかっている。単回投与時と反復投与時の薬物動態から推測すると，フルベストラント250mgの半減期は35～38日であり，投与開始約1カ月で血漿中のフルベストラント濃度は定常状態に達すると考えられる。したがって，投与間隔の1週間以内の延期は許容範囲であると考えられている。

　本剤は肝代謝であり重度の肝機能障害のある患者への投与は注意を要するが，相互作用を示す薬剤は報告されていない。LH-RHアゴニスト投与下でのCDK4/6阻害薬の併用療法を除き，閉経前の患者への使用を避けること。

【参考文献】
1) Kelly CM et al：Selective serotonin reuptake inhibitors and breast cancer mortality in women receiving tamoxifen: a population based cohort study. BMJ, 8;340:c693, 2010
2) Early Breast Cancer Trialists'Collaborative Group（EBCTCG）：Effects of chemotherapy and hormonal therapy for early breast cancer on recurrence and 15-year survival: an overview of the randomised trials. Lancet, 365(9472):1687-1717, 2005
3) Cuzick J et al：Long-term results of tamoxifen prophylaxis for breast cancer--96-month follow-up of the randomized IBIS-I trial. J Natl Cancer Inst, 99(4):272-282, 2007
4) Committee Opinion No.601: Tamoxifen and uterine cancer. Obstet Gynecol, 123(6):1394-1397, 2014

（新島　大輔）

表 抗エストロゲン薬 比較表

一般名	タモキシフェン	トレミフェン	フルベストラント
商品名	ノルバデックス	フェアストン	フェソロデックス
剤形	錠	錠	注
分類	抗エストロゲン薬		
がん種	乳癌	閉経後乳癌	乳癌
投与量	・1日20〜40mg，分1〜2	・1日1回40〜120mg	・1回500mg（2筒）を初回，2週後，4週後，その後4週ごとに1回，左右の臀部に1筒ずつ筋肉内投与
腎障害	・減量不要	・減量不要	・減量不要
肝障害	・減量不要	・主に肝臓で代謝される。高齢者では肝機能が低下していることが多く，高い血中濃度が持続するおそれがあるので，用量に留意する	・減量基準はないが，肝機能障害のある患者は血中濃度が上昇するおそれがある ・Child-Pugh分類 クラスC患者における使用経験はない
相互作用	・ワルファリン：血中濃度上昇 ・リトナビル：本剤のAUC上昇 ・リファンピシン：本剤の血中濃度低下 ・SSRI（パロキセチン）：本剤の作用低下	・チアジド系利尿薬：高カルシウム血症リスク上昇 ・ワルファリン：抗凝血作用増強 ・フェノバルビタール，フェニトイン，カルバマゼピン：本剤の血中濃度低下 ・リファンピシン：本剤の血中濃度低下 ・リトナビル：本剤のAUC上昇	・特になし
特に注意すべき有害事象	・ホットフラッシュ，子宮内膜癌，静脈血栓塞栓症	・ホットフラッシュ，肝機能障害，高脂血症	・注射部位反応，ホットフラッシュ，関節痛，悪心，肝機能障害
注意点（内服薬：食事との影響／注射薬：調製，投与時）	・食事との影響なし	・食事との影響なし	・注射は1〜2分かけて緩徐に行うことが望ましい ・硬結に至ることがあるので，注射部位を毎回変更するなど十分注意して投与する
文献	―	―	―

第3章 抗がん薬 | 8 ホルモン療法薬

8-3 アロマターゼ阻害薬

1 医薬品の特徴（基本知識）

　アロマターゼ阻害薬（AI）は，副腎由来のアンドロゲンをエストロゲンに変換する酵素であるアロマターゼを阻害する（p.241，図2参照）。AIはステロイド性と非ステロイド性に分かれる（図）。エキセメスタンなどのようなステロイド性のAIは不可逆的に阻害し，非ステロイド性のアナストロゾールなどは可逆的に阻害する。

（加藤　裕久）

図　アロマターゼ阻害薬の構造式

非ステロイド系
レトロゾール：LET　　アナストロゾール：ANA

ステロイド系
エキセメスタン：EXE

2 各論（医薬品ごとの特徴）

2-1　アナストロゾール（ANA）

　緩徐ではあるが，多くの量が肝臓で代謝される。重度の肝・腎障害患者への使用経験は少なく，投与には注意が必要であるが，腎不全患者や透析患者に対する常用量での投与が可能であったとの報告[1]もある。代表的な有害事象としては，ホットフラッシュ，骨密度低下，関節痛，脂質代謝異常が挙げられる。

　骨密度低下に関して，骨密度が内服開始時に正常範囲内であれば骨粗鬆症のレベルまで低下することはまれである。骨密度が低下した状況で開始された場合は，内服開始により骨密度が更に低下

する可能性がある[2]。そのため，AIを内服している患者に対しては，1～2年ごとのモニタリングを行うことが推奨されている[2,3]。また，ビスホスホネートやデノスマブの投与も推奨されている[3,4]。

関節痛に関して，内服患者の約1/3に認められ，内服開始3カ月後頃から出現してくる。手指関節・手首・膝関節に高頻度に認められ，症状が強い場合は日常生活に支障を来すことがあり，AIの投与中止の理由として最多を占めている[5]。症状緩和には運動療法が有効といわれている。薬物療法としては非ステロイド性抗炎症薬（NSAIDs）やビタミンEの内服効果が報告されている[5,6]ものの，高い有効性を示したものはない。症状が強い場合には，休薬の後，別のAIやタモキシフェンへの変更を考慮する。別のAIへ変更することで，内服が継続可能になったとの報告がある[7]。

2-2　エキセメスタン（EXE）

エキセメスタンを空腹時に単回経口投与したところ，食後投与と比べてC_{max}ならびにAUCが低下したことから，食後投与が基本となっている。相互作用として，エストロゲン含有製剤との併用による効果減弱が知られている。中等度から重度の肝障害患者への投与では，C_{max}が約2倍，AUCが約2～3倍高値を示す。また，中等度から重度の腎障害を有する患者への投与では，C_{max}に有意差はなかったがAUCが約2～3倍に増加したと報告されている。以上のことから，中等度以上の肝・腎障害患者への投与には注意が必要である。一方，肝・腎不全患者に対する投与は，エキセメスタン自体の安全性が高いことも踏まえ，AUCが2～3倍であっても，問題なく投与が可能であったとの報告[8]もされている。主な有害事象はほかのAIと同様である。

2-3　レトロゾール（RET）

投与後は，CYP2A6やCYP3A4で代謝される。リファンピシンなどのCYP3A4誘導薬併用によりレトロゾールの血中濃度が低下，CYP2A6阻害薬やCYP3A4阻害薬併用によりレトロゾールの血中濃度が上昇することが知られている。ただし，相互作用に起因する効果の減弱および副作用の報告はない。また，重度の肝・腎不全患者への使用経験は少なく，アナストロゾールと同様に投与には注意が必要とされている。

ホットフラッシュ，骨密度低下，関節痛，脂質代謝異常などの代表的な有害事象はアナストロゾールと同様であるが，レトロゾールは高LDL-C血症を起こすことが多く，アナストロゾールではその値の上昇はわずかである。定期的なコレステロール値とトリグリセリド値の採血検査が推奨される。

【参考文献】
1) Physicians' Desk Reference 60th, Thompson, p.665-670, 2006
2) Janni W et al：Adjuvant aromatase inhibitor therapy: outcomes and safety. Cancer Treat Rev, 36(3):249-261, 2010
3) 骨粗鬆症の予防と治療ガイドライン作成委員会　編（日本骨粗鬆症学会，日本骨代謝学会，骨粗鬆症財団）：骨粗鬆症の予防と治療ガイドライン2015年版, ライフサイエンス出版, 2015
4) 日本乳癌学会　編：乳癌診療ガイドライン1 治療編 2018年版, 金原出版, 2018

5) Presant CA et al：Aromatase inhibitor-associated arthralgia and/ or bone pain: frequency and characterization in non-clinical trial patients. Clin Breast Cancer, 7(10):775-778, 2007
6) 蒔田益次郎 他：乳癌術後患者のアロマターゼ阻害剤による関節症状に対するビタミンEの有用性．乳癌の臨床, 23(5):413-416, 2008
7) Henry NL et al：Predictors of aromatase inhibitor discontinuation as a result of treatment-emergent symptoms in early-stage breast cancer. J Clin Oncol, 30(9):936-942, 2012
8) Jannuzzo MG et al：The effects of degree of hepatic or renal impairment on the pharmacokinetics of exemestane in postmenopausal women. Cancer Chemother Pharmacol, 53(6):475-481, 2004

（新島　大輔）

表　アロマターゼ阻害薬　比較表

一般名	アナストロゾール	エキセメスタン	レトロゾール
商品名	アリミデックス	アロマシン	フェマーラ
剤形	錠	錠	錠
分類	アロマターゼ阻害薬		
がん種	閉経後乳癌	閉経後乳癌	閉経後乳癌
投与量	・1日1回1mg	・1日1回25mg（食後）	・1日1回2.5mg
腎障害	重度腎障害患者への投与には注意する	中等度以上の腎障害患者への投与には注意する	重度腎障害患者への投与には注意する
肝障害	重度肝障害患者への投与には注意する	中等度以上の肝障害患者への投与には注意する	重度肝障害患者への投与には注意する
相互作用	・特になし	・薬理作用がエストロゲン合成阻害によるものであるため，エストロゲン含有製剤との併用は，効果を減弱させる可能性がある。 ・代謝酵素を介した相互作用は特になし	・相互作用に起因する効果減弱や副作用の報告はない
特に注意すべき有害事象	・関節痛，ホットフラッシュ，肝機能障害，骨密度低下，脂質代謝異常	・ホットフラッシュ，悪心，高血圧	・関節痛，ホットフラッシュ，肝機能障害，脂質代謝異常
注意点（内服薬：食事との影響／注射薬：調製，投与時）	・食事との影響なし	・空腹時に単回経口投与したところ，食後投与と比べてCmaxならびにAUCが低下したことから，食後投与となっている	・食事との影響なし
文献	―	―	―

第3章 抗がん薬　　8　ホルモン療法薬

8-4 Gn-RH アンタゴニスト

1 医薬品の特徴（基本知識）

　Gn-RHアンタゴニストはGn-RH受容体と可逆的に結合し，下垂体からのLH分泌を抑制することで，精巣のテストステロンの分泌を抑制する（p.240〜241，図1，2参照）。Gn-RHアンタゴニストのデガレリクスは前立腺がんの一次ホルモン療法として使われる。

（加藤　裕久）

2 各論（医薬品ごとの特徴）

2-1　デガレリクス

　前立腺がんに対して皮下注で使用し，初回投与後は4週または12週ごとに投与する。尿中および糞中に排泄され，未変化体の尿中排泄率は約32％であり，腎障害患者への投与について用量調節基準はないものの気をつける必要性がある。主な有害事象としては，注射部位反応，骨粗鬆症，性機能障害，ホットフラッシュなどが挙げられる。

　注射部位反応の症状として，疼痛，硬結，紅斑，腫脹，熱感などがある。皮下注射後，生体内成分と触れることによりゲル化してデポを形成し，薬剤が徐々に放出される。このゲル化したデポに対する炎症反応によるものと考えられている。また，このデポをマクロファージが貪食することにより硬結が起こる。そのほか，針刺入による皮膚障害や皮下脂肪量に対する針刺入時の角度，注入される薬液の温度と体温との差などが理由とされている。この皮膚反応は，初回投与時に頻発する。注射後3日以内に起こり，1カ月以内にほぼ回復する（ゴナックス市販後調査結果）。患者には注射後に注射部位を揉まないよう指導をする。強い反応が出た場合の対処方法は確立していないが，非ステロイド性抗炎鎮痛薬（NSAIDs）やステロイド含有軟膏などが使用されている。

（新島　大輔）

表 Gn-RHアンタゴニスト 比較表

一般名	デガレリクス
商品名	ゴナックス
剤形	注
分類	Gn-RHアンタゴニスト
がん種	前立腺癌
投与量	・初回投与：240mgを1カ所あたり120mgずつ腹部2カ所に皮下注射 ・維持投与：4週間隔で投与する場合，80mgを腹部1カ所に皮下注射 　　　　　　12週間隔で投与する場合，480mgを1カ所あたり240mgずつ腹部2カ所に皮下注射
腎障害	・減量不要
肝障害	・減量不要
相互作用	・特になし
特に注意すべき有害事象	注射部位疼痛，注射部位硬結，ほてり，体重増加，発熱，高血圧，骨粗鬆症，性機能障害
注意点（内服薬：食事との影響／注射薬：調製，投与時）	本剤を調製後1時間以上放置すると，注射液が懸濁または粘度を増すことがあり，薬物の放出能に影響を及ぼすおそれがあるため，溶解後は速やかに投与する
文献	－

8-5 抗アンドロゲン薬

1 医薬品の特徴（基本知識）

　男性ホルモンであるアンドロゲンの産生を抑制する抗アンドロゲン薬は，前立腺がんの治療に使われる。去勢抵抗性前立腺がんの治療には，エンザルタミドやアビラテロンなどが使用される。抗アンドロゲン薬はテストステロンの低下により，骨粗鬆症，性機能障害，女性化乳房などの有害事象を発現しやすい。

（加藤　裕久）

2 各論（医薬品ごとの特徴）

2-1　クロルマジノン

　ステロイド性アンドロゲン受容体拮抗薬である。アンドロゲン受容体（AR）の拮抗作用に加えて，テストステロンの生合成抑制作用がある。耐糖能の低下や体液貯留などステロイド骨格に由来する有害事象がある。最も古い抗アンドロゲン薬であり，他療法による治療が困難な場合に使用できるが，新規の抗アンドロゲン薬の登場もあり，使用機会は限られる。

2-2　フルタミド（FLU，FLT）

　非ステロイド性抗アンドロゲン受容体拮抗薬であり，前立腺組織においてDHTのARへの結合を競合的に阻害する。副腎性アンドロゲンのARへの結合も阻害するため，LH-RHアゴニストやLH-RHアンタゴニスト，外科的去勢術と併用することで，アンドロゲンの働きを強力に抑制できる（Combined androgen blockade，CAB療法）。一方，CAB療法を長期間行っていると，徐々に効果が減弱するが，本剤の投与のみを一時中止するとアンチアンドロゲン除去症候群（antiandrogen withdrawal syndrome：AWS）により，一部の患者で再びPSAが低下することが知られている[1]。重篤な有害事象として肝機能障害に注意が必要である。

2-3　ビカルタミド

　非ステロイド性アンドロゲン受容体拮抗薬であり，ビカルタミドと同様にCAB療法に使用される。また，CAB療法をフルタミドで行った後にPSA上昇を認めた場合に，ビカルタミドに変更することで再び効果が認められることがある。これをアンチアンドロゲン交替療法（alternative

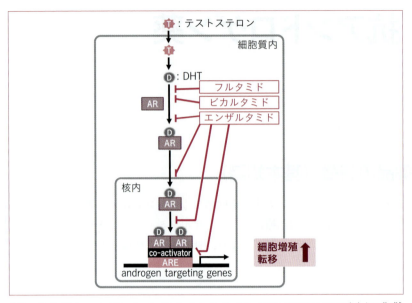

〔Niwa S et al：Journal of the Academic Society for Quality of Life, 3(1):1-5, 2017をもとに作成〕
図1　アンドロゲン受容体シグナル伝達機構と抗アンドロゲン薬

antiandrogen therapy：AAT）とよぶ[2]。重篤な有害事象として肝機能障害に注意が必要である。

2-4　エンザルタミド

　第2世代のアンドロゲン受容体拮抗薬である。ARに対する競合的拮抗作用に加えて，ARの核内移行を阻止し，ARとDNAとの結合や2量体となったARとコアクチベーターの結合を阻害する作用もある（図1）。LH-RHアゴニストやLH-RHアンタゴニスト，外科的去勢術と併用する。ドセタキセルによる治療歴を有する去勢抵抗性前立腺がん（CRPC）および化学療法歴のないCRPCに対して，全生存期間を延長させることが示されている[3,4]。また，転移性ホルモン感受性前立腺がん（mHSPC）において，全生存期間を延長させることが示されており，遠隔転移のある前立腺がんでは，より早期（CRPCになる前）から導入できる[5]。しかし，細胞障害性抗がん薬やほかの抗アンドロゲン薬との使用順序やタイミングについての明確なエビデンスは，現時点では存在しない[6]。重篤な有害事象としてけいれんや間質性肺炎に注意が必要である。

2-5　アビラテロン

　アンドロゲンの生合成に関与する17α-hydroxylase/C17, 20-lyase（CYP17）を不可逆的かつ選択的に阻害することにより，精巣，副腎および前立腺腫瘍組織内におけるアンドロゲンの濃度を低下させる。LH-RHアゴニストやLH-RHアンタゴニスト，外科的去勢術と併用する。糖質コルチコイド（コルチゾール）の合成も阻害するため，負のフィードバックにより鉱質コルチコイド（コルチコステロン）が過剰となり，高血圧，低カリウム血症，体液貯留などが発現することがある（図2）。そのため，低用量のプレドニゾロン（1回5mg，1日2回）を併用する。なお，本剤は食

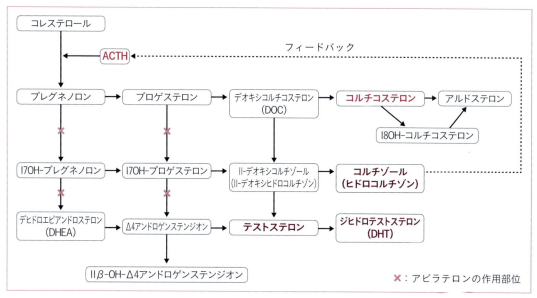

図2 アビラテロンの作用部位

〔Sonpavde G et al：Eur Urol, 60(2): 270-278, 2011をもとに作成〕

後服用ではAUCが著明に上昇するため[7]，空腹時に服用する。遠隔転移のあるCRPCに対して，全生存期間の延長が示されている[8]。また，内分泌療法未治療のハイリスクの予後因子を有する前立腺がんにおいても全生存期間を延長させることが示されている[9]。ハイリスクの予後因子とは，(1) Gleasonスコアが8以上，(2) 骨スキャンで3カ所以上の骨病変あり，(3) 内臓転移あり（リンパ節転移を除く）のうち，2つ以上を有することである。重篤な副作用として劇症肝炎に注意が必要である。

2-6 アパルタミド

第2世代のアンドロゲン受容体拮抗薬である。エンザルタミドと構造も近く，作用機序も同様である。LH-RHアゴニストやLH-RHアンタゴニスト，外科的去勢術と併用する。遠隔転移のないCRPCに対して適応があり，全生存期間を延長させることが示されている[10]。また，遠隔転移（骨転移）のある前立腺がんに対しても，全生存期間の延長が示されている[11]。重篤な有害事象としてけいれんや間質性肺炎，心臓障害，重度の皮疹に注意が必要である。

2-7 ダロルタミド

第2世代のアンドロゲン受容体拮抗薬である。作用機序は，エンザルタミドやアパルタミドと同様である。LH-RHアゴニストやLH-RHアンタゴニスト，外科的去勢術と併用する。遠隔転移のないCRPCに対して適応があり，全生存期間を延長させることが示されている[12]。エンザルタミドやアパルタミドとの直接比較試験は実施されておらず，使い分けは明確ではない。重篤な有害事象として間質性肺炎や心臓障害に注意が必要である。

【参考文献】

1) Sartor AO et al：Antiandrogen withdrawal in castrate-refractory prostate cancer: a Southwest Oncology Group trial (SWOG 9426). Cancer, 112(11):2393-2400, 2008
2) Suzuki H et al：Alternative nonsteroidal antiandrogen therapy for advanced prostate cancer that relapsed after initial maximum androgen blockade. J Urol, 180(3):921-927, 2008
3) Scher HI et al：Increased survival with enzalutamide in prostate cancer after chemotherapy. N Engl J Med, 367(13):1187-1197, 2012
4) Beer TM et al：Enzalutamide in metastatic prostate cancer before chemotherapy. N Engl J Med, 371(5):424-433, 2014
5) Davis ID et al：Enzalutamide with Standard First-Line Therapy in Metastatic Prostate Cancer. N Engl J Med, 381(2):121-131, 2019
6) 日本泌尿器科学会 編：前立腺癌診療ガイドライン 2016年版．メディカルレビュー社，2016
7) Chi KM et al：Food effects on abiraterone pharmacokinetics in healthy subjects and patients with metastatic castration-resistant prostate cancer. J Clin Pharmacol, 55(12):1406-1414, 2015
8) de Bono JS et al：Abiraterone and increased survival in metastatic prostate cancer. N Engl J Med, 364(21):1995-2005, 2011
9) Fizazi K et al：Abiraterone plus Prednisone in Metastatic, Castration-Sensitive Prostate Cancer. N Engl J Med, 377(4):352-360,2017
10) Small EJ et al：Apalutamide and overall survival in non-metastatic castration-resistant prostate cancer. Ann Oncol, 30(11):1813-1820, 2019
11) Chi KN et al：Apalutamide for Metastatic, Castration-Sensitive Prostate Cancer. N Engl J Med, 381(1):13-24, 2019
12) Fizazi K et al：Darolutamide in Nonmetastatic, Castration-Resistant Prostate Cancer. N Engl J Med, 380(13):1235-1246, 2019

（入江　慶）

第3章 抗がん薬 --- 8 ホルモン療法薬 --- 5 抗アンドロゲン薬

表 抗アンドロゲン薬 比較表

一般名	クロルマジノン	フルタミド	ビカルタミド
商品名	プロスタール	オダイン	カソデックス
剤形	錠	錠	錠
分類	抗アンドロゲン薬		
がん種	前立腺癌	前立腺癌	前立腺癌
投与量	1回50mg, 1日2回	・1回125mg, 1日3回	・1日1回80mg
腎障害	・減量不要	・減量不要	・減量不要
肝障害	・減量不要。ただし，重篤な肝障害・肝疾患は禁忌	・減量不要	・減量不要
相互作用	・なし	・ワルファリン	・ワルファリン，CYP3A4
特に注意すべき有害事象	・肝障害，女性化乳房，性機能障害，耐糖能の低下，ナトリウム・体液貯留	・肝障害，女性化乳房	・肝障害，女性化乳房
注意点（内服薬：食事との影響／注射薬：調製，投与時）	・食後に経口投与	・食後に経口投与	―
文献	―	―	―

エンザルタミド	アビラテロン	アパルタミド	ダロルタミド
イクスタンジ	ザイティガ	アーリーダ	ニュベクオ
錠	錠	錠	錠
抗アンドロゲン薬			
去勢抵抗性前立腺癌，遠隔転移を有する前立腺癌	去勢抵抗性前立腺癌，内分泌療法未治療のハイリスクの予後因子を有する前立腺癌	遠隔転移を有しない去勢抵抗性前立腺癌，遠隔転移を有する前立腺癌	遠隔転移を有しない去勢抵抗性前立腺癌
・1日1回160mg	・1日1回1,000mg	・1日1回240mg	・1日2回，1回600mg
・減量不要	・減量不要	・減量不要	・減量不要
・減量不要	・減量不要*	・減量不要	・減量不要
・けいれん発作の閾値を低下させる薬剤，CYP2C8，CYP3A4，CYP2C9，CYP2C19	・CYP2D6，CYP3A4	・けいれん発作の閾値を低下させる薬剤，CYP2C8，CYP3A，CYP2C9，CYP2C19，P-gp，BCRP，OATP1B1	・CYP3A，BCRP，OATP1B1，OATP1B3
・疲労，悪心，高血圧，ほてり，食欲減退，けいれん，間質性肺炎	・肝障害，血圧の上昇，低カリウム血症，体液貯留	・疲労，悪心，高血圧，ほてり，食欲減退，けいれん，心臓障害，間質性肺疾患，皮疹	・疲労，悪心，高血圧，ほてり，食欲減退，けいれん，心臓障害，間質性肺疾患
・食事との影響なし	・空腹時に経口投与。プレドニゾロンを併用	・食事との影響なし	・食後に経口投与
―	＊ただし，重度の肝機能障害患者（Child-PughスコアC）は禁忌	―	―

9-1 サリドマイド誘導薬

1 医薬品の特徴（基本知識）

　サリドマイドは"サリドマイド薬害事件"として知られているが，販売中止後，2008年より多発性骨髄腫の治療薬として再販売された。サリドマイドは血管新生阻害作用などを有し，多発性骨髄腫の治療に使用される。その催奇形性による事故を防ぐため，厳重な安全管理手順（TERMS, RevMate）が定められている。サリドマイド誘導体の1つであるポマリドミドの作用機序を図に示す。主に免疫調整作用，骨髄微小環境への作用，直接的な殺腫瘍作用による。

（加藤　裕久）

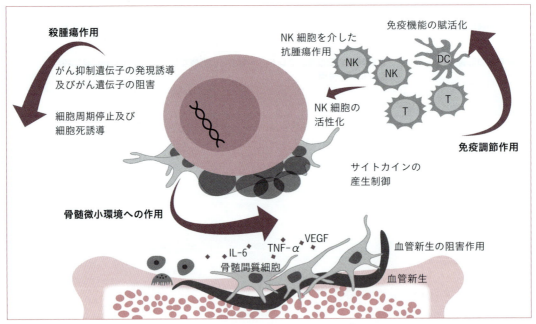

〔ポマリスト®インタビューフォーム（第9版），2021〕

図　ポマリドミドの薬理作用

2 各論（医薬品ごとの特徴）

2-1 サリドマイド

　免疫調節薬はcereblon（CRBN）に結合し，血管新生抑制，サイトカイン産生抑制，細胞接着

因子発現抑制，免疫調節，アポトーシス誘導および細胞増殖抑制などの薬理作用を示す[1]。多発性骨髄腫に対し再発または難治症例に適応をもつ。ほかの免疫調節薬にはない，らい性結節性紅斑やクロウ・深瀬症候群（POEMDS症候群）に適応をもつ。副作用として末梢神経障害があり，蓄積性かつ用量依存性で不可逆性となる[2]。催眠鎮静薬として開発された薬剤であり，傾眠の副作用があるため就寝前に経口投与する。

2-2 レナリドミド

多発性骨髄腫には初発から再発・難治例まで適応をもつ。ほかの造血器腫瘍にも適応が拡大しており，2020年2月にはリツキシマブと併用で再発または難治性の濾胞性リンパ腫および辺縁帯リンパ腫にも保険適用された。適応ごとに服用スケジュール，最大投与量などが異なるため注意が必要である。未変化体の腎排泄率が高いため，腎機能に応じて投与量の調節が必要である。ほかの免疫調節薬と比べ皮膚障害の発現が32.9％と高く[3]，重篤な皮膚障害が出現した症例に対し脱感作療法を行った事例も報告されている[4,5]。

2-3 ポマリドミド

レナリドミドに対し耐性を獲得した多発性骨髄腫細胞に対しても増殖抑制作用を示す。再発または難治例の多発性骨髄腫に適応をもつ。2015年発売当時はデキサメタゾンとの2剤併用のみ保険適用となっていたが，2019年にボルテゾミブとデキサメタゾン，2020年にはイサツキシマブとデキサメタゾンとの3剤併用療法の保険適用となった。重度の腎機能低下や血液透析を行っている症例に減量せずに投与した臨床試験結果の報告もあり，腎機能低下患者でも投与量調節は必要ない[6]。*In vitro*の試験では，ほかの免疫調節薬と比べ免疫調節作用・直接的抗腫瘍効果などで強い作用が示されている[7]。ほかの免疫調節薬と比べ骨髄抑制が強く，感染症に注意が必要である。

【参考文献】

1) Abe Y et al: Immunomodulatory drugs in the treatment of multiple myeloma. Jpn J Clin Oncol, 49(8): 698-702, 2019
2) Richardson PG et al：Management of treatment-emergent peripheral neuropathy in multiple myeloma. Leukemia, 26(4):595-608, 2012
3) ブリストル・マイヤーズスクイブ：レブラミド®カプセル，適正使用ガイド，2021年7月作成
4) P Yau et al：Slow lenalidomide desensitization protocol for patients with multiple myeloma: case series from a single center. Leuk Lymphoma, 60(13): 3199-3203, 2019
5) Sugi T et al：Simple desensitization protocol for multiple myeloma patients with lenalidomide-induced skin rash: Case series. J Clin Pharm Ther, 46(6): 1792-1795, 2021
6) Dimopoulos M et al：Pomalidomide Plus Low-Dose Dexamethasone in Patients With Relapsed/Refractory Multiple Myeloma and Renal Impairment: Results From a Phase II Trial. J Clin Oncol, 36(20):2035-2043, 2018
7) Quach H et al：Mechanism of action of immunomodulatory drugs（IMiDS）in multiple myeloma. Leukemia, 24(1):22-32, 2010

（杉　富行）

表1 サリドマイド誘導薬 比較表

一般名	サリドマイド	レナリドミド
商品名	サレド	レブラミド
剤形	カプセル	カプセル
分類	サリドマイド誘導体	
がん種	再発または難治性の多発性骨髄腫	多発性骨髄腫，5番染色体長腕部欠失を伴う骨髄異形成症候群，再発または難治性の成人T細胞白血病リンパ腫，再発または難治性の濾胞性リンパ腫および辺縁帯リンパ腫
投与量	・1日1回100mgを就寝前に経口投与 ・患者状態により適宜増減。1日400mgを超えない ・効果不十分な場合には4週間間隔で100mgずつ増減する	〈多発性骨髄腫〉 デキサメタゾンとの併用において1日1回25mgを21日間連日経口投与した後，7日間休薬 〈5番染色体長腕部欠失を伴う骨髄異形成症候群〉 1日1回10mgを21日間連日経口投与した後，7日間休薬 〈再発または難治性の成人T細胞白血病リンパ腫〉 1日1回25mgを連日経口投与する。患者状態により適宜減量 〈再発または難治性の濾胞性リンパ腫および辺縁帯リンパ腫〉 リツキシマブとの併用において1日1回20mgを21日間連続投与した後，7日間休薬。最大12サイクルまで投与を繰り返す
腎障害	・減量不要	・Ccr＜60mL/min：添付文書に準じて減量して開始 ・がん種によって開始用量の目安が異なる ・詳細は表2参照
肝障害	・該当資料なし	・該当資料なし
相互作用	・中枢神経抑制薬：鎮静作用上昇 ・ビンクリスチンなど：末梢神経障害リスク上昇	・ジギタリス製剤：ジゴキシンの血中濃度が増加する報告あり（機序不明）
特に注意すべき副作用	・催奇形性，深部静脈血栓症，肺塞栓症，末梢神経障害，傾眠（自動車の運転：禁止）	・催奇形性，深部静脈血栓症，肺塞栓症，骨髄抑制，皮膚障害，感染症，進行性多巣性白質脳症
注意点（内服薬：食事との影響／注射薬：調製・投与時）	・傾眠，眠気のため就寝前に服用 ・T_{max}は食事摂取により約1時間の有意な延長あり，C_{max}，AUC，$t_{1/2}$は影響は認めない ・登録と管理は「サリドマイド製剤安全管理手順」を適正に遵守する	・高脂肪，高カロリー食摂取後の投与によってAUCおよびC_{max}がそれぞれ約20％，約50％低下を認めるため，高脂肪食摂取前後を避けての投与が推奨される ・血小板数，好中球数による休薬・減量の目安あり ・疲労，めまいなどが報告されているため自動車の運転禁止 ・登録と管理は「レブラミド・ポマリスト適正管理手順」を適正に遵守すること
文献	−	−

表2 腎機能障害患者に投与する際の開始用量の目安

用法・用量	腎機能（CL_{cr}）		
	中等症 30≦CL_{cr}＜60mL/min	重症（透析不要） CL_{cr}＜30mL/min	重症（透析必要） CL_{cr}＜30mL/min
多発性骨髄腫	本剤10mgを1日1回投与で開始し，2サイクル終了後忍容可能な場合は15mgに増量できる。	本剤15mgを2日に1回投与	本剤5mgを1日1回投与 （透析日は透析後に投与）
5番染色体長腕部欠失を伴う骨髄異形成症候群	本剤5mgを1日1回投与	本剤2.5mgを1日1回投与[a]	本剤2.5mgを1日1回投与[b] （透析日は透析後に投与）

用法・用量はシミュレーションに基づき算出
a：本剤5mgを2日に1回投与とすることもできる。
b：本剤5mgを週3回投与とすることもできる。

	ポマリドミド
	ポマリスト
	カプセル
	サリドマイド誘導体
	再発または難治性の多発性骨髄腫
	・デキサメタゾン併用の場合：1日1回4mgを21日間連日経口投与した後，7日間休薬 ・ボルテゾミブおよびデキサメタゾン併用の場合：1日1回4mgを14日間連日経口投与した後，7日間休薬
	・減量不要[1]
	・安全性が確認されていないため慎重投与
	・CYP1A2阻害薬：フルボキサミンマレイン酸塩，シプロフロキサシンなど ・CYP3A4阻害薬：イトラコナゾール，クラリスロマイシンなど
	・催奇形性，深部静脈血栓症，肺塞栓症，骨髄抑制，皮膚障害，感染症
	・血小板数，好中球数による休薬・減量の目安あり ・疲労，めまいなどが報告されているため自動車の運転禁止 ・登録と管理は「レブラミド・ポマリスト適正管理手順」を遵守すること

1) Dimopoulos M et al : J Clin Oncol, 36(20):2035-2043, 2018

用法・用量	腎機能（CL_{cr}）		
	中等症 30≦CL_{cr}<60mL/min	重症（透析不要） CL_{cr}<30mL/min	重症（透析必要） CL_{cr}<30mL/min
再発又は難治性の成人T細胞白血病リンパ腫	本剤10mgを1日1回投与で開始し，投与開始56日経過後忍容可能な場合は15mgに増量できる。	本剤15mgを2日に1回投与	本剤5mgを1日1回投与（透析日は透析後に投与）
再発又は難治性の濾胞性リンパ腫及び辺縁帯リンパ腫	本剤10mgを1日1回投与で開始し，2サイクル終了後忍容可能な場合は15mgに増量できる。	本剤5mgを2日に1回投与	本剤5mgを1日1回投与（透析日は透析後に投与）

〔レブラミド®添付文書（第3版），2022〕

第3章 抗がん薬　9 免疫調節薬

9-2 分化誘導薬

1 医薬品の特徴（基本知識）

　ビタミンA誘導体の1つであるトレチノインは，急性前骨髄球性白血病（APL）の治療に用いられる。トレチノインはAPL細胞のPML-RARαキメラ遺伝子の抑制機構を解離し，骨髄球系の分化誘導を正常化する。

　三酸化二ヒ素は再発または難治性のAPLに使用される。APL細胞の分化誘導作用とアポトーシス誘導作用による。ヒ素製剤であるため，その取り扱いには十分に注意する。

（加藤　裕久）

2 各論（医薬品ごとの特徴）

2-1　トレチノイン

　急性前骨髄球性白血病（APL）を適応にもつ。レチノイン酸の立体異性体の中で，側鎖すべてがトランス型となっているものであり，All-trans retinoic acidの略でATRAとよばれる。PML-RARαキメラ遺伝子の転写活性化能を誘導し，分化が抑制されていた前骨髄球の顆粒球への分化を誘導する作用をもつ[1]。催奇形性があるため，妊娠する可能性のある女性に投与する場合には，投与中と投与前後1カ月間は必ず避妊させるよう患者指導が必要である。催奇形性のほかに，レチノイン酸症候群や皮膚乾燥，血栓症などに注意が必要である。

2-2　三酸化二ヒ素

　再発または難治性のAPLを適応にもつ。Arsenic trioxideの略でATOとよばれる。ATOは濃度依存的に作用が異なり，高濃度でAPL細胞のアポトーシス誘導作用，低濃度で分化誘導作用をもつ[1]。APL分化症候群に注意するとともに，QT延長や完全房室ブロックなどの不整脈を起こす可能性があるため，心電図や電解質（Ca，Mg，K）などの検査を定期的に行う必要がある。骨髄抑制が軽く，寛解導入療法や地固め療法で行われる化学療法と比べ，出血や感染症が少ない[2]。ヒ素を含むため，使用後の残液などは「特定有害産業廃棄物」として処理することが推奨されている。重篤な急性ヒ素中毒（痙攣，筋脱力感等）の症状が発現した場合はキレート治療（ジメルカプロールの投与）を検討する。

【参考文献】
1) Tomita A et al：Mechanisms of action and resistance to all-trans retinoic acid (ATRA) and arsenic trioxide (As$_2$O$_3$) in acute promyelocytic leukemia. Int J Hematol, 97(6):717-725, 2013
2) 日本血液学会　編：造血器腫瘍診療ガイドライン2018年版補訂版［2020年4月］　第2版補訂版，金原出版，p.38-40, 2020

(杉　富行)

表　分化誘導薬　比較表

一般名	トレチノイン	三酸化二ヒ素
商品名	ベサノイド	トリセノックス
剤形	カプセル	注
分類	分化誘導薬	
がん種	急性前骨髄球性白血病	再発または難治性の急性前骨髄球性白血病
投与量	・1日60〜80mg（45mg/m^2）を3回に分けて食後経口投与（年齢，症状により適宜増減）	・0.15mg/kg を5％ブドウ糖液あるいは生理食塩液に混合して100〜250mLとし，1〜2時間かけて1日1回静脈内投与
腎障害	・重篤な腎障害のある患者には禁忌	・腎機能低下患者には慎重投与
肝障害	・重篤な肝障害のある患者には禁忌	・肝機能低下患者には慎重投与
相互作用	・併用禁忌：ビタミンA製剤 ・併用注意：アゾール系抗真菌薬：本剤血中濃度上昇 　　　　　　フェニトイン：フェニトインの血中濃度上昇 　　　　　　抗線溶薬；併用で血栓症発現の報告	・QT延長を来す薬剤：ドロペリドールなど，抗精神病薬，抗不整脈薬，利尿薬，消化管運動亢進薬，抗菌薬，抗真菌薬，ペンタミジンなど ・電解質異常を来す薬剤：利尿薬，アムホテリシンBなど
特に注意すべき副作用	・レチノイン酸症候群（分化症候群），白血球増多症，血栓症，催奇形性，皮膚乾燥	・APL分化症候群，QT延長，肝障害，高血糖，白血球増多症，催奇形性，ウェルニッケ脳症
注意点（内服薬：食事との影響／注射薬：調製・投与時）	・催奇形性のため妊婦への投与は禁忌 ・投与開始前少なくとも1カ月間，投与中および投与中止後少なくとも1カ月間は必ず避妊させること	・催奇形性あり ・使用後の残液は適用法令などに従い廃棄する ・5％ブドウ糖液か生理食塩液に希釈する ・重篤な急性ヒ素中毒を示唆する症状が発現した場合は，本剤の投与を速やかに中止し，キレート治療などを検討すること
文献	−	−

9-3 酵素製剤

1 医薬品の特徴（基本知識）

　L-アスパラギナーゼは，がん患者の血中L-アスパラギンをアスパラギン酸とアンモニアに分解することにより，L-アスパラギン要求性の腫瘍細胞のアポトーシスを誘導する。本剤は大腸菌由来の製剤のため過敏反応に注意する。

（加藤　裕久）

2 各論（医薬品ごとの特徴）

2-1　L-アスパラギナーゼ

　血中のL-アスパラギンを分解し，アスパラギン要求性腫瘍細胞を栄養欠乏状態にすることにより抗腫瘍効果を発揮する。急性白血病（慢性白血病の急性転化例を含む）と悪性リンパ腫に適応をもつ。思春期・若年成人急性リンパ球性白血病（ALL）では，L-アスパラギナーゼ（L-ASP）を含む小児プロトコルでの治療が推奨されている。また，近年，成人Ph染色体陰性ALLにおいてもL-ASPを含む小児プロトコルに似た治療法を行った報告がされているが，現段階ではさらなる検証が必要とされている[1]。過敏反応によりショック・アナフィラキシーが現れることがあるため，投与前に皮内反応試験を実施する。そのほか，血液凝固障害，膵炎，高血糖，肝障害，高アンモニア血症に注意が必要であり，投与中はそれぞれの検査を定期的に行う必要がある。筋肉内投与する際，注射用水で溶解した場合，浸透圧が低く痛みが強いため，5％ブドウ糖液で溶解した方が望ましい[2]。

【参考文献】
1) 日本血液学会　編：造血器腫瘍診療ガイドライン2018年版補訂版［2020年4月］　第2版補訂版，金原出版，p.68-69, 2020
2) 日本病院薬剤師会　編：抗悪性腫瘍薬の院内取扱い指針 抗がん薬調製マニュアル第4版，じほう，p.290-291, 2019

（杉　富行）

表　酵素製剤　比較表

一般名	L-アスパラギナーゼ
商品名	ロイナーゼ
剤形	注射用
分類	酵素製剤
がん種	急性白血病（慢性白血病の急性転化例を含む），悪性リンパ腫
投与量	・静脈内投与：1日量体重1kgあたり50〜200K.U.（連日または隔日） ・筋肉内投与：1日1回体表面積あたり10,000K.U.を週3回，または1日1回体表面積あたり25,000K.U.を週1回
腎障害	・腎機能低下患者には慎重投与：高窒素血症が現れることがある
肝障害	・肝機能低下患者には慎重投与：高アンモニア血症が現れやすい
相互作用	・なし
特に注意すべき副作用	・ショック・アナフィラキシー，血液凝固障害，膵炎，高血糖，肝障害，高アンモニア血症
注意点（内服薬：食事との影響／注射薬：調製・投与時）	・投与前に皮内反応試験を実施することが望ましい ・溶解には注射用水または5％ブドウ糖液を使用（生理食塩液では白濁する可能性あり） ・筋肉内投与する際，5％ブドウ糖液での溶解が望ましい[1]
文献	1）日本病院薬剤師会　編：抗悪性腫瘍薬の院内取扱い指針 抗がん薬調製マニュアル第4版，じほう，p.290-291, 2019

第3章 抗がん薬 ｜ 免疫チェックポイント阻害薬

10 免疫チェックポイント阻害薬

※実際の臨床現場で対応する際は，必ず最新の情報を確認すること

I 医薬品の特徴（基本知識）

　代表的な免疫チェックポイント阻害作用には，プログラム細胞死1受容体（PD-1）阻害作用と，PD-1のリガンドであるPD-L1阻害作用，CTLA-4阻害作用があり，抗腫瘍効果を発揮する（図）。PD-1は，活性化T細胞上に発現し，T細胞の免疫応答を負にコントロールする受容体である。

　PD-L1およびPD-L2は，抗原提示細胞等の正常細胞に発現するだけでなく，がん微小環境におけるがん細胞や免疫細胞で発現している。

　免疫チェックポイント阻害薬によるirAE（免疫関連有害事象）に十分に注意する。

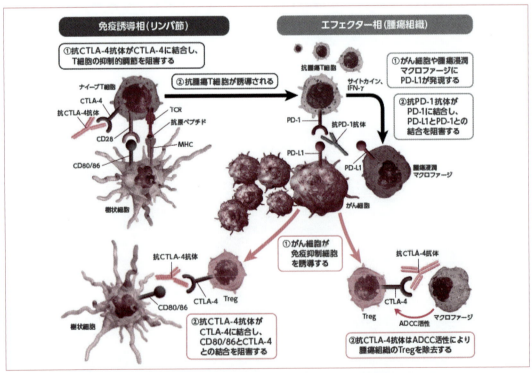

〔がん免疫.JP 医療者向け：CTLA-4阻害とPD-1阻害（河上 裕・監）；図解で学ぶI-O, 小野薬品工業，ブリストルマイヤーズ スクイブ, http://www.immunooncology.jp/medical/visualization/05.html〕

図　がん免疫療法の作用機序

1）PD-1，PD-L1阻害作用

PD-1阻害薬のニボルマブとペムブロリズマブは，ヒトPD-1に対する抗体であり，PD-1とそのリガンドであるPD-L1およびPD-L2との結合を阻害する。また，アテゾリズマブはヒトPD-L1に対する抗体である。がん抗原特異的なT細胞の増殖，活性化および細胞傷害活性の増強などにより，腫瘍増殖を抑制する。

2）細胞傷害性Tリンパ球抗原-4（CTLA-4）阻害作用

CTLA-4阻害薬のイピリムマブはCTLA-4に対する抗体であり，CTLA-4とそのリガンドである抗原提示細胞上のB7.1（CD80）とB7.2（CD86）分子との結合を阻害することにより，活性化T細胞における抑制的調節を遮断し，腫瘍抗原特異的なT細胞の増殖，活性化および細胞傷害活性の増強により腫瘍増殖を抑制する。また，本薬は，制御性T細胞（Treg）の機能低下および腫瘍組織におけるTreg数の減少により腫瘍免疫反応を亢進させ，抗腫瘍効果を示す。

（加藤　裕久）

2 各論（医薬品ごとの特徴）

2-1　ニボルマブ

ヒトPD-1に対するヒトIgG4モノクローナル抗体である。PD-1とそのリガンドであるPD-L1およびPD-L2との結合を阻害し，がん抗原特異的なT細胞の増殖，活性化および細胞傷害活性の増強などにより，腫瘍増殖を抑制する。240mgの2週間間隔投与，2020年に480mgの4週間間隔投与がそれぞれ承認されており，用法・用量の違いは有効性および安全性に影響を及ぼさないとされている。生ワクチン，弱毒生ワクチン，不活化ワクチンの接種により，ニボルマブのT細胞活性化作用による過度の免疫反応が起こる可能性がある。本剤の主な消失経路は，蛋白質代謝であると推定される。また，ヒトPD-1に対する抗体であることから，CYPなどの薬物代謝酵素を介して消失する薬剤と相互作用を引き起こす可能性は低いと考えられる。

2-2　ペムブロリズマブ

ヒトPD-1に対するヒトIgG4モノクローナル抗体である。現在，固定用量へと変更されており，200mgを3週間おき，または400mgを6週間おきの投与が承認されている。悪性黒色腫に対しては，術後薬物療法としての有効性も認められている（EORTC-1325-MG／KEYNOTE-054試験[1]）。MSI-Highを有する固形がんに対しては，KEYNOTE-164試験，158試験など[2,3]で有効性が認められ，がん種を問わない適応となった。

非小細胞肺がんに対する単独療法や食道扁平上皮がん，乳がんに対して使用する際には，PD-L1検査を行い陽性であることを確認する必要がある。血中濃度の半減期は27.3日と推定されており，ヒトIgGは胎盤移行や母乳中への移行が報告されている。

本剤は静脈内投与されるIgG抗体であり，異化作用によって消失することから，CYPおよびそのほかの代謝酵素に影響を与える薬物が免疫グロブリンの異化作用を阻害する可能性はほとんどな

い。

2-3　アベルマブ

　ヒト型抗ヒトPD-L1モノクローナル抗体である。PD-L1とその受容体であるPD-1の相互作用を阻害し，腫瘍抗原特異的なT細胞の細胞傷害活性を増強することなどにより，腫瘍の増殖を抑制する。

　腎細胞がんに対してはアキシチニブを併用する。また，2020年6月にはB9991001試験[4]の結果より，根治切除不能な尿路上皮がんにおける化学療法後の維持療法にも適応が追加となっている。過去の臨床試験では，20％程度でinfusion reactionが報告されており，投与の30～60分前に抗ヒスタミン薬や解熱鎮痛薬などの投与が推奨される。また，ヒトIgG1は胎盤を通過することや乳汁中に移行する可能性が高いとされているため，注意が必要である。半減期は5日であり，ほかのICIと同様に蛋白質分解により代謝，排泄される。

2-4　アテゾリズマブ

　PD-L1を標的としたヒト化免疫グロブリンG1モノクローナル抗体である。PD-L1とその受容体であるPD-1との結合を阻害することなどにより，がん抗原特異的なT細胞の細胞傷害活性を増強し，腫瘍の増殖を抑制する。非小細胞肺がんに加え，進展型小細胞肺がん，PD-L1陽性のホルモン受容体陰性かつHER2陰性の手術不能または再発乳がんの適応（840mg製剤），切除不能な肝細胞がんの適応が追加となっている。

　半減期は27日とされている。循環血液中に分布し，組織への移行は少ないことが示唆されているが，ヒトIgGは胎盤を通過することが知られているため，妊婦への投与は可能な限り避ける必要があり，他剤同様に注意が必要である。

　本剤はIgG抗体であり，標的分子と特異的に結合するか細網内皮系を介して血中から消失することから，肝酵素による代謝の可能性は低く，一部尿中に排泄されるものの腎臓を介した排泄の割合は低いと考えられる。

2-5　デュルバルマブ

　ヒトPD-L1に対するヒト型免疫グロブリンG1，κ型アイソタイプ（IgG1κ）モノクローナル抗体である。PD-L1とその受容体であるPD-1との結合を阻害することなどにより，抗腫瘍免疫応答を増強し腫瘍増殖を抑制する。

　PACIFIC試験では，切除不能な局所進行の非小細胞肺がんにおける根治的化学放射線療法後の維持療法として，12カ月間使用することで有意にOS，PFSを延長させている。ただし，同試験において日本人集団の肺臓炎が高い割合で報告されているため[5]，使用の際は臨床症状に注意し，必要に応じてCTスキャンなどの検査を行う。

　小細胞肺がんに使用する場合は，化学療法との併用で30kg以上の場合は1,500mg/回の固定用量で投与となるため，用量に注意が必要である。非臨床試験では，乳汁中や胎児への移行，死亡例

の増加も確認されており，特に投与終了後3カ月以内は授乳を避ける，避妊を行うなど注意が必要である。消失経路は，細網内皮系を介する蛋白異化や標的結合を介する消失であるため，肝臓や腎臓を介する代謝排泄は少ないとされる。

2-6 イピリムマブ

　細胞傷害性Tリンパ球抗原-4（CTLA-4）に対する抗体である。代謝・排泄は，生体内で小さなペプチド分子やアミノ酸にCYP450に依存しない生物化学的な経路で分解されると考えられている。また，重篤な肝障害を有する患者に対しては臨床試験を実施しておらず，患者の選定には注意が必要である。

　2015年に切除不能または転移性悪性黒色腫に対し承認されて以降，腎細胞がん，マイクロサテライト不安定性（MSI-High）を有する結腸・直腸がん，非小細胞肺がん，悪性胸膜中皮腫にも有効性が認められ，適応を拡大している。

【参考文献】
1) Eggermont AMM et al: Adjuvant Pembrolizumab versus Placebo in Resected Stage III Melanoma. N Engl J Med, 378(19):1789-1801, 2018
2) Le DT et al: Phase II Open-Label Study of Pembrolizumab in Treatment-Refractory, Microsatellite Instability-High/Mismatch Repair-Deficient Metastatic Colorectal Cancer: KEYNOTE-164. J Clin Oncol, 38(1):11-19. 2020
3) Marabelle A et al: Efficacy of Pembrolizumab in Patients With Noncolorectal High Microsatellite Instability/Mismatch Repair-Deficient Cancer: Results From the Phase II KEYNOTE-158 Study. J Clin Oncol, 38(1):1-10. 2020
4) Powles T et al: Avelumab Maintenance Therapy for Advanced or Metastatic Urothelial Carcinoma. N Engl J Med, 383(13):1218-1230. 2020
5) Antonia S et al: Overall Survival with Durvalumab after Chemoradiotherapy in Stage III NSCLC. N Engl J Med, 379(24):2342-2350. 2018

〔岡島　美侑，輪湖　哲也〕

表 免疫チェックポイント阻害薬 比較表

一般名	ニボルマブ
商品名	オプジーボ
剤形	注
分類	免疫チェックポイント阻害薬
がん種	悪性黒色腫，切除不能な進行・再発の非小細胞肺癌，根治切除不能または転移性の腎細胞癌，再発または難治性の古典的ホジキンリンパ腫，再発または遠隔転移を有する頭頸部癌，治癒切除不能な進行・再発の胃癌，切除不能な進行・再発の悪性胸膜中皮腫，がん化学療法後に増悪した治癒切除不能な進行・再発の高頻度マイクロサテライト不安定性（MSI-High）を有する結腸・直腸癌，根治切除不能な進行・再発の食道癌，食道癌における術後補助療法，原発不明癌
投与量	以下の用法・用量で点滴静注。 通常，1回240mgを2週間ごとまたは1回480mgを4週間ごと 〈悪性黒色腫，食道癌における術後補助療法〉 術後補助療法の場合は，投与期間は12カ月間までとする。 〈悪性黒色腫〉 イピリムマブと併用する場合は，1回80mgを3週ごとで4回，その後1回240mgを2週間ごとまたは1回480mgを4週間ごと 〈切除不能な進行・再発の非小細胞肺癌，治癒切除不能な進行・再発の胃癌〉 他抗悪性腫瘍薬と併用する場合は1回240mgを2週間ごとまたは1回360mgを3週ごと 〈根治切除不能または転移性の腎細胞癌〉 カボザンチニブと併用する場合は1回240mgを2週間ごとまたは1回480mgを4週間ごとで投与する。イピリムマブと併用する場合は，1回240mgを3週間ごとで4回，その後は1回240mgを2週間ごとまたは1回480mgを4週間ごと 〈再発または難治性の古典的ホジキンリンパ腫〉 小児の場合には，1回3mg/kgを2週間ごと（体重40kg以上の小児には，1回240mgを2週間ごとまたは1回480mgを4週間ごと投与でも可） 〈切除不能な進行・再発の悪性胸膜中皮腫〉 イピリムマブと併用する場合は，1回240mgを3週間ごとで4回，その後は1回240mgを2週間ごとまたは1回360mgを3週間ごと 〈がん化学療法後に増悪した治癒切除不能な進行・再発の高頻度マイクロサテライト不安定性（MSI-High）を有する結腸・直腸癌〉 イピリムマブと併用する場合は，1回240mgを3週間ごとで4回，その後1回240mgを2週間ごとまたは1回480mgを4週間ごと
肝障害	・減量不要
腎障害	・減量不要
相互作用	・生ワクチン ・弱毒生ワクチン ・不活化ワクチン （本剤のT細胞活性化作用による過度の免疫反応が起こるおそれがある）
特に注意すべき有害事象	・間質性肺疾患，重症筋無力症，心筋炎，筋炎，横紋筋融解症，大腸炎，小腸炎，1型糖尿病，重篤な血液障害，劇症肝炎，肝不全，肝機能障害，内分泌障害など
注意点（内服薬：食事との影響／注射薬：調製・投与時）	・インラインフィルター（0.2または0.22μm）使用 ・生理食塩液または5％ブドウ糖注射液に希釈（希釈後の安定性は24時間） ・1回240mg以上投与時の総液量は体重30kg以上の患者に150mL以下，体重30kg未満の患者には100mL以下とする ・30分以上かけて投与
文献	―

	ペムブロリズマブ	アベルマブ
	キイトルーダ	バベンチオ
	注	注
	免疫チェックポイント阻害薬	
	悪性黒色腫，切除不能な進行・再発の非小細胞肺癌，再発または難治性の古典的ホジキンリンパ腫，がん化学療法後に増悪した根治切除不能な尿路上皮癌，がん化学療法後に増悪した進行・再発のマイクロサテライト不安定性（MSI-High）を有する固形癌（標準的な治療が困難な場合に限る），根治切除不能または転移性の腎細胞癌，再発または遠隔転移を有する頭頸部癌，根治切除不能な進行・再発の食道癌，治癒切除不能な進行・再発の高頻度マイクロサテライト不安定性（MSI-High）を有する結腸・直腸癌，PD-L1陽性のホルモン受容体陰性かつHER2陰性の手術不能又は再発乳癌，がん化学療法後に増悪した切除不能な進行・再発の子宮体癌	根治切除不能なメルケル細胞癌，根治切除不能または転移性の腎細胞癌，根治切除不能な尿路上皮癌における化学療法後の維持療法
	以下の用法・用量で点滴静注。 〈悪性黒色腫〉 1回200mgを3週間ごとまたは1回400mgを6週間ごとで投与（術後補助療法の場合は，投与期間は12カ月間まで） 〈切除不能な進行・再発の非小細胞肺癌，再発または難治性の古典的ホジキンリンパ腫，がん化学療法後に増悪した根治切除不能な尿路上皮癌，がん化学療法後に増悪した進行・再発のマイクロサテライト不安定性（MSI-High）を有する固形癌（標準的な治療が困難な場合に限る），再発または遠隔転移を有する頭頸部癌，治癒切除不能な進行・再発の高頻度マイクロサテライト不安定性（MSI-High）を有する結腸・直腸癌〉 1回200mgを3週間ごとまたは1回400mgを6週間ごと 〈根治切除不能または転移性の腎細胞癌〉 アキシチニブとの併用において，1回200mgを3週間ごとまたは1回400mgを6週間ごと 〈根治切除不能な進行・再発の食道癌〉 フルオロウラシルおよびシスプラチンとの併用において，1回200mgを3週間ごとまたは1回400mgを6週間ごと。がん化学療法後に増悪したPD-L1陽性の根治切除不能な進行・再発の食道扁平上皮癌に対しては，単独投与することもできる。 〈PD-L1陽性のホルモン受容体陰性かつHER2陰性の手術不能又は再発乳癌〉 ほかの抗悪性腫瘍薬との併用において，1回200mgを3週間ごとまたは1回400mgを6週間ごと 〈がん化学療法後に増悪した切除不能な進行・再発の子宮体癌〉 レンバチニブメシル酸塩との併用において，1回200mgを3週間ごとまたは1回400mgを6週間ごと	以下の用法・用量で点滴静注。 〈根治切除不能なメルケル細胞癌，根治切除不能な尿路上皮癌における化学療法後の維持療法〉 1回10mg/kgを2週間ごと 〈根治切除不能または転移性の腎細胞癌〉 アキシチニブとの併用：1回10mg/kgを2週間ごと
	・減量不要	・減量不要
	・減量不要	・減量不要
	・該当資料なし	・併用注意，併用禁忌に該当する薬剤はなし
	・間質性肺疾患，大腸炎・小腸炎・重度の下痢，重度の皮膚障害，神経障害，肝機能障害・肝炎・硬化性胆管炎，1型糖尿病，腎機能障害，膵炎など	・infusion reaction，間質性肺疾患，膵炎，肝不全，肝機能障害，肝炎，大腸炎，重度の下痢，内分泌障害，1型糖尿病，心筋炎など
	・インラインフィルター（0.2～5μm）使用 ・生理食塩液または5%ブドウ糖注射液で希釈し，最終濃度を1～10mg/mLとする ・30分かけて投与 ・希釈後は25℃以下で6時間以内または2～8℃で96時間以内で投与	・インラインフィルター（0.2μm）使用 ・生理食塩液250mLに添加して希釈 ・1時間以上かけて投与 ・希釈後は25℃以下で4時間または2～8℃で24時間以内に投与を完了する ・投与前に抗ヒスタミン薬，解熱鎮痛薬などの投与
	―	―

一般名	アテゾリズマブ	デュルバルマブ	イピリムマブ
商品名	テセントリク	イミフィンジ	ヤーボイ
剤形	注	注	注
分類	免疫チェックポイント阻害薬		
がん種	＜1,200mg＞ 切除不能な進行・再発の非小細胞肺癌，進展型小細胞肺癌，切除不能な肝細胞癌 ＜840mg＞ PD-L1陽性のホルモン受容体陰性かつHER2陰性の手術不能または再発乳癌	切除不能な局所進行の非小細胞肺癌における根治的化学放射線療法後の維持療法，進展型小細胞肺癌	根治切除不能な悪性黒色腫，根治切除不能または転移性の腎細胞癌，がん化学療法後に増悪した治癒切除不能な進行・再発の高頻度マイクロサテライト不安定性（MSI-High）を有する結腸・直腸癌，切除不能な進行・再発の非小細胞肺癌，切除不能な進行・再発の悪性胸膜中皮腫
投与量	以下の用法・用量で点滴静注。 〈切除不能な進行・再発の非小細胞肺癌〉 化学療法未治療の扁平上皮癌を除く切除不能な進行・再発の非小細胞肺癌：ほかの抗悪性腫瘍薬との併用において，1回1,200mgを3週間ごと。化学療法未治療のPD-L1陽性もしくは化学療法既治療の切除不能な進行・再発の非小細胞肺癌：1回1,200mgを3週間ごとで投与 〈進展型小細胞肺癌〉 カルボプラチンおよびエトポシドとの併用において1回1,200mgを3週間ごと 〈切除不能な肝細胞癌〉 ベバシズマブとの併用において，1回1,200mgを3週間ごと 〈PD-L1陽性のホルモン受容体陰性かつHER2陰性の手術不能または再発乳癌〉 パクリタキセル（アルブミン懸濁型）との併用において，1回840mgを2週ごと	以下の用法・用量で点滴静注。 〈切除不能な局所進行の非小細胞肺癌における根治的化学放射線療法後の維持療法〉 1回10mg/kgを2週間ごと 〈進展型小細胞肺癌〉 白金系抗悪性腫瘍薬およびエトポシドとの併用において，1回1,500mgを3週間ごとで4回投与，その後1回1,500mgを4週間ごと。体重30kg以下の場合の1回投与量は20mg/kgとする	以下の用法・用量で点滴静注。 〈根治切除不能な悪性黒色腫〉 1日1回3mg/kgを3週間ごとで4回投与（単剤もしくはニボルマブと併用） 〈根治切除不能または転移性の腎細胞癌，がん化学療法後に増悪した治癒切除不能な進行・再発の高頻度マイクロサテライト不安定性（MSI-High）を有する結腸・直腸癌〉 1回1mg/kgを3週間ごとで4回投与（ニボルマブと併用） 〈切除不能な進行・再発の非小細胞肺癌〉 1回1mg/kgを6週間ごとで投与（ほかの抗悪性腫瘍薬と併用） 〈切除不能な進行・再発の悪性胸膜中皮腫〉 1回1mg/kgを6週間ごとで投与（ニボルマブと併用）
肝障害	・減量不要	―	・減量不要
腎障害	・減量不要	・減量不要	・減量不要
相互作用	・報告なし（肝酵素による代謝の可能性は低いため，薬物動態学的相互作用を受ける可能性は低い）	・報告なし（肝臓および腎臓を介する代謝排泄は主要な経路ではないため，可能性は低い）	・併用注意・併用禁忌に該当する薬剤はなし
特に注意すべき有害事象	・間質性肺疾患，肝機能障害，肝炎，大腸炎，重度の下痢，膵炎，1型糖尿病，甲状腺機能障害，下垂体機能障害，脳炎，髄膜炎など	・間質性肺疾患（放射線肺臓炎を含む），大腸炎・重度の下痢，内分泌障害，1型糖尿病，肝機能障害，筋炎・横紋筋融解症，心筋炎，重症筋無力症など	・間質性肺疾患，重症筋無力症，心筋炎，筋炎，横紋筋融解症，大腸炎，小腸炎，重度の下痢，消化管穿孔，1型糖尿病，血液障害，劇症肝炎，肝不全，内分泌障害など
注意点（内服薬：食事との影響／注射薬：調製・投与時）	・インラインフィルター（0.2または0.22μm）を使用 ・生理食塩水で希釈する ・最終濃度を3.2～12.0mg/mLとする（希釈後の安定性は24時間） ・初回60分かけて投与，初回の忍容性良好であれば，2回目以降30分かけて投与可	・インラインフィルター（0.2または0.22μm）使用 ・生理食塩液または5%ブドウ糖液で希釈し，最終濃度を1～15mg/mLとする ・60分以上かけて投与 ・希釈後は，2～8℃で24時間以内，室温保存では12時間以内に投与を開始	・インラインフィルター（0.2～1.2μm）使用 ・そのまま，もしくは生理食塩液または5%ブドウ糖液を用いて1～4mg/mLの濃度に希釈し，投与（希釈後の安定性は24時間） ・悪性黒色腫は90分，他疾患は30分で投与
文献	―	―	―

第4章

疾　患

【疫学統計数値について】
各がん種の冒頭にある疫学統計の数値は，国立研究開発法人国立がん研究センター
「がん情報サービス」（https://ganjoho.jp/public/index.html）をもとに作成。

※ただし，上記以外から情報を引用している場合は，各項に文献情報を掲載。

第4章 疾患

I 神経膠腫

【神経膠腫の疫学】
　罹患数：5,936人，死亡数：2,830人，5年生存率：35.6%
（脳・中枢神経系として）

1 脳の基礎知識

　脳の神経系は，情報の伝達や処理を行う神経細胞（ニューロン）と，それを支持・保護している神経膠細胞（グリア細胞）によって構成される。グリア細胞には星状膠細胞（アストロサイト），乏突起膠細胞（オリゴデンドロサイト）および小膠細胞（ミクログリア）があり，物理的と代謝的側面からニューロンが正常に機能するためのサポートを行っている（図1）。
　脳は，頭蓋骨および髄膜（硬膜，クモ膜，軟膜）に覆われ保護されている。大脳，小脳，脳幹に分けることができ，大脳は前頭葉，頭頂葉，側頭葉および後頭葉にさらに分けられる（図2）。1

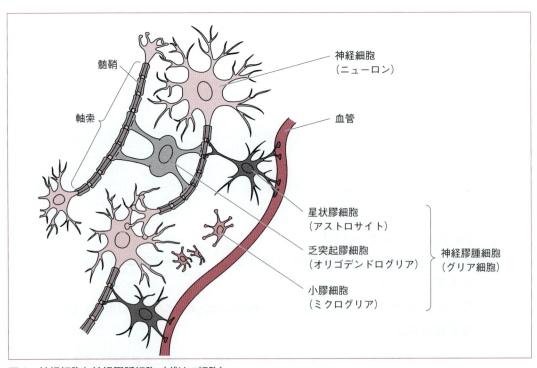

図1　神経細胞と神経膠腫細胞（グリア細胞）

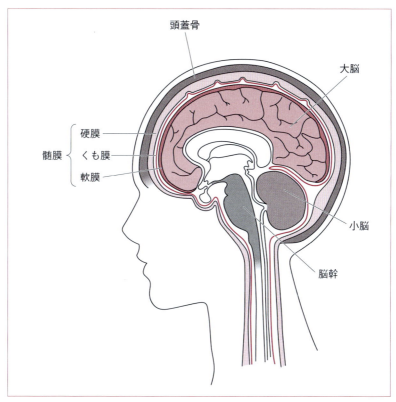

図2　脳の構造

つの葉のなかでも領域によって司る機能は異なるため，脳腫瘍や脳血管障害，外傷などで脳に障害が起こった場合，現れる症状は障害が発生した部位により，さまざまな症状を示す。

2 進行度と治療概要

2-1　進行度診断・分類

　脳腫瘍は，脳から発生する原発性脳腫瘍と，乳がんや肺がんのような全身臓器にがんが脳に転移する転移性脳腫瘍に分類される。転移性脳腫瘍とは異なり，原発性脳腫瘍は原則として中枢神経系の外へは転移はせず，また，TNM分類やstage分類による病期分類は定義されていない。

　原発性脳腫瘍の鑑別診断には，CTやMRI，FDGを用いたPET-CT/MRIを用いる。また，原発性脳腫瘍の確定診断においては，臨床像や放射線画像が明らかに良性腫瘍を示す場合を除いて，摘出もしくは生検検体を用いた病理組織診断が必要となる。この病理組織から得られたisocitrate dehydrogenase（IDH）遺伝子変異や1p/19q共欠損の分子遺伝学的情報と形態学的診断を組み合わせて，細胞起源または部位をもとにした分類で，一部の腫瘍型に対して遺伝子変異型を伴う命名が行われる（表）[1]。これら腫瘍型分類とは別に組織学的所見に基づく悪性度分類（Grade分類）があり，広く受け入れられている。このGradeは，Ⅰは良性，Ⅳは最も悪性で，悪性腫瘍はGrade Ⅱ以上に分類される（表）。

表 神経膠腫のWHO分類

組織型（WHO2016）遺伝情報	WHO Grade
Diffuse astrocytic and oligodendroglial tumors	
Diffuse astrocytoma, IDH-mutant	Ⅱ
Anaplastic astrocytoma, IDH-mutant	Ⅲ
Glioblastoma, IDH-wildtype	Ⅳ
Glioblastoma, IDH-mutant	Ⅳ
Diffuse midline glioma, H3K27M-mutant	Ⅳ
Oligodendroglioma, IDH-mutant and 1p/19q-codeleted	Ⅱ
Anaplastic oligodendroglioma, IDH-mutant and 1p/19q-codeleted	Ⅲ
Other astrocytic tumors	
Pilocytic astrocytoma	Ⅰ
Subependymal giant cell astrocytoma	Ⅰ
Pleomorphic xanthoastrocytoma	Ⅱ
Anaplastic pleomorphic xanthoastrocytoma	Ⅲ

※Diffuse astrocytoma：びまん性星細胞腫，Anaplastic astrocytoma：退形成性星細胞腫，Glioblastoma：膠芽腫，Oligodendroglioma：乏突起膠腫，Anaplastic Oligodendroglioma：退形成性乏突起膠腫

〈WHO Grade 分類〉

Grade	意味	例
Ⅰ	増殖能力の低い腫瘍で，外科的切除のみによって治癒が可能である。	Pilocytic astrocytoma Subependyma giant cell astrocytoma
Ⅱ	細胞形態にAtypia（核の形や大きさに変化があり，クロマチンが濃染する）があり，浸潤性の性質を持ち，増殖能力が低いにもかかわらずしばしば再発する。一部の腫瘍はより高いGradeの腫瘍へと進展することもある。通常は5年以上の生存が可能である。	Diffuse astrocytoma Oligodendroglioma
Ⅲ	核異型や活発な核分裂活性など組織学的に悪性所見を示す腫瘍である。患者の多くは放射線・化学療法を受ける。治療後2～3年の生存が可能である。	Anaplastic astrocytoma
Ⅳ	細胞学的に悪性で，核分裂活性が高く，壊死を起こしやすい腫瘍である。予後は治療法によって大きく影響されるが，膠芽腫では大部分の患者が2年以内に死亡する。	Glioblastoma Giant cell glioblastoma Gliosarcoma

〔Louis DN et al：Acta Neuropathol, 131(6):803-820, 2016〕

　原発性脳腫瘍は神経上皮性の大部分を占める神経膠腫（glioma），脳神経から発生する神経鞘腫（schwannoma），脳の表面を覆っているクモ膜の細胞から発生する髄膜腫（meningioma），悪性リンパ腫などがある。

2-2　外科治療

　神経膠腫の治療では外科治療が最も基本的な治療であり，摘出率を上げることで予後を改善すると考えられているため[2, 3]，神経症状を悪化させない最大限の摘出を行うことが手術の原則である。しかしながら，言語野・運動野および高次脳機能に関わるeloquent領域に腫瘍が存在する場合は摘出が困難で，神経症状を悪化させないよう可及的な摘出や生検を行う。

1）蛍光ガイド下手術

①5-ALA 20mg/kgを手術時の麻酔導入前3時間に経口投与，②開頭後，青色光線（400～410nm）を照射することで，腫瘍組織が赤色蛍光を発し，可視化される。

神経膠腫摘出術では，神経膠腫が脳から発生するため腫瘍境界がはっきりしないことも少なくない。悪性神経膠腫の腫瘍摘出術中に，腫瘍組織を可視化する体内診断薬である5-アミノレブリン酸（5-aminolevulinicacid：5-ALA）を用いた蛍光ガイド下手術は，従来法である白色光下による腫瘍摘出術では摘出しきれなかった残存腫瘍を切除することで腫瘍摘出率向上に寄与することが示されている[4]。5-ALAが術前に投与されると，代謝産物であるプロトポルフィリンIXが悪性腫瘍細胞内に蓄積される。ここに400～410nmの励起光（青色光線）を照射すると，酸化により励起され636nm付近の赤色蛍光を発し，腫瘍部分を可視化することができる。生存期間中央値を腫瘍摘出度で比較すると，全摘出群および非全摘出群でそれぞれ16.7カ月および11.8カ月であり，全摘出群で優位に予後の改善が認められた。ただし，これらの比較においては年齢，KPSなど患者背景に相違があり，結果の解釈については注意が必要である[5]。以上より，腫瘍摘出率の向上が期待できる5-ALAを使用した確実な切除が有効であると考えられている。5-ALAでは，有害事象として光線過敏症が生じる場合がある。症状としては，赤ら顔を示すことが多い。そのため，5-ALA内服後は48時間以内に直接紫外線を浴びることを避けるよう注意が必要である。

2）Carmustine（bis-chloroethylnitrosourea：BCNU）wafer

BCNU waferはBCNUを含んだ脳内留置用徐放性製剤である。これを神経膠腫摘出術後の摘出腔に敷き詰め留置することにより，生体内で加水分解され，BCNUが徐々に放出される。BCNU waferの浸透範囲は，6mm程度とされており，摘出腔周囲の残存腫瘍や浸潤腫瘍に抗腫瘍効果を発揮することから，全摘出が可能な症例がよい適応と考えられている。BCNU wafer留置に伴う有害事象としては脳浮腫，けいれん，創傷治癒不良などがある。そのため，BVNU wafer留置後は，これら症状に特に注意し，厳重な術後管理を行うことで，合併症を未然に防ぐよう勤める必要がある。BCNU waferと神経膠腫における化学療法のkeydrugであるテモゾロミドとの併用については，現在臨床試験中である。

3）光線力学療法（photodynamictherapy：PDT）

①タラポルフィンナトリウム40mg/m^{2}を1回静脈内注射，②22～26時間後にレーザ光を病巣部位に照射

光感受性物質であるタラポルフィンナトリウムを投与後，残存腫瘍に半導体レーザを照射し，生じる一重項酸素により抗腫瘍効果を示すと考えられている。

タラポルフィンナトリウムに伴う副作用としては，肝機能障害，光線過敏症があげられる。特に光線過敏症については注意が必要であり，投与から光線過敏性試験をクリアするまでは，500ルクス以下の環境での経過観察が必要となるため，照度計を用いながら投与後の患者の遮光環境の整備が必要となる。投与から光線過敏性試験にて光線過敏反応が消失するまでの期間は，直射日光を避け，部屋の照度を落とし，テレビなどの明るい画面を見るときにはサングラスを着用することが推奨される。

2-3 放射線治療

脳腫瘍における放射線治療には，脳全体に放射線を分割して照射する分割照射療治療法と，ガンマナイフ，サイバーナイフなどを用いた腫瘍と腫瘍の浸潤部位にのみ照射する低位放射線治療法がある。放射線治療は，単独あるいは外科治療やがん薬物療法と組み合わせて行われる。

GradeⅡ神経膠腫においては，54Gy/30frが最近の臨床試験では採用されることが多く[6, 7]，GradeⅢ神経膠腫においては，59.4Gy/33frが[8]，膠芽腫では60Gy/30frがそれぞれ照射されることが多い[9]。また，これら以外にも年齢やKarnofsky Performance Status（KPS）を考慮して照射量やスケジュールなどが調整される場合もある。

③ 神経膠腫のがん薬物治療

神経所見を悪化させず，可能な限り腫瘍を摘出し，病理組織による診断結果に応じて放射線治療およびがん薬物療法を行っていく。GradeⅢの神経膠腫である1p/19q共欠損のある退形成性乏突起膠腫に対しては，PCV療法（プロカルバジン＋Lomustine＋ビンクリスチン）併用放射線治療が標準治療と考えられているが[10, 11]，PCV療法で使用されるLomustineはわが国では未承認であるため，lomustineをnimustineに変更して治療が行われる場合もある。また，これ以外にテモゾロミド単剤療法が用いられることも多い。GradeⅣの神経膠腫である膠芽腫においては，放射線併用テモゾロミド療法が標準治療に位置づけられている[9]。また，ベバシズマブの併用により全生存期間の延長を示す大規模臨床試験の結果は認められていないが，無増悪生存期間の延長や臨床症状の改善やステロイド投与量の減量が図れることから[12, 13]，わが国においてはKPSの悪い患者では初期治療からテモゾロミドと併用してベバシズマブが投与されることもある。

1）初発
（1）ベバシズマブ＋放射線併用テモゾロミド療法

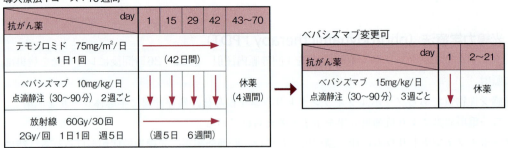

維持療法2～7コース：4週ごと，6コース

抗がん薬 \ day	1	2	3	4	5	15	28
テモゾロミド　150mg/m²/日 （200mg/m²/日まで増量可） 1日1回	→→→→→					休薬	
ベバシズマブ　10mg/kg/日 点滴静注（30～90分）　2週ごと	↓				↓		

ベバシズマブ変更可

抗がん薬 \ day	1	2～21
ベバシズマブ　15mg/kg/日 点滴静注（30～90分）　3週ごと	↓	休薬

維持療法8コース以降：3週ごと，病勢増悪まで

抗がん薬 \ day	1	2～21
ベバシズマブ　15mg/kg/日 点滴静注（30～90分）	↓	休薬

- 放射線のスケジュールに応じて，テモゾロミドの投与は最長49日まで延長。
- テモゾロミド内服投与する場合は，空腹時投与が望ましい。
- 放射線照射との併用期間中は，リンパ球数にかかわらずニューモシスチス肺炎予防を行う。また，リンパ球減少が認められた場合は，リンパ球数がGrade1以下に改善するまでニューモシスチス肺炎予防を継続する。
- NCCNガイドラインにおけるテモゾロミドの化学療法に伴う悪心・嘔吐（CINV）リスクは，点滴静注で中等度，経口投与では75mg/m²以下で最小～軽度，75mg/m²を超えると中等度～高度に分類される。
- 維持療法1コース目のテモゾロミドは150mg/m²/dayで投与を行い，1コース目期間中好中球数最低値1,500/μL以上，血小板数最低値100,000/μL以上，脱毛，悪心・嘔吐を除く非血液毒性がGrade2以下であれば2コース目は200mg/m²へ増量可。
- ベバシズマブの投与は「1回15mg/kg，30～90分で点滴静注，day1 3週間間隔」に変更可。

（2）短期放射線併用テモゾロミド療法

導入療法1コース：7週間

抗がん薬 \ day	1	7	14	21	22～49
テモゾロミド　75mg/m²/日 1日1回	→→→ (15日間)				休薬 （4週間）
放射線　40.05Gy/15fr 1日1回　週5日	→→→ (週5日　3週間)				

維持療法2～13コース：4週ごと，12コース

抗がん薬 \ day	1	2	3	4	5	6～28
テモゾロミド　150mg/m²/日 （200mg/m²/日まで増量可） 1日1回	→→→→→					休薬

- 高齢者においては，短期放射線照射40.05Gyと比較して，短期放射線併用テモゾロミド療法で生存期間の延長が示された[14]。これにより，予後不良である高齢者において，QOLを大幅に損

なうことなく，治療効果が得られることが示され，短期放射線併用テモゾロミド療法が治療の選択肢の1つとなった。
・放射線のスケジュールに応じて，テモゾロミドの投与は最長28日まで延長。

2）再発
(1) テモゾロミド単剤療法
4週ごと，病勢増悪まで

抗がん薬 day	1	2	3	4	5	6〜28
テモゾロミド　150mg/m²/日 1日1回	→	→	→	→	→	休薬

注：2コース目以降：200mg/m²/日まで増量可

(2) ベバシズマブ単剤療法
3週ごと，病勢増悪まで

抗がん薬 day	1	2〜21
ベバシズマブ　15mg/kg/日 点滴静注（30〜90分）	↓	休薬

4 その他の治療

1）Novo-TTF（Tumor-TreatingFields）100Aシステム

TTFは，頭部を全剃毛し電場を作り出す粘着シートを貼り付け，脳に腫瘍治療電場を持続的に発生させることで，腫瘍細胞の有糸分裂中期で紡錘糸を構成する微小管の形成を阻害し，腫瘍の細胞分裂停止を引き起こす治療機器である[15]。本治療はテモゾロミド併用化学放射線療法の初期治療の4〜7週間後を目安に開始する。本治療は1日18時間未満の使用では治療効果が減少する可能性があり，最低1日18時間は使用することが推奨されている。

2）テセルパツレブ

テセルパツレブは，正常細胞の複製に必要であるα47遺伝子と2つのγ34.5遺伝子を欠失し，ICP6遺伝子を不活化した遺伝子組み換え単純ヘルペスウイルス1型である。これを悪性神経膠腫腫瘍内に直接投与することで，腫瘍細胞で選択的に複製し，複製過程で殺細胞効果と，腫瘍反応性T細胞の誘導による抗腫瘍免疫効果を示す再生医療等製品である[16,17]。本治療は，放射線治療とテモゾロミドの治療歴を有するWHO grade IVおよびリスクベネフィットを鑑みたうえで，一部のgrade III悪性神経膠腫患者が対象となりうる。本剤は，1×10^9 plaque-forming unit（PFU）を腫瘍内に投与する。投与スケジュールは，1回目と2回目は5〜14日間隔，3回目以降は4週間間隔で，最大6回まで投与する。本治療における有害事象としては，発熱，血球減少，けいれん発作および感染症がある。

【参考文献】

1) Louis DN et al：The 2016 World Health Organization Classification of Tumors of the Central Nervous System: a summary. Acta Neuropathol, 131(6):803-820, 2016
2) Sanai N et al：An extent of resection threshold for newly diagnosed glioblastomas. J Neurosurg, 115(1):3-8, 2011
3) Smith JS et al：Role of extent of resection in the long-term outcome of low-grade hemispheric gliomas. J Clin Oncol, 26(8):1338-1345, 2008
4) Stummer W et al：Fluorescence-guided surgery with 5-aminolevulinic acid for resection of malignant glioma: a randomised controlled multicentre phase Ⅲ trial. Lancet Oncol, 7(5):392-401, 2006
5) Stummer W et al：Extent of resection and survival in glioblastoma multiforme: identification of and adjustment for bias. Neurosurgery, 62 (3), 564-576, 2008
6) Shaw E et al：Prospective randomized trial of low-versus high-dose radiation therapy in adults with supratentorial low-grade glioma: initial report of a North Central Cancer Treatment Group/Radiation Therapy Oncology Group/Eastern Cooperative Oncology Group study. J Clin Oncol, 20(9):2267-2276, 2002
7) van den Bent MJ et al：Long-term efficacy of early versus delayed radiotherapy for low-grade astrocytoma and oligodendroglioma in adults: the EORTC 22845 randomised trial. Lancet, 366(9490):985-990, 2005
8) van den Bent MJ et al：Diffuse Infiltrating Oligodendroglioma and Astrocytoma. J Clin Oncol, 35(21):2394-2401, 2017
9) Stupp R et al：Radiotherapy plus concomitant and adjuvant temozolomide for glioblastoma. N Engl J Med, 352(10):987-996, 2005
10) Cairncross G et al：Phase Ⅲ trial of chemoradiotherapy for anaplastic oligodendroglioma: long-term results of RTOG 9402. J Clin Oncol, 31(3):337-343, 2013
11) van den Bent MJ et al：Adjuvant procarbazine, lomustine, and vincristine chemotherapy in newly diagnosed anaplastic oligodendroglioma: long-term follow-up of EORTC brain tumor group study 26951. J Clin Oncol, 31(3):344-350, 2013
12) Chinot OL et al：Bevacizumab plus radiotherapy-temozolomide for newly diagnosed glioblastoma. N Engl J Med, 370(8):709-722, 2014
13) Gilbert MR et al：A randomized trial of bevacizumab for newly diagnosed glioblastoma. N Engl J Med, 370(8):699-708, 2014
14) Perry JR et al：Short-Course Radiation plus Temozolomide in Elderly Patients with Glioblastoma. N Engl J Med, 376(11):1027-1037, 2017
15) Kirson ED et al：Alternating electric fields arrest cell proliferation in animal tumor models and human brain tumors. Proc Natl Acad Sci U S A, 104(24):10152-10157, 2007
16) 厚生労働省：最適使用推進ガイドライン テセルパツレブ（販売名：デリタクト注）〜悪性神経膠腫〜（https://www.mhlw.go.jp/hourei/doc/tsuchi/T210812I0010.pdf）（2022年6月閲覧）
17) Todo T et al：Oncolytic herpes simplex virus vector with enhanced MHC class I presentation and tumor cell killing. Proc Natl Acad Sci U S A, 98(11):6396-6401, 2001

（中島　寿久）

第4章 疾患

2 食道がん

【食道がんの疫学】
罹患数：25,920人，死亡数：10,981人，5年生存率：41.5%

1 食道の基礎知識

　食道とは，食道入り口部から食道胃接合部のことをいう[1]。食道入り口部は輪状軟骨の下縁のレベルに位置する。食道胃接合部の上下2cmの部位を食道胃接合部領域（ophagogastric junction：EGJ）とする。食道の区分は図で示すように，入り口部から頸部食道，胸部食道，腹部食道に分けることができ，胸部食道は胸部上部食道，胸部中部食道，胸部下部食道に分けることができる。組織型分類としては，扁平上皮がんと腺がんに大きく分けられ，わが国においては扁平上皮がんが約90％を占め，腺がんは約5％となっている。

2 進行度と治療概要（外科，放射線治療など）

　食道がんの治療方針は進行度診断，壁深達度評価，周在性評価により決められる[2]。原発巣の範囲診断は狭帯域光観察（narrow band imaging：NBI）や色素内視鏡を用いた内視鏡検査，食道造

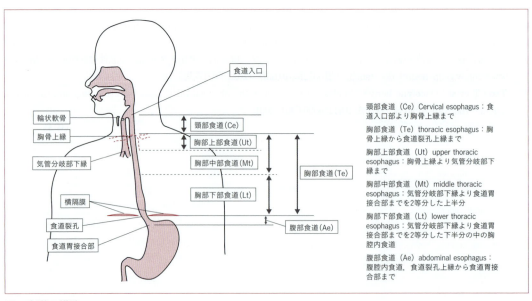

図　食道の構造

影検査などが用いられ，壁深達度評価は内視鏡検査，食道造影検査，超音波内視鏡検査，CTやMRIなどを用いて総合的に判断する．リンパ節転移の診断，遠隔転移診断はCTやMRI，FDG-PETなどを用いて行われ，進行度（各Stage）によって外科治療，内視鏡治療，放射線治療，化学療法，化学放射線治療が選択される．

2-1 進行度分類

わが国で用いられる食道がんの進行度分類は，最新の食道癌取扱い規約やTNM（UICC）分類に基づくため，対象となる病期に多少の差異が生じるため注意が必要である．

食道癌取扱い規約とTNM分類における主な差異は，リンパ節転移の分類である．TNM分類ではリンパ節転移の程度を所属リンパ節への転移個数で分け，鎖骨上リンパ節転移を遠隔転移としているが，食道癌取扱い規約では原発の占居部位により異なる所属リンパ節を1－4群（N1-N4）に分ける．また，TNM分類は食道胃接合部がんを含む．

2017年に出版された『TNM悪性腫瘍の分類 第8版 日本語版』[3]では，扁平上皮がんと腺がんの予後の違いから組織型別の分類が採用されている[3]．

2-2 外科治療

内視鏡治療で切除が可能な場合を除いて，食道がんの切除可能症例に対する第一選択治療は外科的手術が基本となる．

1）頸部食道がんに対する手術

頸部食道がんの手術では喉頭合併切除が必要な症例が多いため，喉頭温存を目指し，術前化学放射線療法や根治的化学放射線療法を行うことが多い．術後には誤嚥性肺炎を合併しやすいため注意が必要である．

2）胸部食道がんに対する手術

胸部食道がんは頸部，胸部，腹部の広範囲にリンパ節転移が認められることから，わが国ではStageI～Ⅲの胸部食道がんに対して右開胸による頸部，胸部，腹部の3領域リンパ節郭清および胸腹部食道全摘が一般的に行われている．

2-3 内視鏡治療

内視鏡治療には大きく分けて内視鏡的粘膜切除術（Endoscopic Mucosal Resection：EMR，病変粘膜を持ち上げて，もしくは吸引してスネアをかけて焼灼切除を行う方法）と内視鏡的粘膜下層剥離術（Endoscopic Submucosal Dissection：ESD，高周波ナイフを用いて病巣周囲の粘膜を切開し，さらに粘膜下層を剥離して切除する方法）がある．ESDはEMRより広範囲な病変を切除することができる．

また，タラポルフィンナトリウムを用いる光線力学的治療（Photodynamic Therapy：PDT），

アルゴンプラズマ凝固法（Argon Plasma Coagulation），電磁波凝固法などがある．

1）光線力学的治療（Photodynamic Therapy：PDT）

腫瘍親和性光感受性物質が有する腫瘍組織への特異的な集積性と，そこに特定波長の光線を照射することにより励起されて生じる一重項酸素などの活性酸素による細胞障害性作用を利用した治療法である[4]．化学放射線療法または放射線療法後の局所遺残再発食道がんで，EMR，ESDで根治切除が望めない場合に限り実施を検討する．

PDTの主な副作用は，光感受性物質投与後に太陽光など高照度の光に曝露されると高頻度で皮膚に紅斑や水疱，色素沈着などの光線過敏症を発症する．そのため，投与後の遮光管理が非常に重要となる．

2-4 放射線治療

根治的放射線治療では，化学療法と併用する化学放射線療法が推奨されている[5]．切除可能進行がんに対する術前化学放射線は現在，臨床試験が行われている．切除不能症例では，PSに応じて化学放射線療法または放射線単独療法が適応となっている．

化学放射線療法において放射性皮膚炎，放射性食道炎が発現するため，規定された線量を完遂するための薬学的介入が必要となる．

3 食道がんの薬物治療

食道がんの薬物治療は，主に「切除可能に対して行われる補助化学療法」と「切除不能進行・再発食道がんに対して行われる化学療法」に大きく分けられる．特に「切除可能に対して行われる補助化学療法」では外科手術，放射線療法，化学療法を組み合わせた集学的治療が行われる．

3-1 術前・術後補助薬物療法

JCOG9204試験にてⅡ期，Ⅲ期，Ⅳ期の胸部食道扁平上皮がんに対して手術単独と食道切除後にFP療法による術後補助薬物療法が比較された[6]．この試験の結果，全生存期間には有意差はなかったが，無再発生存期間で優越性が示された．

また，JCOG9907試験にてⅡ期，Ⅲ期の胸部食道扁平上皮がんに対して術前にFP療法を行う術前薬物療法群と術後にFP療法を行う術後薬物療法群にランダム化され，比較された．この試験の結果，術前薬物療法群が術後薬物療法群に対して全生存期間で有意に良好な成績が示された[7]．これらの結果から，Ⅱ期，Ⅲ期の食道がんに対して術前薬物療法と術後薬物療法の比較では，術前薬物療法が強く推奨されている[2]．欧米では化学放射線療法を術前に行うことが標準である．

わが国における現在の術前薬物療法はFP療法であるが，それに対し，FP療法にドセタキセル（DTX）を加えたDCF療法と術前化学放射線療法の優越性比較試験が進行中である[8]．

1）FP療法（術前または術後）[7]

3週ごと，2コース

抗がん薬 day	1	2	3	4	5	6〜21
シスプラチン　80mg/m²/日 点滴静注（2時間）	↓					休薬
フルオロウラシル　800mg/m²/日 点滴静注（24時間）	↓	↓	↓	↓	↓	

注1：術前FP療法：JCOG9907[7]
注2：術後FP療法：JCOG9204[6]

・主な副作用は，悪心・嘔吐，食欲不振，腎障害，口腔粘膜炎，骨髄抑制，聴力障害，末梢神経障害がある。

2）術前療法DCF[8]

3週ごと，3コース

抗がん薬 day	1	2	3	4	5	6〜21
シスプラチン　70mg/m²/日 点滴静注（2時間）	↓					休薬
ドセタキセル　70mg/m²/日 点滴静注（1時間）	↓					
フルオロウラシル　750mg/m²/日 点滴静注（24時間）	↓	↓	↓	↓	↓	

注：術前DCF療法：JCOG1109[8), 10]

・主な副作用は，悪心・嘔吐，食欲不振，腎障害，口腔粘膜炎，下痢，骨髄抑制（白血球減少，好中球減少），末梢性の浮腫，脱毛がある。
・発熱性好中球減少の予防のために，各コースのday5〜15にシプロフロキサシンを内服することで発熱性好中球減少は2.4%まで抑制できる[9, 10]。

3-2　化学放射線療法

　化学放射線療法（CRT：chemoradiotherapy）は，日本食道学会編集による『食道癌診療ガイドライン2017年』において，Stage別（cStage0−Ⅳa期）に行う治療アルゴリズムが定められており，内視鏡治療が対象とならないcStage0−Ⅰ期（3/4周以上の周在性病変，粘膜下層以下への浸潤），局所進行切除不能症例，切除可能症例でも手術拒否や耐術能がない症例に根治的化学放射線療法が選択肢となる。cStageⅠ期の局所進行食道がんに対して，放射線療法単独よりも生存期間を延ばすことが証明され，手術ができない症例に対して標準的な治療として位置づけられている[11]。
　化学放射線療法は化学療法の有害事象のみならず，放射線療法による有害事象にも注意が必要であり，これらは大きく急性期毒性と晩期毒性に分けられる。
　急性期毒性は，シスプラチンを中心とした有害事象（悪心・嘔吐，好中球数低下，口腔粘膜炎，

腎障害，吃逆）などに加え，放射線治療による有害事象（嚥下障害に伴う放射線食道炎，放射線皮膚炎）が起こる可能性がある。晩期毒性には，放射性肺臓炎や胸水，心嚢水貯留，収縮性心膜炎，甲状腺機能低下などがある。

cStage0－Ⅰ期に対しては，内視鏡治療の適応が難しい症例（3/4周以上の周在性病変，粘膜下層以下への浸潤）に限り行われ，内視鏡治療後に明らかな粘膜下浸潤や粘膜下病変であっても脈管侵襲を認める症例には，領域リンパ節に対する予防的化学放射線療法（FP＋放射線）が行われる[12]。cStageⅡ－Ⅲ期に対しては，手術単独と同等との報告[13]もあるが，手術拒否例や耐術能に問題のある症例を対象として行われ，RTOGレジメン[14]の線量を50.4Gyに下げたmodified RTOGレジメン[15]が行われる。手術による切除は不能であるが，放射線の照射範囲内に病変が限局する場合にはCRTが標準治療となる[16]。また，StageⅣbで通過障害を伴う症例に対しては緩和的CRTとしても行う場合がある[17]。

化学放射線療法で用いられる5-FU，CDDPの投与量と放射線治療の線量はStageによって異なる。そのため，治療が開始される前には使用されるレジメンについて注意する必要がある。**表**は5つのレジメンの適応Stageと薬剤の投与量，放射線量をまとめたものである。

(1) 追加化学療法[2]

cStageⅡ，Ⅲ，Ⅳaでは根治的化学放射線療法後に完全奏功を得られた場合，追加の治療として，化学療法（5-FU＋CDDP）のみを2コース実施される。ただし，患者の状態によっては化学療法を行うことで生じる有害事象が治療効果を上回ることがあるため，十分に注意が必要となる。

3-3 切除不能進行・再発食道がんに対する化学療法

切除不能進行・再発食道がんに対しては全身化学療法が用いられるが，生存期間延長に関する明

表 化学放射線療法に用いられるStageごとの抗がん薬投与量と放射線の放射線量

	根治的FP＋放射線[11]	術前FP＋放射線[8]	根治的FP＋放射線[14),15)]	手術不能根治的FP＋放射線[16]	緩和的FP＋放射線[17]
Stage	Ⅰ	Ⅱ/Ⅲ	Ⅱ/Ⅲ（T4除く）	Ⅲ（T4）/Ⅳa	Ⅳb
インターバル	28日	28日	28日	28日	28日
シスプラチン (CDDP) 〈day1〉	70mg/m²/day	75mg/m²/day	75mg/m²/day	70mg/m²/day	70mg/m²/day
フルオロウラシル (5-FU) 〈day1〜4〉	700mg/m²/day	1,000mg/m²/day	1,000mg/m²/day	700mg/m²/day	700mg/m²/day
放射線治療 (RT)	60Gy/30Fr	41.4Gy/23Fr	50.4Gy/28Fr	60Gy/20Fr	40Gy/20Fr

- 上記のレジメンにおいて，いずれも主な副作用は，悪心・嘔吐，食欲不振，腎障害，口腔粘膜炎，下痢，骨髄抑制がある。
- 放射線治療による有害事象は，食道炎，嚥下障害，放射線性肺臓炎，胸水，心嚢水がある。

確なエビデンスはなく，一次治療としてFP療法が標準治療として位置づけられているが，ペムブロリズマブ併用による優越性試験が検証され，FP療法よりも全生存期間，無増悪生存期間，奏功割合を改善することが示された[18]。この結果より一次治療としてペムブロリズマブ＋FP療法を行うことが推奨されている[19]。

　FP療法に忍容性がない症例（シスプラチンを投与しにくい腎機能や心機能が低下している症例）においては，ネダプラチン＋5-FU療法が用いられる[20]。一次治療が不応になった場合，これまでは二次治療としてタキサン系薬剤が用いられてきたが[21, 22]，第Ⅱ相試験に基づく結果であり，明確な生存期間延長効果は示されていなかった。また，EGFR阻害薬などの分子標的治療薬の試験も行われた[23]が，有効性を示されたものはなかった。2019年に，免疫チェックポイント阻害薬であるニボルマブとタキサン系薬剤を比較する第Ⅲ相試験が報告され，ニボルマブ群で有意な生存期間の延長が認められた[24]ことから，新たな標準治療として位置づけられた[25]。ペムブロリズマブも同様に，二次治療として切除不能進行・再発の食道扁平上皮がんと腺がんを対象に，タキサン系薬剤またはイリノテカンと比較する第Ⅲ相試験が行われた[26]。化学療法に対するペムブロリズマブ群の優越性を検証する試験であったが，いずれの集団においても事前に規定された基準を満たさなかった。しかし，事前に規定された解析対象でなく探索的な解析結果ではあるもののPD-L1陽性（CPS≧10）かつ扁平上皮がん患者に対して有効性が示された。この結果から，日本食道ガイドライン委員より「ペムブロリズマブはPD-L1陽性（CPS≧10）かつ扁平上皮がんの場合に限り，ペムブロリズマブ療法を行うことを弱く推奨する」[27]とされた。

1）ペムブロリズマブ＋FP療法[18]

3週ごと

抗がん薬	day	1	2	3	4	5	6〜21
ペムブロリズマブ　200mg/body 点滴静注（30分）		↓					
シスプラチン　80mg/m^2/日 点滴静注（2時間）		↓					休薬
フルオロウラシル　800mg/m^2/日 点滴静注（24時間）		↓	↓	↓	↓	↓	

・シスプラチンの投与は最大6サイクルまで。その後は病勢進行または許容できない毒性発現等まで継続（ペムブロリズマブ＋5-FU投与は最大35サイクルまで）。

〈注意点〉2次治療以降に用いられるペムブロリズマブ療法ではPD-L1の発現率の確認が必要とされているが，ペムブロリズマブ＋FP療法ではPD-L1の発現率の有無に関わらず使用が可能である。

・主な副作用は，悪心・嘔吐，食欲不振，腎障害，口腔粘膜炎，骨髄抑制，聴力障害，末梢神経障害，倦怠感，悪心，下痢，掻痒症，発疹がある。

・重篤な副作用には間質性肺疾患，大腸炎・小腸炎，皮膚障害，1型糖尿病，副腎機能低下，甲状腺機能低下症および亢進症，重症筋無力症がある。

2）緩和的FP療法

4週ごと

抗がん薬	day	1	2	3	4	5	6〜28
シスプラチン　80mg/m²/日 点滴静注（2時間）		↓					休薬
フルオロウラシル　800mg/m²/日 点滴静注（24時間）		↓	↓	↓	↓	↓	

・主な副作用は，悪心・嘔吐，食欲不振，腎障害，口腔粘膜炎，骨髄抑制，聴力障害，末梢神経障害がある。

3）緩和的ネダプラチン＋5-FU療法[20]

4週ごと，2コース

抗がん薬	day	1	2	3	4	5	6〜28
ネダプラチン　90mg/m²/日 点滴静注（2時間）		↓					休薬
フルオロウラシル　800mg/m²/日 点滴静注（24時間）		↓	↓	↓	↓	↓	

注：ネダプラチンは65歳以上の場合は，80 mg/m²で行うことが推奨されている

・主な副作用は，悪心・嘔吐，食欲不振，口腔粘膜炎，下痢，骨髄抑制（主に好中球減少，血小板減少）がある。

4）緩和的パクリタキセル療法[21]

weeklyPTX療法[21]　7週ごと

抗がん薬	day	1	8	15	22	29	36	37〜49
パクリタキセル　100mg/m²/日 点滴静注（1時間）		↓	↓	↓	↓	↓		休薬

・主な有害事象は，アレルギー反応，骨髄抑制，末梢神経障害，関節痛，筋肉痛，脱毛がある。
・パクリタキセルは起壊死性抗がん薬のため，血管外漏出に注意。

5）緩和的ドセタキセル療法[22]

3週ごと

抗がん薬	day	1	2〜21
ドセタキセル　70mg/m²/日 点滴静注（1時間）		↓	休薬

・主な有害事象は，アレルギー反応，骨髄抑制，末梢性の浮腫，関節痛，筋肉痛，脱毛がある。

- ドセタキセルは起壊死性抗がん薬のため，血管外漏出に注意する。

6）緩和的ニボルマブ療法[24]

2週ごと

抗がん薬	day	1	2〜14
ニボルマブ　240mg/body 点滴静注（30分）		↓	休薬

4週ごと[28]

抗がん薬	day	1	2〜28
ニボルマブ　480mg/body 点滴静注（30分）		↓	休薬

- 主な副作用は，倦怠感，悪心，下痢，掻痒症，発疹がある。
- 重篤な副作用には間質性肺疾患，大腸炎・小腸炎，皮膚障害，1型糖尿病，副腎機能低下，甲状腺機能低下症および亢進症，重症筋無力症がある。

7）緩和的ペムブロリズマブ療法[26]

3週ごと

抗がん薬	day	1	2〜21
ペムブロリズマブ　200mg/body 点滴静注（30分）		↓	休薬

6週ごと[29]

抗がん薬	day	1	2〜42
ペムブロリズマブ　400mg/body 点滴静注（30分）		↓	休薬

- 主な副作用は，倦怠感，悪心，下痢，掻痒症，発疹がある。
- 重篤な副作用には間質性肺疾患，大腸炎・小腸炎，皮膚障害，1型糖尿病，副腎機能低下，甲状腺機能低下症および亢進症，重症筋無力症がある。

【参考文献】
1) 日本食道学会　編：臨床・病理　食道癌取扱い規約 第11版. 金原出版, p36, 2015
2) 日本食道学会　編：食道癌診療ガイドライン2017年版. 金原出版, p14-40, 2017
3) James D Brierley et al：TNM悪性腫瘍の分類 第8版 日本語版. 金原出版, 2017
4) 臼田実男, 他：光線力学的治療による抗腫瘍効果のメカニズム. レーザー研究, 35(8): 509-513, 2007
5) Shi XH et al：Late course accelerated fractionation in radiotherapy of esophageal carcinoma. Radiother Oncol, 51(1):21-26, 1999
6) Ando N et al：Surgery plus chemotherapy compared with surgery alone for localized squamous cell carcinoma

of the thoracic esophagus: a Japan Clinical Oncology Group Study–JCOG9204. J Clin Oncol, 21(24):4592-4596, 2003

7) Ando N et al：A randomized trial comparing postoperative adjuvant chemotherapy with cisplatin and 5-fluorouracil versus preoperative chemotherapy for localized advanced squamous cell carcinoma of the thoracic esophagus (JCOG9907). Ann Surg Oncol, 19(1):68-74, 2012

8) Nakamura K et al：Three-arm phase III trial comparing cisplatin plus 5-FU (CF) versus docetaxel, cisplatin plus 5-FU (DCF) versus radiotherapy with CF (CF-RT) as preoperative therapy for locally advanced esophageal cancer (JCOG1109, NExT study). Jpn J Clin Oncol, 43(7): 752-755, 2013

9) Hara H et al：Phase II feasibility study of preoperative chemotherapy with docetaxel, cisplatin, and fluorouracil for esophageal squamous cell carcinoma. Cancer Sci, 104(11): 1455-1460, 2013

10) Kato K et al：A randomized controlled phase III trial comparing two chemotherapy regimen and chemoradiotherapy regimen as neoadjuvant treatment for locally advanced esophageal cancer, JCOG1109 NExT study. Journal of Clinical Oncology, 40 (4_suppl): 238, 2022

11) Kato H et al：A phase II trial of chemoradiotherapy for stage I esophageal squamous cell carcinoma: Japan Clinical Oncology Group Study (JCOG9708). Jpn J Clin Oncol, 39(10): 638-643, 2009

12) Kawaguchi G et al：The effectiveness of endoscopic submucosal dissection followed by chemoradiotherapy for superficial esophageal cancer. Radiat Oncol, 10: 31, 2015

13) Hironaka S et al：Nonrandomized comparison between definitive chemoradiotherapy and radical surgery in patients with T(2-3) N(any) M(0) squamous cell carcinoma of the esophagus. Int J Radiat Oncol Biol Phys, 57(2): 425-433, 2003

14) Minsky BD et al：INT 0123 (Radiation Therapy Oncology Group 94-05) phase III trial of combined-modality therapy for esophageal cancer: high-dose versus standard-dose radiation therapy. J Clin Oncol, 20(5): 1167-1174, 2002

15) Kato K et al：Phase II study of concurrent chemoradiotherapy at the dose of 50.4 Gy with elective nodal irradiation for Stage II-III esophageal carcinoma. Jpn J Clin Oncol, 43(6): 608-615, 2013

16) Ishida K et al：Phase II study of cisplatin and 5-fluorouracil with concurrent radiotherapy in advanced squamous cell carcinoma of the esophagus: a Japan Esophageal Oncology Group (JEOG)/Japan Clinical Oncology Group trial (JCOG9516). Jpn J Clin Oncol, 34(10): 615-619, 2004

17) Ikeda E et al：Efficacy of concurrent chemoradiotherapy as a palliative treatment in stage IVB esophageal cancer patients with dysphagia. Jpn J Clin Oncol, 41(8): 964-972, 2011

18) Sum JM et al：Pembrolizumab plus chemotherapy versus chemotherapy alone for first-line treatment of advanced oesophageal cancer (KEYNOTE-590)：a randomized, placebo-controlled, phase 3 study. Lancet, 398(10302): 759-711, 2021

19) 日本食道学会：[速報] KEYNOTE-590試験の概要ならびに進行食道癌治療におけるペムブロリズムマブに関する日本食道学会ガイドライン委員会のコメント（https://www.esophagus.jp/files/guideline_20211130_02.pdf）（2022年6月閲覧）

20) Kato K et al：The Japan Esophageal Oncology Group of the Japan Clinical Oncology Group (JCOG): A phase II study of nedaplatin and 5-fluorouracil in metastatic squamous cell carcinoma of the esophagus: The Japan Clinical Oncology Group (JCOG) Trial (JCOG 9905-DI). Esophagus, 11(3): 183-188, 2014

21) Kato K et al：A phase II study of paclitaxel by weekly 1-h infusion for advanced or recurrent esophageal cancer in patients who had previously received platinum-based chemotherapy. Cancer Chemother Pharmacol, 67(6): 1265-1272, 2011

22) Muro K et al：A phase II study of single-agent docetaxel in patients with metastatic esophageal cancer. Ann Oncol, 15(6): 955-959, 2004

23) Dutton SJ et al：Gefitinib for oesophageal cancer progressing after chemotherapy (COG): a phase 3, multicentre, double-blind, placebo-controlled randomised trial. Lancet Oncol, 15(8): 894-904, 2014

24) Kato K et al：Nivolumab versus chemotherapy in patients with advanced oesophageal squamous cell carcinoma

refractory or intolerant to previous chemotherapy (ATTRACTION-3): a multicentre, randomised, open-label, phase 3 trial. Lancet Oncol 20: 1506-1507, 2019

25) 日本食道学会：［速報］ATTRACTION-3試験の概要ならびに進行食道癌治療におけるニボルマブに関する日本食道学会ガイドライン委員会のコメント（https://www.esophagus.jp/files/attraction3_nivolumab_comment.pdf）（2022年6月閲覧）

26) Kojima T et al：Randomized Phase III KEYNOTE-181 Study of Pembrolizumab Versus Chemotherapy in Advanced Esophageal Cancer. J Clin Oncol, 38(35): 4138-4148, 2020

27) 日本食道学会：［速報］KEYNOTE-181試験の概要ならびに進行食道癌治療におけるペムブロリズマブに関する日本食道学会ガイドライン委員会のコメント（https://www.esophagus.jp/files/pembrolizumab_20201005.pdf）（2022年6月閲覧）

28) オプジーボ審査報告書資料．2020年11月27日（https://www.pmda.go.jp/drugs/2020/P20201002001/180188000_22600AMX00768_A100_1.pdf）（2022年6月閲覧）

29) キイトルーダ審査報告書資料．2020年8月21日（https://www.pmda.go.jp/drugs/2020/P20200812001/170050000_22800AMX00696000_A100_1.pdf）（2022年6月閲覧）

（久松　大祐）

第4章 疾患

3 頭頸部がん

【頭頸部がんの疫学】
　口腔・咽頭　罹患数：22,515人，死亡数：7,827人，5年生存率：63.5%
　喉頭　　　　罹患数：5,190人，死亡数：781人，　5年生存率：81.8%

1 頭頸部の基礎知識

　頭頸部とは，脳・脊髄・眼窩内を除く頭蓋底から鎖骨上までの範囲に相当し（図），鼻，副鼻腔，口腔，咽頭，喉頭，唾液腺，甲状腺，聴器などさまざまな部位が含まれる。空気・食物の通過路を形成し，感覚器も多く存在するため，呼吸や食事など生きるうえで欠かせない機能や，発声・味覚・聴覚など日常生活を送るうえで重要な機能が集中している。

2 進行度と治療概要（放射線治療など）

　頭頸部がんの治療方針は，原発部位と進行度によって異なる。さらに，発声・嚥下・咀嚼などの機能温存を希望して，非外科的手術を選択することもできる。頭頸部がんの治療方針は，①組織型，②原発部位，③ステージ（病期），④根治的外科切除の適応，⑤機能温存の希望，⑥年齢既往歴・

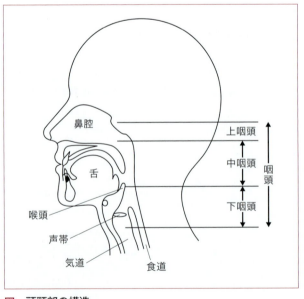

図　頭頸部の構造

合併症・臓器機能・全身状態などを総合的に考慮して決定する。

治療エビデンスがあるのは局所進行頭頸部扁平上皮がんであり、外科的切除、放射線療法、化学放射線療法により根治目的の治療がなされるが、局所再発を来したとしても、切除可能もしくは放射線治療が可能であれば、それらにより根治目的の治療が実施される。しかし、遠隔転移がある場合は緩和的な全身化学療法が実施される。

1）組織型

頭頸部がんの組織型には扁平上皮がん、腺様嚢胞がん、粘表皮がん、腺がん、悪性黒色腫、未分化がんがあり、約9割が扁平上皮がんである[1]。扁平上皮がんは、放射線治療や化学療法に対する感受性が比較的良好であるため、化学放射線療法は根治的治療として重要な位置づけである。また、頭頸部がんの臨床試験は、主に扁平上皮がんを中心に治療開発が進められており、そのほかの組織型の治療については確立されていない。そのため、組織診断は治療方針の決定の際に重要な情報となる。

解剖学的理由から外科的切除ができない上咽頭がんを除く口腔がん（舌がん、頬粘膜がん、歯肉がん）、中咽頭がん（舌根がん、扁桃がん）、喉頭がん、下咽頭がんをまとめて「局所進行頭頸部扁平上皮がん」として分類されている。

2）原発部位

頭頸部癌取扱い規約[2]において、口唇・口腔、鼻腔・副鼻腔、上咽頭、中咽頭、下咽頭、喉頭、大唾液腺、甲状腺、上気道消化管の悪性黒色腫の9つの部位に分類される。原発部位により、放射線療法や薬物療法への感受性など「がん」の性質が異なるため、部位ごとの治療方針が必要となる。

3）ステージ（病期）[3]

臨床病期分類はTNM分類（AJCC/UICC）を用いて、原発部位とリンパ節の広がり、遠隔転移に基づいて決定する。TNM分類は、第7版では上咽頭がんとそれ以外の2種の分類のみであったが、第8版においては①上咽頭がん、②p16陽性（HPV：ヒトパピローマウイルス陽性）中咽頭がん、③頭頸部皮膚扁平上皮がん、④①～③以外、⑤TNM分類が示されていない頭頸部粘膜悪性黒色腫に分かれている。

4）根治的外科切除の適応

①頸動脈浸潤や椎前筋浸潤など技術的に外科的切除困難な場合、②頸部リンパ節転移によって局所再発、あるいは遠隔転移の頻度が高く切除可能であるが予後不良な場合、③切除可能であるが、嚥下・発声などの機能予後が不良となる場合は根治的外科切除の適応はないと考えられ、非外科的治療が選択される。

5）機能温存の希望

喉頭・下咽頭がんの進行例では、喉頭全摘、咽頭・喉頭・食道摘出が必要となるが、音声言語機能の廃絶、嚥下機能の低下を引き起こすことから、外科的切除が可能であっても患者が喉頭温存を希望する場合がある。

2-1　内視鏡治療

咽喉頭の表在がん（筋層に浸潤のない頭頸部がん）に対しては，低侵襲手術として内視鏡的咽喉頭手術（ELPS：endoscopic laryngo-pharyngeal surgery）が選択されることがある。

2-2　外科治療

原発巣の場所や進行度，リンパ節転移の状況や，会話・嚥下摂食機能の温存の可能性を考慮したうえで術式が決められる。必要に応じて，機能・臓器の修復を目指す再建手術を実施することもある。外科的治療は，切除の安全域を広く設定することでがんの根治性の向上につながると考えられるが，整容面の変化や術後の生活の質の低下に直結するため，根治性と機能保持のバランスを考慮し計画する必要がある。

2-3　放射線治療

1）放射線療法

頭頸部がんは放射線に感受性が高い扁平上皮がんが多く，放射線治療は手術と並ぶ代表的な根治的治療のひとつである。病期初期（Stage Ⅰ，Ⅱ）の頭頸部がんの治療（70Gy/35回，1日1回，1週間に5回照射）や，術後病理所見にて再発リスク因子を伴う場合の術後補助療法（60〜66Gy/30〜33回，1日1回，1週間に5回照射）がある。

上咽頭がんは解剖学的に根治切除が困難な部位であるため，放射線による治療が基本となる。

2）化学放射線療法

頭頸部扁平上皮がんにおいて，化学放射線療法は根治的治療として重要な位置づけとなっている。放射線療法と併用される化学療法は，現時点ではシスプラチン（CDDP）単剤が最もエビデンスレベルの高いレジメンである。

術後病理所見において，切除断端陽性もしくは節外浸潤陽性を指標とする再発ハイリスク[4〜6]に該当する症例においても，化学放射線療法は生存への寄与が示された。

3）動注化学療法＋放射線療法

鼻腔・副鼻腔がんの中の上顎洞がんは支配血管が明瞭であるため，解剖学的に動注化学療法に適している。腫瘍の栄養血管である頸動脈までカテーテルを選択的に進めて挿入し，そこから大量のシスプラチンを投与する超選択的動注化学療法に放射線治療を併用する。局所進行上顎洞原発扁平上皮がんに対する有効性として，現在もJCOG1212（RADPLAT-MSC）試験[7]が進行中である。

2-4　がん光免疫療法[8, 9]

切除不能な局所進行または局所再発の頭頸部扁平上皮がんに対して，国内で先駆け審査指定制度および条件付き早期承認制度のもとで承認された。上皮成長因子受容体（epidermal growth factor receptor：EGFR）に対するモノクローナル抗体であるセツキシマブと，光感受性物質のフタロシアニン誘導体色素IR700を結合させた抗体-光感受性物質複合体であるセツキシマブ サロタロカンナトリウムが，腫瘍細胞の細胞膜上のEGFRに結合し，波長690nmのレーザ光を照射することで励起されたIR700が光化学反応を起こし，細胞膜破壊を起こすことで抗腫瘍効果を発揮すると考えられている。

3 頭頸部がんの薬物療法

3-1 病期初期の頭頸部がん（StageⅠ，Ⅱ）の治療

　病態と患者の希望により，外科的切除もしくは放射線療法（66〜70Gy/33〜35回，1日1回，1週間に5回照射）のいずれかが選択される。下咽頭がん，喉頭がんは内視鏡治療であるELPS（endoscopic laryngo-pharyngeal surgery）が実施できる。上咽頭がんは外科的切除ができないため，放射線もしくは化学放射線治療が選択される。外科的切除は，限局した治療範囲，放射線治療に比較して総治療期間が短い，放射線による口内炎/粘膜炎皮膚炎などの急性期有害事象や嚥下障害，唾液腺障害，甲状腺機能低下症などの晩期有害事象がない，二次発がんがないなどの利点がある。放射線療法は外科的切除による傷や後遺症が回避できる，機能温存が可能などの利点がある。化学療法を術前あるいは放射線治療の前，もしくは放射線治療の後に実施するエビデンスはない。

3-2 局所進行頭頸部がん（StageⅢ，Ⅳ）の治療

1）化学放射線療法

　いずれの化学放射線療法（RT）においても，放射線治療は根治治療（計70Gy），術後補助化学療法（計60〜66Gy，1回2Gyを週5回）が実施される。患者が高齢，PS低下，腎機能低下などの臓器機能障害や，合併症を有してCDDPが使用できない症例に対しては，セツキシマブ（Cmab）＋RTが用いられる。Cmabの治療標的となるEGFRは，頭頸部扁平上皮がんの90％以上において発現を認める[10, 11]。また，大腸がんではCmabの治療効果が期待できないRAS遺伝子変異の測定が必要であるが，頭頸部扁平上皮がんにおけるRAS遺伝子変異の割合は数％であり[12]，測定は不要である。

(1) CDDP＋RT療法[13, 14]

①CDDP（100mg/m^2）＋RT療法

3週ごと，3コース

抗がん薬	day 1	2〜21
シスプラチン　100mg/m^2/日　点滴静注（2時間）	↓	休薬
計　放射線療法　1回2Gy　1日1回 　　根治治療：70Gy，術後補助化学療法：60〜66Gy	→ (5回/週)	

② CDDP（30〜40mg/m²）＋ RT 療法

1週ごと，6〜7コース

抗がん薬	day	1	2〜7
シスプラチン 40mg/m²/日 点滴静注（2時間）		↓	休薬
計 放射線療法 1回2Gy 1日1回 根治治療：70Gy，術後補助化学療法：60〜66Gy		→	（5回/週）

③ CDDP 分割（20mg/m²）＋ RT 療法

3週ごと，3コース

抗がん薬	day	1	2	3	4	5〜21
シスプラチン 20mg/m²/日 点滴静注（2時間）		↓	↓	↓	↓	休薬
計 放射線療法 1回2Gy 1日1回 根治治療：70Gy，術後補助化学療法：60〜66Gy		→				（5回/週）

- 1コースあたりのシスプラチン投与量が累計200mg/m²となれば治療強度を保てるといわれている。不耐の患者に対しては，低用量シスプラチンの毎週投与またはシスプラチンの分割投与があるが，現時点ではこれらの投与方法に対するエビデンスはない。
- シスプラチンの投与継続よりRTの継続が重要であり，RTの休止により生存率の低下[15]や局所制御率の低下[16]が報告されている。

(2) Cmab ＋ RT 療法

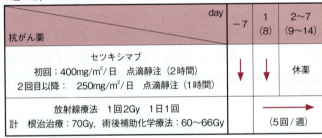

注：放射線治療1週間前よりセツキシマブ開始

- Cmab＋RT療法はBonner試験[17]，国内Phase Ⅱ試験[18]があり，RT単独療法よりも優れていることがわかっているが，CDDP＋RT療法よりも優れていることは証明されていない[19]。治療コンプライアンスを主要評価項目として設定されたランダム化第Ⅱ相試験においてCDDP＋RT療法とCmab＋RT療法が比較されたが，症例集積が予定通り進まず，統計学的な検出力不足での結果開示となった。Cmab＋RT療法はCDDP＋RT療法よりも治療コンプライアンスは不良であり，局所制御割合や全生存割合などは統計学的な有意差がないものの，CDDP＋RT療法で良い傾向であった。

- p16陽性の中咽頭がんに対しては，CDDP＋RT療法とCmab＋RT療法を比較する第Ⅲ相試験が2つ報告されているが[20,21]，Cmab＋RT療法は効果においてCDDP＋RT療法よりも有意に劣っており，毒性についても両群で差がなかった。そのため，標準治療は依然としてCDDP＋RT療法である。また，Cmab＋RT療法は上咽頭がんでは使用経験がないため推奨されない。
- Cmabによるinfusion reactionは，前投薬に抗ヒスタミン薬に加えステロイドを併用することで発現率が大きく減少したとの報告があり[22]，この結果をもとに両剤を投与することが強く薦められている。
- Cmabによる皮膚障害としてざ瘡様皮疹，乾皮症，皮膚亀裂や爪囲炎がある。皮膚症状の重症度が予後と相関しているため[23]，皮膚障害による休薬・中止を避けることが重要である。
- 尿細管上皮のTRPM6を介したマグネシウムの再吸収が抗EGFR抗体により阻害されることで，低マグネシウム血症を引き起こすことが報告されている[24]。Cmabの投与回数が増えるほど起こりやすくなるため[25]，適宜検査を実施しマグネシウムを補充する。

2）導入化学療法

導入化学療法は，喉頭温存希望の喉頭がん，下咽頭がんにおけるRT療法前，切除不能で再発ハイリスク症例における予後改善のいずれかを目的として実施される。

(1) DTX＋CDDP＋5-FU療法

3週ごと，3コース

抗がん薬	day	1	2	3	4	5	6〜21
ドセタキセル 70〜75mg/m²/日 点滴静注（1時間）		↓					休薬
シスプラチン 70〜75mg/m²/日 点滴静注（2時間）		↓					
フルオロウラシル 750mg/m²/日 点滴静注（24時間）		↓	↓	↓	↓	↓	

- ほぼ100％でGrade3の好中球減少を来すため，発熱性好中球減少症を予防するためday5〜14の10日間にキノロン系抗菌薬の予防的投与を行う。
- ただし，化学放射線療法および外科的切除との直接比較はない。
- 上咽頭がんに対する導入化学療法は状況に応じて適応してもよいとされている[13]。

3-3 転移性頭頸部がんの治療

外科的手術や放射線療法に適応のない再発・転移性頭頸部がんの未治療における予後は2〜4カ月[26]である。しかし，薬物療法は緩和ケアのみと比較し，有意にQOL改善と生存期間延長をもたらすことが示されている。再発・転移性頭頸部扁平上皮がんに対する治療は，プラチナ製剤に対する感受性によって異なる。プラチナ製剤に対する感受性は下記のように定義している。
　①プラチナ感受性：プラチナベースの化学療法施行後6カ月以上に病勢進行をした場合
　②プラチナ抵抗性：プラチナベースの化学療法施行後6カ月以内に病勢進行した場合

1）プラチナ感受性

　プラチナ感受性の再発・転移頭頸部扁平上皮がんにおける1次治療は，EXTREAM試験[27]，国内Phase II試験[28]の結果より5-FU＋CDDP＋Cmab療法，もしくは腎機能低下のためCDDPが使用できない症例では5-FU＋カルボプラチン（CBDCA）＋Cmab療法が標準治療であった。

　2019年に，5-FU＋CDDP/CBDCA（化学療法）＋Cmab療法に対するペムブロリズマブ単剤もしくは化学療法＋ペムブロリズマブの有用性を比較する，第III相試験のKEYNOTE-048[29]の結果が報告された。本試験では，がん細胞とがん細胞周辺のリンパ球マクロファージなどの免疫細胞を含めたPD-L1を評価したCPS（combined positive score）の指標ごとに解析が行われた。

　ペムブロリズマブ単剤，化学療法＋ペムブロリズマブのCPS≧20％，CPS≧1％における全生存期間（OS）は，化学療法＋Cmabと比較して有意な延長がみられた。しかし，CPS＜1％におけるペムブロリズマブ単剤の優越性は示すことができず，むしろ予後不良であることが示唆された。ITT集団のCPS全体ではペムブロリズマブ単剤の化学療法＋Cmabに対するOSの非劣性が示されたが，優越性は示されなかった。化学療法＋ペムブロリズマブでのITT集団のCPS全体におけるOSの優越性が示された。

　以上の結果を受けて，わが国でもプラチナ感受性例に対してペムブロリズマブ単剤および化学療法＋ペムブロリズマブが標準治療として位置づけられた。

（1）5-FU＋CDDP＋ペムブロリズマブ療法

3週ごと，6コース

抗がん薬 \ day	1	2	3	4	5～21
フルオロウラシル　1,000mg/m²/日　点滴静注（24時間）	↓	↓	↓	↓	休薬
シスプラチン　100mg/m²/日　点滴静注（2時間）	↓				
ペムブロリズマブ　200mg/日　点滴静注（30分）	↓				

↓

3週ごと，病勢増悪まで

抗がん薬 \ day	1	2～21
ペムブロリズマブ　200mg/日　点滴静注（30分）	↓	休薬

(2) 5-FU+CBDCA+ペムブロリズマブ療法

3週ごと，6コース

抗がん薬	day 1	2	3	4	5〜21
フルオロウラシル　1,000mg/m²/日 点滴静注（24時間）	↓	↓	↓	↓	休薬
カルボプラチン　AUC 5 点滴静注（1時間）	↓				
ペムブロリズマブ　200mg/日 点滴静注（30分）	↓				

3週ごと，病勢増悪まで

抗がん薬	day 1	2〜21
ペムブロリズマブ　200mg/日 点滴静注（30分）	↓	休薬

(3) ペムブロリズマブ療法

3週ごと，病勢増悪まで

抗がん薬	day 1	2〜21
ペムブロリズマブ　200mg/日 点滴静注（30分）	↓	休薬

- 免疫関連有害事象（irAE）は，院内でirAE発症時の対応チャートを作成し，各専門医と連携を取れる運用を構築することが重要である。
- irAEの治療で使用されるステロイドの副作用は投与量や投薬期間によって異なるため，ステロイド投与開始後も副作用管理に対する介入を行うことが重要である。

(4) 5-FU＋CDDP＋Cmab療法

3週ごと，6コース

抗がん薬 \ day	1	2	3	4	5	8	15	16〜21
フルオロウラシル　1,000mg/m²/日 点滴静注（24時間）	↓	↓	↓	↓				休薬
シスプラチン　100mg/m²/日 点滴静注（2時間）	↓							
セツキシマブ 初回：400mg/m²/日　点滴静注（2時間） 2回目以降：250mg/m²/日　点滴静注（1時間）	↓					↓	↓	

1週ごと，病勢増悪まで

抗がん薬 \ day	1	2〜7
セツキシマブ　250mg/m²/日 点滴静注（1時間）	↓	休薬

(5) 5-FU＋CBDCA＋Cmab療法

3週ごと，6コース

抗がん薬 \ day	1	2	3	4	5	8	15	16〜21
フルオロウラシル　1,000mg/m²/日 点滴静注（24時間）	↓	↓	↓	↓				休薬
カルボプラチン　AUC5 点滴静注（1時間）	↓							
セツキシマブ 初回：400mg/m²/日　点滴静注（2時間） 2回目以降：250mg/m²/日　点滴静注（1時間）	↓					↓	↓	

1週ごと，病勢増悪まで

抗がん薬 \ day	1	2〜7
セツキシマブ　250mg/m²/日 点滴静注（1時間）	↓	休薬

・CBDCAを用いる場合は，悪心・嘔吐，食欲不振，腎障害などの発現率はCDDPに比較して低い。

(6) PTX＋Cmab療法

1週ごと，病勢増悪まで

抗がん薬	day 1	2〜7
パクリタキセル　80mg/m²/日 点滴静注（1時間）	↓	休薬
セツキシマブ 初回：400mg/m²/日　点滴静注（2時間） 2回目以降：250mg/m²/日　点滴静注（1時間）	↓	

2）プラチナ抵抗性

プラチナ抵抗性に対しては，Checkmate141試験[30]の結果より，治験医師選択治療群（メトトレキサート，ドセタキセルもしくはCmab）を対照群としたとき，OS中央値がニボルマブ群7.5カ月 vs 対照群5.1カ月，1年OSはニボルマブ群36％ vs 対照群16.6％であった。ニボルマブ群で有意に生存期間が延長したため，プラチナ不応例に対する標準治療として位置づけられた。その他プラチナ併用療法に不応・不耐となった場合の治療レジメンとして，PTX（+Cmab）療法，DTX療法，S-1療法などがある。

(1) ニボルマブ療法[30〜32]

2週ごと，病勢増悪まで

抗がん薬	day 1	2〜14
ニボルマブ　240mg/日 点滴静注（30分）	↓	休薬

- irAEは，院内でirAE発症時の対応チャートを作成し，各専門医と連携を取れる運用を構築することが重要である。
- irAEの治療で使用されるステロイドの副作用は，投与量や投薬期間によって異なるため，ステロイド投与開始後も副作用管理に対する介入を行うことが重要である。

(2) PTX療法[33]

7週ごと，病勢増悪まで

抗がん薬	day 1	8	15	22	29	36	37〜49
パクリタキセル　100mg/m²/日 点滴静注（1時間）	↓	↓	↓	↓	↓	↓	休薬

- PTX療法[33,34]は奏効率3〜4割と高いことが報告されているが，他剤との無作為化比較試験やニボルマブとの比較試験はない。

(3) DTX療法[35]

3〜4週ごと，病勢増悪まで

抗がん薬	day	1	2〜21 or 28
ドセタキセル　60mg/m²/日 点滴静注（1時間）		↓	休薬

・DTXは，同じタキサン系の薬剤であるPTXに比較して奏効率が10%程度と低い[34]。

(4) S-1療法[36]

6週ごと，病勢増悪まで

抗がん薬	day	1〜28	29〜42
テガフール・ギメラシル・オテラシルカリウム BSA 1.25m²未満：40mg/回， 1.25m²〜1.5m²未満：50mg/回， 1.5m²以上：60mg/回 経口　1日2回朝夕食後		→	休薬

注：BSA（Body Surface Area），体表面積

【参考文献】

1) 日本頭頸部癌学会：頭頸部悪性腫瘍全国登録 2018年度初診症例の報告書，2021
2) 日本頭頸部癌学会　編：頭頸部癌取扱い規約 第6版．金原出版，2018
3) Brierley JD et al：TNM Classification of Malignant Tumours 8th ed, UICC. John Wiley & Sons, 2017
4) Cooper JS et al：Postoperative concurrent radiotherapy and chemotherapy for high-risk squamous-cell carcinoma of the head and neck. N Engl J Med, 350(19):1937-1944, 2004
5) Bernier J et al：Postoperative irradiation with or without concomitant chemotherapy for locally advanced head and neck cancer. N Engl J Med, 350(19):1945-1952, 2004
6) Bernier J et al：Defining risk levels in locally advanced head and neck cancers: a comparative analysis of concurrent postoperative radiation plus chemotherapy trials of the EORTC (#22931) and RTOG (#9501). Head Neck, 27(10):843-850, 2005
7) Homma A et al：Dose-finding and efficacy confirmation trial of superselective intra-arterial infusion of cisplatin and concomitant radiotherapy for patients with locally advanced maxillary sinus cancer (JCOG1212, RADPLAT-MSC). Jpn J Clin Oncol, 45(1):119-122, 2015
8) RM-1929-102試験（2020年9月25日承認CTD 2.7.6.2）
9) RM-1929-101試験（2020年9月25日承認CTD 2.7.6.1）
10) Egloff AM et al：Epidermal growth factor receptor-targeted molecular therapeutics for head and neck squamous cell carcinoma. Expert Opin Ther Targets, 10(5):639-647, 2006
11) Chung CH et al：Increased epidermal growth factor receptor gene copy number is associated with poor prognosis in head and neck squamous cell carcinomas. J Clin Oncol, 24(25):4170-4176, 2006
12) Bissada E et al：Prevalence of K-RAS Codons 12 and 13 Mutations in Locally Advanced Head and Neck Squamous Cell Carcinoma and Impact on Clinical Outcomes. Int J Otolaryngol, 2013:848021, 2013
13) 日本臨床腫瘍学会　編：頭頸部がん薬物療法ガイダンス 第2版，金原出版，2018
14) Adelstein DJ et al：An intergroup phase Ⅲ comparison of standard radiation therapy and two schedules of concurrent chemoradiotherapy in patients with unresectable squamous cell head and neck cancer. J Clin Oncol, 21(1):92-98, 2003

15) Nguyen-Tan PF, et al: Randomized phase III trial to test accelerated versus standard fractionation in combination with concurrent cisplatin for head and neck carcinomas in the Radiation Therapy Oncology Group 0129 trial: long-term report of efficacy and toxicity. J Clin Oncol, 32(34):3858-3866, 2014.

16) Robertson AG, et al: Effect of gap length and position on results of treatment of cancer of the larynx in Scotland by radiotherapy: a linear quadratic analysis. Radiother Oncol, 48(2):165-173, 1998.

17) Bonner JA et al : Radiotherapy plus cetuximab for squamous-cell carcinoma of head and neck. N Engl J Med, 354(6):567-78, 2006

18) Okano S et al : Phase II study of cetuximab plus concomitant boost radiotherapy in Japanese patients with locally advanced squamous cell carcinoma of the head and neck. Jpn J Clin Oncol, 43(5):476-482, 2013

19) Magrini SM et al : Cetuximab and Radiotherapy Versus Cisplatin and Radiotherapy for Locally Advanced Head and Neck Cancer: A Randomized Phase II Trial. J Clin Oncol, 34 (5) : 427-35, 2016

20) Mehanna H et al : Radiotherapy plus cisplatin or cetuximab in low-risk human papillomavirus-positive oropharyngeal cancer (De-ESCALaTE HPV): an open-label randomised controlled phase 3 trial. Lancet, 393(10166):51-60, 2019

21) Gillison ML et al : Radiotherapy plus cetuximab or cisplatin in human papillomavirus-positive oropharyngeal cancer (NRG Oncology RTOG 1016): a randomised, multicentre, non-inferiority trial. Lancet, 393(10166):40-50, 2019

22) Siena S et al : Reduced incidence of infusion-related reactions in metastatic colorectal cancer during treatment with cetuximab plus irinotecan with combined corticosteroid and antihistamine premedication. Cancer, 116(7):1827-1837, 2010

23) Bonner JA et al : Radiotherapy plus cetuximab for locoregionally advanced head and neck cancer: 5-year survival data from a phase 3 randomised trial, and relation between cetuximab-induced rash and survival. Lancet Oncol, 11(1):21-28, 2010

24) Groenestege WM et al : Impaired basolateral sorting of pro-EGF causes isolated recessive renal hypomagnesemia. J Clin Invest, 117(8):2260-2267, 2007

25) Enokida T et al : Incidence and Risk Factors of Hypomagnesemia in Head and Neck Cancer Patients Treated with Cetuximab. Front Oncol, 6:196, 2016

26) Kowalski LP et al : Natural history of untreated head and neck cancer. Eur J Cancer, 36(8):1032-1037, 2000

27) Vermorken JB et al : Platinum-based chemotherapy plus cetuximab in head and neck cancer. N Engl J Med, 359(11):1116-1127, 2008

28) Yoshino T et al : Platinum-based chemotherapy plus cetuximab for the first-line treatment of Japanese patients with recurrent and/or metastatic squamous cell carcinoma of the head and neck: results of a phase II trial. Jpn J Clin Oncol, 43(5):524-531, 2013

29) Burtness B et al : Pembrolizumab alone or with chemotherapy versus cetuximab with chemotherapy for recurrent or metastatic squamous cell carcinoma of the head and neck (KEYNOTE-048): a randomised, open-label, phase 3 study. Lancet, 394(10212):1915-1928, 2019

30) Ferris RL et al : Nivolumab for Recurrent Squamous-Cell Carcinoma of the Head and Neck. N Engl J Med, 375(19):1856-1867, 2016

31) Harrington KJ et al : Nivolumab versus standard, single-agent therapy of investigator's choice in recurrent or metastatic squamous cell carcinoma of the head and neck (CheckMate 141): health-related quality-of-life results from a randomised, phase 3 trial. Lancet Oncol, 18(8):1104-1115, 2017

32) Kiyota N et al : A randomized, open-label, Phase III clinical trial of nivolumab vs. therapy of investigator's choice in recurrent squamous cell carcinoma of the head and neck: A subanalysis of Asian patients versus the global population in checkmate 141. Oral Oncol, 73:138-146, 2017

33) Tahara M et al : Weekly paclitaxel in patients with recurrent or metastatic head and neck cancer. Cancer Chemother Pharmacol, 68(3):769-776, 2011

34) Grau JJ et al : Weekly paclitaxel for platin-resistant stage IV head and neck cancer patients. Acta Otolaryngol,

129(11):1294-1299, 2009
35) Zenda S et al : Single-agent docetaxel in patients with platinum-refractory metastatic or recurrent squamous cell carcinoma of the head and neck (SCCHN). Jpn J Clin Oncol, 37(7):477-481, 2007
36) Yokota T et al : S-1 monotherapy for recurrent or metastatic squamous cell carcinoma of the head and neck after progression on platinum-based chemotherapy. Jpn J Clin Oncol, 41(12):1351-1357, 2011

（堀之内　藍）

第4章 疾患

4 甲状腺がん

【甲状腺がんの疫学】
　罹患数：18,636人，死亡数：1,843人，5年生存率：94.7%

1 甲状腺の基礎知識

　甲状腺は，喉頭と気管の移行部を中心に前面と側面にあり，形状はチョウが羽を広げたような形で15〜25gの臓器である（図）。
　甲状腺は，甲状腺ホルモンとカルシトニンの2つのホルモンを産生する。甲状腺ホルモンは甲状腺濾胞細胞から産生され，カルシトニンは甲状腺傍濾胞細胞（C細胞）から分泌される。甲状腺ホルモンにはT4（Thyroxine）とT3（Triiodothyronine）がある。甲状腺からの分泌は90%以上がT4であるが，甲状腺ホルモンの生物活性はT3の方が強く，分泌されたT4は肝臓，腎臓などの末梢細胞でT3に変換されて，生物活性を発揮する。甲状腺ホルモンの分泌は下垂体前葉の甲状腺刺激ホルモン（thyroid stimulating releasing hormone：TSH）によって調節され，TSHは視床下部の甲状腺刺激ホルモン放出ホルモン（thyrotropin releasing hormone：TRH）によって分泌調節されている。また，TRHの分泌は視床下部を流れる甲状腺ホルモン量によって調節されている。

2 進行度と治療概要（外科，放射線治療など）

無痛性で硬い前頸部腫瘤や頸部リンパ節腫脹として指摘されることが多く，それ以外の症状がな

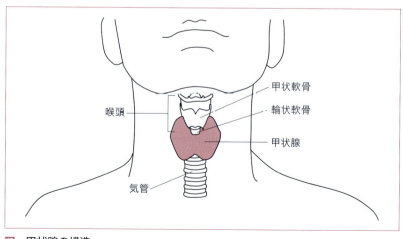

図　甲状腺の構造

いことが多い。咽喉頭異常を自覚し受診して指摘されることや、検診での触診や、超音波検査にて発見されることもある。罹患率は女性が男性の2倍以上である。女性の罹患率は30歳前後から増加し、70歳代前半が最も高く、比較的若年で多く発症する[1]。

甲状腺がんの組織型としては、分化がん（乳頭がん、濾胞がん）、低分化がん、未分化がん、髄様がんとなる。乳頭がんが最も多く90％前後、次いで濾胞がん（約5％）、低分化がん（1～2％）、未分化がん（2～3％）、髄様がん（1～2％）となる。髄様がんの約40％は多発性内分泌腺腫瘍2型（multiple endocrine neoplasia type2：MEN2型）に属し、遺伝により発生する。いずれも緩徐に進行するが、薬物療法に抵抗性である[2～4]。乳頭がん全体の10年生存割合は90％以上であり、濾胞がんの10年生存割合は80％以上とされ予後は良好である。しかし、分化型甲状腺がんであってもヨード不応であれば、10年生存率は10％程度までに低下する。髄様がんの10年生存割合は70％程度であり、分化型甲状腺がんに比べるとやや予後は不良である。未分化がんは非常に予後が悪く、一般的には生存期間中央値は、6カ月以内とされる[5]。

2-1　Stage分類

UICCによるTNM分類および病期（Stage）分類[6]が使用される。

2-2　遺伝子検査（*RET*遺伝子）

甲状腺髄様がんの診断が確定すれば、散発型と遺伝型の鑑別が必要となる。詳細な家族歴の調査が基本であるが、褐色細胞腫、副甲状腺機能亢進症および身体所見も必要となる。ただしMENにおける褐色細胞腫や副甲状腺機能亢進症の発症は遅れることが多いため、家族歴が不明な場合は、慎重に診断する必要がある。

大部分の遺伝型髄様がん患者では、生殖細胞系列ごとに定まった*RET*プロトオンコジーンの変異があることが判明している[7]。

2-3　手術

いずれの組織型においても、外科的切除が第一選択である。

原発巣が4cm以下で片葉に限局し、術前検査で転移リンパ節が明らかでない場合には、片葉切除術と前頸部郭清術を行う。甲状腺全摘術の適応は、①腺外浸潤がある場合、②転移リンパ節を認める場合、③遠隔転移がある場合、④低分化がんが疑われる場合、⑤対側腺内転移を認める場合、⑥原発巣が4cmを超える場合——となる。

高リスク症例では、甲状腺全摘術を施行後に^{131}I（ヨウ素131）でアブレーション（アイソトープ：放射性ヨウ素内用療法）を行うことが多い。

また、骨転移時にも骨転移巣の腫瘍体積が大きいため、^{131}I内用療法単独では効果が得られない場合には、手術療法が適応となることがある。

2-4　^{131}I内用療法

　甲状腺全摘術後のアブレーションは，再発の可能性が高いハイリスク症例が適応となり，30〜100mCiの^{131}I内用療法を行う。微小な腫瘍組織の残存による局所再発の危険性も否定できないため，残存甲状腺組織を完全に取り除くために行う。

　また，遠隔転移巣や切除不能病巣を有する分化型甲状腺がんでは，1回に100〜150mCi投与を6〜12カ月ごとに行う^{131}I大量療法があり，特に肺転移巣の適応となる。治療前に甲状腺全摘が施行されていること，残存甲状腺組織がアブレーションで破壊されていること，転移巣に放射性ヨウ素が取り込まれていることが必要である。若年者では高齢者に比べ，取り込まれる放射性ヨウ素が多い。

2-5　外照射療法

　甲状腺分化がんは放射線感受性が低いものの，乳頭がんでは外科的切除が困難で，^{131}I内用療法の効果が期待できない場合に，症状緩和のための治療選択肢の1つである。同一部位への照射許容線量は限られているため，施行の時期については慎重に考慮する必要がある。

3　甲状腺がんの薬物療法

3-1　甲状腺刺激ホルモン（TSH）抑制療法

　甲状腺分化がんはTSH依存性腫瘍と考えられているため，甲状腺全摘術後に甲状腺ホルモンを十分量投与することにより，脳下垂体からのTSH分泌を抑制することで再発を予防する治療法である。実際には甲状腺ホルモン薬の内服量の調節を行っている。低分化がんは，現在は高危険度の分化がんに準拠し，TSH抑制療法の適応となる。しかしながら，甲状腺ホルモンの長期過量投与による副作用として骨粗鬆症や不整脈，心房細動や虚血性心疾患のリスク増加が報告されており，特に高齢女性では慎重投与が望まれる。また，再発リスクが低い患者においての甲状腺ホルモンの長期投与については意見が分かれるところである[8〜10]。

3-2　放射性ヨウ素治療不応である転移・再発甲状腺がん

　すべての組織型において，切除不能もしくは遠隔転移を有する場合は，分子標的治療薬の投与を行う。放射性ヨウ素治療不応である転移・再発分化型甲状腺がんの治療は，ドキソルビシンがFDAに承認されているが，効果は限定的である。そのため，すべての組織型において分子標的治療薬の投与を行う。

　甲状腺がんにおいて，甲状腺濾胞がんの50％にRASの突然変異が，甲状腺乳頭がんの35〜50％にBRAFシグナルの活性化を誘導する突然変異が報告されており，RAS/RAF/MAPK経路の役割が重要であることを示している。また，甲状腺がんではVEGFの発現の増加も認められ，その発現強度は転移リスクとPFSと相関を示すことも報告されている。その結果から，チロシンキナーゼ阻害薬の開発が行われている（表）。

表　甲状腺がんの種類と薬剤の感受性

	乳頭がん	濾胞がん	低分化がん	未分化がん	髄様がん
カテゴリー		分化型			
発生母地	濾胞細胞				傍濾胞細胞
頻度（%）	90	5	1〜2	2〜3	1〜2
好発年齢	30〜50歳			60歳以上	30〜50歳
発育	緩徐		やや速い	急速	比較的緩徐
予後	良好	比較的良好	不良	極めて不良	比較的良好
10年生存率（%）	＞95	＞90	30〜80（5年）*	0	＞80
その他の特徴				OS中央値＜6カ月	遺伝性は1/3
ソラフェニブ適応	適応	適応	適応		適応
レンバチニブ適応	適応	適応	適応	適応	適応
バンデタニブ適応					適応

OS：overall survive，生存期間
＊：低分化がんの10年生存率については，2004年にWHO分類にて定義されたため，生存率にばらつきが大きい．

(1) ソラフェニブ

連日投与，病勢増悪まで

抗がん薬	day	1	2	3	4	5	6	7	〜連日
ソラフェニブ　800mg/日　経口　1日2回		→							

注：高脂肪食摂取時には食事の1時間前から食後2時間までの間は服用を避ける

- 主な副作用は，手足症候群，皮疹，下痢，疲労，高血圧，嘔気など
- 肝細胞がん，腎細胞がんとは用法・用量，減量方法が異なるため注意が必要

(2) レンバチニブ

連日投与，病勢増悪まで

抗がん薬	day	1	2	3	4	5	6	7	〜連日
レンバチニブ　24mg/日　経口　1日1回		→							

- 主な副作用は，高血圧，下痢，食欲減退，体重減少，悪心，疲労，口内炎，蛋白尿，手足症候群など．
- 肝細胞がんとは用法・用量，減量方法が異なるため注意が必要．

(3) バンデタニブ

連日投与，病勢悪化まで

抗がん薬 \ day	1	2	3	4	5	6	7	～連日
バンデタニブ　300mg/日 経口　1日1回	→							

・主な副作用は，高血圧，下痢，発疹，悪心，疲労など。

ミニコラム ① RETプロトオンコジーン

甲状腺がんにおいて古くから，*RET*遺伝子変異があることが知られている。多発性内分泌腫瘍（MEN）2型，家族性甲状腺髄様がんなどにおいて*RET*遺伝子変異が原因であることがわかっており，現在では遺伝性の甲状腺がんかどうかは血液検査で診断できるようになっている。

【参考文献】

1) 国立がん研究センターがん情報サービス：「がん統計」（https://ganjoho.jp/reg_stat/statistics/dl/index.html）（2022年6月閲覧）
2) 岩崎博幸：甲状腺癌の疫学に関する最新のデータ．臨床外科，62(11):39-46, 2007
3) 岩崎博幸：甲状腺癌の疫学に関する最新のデータ．臨床外科，57(11):30-34, 2002
4) 斉川雅久　他：甲状腺・上皮小体をめぐって　甲状腺癌　甲状腺癌の疫学．JOHNS，15(6):901-904, 1999
5) Durante C et al：Long-term outcome of 444 patients with distant metastases from papillary and follicular thyroid carcinoma: benefits and limits of radioiodine therapy. J Clin Endocrinol Metab, 91(8):2892-2899, 2006
6) 日本甲状腺外科学会　編：甲状腺癌取扱い規約 第7版．金原出版，2015
7) Mulligan LM et al：Germ-line mutations of the RET proto-oncogene in multiple endocrine neoplasia type 2A. Nature, 363(6428):458-460, 1993
8) 宮川めぐみ：術後フォローアップ TSH抑制療法は有効か．日本臨床，65(11):2073-2077, 2007
9) Cooper DS et al：Thyrotropin suppression and disease progression in patients with differentiated thyroid cancer: results from the National Thyroid Cancer Treatment Cooperative Registry. Thyroid, 8(9):737-744, 1998
10) Biondi B et al：Thyroid-hormone therapy and thyroid cancer: a reassessment. Nat Clin Pract Endocrinol Metab, 1(1):32-40, 2005

（岡野　朋果）

第4章 疾患 　5 肺がん

5-1 肺がん（総論）

【肺がんの疫学】
罹患数：122,825人，死亡数：75,585人，5年生存率：34.9%

I 肺の基礎知識

　肺は，横隔膜の上，肋骨の内側に存在する半円錐状の臓器で，心臓を含む縦隔によって左右一対に分けられている（図1）。肺の実質は肺胞を含んだ肺小葉で構成され，肺小葉の集合体が胸膜という袋状の膜で覆われている。大きさは一般成人で右肺が約1.2L，左肺が約1.0Lで，右肺がやや大きい。肺は，体内に取り込んだ酸素と全身を循環した血液を肺胞でガス置換する機能を有しており，非常に血流に富んだ臓器である（体表面積あたり3～4L/分程度）。

　口から入った空気は食道の前あたりで気管に分岐して下行しながら胸腔に入り，その後，心臓後方の気管分岐部から左右の気管支に分かれ肺に入る。肺に入った気管支は分岐を繰り返しながら

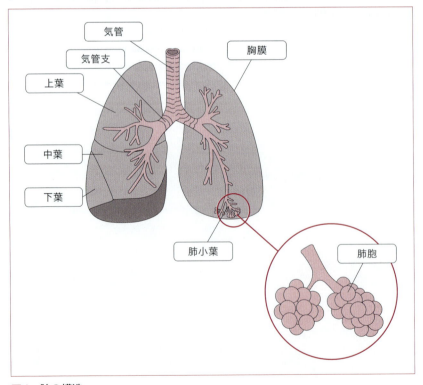

図1　肺の構造

徐々に細くなり，終末細気管支を経て最終的には袋状の肺胞で終点となり，そこでガス交換が行われている。

一方，右心室から肺動脈に流れた血液は左右の肺門から肺に入る。その後，気管支と並走しながら肺小葉に入り，毛細血管となって肺胞を取り囲みガス交換を行った後，今度は肺静脈に集まり左心房に戻り体循環へと流れていく。

❷ 診断・進行度と治療概要（外科，放射線治療など）

肺がんは一般的には検診などのCTやX線写真などの画像検査によって発見されることが多いが，咳嗽や血痰，呼吸困難などの主訴を契機として発見されることもある。診断のためには画像検査のほか，気管支鏡やCTガイド下の肺穿刺生検，喀痰などの検体を用いた検査による細胞診断・組織診断などを行い，それらの臨床所見を勘案して病期診断を行う。

2-1　診断

1）画像診断

肺がんの検出のために，胸部X線検査および胸部CT検査を実施することは有用である。胸部X線検査は最初に行うことが推奨されているが，検出力にばらつきがあることが知られている。一方，胸部CTはX線検査よりも被ばく量が増えるものの最も検出力のある検査であり，診療ガイドラインでも，肺がんにおいて侵襲的な検査の前に最初に行うべき基本的検査とされている[1]。X線検査で異常が認められた場合には，胸部CTを実施して腫瘍部位，サイズ，周辺臓器への浸潤有無を確認する。そのほかMRI，造影CT，PET/CT，骨シンチグラフィなどを併用して転移を含めた腫瘍の評価を行う。

2）気管支鏡・生検

気管支鏡検査では口や鼻から気管支を経由して管を挿入し，気管や気管支，肺の内腔を観察するほか，鉗子やブラシ，洗浄液を用いて組織や細胞，分泌物などの検体を採取する。

肺生検には，気管支鏡を用いて肺の内側から直接組織片を採取する経気管支肺生検と，CTなどで画像確認しながら肺の外側から病巣に向けて極細の針を穿刺し，病巣の組織採取を行う経皮穿刺肺生検がある。

3）病期診断

画像所見や組織所見，臨床所見より，腫瘍の部位，大きさ，リンパ節や隣接臓器への浸潤，遠隔臓器への転移を総合的に判断して病期診断を行う。病期はUICC-TNM分類によって表現され，現在の分類は2021年4月の『肺癌取扱い規約 第8版 補訂版』に基づいて実施されている。

4）細胞診断

気管支鏡検査やCTガイド下経皮穿刺肺生検などにより得られた腫瘍組織を固定，染色して標本を作製して顕微鏡で観察することにより，細胞の形状や性状から正常細胞と腫瘍細胞の判別のほか，

後述する腫瘍の組織型の診断を行う。

5）分子診断

　IV期非小細胞肺がんを中心として，治療薬を選択する際にはコンパニオン検査やコンパニオン診断機能を有する遺伝子パネル検査を用いてドライバー遺伝子変異検査およびPD-L1免疫組織化学染色検査（IHC）を実施し，分子診断を行うことが重要である。2021年3月時点では，肺がんの分子診断項目として*EGFR*遺伝子変異検査，*ALK*融合遺伝子検査，*ROS1*融合遺伝子検査，*BRAF*遺伝子変異検査，*MET*遺伝子エクソン14スキッピング検査，PD-L1免疫組織化学染色検査（IHC）を実施することが，肺がんを含む固形がんにおける横断的な検査項目として*NTRK*融合遺伝子検査，MSI検査を実施することが推奨されている。実施すべき検査は，扁平上皮がん／非扁平上皮がんなど組織型や患者背景によって異なるため最新の肺癌診療ガイドライン[1]を参照していただきたい。小細胞肺がんではこれらドライバー遺伝子の寄与が少ないことから，日常臨床で分子診断を行うことはまれである。

(1) EGFR遺伝子検査

　上皮成長因子受容体（Epidermal Growth Factor Receptor：EGFR）は，膜貫通チロシンキナーゼ型受容体であり，コードする遺伝子の特定部位の変異により活性化され，がんの増殖・進展に関わるシグナルが増殖される。変異部位としては，エクソン19の欠失変異とエクソン21のL858Rの点突然変異が90％を占め，これらの変異を有する症例ではEGFRチロシンキナーゼ阻害薬（EGFR-TKI）の感受性が高いことが報告されている。まれな遺伝子変異としてエクソン18の点突然変異やエクソン19の挿入変異，エクソン20の挿入変異があり，主要な変異と比べてEGFR-TKIの奏効率が劣るという報告がある[2]。

　腺扁平上皮がんや大細胞がん，小細胞肺がんであっても，組織の一部に腺がん成分を含む場合は陽性となる報告があり，*EGFR*遺伝子変異検査を行うことは妥当とされている[3]。EGFR-TKIによる治療を受けている症例の多くにおいて，1年程度で耐性を生じることが知られており，耐性化の50〜60％がエクソン20のT790M変異とされている。T790M変異を標的としたオシメルチニブの有効性が報告されており，わが国でも保険承認されている。

　*EGFR*遺伝子変異の検査ではリアルタイムPCR法を用いる。血漿内の血中循環DNAを用いたリキッドバイオプシーも保険承認されているが，感度が低いため偽陰性が多いことが問題となっている[4]。

(2) ALK融合遺伝子検査

　ALK（anaplastic lymphoma kinase）融合遺伝子は第二染色体短腕に存在し，*ALK*と*EML4*（echinoderm microtubule-associated protein-like 4）が逆位を形成し，融合したものである。腺がん成分を全く含まない症例において陽性頻度は極めて低いほか，*EGFR*遺伝子変異陽性で変異を起こす可能性は極めて低いとされている。

　検査方法には通常，免疫組織化学（IHC）法がスクリーニングとして用いられ，判定が困難な場合や陰性だが病理学的に*ALK*遺伝子変異が疑われる場合には，蛍光in situハイブリダイゼーション（FISH）法による精査を検討する[5]。

(3) ROS1融合遺伝子検査

ROS1（c-ROS oncogene 1）遺伝子は染色体6番長腕（6q21）に存在し，パートナー遺伝子と融合することで*ROS1*融合遺伝子となり，悪性細胞へ形質転換する。

*ROS1*融合遺伝子は非小細胞肺がんの約1～2%で認められ，ほとんどが非扁平上皮非小細胞肺がんである。*ROS1*融合遺伝子はほかのドライバー遺伝子変異と相互排他性を認める。検査方法としてコンパニオン診断薬を使用したRT-PCR法が用いられる[6]。

(4) BRAF遺伝子変異検査

BRAF（v-raf murine sarcoma viral oncogene homolog B1）遺伝子は7番染色体長腕（7q34）に存在し，RAS-RAF-MEK-ERK経路（MAPK）経路を構成するBRAF蛋白質をコードすることで細胞の分化・増殖に関与している。*BRAF*遺伝子変異のほとんどがV600E変異であり，*BRAF*遺伝子のV600E変異は非扁平上皮非小細胞肺がんの2%で認められるとの報告がある。*BRAF*遺伝子変異はほかのドライバー遺伝子変異と相互排他性を認める。検査方法としてコンパニオン診断薬を使用した次世代シークエンス法が用いられる。

(5) MET遺伝子エクソン14スキッピング検査

*MET*遺伝子は7番染色体長腕（7q21-q31）に存在し，RAS/MAPK，Rac/Rho，PI3K/AKTシグナル伝達経路につながる受容体型チロシンキナーゼをコードしている。*MET*遺伝子エクソン14スキッピングは肺腺がんのおよそ3～4%を占め，高齢者に多く，性差，喫煙とはあまり関係ない。また，ほかのドライバー遺伝子変異と相互排他性を認める。検査方法として，コンパニオン診断薬であるArcher® MET検査が用いられる。

(6) PD-L1免疫組織化学染色

PD-1（Programmed cell death 1）はT細胞表面に発現する膜蛋白質である。PD-L1（PD 1 ligand 1）はPD-1に対して腫瘍細胞が発現しているリガンドである。PD-L1発現の診断にはIHC法が用いられるが，薬剤ごとにコンパニオン診断薬が開発され，診断基準も異なっているほか，同じ診断薬でもがん種によって診断基準が異なることがある[7]。

(7) NTRK融合遺伝子検査

NTRK（neurotrophic receptor tyrosine kinase）遺伝子はTRK（tropomyosin receptor kinase）蛋白質をコードし，神経系細胞の分化・増殖などに関与している。*NTRK*遺伝子とほかの遺伝子との転座により形成された*NTRK*融合遺伝子は，さまざまながんの形成に関与している。*NTRK*融合遺伝子の発生は非小細胞肺がんにおいては1%未満と非常にまれである[8]。検査方法として，遺伝子パネル検査が用いられる。

2-2 分類

1）組織分類

細胞診断による組織分類は肺がんの治療方針を決定するうえで重要な情報であり，肺癌取扱い規

約（日本肺癌学会）の規定に従い組織分類を行う。第7版までは小細胞肺がんと非小細胞肺がんに分類され，非小細胞肺がんはさらに細かく分類されていたが，第8版より「肺，胸膜，胸腺および心臓腫瘍のWHO分類」（WHO第4版）に準拠して非小細胞肺がんに腺がん，扁平上皮がん，大細胞がんが分類され，残りは神経内分泌腫瘍，その他に分類されている（図2）。非小細胞肺がんは肺がん全体の約80%，小細胞肺がんは神経内分泌腫瘍の亜型に分類され，肺がん全体の約10〜15%を占めている。

2）Stage分類

一般的に，固形腫瘍の病期分類にはTNM分類が用いられており，肺がんでは2021年4月の『肺癌取扱い規約 第8版 補訂版』に基づいて分類されている（表）。

小細胞肺がんでは慣例的にTNM分類に加えてVeterans Administration Lung Study Groupが提唱し用いた「limited disease（LD：限局型）」，「extensive disease（ED：進展型）」の分類が広く用いられている[9]が，現在でも限局型と進展型の線引きについて意見の一致が得られていないことから，TNM分類と限局型・進展型の併記が必要であるとされている[1]。

限局型（LD）小細胞肺がんは，多くの臨床試験において「病変が同側胸郭内に加え，対側縦隔，対側鎖骨上リンパ節までに限られており，悪性胸水，心嚢水を有さないもの」と定義されており，

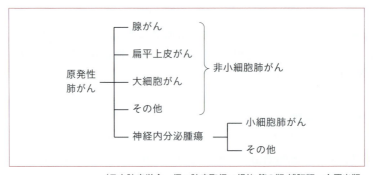

（日本肺癌学会　編：肺癌取扱い規約 第8版 補訂版，金原出版，p.70-73，2021をもとに作成）

図2　肺がんの組織分類

表　Stage分類

	N0	N1	N2	N3	M1a AnyN	M1b AnyN	M1c AnyN
T1a	ⅠA1	ⅡB	ⅢA	ⅢB	ⅣA	ⅣA	ⅣB
T1b	ⅠA2	ⅡB	ⅢA	ⅢB	ⅣA	ⅣA	ⅣB
T1c	ⅠA3	ⅡB	ⅢA	ⅢB	ⅣA	ⅣA	ⅣB
T2a	ⅠB	ⅡB	ⅢA	ⅢB	ⅣA	ⅣA	ⅣB
T2b	ⅡA	ⅡB	ⅢA	ⅢB	ⅣA	ⅣA	ⅣB
T3	ⅡB	ⅢA	ⅢB	ⅢC	ⅣA	ⅣA	ⅣB
T4	ⅢA	ⅢA	ⅢB	ⅢC	ⅣA	ⅣA	ⅣB

（日本肺癌学会　編：肺癌取扱い規約 第8版 補訂版，金原出版，p.6，2021をもとに作成）

『肺癌診療ガイドライン2020年版』もこの定義に準拠している。

2-3　外科療法

　肺がんに対する外科的切除は，合併症を検討のうえ耐術能があり完全切除が可能な症例に対して選択される。術式として肺全摘術，肺葉切除術，縮小手術（区域切除術，部分切除術）およびリンパ節郭清があるが，肺葉切除と肺門・縦隔のリンパ節郭清が標準術式となっている。

　詳細は最新の診療ガイドラインを参照していただきたいが，非小細胞肺がんでは臨床病期ⅠA期かつ腫瘍径2cm以下で縮小手術，Ⅰ−Ⅱ期で肺葉以上の切除が推奨されている。ⅢA期では集学的治療チームで検討するなど外科的切除は慎重に選択することが推奨されているが，N0−1症例では外科的切除が許容されるとしている。一方小細胞肺がんでは再発リスクが高く，Ⅰ−ⅡA期（第8版）においても肺葉以上の切除の後に化学療法を追加することが推奨されている。

2-4　放射線療法

　肺がんにおける放射線療法は根治的照射のほか，化学療法との併用，再発転移に対する緩和的照射，小細胞肺がんにおける予防的全脳照射などがある。

　非小細胞肺がんでは医学的理由で手術不能なⅠ−Ⅱ期に対して根治的放射線療法による有効性が報告[10]されており，照射方法は体幹部定位放射線照射（SBRT）60Gy/30回/6週間が標準とされている[11]。一方で，Ⅰ−Ⅱ期の完全切除例に対する術後の照射は予後を悪化させることが報告されている[12]ため推奨されていない。切除不能局所進行症例（Ⅲ期）のPS0-1では化学放射線療法が推奨されており，放射線を併用するタイミングとしては，逐次よりも同時療法で効果が高いことが報告[13, 14]されている。

　小細胞肺がんでは限局型（PS0-2）に対して化学放射線療法が推奨されているが，進展型では化学療法が治療の主体となる。

【参考文献】

1) 日本肺癌学会　編：肺癌診療ガイドライン—悪性胸膜中皮腫・胸腺腫瘍含む—2020年版，金原出版，2021
2) Wu JY et al：Effectiveness of tyrosine kinase inhibitors on "uncommon" epidermal growth factor receptor mutations of unknown clinical significance in non-small cell lung cancer. Clin Cancer Res, 17(11):3812-3821, 2011
3) 日本肺癌学会　編：肺癌患者におけるEGFR遺伝子変異検査の手引き 第5.0版, p.20, 2021（https://bit.ly/3mZzckB）（2022年6月閲覧）
4) 日本肺癌学会　編：肺癌患者におけるEGFR遺伝子変異検査の手引き 第5.0版, p.23-24, 2021（https://bit.ly/3mZzckB）（2022年6月閲覧）
5) 日本肺癌学会　編：肺癌におけるALK免疫染色プラクティカルガイド 第1.2版, p.18, 2016（https://www.haigan.gr.jp/uploads/files/photos/1341.pdf）（2022年6月閲覧）
6) 日本肺癌学会　編：肺癌患者におけるROS1融合遺伝子検査の手引き 第1.0版, p.3, p.7-8, 2017（https://www.haigan.gr.jp/uploads/files/photos/1398.pdf）（2022年6月閲覧）
7) 日本肺癌学会　編：肺癌患者におけるPD-L1検査の手引き 第2.0版, p.6-14, 2020（https://bit.ly/3aOx8sG）（2022年6月閲覧）
8) Stransky N et al：The landscape of kinase fusions in cancer. Nat Commun, 5:4846, 2014

9) Green RA et al：Alkylating agents in bronchogenic carcinoma. Am J Med, 46(4):516-525, 1969
10) Rowell NP, Williams CJ：Radical radiotherapy for stage I/II non-small cell lung cancer in patients not sufficiently fit for or declining surgery（medically inoperable）: a systematic review. Thorax, 56(8):628-638, 2001
11) 日本肺癌学会　編：肺癌診療ガイドライン2018年版 悪性胸膜中皮腫・胸腺腫瘍含む，金原出版，p.118-123, 2018
12) PORT Meta-analysis Trialists Group：Postoperative radiotherapy for non-small cell lung cancer. Cochrane Database Syst Rev, 18(2):CD002142, 2005
13) Furuse K et al：Phase III study of concurrent versus sequential thoracic radiotherapy in combination with mitomycin, vindesine, and cisplatin in unresectable stage III non-small-cell lung cancer. J Clin Oncol, 17(9):2692-2699.1999
14) Curran WJ Jr et al：Sequential vs. concurrent chemoradiation for stage III non-small cell lung cancer: randomized phase III trial RTOG 9410. J Natl Cancer Inst, 103(19):1452-1460, 2011

（中田　英夫）

5-2 非小細胞肺がん

1 進行度と治療概要

臨床病期分類に応じて標準治療が推奨されている（p.314参照）。

1）Stage I～II
- 耐術能があれば外科療法が行われ，肺葉以上の切除術＋リンパ節郭清が標準治療である。StageⅡT3の場合は胸壁などの周辺浸潤臓器の合併切除を伴う。また，耐術能がなく手術適応とならない場合は，根治的放射線療法を行う。
- StageⅠA3およびⅠBの完全切除例では，術後テガフール・ウラシル配合剤療法が推奨される。
- StageⅡでは，プラチナ併用術後補助薬物療法が推奨される。

2）StageⅢA
- 化学療法や放射線療法に外科療法を加えた集学的治療に関する成績が示され，集学的治療チームによる治療方針の決定が推奨されている。
- 肺尖部胸壁浸潤がんで切除可能であれば，術前化学放射線療法＋外科療法も提案される。
- 切除不能・根治的放射線照射可能であれば，化学放射線併用療法を行う。
- 化学放射線療法においては，少なくとも60Gyの胸部照射線量が推奨されている。

3）StageⅢB・ⅢC
- 根治的放射線照射が可能であれば化学放射線併用療法，根治的放射線照射が不能であれば薬物療法を行う。
- 切除不能Ⅲ期においては，根治的同時化学放射線療法後の抗PD-L1抗体であるデュルバルマブによる地固め療法が推奨される。

4）StageⅣ
- 全身状態良好なⅣ期に対しては，薬物療法（細胞傷害性抗がん薬，分子標的治療薬，免疫チェックポイント阻害薬）を行う。

2 術後薬物療法について

T1bの術後薬物療法におけるテガフール・ウラシル配合剤療法（UFT療法）のメタアナリシスの結果，5年生存率の改善が示された[1]。ただし，症例のほとんどが腺がんであり，非腺がんでの

有効性は明らかではない。

　Stage Ⅱ～ⅢAの完全切除例におけるプラチナ製剤併用療法の術後補助薬物療法のメタアナリシスの結果，生存期間の延長が示された[2]。サブグループ解析はCDDP＋VNR療法（シスプラチン＋ビノレルビン）が良好な成績で，使用されることが多い[3]。国内外で投与量が異なる点に注意が必要である。

(1) UFT単剤療法

> ・テガフール・ウラシル配合剤，250mg/m^2/日＊，経口，1日2～3回を2年間
> 　＊：BSA＜1.3m^{2}の場合は300mg/day，BSA≧1.3m^{2}の場合は400mg/day

※BSA：Body Surface Area，体表面積

・術後4週間以内の開始が望ましい。また，2年間の内服が推奨されている。
・テガフールは体内で5-FUに変換され，RNA機能障害とDNA合成阻害により抗腫瘍効果を示す。5-FUは肝臓のDPD（dihydropyrimidine dehydrogenase）により解毒化されるが，ウラシルは5-FUよりも分解酵素への親和性が高く，腫瘍内の5-FUと活性代謝物が高濃度に維持される。
・DPD欠損では毒性に注意が必要である。
・主な副作用は悪心・嘔吐，食欲不振，下痢，口内炎，白血球減少，色素沈着，皮疹である。重篤な副作用には肝障害がある。

(2) CDDP+VNR療法

3週ごと，4～6コース

抗がん薬	day	1	8	9～21
シスプラチン　80mg/m^2/日 点滴静注（2時間以上）		↓		休薬
ビノレルビン　25mg/m^2/日 点滴静注（10分以内）		↓	↓	

注：シスプラチン投与前後に水分負荷として1,000mLから2,000mLの輸液を投与

・主な副作用は悪心・嘔吐（高度催吐リスク），白血球減少，好中球減少，血小板減少，貧血，便秘，血管炎である。重篤な副作用には腎障害，聴力障害がある。

❸ 化学放射線併用療法について

　肺がんにおける放射線療法の役割は，根治目的，術前・術後照射，再発転移に対する緩和照射など多岐にわたる。化学放射線併用療法は，Ⅲ期の非小細胞肺がんの標準治療として用いられる。放射線療法による合併症（皮膚炎，食道炎，肺臓炎など）にも注意が必要である（p.315の総論部分を参照）。

3-1　術前化学放射線併用療法

　術後補助薬物療法のエビデンスが確立しており，術前臨床病期診断に基づく術前薬物療法よりも，術後病期診断に基づく術後補助薬物療法が選択される。

一方，切除可能な胸壁浸潤癌（臨床病期T3-4N0-1）に対する術前化学放射線療法の忍容性が示されている[4, 5]。

術前化学放射線療法後に外科治療を実施する集学的治療については，実施可能性の検討を含め専門医施設で行うことを考慮する。

3-2 切除不能局所進行非小細胞肺がんに推奨されるプラチナ製剤と放射線の併用療法

PS0〜1の切除不能局所進行非小細胞肺がんに対し，化学放射線併用療法が標準療法である[6]。化学療法レジメンは，プラチナ製剤と第三世代の細胞障害性抗がん薬の併用療法が用いられる。

CP療法（カルボプラチン＋パクリタキセル，全生存期間22.0カ月[7]），CD療法（シスプラチン＋ドセタキセル，全生存期間26.8カ月[8]）が推奨されるレジメンであるが，実臨床ではCDDP＋VNR放射線併用療法やCDDP＋S-1放射線併用療法も使用される場合がある。

71歳以上の高齢者を対象とした第Ⅲ相試験では，低用量カルボプラチン療法が放射線単独治療と比較し，全生存期間の有意な延長を示した（22.4カ月 vs 16.9カ月）[9]。放射線単独療法と比べ，重篤な血液毒性や感染症に注意が必要である。

切除不能局所進行（Stage Ⅲ）において，デュルバルマブによる維持療法が推奨される。プラチナ製剤と放射線併用療法後に病勢進行が認められなかった患者を対象としたデュルバルマブとプラセボとの比較試験では，デュルバルマブ併用群で無増悪生存期間の有意な延長を示した（16.8カ月 vs 5.6カ月）[10]。

(1) PE放射線併用療法

5週間，1コース

抗がん薬 / day	1	2	3	4	5	8	29	30	31	32	33	34	35
シスプラチン 50mg/m²/日 点滴静注（2時間以上）	↓					↓	↓					休薬	
エトポシド 50mg/m²/日 点滴静注（30分〜1時間）	↓	↓	↓	↓	↓		↓	↓	↓	↓	↓		
胸部放射線 45Gy/25回 1.8Gy/回 1日1回	→ （5回／週）												

注：シスプラチン投与前後に水分負荷として1,000mLから2,000mLの輸液を投与

- 主な副作用は悪心・嘔吐（高度催吐リスク），脱毛，白血球減少，好中球減少，血小板減少，皮膚炎，食道炎，肺臓炎である。重篤な副作用には腎障害，聴力障害がある。

(2) CP放射線併用療法

6週間，1コース

抗がん薬 / day	1	8	15	22	29	36	37〜42
カルボプラチン　AUC＝2 点滴静注（30分以上）	↓	↓	↓	↓	↓	↓	休薬
パクリタキセル　40mg/m²/日 点滴静注（1時間）	↓	↓	↓	↓	↓	↓	
胸部放射線　60Gy/30回 2Gy/回　1日1回	→ → → → → → （5回/週）						

注：パクリタキセル投与前に過敏症対策として抗アレルギー薬の予防投与をする

3週ごと，2コース

抗がん薬 / day	1	2〜21
カルボプラチン　AUC＝5 点滴静注（30分以上）	↓	休薬
パクリタキセル　200mg/m²/日 点滴静注（3時間）	↓	

注：パクリタキセル投与前に過敏症対策として抗アレルギー薬の予防投与をする

- パクリタキセルの過敏症予防の支持療法が必要（処方例：デキサメタゾン注19.8mg＋ジフェンヒドラミン錠50mg＋ファモチジン注50mg）。
- 主な副作用は脱毛，悪心・嘔吐（中等度催吐リスク），白血球減少，好中球減少，血小板減少，倦怠感，末梢神経障害，皮膚炎，肺臓炎である。重篤な副作用にはアレルギー症状がある。

(3) CD放射線併用療法

6週間，1コース

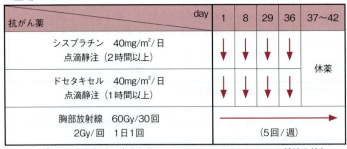

注：シスプラチン投与前後に水分負荷として1,000mLから2,000mLの輸液を投与

- 主な副作用は悪心・嘔吐（高度催吐リスク），脱毛，白血球減少，好中球減少，血小板減少，皮膚炎，食道炎，肺臓炎である。重篤な副作用には腎障害，聴力障害がある。

(4) CDDP＋VNR放射線併用療法

CDDP＋VNR療法　4週ごと，4コース＋放射線療法　6週間

抗がん薬 \ day	1	8	9〜28	1 (29)	8 (36)	14 (42)	15〜28 (43〜56)	1 (57)	8 (64)	9〜28 (65〜84)	1 (85)	8 (92)	9〜28 (93〜112)
シスプラチン　80mg/m²/日 点滴静注（2時間以上）	↓		休薬	↓			休薬	↓		休薬	↓		休薬
ビノレルビン　20mg/m²/日 点滴静注（10分以内）	↓	↓		↓	↓			↓	↓		↓	↓	
胸部放射線　60Gy/30回 2Gy/回　1日1回	→（5回/週）→												

注1：シスプラチン投与前後に水分負荷として1,000mLから2,000mLの輸液を投与
注2：放射線は週5回照射，計30回

・主な副作用は悪心・嘔吐（高度催吐リスク），白血球減少，好中球減少，血小板減少，貧血，便秘，血管炎，皮膚炎，食道炎，肺臓炎である。重篤な副作用には腎障害，聴力障害がある。

(5) CDDP＋S-1放射線併用療法

CDDP＋S-1療法　4週ごと，4コース＋放射線療法　6週間

抗がん薬 \ day	1	14	15〜28	1 (29)	14 (42)	15〜28 (43〜56)	1 (57)	14 (70)	15〜28 (71〜84)	1 (85)	14 (98)	15〜28 (99〜112)
シスプラチン　60mg/m²/日 点滴静注（2時間以上）	↓		休薬	↓		休薬	↓		休薬	↓		休薬
テガフール・ギメラシル・オテラシルカリウム 40mg/m²/回　経口　1日2回	→	→		→	→		→	→		→	→	
胸部放射線　60Gy/30回 2Gy/回　1日1回	→（5回/週）→											

注1：シスプラチン投与前後に水分負荷として1,000mLから2,000mLの輸液を投与
注2：テガフール・ギメラシル・オテラシルカリウムは1コースday1〜14，1日2回連日投与

・主な副作用は悪心・嘔吐（高度催吐リスク），白血球減少，好中球減少，血小板減少，貧血，下痢，口内炎，皮膚炎，食道炎，肺臓炎である。重篤な副作用には腎障害，聴力障害がある。

(6) CBDCA放射線併用療法（高齢者）

6週間，1コース

抗がん薬 \ day	1〜7	8〜14	15〜21	22〜28	29〜35	36〜42
カルボプラチン　30mg/m²/日 点滴静注（30分以上）週5回（1コース20回）	↓↓↓↓↓（5回/週）	↓↓↓↓↓（5回/週）	↓↓↓↓↓（5回/週）	↓↓↓↓↓（5回/週）	休薬	休薬
胸部放射線　60Gy/30回 2Gy/回　1日1回	→（5回/週）	→（5回/週）	→（5回/週）	→（5回/週）	→（5回/週）	→（5回/週）

注1：カルボプラチンは放射線照射日に合わせて1コース20回投与
注2：放射線の全30回照射のうち10回は放射線単独

・カルボプラチンが低用量のため，予防的制吐療法を行わない場合が多い。
・主な副作用は白血球減少，好中球減少，貧血，食欲不振，皮膚炎，肺臓炎である。重篤な副作用にはアレルギー症状がある。

(7) デュルバルマブによる地固め療法

2週ごと，12カ月まで

抗がん薬	day	1	2〜14
デュルバルマブ　10mg/kg 点滴静注（1時間）		↓	休薬

注：プラチナ製剤を含む化学療法＋放射線併用療法後から開始

- 適応は切除不能な局所進行の非小細胞肺がんにおける根治的化学放射線療法後の維持療法。
- 副作用として，間質性肺疾患関連有害事象（放射線性肺臓炎を含む）が日本人で高い傾向（PACIFIC試験）がある[10]。初期症状（息切れ，呼吸困難，咳嗽，発熱など）の確認，および胸部X線検査の実施など観察を十分に行う。

④ 非扁平上皮がん

組織分類や遺伝子変異/転座の有無，PD-L1の発現状態によりレジメンが推奨され，年齢やPSを考慮し適応を判断する。ドライバー遺伝子変異/転座陽性例は腺がん症例に多く認められ，それぞれのキナーゼ阻害薬によって全生存率，無増悪生存期間の改善が報告されている（p.310〜参照）。

4-1　非扁平上皮がん/*EGFR*遺伝子変異陽性

1）一次治療

第一世代のゲフィチニブ，エルロチニブ，第二世代のアファチニブ，ダコミチニブ，第三世代のオシメルチニブが使用される。

また，EGFR-TKIと化学療法や血管新生阻害薬との併用療法も提案される。化学療法との併用療法では，ゲフィチニブ＋CBDCA＋PEM併用療法をゲフィチニブ単剤療法と比較した第Ⅲ相試験において，最初の病勢進行までの無増悪生存期間（PFS1）を延長し（11.2カ月vs20.9カ月），病勢進行または死亡のリスクを50.6%減少した。一方，ゲフィチニブ単剤群は全生存期間の延長（38.8カ月vs50.9カ月）を認め，併用群でGrade3以上の血液毒性を含む有害事象の頻度が高かったことから（65.3% vs 31.0%），症例を選択する必要があると考えられる[11]。

血管新生阻害薬との併用療法では，エルロチニブ＋ラムシルマブ併用療法とエルロチニブ＋プラセボを比較した第Ⅲ相試験（RELAY試験）において，無増悪生存期間（19.4カ月vs 12.4カ月）の延長が示された[12]。併用群で血管新生阻害薬関連の有害事象（高血圧，蛋白尿，出血性事象など）に注意が必要である。

(1) アファチニブ

プラチナ製剤併用療法との第Ⅲ相比較試験において，アファチニブが全生存期間の有意な延長を示したが（33.3カ月 vs 21.1カ月），プラチナ製剤併用療法群でのアファチニブへのクロスオーバーが認められていないという問題がある[13]。アファチニブとゲフィチニブを直接比較した第Ⅱ相試験では無増悪生存期間（11.0カ月vs10.9カ月）の延長を認めたが，全生存期間（27.9カ月vs24.5カ月）は延長を認めていない[14]。また，アファチニブはゲフィチニブ，エルロチニブと比較し，下

痢，口腔粘膜炎，皮膚障害といった毒性が強いことから，支持療法や減量・休薬といった有害事象管理が十分可能な体制が重要である．

(2) ダコミチニブ

ダコミチニブとゲフィチニブとの第Ⅲ相試験が行われ，ダコミチニブが無増悪生存期間（14.7カ月 vs 9.2カ月），全生存期間（34.1カ月 vs 26.8カ月）と有意な延長を示した[15, 16]．一方，ダコミチニブで有害事象（下痢78％，爪囲炎54％，ざ瘡様皮疹35％）が高い傾向にあり，副作用管理に注意が必要である．

(3) オシメルチニブ

一次治療におけるオシメルチニブと第一世代EGFR-TKI（ゲフィチニブ，エルロチニブ）との第Ⅲ相試験が行われ，オシメルチニブが無増悪生存期間（18.9カ月 vs 10.2カ月）の有意な延長を示し，Grade3以上の有害事象の頻度も低かった[17]．オシメルチニブとアファチニブの位置づけは明確ではないものの，治療タイミングを逃さないことが重要である．

2）二次治療以降

EGFR-TKI未治療であればEGFR-TKIの使用が強く推奨される．*EGFR*遺伝子変異の中でもエクソン20のT790M変異は耐性変異である．EGFR-TKI既治療で，T790M変異陽性の非小細胞肺がんの二次治療におけるオシメルチニブとCDDP（またはCBDCA）＋ペメトレキセド療法との第Ⅲ相試験が行われ，無増悪生存期間（10.1カ月 vs 4.4カ月）の有意な延長を示した[18]．T790M変異を認める場合は，オシメルチニブの使用が強く推奨される．T790M変異を認めない場合や，オシメルチニブが使用不適または耐性となった場合は，細胞障害性抗がん薬の一次治療レジメンが推奨される．

3）EGFR-TKI

(1) ゲフィチニブ単剤療法

連日投与，病勢増悪まで

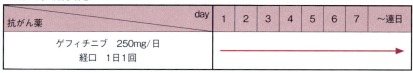

- 日本人高齢者において無酸症が多いことが報告されているため，食後投与が望ましい．
- 胃内pHの上昇によりAUCが低下するため，プロトンポンプ阻害薬（オメプラゾールなど）やH₂受容体拮抗薬（ファモチジンなど）は併用注意となっている．
- EGFR-TKIに共通する主な副作用は，皮膚障害（ざ瘡様皮疹，発疹，掻痒感，爪囲炎），下痢，口内炎，食欲不振，肝障害である．また，重篤な副作用に間質性肺疾患がある．
- ゲフィチニブはEGFR-TKIの中では肝障害（Grade3以上26.3％）が最も高頻度で報告されている．

(2) エルロチニブ単剤療法

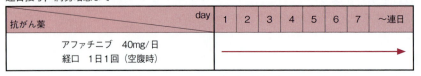

- 空腹時（食時の1時間以上前または食後2時間以上後）に服用する。
- 胃内pHの上昇によりAUCが低下するため，プロトンポンプ阻害薬やH₂受容体拮抗薬は併用注意となっている。

(3) アファチニブ単剤療法

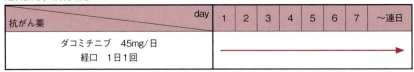

- 空腹時（食時の1時間以上前または食後3時間以上後）に服用する。
- アファチニブはEGFR-TKIの中でも下痢が高頻度に発現する。日本人の症例では，100％でGrade3以上，初回発現の中央値は4日と早期であった。薬剤開始と同時に，あらかじめ止瀉薬の処方と服薬指導を行う。

(4) ダコミチニブ単剤療法

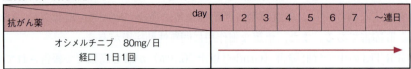

- EGFR，HER2，HER4を阻害する。
- 胃内pHの上昇によりAUCが低下するため，プロトンポンプ阻害薬やH₂受容体拮抗薬は併用注意となっている。CYP2D6阻害作用ももつ。
- 副作用は皮疹（Grade3以上32.5％），爪囲炎（Grade3以上22.5％），下痢（Grade3以上12.5％）のほか，目の異常，肝障害である。重篤な副作用には間質性肺疾患がある。

(5) オシメルチニブ単剤療法

連日投与，病勢増悪まで

抗がん薬	day	1	2	3	4	5	6	7	～連日
オシメルチニブ　80mg/日 経口　1日1回									

- EGFR-TKIの主な副作用である皮膚障害，下痢，肝障害，重篤な副作用の間質性肺疾患の頻度は，ほかのEGFR-TKIと比べて低い。そのほか，血小板減少，好中球減少などの血液毒性（Grade3以上9.5％），QT間隔延長（Grade3以上0.9％）が報告されている。

（6）ゲフィチニブ＋CBDCA＋PEM併用療法

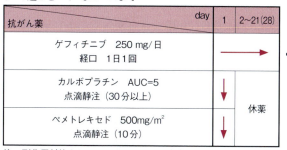

3〜4週ごと　4〜6コースまで

抗がん薬	day	1	2〜21(28)
ゲフィチニブ　250 mg/日 経口　1日1回		→	
カルボプラチン　AUC=5 点滴静注（30分以上）		↓	休薬
ペメトレキセド　500mg/m² 点滴静注（10分）		↓	

4〜6コース終了後，増悪を認めなければゲフィチニブ＋PEM併用の維持療法を考慮する

抗がん薬	day	1	2〜21(28)
ゲフィチニブ　250 mg/日 経口　1日1回		→	
ペメトレキセド　500mg/m² 点滴静注（10分）		↓	休薬

注：副作用対策として，ペメトレキセド投与7日前より投与終了後22日目まで葉酸0.5mg/日を連日投与，9週ごとにビタミンB₁₂ 1mg/回を筋肉内投与

・主な副作用は，Grade3以上のものでは好中球減少，貧血，血小板減少がある。

（7）エルロチニブ＋ラムシルマブ併用療法

2週ごと，病勢増悪まで

抗がん薬	day	1	2〜14
エルロチニブ　150 mg/日 経口　1日1回		→	
ラムシルマブ　10mg/kg 点滴静注 （初回：60分，2回目：30分）		↓	休薬

・エルロチニブ単独と比べ，ラムシルマブ併用時に高い割合で発生した副作用は高血圧，口内炎，蛋白尿，脱毛症，感染症，好中球減少，貧血，血小板減少などがある。

4-2　非扁平上皮がん/ALK遺伝子転座陽性

1）一次治療

　ALK-TKI（アレクチニブ，クリゾチニブ，セリチニブ，ロルラチニブ，ブリグチニブ）が推奨される。

　クリゾチニブはプラチナ製剤併用療法との第Ⅲ相試験において，無増悪生存期間（10.9カ月vs 7.0カ月）の有意な延長を示した[19]。アレクチニブは，クリゾチニブとの第Ⅲ相試験において無増悪生存期間（未到達vs10.2カ月）の有意な延長を示したことから，アレクチニブがより強く推奨される[20]。また，アレクチニブは，症例は少ないがPS 2〜4に対する有効性と安全性が報告されており，PS不良例に対してはアレクチニブが使用される[21]。セリチニブは，プラチナ製剤併用療法との第Ⅲ相試験において無増悪生存期間（16.6カ月vs 8.1カ月）を有意に延長した[22]。ブリグチニブはクリゾチニブとの第Ⅲ相試験において，無増悪生存期間（24カ月vs 11カ月）を有意に延長した。さらに，脳転移症例に対しても全奏効率はブリグチニブで高い有効性（78% vs 26%）が示されている[23]。ロルラチニブは血液脳関門を通過すると考えられ，クリゾチニブとの第Ⅲ相試験において脳転移症例における高い頭蓋内完全奏効（71% vs 8%）が示されている[24]。

2）二次治療以降

ALK-TKI が一時的に奏効しても，多くは数年以内に ALK 融合タンパクの二次耐性変異（L1196M，G1202R など）が発現する。ほかの ALK-TKI に切り替えることで，感受性のある限り継続する。第三世代のロルラチニブは野生型 ALK および G1202R を含む変異型 ALK に感受性をもつ。また，ブリグチニブもほかの ALK-TKI 抵抗性に対し有効性を示す報告がある[25]。ALK-TKI の二次治療以降の投与順序を示した明確なエビデンスはないが，患者の状態を考慮し，治療のタイミングを逃さないことが重要である。

3）ALK-TKI

(1) クリゾチニブ単剤療法

連日投与，病勢増悪まで

抗がん薬	day	1	2	3	4	5	6	7	～連日
クリゾチニブ　500mg/日 経口　1日2回		→							

- ROS1 も標的分子とするため，*ROS1* 融合遺伝子陽性の非小細胞肺がんにも適応をもつ。
- 主な副作用は悪心・嘔吐，下痢，便秘，末梢浮腫，疲労，肝障害，好中球減少，特徴的な副作用に視力障害，重篤な副作用には間質性肺疾患，QT 間隔延長がある。

(2) アレクチニブ単剤療法

連日投与，病勢増悪まで

抗がん薬	day	1	2	3	4	5	6	7	～連日
アレクチニブ　600mg/日 経口　1日2回		→							

- ほかの ALK-TKI より比較的副作用が少ない。味覚障害，発疹，便秘の頻度が高いが，Grade2 以下の軽度な症状である。

(3) セリチニブ単剤療法

連日投与，病勢増悪まで

抗がん薬	day	1	2	3	4	5	6	7	～連日
セリチニブ　450mg/日 経口　1日1回，食後内服		→							

- 食後投与で血中濃度が上昇するため，承認当初は 750mg 空腹時の用法であったが，消化器症状の軽減のため 450mg 食後の用法へと変更となった。
- 主な副作用は悪心・嘔吐，下痢，肝障害である。重篤な副作用に QT 間隔延長，間質性肺疾患がある。

(4) ロルラチニブ単剤療法

連日投与, 病勢増悪まで

抗がん薬	day	1	2	3	4	5	6	7	〜連日
ロルラチニブ 100mg/日 経口 1日1回		→							

・主な副作用は高コレステロール血症, 高トリグリセリド血症, 浮腫, 末梢神経障害である。重篤な副作用には間質性肺疾患, QT間隔延長がある。また, 中枢神経障害（意識障害, 言語障害など）が現れることがあるが, 減量や休薬で改善がみられる。

(5) ブリグチニブ単剤療法

連日投与, 病勢増悪まで

抗がん薬	day	1	2	3	4	5	6	7	8	〜連日
ブリグチニブ 90mg/日 経口 1日1回		→								
ブリグチニブ 180mg/日 経口 1日1回									→	

注：1日1回90mgを7日間経口投与し, その後, 1日1回180mgを経口投与する。

・14日間以上休薬し再開する場合, 休薬前に90mg/回を超える投与量であったときは, 休薬の理由を問わず7日間は1日1回90mgとする。7日間投与後は, 1日1回120mgまたは180mgとすることができる。

・主な副作用は, 下痢, クレアチンキナーゼ上昇, 高血圧, 悪心・嘔吐のほか, 徐脈や視覚障害, 高血糖の報告があり, 減量基準が設けられている。重篤な副作用に, 間質性肺炎, 肝機能障害がある。

4-3 非扁平上皮がん/*ROS1*融合遺伝子陽性

非小細胞肺がんにおいて*ROS1*融合遺伝子の頻度は低いが, 若年, 女性, 非喫煙者などで確認されやすい。

クリゾチニブ, エヌトレクチニブの使用が推奨される。

クリゾチニブは*ROS1*融合遺伝子陽性の非小細胞肺がんに対し, 第Ⅰ相試験での無増悪生存期間が19.2カ月[26], 第Ⅱ相試験の統合解析では奏効率が67％と良好な成績を示している。

エヌトレクチニブは第Ⅰ相試験, 第Ⅱ相試験の統合解析の報告より, 全奏効率は77％, 無増悪生存期間中央値は19.0カ月であった[27]。なお, この統合解析においてクリゾチニブ既治療例は含まれておらず, クリゾチニブ耐性後のエヌトレクチニブの効果は明らかでない。

4-4 非扁平上皮がん/*BRAF*遺伝子変異陽性

*BRAF V600E*遺伝子変異陽性に対し, ダブラフェニブ＋トラメチニブ併用療法が推奨される。BRAF阻害薬単剤を用いた場合は迂回経路の活性化による耐性機構が示唆されているため, MEK

阻害薬を併用する。

第Ⅱ相試験において，化学療法既治療では奏効率63.2％，無増悪生存期間9.7カ月[28]，化学療法未治療では，奏効率64％，無増悪生存期間10.9カ月[29]と良好な成績を示している。

(1) ダブラフェニブ＋トラメチニブ併用療法

> ・ダブラフェニブ：300mg/日，経口，1日2回，空腹時服用，病勢増悪まで連日投与
> ・トラメチニブ：2mg/日，経口，1日1回，空腹時服用，病勢増悪まで連日投与

・空腹時（食時の1時間以上前または食後2時間以上後）に服用する。
・主な副作用は発熱，悪心・嘔吐，下痢，皮膚乾燥である。重篤な副作用には心障害（心不全，左室機能不全，駆出率減少など），目の異常（網膜静脈閉塞，網膜色素上皮剥離，網膜剥離など）がある。

4-5 非扁平上皮がん/MET遺伝子変異陽性

MET-TKI（テポチニブ，カプマチニブ）の使用が推奨される。

テポチニブはMET遺伝子変異（エクソン14スキッピング変異）陽性の非小細胞肺がんの第Ⅱ相試験において，奏効率は42.4％，奏効期間の中央値は12.4カ月，テポチニブの投与によってQOL指標の一部に改善が示されている[30]。また，カプマチニブは第Ⅱ相試験において，奏効率40.6％，PFS中央値は5.42カ月であった[31]。

(1) テポチニブ単剤療法

連日投与，病勢増悪まで

抗がん薬	day	1	2	3	4	5	6	7	～連日
テポチニブ　500mg/日　経口　1日1回									

(2) カプマチニブ単剤療法

連日投与，病勢増悪まで

抗がん薬	day	1	2	3	4	5	6	7	～連日
カプマチニブ　400mg　経口　1日2回									

・重篤な副作用は，体液貯留（末梢性浮腫，低アルブミン血症，胸水），腎機能障害，肝機能障害，間質性肺炎がある。末梢性浮腫は頻度の高い副作用でもある。

4-6 *NTRK*融合遺伝子陽性

*NTRK*融合遺伝子陽性の固形がんに対して，エヌトレクチニブはがん種横断的に推奨される。

第Ⅰ相試験および第Ⅱ相試験の統合解析では，全体で54例の*NTRK*融合遺伝子陽性固形がんが登録され，奏効率は57％，PFS中央値は11カ月であった[32]。そのうち非小細胞肺がんは10例（19％）含まれ，奏効率は70％，PFS中央値は14.9カ月であった。

(1) エヌトレクチニブ単剤療法

抗がん薬	day	1	2	3	4	5	6	7	～連日
エヌトレクチニブ　600mg/日 経口　1日1回		→							

- 主な副作用は味覚障害，便秘，下痢などの消化器毒性，倦怠感，浮腫，クレアチニン上昇，ヘモグロビン低下がある。重篤な副作用は認知障害，運動失調，心臓障害，QT延長がある。

4-7　非扁平上皮がん/ドライバー遺伝子変異陰性

1）一次治療

(1) PD-L1陽性細胞≧50%

PD-L1陽性細胞≧50%ではペムブロリズマブの使用が強く推奨される。

*EGFR*遺伝子変異，*ALK*遺伝子転座のないPD-L1陽性細胞50%以上の非小細胞肺がんを対象とした一次治療の第Ⅲ相試験において，ペムブロリズマブは細胞障害性抗がん薬よりも無増悪生存期間（10.3カ月vs 6.0カ月）を有意に延長し[33]，一次治療からのペムブロリズマブの使用が推奨される。

(2) 免疫チェックポイント阻害薬＋プラチナ製剤併用療法について

非扁平上皮がんを対象とした，一次治療におけるプラチナ製剤併用療法（CDDP or CBDCA＋PEM）へのペムブロリズマブの上乗せ効果を検証する第Ⅲ相試験が行われ，全生存期間（未到達vs 11.3カ月）の有意な延長を示した[34]。プラセボ群が病勢増悪後ペムブロリズマブ単剤へクロスオーバーされたが，PD-L1発現にかかわらず全生存期間の延長が示された。ただし，ペムブロリズマブ併用群では細胞障害性抗がん薬の有害事象に加え，Grade3以上の免疫関連有害事象（immune-related adverse events：irAE）が8.9%であった。

また，非扁平上皮がんを対象とした一次治療におけるプラチナ製剤併用療法（CBDCA＋PTX＋Bev）へのアテゾリズマブの上乗せ効果を検証する第Ⅲ相試験が行われ，アテゾリズマブ併用群が無増悪生存期間（8.3カ月vs 6.8カ月），全生存期間（19.2カ月vs 14.7カ月）の有意な延長を示した[35]。また，PD-L1発現にかかわらず全生存期間の延長が示された。ただし，両群ともにGrade3以上の有害事象が高い傾向であった。

いずれの試験もPS0〜1が対象となっており，患者の状態の確認や有害事象の十分な管理体制が重要である。

免疫チェックポイント阻害薬に共通する特徴的な副作用として，irAEがある。主な副作用は下痢，倦怠感，甲状腺機能低下症および亢進症などである。重篤な副作用には間質性肺疾患，皮膚障害，大腸炎，副腎機能低下，1型糖尿病，重症筋無力症などがある。

2）二次治療以降

ペムブロリズマブ未使用の場合はペムブロリズマブ，ニボルマブ，アテゾリズマブの使用が強く推奨される。ペムブロリズマブ既治療の場合は，細胞障害性抗がん薬が推奨される。

海外で行われた，プラチナ製剤併用療法を含む化学療法既治療の非小細胞肺がん患者におけるペムブロリズマブとドセタキセルとの第Ⅱ/Ⅲ相試験では，ペムブロリズマブ群で全生存期間の有意

な延長を示した。この試験はPD-L1陽性細胞≧1％を対象としたが，PD-L1陽性細胞≧50％ではより良好な成績であった。本試験のペムブロリズマブの用量は国内の適応とは異なるが，有効性から推奨されると考える[36]。

プラチナ製剤併用療法を含む化学療法既治療の非扁平上皮非小細胞肺がん患者におけるニボルマブとドセタキセルとの第Ⅱ／Ⅲ相試験が行われ，全生存期間でニボルマブ群12.2カ月，ドセタキセル群9.4カ月と有意な延長を示した[37]。この試験の無増悪生存期間，全生存期間のカプランマイヤー曲線は6カ月を境界に2群が逆転しており，治療反応性の異なる集団が存在していることが示唆される。有効性に関するバイオマーカーのさらなる探索が必要とされている。

アテゾリズマブは，プラチナ製剤併用療法を含む化学療法既治療の非小細胞肺がん患者を対象としたドセタキセルとの第Ⅲ相試験が行われ，全生存期間（13.8カ月 vs 9.6カ月）の有意な延長を示した[38]。本試験では，扁平上皮がんまたは非扁平上皮がんやPD-L1発現にかかわらず全生存期間の延長が示された。

3）ペムブロリズマブ単剤療法
3週ごと

抗がん薬	day 1	2～21
ペムブロリズマブ　200mg/body 点滴静注（30分）	↓	休薬

4）ペムブロリズマブ単剤療法
6週ごと

抗がん薬	day 1	2～42
ペムブロリズマブ　400mg/body 点滴静注（30分）	↓	休薬

5）ニボルマブ単剤療法
2週ごと

抗がん薬	day 1	2～14
ニボルマブ　240mg/body 点滴静注（30分）	↓	休薬

6）ニボルマブ単剤療法
4週ごと

抗がん薬	day 1	2～28
ニボルマブ　480mg/body 点滴静注（30分）	↓	休薬

7）アテゾリズマブ単剤療法
3週ごと，病勢増悪まで

抗がん薬	day 1	2～21
アテゾリズマブ　1,200mg/kg 点滴静注（初回：60分，2回目以降30分）	↓	休薬

8) ペムブロリズマブ＋CDDP＋PEM療法

3週ごと, 4コース

抗がん薬 / day	1	2〜21
ペムブロリズマブ　200mg/日 点滴静注（30分）	↓	休薬
シスプラチン　75mg/m²/日 点滴静注（2時間以上）	↓	
ペメトレキセド　500mg/m²/日 点滴静注（10分）	↓	

→

3週ごと, 病勢増悪まで

抗がん薬 / day	1	2〜21
ペムブロリズマブ　200mg/日 点滴静注（30分）	↓	休薬
ペメトレキセド　500mg/m²/日 点滴静注（10分）	↓	

注1：4コース終了後，病勢増悪までペムブロリズマブ＋PEMの維持療法を考慮する
注2：副作用対策として，ペメトレキセド投与7日前より投与終了後22日目まで葉酸0.5mgを1日1回連日投与，ビタミンB₁₂を9週ごとに筋肉内投与
注3：シスプラチン投与前後に水分負荷として1,000mLから2,000mLの輸液を投与

・主な副作用は悪心・嘔吐（高度催吐リスク），白血球減少，好中球減少，血小板減少，貧血のほか，irAEに注意が必要である。

9) ペムブロリズマブ＋CBDCA＋PEM療法

3週ごと, 4コース

抗がん薬 / day	1	2〜21
ペムブロリズマブ　200mg/日 点滴静注（30分）	↓	休薬
カルボプラチン　AUC＝5 点滴静注（30分以上）	↓	
ペメトレキセド　500mg/m²/日 点滴静注（10分）	↓	

→

3週ごと, 病勢増悪まで

抗がん薬 / day	1	2〜21
ペムブロリズマブ　200mg/日 点滴静注（30分）	↓	休薬
ペメトレキセド　500mg/m²/日 点滴静注（10分）	↓	

注1：4コース終了後，病勢増悪までペムブロリズマブ＋PEMの維持療法を考慮する
注2：副作用対策として，ペメトレキセド投与7日前より投与終了後22日目まで葉酸0.5mgを1日1回連日投与，ビタミンB₁₂を9週ごとに筋肉内投与

・主な副作用は悪心・嘔吐（中等度催吐リスク），白血球減少，好中球減少，血小板減少，貧血のほか，irAEに注意が必要である。

10) アテゾリズマブ＋CBDCA＋PTX＋Bev療法

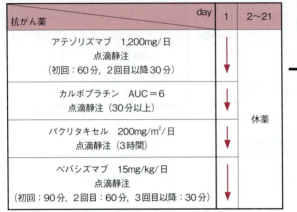

注1：4～6コース終了後，病勢増悪までアテゾリズマブ＋ベバシズマブを継続
注2：パクリタキセルの過敏症予防の支持療法が必要（処方例：デキサメタゾン注19.8mg，ジフェンヒドラミン錠50mg，ファモチジン注50mg）

・主な副作用は脱毛，悪心・嘔吐（中等度催吐リスク），白血球減少，好中球減少，筋肉痛，高血圧，蛋白尿がある。重篤な副作用は消化管穿孔，喀血，血栓・塞栓症があるほか，irAEに注意が必要である。

11) ニボルマブとイピリムマブ併用療法

切除不能な進行・再発の非小細胞肺がんに対する一次治療として，ニボルマブとイピリムマブの併用投与は，PD-L1発現の状態，組織型にかかわらず，化学療法と比較して生存効果が示されている[39]。

(1) ニボルマブ（240mg/body）＋イピリムマブ併用療法

6週ごと

抗がん薬	day	1	15	29	30～42
ニボルマブ　240mg/body 点滴静注（30分）		↓	↓	↓	休薬
イピリムマブ　1mg/kg 点滴静注（30分）		↓			

(2) ニボルマブ（360mg/body）＋イピリムマブ併用療法

6週ごと

抗がん薬	day	1	22	23～42
ニボルマブ　360 mg/body 点滴静注（30分）		↓	↓	休薬
イピリムマブ　1mg/kg 点滴静注（30分）		↓		

12）ニボルマブとイピリムマブおよびプラチナダブレット化学療法との併用療法

化学療法歴のないIV期非小細胞肺がんにおいて，ニボルマブとイピリムマブの併用療法にプラチナ製剤を含む2剤化学療法（2サイクル）を追加した併用療法（NIVO＋IPI＋化学療法）を，プラチナダブレット化学療法（最大4サイクル後に任意でペメトレキセドによる維持療法）と比較した第III相臨床試験の結果に基づいた承認。追跡期間12.7カ月の無増悪生存期間の中央値は，NIVO＋IPI＋Chemo群15.6カ月，Chemo群10.9カ月であり，PD-L1の発現を問わずNIVO＋IPI＋Chemo群で良好であった[40]。

(1) ニボルマブ＋イピリムマブ＋プラチナダブレット化学療法
6週間　1コース

抗がん薬 \ day	1	22	23～42
ニボルマブ　360mg/body 点滴静注（30分）	↓	↓	休薬
イピリムマブ　1mg/kg 点滴静注（30分）	↓		休薬
化学療法	↓	↓	休薬

注：組織型に応じて選択されたプラチナ製剤を含む2剤併用化学療法を2コース実施。CheckMate 9LAでは，扁平上皮がん：カルボプラチン＋パクリタキセル，非扁平上皮がん：シスプラチン/カルボプラチン＋ペメトレキセドが選択された。

2サイクル後は，ニボルマブ＋イピリムマブ併用維持療法　病勢増悪まで

(2) ニボルマブ（240mg/body）＋イピリムマブ併用維持療法　最大2年間

抗がん薬 \ day	1	15	29	30～42
ニボルマブ　240mg/body 点滴静注（30分）	↓	↓	↓	休薬
イピリムマブ　1mg/kg 点滴静注（30分）	↓			休薬

or

(2)' ニボルマブ（360mg/body）＋イピリムマブ併用維持療法　6週ごと

抗がん薬 \ day	1	22	23～42
ニボルマブ　360mg/body 点滴静注（30分）	↓	↓	休薬
イピリムマブ　1mg/kg 点滴静注（30分）	↓		休薬

4-8　非扁平上皮がんにおける化学療法

1）一次治療

PS0～1で75歳未満の患者では，プラチナ製剤と第三世代以降の抗がん薬との併用療法が推奨される。

PS0～1で75歳以上もしくはPS2では，第三世代抗がん薬単剤が推奨される。プラチナ製剤併用療法も考慮されるが，患者の状態に応じてカルボプラチン併用療法や投与量の調節を考慮する。

(1) CDDP＋PEM療法

3週ごと，4コース

抗がん薬	day 1	2〜21
シスプラチン　75mg/m²/日 点滴静注（2時間以上）	↓	休薬
ペメトレキセド　500mg/m²/日 点滴静注（10分）	↓	

注1：シスプラチン投与前後に水分負荷として1,000mLから2,000mLの輸液を投与
注2：副作用対策として，ペメトレキセド投与7日前より投与終了後22日まで葉酸0.5mg/日を連日投与，ビタミンB₁₂を9週ごとに筋肉内投与

- 主な副作用は悪心・嘔吐（高度催吐リスク），白血球減少，好中球減少，血小板減少，貧血，倦怠感，口内炎，下痢，便秘，皮疹である。重篤な副作用には腎障害，聴力障害がある。
- CDDP＋PEM療法は，非小細胞肺がんの一次治療のCDDP＋GEM療法との第Ⅲ相試験において組織型別に検討した結果，全生存期間は非扁平上皮がんではPEM群が勝り（11.8カ月vs10.4カ月），扁平上皮がんではPEM群が劣っていた（9.4カ月vs10.8カ月）[41]。

(2) CBDCA＋PTX＋Bev療法→Bev単剤療法

3週ごと，4コース→ベバシズマブ　3週ごと，病勢増悪まで

抗がん薬	day 1	2〜21
カルボプラチン　AUC＝6 点滴静注（30分以上）	↓	休薬
パクリタキセル　200mg/m²/日 点滴静注（3時間）	↓	
ベバシズマブ　15mg/kg/日 点滴静注（初回90分，2回目60分，3回目以降30分）	↓	

注1：4コース終了後，ベバシズマブのみ病勢増悪まで継続
注2：パクリタキセル投与前に過敏症対策の予防投与をする
※PTX：パクリタキセル，Bev：ベバシズマブ

- CBDCA＋PTX＋Bev療法4コース後，病勢増悪までベバシズマブのみ継続する。
- パクリタキセルの過敏症予防の支持療法が必要（処方例：デキサメタゾン注19.8mg，ジフェンヒドラミン錠50mg，ファモチジン注50mg）。
- 主な副作用は脱毛，悪心・嘔吐（中等度催吐リスク），白血球減少，好中球減少，筋肉痛，関節痛，倦怠感，末梢神経障害，高血圧，便秘，蛋白尿，出血である。重篤な副作用にはアレルギー症状，消化管穿孔，喀血，血栓・塞栓症がある。
- ベバシズマブはVEGF阻害薬であり，出血のリスクに注意する。喀血（2.5mL以上の鮮血の喀出）の既往症例に対して禁忌である。また，ベバシズマブ投与中の胸部放射線療法は行わない。扁平上皮がんには適応がなく，臨床試験において喀血の発現率が高いことや扁平上皮がんが喀血のリスク因子であることが挙げられる。
- CBDCA＋PTX＋Bev療法は，非扁平上皮非小細胞肺がんの一次治療でCBDCA＋PTX療法との国内第Ⅲ相試験において，無増悪生存期間（6.9カ月vs5.9カ月）を延長，奏効率（60.7％vs

31.0％）を有意に上昇させた[42]。また，海外の第Ⅲ相試験においても無増悪生存期間，全生存期間の延長が示された[43]。

(3) CDDP＋GEM療法

3週ごと，4コース

抗がん薬 \ day	1	8	9〜21
シスプラチン 80mg/m²/日 点滴静注（2時間以上）	↓		休薬
ゲムシタビン 1,000mg/m²/日 点滴静注（30分）	↓	↓	

注：シスプラチン投与前後に水分負荷として1,000mLから2,000mLの輸液を投与

- 主な副作用は悪心・嘔吐（高度催吐リスク），白血球減少，好中球減少，血小板減少，貧血，皮疹である。重篤な副作用には腎障害，聴力障害，間質性肺疾患がある。
- CDDP＋GEM療法は非小細胞肺がんの一次治療で，CDDP＋CPT-11療法，CBDCA＋PTX療法，CDDP＋VNR療法との第Ⅲ相試験において全生存期間，奏効率，1年生存率においても同等であった[44]。

(4) CDDP＋DTX療法

3週または4週ごと，4コース

抗がん薬 \ day	1	2〜21（28）
シスプラチン 80mg/m²/日 点滴静注（2時間以上）	↓	休薬
ドセタキセル 60mg/m²/日 点滴静注（1時間以上）	↓	

注：シスプラチン投与前後に水分負荷として1,000mLから2,000mLの輸液を投与

- 主な副作用は悪心・嘔吐（高度催吐リスク），脱毛，白血球減少，好中球減少，血小板減少，貧血，浮腫，末梢神経障害である。重篤な副作用には腎障害，聴力障害がある。

(5) CBDCA＋nabPTX療法

3週ごと，4〜6コース

抗がん薬 \ day	1	8	15	16〜21
カルボプラチン AUC＝6 点滴静注（60分）	↓			休薬
パクリタキセル（アルブミン懸濁型） 100mg/m²/日 点滴静注（30分）	↓	↓	↓	

※nabPTX：ナブ-パクリタキセル，アブラキサン®

- 主な副作用は脱毛，悪心・嘔吐（中等度催吐リスク），白血球減少，好中球減少，血小板減少，貧血，倦怠感，末梢神経障害，肝障害である。重篤な副作用にはアレルギー症状がある。

(6) CDDP＋VNR療法

3週ごと，4〜6コース

抗がん薬	day	1	8	9〜21
シスプラチン　80mg/m²/日 点滴静注（2時間以上）		↓		休薬
ビノレルビン　25mg/m²/日 点滴静注（10分以内）		↓	↓	

注：シスプラチン投与前後に水分負荷として1,000mLから2,000mLの輸液を投与

- 主な副作用は悪心・嘔吐（高度催吐リスク），白血球減少，好中球減少，血小板減少，貧血，便秘，血管炎である。重篤な副作用には腎障害，聴力障害がある。

(7) CBDCA＋S-1療法

3週ごと，4〜6コース

抗がん薬	day	1	14	15〜21
カルボプラチン　AUC＝5 点滴静注（60分）		↓		休薬
テガフール・ギメラシル・オテラシルカリウム BSA1.25m²未満：40mg/回 1.25m²〜1.5m²未満：50mg/回 1.5m²以上：60mg/回 経口　1日2回		→		

注：BSA（Body Surface Area），体表面積

- 主な副作用は悪心・嘔吐（中等度催吐リスク），白血球減少，好中球減少，血小板減少，貧血，倦怠感，下痢，末梢神経障害，皮疹である。重篤な副作用にはアレルギー症状がある。

2）二次治療以降

(1) ラムシルマブ＋DTX療法

3週ごと，病勢増悪まで

抗がん薬	day	1	2〜21
ラムシルマブ　10mg/kg/日 点滴静注（60分）		↓	休薬
ドセタキセル　60mg/m²/日 （海外　75mg/m²/日） 点滴静注（60分）		↓	

注：ラムシルマブの副作用対策として，投与前に抗ヒスタミン薬の投与が推奨される

- 主な副作用は脱毛，白血球減少，好中球減少，悪心・嘔吐（低度催吐リスク），下痢，末梢神経障害，浮腫，高血圧，蛋白尿，出血である。重篤な副作用には消化管穿孔，血栓・塞栓症がある。
- ラムシルマブのinfusion reaction対策として，投与前にd-クロルフェニラミン注5mgなどの抗ヒスタミン薬の使用が推奨される。
- ラムシルマブ＋DTX療法は非小細胞肺がんの二次治療で，DTX療法との第Ⅲ相試験において全

生存期間が10.5カ月と9.1カ月（HR＝0.86　P＝0.023）と有意な延長を示した[45]。海外ではDTXが75mg/m^{2}と高用量であり，わが国の承認用量60mg/m^{2}で行った第Ⅱ相試験でも無増悪生存期間と全生存期間で良好な成績であったが[46]，ラムシルマブ併用ではGrade3以上の好中球減少や発熱性好中球減少症の頻度が高く（34.2%vs19.8%），前治療での有害事象や患者の状態から適応に注意が必要である。

（2）DTX単剤療法

3週ごと，病勢増悪まで

抗がん薬	day 1	2～21
ドセタキセル　60mg/m^2/日 （海外　75mg/m^2/日） 点滴静注（60分）	↓	休薬

- 主な副作用は脱毛，白血球減少，好中球減少，悪心・嘔吐（低度催吐リスク），下痢，末梢神経障害，浮腫である。重篤な副作用には間質性肺疾患がある。
- DTX療法は，非小細胞肺がんの二次治療で緩和医療との第Ⅲ相試験において全生存期間を延長した[47]。

（3）PEM単剤療法

3週ごと，病勢増悪まで

抗がん薬	day 1	2～21
ペメトレキセド　500mg/m^2/日 点滴静注（10分）	↓	休薬

注：副作用対策として，ペメトレキセド投与7日前より投与終了後22日まで葉酸0.5mg/日を連日投与，ビタミンB$_{12}$を9週ごとに筋肉内投与

- 主な副作用は白血球減少，好中球減少，皮疹，悪心・嘔吐（低度催吐リスク）がある。
- PEM療法は非小細胞肺がんの臨床試験において組織型別に有効性が検討され，非扁平上皮がんではPEMの有益性が高い結果が得られている[48,49]。

（4）S-1単剤療法

6週ごと，病勢増悪まで

抗がん薬	day 1～28	29～42
テガフール・ギメラシル・オテラシルカリウム BSA　1.25m^{2}未満：40mg/回 1.25m^2～1.5m^{2}未満：50mg/回 1.5m^{2}以上：60mg/回 経口　1日2回	→	休薬

注：BSA（Body Surface Area），体表面積

- 主な副作用は白血球減少，好中球減少，悪心・嘔吐（低度催吐リスク），下痢，口内炎，皮疹である。
- S-1療法は，非小細胞肺がんの二次治療でDTXとの第Ⅲ相試験において全生存期間の非劣性を示した[50]。毒性はS-1とDTXで，Grade3以上の好中球減少（5.4%vs 47.7%），発熱性好中球減

少症(0.9% vs 13.6%)はS-1で頻度が低く,全Gradeの下痢(35.9% vs 16.4%),口内炎(23.4% vs 14.3%)はS-1が高かった。

5 扁平上皮がん

5-1 遺伝子変異陰性扁平上皮がん

ドライバー遺伝子陽性は腺がん症例に多く認められるが,扁平上皮がんでも認められることがある。しかしながら,扁平上皮がんにおける治療成績はエビデンスに乏しい。ドライバー遺伝子変異陽性については,本章「4-1 非扁平上皮がん/*EGFR*遺伝子変異陽性〜4-6 *NTRK*融合遺伝子陽性」の項を参照。

1)一次治療

本稿「4-7 非扁平上皮がん/ドライバー遺伝子変異陰性 11),12)」の項を参照。

免疫チェックポイント阻害薬＋プラチナ製剤併用療法については,扁平上皮がんを対象とした一次治療におけるプラチナ製剤併用療法(CBDCA＋PTX or nabPTX)へのペムブロリズマブの上乗せ効果を検証する第Ⅲ相試験が行われ,無増悪生存期間において(6.4カ月 vs 4.8カ月)の有意な延長を示した[51]。本試験ではPD-L1発現にかかわらず,全生存期間の延長が示された。ただし,Grade3以上の有害事象は同程度であったが,ペムブロリズマブ併用群で治療関連死亡(3.6% vs 2.1%)が高い傾向を示した。本試験ではPS0〜1の状態が良好な患者で行われており,患者の状態の確認や有害事象管理の十分な体制が重要である。

(1) ペムブロリズマブ＋CBDCA＋PTX療法

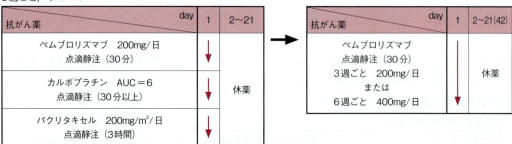

注1:4コース終了後,ペムブロリズマブ単剤の維持療法を考慮する
注2:副作用対策として,ペメトレキセド投与7日前より投与終了後22日目まで葉酸0.5mgを1日1回連日投与,ビタミンB$_{12}$を9週ごとに筋肉内投与
注3:パクリタキセルの過敏症予防の支持療法が必要(処方例:デキサメタゾン注19.8mg,ジフェンヒドラミン錠50mg,ファモチジン注50mg)

・主な副作用は脱毛,悪心・嘔吐(中等度催吐リスク),白血球減少,好中球減少,筋肉痛,関節痛,倦怠感,末梢神経障害がある。重篤な副作用はアレルギー症状,間質性肺疾患のほか,irAEに注意する。

(2) ペムブロリズマブ＋CBDCA＋nabPTX療法

3週ごと，4コース

抗がん薬	day	1	8	15	16〜21
ペムブロリズマブ　200mg/日 点滴静注（30分）		↓			休薬
カルボプラチン　AUC＝5 点滴静注（60分）		↓			
パクリタキセル（アルブミン懸濁型） 100mg/m²/日 点滴静注（30分）		↓	↓	↓	

→

抗がん薬	day	1	2〜21(42)
ペムブロリズマブ 点滴静注（30分） 3週ごと　200mg/日 または 6週ごと　400mg/日		↓	休薬

注：4コース終了後，ペムブロリズマブ単剤の維持療法を考慮する

2）二次治療以降

ペムブロリズマブ未使用の場合はペムブロリズマブ，ニボルマブ，アテゾリズマブの使用が強く推奨される（本稿「4-7　非扁平上皮がん/ドライバー遺伝子変異陰性　2）二次治療以降」の項を参照）。

プラチナ製剤併用療法を含む化学療法既治療の扁平上皮非小細胞肺がんに対し，ニボルマブとドセタキセルとの第Ⅲ相試験が行われ，ニボルマブ群で全生存期間（9.2カ月 vs 6.0カ月）を有意に延長した[52]。

5-2　扁平上皮がんにおける化学療法

1）一次治療

PS0〜1で75歳未満の患者では，プラチナ製剤と第三世代以降の抗がん薬との併用療法が推奨される。ただし，有効性が示されていないペメトレキセドや出血リスクが高いベバシズマブの使用は避ける。

PS0〜1で75歳以上もしくはPS2では第三世代抗がん薬単剤が推奨される。プラチナ製剤併用療法は考慮されるが，状態に応じてCBDCA併用療法や投与量の調節を考慮する。

(1) Nedaplatin＋DTX療法

3週ごと，4〜6コース

抗がん薬	day	1	2〜21
ネダプラチン　100mg/m²/日 点滴静注（60〜90分）		↓	休薬
ドセタキセル　60mg/m²/日 点滴静注（60分）		↓	

- 腎障害予防としてネダプラチン投与後1,000mLの補液を行う。
- 主な副作用は悪心・嘔吐（中等度催吐リスク），脱毛，白血球減少，好中球減少，血小板減少，貧血，浮腫，末梢神経障害である。重篤な副作用には腎障害，アレルギー症状がある。

(2) ネシツムマブ療法

ネシツムマブは，ヒト上皮成長因子受容体（EGFR）に対する完全ヒトIgG1モノクローナル抗体である。ヒトEGFRファミリーのEGFR（HER1）に結合し，EGFRを介したシグナル伝達を阻害することなどにより，腫瘍の増殖を抑制すると考えられている。また，EGFRタンパクの発現の有無にかかわらず使用可能である。

Ⅳ期非小細胞肺がん（扁平上皮がん）の一次治療において，ネシツムマブ＋GC（GEM＋CDDP）併用療法とGC併用療法を比較する第Ⅲ相試験[53]では，全生存期間（11.5カ月vs9.9カ月）を有意に延長した。

また，日本人患者を対象としたGC併用療法にネシツムマブを追加することの有効性を評価した第Ⅱ相試験[54]においても，全生存期間はネシツムマブ併用群で有意に高い（51.1%vs 20.9%）ことが示された。

ただし，PD-1/PD-L1阻害薬＋プラチナ製剤併用療法と比較したデータはなく，ネシツムマブ＋プラチナ製剤併用療法がより優れているかどうかは明らかでない点に注意が必要である。

ネシツムマブ＋プラチナ製剤併用療法
3週ごと　4コースまで

抗がん薬	day	1	8	9～21
ネシツムマブ　800mg/body 点滴静注（60分）		↓	↓	
ゲムシタビン　1,250mg/m² 点滴静注（30分）		↓	↓	休薬
シスプラチン　75mg/m² 点滴静注（120分）		↓		

→ 以降は，ネシツムマブ単剤療法　病勢増悪まで

抗がん薬	day	1	8	9～21
ネシツムマブ　800mg/body 点滴静注（60分）		↓	↓	休薬

注1：ゲムシタビンは血液毒性や肝機能障害を軽減させるため30分で投与
注2：シスプラチン投与前後に水分負荷として1,000mLから2,000mLの輸液を投与

・1～4コースはGC併用療法とネシツムマブを併用，5コース以降はネシツムマブ単独投与を行う。
・主な副作用は骨髄抑制，食思不振，悪心・嘔吐，倦怠感に加えて，ネシツムマブに特徴的なざ瘡様皮疹，低マグネシウム，下痢，血栓塞栓関連事象がある。Grade3以上の毒性が併用群で高い傾向がみられ，国内第Ⅱ相試験[54]では，発熱性好中球減少症の頻度がプラチナ製剤群と比較し高かった（12%vs3%）。

以下のレジメンは「**4-8　非扁平上皮がんにおける化学療法　1)**」の項を参照。
CDDP＋GEM療法，CDDP＋DTX療法，CBDCA＋nabPTX療法，CDDP＋VNR療法，CBDCA＋S-1療法

2) 二次治療以降

PEM療法は有効性が示されていないことから使用を避ける。

以下のレジメンは本稿「**4-8　非扁平上皮がんにおける化学療法　2)**」の項を参照。
・ラムシルマブ＋DTX療法，DTX単剤療法，S-1単剤療法

【参考文献】

1) Hamada C et al：Effect of postoperative adjuvant chemotherapy with tegafur-uracil on survival in patients with stage IA non-small cell lung cancer: an exploratory analysis from a meta-analysis of six randomized controlled trials. J Thorac Oncol, 4(12):1511-1516, 2009

2) Pignon JP et al：Lung adjuvant cisplatin evaluation: a pooled analysis by the LACE Collaborative Group. J Clin Oncol, 26(21):3552-3559, 2008

3) Douillard JY et al：Adjuvant cisplatin and vinorelbine for completely resected non-small cell lung cancer: subgroup analysis of the Lung Adjuvant Cisplatin Evaluation. J Thorac Oncol, 5(2):220-228, 2010

4) Rusch VW et al：Induction chemoradiation and surgical resection for superior sulcus non-small-cell lung carcinomas: long-term results of Southwest Oncology Group Trial 9416 (Intergroup Trial 0160). J Clin Oncol, 25(3):313-318, 2007

5) Kunitoh H et al：Phase II trial of preoperative chemoradiotherapy followed by surgical resection in patients with superior sulcus non-small-cell lung cancers: report of Japan Clinical Oncology Group trial 9806. J Clin Oncol, 26(4):644-649, 2008

6) Non-small Cell Lung Cancer Collaborative Group. Chemotherapy in non-small cell lung cancer: a meta-analysis using updated data on individual patients from 52 randomised clinical trials. BMJ, 311(7010):899-909, 1995

7) Yamamoto N et al：Phase III study comparing second- and third-generation regimens with concurrent thoracic radiotherapy in patients with unresectable stage III non-small-cell lung cancer: West Japan Thoracic Oncology Group WJTOG0105. J Clin Oncol, 28(23):3739-3745, 2010

8) Segawa Y et al：Phase III trial comparing docetaxel and cisplatin combination chemotherapy with mitomycin, vindesine, and cisplatin combination chemotherapy with concurrent thoracic radiotherapy in locally advanced non-small-cell lung cancer: OLCSG 0007. J Clin Oncol, 28(20):3299-3306, 2010

9) Atagi S et al：Thoracic radiotherapy with or without daily low-dose carboplatin in elderly patients with nonsmall-cell lung cancer: a randomised, controlled, phase 3 trial by the Japan Clinical Oncology Group (JCOG0301). Lancet Oncol, 13(7):671-678, 2012

10) Antonia SJ et al：Durvalumab after Chemoradiotherapy in Stage III Non-Small-Cell Lung Cancer. N Engl J Med, 16(20):1919-1929, 2017

11) Hosomi Y et al：Gefitinib Alone Versus Gefitinib Plus Chemotherapy for Non-Small-Cell Lung Cancer With Mutated Epidermal Growth Factor Receptor: NEJ009 Study. J Clin Oncol, 38(2):115-123, 2020

12) Nakagawa K et al：Ramucirumab plus erlotinib in patients with untreated, EGFR-mutated, advanced non-small-cell lung cancer (RELAY): a randomised, double-blind, placebo-controlled, phase 3 trial. Lancet Oncol. 20(12):1655-1669, 2019

13) Yang JC et al：Afatinib versus cisplatin-based chemotherapy for EGFR mutation-positive lung denocarcinoma (LUX-Lung 3 and LUX-Lung 6) :analysis of overall survival data from two randomised, phase 3 trials. Lancet Oncol, 16(2):141-151, 2015

14) Paz-Ares L et al：Afatinib versus gefitinib in patients with EGFR mutation-positive advanced non-small-cell lung cancer: overall survival data from the phase IIb LUX-Lung 7 trial. Ann Oncol, 28(2):270-277, 2017

15) Wu YL et al：Dacomitinib versus gefitinib as first-line treatment for patients with EGFR-mutation-positive nonsmall-cell lung cancer (ARCHER 1050): a randomised, open-label, phase 3 trial. Lancet Oncol, 18(11):1454-1466, 2017

16) Mok TS et al：Improvement in Overall Survival in a Randomized Study That Compared Dacomitinib With Gefitinib in Patients With Advanced Non-Small-Cell Lung Cancer and EGFR-Activating Mutations. J Clin Oncol, 1(22):2244-2250, 2018

17) Soria JC et al：Osimertinib in Untreated EGFR-Mutated Advanced Non-Small-Cell Lung Cancer. N Engl J Med, 378(2):113-125, 2018

18) Mok TS et al：Osimertinib or Platinum-Pemetrexed in EGFR T790M-Positive Lung Cancer. N Engl J Med, 376(7):629-640, 2017

19) Solomon BJ et al : First-line crizotinib versus chemotherapy in ALK-positive lung cancer. N Engl J Med, 371(23):2167-2177, 2014
20) Hida T et al : Alectinib versus crizotinib in patients with ALK-positive non-small-cell lung cancer (J-ALEX): an open-label, randomised phase 3 trial. Lancet, 390(10089):29-39, 2017
21) Iwama E et al : Alectinib for Patients with ALK Rearrangement-Positive Non-Small Cell Lung Cancer and a Poor Performance Status (Lung Oncology Group in Kyushu 1401). J Thorac Oncol, 12(7):1161-1166, 2017
22) Soria JC et al : First-line ceritinib versus platinum-based chemotherapy in advanced ALK-rearranged nonsmall-cell lung cancer (ASCEND-4): a randomised, open-label, phase 3 study. Lancet, 4(389):917-929, 2017
23) Camidge DR et al : Brigatinib versus Crizotinib in ALK-Positive Non–Small-Cell Lung Cancer. N Engl J Med, 379(21):2027-2039, 2018
24) Shaw AT et al : First-Line Lorlatinib or Crizotinib in Advanced *ALK*-Positive Lung Cancer. N Engl J Med, 383(21):2018-2029, 2020
25) Kim DW et al : Brigatinib in patients with crizotinib-refractory anaplastic lymphoma kinase-positive non-small-cell lung cancer: a randomized, multicenter phase Ⅱ trial. J Clin Oncol, 35(22):2490-2498, 2017
26) Shaw AT et al : Crizotinib in ROS1-rearranged non-small-cell lung cancer. N Engl J Med, 371(21):1963-1971, 2014
27) Drilon A et al : Entrectinib in ROS1 fusion-positive non-small-cell lung cancer: integrated analysis of three phase 1-2 trials. Lancet Oncol, 21(2):261-270, 2020
28) Planchard D et al : Dabrafenib plus trametinib in patients with previously treated BRAF(V600E)-mutant metastatic non-small cell lung cancer: an open-label, multicentre phase 2 trial. Lancet Oncol, 17(7):984-993, 2016
29) Planchard D et al : Dabrafenib plus trametinib in patients with previously untreated BRAF(V600E)-mutant metastatic non-small-cell lung cancer: an open-label, phase 2 trial. Lancet Oncol, 18(10):1307-1316, 2017
30) Paik PK et al : Tepotinib in non-small-cell lung cancer with *MET* exon 14 skipping mutations. N Engl J Med, 383(10):931-943, 2020
31) Wolf J et al : Capmatinib in *MET* Exon 14-Mutated or *MET*-Amplified Non-Small-Cell Lung Cancer. N Engl J Med, 383(10):944-957, 2020
32) Doebele RC et al : Entrectinib in patients with advanced or metastatic NTRK fusion-positive solid tumours: integrated analysis of three phase 1-2 trials. Lancet Oncol, 21(2):271-282, 2000
33) Reck M et al : Pembrolizumab versus Chemotherapy for PD-L1-Positive Non-Small-Cell Lung Cancer. N Engl J Med, 375(19):1823-1833, 2016
34) Gandhi L et al : Pembrolizumab plus Chemotherapy in Metastatic Non-Small-Cell Lung Cancer. N Engl J Med, 31(22):2078-2092, 2018
35) Socinski MA et al : Atezolizumab for First-Line Treatment of Metastatic Nonsquamous NSCLC. N Engl J Med, 14(24):2288-2301, 2018
36) Herbst RS et al : Pembrolizumab versus docetaxel for previously treated, PD-L1-positive, advanced non-smallcell lung cancer (KEYNOTE-010): a randomised controlled trial. Lancet, 387(10027):1540-1550, 2016
37) Borghaei H et al : Nivolumab versus Docetaxel in Advanced Nonsquamous Non-Small-Cell Lung Cancer. N Engl J Med, 373(17):1627-1639, 2015
38) Rittmeyer A et al : Atezolizumab versus docetaxel in patients with previously treated non-small-cell lung cancer (OAK): a phase 3, open-label, multicentre randomised controlled trial. Lancet, 389, (10066):255-265, 2017
39) Hellmann MD et al : Nivolumab plus Ipilimumab in Advanced Non-Small-Cell Lung Cancer. N Engl J Med, 381(21):2020-2031, 2019
40) Paz-Ares L, et al : First-line nivolumab plus ipilimumab combined with two cycles of chemotherapy in patients with non-small-cell lung cancer (CheckMate 9LA): an international, randomised, open-label, phase 3 trial. Lancet Oncol, 22(2):198-211, 2021
41) Scagliotti GV et al : Phase Ⅲ study comparing cisplatin plus gemcitabine with cisplatin plus pemetrexed in chemotherapy-naive patients with advanced-stage non-small-cell lung cancer. J Clin Oncol, 26(21):3543-3551, 2008

42) Niho S et al：Randomized phase Ⅱ study of first-line carboplatin-paclitaxel with or without bevacizumab in Japanese patients with advanced non-squamous non-small-cell lung cancer. Lung Cancer, 76(3):362-367, 2012
43) Zhou C et al：BEYOND: A Randomized, Double-Blind, Placebo-Controlled, Multicenter, Phase Ⅲ Study of First-Line Carboplatin/Paclitaxel Plus Bevacizumab or Placebo in Chinese Patients With Advanced or Recurrent Nonsquamous Non-Small-Cell Lung Cancer. J Clin Oncol, 33(19):2197-2204, 2015
44) Ohe Y et al：Randomized phase Ⅲ study of cisplatin plus irinotecan versus carboplatin plus paclitaxel, cisplatin plus gemcitabine, and cisplatin plus vinorelbine for advanced non-small-cell lung cancer: Four-Arm Cooperative Study in Japan. Ann Oncol, 18(2):317-323, 2007
45) Garon EB et al：Ramucirumab plus docetaxel versus placebo plus docetaxel for second-line treatment of stage Ⅳ non-small-cell lung cancer after disease progression on platinum-based therapy（REVEL）: a multicentre, double-blind, randomised phase 3 trial. Lancet, 384(9944):665-673, 2014
46) Yoh K et al：A randomized, double-blind, phase Ⅱ study of ramucirumab plus docetaxel vs placebo plus docetaxel in Japanese patients with stage Ⅳ non-small cell lung cancer after disease progression on latinumbased therapy. Lung Cancer, 99:186-193, 2016
47) Shepherd FA et al：Prospective randomized trial of docetaxel versus best supportive care in patients with non-small-cell lung cancer previously treated with platinum-based chemotherapy. J Clin Oncol, 18(10):2095-2103, 2000
48) Hanna N et al：Randomized phase Ⅲ trial of pemetrexed versus docetaxel in patients with non-small-cell lung cancer previously treated with chemotherapy. J Clin Oncol, 22(9):1589-1597, 2004
49) Scagliotti G et al：The differential efficacy of pemetrexed according to NSCLC histology: a review of two Phase Ⅲ studies. Oncologist, 14(3):253-263, 2009
50) Nokihara H et al：Randomized controlled trial of S-1 versus docetaxel in patients with non-small-cell lung cancer previously treated with platinum-based chemotherapy（East Asia S-1 Trial in Lung Cancer）. Ann Oncol, 28(11):2698-2706, 2017
51) Paz-Ares L et al：Pembrolizumab plus Chemotherapy for Squamous Non-Small-Cell Lung Cancer. N Engl J Med, 22(21):2040-2051, 2018
52) Brahmer J et al：Nivolumab versus Docetaxel in Advanced Squamous-Cell Non-Small-Cell Lung Cancer. N Engl J Med, 373(2):123-135, 2015
53) Thatcher N et al：Necitumumab plus gemcitabine andcisplatin versus gemcitabine and cisplatin alone as first-line therapy in patients with stage Ⅳ squamous non-small-cell lung cancer（SQUIRE）: an open-label, randomised, controlled phase 3 trial. Lancet Oncol, 16(7):763-774, 2015
54) Watanabe S et al：Necitumumab plus gemcitabine and cisplatin versus gemcitabine and cisplatin alone as first-line treatment for stage Ⅳ squamous non-small cell lung cancer: A phase 1b and randomized, open-label, multicenter, phase 2 trial in Japan. Lung Cancer, 129:55-62, 2019

〔渡邊　裕之，渡部　仁美〕

5-3 小細胞肺がん

I 小細胞肺がんの薬物治療

1-1 限局型小細胞肺がん（limited disease：LD）の治療

　小細胞肺がんは悪性度が非常に高く，増殖速度が速いことから，発見時にすでに遠隔転移している症例も多い。化学療法や放射線療法に対する治療の反応性は高いものの再発しやすいため，LDでも外科的切除が標準治療となる症例はごく一部で，大部分のLDの標準療法は化学放射線療法となる。再発時に脳転移を呈することも多いため，初回治療時に完全奏効が得られたLD症例では，脳転移再発抑制と生存期間延長を目的とした予防的全脳照射（Prophylactic Cranial Irradiation：PCI）を施行することが推奨されている。

1) Stage Ⅰ，ⅡA期（第8版）：手術＋化学療法

　外科的切除を含む治療により，5年生存率が40〜70％になることが報告されている[1〜4]。標準療法として，外科的切除後に化学療法としてシスプラチン＋エトポシド療法（PE療法）を4コース実施することが推奨されている。

2) Stage Ⅰ，ⅡA期（第8版）以外：化学放射線療法

　全身状態の良い患者では，化学療法（PE療法4コース）に胸部放射線療法を併用した化学放射線療法によって，生存期間が改善されることが示されている[5, 6]。胸部放射線療法は加速過分割照射を化学療法早期に同時に行うことが推奨されているが，加速過分割照射が困難な場合には，通常照射も選択肢となる。

(1) PE＋加速過分割照射放射線治療併用療法

4週ごと[注1]

抗がん薬	day	1	2	3	4〜7	8〜14	15〜21	22〜28
シスプラチン　80mg/m²/日　点滴静注		↓				休薬		
エトポシド　100mg/m²/日　点滴静注		↓	↓	↓				
放射線療法[注2]　45Gy/30回　1.5Gy/回　1日2回					（1日2回　週5回）放射線はday2より併用	（1日2回　週5回）	（1日2回　週5回）	

注1：PE療法は3〜4週間ごとであるが，放射線併用時は1コース4週間とする
注2：加速過分割照射法（化学療法1コース目day2より併用）

- 主な副作用：骨髄抑制（エトポシド），放射線照射による食道粘膜炎や放射性肺臓炎など。放射線併用により化学療法の副作用が遅延増強される。
- 放射線療法のタイミング：メタアナリシスによって，逐次併用よりも同時併用の方が5年生存率を改善することが明らかとなっている（早期同時併用群：23.7%，逐次併用群：18.3%）[7]。
- 放射線療法の照射方法：PE療法に併用する胸部放射線療法として，通常照射（1日1回，1回1.8Gy，総線量45Gy）と加速過分割照射（1日2回，1回1.5Gy，総線量45Gy）を比較した試験では，加速過分割照射法が通常照射と比較して5年生存率が有意に優れていた（加速過分割照射群：26%，通常照射群：16%）。加速過分割照射群では食道炎が高頻度であったことから副作用対策が必要である[8]。

1-2　進展型小細胞肺がん（extensive disease：ED）の一次治療

　進展型小細胞肺がんに対する治療は薬物療法が主体となる。PE療法で4コースと6コースを比較した臨床試験において，生存期間は6コース施行群でやや良い傾向（4コース群：8.5カ月，6コース群：9.5カ月）がみられたものの，有意な差は認められていない[9]ため，ED初回治療に関する臨床試験の多くは4コースとなっている。ED症例に対する初回治療として，化学療法と免疫チェックポイント阻害薬（ICI）を併用するレジメンでは化学療法との併用を4コース施行後にICI単剤を継続することとなっている。

1）一次治療（PS0〜2，70歳以下）：PI療法とPE療法

　70歳以下でPS（Performance Status）が良好（PS0〜2）な症例ではシスプラチン＋イリノテカン療法（PI療法）が推奨されている。
　このような症例に対して海外では，シスプラチン＋エトポシド療法（PE療法）が標準療法となっている[10, 11]。一方，日本で実施されたJCOG9511試験において，PI療法群がPE療法群よりも有意にOSを延長することが確認されたため，日本国内ではPI療法が標準療法と位置づけられている[12]。メタアナリシスでは，「プラチナ製剤＋イリノテカン」群で有意に奏効率が高く，生存期間を延長していたが，副作用として血液毒性が軽度，嘔吐，下痢の頻度が高いことが示されている[13〜15]。イリノテカンによる下痢や嘔吐などの消化器毒性が懸念される患者，イリノテカンの投

与が禁忌である間質性肺炎の既往のある患者においてはPE療法が選択されている。

(1) PI療法

4週ごと，4コース

抗がん薬 \ day	1	8	15	16〜28
シスプラチン　60mg/m²/日 点滴静注	↓			休薬
イリノテカン　60mg/m²/日 点滴静注	↓	↓	↓	

・主な副作用（イリノテカン）：白血球減少，好中球減少，下痢

(2) PE療法

3週ごと

抗がん薬 \ day	1	2	3	4〜21
シスプラチン　80mg/m²/日 点滴静注	↓			休薬
エトポシド　100mg/m²/日 点滴静注	↓	↓	↓	

・主な副作用：骨髄抑制（エトポシド）

2) 一次治療（PS0〜2，71歳以上）

　PS0〜2，71歳以上の症例を対象としたPI療法のエビデンスは存在していない。これらの症例に対しては，日本の75歳未満，PS0〜3の症例を対象とした臨床試験[16]の結果をもとにPE療法が標準療法となっている。しかし，高齢者に対するシスプラチン併用レジメンは腎毒性や血液毒性が懸念されることから，シスプラチンの一括投与が難しい症例では，シスプラチンをカルボプラチンに切り替えたカルボプラチン＋エトポシド療法（CE療法）もしくはシスプラチンを分割投与するsplit PE療法（SPE療法）が用いられることが多い（1-4　高齢者およびPS不良例に対する治療の項参照）。

(1) CE療法

3週または4週ごと

抗がん薬 \ day	1	2	3	4〜21 or 28
カルボプラチン　AUC5 点滴静注	↓			休薬
エトポシド　80mg/m²/日 点滴静注	↓	↓	↓	

・主な副作用：骨髄抑制（カルボプラチン，エトポシド）

(2) SPE療法

3週または4週ごと

抗がん薬	day	1	2	3	4〜21 or 28
シスプラチン　25mg/m²/日 点滴静注		↓	↓	↓	休薬
エトポシド　80mg/m²/日 点滴静注		↓	↓	↓	

・主な副作用：骨髄抑制（エトポシド）

3）一次治療（PS0〜1）

近年EDでは，化学療法にICIを上乗せしたレジメンの有用性が示されている。

PS0〜1の症例を対象として，カルボプラチン＋エトポシド療法（CE療法）にアテゾリズマブを併用（その後アテゾリズマブ維持療法に移行）したIMpower133試験[17]，プラチナ製剤併用レジメン（PE療法もしくはCE療法）にデュルバルマブを併用（その後デュルバルマブ維持療法に移行）したCASPIAN試験[18]において，どちらもOSの延長が認められた臨床試験の結果をもとに，PS0〜1のED症例では，プラチナ併用レジメンにアテゾリズマブもしくはデュルバルマブを併用するレジメンが推奨されている。

(1) CE＋アテゾリズマブ療法

3週ごと[注1]

抗がん薬	day	1	2	3	4〜21
カルボプラチン　AUC5 点滴静注		↓			休薬
エトポシド　100mg/m²/日 点滴静注		↓	↓	↓	
アテゾリズマブ　1,200mg/body 点滴静注（1時間[注2]）		↓			

注1：4コース終了後，腫瘍の増悪が認められなければアテゾリズマブの単独投与（3週ごと）を継続する
注2：初回投与の忍容性が良好であれば2回目以降の投与時間を30分間まで短縮可能

・主な副作用：骨髄抑制（カルボプラチン，エトポシド）

(2) CE＋デュルバルマブ療法

3週ごと，4コース

抗がん薬 \ day	1	2	3	4～21
カルボプラチン　AUC5～6 点滴静注	↓			
エトポシド　80～100mg/m²/日 点滴静注	↓	↓	↓	休薬
デュルバルマブ　1,500mg/body注 点滴静注（1時間）	↓			

腫瘍の増悪が認められなければ以降は4週ごと

抗がん薬 \ day	1	2～28
デュルバルマブ 1,500mg/body注 点滴静注（1時間）	↓	休薬

注：体重30kg以下の場合には20mg/kgとする

・主な副作用：骨髄抑制（カルボプラチン，エトポシド）

(3) PE＋デュルバルマブ療法

3週ごと，4コース

抗がん薬 \ day	1	2	3	4～21
シスプラチン　75～80mg/m² 点滴静注	↓			
エトポシド　100mg/m²/日 点滴静注	↓	↓	↓	休薬
デュルバルマブ　1,500mg/body注 点滴静注（1時間）	↓			

腫瘍の増悪が認められなければ以降は4週ごと

抗がん薬 \ day	1	2～28
デュルバルマブ 1,500mg/body注 点滴静注（1時間）	↓	休薬

注：体重30kg以下の場合には20mg/kgとする

1-3　EDの二次治療

　小細胞肺がんは化学療法や放射線療法など初回治療に対する感受性が高く，完全奏効が得られる症例も一部存在するが，大部分の症例においてその後再発を来す。

　再発小細胞肺がんを対象とした多くの臨床試験では，初回の化学療法終了から再発までの期間が長い症例の方が短い症例と比べて，再発後の化学療法が奏効することが知られている。なお，多くの臨床試験では慣例的に，初回化学療法が奏効しかつ初回治療終了後から再発までの期間が60～90日以上の長い症例を「Sensitive relapse」，それ以外を「Refractory relapse」と定義しており，現行の「肺癌診療ガイドライン2020年版」でもその定義が踏襲されている。Sensitive relapse症例の方が再発時の化学療法の効果が高く，生存期間が長いことが報告されている[19, 20]。

1）Sensitive relapseに対する化学療法

　再発小細胞肺がんのSensitive relapse症例では，ノギテカン*（NGT）単剤，アムルビシン（AMR）単剤，シスプラチン＋エトポシド＋イリノテカン（PEI）療法の有効性が示されている。PEI療法はNGT療法に対してOSの延長が認められているが，毒性が強いうえに，長期入院が必要となることからオプションの1つとして考えられている[21]。

＊ノギテカン（Nogitecan）は日本名称（JAN）であり，海外ではトポテカン（Topotecan：USAN）といった名称でよばれている。

(1) NGT療法

3週ごと

抗がん薬 / day	1	2	3	4	5	6〜21
ノギテカン　1mg/m²/日 点滴静注（30分）	↓	↓	↓	↓	↓	休薬

・主な副作用：白血球減少

(2) AMR療法

3週ごと

抗がん薬 / day	1	2	3	4〜21
アムルビシン　40mg/m²/日 緩徐に静注	↓	↓	↓	休薬

・主な副作用：骨髄抑制，心毒性

(3) PEI療法

2週ごと，5コース（G-CSF製剤の予防投与あり）

抗がん薬 / day	1	2	3	8	9〜14
シスプラチン　25mg/m²/日 点滴静注	↓			↓	
エトポシド　60mg/m²/日 点滴静注	↓	↓	↓		休薬
イリノテカン　90mg/m²/日 点滴静注				↓	

・主な副作用：骨髄抑制（エトポシド），白血球減少（イリノテカン），好中球減少（イリノテカン），下痢（イリノテカン）

2) Refractory relapseに対する化学療法

再発小細胞肺がんのRefractory relapse症例では，AMR療法によるOS延長効果が示されている[22]。一方，Refractory relapse症例に対するNGT療法は，BSCと比較した第Ⅲ相臨床試験においてOSの有意な延長は認められなかった[23]。

3) Re-challenge療法

全身状態の良いSensitive relapse症例に対して，初回化学療法と同じレジメンを再投与するRe-challenge療法は日常臨床でしばしば行われているが，その有効性に関する報告は1980年代の古

いものに限られている。Re-callenge療法に関して前向きに有効性を検討した最近の報告はなく[24, 25]，現時点では標準療法とはなっていない。

1-4 高齢者およびPS不良例に対する治療

　肺がんに対する化学療法ではプラチナ系の抗がん薬がキードラッグとなるが，高齢者やPS不良例ではその毒性が障壁となることが多い。シスプラチンの投与が可能な患者を対象とした臨床試験における年齢別サブグループ解析では70歳以上群，70歳未満群で明らかな有効性や毒性の違いがみられなかったことが報告されている[26]が，高齢者やPS不良症例に関するエビデンスは限定的である。

　70歳以上のPS0〜2の高齢者および70歳以下のPS3の患者を対象にした，シスプラチン分割投与＋エトポシド療法（SPE療法）とカルボプラチン＋エトポシド療法（CE療法）を比較した臨床試験（JCOG9702）では，奏効率およびOSがほぼ同等であったことからPS3の患者や75歳以上の患者，シスプラチンの一括投与が難しい患者にはカルボプラチン＋エトポシド療法も推奨されており[27]，実臨床ではCE療法が用いられることが多い。

【参考文献】

1) Shah SS et al：Results of operation without adjuvant therapy in the treatment of small cell lung cancer. Ann Thorac Surg, 54(3):498-501, 1992
2) Rea F et al：Long term results of surgery and chemotherapy in small cell lung cancer. Eur J Cardiothorac Surg, 14(4):398-402, 1998
3) Inoue M et al：Surgical results for small cell lung cancer based on the new TNM staging system. Thoracic Surgery Study Group of Osaka University, Osaka, Japan. Ann Thorac Surg, 70(5):1615-1619, 2000
4) Shepherd FA et al：Adjuvant chemotherapy following surgical resection for small-cell carcinoma of the lung. J Clin Oncol, 6(5):832-838, 1988
5) Pignon JP et al：A meta-analysis of thoracic radiotherapy for small-cell lung cancer. N Engl J Med, 327(23):1618-1624, 1992
6) Warde P et al：Does thoracic irradiation improve survival and local control in limited-stage small-cell carcinoma of the lung? A meta-analysis. J Clin Oncol, 10(6):890-895, 1992
7) Takeda M et al：Phase III study of concurrent versus sequential thoracic radiotherapy in combination with cisplatin and etoposide for limited-stage small-cell lung cancer: results of the Japan Clinical Oncology Group Study 9104. J Clin Oncol, 20(14):3054-3060, 2002
8) Turrisi AT 3rd et al：Twice-daily compared with once-daily thoracic radiotherapy in limited small-cell lung cancer treated concurrently with cisplatin and etoposide. N Engl J Med, 340(4):265-271, 1999
9) Veslemes M et al：Optimal duration of chemotherapy in small cell lung cancer: a randomized study of 4 versus 6 cycles of cisplatine-etoposide. J Chemother, 10(2):136-140, 1998
10) Baka S et al：Phase III randomised trial of doxorubicin-based chemotherapy compared with platinum-based chemotherapy in small-cell lung cancer. Br J Cancer, 99(3):442-447, 2008
11) Pujol JL et al：Is there a case for cisplatin in the treatment of small-cell lung cancer? A meta-analysis of randomized trials of a cisplatin-containing regimen versus a regimen without this alkylating agent. Br J Cancer, 83(1):8-15, 2000
12) Noda K et al：Irinotecan plus cisplatin compared with etoposide plus cisplatin for extensive small-cell lung cancer. N Engl J Med, 346(2):85-91, 2002
13) Jiang L et al：Safety of irinotecan/cisplatin versus etoposide/cisplatin for patients with extensive-stage small-

cell lung cancer: a metaanalysis. Clin Lung Cancer, 8(8):497-501, 2007
14) Jiang J et al : A meta-analysis of randomized controlled trials comparing irinotecan/platinum with etoposide/platinum in patients with previously untreated extensive-stage small cell lung cancer. J Thorac Oncol, 5(6):867-873, 2010
15) Lima JP et al : Camptothecins compared with etoposide in combination with platinum analog in extensive stage small cell lung cancer: systematic review with meta-analysis. J Thorac Oncol, 5(12):1986-1993, 2010
16) Fukuoka M et al : Randomized trial of cyclophosphamide, doxorubicin, and vincristine versus cisplatin and etoposide versus alternation of these regimens in small-cell lung cancer. J Natl Cancer Inst. 83(12):855-861, 1991
17) Horn L et al : First-Line Atezolizumab plus Chemotherapy in Extensive-Stage Small-Cell Lung Cancer. N Engl J Med, 379(23):2220-2229, 2018
18) Paz-Ares L et al : Durvalumab plus platinum-etoposide versus platinum-etoposide in first-line treatment of extensive-stage small-cell lung cancer (CASPIAN): a randomised, controlled, open-label, phase 3 trial. Lancet, 394(10212):1929-1939, 2019
19) Goto K et al : Combined chemotherapy with cisplatin, etoposide, and irinotecan versus topotecan alone as second-line treatment for patients with sensitive relapsed small-cell lung cancer (JCOG0605): a multicentre, open-label, randomised phase 3 trial. Lancet Oncol, 17(8):1147-1157, 2016
20) Jotte R et al : Randomized phase II trial of single-agent amrubicin or topotecan as second-line treatment in patients with small-cell lung cancer sensitive to first-line platinum-based chemotherapy. J Clin Oncol, 29(3):287-293, 2011
21) Goto K et al : A randomized phase III study of cisplatin (CDDP), etoposide (ETOP) and irinotecan versus topotecan as second-line chemotherapy in patients with sensitive relapsed small-cell lung cancer (SCLC) :Japan Clinical Oncology Group study JCOG0605. J Clin Oncol, 32:suppl, abstr7504, 2014
22) von Pawel J et al : Randomized phase III trial of amrubicin versus topotecan as second-line treatment for patients with small cell lung cancer. J Clin Oncol, 32(35):4012-4019, 2014
23) O'Brien ME et al : Phase III trial comparing supportive care alone with supportive care with oral topotecan in patients with relapsed small-cell lung cancer. J Clin Oncol, 24(34):5441-5447, 2006
24) Postmus PE et al : Retreatment with the induction regimen in small cell lung cancer relapsing after an initial response to short term chemotherapy. Eur J Cancer Clin Oncol, 23(9):1409-1411, 1987
25) Giaccone G et al : Reinduction chemotherapy in small cell lung cancer. Eur J Cancer Clin Oncol, 23(11):1697-1699, 1987
26) Safont MJ et al : Retrospective study of efficacy and toxicity on patients older than 70 years within a randomized clinical trial of two cisplatin-based combinations in patients with small-cell lung cancer. Lung Cancer, 63(1):83-87, 2009
27) Okamoto H et al : Randomised phase III trial of carboplatin plus etoposide vs split doses of cisplatin plus etoposide in elderly or poor-risk patients with extensive disease small-cell lung cancer: JCOG 9702. Br J Cancer, 97(2):162-169, 2007

（中田　英夫）

第4章 疾患

6 乳がん

【乳がんの疫学】
罹患数：94,519人，死亡数：14,650人，5年生存率：92.3%

I 乳房の基礎知識

　乳房は，母乳（乳汁）をつくる乳腺と，それを包む脂肪組織からなる（図1）。乳腺は，乳頭から放射状に並ぶ15〜20の乳腺葉に分かれている。乳腺葉は，乳管と乳腺小葉からできており，乳腺小葉は腺房という小さい組織が集まって形づくられている。また，乳房には，多数のリンパ管が通っており，乳房の外側のリンパ節の大半が腋窩リンパ節（脇の下のリンパ節）に集まっている（図2）。また，このほかの乳房から近いリンパ節としては，乳房内側の胸骨の隣にある内胸リンパ節と鎖骨の上にある鎖骨上リンパ節があげられる。女性の乳房では，授乳期にホルモンの作用で腺房が発達して母乳がつくられ，乳管を通して分泌される。
　乳がんの多くは乳管から発生し，これらは「乳管がん」とよばれる。また，がん化した乳管上皮細胞は，最初，乳管内にとどまっており，この状態のものを「乳管内がん」または「非浸潤性乳管がん」とよぶ。病態が進むと，乳管の壁である基底膜を破って周囲組織に広がり，リンパ管や血管の中に入り込むようになる。この状態のものを「浸潤性乳管がん」とよぶ。浸潤性乳管がん以外の特殊型として，粘液がん，管状がん，腺様嚢胞がん，髄様がん，アポクリンがん，浸潤性小葉がんなどが知られており，浸潤性乳がんの約10%を占めている。また，乳がんのうち，汗器官由来の

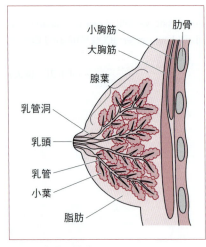

図1　乳房の構造

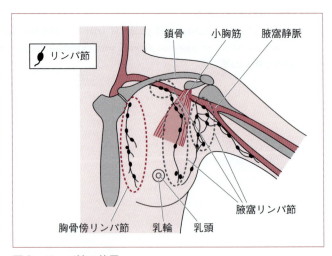

図2　リンパ節の位置

細胞ががん化する表皮内がんの一種であるPaget病は全体の0.4%程度を占めている。

2 診断

2-1 画像診断

1）マンモグラフィ

　マンモグラフィとは，乳房専用のエックス線撮影検査である。乳がんの早期発見に有効な画像診断の1つであり，検査により乳がんの初期症状である微細な石灰化や，セルフチェックなどではわかりにくい小さなしこりを画像としてとらえることができる。現在，マンモグラフィ検診（自治体が行う住民検診）の対象となっているのは有効性の証明された[1] 40歳以上の人であり，40歳未満の人に対するマンモグラフィ検診は認められていない。これは，40歳未満は乳がんになる人が比較的少ないということ，ならびに40歳未満では乳腺が発達しているため，乳腺の異常がわかりにくいことが理由である。

2）乳腺超音波検査

　乳房内の病変の有無，しこりの大きさ，脇の下など周囲のリンパ節への転移の有無などを調べる際に有用である。また，腫瘍性病変の良性・悪性の鑑別にも有用である。

2-2 病理組織学的診断法

1）穿刺吸引細胞診（fine needle aspiration：FNA）

　細い針をつけた注射器で超音波ガイド下にしこりを刺し，細胞を吸引した後に染色し，細胞の性質を顕微鏡で検査する方法である。細胞を直接検査できるため，良性・悪性の鑑別診断をほぼ確定することができる。一方，判断の難しい細胞（悪性疑いとなる細胞）を良性と見誤ることもあるため，後述する針生検のほうが確実である。

2）コア針生検（core needle biopsy：CNB）

　検査用の針を病変部に刺入し，しこりの成分を大きめに採取する。FNAに比べて針が太く，ボールペンの中芯ほどの太さの針を使用するため，局所麻酔下で行う。FNAに比べて採取可能な細胞の量は多くなるため，診断は確実に行える。

2-3 遠隔臓器診断

　腫瘍径が大きい（T3以上）場合や，腋窩リンパ節に転移がある（N1以上）場合には，胸腹部造影CTや骨シンチグラフィ，PET/CTなどを施行し，遠隔転移の有無を探索する。乳がんの遠隔転移は，骨（48%），肺（29%），皮膚（25%），リンパ節（20%），肝（19%）の順に好発する。

3 進行度診断（stage分類）

乳がんの臨床的分類を次に示す。わが国では、『臨床・病理 乳癌取扱い規約 第18版』（日本乳癌学会 編）が発刊されており、診断時の病変の広がりからstage分類する際に用いられている。第18版では、WHO分類（第4版）やUICC TNM分類（第8版）との整合性を図り、組織型分類の変更、病理学的TNM分類の記載の追加などが行われている。

1）初発乳がん

初めて乳がんと診断されたもの。
①早期がん：病変が乳腺内および局所のリンパ節にとどまるもの（stage0〜ⅢA）
②局所進行がん：病変が皮膚や胸壁、領域リンパ節に及ぶもの（stageⅢB・C）
③転移がん：遠隔臓器に転移を伴うもの（stageⅣ）

2）再発乳がん

初期治療中や初期治療後に再発が認められたもの。

4 予後因子

（1）腋窩リンパ節転移の有無とその個数
病理学的腋窩リンパ節転移陰性例では、転移陽性例に比較して予後が良好である。

（2）腫瘍浸潤径
腋窩リンパ節転移陰性例では、重要な予後因子となる。

（3）組織型
管状がん（tubular carcinoma）、髄膜がん、アポクリンがんは予後良好である。

（4）異型度
核の異型度（大きさや分裂数）に構造異型（腺管形成）を加えた組織学的Gradeが重要であり、Grade3は予後が不良である。

（5）脈管侵襲
脈管侵襲は、がん細胞が血管またはリンパ管に移動することを指す。がん細胞が周囲に広がる際には、まずはリンパ管や血管から侵入するため、それらを通り、リンパ節やほかの臓器にたどり着くことになる。つまり、病理検査により脈管侵襲が確認されると、転移・再発する危険性が高くなるといえる。

（6）エストロゲン受容体・プロゲステロン受容体・HER2のステータス
日本人女性における乳がんのホルモン受容体陽性率（エストロゲン受容体or/andプロゲステロン受容体陽性）は約80％であり、予後良好因子である。

HER2タンパクの過剰発現がみられる割合は全体の約20〜30％であり、予後不良因子である。しかし、HER2陽性例に対する抗HER2療法の進歩により、本来は予後不良であるHER2陽性例の予後は不良ではなくなった。

なお、ホルモン受容体のいずれも陰性かつHER2陰性例（いわゆるトリプルネガティブ乳がん）

は予後不良である。

(7) Ki-67

細胞増殖マーカーであるKi-67は，核小体および核分裂期の染色体上に発現するタンパク質である。高値であると予後不良な傾向であることが知られている。評価方法や基準値などについて，明確なエビデンスがあるわけではないが，後述のluminal A-typeやluminal B-typeを分類するうえでは重要な項目となっている。

(8) 多重遺伝子アッセイ

①Oncotype DX®

21の遺伝子発現を解析するアッセイであり，その結果は0～100のrecurrence score（RS）として表現される。ホルモン受容体陽性HER2陰性乳がんでリンパ節転移陰性でRS25以下であれば，薬物療法は不要となる。

②Mamma Print®

再発にかかわる70の遺伝子パターンを調べることにより，手術後5年以内の遠隔転移のリスクを予測することができる。結果はhigh riskとlow riskの2グループに分かれ，high riskとなった場合には，薬物治療が強く勧められるとしている。

5 St. Gallen Conferencesで推奨されたサブタイプ分類

1992年から2年に1回，International Breast Cancer Congress（St. Gallen Conferences）が開催されており，2011年のカンファレンスの際にサブタイプ分類別の治療が推奨された。サブタイプは，luminal A（ER関連遺伝子が高発現），luminal B（ER関連遺伝子は低発現で，高増殖能，高grade），HER2-enrich（HER2関連遺伝子が高発現），basal like（すべての関連遺伝子が低発現）などとされ，特に術後薬物療法に関して，それぞれのタイプ別の治療方針が示された（表）。

6 初発乳がんの薬物療法

6-1 非浸潤性乳管がん（DCIS）：stage 0

治療は手術が基本となる。乳房局所切除（完全切除），乳房温存切除＋放射線治療が推奨される。温存手術後の追加治療として，ホルモン陽性であれば，閉経前の場合はタモキシフェン，閉経後の場合はタモキシフェンもしくはアロマターゼ阻害薬の内服が検討される。

6-2 stage Ⅰ～ⅢA乳がん

病期により，手術，放射線療法，薬物療法を行う。乳房切除術と乳房温存術に生存期間の差はないが，温存術の場合には，乳房内再発を防ぐための術後放射線療法が実施される。

表 St.Gallen サブグループ分類

	臨床分類	治療	備考
HR（＋），HER2（－）	luminal A-like ER関連遺伝子高発現 低増殖能，低grade	ホルモン療法単独が原則となる [閉経前] 低リスク：タモキシフェン5年 中〜高リスク：タモキシフェン5〜10年 　　　　　　or LH-RH＋タモキシフェン 　　　　　　or LH-RH＋アロマターゼ阻害薬 [閉経後] 低リスク：タモキシフェン5年 or アロマターゼ阻害薬5年 中〜高リスク：アロマターゼ阻害薬5〜10年	―
	中間		―
	luminal B-like ER関連遺伝子高発現 高増殖能，高grade	ホルモン療法に加えて，化学療法も考慮する	―
HR（－），HER2（＋）	T1a 腋窩リンパ節転移（－）	全身化学療法は推奨しない	―
	T1b 腋窩リンパ節転移（－）	化学療法＋トラスツズマブ	―
	T2以上 or 腋窩リンパ節転移（＋）	アントラサイクリン系抗がん薬後に，タキサン系抗がん薬＋トラスツズマブ（トラスツズマブは計1年間）	ペルツズマブの併用も考慮
HR（＋），HER2（＋）	―	アントラサイクリン系抗がん薬後に，タキサン系抗がん薬＋トラスツズマブ（トラスツズマブは計1年間） 上記の後，前述のホルモン療法を施行	リンパ節転移陽性例には，ペルツズマブの併用も考慮

※HER（＋）に対して，T2以上やN1以上の場合には，TCHレジメン（ドセタキセル＋カルボプラチン＋トラスツズマブ）も考慮可能。
また，同様のstageに対して，術前薬物治療でpCRが得られなかった場合には，トラスツズマブ エムタンシンの使用を考慮する

	臨床分類	治療	備考
トリプルネガティブ	basal like すべての関連遺伝子が低発現	アントラサイクリン系抗がん薬とタキサン系抗がん薬を含む化学療法	stageⅠへの化学療法は原則不要，stageⅡ-Ⅲでは術前薬物療法を考慮 術前薬物治療でpCRが得られなかった患者に対しては，術後にカペシタビンを追加

1）薬物療法のタイミング

（1）術前薬物療法
　化学療法（抗HER2療法含む）を実施することで，乳房温存率が向上することが知られている。内分泌療法は閉経後のホルモン受容体陽性乳がんには許容されるが，閉経前には推奨されていない。

（2）術後薬物療法
　微小な転移による再発を予防するために実施され，その有用性が明らかになっている。前述のサブタイプ分類やTNM分類，患者ごとの再発リスクを勘案して，化学療法（抗HER2療法含む）や内分泌療法が実施される。

2）薬物療法の種類
(1) 内分泌療法
①閉経前：術後
抗エストロゲン薬（低リスクは5年間，中～高リスクは5～10年）±LH-RHアゴニスト（2～3年）
　化学療法を併用する場合には，化学療法終了後に開始することが望ましい。
　・タモキシフェン　20mg　1日1回　経口
　±ゴセレリン酢酸塩　3.6mg　月1回，皮下注（LA製剤：10.8mg　3カ月に1回）
または，
　±リュープロレリン酢酸塩　3.75mg　月1回，皮下注（SR製剤：11.25mg　12週に1回，PRO製剤：22.5mg　24週に1回）

②閉経後
抗エストロゲン薬（低リスクで5年間）
抗エストロゲン薬（2～3年）→アロマターゼ阻害薬（2～3年）：合計5年間（低リスク群）
　・タモキシフェン　20mg　1日1回　経口

アロマターゼ阻害薬（低リスクは5年間，中～高リスクは5～10年）
　アロマターゼ阻害薬の5年間内服と10年間内服を比較すると，10年間投与で再発を減少する割合が高くなるのも，骨粗鬆症などの有害事象も増加することが知られている。

アロマターゼ阻害薬
　・アナストロゾール　1mg　1日1回　経口
　・レトロゾール　2.5mg　1日1回　経口
　・エキセメスタン　25mg　1日1回　経口
抗エストロゲン薬
　・タモキシフェン　20mg　1日1回　経口

(2) 化学療法：主なレジメン
①AC療法
3週ごと，4コース

抗がん薬	day 1	2～21
ドキソルビシン　60mg/m²/日　点滴静注	↓	休薬
シクロホスファミド　600mg/m²/日　点滴静注	↓	

②TC療法
3週ごと，4コース

抗がん薬	day 1	2～21
ドセタキセル　75mg/m²/日　点滴静注	↓	休薬
シクロホスファミド　600mg/m²/日　点滴静注	↓	

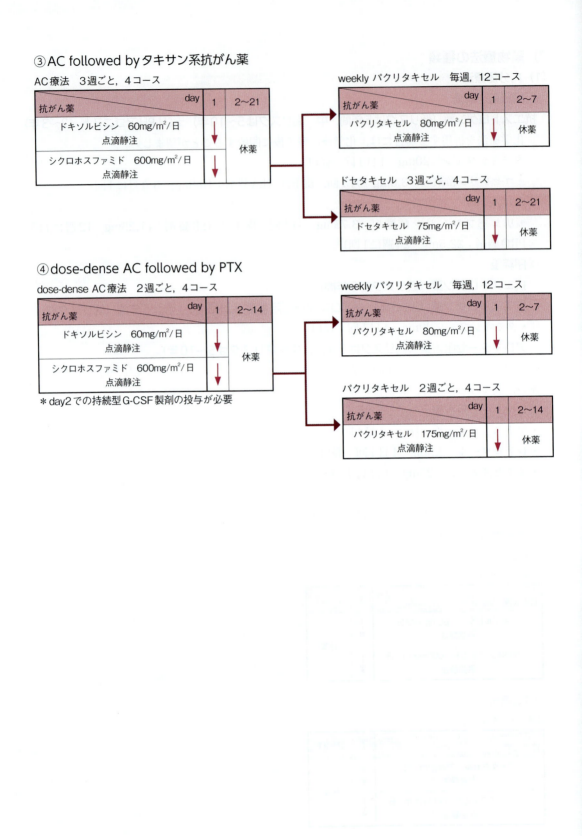

⑤AC followed byタキサン系抗がん薬＋トラスツズマブ（HER2陽性例）
⑥AC followed byタキサン系抗がん薬＋トラスツズマブ±ペルツズマブ（HER2陽性例）

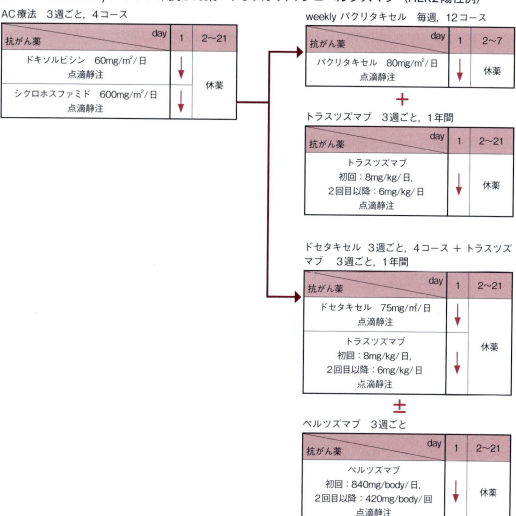

⑦トラスツズマブ エムタンシン（HER2陽性例）

術前薬物治療（抗HER2療法含む）でpCRが得られなかった場合に使用

3週ごと，14コース

抗がん薬	day 1	2〜21
トラスツズマブ エムタンシン 3.6mg/kg/日　点滴静注	↓	休薬

6-3 stage ⅢB・ⅢC乳がん

原則として，手術不能な乳がんである。全身治療が先行され，アントラサイクリン系，タキサン系，抗HER2薬（HER2陽性例）を使用した治療が推奨されている。治療によりダウンステージが得られれば，手術が検討される。

❼ 転移・再発乳がんの薬物療法

全身薬物療法を中心に，症状緩和やQOL改善を目的とした治療となる[2]。内分泌療法の適応があり，かつ生命の危険がない場合には，原則として内分泌治療から開始する。具体的には，一次内分泌治療が奏効した場合には，その治療が無効になるまで継続し，同様に二次・三次内分泌治療を進める（図3）。内分泌治療に感受性がなくなったり，病勢の進行により生命の危険が差し迫ったりした場合には，化学療法を一次治療から順に行う。なお，本アルゴリズムは抗HER2療法が開発される前の考え方である点には留意すべきである。

7-1 内分泌療法

ホルモン陽性乳がんに対して行う。内臓転移による症状が発現している場合など，生命に危険を及ぼすような転移がある場合には，化学療法を先行する。なお，術後の内分泌療法から1年以上経過した再発であれば，同じ薬剤を再投与することも可能である。

1）1st line内分泌療法
（1）閉経前
　①抗エストロゲン薬
　　タモキシフェン　20mg　1日1回　経口　連日

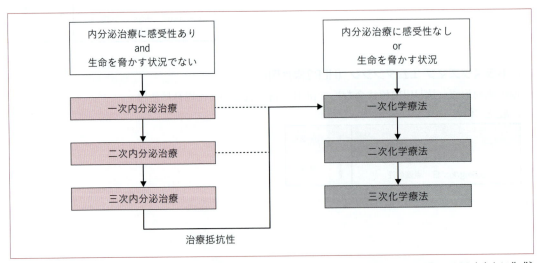

〔Hortobagyi GN：N Eng J Med, 339(14)：974-984, 1998をもとに作成〕

図3 転移・再発乳がんにおけるアルゴリズム

±ゴセレリン酢酸塩　3.6mg　月1回，皮下注（LA製剤：10.8mg　3カ月に1回）
　または，
　　±リュープロレリン酢酸塩　3.75mg　月1回，皮下注（SR製剤：11.25mg　12週に1回，
　　PRO製剤：22.5mg　24週に1回）
　②サイクリン依存性キナーゼ（CDK）4/6阻害薬
　・パルボシクリブ＋フルベストラント
　　パルボシクリブ　125mg　1日1回　21日間内服後，7日間休薬
　　フルベストラント　500mg　初回，2週間後，4週間後，その後4週間後に筋注
　　※LH-RHアゴニストと併用
　・アベマシクリブ＋フルベストラント
　　アベマシクリブ　150mg　1日2回　経口　連日
　　フルベストラント　500mg　初回，2週間後，4週間後，その後4週間後に筋注
　　※LH-RHアゴニストと併用
(2) 閉経後
　①アロマターゼ阻害薬
　　アナストロゾール　1mg　1日1回　経口
　　レトロゾール　2.5mg　1日1回　経口
　　エキセメスタン　25mg　1日1回　経口
　②サイクリン依存性キナーゼ（CDK）4/6阻害薬
　・パルボシクリブ＋レトロゾール
　　パルボシクリブ　125mg　1日1回　21日間内服後，7日間休薬
　　レトロゾール　2.5mg　1日1回　経口　連日
　・パルボシクリブ＋フルベストラント：ホルモン治療歴なし
　　パルボシクリブ　125mg　1日1回　21日間内服後，7日間休薬
　　フルベストラント　500mg　初回，2週間後，4週間後，その後4週間後に筋注
　・アベマシクリブ＋フルベストラント
　　アベマシクリブ　150mg　1日2回　経口　連日
　　フルベストラント　500mg　初回，2週間後，4週間後，その後4週間後に筋注
　・アベマシクリブ＋レトロゾールorアナストロゾール
　　アベマシクリブ　150mg　1日2回　経口　連日
　　＋アナストロゾール　1mg　1日1回　経口
　または，
　　レトロゾール　2.5mg　1日1回　経口

2) 2nd line内分泌療法
(1) 閉経前
　①LH-RHアゴニスト＋フルベストラント＋サイクリン依存性キナーゼ（CDK）4/6阻害薬
　　治療内容は前述のとおり。
　②LH-RHアゴニスト＋アロマターゼ阻害薬

③メドロキシプロゲステロン（MPA）　1回300mg　1日3回

(2) 閉経後

一次治療でサイクリン依存性キナーゼ（CDK）4/6阻害薬とアロマターゼ阻害薬を併用した場合もしくはフルベストラントを使用した場合の，最適な二次治療は確立していない。下記の治療を考慮してもよい。

①フルベストラント単独：一次治療で未使用の場合
　　フルベストラント　500mg　初回，2週間後，4週間後，その後4週間後に筋注
②タモキシフェン　1日1回　経口　連日
③mTOR阻害薬：エキセメスタン＋エベロリムス
　　エキセメスタン　25mg　1日1回　経口　連日
　　エベロリムス　10mg　1日1回　経口　連日

7-2　化学療法：主なレジメン

1）1st line化学療法

(1) AC療法

3週ごと，4コース

抗がん薬	day 1	2～21
ドキソルビシン　60mg/m²/日　点滴静注	↓	休薬
シクロホスファミド　600mg/m²/日　点滴静注	↓	

(2) パクリタキセル

毎週投与

抗がん薬	day 1	2～7
パクリタキセル　80mg/m²/日　点滴静注	↓	休薬

または

3週ごと

抗がん薬	day 1	2～21
パクリタキセル　175mg/m²/日　点滴静注	↓	休薬

(3) ドセタキセル

3週ごと

抗がん薬	day 1	2～21
ドセタキセル　60～75mg/m²/日　点滴静注	↓	休薬

(4) S-1

6週ごと

抗がん薬	day 1～28	29～42
テガフール・ギメラシル・オテラシルカリウム （体表面積）1.25m²未満　　　　　：80mg/日 　　　　　1.25m²以上1.5m²未満：100mg/日 　　　　　1.5m²以上　　　　　：120mg/日 　　　　　経口　1日2回	→	休薬

(5) ドセタキセル＋ペルツズマブ＋トラスツズマブ（HER2陽性例）

3週ごと

抗がん薬	day	1	2〜21
ドセタキセル　75mg/m²/日 点滴静注		↓	休薬
トラスツズマブ 初回：8mg/kg/日，2回目以降：6mg/kg/日 点滴静注		↓	
ペルツズマブ 初回：840mg/body/日，2回目以降：420mg/body/回 点滴静注		↓	

(6) アテゾリズマブ＋アルブミン懸濁型パクリタキセル（PD-L1陽性のトリプルネガティブ例）

4週ごと

抗がん薬	day	1	8	15	16〜28
アテゾリズマブ　840mg/body/日 点滴静注		↓			休薬
アルブミン懸濁型パクリタキセル　100mg/m²/日 点滴静注		↓	↓	↓	

(7) パクリタキセル＋ベバシズマブ

4週ごと

抗がん薬	day	1	8	15	16〜28
パクリタキセル　80mg/m²/日 点滴静注		↓	↓	↓	休薬
ベバシズマブ　10mg/kg/日 点滴静注		↓	↓		

2）2nd line以降の化学療法

(1) エリブリン

3週ごと

抗がん薬	day	1	8	9〜21
エリブリン　1.4mg/m²/日 点滴静注		↓	↓	休薬

(2) ビノレルビン

3週ごと

抗がん薬	day	1	8	9〜21
ビノレルビン　25mg/m²/日 点滴静注		↓	↓	休薬

(3) ゲムシタビン

3週ごと

抗がん薬	day	1	8	9〜21
ゲムシタビン　1,250mg/m²/日 点滴静注		↓	↓	休薬

(4) アルブミン懸濁型パクリタキセル

3週ごと

抗がん薬	day	1	2〜21
アルブミン懸濁型パクリタキセル　260mg/m²/日 点滴静注		↓	休薬

(5) カペシタビン

A法：4週ごと

抗がん薬	day	1〜21	22〜28
カペシタビン　1,650mg/m²/日 経口　1日2回		→	休薬

B法：3週ごと

抗がん薬	day	1〜14	15〜21
カペシタビン　2,500mg/m²/日 経口　1日2回		→	休薬

(6) S-1

6週ごと

抗がん薬	day	1〜28	29〜42
テガフール・ギメラシル・オテラシルカリウム （体表面積）1.25m²未満　　　：80mg/日 　　　　1.25m²以上1.5m²未満：100mg/日 　　　　1.5m²以上　　　　　　：120mg/日 経口　1日2回		→	休薬

(7) トラスツズマブ エムタンシン（HER2陽性例）

3週ごと

抗がん薬	day	1	2〜21
トラスツズマブ エムタンシン　3.6mg/kg/日 点滴静注		↓	休薬

3) 3rd line以降の化学療法

(1) ラパチニブ＋カペシタビン（HER2陽性例）

3週ごと

抗がん薬	day	1〜14	15〜21
ラパチニブ　1,250mg/日 経口　1日1回		→	
カペシタビン　2,000mg/m²/日 経口　1日2回		→	休薬

(2) トラスツズマブ デルクステカン（HER2陽性例）

3週ごと

抗がん薬	day	1	2～21
トラスツズマブ デルクステカン 5.4mg/kg/日 点滴静注		↓	休薬

8 その他

8-1 遺伝性乳がん卵巣がん症候群（HBOC）[3]

わが国でも『遺伝性乳癌卵巣癌（HBOC）診療の手引き2017年版（2020年一部改訂）』が発刊され，BRCA1/2検査の対象者と情報提供のタイミングの推奨が案内されたところである。

手引きでBRCA1/2の遺伝学的検査を提供すべきと推奨されたのは，

・すでに家系内でBRCA1/2の病的バリアント保持が確認されている
・乳がんを発症しており，45歳以下，60歳以下でトリプルネガティブ，2個以上の原発性乳がん
・第3度近親者内に乳がんまたは卵巣がん発症者が1名以上
・卵巣がん／卵管がんおよび腹膜がんを発症
・男性乳がん
・がん発症者でPARP阻害薬に対するコンパニオン診断の適格基準を満たす場合

となっている。二次予防のためにはHBOC診断後のカウンセリングと適切な医療介入が重要であり，近親者への情報提供も含めた緊密な連携が不可欠となる。

1）PARP阻害薬

PARP阻害薬であるオラパリブは，BRCA1/2遺伝子変異を有するHER2陰性の転移・再発乳がんへの効果が認められている。オラパリブの適応となるか否かは，「BRCA Analysis診断システム」で診断が可能である。また，最近ではBRCA1/2遺伝子変異を有するHER2陰性の高リスク早期乳がんに対して，術後にオラパリブを使用することのメリットも報告[4]されており，適応の拡大に期待がもたれている。

8-2 MSI-High

手術などで採取したがん細胞を用いたMSI検査によって，「高頻度マイクロサテライト不安定性（MSI-High）」とよばれる特徴をもつがんか否かを調べる。検査の結果，MSI-Highの特徴が確認された場合，ペムブロリズマブなどの免疫チェックポイント阻害薬を用いた治療法が採用される。乳がんでMSI-Highとなるのは1%未満の頻度とされている[5]。

8-3 *NTRK*融合遺伝子変異陽性

　TRK（トロポミオシン受容体キナーゼ）は，神経細胞の分化や維持に関わるタンパク質である。TRKタンパク質を作り出すNTRK遺伝子が，ほかの遺伝子と結合した状態で確認されることがあり，このような，ある遺伝子がほかの遺伝子と結合して1つの遺伝子のようにふるまう変異を「融合」とよぶ。NTRK遺伝子と融合する相手の遺伝子はさまざまであり，ほかの遺伝子と融合したNTRK融合遺伝子から異常なタンパク質（TRK融合タンパク質）が作られると，細胞増殖が盛んになり，がんが発生しやすくなると考えられている。浸潤性乳管がんでは0.1％未満の頻度と少ないが，乳腺分泌がんでの頻度は80％以上との報告がある[6〜10]。わが国では，NTRK融合遺伝子変異陽性のがんに対して，エヌトレクチニブとラロトレクチニブの使用が可能である。

【参考文献】
1) 日本乳癌学会　編：患者さんのための乳がん診療ガイドライン2019年版，金原出版，2019
2) Hortobagyi GN：Treatment of breast cancer. N Engl J Med, 339(14):974-984, 1998
3) Kuchenbaecker KB et al：Risks of Breast, Ovarian, and Contralateral Breast Cancer for BRCA1 and BRCA2 Mutation Carriers. JAMA, 317(23):2402-2416, 2017
4) Andrew NJ Tutt et al：Adjuvant Olaparib for Patients with *BRCA1*- or *BRCA2*-Mutated Breast Cancer. N Engl J Med, 384(25):2394-2405, 2021
5) 日本乳癌学会　編：患者さんのための乳がん診療ガイドライン2019年版，金原出版，p.192，2019
6) Castillo MD et al：Secretory Breast Carcinoma: A Histopathologic and Genomic Spectrum Characterized by a Joint Specific ETV6-NTRK3 Gene Fusion. Am J Surg Pathol, 39(11):1458-1467, 2015
7) Makretsov N et al：A fluorescence in situ hybridization study of ETV6-NTRK3 fusion gene in secretory breast carcinoma. Genes Chromosomes Cancer, 40(2):152-157, 2004
8) Tognon C et al：Expression of the ETV6-NTRK3 gene fusion as a primary event in human secretory breast carcinoma. Cancer Cell, 2(5):367-376, 2002
9) Laé M et al：Secretory breast carcinomas with ETV6-NTRK3 fusion gene belong to the basal-like carcinoma spectrum. Mod Pathol, 22(2):291-298, 2009
10) Stransky N et al：The landscape of kinase fusions in cancer. Nat Commun, 5:4846, 2014

（花香　淳一）

第4章 疾患

7 胃がん

【胃がんの疫学】
　罹患数：126,009人，死亡数：42,319人，5年生存率：66.6%

1 胃の基礎知識

　胃は食道と小腸の間に位置する袋状の臓器であり，全体が左側に弧状に弯曲している。大きく膨らんでいる左側を大弯，膨らみが小さく，反った形になっている右側を小弯とよぶ。胃は解剖学的には食道につながる入口付近の噴門部，これに続く胃体部，胃体の上端部にあり，円蓋状をなす胃底部および十二指腸につながる出口付近の幽門部に区分される。

　胃の壁は内側から順に，胃液や粘液を分泌する粘膜，粘膜を支える粘膜筋板，粘膜と固有筋層をつなぐ粘膜下層，胃の動きを担当する固有筋層，胃全体を包む薄い膜である漿膜などに大別される。

　胃がんは，胃壁のどのくらいの深さまで入り込んでいるか（深達度）で，粘膜または粘膜下層にとどまる早期胃がんと固有筋層より深くに及ぶ進行胃がんに分類され，リンパ節や他臓器への転移の程度により病期と治療方針が決定される。

2 進行度と治療概要（外科，放射線治療など）

2-1 進行度診断（Stage分類）

　『胃癌取扱い規約 第15版』より，臨床進行度分類が新たに設定された[1]。臨床分類と病理分類の混乱を避けるため，進行度には接頭辞cまたはpを明記することとする。
　進行度分類（臨床分類）：cTNM，cStage－画像診断，審査腹腔鏡または開腹所見による総合診断
　進行度分類（病理分類）：pTNM，pStage－胃切除後の病理所見による診断

2-2 内視鏡治療

　内視鏡を口から胃に入れ，内視鏡の先についたワイヤーや電気メスでがんを切除し，そのままつかんで口から取り出す。内視鏡治療は主に分化型がんに対して行われる。
　①EMR（endoscopic mucosal resection）
　　胃の粘膜病変を挙上して鋼線のスネアをかけ，高周波により焼灼切除する方法である[2, 3]。
　②ESD（endoscopic submucosal dissection）
　　高周波ナイフを用いて病巣周囲の粘膜を切開し，さらに粘膜下層を剥離して切除する方法である[4〜6]。

2-3　手術療法

　手術によりがんを切除する外科的な治療法で，主にStage Ⅰ～Ⅲの胃がんに対して行う。胃の全部を切除する方法と，胃を部分的に切除する方法がある。腹壁を切開して治療を行う手術（開腹手術），腹腔鏡を使った手術（腹腔鏡下手術）がある。胃がんの手術は，がんがある部位を切り取る「胃切除」と，がんが転移しやすいリンパ節を取り除く「リンパ節郭清」をセットで行うことが基本である。

1）治癒手術における定型手術と非定型手術
(1) 定型手術
　胃の2/3以上切除とD2リンパ節郭清を行う。
(2) 非定型手術
　①縮小手術：切除範囲やリンパ節郭清程度が定型手術に満たないもの（D1，D1＋など）
　②拡大手術：他臓器合併切除を加える拡大合併切除手術，D2を越えるリンパ節郭清を行う拡大郭清手術

2）非治癒手術
(1) 緩和手術（姑息手術：palliative surgery）
　治癒切除不能症例における出血や狭窄などの切迫症状を改善するために行う手術。Stage Ⅳ症例に対しての選択肢の1つ。
(2) 減量手術（reduction surgery）
　切除不能の肝転移や腹膜転移などの非治癒因子を有し，かつ出血，狭窄，疼痛など腫瘍による症状のない症例に対して行う胃切除術。腫瘍量を減らし，症状の出現や死亡までの時間を延長するのが目的であるが，減量手術の延命効果は認められないため，全身化学療法が施行可能な症例ではこれを行わないことが推奨される[7]。

❸ 胃がんの薬物治療

3-1　補助化学療法

　D0/D1手術が標準の欧米と，D2手術を標準とするわが国の手術の違いから，欧米で証明された補助療法をそのままわが国に適用することはできない。胃がんの術後は経口摂取が低下するなどのために強力な化学療法を行うことが難しいだけでなく，合併症などにより術後補助化学療法ができない症例もある。一方，術前には強力な化学療法を行いやすいメリットがあり，治癒率の向上が期待される。

1）術前補助化学療法
　術前補助化学療法は画像診断にて「治癒切除可能である」ことが前提であり，bordrline resectableや切除不能例であったが化学療法の著効したことにより切除可能へconversionするこ

と（conversion chemotherapy）とは厳密に区別されるべきである。

欧米では術前補助化学療法が標準治療とされているが，現段階ではまだわが国の日常診療に導入できるだけのエビデンスが揃っていない。

①SP療法（CS療法）

4週ごと，2コース

抗がん薬 \ day	1～7	8	9～21	22～28
シスプラチン 60mg/m²/日 点滴静注（2時間）		↓		休薬
テガフール・ギメラシル・オテラシルカリウム BSA 1.25m²未満：40mg/回, 1.25～1.5m²未満：50mg/回, 1.5m²以上：60mg/回 経口 1日2回	→			休薬

注：BSA（Body Surface Area），体表面積

- 「Bulky N」に対するS-1＋シスプラチン併用療法を用いた術前補助化学療法を行うことで良好な成績が報告され，標準治療とみなされているが，予後不良なスキルス胃がんに対する比較試験ではS-1＋シスプラチン併用療法を用いた術前補助化学療法の優越性は示されなかった[8]。

  ※Bulky N：総肝動脈，腹腔動脈，脾動脈などに沿って長径3cm以上のリンパ節転移，少数の傍大動脈（No.16a2/b1）のいずれかがある場合で，外科的切除単独では予後不良

②周術期SOX療法

3週ごと，術前3コース，術後5コース

抗がん薬 \ day	1	15	16～21
オキサリプラチン 130mg/m²/日 点滴静注（2時間）	↓		休薬
テガフール・ギメラシル・オテラシルカリウム BSA 1.25m²未満：40mg/回, 1.25～1.5m²未満：50mg/回, 1.5m²以上：60mg/回 経口 1日2回（day1夕～day15朝）	→		休薬

注：BSA（Body Surface Area）

②' S-1単剤療法

6週ごと，3コース

抗がん薬 \ day	1～28	29～42
テガフール・ギメラシル・オテラシルカリウム BSA 1.25m²未満：40mg/回, 1.25～1.5m²未満：50mg/回, 1.5m²以上：60mg/回 経口 1日2回	→	休薬

注：BSA（Body Surface Area）

- 術前3～6週に術前化学療法3コース，術後4～8週の間に5コース目をスタートさせ，計8コースを行う。その後，S-1単剤療法を3コース行う。術後CapeOX療法に対する無病生存期間における優越性が証明されている。わが国と手術手技や手術成績が近いアジア（中国）からの報告（RESOLVE試験）[9]。
- 本SOX療法のオキサリプラチンの用量は130mg/m²で行われている。

③DOS療法

3週ごと，3コース

抗がん薬	day	1	2～15	16～21
ドセタキセル　50mg/m²/日 点滴静注（1時間）		↓		休薬
オキサリプラチン　100mg/m²/日 点滴静注（2時間）		↓		
テガフール・ギメラシル・オテラシルカリウム 　BSA　1.25m² 未満：40mg/回， 　　　　1.25～1.5m² 未満：50mg/回， 　　　　1.5m² 以上：60mg/回 　経口　1日2回（day1 夕～day15 朝）		→		

注：BSA（Body Surface Area）

- cT2,3/N＋M0またはcT4/N［any］M0を対象に，術後S-1単剤療法へ術前薬物療法を上乗せすることで，無増悪生存期間が向上することが証明されている（HR：0.70）。わが国と手術手技や手術成績が近いアジア（韓国）からの報告（PROGIDY試験）[10]。
- わが国でも，DTX：40mg/m²，レジメン施行数2～3コースとして行われた第Ⅱ相試験の良好な結果も出てきている。

2）術後補助化学療法

適切な術後補助化学療法により切除術後の治癒率の向上が得られることから，pStage Ⅱ/Ⅲ胃がんに対して術後補助化学療法を行うことが推奨される。治癒切除されたStage Ⅳ胃がんに対する術後補助化学療法については，その有効性が示唆されるものの，比較試験による術後補助化学療法のエビデンスはないため，推奨度は低い。

①S-1単剤療法

6週ごと，8コース（1年間）

抗がん薬	day	1～28	29～42
テガフール・ギメラシル・オテラシルカリウム 　BSA　1.25m² 未満：40mg/回， 　　　　1.25～1.5m² 未満：50mg/回， 　　　　1.5m² 以上：60mg/回 　経口　1日2回		→	休薬

注：BSA（Body Surface Area），体表面積

- S-1投与は可能な限り1年間の継続が推奨される[11]。
- 術後6週間以内に開始し，術後1年間継続する。術後1年を超えたら新たなコースには入らない。
- 術後補助療法中もしくは終了後早期（6カ月以内）の再発の場合，S-1抵抗性と判断する。術後補助療法6カ月以降の再発の場合，全身状態が良好であればファーストラインと同様に治療することが可能と考えられる。

②CapeOX療法

3週ごと，8コース（6カ月）

抗がん薬 \ day	1	2〜15	16〜21
オキサリプラチン　130mg/m²/日 点滴静注（2時間）	↓		休薬
カペシタビン　2,000mg/m²/日 経口　1日2回（day1夕〜day15朝）	→	→	

- 術後補助化学療法群は手術単独群と比較して，DFS（Disease Free Survival：3年無増悪生存期間）ならびにOS（Overall Survival：全生存期間）の有意な延長を認めた[12]。
- S-1単剤療法との比較として，S-1の効果はNステージの進行とともに減弱するが，CapeOX療法は減弱しない一方，S-1よりも毒性が強い。

③S-1＋DTX療法

1コース

抗がん薬 \ day	1〜14	15〜21
テガフール・ギメラシル・オテラシルカリウム BSA　1.25m²未満：40mg/回， 1.25〜1.5m²未満：50mg/回， 1.5m²以上：60mg/回 経口　1日2回	→	休薬

注：BSA（Body Surface Area），体表面積

3週ごと，6コース（2〜7コース目）

抗がん薬 \ day	1	2〜15	16〜21
ドセタキセル　40mg/m²/日 点滴静注（1時間）	↓		休薬
テガフール・ギメラシル・オテラシルカリウム BSA　1.25m²未満：40mg/回， 1.25〜1.5m²未満：50mg/回， 1.5m²以上：60mg/回 経口　1日2回（day1夕〜day15朝）	→	→	

注：BSA（Body Surface Area），体表面積

6週ごと，術後1年まで

抗がん薬 \ day	1〜28	29〜42
テガフール・ギメラシル・オテラシルカリウム BSA　1.25m²未満：40mg/回， 1.25〜1.5m²未満：50mg/回， 1.5m²以上：60mg/回 経口　1日2回	→	休薬

注：BSA（Body Surface Area），体表面積

- pStage Ⅲ胃がんを対象として，S-1に対するS-1＋ドセタキセル併用療法の優越性が示された（JACCRO GC-07試験）[13]。
- 最初の1コースはS-1単剤で，2〜7コース目は併用療法を行い，8コース目以降は，S-1（4投2休）で術後1年まで継続。

④SOX療法

3週ごと，8コース（6カ月）

抗がん薬	day 1	2〜15	16〜21
オキサリプラチン 100mgもしくは130mg/m^2/日 点滴静注（2時間）	↓		休薬
テガフール・ギメラシル・オテラシルカリウム BSA　1.25m^{2}未満：40mg/回, 　　　1.25〜1.5m^{2}未満：50mg/回, 　　　1.5m^{2}以上：60mg/回 経口　1日2回（day1夕〜day15朝）	→		休薬

注：BSA（Body Surface Area），体表面積

- pStageⅡ/Ⅲ胃がんに対して，S-1単剤に対するSOX療法の優越性が示された（ARTIST2試験）[14]。
- RESOLVE試験において，術後SOX療法は，術後CapeOX療法に対して非劣性であることが証明された[15]。
- オキサリプラチンを100mg/m^2，130mg/m^{2}のいずれで投与するのかは，患者ごとに臨床的背景（年齢，全身状態，臓器機能など）をしっかりと評価したうえで選択する必要がある。

3-2　切除不能進行・再発胃がんに対する化学療法

HER2陽性胃がんにおけるトラスツズマブを含む化学療法が標準治療として位置づけられていることから，一次化学療法前にHER2検査を行うことが強く推奨される。HER2陽性の有無により，

一次化学療法	二次化学療法	三次化学療法	四次化学療法以降
HER2（−）の場合 　S-1+CDDP 　Cape+CDDP 　SOX 　CapeOX 　FOLFOX HER2（+）の場合 　Cape+CDDP+T-mab 　S-1+CDDP+T-mab 　CapeOX+T-mab 　SOX+T-mab	MSI-Highの場合 　pembrolizumab＊ 　weekly PTX+RAM MSI-High以外の場合 　weekly PTX+RAM	HER2（−）の場合 　nivolumab 　FTD/TPI 　IRI HER2（+）の場合 　T-DXd	三次化学療法までの候補薬のうち，使用しなかった薬剤を適切なタイミングで治療を切り替えて使っていく治療戦略を考慮する

＊MSI-High胃癌に対し，二次化学療法でpembrolizumabを用いた場合には，三次治療以降でのnivolumabの投与は推奨しない。また，三次治療以降でweekly PTX+RAMの投与を考慮する。

注：このアルゴリズムは，それぞれのエビデンスとなった臨床試験の適格基準を満たすような良好な全身状態の患者を想定して，「推奨される」レジメンに限定して記載した。

（日本胃癌学会 編：胃癌治療ガイドライン 第6版，金原出版，p.33，2021）

図1　推奨される化学療法レジメン

治療レジメンが選択される。

　また，『胃癌治療ガイドライン（第6版）』において，1）推奨されるレジメン，2）条件付きで推奨されるレジメンに分けて分類されていることから，本稿でも同様に分類してレジメンの解説を行っている（図1）[16]。

ミニコラム ②HER2検査法

　HER2の検査法は，タンパクレベルでの過剰発現をみる方法，DNAレベルの増幅をみる方法，そしてmRNAレベルでの過剰発現をみる方法などに分類される。

　DNAレベルの増幅をみる代表的な方法としてISH法（FISH，DISH，SISH，CISH），タンパクレベルで過剰発現をみる代表的な方法としてIHC法があり，抗HER2薬投与適応の決定に用いられる。DNA増幅の検出法は現在FISH法のみならずDISH法，SISH法，CISH法があるため，本検出法を表す場合は「ISH法」に記載が統一された。

　乳がんに比べ胃がんは腫瘍そのものが不均一であり，腫瘍内HER2発現も不均一性の頻度が高いため，乳がんの場合はIHC法，ISH法どちらを先行させても構わないが，胃がんの場合はIHC法を先行して実施することが推奨される。

【HER2検査法】

測定対象	HER2検査法
癌組織中の *HER2*遺伝子（DNA）	Fluorescence *in situ* hybridization（FISH）
	Chromogenic *in situ* hybridization（CISH）
	Silver *in situ* hybridization（SISH）
	Dual color *in situ* hybridization（DISH）
	Southern blot
	Polymerase chain reaction（PCR）
	Next-generation sequencing（NGS）
癌組織中の *HER2*遺伝子（RNA）	Northern blot
	Reversed transcription-polymerase chain reaction（RT-PCR）
	m RNA *in situ* hybridization（ISH）
癌組織中の HER2蛋白	Immunohistochemistry（IHC）
	Western blot
血清中の HER2蛋白	Enzyme-linked immunosorbent assay（ELISA）
	Enzyme immunoassay（EIA）
	Chemiluminescent immunoassay（CLIA）

（日本病理学会　編：乳癌・胃癌HER2病理診断ガイドライン第2版, p.16, 金原出版, 2021）

【ISH法】

FISH法	遺伝子を検出するプローブに蛍光色素を標識したもので，蛍光顕微鏡下で遺伝子のコピー数をカウントする。蛍光色素を使用しているため，暗視野での観察・カウントが必須であり，励起による退色のため標本の永久保存ができない。
CISH法／SISH法	CISH法ではプローブに酵素を標識し近傍で沈着する色素の反応，SISH法では銀粒子により，それぞれ遺伝子のシグナルを可視化する。この方法では，通常の光学顕微鏡下での観察が可能で，標本の永久保存が可能である。
DISH法	SISH法とCISH法を組み合わせた方法。HER2遺伝子を銀粒子で標識（SISH法），第17番染色体のセントロメアを赤色色素で可視化（CISH法）することにより，HER2遺伝子増幅状況と腫瘍組織の形態学的特徴の同時観察を実現している。

（胃がんHER2検査病理部会：HER2検査ガイド 胃癌編［第三版］, 2014・乳がんHER2検査病理部会：HER2検査ガイド 乳癌編［第4.1版］, 2014をもとに作成）

1）推奨される化学療法レジメン
(1) 一次化学療法
〈HER2陰性に対する化学療法〉

①SP療法（CS療法）
5週ごと，6コース

抗がん薬 / day	1〜7	8	9〜21	22〜35
シスプラチン　60mg/m²/日 点滴静注（2時間）		↓		休薬
テガフール・ギメラシル・オテラシルカリウム BSA　1.25m²未満：40mg/回， 1.25〜1.5m²未満：50mg/回， 1.5m²以上：60mg/回 経口　1日2回	→→→→→→→→→→→→			休薬

注1：テガフール・ギメラシル・オテラシルカリウムのみ病勢増悪まで
注2：BSA（Body Surface Area），体表面積

- シスプラチンは蓄積毒性があり，また7コース目以降においてシスプラチン継続の有用性は示されていないため，シスプラチンの7コース目以降は投与しない。S-1はPD（増悪）まで継続。
- JCOG9912試験のsubset解析によると，60歳以上またはPS1，2の患者ではS-1＋CDDP療法に有意な統計学的な差はなかったことから[17]，高齢者へのS-1＋CDDP療法の適応については慎重に判断する必要があり，状況によってはS-1単独療法の選択を考慮する。

②XP療法
3週ごと，6コース

抗がん薬 / day	1	2〜15	16〜21
シスプラチン　80mg/m²/日 点滴静注（2時間）	↓		休薬
カペシタビン　2,000mg/m²/日 経口　1日2回（day1夕〜day15朝）	→→→→→→		休薬

注：カペシタビンは病勢増悪まで

- シスプラチンは蓄積毒性があるため，7コース目以降は投与しない。カペシタビンはPD（増悪）まで継続。
- SP療法とシスプラチン投与量が異なるので注意する。

③SOX療法（±ニボルマブ）

3週ごと，病勢増悪まで

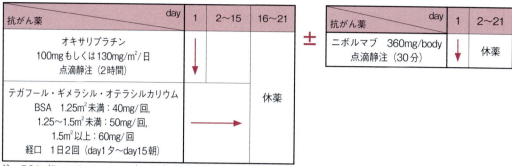

注：BSA（Body Surface Area），体表面積

- 日本人でのSOX療法における130mg/m^{2}のエビデンスは乏しく，安全性の観点から100mg/m^{2}での開始が推奨される。130mg/m^{2}で開始する場合は，血小板減少・出血イベントに注意し，慎重に投与する必要がある。
- SOX療法は，安全性の高さからS-1＋CDDP療法より高齢者に使いやすいレジメンと考えられる。一方，感覚性神経障害の頻度が高く，毒性プロファイルに応じてSOX療法もしくはSP療法が選択される。
- CPS5以上の症例には，ニボルマブ併用を推奨する[18, 19]。CPS5未満の症例，もしくはPD-L1検査実施が不可能な場合は，全身状態や後治療への移行可能性などを考慮して，有効性とニボルマブ併用による副作用増加について十分説明を行ったうえで，化学療法単独の選択肢も含めて一次治療でのニボルマブ併用を検討することが望ましい。

④CapeOX療法（±ニボルマブ）

3週ごと，8コース（6カ月）

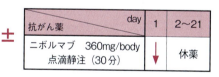

注：カペシタビンはPDまで継続

- REAL2試験において，切除不能進行・再発胃がんにおけるシスプラチンに対するオキサリプラチンの非劣性が検証されたものの[20]，エピルビシンを含む3剤併用療法（EOX療法）が用いられていたことと，REAL2試験にはわが国からの参加はなく，わが国において切除不能進行・再発胃がんに対するCapeOX療法の有効性・安全性に関するデータが不足している。
- CPS5以上の症例には，ニボルマブ併用を推奨する[18, 19]。

⑤FOLFOX療法（mFOLFOX6療法）（±ニボルマブ）

2週ごと，病勢増悪まで

抗がん薬 day	1	2	3〜14
オキサリプラチン 85mg/m²/日 点滴静注（2時間）	↓		休薬
レボホリナート 200mg/m²/日 点滴静注（2時間）	↓		
フルオロウラシル 400mg/m²/日 急速静注	↓		
フルオロウラシル 2,400〜3,000mg/m²/46時間 46時間持続静注	→		

±

抗がん薬 day	1	2〜14
ニボルマブ 240mg/body 点滴静注（30分）	↓	休薬

・すべて点滴で行えるので，高度腹水や消化管狭窄／閉塞などにより経口摂取困難症例に対しても使用可能なレジメンである。ポート留置が必要となり，治療スケジュールも2週間間隔と短くなることを考慮する必要がある。
・70歳以上の高齢者胃がんに対する一次治療（第Ⅱ相試験）[21]や，標準治療不応・不耐後のサルベージライン（レトロスペクティブ試験）[22]としての有用性も報告されている。
・腎機能低下患者でシスプラチンを含むレジメンが使用しづらく，かつ，経口摂取困難症例に対して選択可能。
・CPS5以上の症例には，ニボルマブ併用を推奨する[19]。

〈HER2陽性に対する化学療法〉

①XP＋トラスツズマブ療法

3週ごと，6コース

抗がん薬 day	1	2〜15	16〜21
シスプラチン 80mg/m²/日 点滴静注（2時間）	↓		休薬
トラスツズマブ 点滴静注 初回8mg/kg/日，2回目以降6mg/kg/日 （初回90分以上，2回目以降30分まで短縮可）	↓		
カペシタビン 2,000mg/m²/日 経口 1日2回（day1夕〜day15朝）	→		

注：カペシタビンとトラスツズマブは病勢増悪まで

・3週ごとに6コース行い，その後，カペシタビンとトラスツズマブは病勢増悪まで継続する[23]。

② SP＋トラスツズマブ療法

SP療法：5週ごと，病勢増悪まで

抗がん薬 \ day	1〜7	8	9〜21	22〜35
シスプラチン　60mg/m² /日 点滴静注（2時間）		↓		
テガフール・ギメラシル・ オテラシルカリウム BSA　1.25m² 未満：40mg/回， 1.25〜1.5m² 未満：50mg/回， 1.5m² 以上：60mg/回 経口　1日2回	→→→→			休薬

＋

トラスツズマブ：3週ごと

抗がん薬 \ day	1	2〜21
トラスツズマブ　点滴静注 初回：8mg/kg/日， 2回目以降：6mg/kg/日 （初回90分以上， 2回目以降30分まで短縮可）	↓	休薬

注：BSA（Body Surface Area），体表面積

または

3週ごと，病勢増悪まで

抗がん薬 \ day	1	2〜15	16〜21
シスプラチン　60mg/m² 点滴静注（2時間）	↓		
トラスツズマブ　点滴静注 初回：8mg/kg/日 2回目以降：6mg/kg/日 （初回90分以上，2回目以降30分まで短縮可）	↓		休薬
テガフール・ギメラシル・オテラシルカリウム BSA　1.25m² 未満：40mg/回， 1.25〜1.5m² 未満：50mg/回， 1.5m² 以上：60mg/回 経口　1日2回（day1夕〜day15朝）		→→→	

注：BSA（Body Surface Area），体表面積

- HER2陽性進行胃がんを対象としたRCT（ToGA試験）の結果より，5-FU＋CDDP/Cape＋CDDP療法に対するトラスツズマブ併用の有用性が示された[24]。ToGA試験では，シスプラチンの投与を6コースまでとしている。
- SP療法が3週ごとと5週ごとがあり，スケジュールの違いに注意する。

③ CapeOX＋トラスツズマブ療法

3週ごと，6コース

抗がん薬 \ day	1	2〜15	16〜21
オキサリプラチン　130mg/m² 点滴静注（2時間）	↓		
トラスツズマブ　点滴静注 初回：8mg/kg/日 2回目以降：6mg/kg/日 （初回90分以上，2回目以降30分まで短縮可）	↓		休薬
カペシタビン　2,000 mg/m² 経口　1日2回（day1夕〜day15朝）		→→→	

注：6コース後は，トラスツズマブ単剤で病勢増悪まで継続[25]

④SOX＋トラスツズマブ療法

3週ごと，病勢増悪まで[26]

抗がん薬 / day	1	2〜15	16〜21
オキサリプラチン　130mg/m² 点滴静注（2時間）	↓		
トラスツズマブ　点滴静注 初回：8mg/kg/日 2回目以降：6mg/kg/日 （初回90分以上，2回目以降30分まで短縮可）	↓		休薬
テガフール・ギメラシル・オテラシルカリウム BSA　1.25m²未満：40mg/回， 1.25〜1.5m²未満：50mg/回， 1.5m²以上：60mg/回 経口　1日2回（day1夕〜day15朝）	→→→→		

注：BSA（Body Surface Area），体表面積

- L-OHPの用量は，G-SOXの100mg/m²（3週ごと）ではなく，切除不能進行・再発胃がんの承認用量である130mg/m²（3週ごと）が用いられている。
- L-OHP 130mg/m²の場合は，血小板減少が高頻度に出現することが報告されているため用量調整が重要である。

(2) 二次化学療法

二次化学療法は，MSI statusで分類される。

胃がんの治療においては，病勢進行後に同じ薬剤を継続使用することについて，S-1のbeyond PDも，トラスツズマブのbeyond PDも推奨されていない。

〈MSI-Highに対する化学療法〉

①ペムブロリズマブ療法

- ペムブロリズマブ　200mg/日，点滴静注（30分），day1，3週ごと

または

- ペムブロリズマブ　400mg/日，点滴静注（30分），day1，6週ごと

- 一次治療中にMSI検査を行い，高頻度マイクロサテライト不安定性（MSI-High）と診断されれば二次治療としてペムブロリズマブを投与することを考慮する（MSI-highの取り扱いはガイドラインを確認）。

②Weekly PTX（w-PTX）＋RAM療法

4週ごと，病勢増悪まで

抗がん薬 / day	1	2〜7	8	9〜14	15	16〜21
パクリタキセル　80mg/m²/日 点滴静注（1時間）	↓	…	↓	…	↓	休薬
ラムシルマブ　8mg/kg/日 点滴静注（1時間）	↓	…	…	…	↓	

- アルコール過敏がある場合は，アルブミン懸濁型パクリタキセル（nab-PTX）への変更を考慮する。
- パクリタキセル＋RAM療法では，末梢神経障害や好中球減少などの副作用によりパクリタキセルの投与が困難な場合でも，RAM単独投与を継続しながら副作用の回復を待つことが可能である。RAM単剤療法（2週ごと）も治療選択肢の1つである。
- 末梢神経障害であればパクリタキセル，高血圧であればラムシルマブの休薬など，原因の可能性が高い薬剤のみの毒性マネジメントを行う。

〈MSI-High以外に対する化学療法〉

①Weekly PTX（w-PTX）＋RAM療法：前出参照

(3) 三次化学療法

三次化学療法はHER2 statesで分類される。

ニボルマブ，イリノテカン，FTD/TPIを直接比較した試験はないため，現時点ではこれらの薬剤の優劣や適切な投与順序については明らかではない。

〈HER2陰性に対する化学療法〉

①ニボルマブ療法

- ニボルマブ　240mg/日，点滴静注（30分間），day1，2週ごと

または

- ニボルマブ　480mg/日，点滴静注（30分間），day1，4週ごと

- ニボルマブは，化学療法の治療歴がある治癒切除不能な進行・再発の胃がんにおいて，世界で初めて全生存期間（OS）の延長を示し，胃がんにおいて世界に先駆けて承認された免疫チェックポイント阻害薬である。
- 前治療でペムブロリズマブを用いている場合には，ニボルマブの投与は推奨されない。

②トリフルリジン・チピラシル（FTD/TPI，TFTD，TAS-102）療法

- トリフルリジン・チピラシル　約35mg/m^2/回　1日2回　経口　5日間内服後，2日間休薬を2回繰り返す。14日間休薬，4週ごと

- TAGS試験において，FTD/TPI群においてプラセボと比較し，OSの延長が示された（5.7カ月 vs 3.6カ月）[27]。
- 主な副作用とその初回発現時期の目安として，好中球減少，血小板減少などの血液毒性が1コース4週間の後半2週間（休薬期間）に多く認められ，下痢，悪心・嘔吐，食欲減退，疲労などの非血液毒性は前半2週間に多く認められる傾向にある[28]。

③CTP-11療法

- イリノテカン　150mg/m^2/日　点滴静注（90分），day1，2週ごと，病勢増悪まで

- 韓国からドセタキセルとイリノテカンの医師選択の二次薬物療法の有効性を示した第Ⅲ相試験が報告され，OSの延長が示された[29]。
- 腹膜転移による腸管麻痺，腸閉塞や黄疸を有する症例，多量の腹水を有する症例では投与禁忌である。
- A法（100mg/m^2　1週間間隔で3～4回点滴静注　2週間休薬）もある。

〈HER2陽性に対する化学療法〉

①トラスツズマブ　デルクステカン（T-DXd）療法

> - トラスツズマブ　デルクステカン　6.4mg/kg/日　点滴静注（初回90分以上，2回目以降30分まで短縮可），day1　20日休薬，3週ごと

- 初回投与の忍容性が良好であれば，2回目以降の投与時間は30分間まで短縮できる。
- HER2陽性の場合，三次治療としては標準的な化学療法と比較して有意に奏効割合が高く，また生存期間の延長が報告されている。HER2陽性三次治療で化学療法と比較して生存期間延長が確認された唯一の薬剤である。

(4) 四次化学療法以降

　三次化学療法までの候補薬のうち，使用しなかった薬剤を適切なタイミングで切り替えて使っていく治療戦略を考慮する。

2）条件付きで推奨される化学療法レジメン（図2）

(1) 一次化学療法

〈HER2陰性に対する化学療法〉

① 5-FU ＋ CDDP（FP，CF）療法

3週ごと

抗がん薬	day	1	2	3	4	5	6～21
フルオロウラシル　800mg/m^2/日 持続静注		↓	↓	↓	↓	↓	休薬
シスプラチン　80mg/m^2 点滴静注（2時間）		↓					

①' 5-FU ＋ CDDP（FP，CF）療法

4週ごと

抗がん薬	day	1	2	3	4	5	6～28
フルオロウラシル　800mg/m^2/日 持続静注		↓	↓	↓	↓	↓	休薬
シスプラチン　20mg/m^2 点滴静注（30分）		↓	↓	↓	↓	↓	

- FP療法は胃がん治療において，S-1やオキサリプラチンが登場するまでは長らく日常臨床で使用されてきた。以前はS-1の内服が困難な場合などに用いられてきたが，オキサリプラチンの登場により使用頻度は減少している[23]。

```
　　　　　　一次化学療法　　　　　　　　　　　二次化学療法
　┌─────────────────────┬─────────────────────────────────┐
　│ HER2（−）の場合　　　 │ HER2（−）の場合　　　　　　　　│
　│ 5-FU+CDDP　　　　　　 │ weekly PTX　　　　　　　　　　　│
　│ 5-FU/l-LV　　　　　　 │ weekly nab-PTX　　　　　　　　　│
　│ 5-FU/l-LV+PTX　　　　 │ DTX　　　　　　　　　　　　　　 │
　│ S-1　　　　　　　　　 │ IRI　　　　　　　　　　　　　　 │
　│ S-1+DTX　　　　　　　 │ RAM　　　　　　　　　　　　　　 │
　│　　　　　　　　　　　 │ RAM+IRI　　　　　　　　　　　　 │
　│ HER2（＋）の場合　　　│ RAM+nab-PTX　　　　　　　　　　 │
　│ 5-FU+CDDP+T-mab　　　 │ HER2（＋）の場合　　　　　　　　│
　│ FOLFOX+T-mab　　　　　│ 一次治療でT-mabの使用歴がない場合には，上記化学│
　│　　　　　　　　　　　 │ 療法との併用を考慮可能である。　　　　　　　　 │
　├─────────────────────┴─────────────────────────────────┤
　│ 注意事項　・可能であれば，フッ化ピリミジン系薬剤，プラチナ系薬剤，タキサン系薬│
　│　　　　　　剤，IRI，RAM，nivolumab，FTD/TPIを適切なタイミングで治療を切り替│
　│　　　　　　えて使っていく治療戦略を考慮する。　　　　　　　　　　　　　　　　│
　│　　　　　・ただしいずれの薬剤も，前治療で増悪した後に同じ薬剤の使用を支持する│
　│　　　　　　エビデンスはなく推奨されない。　　　　　　　　　　　　　　　　　　│
　└───────────────────────────────────────────────────────┘
```

（日本胃癌学会 編：胃癌治療ガイドライン 第6版，金原出版，p.34，2021）

図2　条件付きで推奨される化学療法レジメン

- JCOG9205試験で使用された毒性を考慮して，シスプラチンを分割投与にした4週ごとのレジメンもある[30]。

②5-FU／l-LV（RPMI）療法

8週ごと（6投2休）

抗がん薬	day	1	…	8	…	15	…	22	…	29	…	36	37～56
レボホリナート　250mg/m^2 点滴静注（2時間）		↓		↓		↓		↓		↓		↓	休薬
フルオロウラシル　600mg/m^2 急速静注		↓		↓		↓		↓		↓		↓	

- l-LV開始1時間後に，5-FUをボーラスで投与する[31]。
- 5-FU急速静注による副作用は，持続静注と比較し頻度が高いため注意する。1サイクル中，副作用のため6週連続でできなかった場合や，Grade2以上の非血液毒性が出現した場合は減量を考慮する。
- 経口摂取不能または高度腹膜転移を有する症例において，大量補液を要さず，かつ静注のみで投与可能な治療方法として使用されている。

③FLTAX（5-FU／l-LV＋PTX）療法

4週ごと

抗がん薬	day	1	…	8	…	15	16～28
パクリタキセル　60～80mg/m² 点滴静注（1時間）		↓		↓		↓	休薬
フルオロウラシル　500～600mg/m² 急速静注		↓		↓		↓	休薬
レボホリナート　250mg/m² 点滴静注（2時間）		↓		↓		↓	休薬

- PTXを60分で静脈投与後，5-FUのボーラス投与と同時にl-LVを120分で投与する[31]。
- FLTAX療法はすべて静注で施行可能なため，経口抗がん薬の内服困難症例や大量輸液が必要なシスプラチンの投与が困難な大量腹水症例に対しても投与可能。
- FOLFOX療法が使用できるようになったため，経口抗がん薬の内服困難症例などにおいても優先度は低くなった。
- 高度腹水を伴う場合または経口摂取不能のいずれか，またはその両方を有する場合は，5-FU 500mg/m²，PTX 60mg/m²へ減量して開始する。

④S-1単剤療法

6週ごと，病勢増悪まで

抗がん薬	day	1～28	29～42
テガフール・ギメラシル・オテラシルカリウム BSA　1.25m²未満：40mg/回, 1.25～1.5m²未満：50mg/回, 1.5m²以上：60mg/回 経口　1日2回		→	休薬

注：BSA（Body Surface Area），体表面積

- 進行胃がんに対する化学療法としては，フッ化ピリミジン系＋プラチナ系薬剤の併用が困難な症例に対して考慮する，といった条件付きで推奨されるレジメンという位置づけとなる。
- 後期高齢者（76歳以上）では貧血，倦怠感などが起きやすいので留意が必要[32]。

⑤S-1＋DTX療法

3週ごと

抗がん薬	day	1	2～15	16～21
ドセタキセル　40mg/m²/日 点滴静注（1時間以上）		↓		休薬
テガフール・ギメラシル・オテラシルカリウム BSA　1.25m²未満：40mg/回, 1.25～1.5m²未満：50mg/回, 1.5m²以上：60mg/回 経口　1日2回（day1夕～day15朝）			→	休薬

注：BSA（Body Surface Area），体表面積

- 進行胃がんに対する化学療法としては，白金製剤が使えない場合などといった条件付きで推奨されるレジメンという位置づけとなる。

〈HER2陽性に対する化学療法〉

使用可能な一次治療とトラスツズマブとの組み合わせとなる。
① 5-FU + CDDP（FP，CF）+ トラスツズマブ療法：前出参照
② FOLFOX（mFOLFOX6）+ トラスツズマブ療法：前出参照
どちらも経口摂取困難なHER2陽性患者における一次治療として選択可能である。

(2) 二次化学療法以降

〈HER2陰性に対する化学療法〉

単剤療法は，PTX + RAM療法が使用できない場合に条件付きで推奨される。

① w-PTX療法

> - パクリタキセル　80mg/m^2/日，点滴静注（1時間），day1, 8, 15　13日間休薬，4週ごと，病勢増悪まで

- w-PTX療法とCPT-11療法は治療効果としては同等と考えてよい。腹膜転移を有する患者には，JCOG0407試験の結果からw-PTX療法が勧められる[33]。
- もともと，胃がんにおけるPTX療法の保険承認用量・用法は3週間ごとに210mg/m^{2}を点滴静注する方法であったが，好中球減少と消化器毒性の軽減を狙ったw-PTX療法が実地臨床で汎用されており，胃がんの二次治療でw-PTX療法とイリノテカン（CPT-11）単剤療法を比較したWJOG 4007試験においても標準治療群とされた[34]。

② w-nabPTX療法

> - パクリタキセル（アルブミン懸濁型）　100mg/m^2/日　点滴静注（30分），day1, 8, 15　13日間休薬，4週ごと，病勢増悪まで

- nab-PTXを3週間隔で投与する方法（tri-weekly nab-PTX療法）と1週おきの投与（weekly nab-PTX療法），w-PTX療法を比較した第Ⅲ相試験（ABSOLUTE試験）では，OS中央値，奏効率ともにweekly nab-PTX療法が良好な結果であった[35]。
- 3週投与法に比べ，1週おきの投与は同等の有効性と少ない副作用が特徴である。サブグループ解析では，OS・PFSともに腹水の貯留が多い症例や腹膜転移症例に関しては，w-PTX療法よりもweekly nab-PTX療法の方が良好な傾向がある。
- ナノ粒子アルブミン結合パクリタキセル（nab-Paclitaxel）は従来のパクリタキセルと比較して過敏性反応のリスクが少なく，アルコール不耐患者にも投与可能，という利便性を有している。

③DTX単剤療法

- ドセタキセル　60mg/m^2/日，点滴静注（1時間以上），day1　20日間休薬，3週ごと，病勢増悪まで

注：75mg/m^2/dayまで増量可能

- 韓国からドセタキセルとイリノテカンの医師選択の二次薬物療法[29]と英国からドセタキセルを用いた第Ⅲ相試験が報告され[36]，セカンドライン薬物療法による全生存期間（OS）の延長効果が示された。
- ドセタキセルの投与量は，患者の状態により適宜増減し，75mg/m^2/dayまで増量可能である。

④CPT-11療法

- イリノテカン　150mg/m^2/日，点滴静注（90分），day1　13日間休薬，2週ごと，病勢増悪まで

- 韓国からドセタキセルとイリノテカンの医師選択の二次薬物療法の有効性を示した第Ⅲ相試験が報告され，OSの延長が示された[29]。
- 腹膜転移による腸管麻痺，腸閉塞や黄疸を有する症例，多量の腹水を有する症例では投与禁忌である。
- A法（100mg/m^2，1週間間隔で3〜4回点滴静注，2週間休薬）もある。
- ラムシルマブが使用できる患者には，IRI＋RAM療法が使用できる。

⑤RAM療法

- ラムシルマブ　8mg/kg，点滴静注（初回60分，2回目以降：30分まで短縮可），day1　13日間休薬，2週ごと

- 初回投与の忍容性が良好であれば，2回目以降の投与時間は30分間まで短縮できる。
- 本剤投与時に現れるinfusion reactionを軽減させるため，本剤の投与前に抗ヒスタミン薬（ジフェンヒドラミンなど）の前投与を考慮すること。
- イリノテカン，パクリタキセルなどの殺細胞性抗がん薬の適応がない患者に対するオプションに限定されると考えられる。

⑥IRI＋RAM療法

2週ごと

抗がん薬	day 1	2〜14
イリノテカン　150mg/m^2　点滴静注（90分）	↓	休薬
ラムシルマブ　8mg/kg　点滴静注（初回：60分，2回目以降：30分に短縮可）	↓	

- タキサンの前治療がある場合（術前のDOS療法症例，術後のS-1＋DTX療法後の早期再発例）

に推奨される。
- ラムシルマブを含む化学療法に不応となった進行再発胃がん・食道胃接合部がんに対するイリノテカン単剤療法に対しての有用性が示された[37]。
- 腹膜転移による腸管麻痺，腸閉塞や黄疸を有する症例，多量の腹水を有する症例では投与禁忌である。

⑦ w-nabPTX＋RAM療法

4週ごと

抗がん薬 / day	1	…	8	…	15	16〜28
パクリタキセル（アルブミン懸濁型）100mg/m^2 点滴静注（30分）	↓		↓		↓	休薬
ラムシルマブ 8mg/kg 点滴静注（初回：60分，2回目以降：30分に短縮可）	↓				↓	

- ナノ粒子アルブミン結合パクリタキセル（nab-Paclitaxel）は従来のパクリタキセルと比較して過敏性反応のリスクが少なく，アルコール不耐患者にも投与可能，という利便性を有している。
- ラムシルマブ単剤で好中球減少が起こることはないため，Day15に好中球減少でnab-PTXが休薬となった場合でも，ラムシルマブ自体の休薬基準に該当しない限りラムシルマブの投与は行うべきである。

〈HER2陽性に対する化学療法〉

　一次治療でトラスツズマブの使用歴がない場合には，上記化学療法との併用を考慮可能である。
　HER2陽性胃がんに対する一次治療としてトラスツズマブを含む併用療法を実施した後に，二次治療においてもトラスツズマブを継続する意義についてはわが国で行われたランダム化試験（WJOG7112G）の結果から否定的であり，行わないことが強く推奨されている[38]。

【参考文献】

1) 日本胃癌学会　編：胃癌取扱い規約 第15版，金原出版，2017
2) Tada M et al：Endoscopic resection of early gastric cancer. Endoscopy, 25(7):445-450, 1993
3) Inoue H et al：Endoscopic mucosal resection with a cap-fitted panendoscope for esophagus, stomach, and colon mucosal lesions. Gastrointest Endosc, 39(1):58-62, 1993
4) Hirao M et al：Endoscopic resection of early gastric cancer and other tumors with local injection of hypertonic saline-epinephrine. Gastrointest Endosc, 34(3):264-269, 1988
5) Ono H et al：Endoscopic mucosal resection for treatment of early gastric cancer. Gut, 48(2):225-229, 2001
6) Ono H et al：Usefulness of a novel electrosurgical knife, the insulation-tipped diathermic knife-2, for endoscopic submucosal dissection of early gastric cancer. Gastric cancer, 11(1):47-52, 2008
7) Fujitani K et al：Gastrectomy plus chemotherapy versus chemotherapy alone for advanced gastric cancer with a single non-curable factor (REGATTA): a phase 3, randomised controlled trial. Lancet Oncol, 17(3):309-318, 2016
8) Terashima M et al：Randomized phase Ⅲ trial of gastrectomy with or without neoadjuvant S-1 plus cisplatin

for type 4 or large type 3 gastric cancer, the short-term safety and surgical results: Japan clinical Oncology Group Study (JCOG0501). Gastric cancer, 22(5):1044-1052, 2019

9) Zhang X et al：Perioperative or postoperative adjuvant oxaliplatin with S-1 versus adjuvant oxaliplatin with capecitabine in patients with locally advanced gastric or gastro-oesophageal junction adenocarcinoma undergoing D2 gastrectomy (RESOLVE): an open-label, superiority and non-inferiority, phase 3 randomised controlled trial. Lancet Oncol, 22(8):1081-1092, 2021

10) Kang YK et al：PRODIGY: A Phase Ⅲ Study of Neoadjuvant Docetaxel, Oxaliplatin, and S-1 Plus Surgery and Adjuvant S-1 Versus Surgery and Adjuvant S-1 for Resectable Advanced Gastric Cancer. J Clin Oncol, 39(26):2903-2913, 2021

11) Yoshikawa T et al：A randomized phase Ⅲ trial comparing 4 courses and 8 courses of S-1 adjuvant chemotherapy for p-stage Ⅱ gastric cancer: JCOG1104(OPAS-1). Annals of Oncology, 28(suppl5), 2017

12) Bang YJ et al：Adjuvant capecitabine and oxaliplatin for gastric cancer after D2 gastrectomy (CLASSIC): a phase 3 open-label, randomised controlled trial. Lancet, 379(9813):315-321, 2012

13) Yoshida K et al：Addition of Docetaxel to Oral Fluoropyrimidine Improves Efficacy in Patients With stage Ⅲ Gastric Cancer: Interim Analysis of JACCRO GC-07, a Randomized Controlled Trial. J Clin Oncol, 37(15):1296-1304, 2019(JACCRO GC-07)

14) Park SH et al：A randomized phase Ⅲ trial comparing adjuvant single-agent S1, S-1 with oxaliplatin, and postoperative chemoradiation with S-1 and oxaliplatin in patients with node-positive gastric cancer after D2 resection: the ARTIST 2 trial☆. Ann Oncol, 32(3):368-374, 2021

15) Zhang X et al：Perioperative or postoperative adjuvant oxaliplatin with S-1 versus adjuvant oxaliplatin with capecitabine in patients with locally advanced gastric or gastro-oesophageal junction adenocarcinoma undergoing D2 gastrectomy (RESOLVE): an open-label, superiority and non-inferiority, phase 3 randomised controlled trial. Lancet Oncol, 22(8):1081-1092, 2021

16) 日本胃癌学会　編：胃癌治療ガイドライン 医師用 2021年7月改訂版 第6版，金原出版，2021

17) Boku N et al：Fluorouracil versus combination of irinotecan plus cisplatin versus S-1 in metastatic gastric cancer: a randomised phase 3 study. Lancet Oncol, 10(11):1063-1069, 2009

18) Kang YK et al：Nivolumab plus chemotherapy versus placebo plus chemotherapy in patients with HER2-negative, untreated, unresectable advanced or recurrent gastric or gastro-oesophageal junction cancer (ATTRACTION-4): a randomised, multicentre, double-blind, placebo-controlled, phase 3 trial. Lancet Oncol, 23(2):234-247, 2022

19) Janjigian YY et al：First-line nivolumab plus chemotherapy versus chemotherapy alone for advanced gastric, gastrooesophageal junction, and oesophageal adenocarcinoma (CheckMate 649): a randomised, open-label, phase 3 trial. Lancet, 398(10294):27-40, 2021

20) Cunningham D et al：Capecitabine and oxaliplatin for advanced esophagogastric cancer. N Engl J Med, 358(1):36-46, 2008（REAL2試験）

21) Catalano V et al：A phase Ⅱ study of modified FOLFOX as first-line chemotherapy for metastatic gastric cancer in elderly patients with associated diseases. Gastric Cancer, 16(3):411-419, 2013

22) Tsuji K et al：Modified FOLFOX-6 therapy for heavily pretreated advanced gastric cancer refractory to fluorouracil, irinotecan, cisplatin and taxanes: a retrospective study. Jpn J Clin Oncol, 42(8):686-690, 2012

23) Kang YK et al：Capecitabine/cisplatin versus 5-fluorouracil/cisplatin as first-line therapy in patients with advanced gastric cancer: a randomised phase Ⅲ noninferiority trial. Ann Oncol, 20(4):666-773, 2009

24) Bang YJ et al：Trastuzumab in combination with chemotherapy versus chemotherapy alone for treatment of HER2-positive advanced gastric or gastro-oesophageal junction cancer (ToGA): a phase 3, open-label, randomised controlled trial. Lancet, 376(9742):687-697, 2010

25) Rivera F et al：Phase Ⅱ study to evaluate the efficacy of Trastuzumab in combination with Capecitabine and Oxaliplatin in first-line treatment of HER2-positive advanced gastric cancer: HERXO trial. Cancer Chemother Pharmacol, 83(6):1175-1181, 2019

26) Takahari D et al：Multicenter phase Ⅱ study of trastuzumab with S-1 plus oxaliplatin for chemotherapy-naïve, HER2-positive advanced gastric cancer. Gastric Cancer, 22(6):1238-1246, 2019
27) Shitara K et al：Trifluridine/tipiracil versus placebo in patients with heavily pretreated metastatic gastric cancer (TAGS): a randomised, double-blind, placebo-controlled, phase 3 trial. Lancet Oncol, 19(11):1437-1448, 2018
28) ロンサーフ適正使用情報（https://www.taiho.co.jp/medical/brand/lonsurf/usage/guideline/index.html）（2022年6月閲覧）
29) Kang JH et al：Salvage chemotherapy for pretreated gastric cancer: a randomized phase Ⅲ trial comparing chemotherapy plus best supportive care with best supportive care alone. J Clin Oncol, 30(13):1513-1518, 2012
30) Ohtsu A et al：Randomized phase Ⅲ trial of fluorouracil alone versus fluorouracil plus cisplatin versus uracil and tegafur plus mitomycin in patients with unresectable, advanced gastric cancer: The Japan Clinical Oncology Group Study (JCOG9205). J Clin Oncol, 21(1):54-59, 2003
31) Nakajima TE et al：Randomized phase Ⅱ/Ⅲ study of 5-fuorouracil/l-leucovorin versus 5-fuorouracil/l-leucovorin plus paclitaxel administered to patients with severe peritoneal metastases of gastric cancer (JCOG1108/WJOG7312G). Gastric Cancer, 23(4):677-688, 2020
32) Tsushima T et al：Safety and efficacy of S-1 monotherapy in elderly patients with advanced gastric cancer. Gastric Cancer, 13(4):245-250, 2010
33) Nishina T et al：Randomized phase Ⅱ study of second-line chemotherapy with the best available 5-fluorouracil regimen versus weekly administration of paclitaxel in far advanced gastric cancer with severe peritoneal metastases refractory to 5-fluorouracil-containing regimens (JCOG0407). Gastric Cancer, 19(3):902-910, 2016
34) Hironaka S et al：Randomized, open-label, phase Ⅲ study comparing irinotecan with paclitaxel in patients with advanced gastric cancer without severe peritoneal metastasis after failure of prior combination chemotherapy using fluoropyrimidine plus platinum: WJOG 4007 trial. J Clin Oncol, 31(35):4438-4444, 2013
35) Shitara K et al：Nab-paclitaxel versus solvent-based paclitaxel in patients with previously treated advanced gastric cancer (ABSOLUTE): an open-label, randomised, non-inferiority, phase 3 trial. Lancet Gastroenterol Hepatol, 2(4):277-287, 2017
36) Ford HE et al：Docetaxel versus active symptom control for refractory oesophagogastric adenocarcinoma (COUGAR-02): an open-label, phase 3 randomised controlled trial. Lancet Oncol, 15(1):78-86, 2014
37) Sakai D et al：An intergroup phase Ⅲ trial of ramucirumab plus irinotecan in third or more line beyond progression after ramucirumab for advanced gastric cancer (RINDBeRG trial). J Clin Oncol, 36(15):TPS4138, 2018
38) Makiyama A et al：Randomized, Phase Ⅱ Study of Trastuzumab Beyond Progression in Patients With HER2-Positive Advanced Gastric or Gastroesophageal Junction Cancer: WJOG7112G (T-ACT Study). J Clin Oncol, 38(17):1919-1927, 2020

（石井　岳夫）

第4章 疾患

8 胆道系がん

【胆道系がんの疫学】
　罹患数：22,201人，死亡数：17,773人，5年生存率：24.5%
（胆のう・胆管として）

I 胆嚢・胆管の基礎知識

　肝臓では1日に約500〜600mLの胆汁が産生されている。胆嚢は肝臓で産生される胆汁を貯留・濃縮する器官で，胆管を介して肝臓と十二指腸につながっている。胆管は，肝内の毛細血管から十二指腸乳頭までの胆汁排出経路を担っている。食物を摂取すると，消化管ホルモンであるコレシストキニンが分泌され，胆嚢が収縮するとともに，オッディ括約筋が弛緩する。その結果，胆汁が十二指腸に放出される。

　これらの胆道系の器官は肝外胆道系と肝内胆管に大別される。さらに肝外胆道系は，肝外胆管，

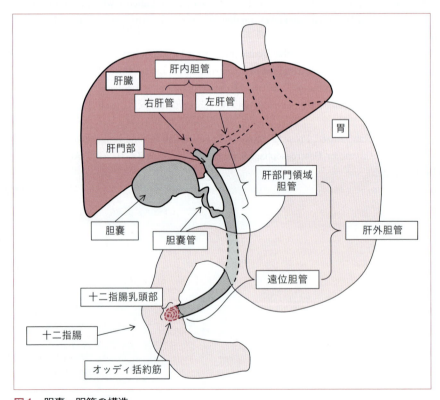

図1　胆嚢・胆管の構造

胆囊，十二指腸乳頭部に分けられる（図1）。これらの器官に発生するがんとして胆道がんと肝内胆管がんが挙げられ，胆道がんは肝外胆管がん，胆囊がん，乳頭部がんの総称である。一方肝内胆管がんは，UICC分類やわが国の取扱い規約では原発性肝がんに分類されるが，内科治療においては胆道がんに含めて扱うとされている。

2 進行度と治療概要

胆道がんの診察・診断は，黄疸や右上腹部痛などの臨床症状などで胆道がんが疑われた場合，まず血液検査や非侵襲的な腹部超音波検査を行い，その後CTにて病変の局在診断や進展診断，上部消化管内視鏡などによる細胞診・組織診による病理診断が行われることが一般的である。

2-1 進行度診断（Stage分類）

1）TNM分類

胆道がんの進行度の分類にはTNM分類を用いる。しかしながら，実臨床では脈管侵襲，胆管進展などの局所進展範囲や遠隔転移の有無などから，切除不能と切除可能に分類する。

2-2 臨床症状

①胆管がん

胆管がんの代表的な初発症状として黄疸（84%），体重減少（35%），腹痛（30%），悪心・嘔吐（20%），発熱（10%）が知られている[1]。

②胆囊がん

胆囊がんの代表的な初発症状として右上腹部痛（82%），食欲不振（74%），体重減少（72%），悪心・嘔吐（68%），黄疸（44%）が知られている[2]。一方，がんが胆囊壁内にとどまる段階では無症状なことが多いとされている。

③乳頭部がん

乳頭部がんの代表的な初発症状として黄疸，発熱，腹痛，体重減少などが知られている[3]。

2-3 血液検査

血液生化学検査ではビリルビン値，胆道系酵素（ALP，γ-GTP），肝酵素（AST，ALT）の上昇を認めるが，胆道がんに特異的ではない。また胆道がんに特異的な腫瘍マーカーはなく，ほかの検査との組み合わせにより診断能は向上するが，腫瘍マーカーによる早期診断は困難である。腫瘍マーカーとしてはCA19-9やCEAが用いられることが多いが，陽性率は40〜70%であり，補助診断や病態のモニタリングに用いるのが一般的である。CA19-9は胆汁うっ滞で上昇することが知られており注意が必要である。

2-4 画像診断

胆道がんが疑われた場合には，非侵襲的であり簡便に行える腹部超音波検査が最初に行うべき画像診断とされている。また腹部造影CTやMRIによる画像診断検査も，病変の局在および進展度診断に有用であり，腫瘍の血管浸潤の診断は治療方針の決定に重要である。

2-5 病理診断

胆道がんと診断された場合には，細胞診・組織診による病理診断が推奨されており，胆汁細胞診，超音波内視鏡（EUS）ガイド下細胞診・組織診，腹部超音波検査／CTガイド下細胞診・組織診などが行われる。胆道がんの大部分は腺がんである。

2-6 外科切除

外科切除は，胆道がんにおける唯一の根治治療である。遠隔転移を認めず，総肝動脈や固有肝動脈などの主要血管への浸潤のない症例が適応となる。

2-7 放射線療法

胆道がんに対する放射線感受性は一般的に低いと考えられている。局所進行例や切除後局所切除例に対して，体外照射，腔内照射などの放射線療法が対症療法として行われることはあるものの，有効性は確立されていない。

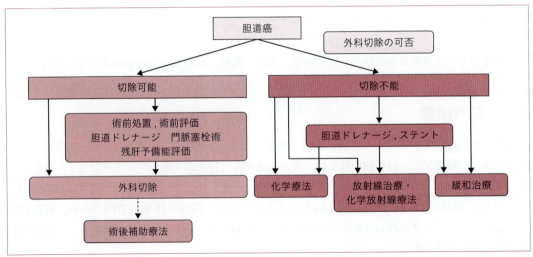

（日本肝胆膵外科学会，胆道癌診療ガイドライン作成委員会　編：エビデンスに基づいた胆道癌診療ガイドライン改訂第3版，医学図書出版, p.14, 2019）

図2　胆道がんの治療アルゴリズム

3 胆道系がんの薬物治療

図2に胆道がんの治療アルゴリズムを示す。胆道がんの唯一の根治治療は外科切除である。切除不能例や切除再発例に対しては，全身化学療法が行われる。なお，術後補助療法，放射線治療・化学放射線療法は標準治療ではない。

3-1 術前・術後補助薬物療法

胆道がんに対する術前・術後補助薬物療法の有効性は確立されていない。

3-2 治癒・切除不能な胆道がんに対する化学療法

1）化学療法
①ゲムシタビン＋シスプラチン併用療法

3週ごと，病勢増悪まで

抗がん薬 day	1	8	9〜21
ゲムシタビン　1,000mg/m²/日 点滴静注（30分）	↓	↓	休薬
シスプラチン　25mg/m²/日 点滴静注（60分）	↓	↓	

注：ABC-02試験では，24週目以降にシスプラチンは投与されていない

　ゲムシタビン＋シスプラチン（GC）併用療法は，英国でのABC-02試験[4]において，ゲムシタビン（GEM）単剤療法と比較して有意な全生存期間の延長を認めた（中央値：GC療法11.7カ月 vs GEM療法8.1カ月：Hazard Ratio＝0.64［95％信頼区間：0.52〜0.80］，$p<0.001$）。またわが国においても，国内でABC-02試験の成績の再現性を評価することを目的に，日本人を対象にBT-22試験[5]が実施された。結果として，1年生存割合はGC療法39％，GEM療法31％の結果であった。以上のことから，国内・海外における切除不能胆道がんの標準治療としてGC療法が位置づけられている。主な有害事象については，Grade3/4の好中球減少（25.3〜56.1％），血小板減少（8.6〜39.0％）が高頻度で認められており血液毒性が強かったものの，Grade3/4の消化器症状の頻度は低く，忍容性が認められている。

②ゲムシタビン＋S-1併用療法

　進行胆道がんを対象として，ゲムシタビン＋S-1併用（GS）療法のゲムシタビン＋シスプラチン併用（GC）療法に対する非劣性を検証した第Ⅲ相試験であるJCOG1113試験が報告された[6]。主要評価項目である全生存期間はGS療法で13.4カ月，GC療法で15.1カ月であり（HR=0.945［95%CI: 0.78-1.15］，p=0.046），GC療法に対するGS療法の非劣性が示された。この結果より，GS療法は進行胆道がんの標準治療の1つとして位置づけられた。GS療法は，GC療法と比較して大量補液を必要としないことから，心機能低下症例や長時間補液の補液を避けたい患者に対するオプションの1つとなり得る。

GS療法の主な有害事象は，Grade3〜4の好中球減少（59.9%），血小板減少（7.3%）が認められており，All Gradeの下痢（20.9%），口内炎（28.8%），悪心（31.6%），食欲不振（39.5%）などの消化器症状も高頻度で認められている。

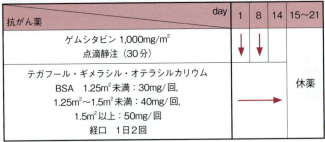

3週ごと

抗がん薬	day	1	8	14	15〜21
ゲムシタビン 1,000mg/m² 点滴静注（30分）		↓	↓		
テガフール・ギメラシル・オテラシルカリウム BSA 1.25m²未満：30mg/回, 1.25m²〜1.5m²未満：40mg/回, 1.5m²以上：50mg/回 経口 1日2回		→			休薬

注：BSA（Body Surface Area），体表面積

③ゲムシタビン＋シスプラチン＋S-1併用療法

ゲムシタビン＋シスプラチン＋S-1併用（GCS）療法は，進行胆道がんを対象とした第Ⅲ相試験であるKHBO1401試験において，GC療法と比較して有意な全生存期間の延長を認めた（中央値：GCS療法 13.5カ月 vs GC療法 12.6カ月；Hazard Ratio=0.791 [95%信頼区間：0.628-0.996]，p=0.046）ことが報告された[7]。無増悪生存期間においても同様に，GCS療法においてGC療法と比較して有意な延長を認めた（中央値：GCS療法 7.4カ月 vs GC療法 5.5カ月；Hazard Ratio=0.748 [95%信頼区間：0.577-0.970]，p=0.015）。奏功割合（RR）・病勢制御割合（DCR）においてもGCS療法は有意に良好な結果であった（RR: GCS療法 41.5% vs GC療法 15.0%; p<0.001, DCR: GCS療法 79.8% vs GC療法 62.0%; p=0.0066）。以上のことから，切除不能胆道がんの標準治療の1つとしてGCS療法が新しく付け加えられた。

GCS療法における主な有害事象については，Grade3〜4の好中球減少（39%）が高頻度で認められ，またAll Gradeの悪心（51%）や下痢（24%），口内炎（28%）などの消化器症状が多く認められた。

2週ごと

抗がん薬	day	1	7	8〜14
ゲムシタビン 1,000mg/m² 点滴静注（30分）		↓		
シスプラチン 25mg/m² 点滴静注（60分）		↓		
テガフール・ギメラシル・オテラシルカリウム BSA 1.25m²未満：40mg/回, 1.25m²〜1.5m²未満：50mg/回, 1.5m²以上：60mg/回 経口 1日2回		→		休薬

注：BSA（Body Surface Area），体表面積

④ S-1単剤療法

6週ごと，病勢増悪まで

抗がん薬	day	1〜28	29〜42
テガフール・ギメラシル・オテラシルカリウム BSA　1.25m² 未満：40mg/回， 1.25m²〜1.5m² 未満：50mg/回， 1.5m² 以上：60mg/回 経口　1日2回		→	休薬

注：BSA（Body Surface Area），体表面積

わが国において，進行胆道がんを対象にS-1単剤の国内第Ⅱ相試験[8]が行われ，奏効率35%，生存期間中央値9.4カ月，1年生存割合32.5%の治療成績が報告されている。主なGrade3/4の有害事象は，貧血（10.0%），倦怠感（7.5%），食欲不振（7.5%），血清ビリルビン上昇（7.5%）であった。

⑤ ペミガチニブ単剤療法

3週ごと

抗がん薬	day	1〜14	15〜21
ペミガチニブ　13.5mg/回 経口　1日1回		→	休薬

ペミガチニブ単独療法は，がん化学療法後に増悪した*FGFR2*融合遺伝子陽性の治癒切除不能な胆道がんを対象に国際共同第Ⅱ相試験[9]が行われ，奏効率34.8%の治療成績が報告された。主なGrade3/4の有害事象は，口内炎（5%），関節痛・手足症候群（4%），下痢（3%）などであった。また，高リン血症はGrade1〜2ではあるものの高頻度に認めるため，投与中は定期的な血清リン濃度の測定が推奨される。

【参考文献】

1) Aljiffry M et al：Evidence-based approach to cholangiocarcinoma: a systematic review of the current literature. J Am Coll Surg, 208(1):134-147, 2009
2) Misra S et al：Carcinoma of the gallbladder. Lancet Oncol, 4(3):167-176, 2003
3) Winter JM et al：Clinicopathologic analysis of ampullary neoplasms in 450 patients: implications for surgical strategy and long-term prognosis. J Gastrointest Surg, 14(2):379-387, 2010
4) Valle J et al：Cisplatin plus gemcitabine versus gemcitabine for biliary tract cancer. N Engl J Med, 362(14):1273-1281, 2010
5) Okusaka T et al：Gemcitabine alone or in combination with cisplatin in patients with biliary tract cancer: a comparative multicentre study in Japan. Br J Cancer, 103(4):469-474, 2010
6) Morizane C et al：Combination gemcitabine plus S-1 versus gemcitabine plus cisplatin for advanced/recurrent biliary tract cancer: the FUGA-BT（JCOG1113）randomized phase Ⅲ clinical trial. Ann Oncol, 30(12):1950-1958, 2019
7) Ioka T et al：Randomized phase Ⅲ study of Gemcitabine, Cisplatin plus S-1（GCS）versus Gemcitabine, Cisplatin（GC）for Advanced Biliary Tract Cancer（KHBO1401-MITSUBA）. J Hepatobiliary Pancreat Sci, 2022
8) Furuse J et al：S-1 monotherapy as first-line treatment in patients with advanced biliary tract cancer: a multicenter phase Ⅱ study. Cancer Chemother Pharmacol, 62(5):849-855, 2008
9) Abou-Alfa GK et al：Pemigatinib for previously treated, locally advanced or metastatic cholangiocarcinoma: a multicentre, open-label, phase 2 study. Lancet Oncol, 21(5):671-684, 2020

（篠原　旭）

第4章 疾患

9 肝細胞がん

【肝細胞がんの疫学】
罹患数：38,312人，死亡数：24,839人，5年生存率：35.8%

1 肝臓の基礎知識

肝臓は右上腹部の大部分を占める大きな臓器であり，その重量は，成人で体重の約1/50に相当する。肝臓は2本の血管から血液の供給を受けており，腸管などで吸収された栄養などを含む静脈血が流れ込む門脈と，肝臓への酸素供給の役割を担う肝動脈がある[1]。肝細胞がんはこのうち，肝動脈のみを栄養血管として利用することが知られている。肝臓内を流れた血液はすべて肝静脈を通過し，その後下大静脈を通過して心臓へ戻る[1]。肝臓は生体内において，①薬物・重金属などの生体外異物の解毒による生体防御，②アンモニアの尿素への変換による解毒（アミノ酸代謝），③血糖値の維持（グリコーゲン代謝・解糖・糖新生），④脂質代謝，⑤胆汁生成，⑥アルブミンなどのタンパク質合成，⑦インスリン・グルカゴンなどの循環系血漿タンパク質の分解など，生体の恒常性維持のためにさまざまな代謝や解毒に関与している[1]。

2 肝細胞がんの進行度と治療概要

2-1 進行度の評価方法

1）病期分類

肝細胞がんの病期分類には，UICCのTNM分類[2]や原発性肝癌取扱い規約[3]による進行度分類がある。いずれの分類においても，門脈・肝静脈への浸潤，腫瘍数，腫瘍最大径でT因子を評価する。

2）総合ステージング

米国肝臓学会から推奨されているBarcelona Clinic Liver Cancer（BCLC）ステージングは，腫瘍の最大径や腫瘍数，肝予備能，全身状態を加味した総合ステージングである[4]。このステージングでは，Very early stage（0），Early stage（A），Intermediate stage（B），Advanced stage（C），Terminal stage（D）の5段階に分類される。このうち，薬物治療の対象となるのはIntermediate stage（B）で，肝動脈化学塞栓療法（transcatheter arterial chemoembolization：TACE）の適応が困難となった患者もしくはAdvanced stage（C）の患者である。

表 Child-Pugh 分類

A：5～6点　B：7～9点　C：10～15点

	1点	2点	3点
脳症	なし	軽度	ときどき昏睡
腹水	なし	少量	中等症
T-Bil（mg/dL）	2.0 未満	2.0～3.0	3.0 超
Alb（g/dL）	3.5 超	2.8～3.5	2.8 未満
PT活性値（%）	70 超	40～70	40 未満

3）肝予備能の評価方法

　肝予備能の評価方法は，Child-Pugh分類[5]が一般的に用いられてきたが，近年，さらに簡便に肝予備能を評価することができるALBIグレード[6]が広まりはじめている。Child-Pugh分類を表に示すが，その構成要素が肝性脳症，腹水，血清ビリルビン値（mg/dL），血清アルブミン値（g/dL），プロトロンビン活性値（%）の5項目であり，評価が煩雑である。

　一方でALBIグレードは，血清ビリルビン値（mg/dL）と血清アルブミン値（g/dL）を考案された式に挿入して算出されたALBIスコアに応じてグレード評価を行う。

$$\text{ALBIスコア} = \langle \log_{10}[総ビリルビン(mg/dL) \times 17.1 \times 0.66] \rangle + [アルブミン(g/dL) \times 10 \times -0.085]$$

ALBIグレード：グレード1：−2.60以下，グレード2：−2.60超〜−1.39以下，グレード3：−1.39超

　ALBIグレードは2つの生化学検査値のみで評価でき，医師以外の職種でも評価可能である一方で，計算がやや煩雑である。そのため，ビリルビン値やアルブミン値を入力するだけでALBIスコアを算出するWeb上のツールが存在する。ALBIグレードは，Child-Pugh分類と同様に肝細胞がん患者における予後予測因子としての有用性が報告されている[6]。ALBIグレード1と3の患者は，それぞれChild-Pughスコア5〜6と8以上の群に分かれたが，ALBIグレード2の患者はChild-Pughスコアが分散する傾向がみられた[7]。そのため，ALBIグレードをより細分化して評価の精度を高めたmodified ALBIが考案されている[8]。

4）腫瘍マーカー[9]

- AFP（αフェトプロテイン）：20ng/mL以下（RIA固相法）
- PIVKA-Ⅱ（ビタミンK欠乏性蛋白-Ⅱ）：40mAU/mL以下（固相型EIA法）
- AFP-L3（AFPレクチン分画）：10%以下

2-2　治療アルゴリズム

　肝原発の上皮性悪性腫瘍は，組織学的に肝細胞がん，肝内胆管がん，細胆管細胞がん，胆管嚢胞腺がん，粘液嚢胞腺腫，混合型肝がん（肝細胞がんと肝内胆管がんの混合型），未分化がん，その他に分類される[10]。原発性肝がんの中では，肝細胞がんの頻度が80％以上と最も多く[11]，主なリ

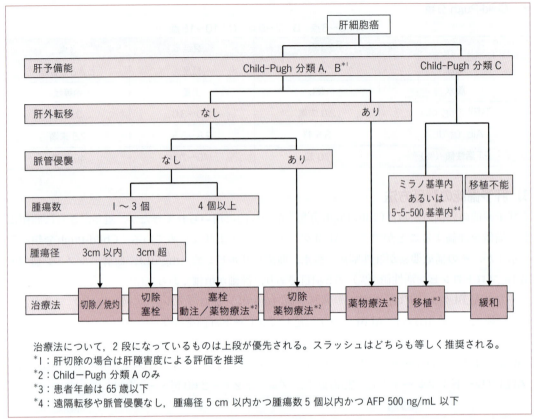

（日本肝臓学会 編「肝癌診療ガイドライン2021年版」2021年, P76, 金原出版）

図　治療アルゴリズム

スク因子として，脂肪肝[12]，アルコール[13]，B型およびC型肝炎[14,15]などが知られている。日本を含むアジア諸国ではB型およびC型肝炎を背景とする肝細胞がんが多く，欧米ではアルコール性肝障害や脂肪肝といった非ウイルス性の肝細胞がんがほとんどであり，このような背景の違いが治療アルゴリズムの違いの原因となっている。

現在，国内で汎用されている肝癌診療ガイドラインに掲載されている治療アルゴリズムを図に示す[16]。

2-3　切除・局所療法

1）肝切除

肝予備能が保たれており，遠隔転移や脈管侵襲がなく，腫瘍数が3個以内の肝細胞がんでは，肝切除による根治的治療が選択肢の1つとなる[17]。肝切除は治療効果が確実である反面，侵襲が大きく，肝機能低下や出血などを合併するリスクがある。

2）ラジオ波焼灼療法（RFA）

RFAは，超音波ガイド下に腫瘍部位へ電極を挿入し，450kHz前後の高周波を発生させることで

挿入部位周囲に熱を発生させ，腫瘍を壊死させる根治目的の治療である。RFAの適応は，肝予備能が保たれており，遠隔転移や脈管侵襲がなく，腫瘍数が3個以内でかつ腫瘍最大径が3cm以内の肝細胞がんである[18]。RFAは，肝切除と同様に治療効果は確実である反面，侵襲がやや大きく，周辺臓器を損傷する可能性がある[19]。

2-4 経動脈的治療

1）肝動脈化学塞栓療法（TACE）

TACEは，腫瘍の栄養動脈の遮断によって壊死させる効果と，抗がん薬が腫瘍部位に局所的に長期間滞留することによる抗腫瘍効果をあわせた，根治目的の治療である。肝予備能が保たれており，遠隔転移がないが肝切除とRFAの対象とならない，もしくは腫瘍数4個以上の肝細胞がん患者に対して推奨されている[20]。

TACEにはさまざまな手法があり，国内で主流となっているconventional TACE[21]（腫瘍血管や類洞にトラップされるイオダイズドオイルに抗がん薬を混合したものを注入し，ゼラチンスポンジ細片で塞栓する）や，欧米で主流となっているDEB-TACE[22]〔薬剤溶出性ビーズ（Drug-eluting beads：DEB）で栄養動脈を塞栓する〕などがある。抗がん薬としては，エピルビシン，ドキソルビシン，マイトマイシンC，シスプラチンなどが用いられているが，抗がん薬による有効性の優劣は明らかとなっていない[23]。

2）肝動注化学療法（TAI）

肝細胞がんの栄養動脈はほぼ100％肝動脈であるため，肝動脈選択的に抗がん薬を投与することで，全身投与と比べた場合の抗がん薬の副作用軽減やTACEと比べた場合の肝機能障害の軽減が期待される。TAIの適応は，病変が肝内に限局しており，肝切除，局所療法，TACEの適応とならないような主要門脈侵襲症例や，肝内多発例など肝内進展例である。

5-FUとシスプラチンを用いたTAIとBest Supportive Care（BSC）患者を，プロペンシティスコアを用いてマッチさせた解析では，BSC患者と比較して，TAI実施患者において予後が有意に良好であることが示された[24]。さらに，シスプラチンを用いたTAIのソラフェニブに対する上乗せ効果を検討した第Ⅱ相試験において，ソラフェニブ＋TAI群はソラフェニブ単独群と比較して，OSを有意に延長した結果が報告されている[25]。TAIに用いられる抗がん薬としては，粉末化製剤のシスプラチン，低用量シスプラチン併用フルオロウラシルなどがあるものの，生存期間延長を十分に証明した報告はない。

2-5 肝移植

肝予備能が保たれていないChild-Pugh Cで，非代償性肝硬変を伴い，かつミラノ基準（脈管浸潤と肝外転移なし，単発では腫瘍径5cm以下，多発では腫瘍数3個以下で腫瘍最大径3cm以下）[26]の基準内に入る患者が対象となる。わが国では脳死ドナーの数が少なく，生体ドナーが用いられており，肝移植以外に有効な治療がない患者のみ対象とする方針が一般的となっている。

3 肝細胞がんの薬物療法

3-1 一次治療で使用される薬物療法

1）アテゾリズマブ＋ベバシズマブ併用療法

ヒトPD-L1に対するヒト化モノクローナル抗体のアテゾリズマブと，血管内皮細胞増殖因子（VEGF）に対するモノクローナル抗体であるベバシズマブの併用療法である。ソラフェニブを比較対象としたIMbrave150試験[27]にて，アテゾリズマブ＋ベバシズマブ併用療法は，主要評価項目である全生存期間（OS）と無増悪生存期間（PFS）をそれぞれ有意に延長し，ソラフェニブに対する優越性が認められた。この試験の結果によって，外科切除や肝移植，局所療法，TACEが適応とならない切除不能進行肝細胞がんで，PS良好かつChild-Pugh Aの症例の一次治療にアテゾリズマブ＋ベバシズマブ併用療法を推奨するといったガイドラインの変更がなされた。注意すべき有害事象は免疫関連有害事象（irAE），特に肝機能障害であり，IMbrave150試験において全Gradeの肝機能障害・肝炎が43.2％の患者に発現し，Grade3以上の肝機能障害・肝炎は22.2％の患者に発現した。

3週ごとに，病勢増悪まで投与

抗がん薬	day 1	2～21
アテゾリズマブ　1,200mg/body 点滴静注　初回60分投与，2回目以降30分投与	↓	休薬
ベバシズマブ　15mg/kg body weight 点滴静注　30分投与	↓	休薬

2）レンバチニブ

本剤は，血管内皮細胞増殖因子受容体（VEGFR），線維芽細胞増殖因子受容体（FGFR），血小板由来増殖因子受容体（PDGFR）などの腫瘍血管新生，あるいは腫瘍増悪に関連する受容体マルチキナーゼ阻害薬である。ほかのマルチキナーゼ阻害薬に比べて，血管新生に関わるVEGFRやFGFRに強く作用することが報告されている[28]。PS≦1，BCLCステージBもしくはC，Child-Pugh A，肝内腫瘍占有率＜50％および門脈への侵襲がVp＜4の進行肝細胞がん患者を対象としたREFLECT試験[29]において，主要評価項目であるOSのハザード比があらかじめ設定された非劣性マージンを下回ったため，レンバチニブのソラフェニブに対する非劣性が証明された。有害事象は，ソラフェニブと比べて高血圧が発現しやすく，治療にあたり毎日の血圧測定の教育や降圧薬の調節が必要となる。

病勢増悪まで連日内服

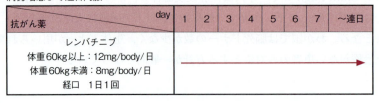

3）ソラフェニブ

　本剤はマルチキナーゼ阻害薬である。作用機序は，RAFキナーゼ阻害作用による肝細胞がん増殖阻害作用と，VEGFR/PDGFRキナーゼ阻害作用による腫瘍血管新生阻害作用である。PS0～2かつChild-Pugh Aの進行肝細胞がん患者を対象としたSHARP試験[30]において，プラセボと比較して，主要評価項目であるOSと臨床症状が悪化するまでの期間を有意に延長したため，進行肝細胞がんの適応が承認された。有害事象は，レンバチニブと比べて手足症候群が多い特徴があり，その予防として尿素配合クリームが有効であるとの報告がある[31]。

病勢増悪まで連日内服

抗がん薬	day	1	2	3	4	5	6	7	～連日
ソラフェニブ　800mg/body/日　経口　1日2回									

注：朝夕の1日2回，高脂肪食摂取の1時間前から食後2時間までの間を避けて服用

3-2　二次治療以降で使用される薬物療法

1）レゴラフェニブ

　本剤はマルチキナーゼ阻害薬である。作用機序はソラフェニブとほぼ同様であり，各々のキナーゼの阻害作用は，50%阻害濃度の結果[32]からソラフェニブより強力である。また，ソラフェニブにはない，血管新生に関わる受容体型チロシンキナーゼであるTIE2（tyrosine kinase with immunoglobulin-like and epidermal growth factor-like homology domain 2）への阻害作用があることが知られている。

　本剤はソラフェニブに対する忍容性（ソラフェニブ400mg以上を直近28日間のうち20日間服用できた）があり，ソラフェニブ不応となったChild-Pugh Aの進行肝細胞がん患者の二次治療としての有効性をプラセボと比較したRESORCE試験[33]において，レゴラフェニブが主要評価項目であるOSを有意に延長したため，進行肝細胞がん患者のソラフェニブ後の二次治療として承認された。有害事象は，手足症候群と高血圧のいずれも発現率が高く，副作用マネジメントが治療継続に重要である。

4週ごと，病勢増悪まで内服

抗がん薬	day	1～21	22～28
レゴラフェニブ　160mg/body/日　経口　1日1回（食後）			休薬

注：空腹時および高脂肪食摂取の1時間前から食後2時間後を避けて服用

2）カボザンチニブ

　本剤は肝細胞がん増殖因子受容体（MET），VEGFR，成長停止特異的タンパク質6受容体（AXL）を選択的に阻害するマルチキナーゼ阻害薬である。PS≦1，Child-Pugh Aのソラフェニブを含む一次または二次治療の治療歴がある進行肝細胞がん患者に対する有効性をプラセボと比較した

CELESTIAL試験[34]において，本剤が主要評価項目であるOSを有意に延長したため，二次治療の選択肢として承認された．また，日本国内で実施した第Ⅱ相試験であるCabozantinib-2003試験[35]では，CELESTIAL試験[34]と同程度の有効性が認められた．一方で，Cabozantinib-2003試験[35]における全Gradeの有害事象が，手足症候群76.5％，下痢61.8％，高血圧47.1％，食欲不振44.1％など非常に高頻度であり，日本人への投与の際には，副作用管理に注意が必要な薬剤である．

3）ラムシルマブ

本剤はヒト型抗VEGFR-2モノクローナル抗体であり，VEGFの3つのリガンド（VEGF-A，C，D）とVEGFR-2との結合を阻害することで，腫瘍血管新生阻害作用を発揮する．ソラフェニブ治療後の二次治療としての有効性を検討したREACH-1試験[36]において，有効性を示すことができなかったものの，サブグループ解析の結果よりAFP≧400ng/mLの患者で有効である可能性が示唆された．そのことから，AFP≧400ng/mLの患者に対象を絞って有効性を検討した試験がREACH-2試験[37]である．この試験において，ラムシルマブが主要評価項目であるOSをプラセボと比較して有意に延長したため，AFP≧400ng/mLの進行肝細胞がん患者の二次治療の選択肢として承認された．有害事象は，高血圧，倦怠感，蛋白尿，悪心，食欲不振，出血，infusion reactionなどが起こりうる．

【参考文献】
1) 清水充：肝小葉構造からみた肝臓の代謝および解毒機能．生活衛生，36(6):315-326，1992
2) 日本肝癌研究会　編：原発性肝癌取扱い規約 第6版補訂版．金原出版，p8-26，2019
3) UICC日本委員会TNM委員会・訳：TNM悪性腫瘍分類（第8版）日本語版．金原出版，2017
4) European Association for the Study of the Liver：EASL Clinical Practice Guidelines: Management of hepatocellular carcinoma. J Hepatol, 69(1):182-236, 2018
5) Heidelbaugh JJ et al：Cirrhosis and chronic liver failure: part I. Diagnosis and evaluation. Am Fam Physician, 74(5):756-762, 2006
6) Johnson PJ et al：Assessment of liver function in patients with hepatocellular carcinoma: a new evidence-based approach-the ALBI grade. J Clin Oncol, 33(6):550-558, 2015
7) Nguyen TTH et al：Role of Baseline Albumin-Bilirubin Grade on Predict Overall Survival Among Sorafenib-Treated Patients With Hepatocellular Carcinoma in Vietnam. Cancer Control, 26(1):1073274819865269, 2019
8) Hiraoka A et al：Validation of Modified ALBI Grade for More Detailed Assessment of Hepatic Function in

Hepatocellular Carcinoma Patients: A Multicenter Analysis. Liver Cancer, 8(2):121-129, 2019

9) Kumada T et al：High-sensitivity Lens culinaris agglutinin-reactive alpha-fetoprotein assay predicts early detection of hepatocellular carcinoma. J Gastroenterol, 49(3):555-563, 2014
10) 日本肝癌研究会　編：原発性肝癌取扱い規約 第6版補訂版，金原出版，2019
11) El-Serag HB et al：Hepatocellular carcinoma: epidemiology and molecular carcinogenesis. Gastroenterology, 132(7):2557-2576, 2007
12) Younossi ZM et al：Association of nonalcoholic fatty liver disease (NAFLD) with hepatocellular carcinoma (HCC) in the United States from 2004 to 2009. Hepatology, 62(6):1723-1730, 2015
13) Jepsen P et al：Risk for hepatocellular carcinoma in patients with alcoholic cirrhosis: a Danish nationwide cohort study. Ann Intern Med, 156(12):841-847, 2012
14) Beasley RP et al：Hepatocellular carcinoma and hepatitis B virus. A prospective study of 22 707 men in Taiwan. Lancet, 2(8256):1129-1133, 1981
15) Liang TJ et al：Viral pathogenesis of hepatocellular carcinoma in the United States. Hepatology, 18(6):1326-1333, 1993
16) 日本肝臓学会　編：肝癌診療ガイドライン 2021年版，金原出版，p76，2021
17) 日本肝臓学会　編：肝癌診療ガイドライン 2021年版，金原出版，p121-125，2021
18) 日本肝臓学会　編：肝癌診療ガイドライン 2021年版，金原出版，p159-161，2021
19) Meloni MF et al：Colonic perforation and abscess following radiofrequency ablation treatment of hepatoma. Eur J Ultrasound, 15(1-2):73-76, 2002
20) 日本肝臓学会　編：肝癌診療ガイドライン 2021年版，金原出版，p180-183，2021
21) Satake M et al：Transcatheter arterial chemoembolization (TACE) with lipiodol to treat hepatocellular carcinoma: survey results from the TACE study group of Japan. Cardiovasc Intervent Radiol, 31(4):756-761, 2008
22) Melchiorre F et al：DEB-TACE: a standard review. Future Oncol, 14(28):2969-2984, 2018
23) 日本肝臓学会　編：肝癌診療ガイドライン 2021年版，金原出版，p184-187，2021
24) Nouso K et al：Effect of hepatic arterial infusion chemotherapy of 5-fluorouracil and cisplatin for advanced hepatocellular carcinoma in the Nationwide Survey of Primary Liver Cancer in Japan. Br J Cancer, 109(7):1904-1907, 2013
25) Ikeda M et al：Sorafenib plus hepatic arterial infusion chemotherapy with cisplatin versus sorafenib for advanced hepatocellular carcinoma: randomized phase Ⅱ trial. Ann Oncol, 27(11):2090-2096, 2016
26) Mazzaferro V et al：Liver transplantation for the treatment of small hepatocellular carcinomas in patients with cirrhosis. N Engl J Med, 334(11):693-699, 1996
27) Finn RS et al：Atezolizumab plus Bevacizumab in Unresectable Hepatocellular Carcinoma. N Engl J Med, 382(20):1894-1905, 2020
28) Wilson LJ et al：New Perspectives, Opportunities, and Challenges in Exploring the Human Protein Kinome. Cancer Res, 78(1):15-29, 2018
29) Kudo M et al：Lenvatinib versus sorafenib in first-line treatment of patients with unresectable hepatocellular carcinoma: a randomised phase 3 non-inferiority trial. Lancet, 391(10126):1163-1173, 2018
30) Llovet JM et al：Sorafenib in advanced hepatocellular carcinoma. N Engl J Med, 359(4):378-390, 2008
31) Ren Z et al：Randomized controlled trial of the prophylactic effect of urea-based cream on sorafenib-associated hand-foot skin reactions in patients with advanced hepatocellular carcinoma. J Clin Oncol, 33(8):894-900, 2015
32) Wilhelm SM et al：Regorafenib (BAY 73-4506): a new oral multikinase inhibitor of angiogenic, stromal and oncogenic receptor tyrosine kinases with potent preclinical antitumor activity. Int J Cancer, 129(1):245-255, 2011
33) Bruix J et al：Regorafenib for patients with hepatocellular carcinoma who progressed on sorafenib treatment (RESORCE): a randomised, double-blind, placebo-controlled, phase 3 trial. Lancet, 389(10064):56-66, 2017
34) Abou-Alfa GK et al：Cabozantinib in Patients with Advanced and Progressing Hepatocellular Carcinoma. N Engl J Med, 379(1):54-63, 2018

35) Kudo M et al：Cabozantinib in Japanese patients with advanced hepatocellular carcinoma: a phase 2 multicenter study. J Gastroenterol, 56(2):181-190, 2021
36) Zhu AX et al：Ramucirumab versus placebo as second-line treatment in patients with advanced hepatocellular carcinoma following first-line therapy with sorafenib (REACH): a randomised, double-blind, multicentre, phase 3 trial. Lancet Oncol, 16(7):859-870, 2015
37) Zhu AX et al：Ramucirumab after sorafenib in patients with advanced hepatocellular carcinoma and increased α-fetoprotein concentrations (REACH-2) : a randomised, double-blind, placebo-controlled, phase 3 trial. Lancet Oncol, 20(2):282-296, 2019

（鈴木　秀隆）

10 膵がん

【膵がんの疫学】
罹患数：42,361人，死亡数：37,677人，5年生存率：8.5%

1 膵臓の基礎知識

　膵臓は長さ20cm程の細長い臓器で，胃の裏側に存在する。アミラーゼやリパーゼなどの膵酵素を含む膵液を分泌する外分泌機能と，インスリンやグルカゴンといった血糖値を調節するホルモンを分泌する内分泌機能をもつ臓器である。
　膵臓は十二指腸側から膵頭部，膵体部，膵尾部の3つに分けられる。

2 進行度と治療概要

2-1　進行度

　膵がんの病期診断は，「膵癌取扱い規約」または「Union for International Cancer Control（UICC）」によるTNM分類が用いられることがほとんどであるが，日本では主に前者であることが多い[1]。新旧版の違い，あるいは取扱い規約（第7版）とTNM分類（第8版）の違いにより一致しない場合があるので注意が必要である。
　また，膵がんでは現状，外科的治療がほぼ唯一根治が期待できる治療であるため，取扱い規約やNational Comprehensive Cancer Network（NCCN）による切除可能性分類または切除判定基準も存在する。この場合は大きくResectable（切除可能），Borderline resectable（切除可能境界），Unresectable（切除不能）に分けられる。こちらも両者に若干の違いがある。

2-2　外科的治療

　状態に問題がなく切除可能と判断される膵がん症例に対しては，外科的切除が標準治療となる。術式としては膵頭十二指腸切除術，膵体尾部切除術，膵全摘術がある。膵頭十二指腸切除は従来，2/3胃切除を伴っていたが，近年は出血量減少や臓器機能温存が可能な幽門輪温存膵頭十二指腸切除術，亜全胃温存膵頭十二指腸切除術が行われることが多い。
　また，胆道閉塞や十二指腸閉塞に対しては胃空腸吻合術などの外科的バイパス術が選択肢の1つとなる。

2-3 放射線治療

切除可能境界膵がんや局所進行切除不能膵がんでは化学放射線療法が用いられる場合があり，局所進行切除不能膵がんに対しては，放射線療法単独よりも良好な結果が得られている[2]。併用する化学療法としてはフッ化ピリミジン系薬やゲムシタビンが用いられる。

また骨転移による疼痛緩和，局所再発やリンパ節転移，肺転移に対する治療を目的として放射線療法を行うことがある。

2-4 その他

胆道閉塞による閉塞性黄疸や十二指腸閉塞に対して，それぞれ胆管ステント留置または十二指腸ステント挿入などの処置が行われることがある。

3 膵がんの薬物治療

3-1 術前・術後補助薬物療法

主にstage0を除く切除可能膵がんに対しては，術前補助薬物療法が行われる。GEM+S-1療法を2コース実施した後に手術を行う[3]。

上記を含む根治切除症例に対して，可能であれば術後補助薬物療法として6カ月のS-1療法を行う[4]。S-1に対する忍容性が低いと判断されるような症例ではGEM療法[5]が選択される場合がある。

1）GEM+S-1療法（術前）[3]

抗がん薬 \ day	1	8	14	15〜21
ゲムシタビン　1,000mg/m²/日 点滴静注（30分）	↓	↓		
テガフール・ギメラシル・オテラシルカリウム BSA　1.25m²未満：40mg/回， 1.25m²〜1.5m²未満：50mg/回， 1.5m²以上：60mg/回 経口　1日2回	→	→	→	休薬

注：BSA（Body Surface Area），体表面積

- 2コース行った後に手術。
- S-1はday1夕からday15朝までの内服。
- 主な副作用は骨髄抑制，下痢，悪心・嘔吐，倦怠感，皮疹など。
- ゲムシタビンによる血管痛，間質性肺炎などを認めることがある。

2) S-1療法（術後）[4]

抗がん薬 \ day	1〜28	29〜42
テガフール・ギメラシル・オテラシルカリウム BSA 1.25m² 未満：40mg/回, 1.25m²〜1.5m² 未満：50mg/回, 1.5m² 以上：60mg/回 経口 1日2回	→	休薬

注：BSA（Body Surface Area），体表面積

- 通常，術後10週以内に開始し，6カ月（4コース）行う。
- 主な副作用は骨髄抑制，下痢，悪心・嘔吐，倦怠感，皮疹など。

3) GEM療法（術後）[5]

抗がん薬 \ day	1	8	15	16〜28
ゲムシタビン 1,000mg/m²/日 点滴静注（30分）	↓	↓	↓	休薬

- 術後6カ月（6コース）行う。
- 主な副作用は骨髄抑制，悪心・嘔吐，発熱など。
- ゲムシタビンによる血管痛，間質性肺炎などを認めることがある。

3-2 切除不能・再発膵がんに対する化学療法

　化学放射線療法に不適応の局所進行切除不能膵がんに対しては，化学療法を行う。GEM療法，S-1療法，FOLFIRINOX療法，GEM+nab-PTX療法が主な一次治療の選択肢となる。

　遠隔転移を有する膵がんでは，一次治療としてFOLFIRINOX療法，GEM+nab-PTX療法が行われる。両治療に忍容性が低いと判断される症例では，GEM療法，S-1療法，GEM+erlotinib療法が選択肢となる。

　局所進行切除不能膵がん，遠隔転移を有する膵がんともに可能なら二次治療を行う。前治療でフッ化ピリミジン系薬関連レジメンを行った場合はGEM関連レジメンを，GEM関連レジメンを行った場合はnal-IRI+5-FU/LV療法を含めたフッ化ピリミジン系薬関連レジメンを選択する。またMSI-highを認めた場合にはペムブロリズマブ療法が，*NTRK*融合遺伝子陽性の場合にはエヌトレクチニブ療法，ラロトレクチニブ療法が適応となる。

1）FOLFIRINOX療法[6]

抗がん薬 \ day	1	3	4〜14
オキサリプラチン　85mg/m²/日 点滴静注（120分）	↓		休薬
レボホリナート　200mg/m²/日 点滴静注（120分）	↓		
イリノテカン　180mg/m²/日 点滴静注（120分）	↓		
フルオロウラシル　400mg/m²/日 急速静注（5分）	↓		
フルオロウラシル　2,400mg/m² 持続静注（46時間）	→		

- フルオロウラシル急速静注を省略し，イリノテカンを150mg/m²に減量したmodified FOLFIRINOX療法[7]もある。
- 主な副作用は骨髄抑制，発熱性好中球減少，末梢神経障害，悪心・嘔吐，下痢，疲労など。

2）GEM+nab-PTX療法[8]

抗がん薬 \ day	1	8	15	16〜28
ゲムシタビン　1,000mg/m²/日 点滴静注（30分）	↓	↓	↓	休薬
パクリタキセル（アルブミン懸濁型） 125mg/m²/日 点滴静注（30分）	↓	↓	↓	

- パクリタキセル（アルブミン懸濁型）はヒト血清アルブミンが含まれる特定生物由来製品であることに注意。
- 主な副作用は骨髄抑制，脱毛，末梢神経障害，悪心・嘔吐，下痢，疲労など。

3）GEM療法[9]

抗がん薬 \ day	1	8	15	16〜28
ゲムシタビン　1,000mg/m²/日 点滴静注（30分）	↓	↓	↓	休薬

- 主な副作用は骨髄抑制，下痢，悪心・嘔吐，倦怠感，皮疹など。
- ゲムシタビンによる血管痛，間質性肺炎などを認めることがある。

4) S-1療法[10]

抗がん薬 / day	1～28	29～42
テガフール・ギメラシル・オテラシルカリウム BSA　1.25m²未満：40mg/回, 1.25m²～1.5m²未満：50mg/回, 1.5m²以上：60mg/回 経口　1日2回	→	休薬

注：BSA（Body Surface Area），体表面積

・主な副作用は骨髄抑制，下痢，悪心・嘔吐，倦怠感，皮疹など．

5) GEM+erlotinib療法[11]

抗がん薬 / day	1	8	15	16～28
ゲムシタビン　1,000mg/m²/日 点滴静注（30分）	↓	↓	↓	休薬
エルロチニブ　100mg/body/回 経口　1日1回	→			

・主な副作用は骨髄抑制，悪心，皮膚障害（皮疹，爪囲炎，皮膚乾燥など），下痢など．

6) nal-IRI+5-FU/LV療法[12]

抗がん薬 / day	1	3	4～14
イリノテカン（リポソーム製剤） 70mg/m²/日 点滴静注（90分）	↓		休薬
レボホリナート　200mg/m²/日 点滴静注（120分）	↓		
フルオロウラシル　2,400mg/m² 持続静注（46時間）	→		

・*UGT1A1*6*もしくは**28*のホモ接合体，または*UGT1A1*6*および*UGT1A1*28*のヘテロ接合体を有する場合，イリノテカンとして1回50mg/m²を開始用量とし，忍容性が認められれば70mg/m²に増量可能．
・主な副作用は骨髄抑制，下痢，肝機能障害，infusion reaction，血栓症，間質性肺疾患など．

7）ペムブロリズマブ療法

抗がん薬	day	1	2〜21
ペムブロリズマブ　200mg/body/日 点滴静注（30分）		↓	休薬

抗がん薬	day	1	2〜42
ペムブロリズマブ　400mg/body/日 点滴静注（30分）		↓	休薬

・3週間ごとと6週間ごとの投与方法がある。

8）エヌトレクチニブ療法

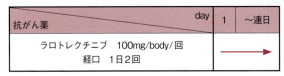

抗がん薬	day	1	〜連日
エヌトレクチニブ　600mg/body/回 経口　1日1回		→	

・小児では用量，減量方法などが異なる。
・主な副作用は認知障害，運動失調，味覚異常，便秘，下痢，心機能異常など。

9）ラロトレクチニブ療法

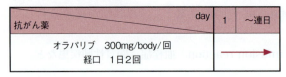

抗がん薬	day	1	〜連日
ラロトレクチニブ　100mg/body/回 経口　1日2回		→	

・小児では用量，減量方法などが異なる。
・主な副作用は浮動性めまい，悪心・嘔吐，疲労，AST/ALT増加，骨髄抑制など。

10）オラパリブ療法

抗がん薬	day	1	〜連日
オラパリブ　300mg/body/回 経口　1日2回		→	

・BRCA遺伝子変異陽性かつプラチナ系薬剤を含む化学療法で疾患進行を認めない症例を対象とした維持療法。
・主な副作用は骨髄抑制，悪心・嘔吐，下痢，皮疹，間質性肺疾患など。
・CYP3Aによる代謝を受けるため併用薬に注意が必要。

【参考文献】

1) 日本膵臓学会　編：膵癌診療ガイドライン2019年版, 金原出版, pp69-70, 2019
2) Sultana A et al : Systematic review, including meta-analyses, on the management of locally advanced pancreatic cancer using radiation/combined modality therapy. Br J Cancer, 96(8):1183-1190, 2007
3) Motoi F et al : Randomized phase II/III trial of neoadjuvant chemotherapy with gemcitabine and S-1 versus upfront surgery for resectable pancreatic cancer (Prep-02/JSAP-05). Jpn J Clin Oncol, 49(2):190-194, 2019
4) Uesaka K et al : Adjuvant chemotherapy of S-1 versus gemcitabine for resected pancreatic cancer: a phase 3, open-label, randomised, non-inferiority trial (JASPAC 01). Lancet, 388(10041):248-257, 2016
5) Oettle H et al : Adjuvant chemotherapy with gemcitabine and long-term outcomes among patients with resected pancreatic cancer: the CONKO-001 randomized trial. JAMA, 310(14):1473-1481, 2013
6) Conroy T et al : FOLFIRINOX versus gemcitabine for metastatic pancreatic cancer. N Engl J Med, 364(19):1817-1825, 2011
7) Ozaka M et al : A phase II study of modified FOLFIRINOX for chemotherapy-naïve patients with metastatic pancreatic cancer. Cancer Chemother Pharmacol, 81(6):1017-1023, 2018
8) Von Hoff DD et al : Increased survival in pancreatic cancer with nab-paclitaxel plus gemcitabine. N Engl J Med, 369(18):1691-1703, 2013
9) Burris HA 3rd et al : Improvements in survival and clinical benefit with gemcitabine as first-line therapy for patients with advanced pancreas cancer: a randomized trial. J Clin Oncol, 15(6):2403-2413, 1997
10) Ueno H et al : Randomized phase III study of gemcitabine plus S-1, S-1 alone, or gemcitabine alone in patients with locally advanced and metastatic pancreatic cancer in Japan and Taiwan: GEST study. J Clin Oncol, 31(13):1640-1648, 2013
11) Moore MJ et al : Erlotinib plus gemcitabine compared with gemcitabine alone in patients with advanced pancreatic cancer: a phase III trial of the National Cancer Institute of Canada Clinical Trials Group. J Clin Oncol, 25(15):1960-1966, 2007
12) Wang-Gillam A et al : Nanoliposomal irinotecan with fluorouracil and folinic acid in metastatic pancreatic cancer after previous gemcitabine-based therapy (NAPOLI-1): a global, randomised, open-label, phase 3 trial. Lancet, 387(10018):545-557, 2016

（小暮　友毅）

第4章　疾患

11　卵巣がん

【卵巣がんの疫学】
罹患数：13,049人，死亡数：4,876人，5年生存率：60.0%

1　卵巣の基礎知識

　卵巣は骨盤腔の深部に位置し，子宮の両脇に1つずつある親指大の楕円形の臓器である。卵子の生成・成熟・排卵を行う機能と，女性ホルモンを分泌する機能があるため，閉経前の患者で両側の卵巣を摘出した場合は女性ホルモンが急激に減少し，更年期障害のような症状が起こることがある。また，症状が生じにくいうえに，初期病変は触診や内診では検出しづらいことから，卵巣がんは進行して発見されることが多い。
　卵巣がんは，上皮性，性索間質性，胚細胞性などに分類され，本稿では，上皮性卵巣がんを扱う。

2　進行度と治療概要（外科，放射線治療など）

2-1　進行度診断

　現病歴，月経・妊娠歴，既往歴，家族歴を聴取後，腹部・表在リンパ節の所見を得た後に内診，超音波断層法，MRI，CT，腫瘍マーカー（CA125，CA19-9，SCC，AFP，CEA）などの検査を実施する。確定診断・病理判定は，外科的処置により行う。
　進行期分類や組織学的分類は，進展様式に準じたFIGO2014分類による手術期進行分類[1]や，UICCから発刊されたFIGO2014に準拠したTNM分類[2]で記載されている。また，組織学的異型度は予後因子として重要であるのみならず，治療方針を決定するために不可欠な情報である。

2-2　外科治療[3]

1）進行期決定開腹手術/一次的腫瘍減量手術（primary debulking surgery：PDS）
　両側付属器摘出術，子宮全摘出術，大網切除術に加え，staging laparotomyとして腹腔細胞診，生検，後腹膜リンパ節郭清や生検などを実施する。腹腔内播種や転移病巣がある場合は，肉眼的残存がない状態を目指して最大限の腫瘍減量を行い，これを一次的腫瘍減量手術という。

2）試験開腹術
　原発腫瘍の摘出が困難な症例に対して，化学療法の効果を期待し，生検と最小限の進行期確認に

とどめる。

3）インターバル腫瘍減量手術（interval debulking surgery：IDS）

初回化学療法中に計画的な減量手術を行うことがある。全身状態や合併症などによりPDSが十分に行えない症例にも，predictive indexスコア[4]などの客観的な評価方法を導入したうえで，化学療法先行後の腫瘍縮小手術（neoadjuvant chemotherapy：NAC＋IDS）は選択肢の1つとなる。

4）二次的腫瘍減量手術（secondary debulking surgery：SDS）

再発腫瘍や初回治療終了後に認められる残存腫瘍に対して，可能な限り最大限の腫瘍減量を行う。

5）妊孕性温存手術

病理組織学的診断[5,6]をもとに，患者本人が挙児を強く望み，かつ患者および家族が疾患や再発の可能性について深く理解したうえ，十分なインフォームド・コンセントが得られた場合に考慮される。

6）リスク低減卵管卵巣摘出術（Risk-Reducing Salpingo-Oophorectomy：RRSO）

BRCA1あるいはBRCA2（BRCA1/2）の生殖細胞系列の病的バリアントを保持する患者における卵巣がんの累積罹患リスクは高率である[7]。RRSOは生命予後を改善させる効果があり[8]，遺伝カウンセリングなどの施設基準を満たした施設で実施することが可能である。

2-3　放射線治療

主に再発時の症状緩和を目的として，患者の病態に応じて局所に対し照射する。脳転移に対する放射線治療は，通常の分割照射に加えて低位照射の有効性も報告されている。

❸ 卵巣がんの薬物療法

卵巣がんの治療では，コンパニオン診断の結果に基づいて薬剤が選択される。BRCAの病的バリアントがバイオマーカーとしての意義をもつ，PARP阻害薬も個別化医療の一躍を担うものと考えられる。保険適用のある検査は，BRCA1/2遺伝子検査と腫瘍組織を用いたHRD（homologous recombination deficiency）検査である。

3-1 初回治療

　初回治療のキードラッグは，タキサン製剤とプラチナ製剤である．分子標的薬の併用や，奏効症例には維持療法を実施する治療の有効性が報告されている．

1）パクリタキセル＋カルボプラチン療法
(1) TC療法[9, 10]
3週ごと，6コース

抗がん薬 / day	1	2〜21
パクリタキセル　175〜180mg/m²/日　点滴静注（3時間）	↓	休薬
カルボプラチン　AUC5〜6　点滴静注（1時間）	↓	

・主な副作用は，骨髄抑制，脱毛，悪心，末梢神経障害，筋肉痛，関節痛，過敏反応．

(2) dose-dense TC療法[11]
3週ごと，6コース

抗がん薬 / day	1	8	15	16〜21
パクリタキセル　80mg/m²/日　点滴静注（1時間）	↓	↓	↓	休薬
カルボプラチン　AUC5〜6　点滴静注（1時間）	↓			

・TC療法に比べて貧血が多いが，治療開始時の神経障害は軽度である．

2）ドセタキセル＋カルボプラチン療法（DC療法）[12]
3週ごと，6コース

抗がん薬 / day	1	2〜21
ドセタキセル　75mg/m²/日　点滴静注（1時間）	↓	休薬
カルボプラチン　AUC5　点滴静注（1時間）	↓	

・主な副作用は，骨髄抑制，脱毛，悪心，浮腫，手足症候群，爪の変化，過敏反応である．
・末梢神経障害が懸念される症例や，アルコール不耐症に対しては，DC療法の選択が考慮される．

3）パクリタキセル＋カルボプラチン＋ベバシズマブ療法（TC療法＋Bev）[13]

3週間，1コース

抗がん薬	day 1	2〜21
パクリタキセル　175mg/m²/日 点滴静注（3時間）	↓	休薬
カルボプラチン　AUC6 点滴静注（1時間）	↓	

3週ごと，2〜6コース

抗がん薬	day 1	2〜21
パクリタキセル　175mg/m²/日 点滴静注（3時間）	↓	休薬
カルボプラチン　AUC6 点滴静注（1時間）	↓	
ベバシズマブ　15mg/kg/日 点滴静注（30〜90分）	↓	

- 完全寛解が得られた場合は，7コース以降は22コースまで維持療法としてベバシズマブ単剤で3週ごとに点滴する。
- 主な副作用は，TC療法の副作用に加え，高血圧，蛋白尿，血栓塞栓症，消化管穿孔などが加わる。

4）PARP阻害薬

（1）オラパリブ[14, 15]

- *BRCA*病的バリアント陽性患者の初回化学療法後の維持療法。
- 相同組換え修復欠損（HRD）患者のベバシズマブを併用した初回化学療法後の維持療法。

　1回300mgを1日2回，連日経口投与する。ベバシズマブを含む初回化学療法後完全寛解の維持療法の場合は，ベバシズマブとの併用で使用する。

　主な副作用は，貧血や好中球減少などの骨髄抑制，悪心である。

（2）ニラパリブ[16]

- 初回化学療法後の維持療法（*BRCA*病的バリアントや*HRD*の結果に関係ない）。

　1回200mgを1日1回，連日経口投与する。ただし，初回投与前の体重が77kg以上かつ血小板数が15万/μL以上の成人には1日1回300mgを連日経口投与する。

　主な副作用として，血小板減少，貧血などが報告されている。

3-2 二次化学療法

　再発時や初回化学療法に抵抗を示した場合に実施する化学療法である。前回プラチナ製剤による治療終了後から再発までの期間（PFI）が6カ月以上の再発症例をプラチナ製剤感受性，6カ月未満をプラチナ製剤抵抗性とよび，レジメン選択が異なる。

1) プラチナ製剤感受性

カルボプラチンを反復投与された症例では過敏反応が生じるとされ、発生頻度が上昇する7〜10回投与以降は特に注意が必要である[17, 18]。

(1) 初回治療のTC療法を行う。

(2) ゲムシタビン＋カルボプラチン（GC）療法[19]

3週ごと、6コース

抗がん薬 \ day	1	8	9〜21
ゲムシタビン　1,000mg/m²/日 点滴静注（30分）	↓	↓	休薬
カルボプラチン　AUC4 点滴静注（1時間）	↓		

・主な副作用は、骨髄抑制、悪心、皮疹、倦怠感、血管痛、過敏反応など。

(3) リポソーム化ドキソルビシン＋カルボプラチン（PLD-C）療法[20]

4週ごと、6コース

抗がん薬 \ day	1	2〜28
リポソーム化ドキソルビシン　30mg/m²/日 点滴静注（1時間）	↓	休薬
カルボプラチン　AUC5 点滴静注（1時間）	↓	

・主な副作用は、骨髄抑制、悪心、手足症候群、口内炎、過敏反応など。

(4) ベバシズマブ併用レジメン

二次的腫瘍減量手術後4週以内に開始する場合、1コース目はベバシズマブを休薬する。

①TC療法＋ベバシズマブ[21]

3週ごと、6コース

抗がん薬 \ day	1	2〜21
パクリタキセル　175mg/m²/日 点滴静注（3時間）	↓	休薬
カルボプラチン　AUC5 点滴静注（1時間）	↓	
ベバシズマブ　15mg/kg/日 点滴静注（30〜90分）	↓	

7コース以降はベバシズマブ単剤で病勢増悪まで継続

② GC療法＋ベバシズマブ[22]

3週ごと，6コース

抗がん薬 \ day	1	8	9〜21
ゲムシタビン　1,000mg/m²/日 点滴静注（30分）	↓	↓	休薬
カルボプラチン　AUC4 点滴静注（1時間）	↓		休薬
ベバシズマブ　15mg/kg/日 点滴静注（30〜90分）	↓		休薬

7コース以降はベバシズマブ単剤で病勢増悪まで継続

③ PLD-C＋ベバシズマブ[23]

4週ごと，6コース

抗がん薬 \ day	1	15	16〜28
リポソーム化ドキソルビシン　30mg/m²/日 点滴静注（1時間）	↓		休薬
カルボプラチン　AUC5 点滴静注（1時間）	↓		休薬
ベバシズマブ　10mg/kg/日 点滴静注（30〜90分）	↓	↓	休薬

7コース以降はベバシズマブ単剤15mg/kg/日を3週ごと，病勢増悪まで継続

(5) オラパリブ[24]，ニラパリブ[25]

BRCA1/2病的バリアントの有無を問わず，プラチナ製剤を含むレジメンを4コース以上実施した化学療法で奏効した症例に対する維持療法として，プラセボと比較し有意な治療成績が報告されている。

また，HRD陽性で3または4ラインの化学療法歴があり，最後に受けたプラチナ製剤を含む化学療法でプラチナ製剤感受性を示した患者には，ニラパリブを使用できる[26]。

2) プラチナ製剤抵抗性

多剤併用療法が単剤療法に勝るという報告はなく，単剤による治療が基本となる。前回治療と交差耐性のない薬剤を選択する。

(1) ノギテカン[27]

3週ごと，病勢増悪まで

抗がん薬 \ day	1	2	3	4	5	6〜21
ノギテカン　1.5mg/m²/日 点滴静注（30分）	↓	↓	↓	↓	↓	休薬

(2) リポソーム化ドキソルビシン[28]

4週ごと，病勢増悪まで

抗がん薬	day	1	2〜28
リポソーム化ドキソルビシン　40mg/m²/日 点滴静注（1時間）		↓	休薬

(3) ゲムシタビン[28]

4週ごと，病勢増悪まで

抗がん薬	day	1	8	15	16〜28
ゲムシタビン　1,000mg/m²/日 点滴静注（30分）		↓	↓	↓	休薬

上記以外に，イリノテカン[29]，ドセタキセル[30]，パクリタキセル[31]，経口エトポシド[32]がある。

(4) 化学療法＋ベバシズマブ

血管新生阻害薬であるベバシズマブの上乗せ効果を検証したAURELIA試験では，単剤化学療法（リポソーム化ドキソルビシン，パクリタキセル毎週投与，ノギテカン）＋ベバシズマブ併用療法で無増悪生存期間の延長が報告されている[33]。

【参考文献】

1) 日本産科婦人科学会，日本病理学会・編：卵巣腫瘍・卵管癌・腹膜癌取扱い規約　臨床編　第1版．金原出版，2015
2) 日本産科婦人科学会，日本病理学会・編：卵巣腫瘍・卵管癌・腹膜癌取扱い規約　病理編　第1版．金原出版，2016
3) 日本婦人科腫瘍学会・編：卵巣がん・卵管癌・腹膜癌治療ガイドライン2020年版．金原出版，2020
4) Fagotti A et al: A multicentric trial (Olympia-MITO 13) on the accuracy of laparoscopy to assess peritoneal spread in ovarian cancer. Am J Obstet Gynecol, 209(5):462.e1-462.e11, 2013
5) Bentivegna E et al: Fertility-sparing surgery in epithelial ovarian cancer: a systematic review of oncological issues. Ann Oncol, 27(11):1994-2004, 2016
6) Satoh T et al: Outcomes of fertility-sparing surgery for stage Ⅰ epithelial ovarian cancer: a proposal for patient selection. J Clin Oncol, 28(10): 1727-1732, 2010
7) Chen S et al: Meta-analysis of BRCA1 and BRCA2 penetrance. J Clin Oncol, 25(11):1329-1333, 2007
8) Finch APM et al: Impact of oophorectomy on cancer incidence and mortality in women with a BRCA1 or BRCA2 mutation. J Clin Oncol, 32(15):1547-1553, 2014
9) Ozols RF et al: Phase Ⅲ trial of carboplatin and paclitaxel compared with cisplatin and paclitaxel in patients with optimally resected stage Ⅲ ovarian cancer: a Gynecologic Oncology Group study. J Clin Oncol, 21(17):3194-3200, 2003
10) du Bois A et al: A randomized clinical trial of cisplatin/paclitaxel versus carboplatin/paclitaxel as first-line treatment of ovarian cancer. J Natl Cancer, 95(17):1320-1329, 2003
11) Katsumata N et al: Long-term results of dose-dense paclitaxel and carboplatin versus conventional paclitaxel and carboplatin for treatment of advanced epithelial ovarian, fallopian tube, or primary peritoneal cancer (JCOG 3016): a randomised, controlled, open-label trial. Lancet Oncol, 14(10):1020-1026, 2013
12) Vasey PA et al: Phase Ⅲ randomized trial of docetaxel-carboplatin versus paclitaxel-carboplatin as first-line chemotherapy for ovarian carcinoma. J Natl Cancer Inst, 96(22):1682-1691, 2004

13) Burger RA et al: Incorporation of Bevacizumab in the Primary Treatment of Ovarian Cancer. N Engl J Med, 365(26):2473-2483, 2011
14) Moore K et al: Maintenance Olaparib in Patients with Newly Diagnosed Advanced Ovarian Cancer. N Engl J Med, 379(26):2495-2505, 2018
15) Ray-Coquard I et al: Olaparib plus Bevacizumab as First-Line Maintenance in Ovarian Cancer. N Engl J Med, 381(25):2416-2428, 2019
16) Gonzalez-Martin A et al: Niraparib in Patients with Newly Diagnosed Advanced Ovarian Cancer. N Engl J Med, 381(25):2391-2402, 2019
17) Markman M et al: Clinical features of hypersensitivity reactions to carboplatin. J Clin Oncol, 17(4): 1141, 1999
18) Polyzos A et al: Hypersensitivity reactions to carboplatin administration are common but not always severe: a 10-year experience. Oncology, 61(2):129-133, 2001
19) Pfisterer J et al: Gemcitabine plus carboplatin compared with carboplatin in patients with platinum-sensitive recurrent ovarian cancer: an intergroup trial of the AGO-OVAR, the NCIC CTG, and the EORTC GCG. J Clin Oncol, 24(29):4699-4707, 2006
20) Pujade-Lauraine E et al: Pegylated liposomal doxorubicin and carboplatin compared with paclitaxel and carboplatin for patients with platinum-sensitive ovarian cancer in late relapse. J Clin Oncol, 28(20):3323-3329, 2010
21) Coleman RL et al: Bevacizumab and paclitaxel-carboplatin chemotherapy and secondary cytoreduction in recurrent, platinum-sensitive ovarian cancer (NRG Oncology/Gynecologic Oncology Group study GOG-0213): a multicentre, open-label, randomised, phase 3 trial. Lancet Oncol, 18(6): 779-791, 2017
22) Aghajanian C et al: OCEANS: a randomized, double-blind, placebo-controlled phase Ⅲ trial of chemotherapy with or without bevacizumab in patients with platinum-sensitive recurrent epithelial ovarian, primary peritoneal, or fallopian tube cancer. J Clin Oncol, 30(17):2039-2045, 2012
23) Pfisterer J et al: Bevacizumab and platinum-based combinations for recurrent ovarian cancer: a randomised, open-label, phase 3 trial. Lancet Oncol, 21(5):699-709, 2020
24) Ledermann J et al: Olaparib Maintenance Therapy in Platinum-Sensitive Relapsed Ovarian Cancer. N Engl J Med, 366(15):1382-1392, 2012
25) Mirza MR et al: Niraparib Maintenance Therapy in platinum-sensitive, Recurrento Ovarian Cancer. N Engl J Med, 375(22):2154-2164, 2016
26) Moore KN et al: Niraparib monotherapy for late-line treatment of ovarian cancer (QUADRA): a multicentre, open-label, single-arm, phase 2 trial. Lancet Oncol, 20(5):636-648, 2019
27) ten Bokkel Huinink W et al: Long-term survival in phase Ⅲ, randomised study of topotecan versus paclitaxel in advanced epithelial ovarian carcinoma. Ann Oncol, 15(1):100-103, 2004
28) Ferrandina G et al: Phase Ⅲ trial of gemcitabine compared with pegylated liposomal doxorubicin in progressive or recurrent ovarian cancer. J Clin Oncol, 26(6):890-896, 2008
29) Matsumoto K et al: The safety and efficacy of the weekly dosing of irinotecan for platinum- and taxanes-resistant epithelial ovarian cancer. Gynecol Oncol, 100(2):412-416, 2006
30) Katsumata N et al: A phase Ⅱ trial of docetaxel in platinum pre-treated patients with advanced epithelial ovarian cancer: a Japanese cooperative study. Ann Oncol, 11(12):1531-1536, 2000
31) Markman M et al: Phase Ⅱ trial of weekly single-agent paclitaxel in platinum/paclitaxel-refractory ovarian cancer. J Clin Oncol, 20(9):2365-2369, 2002
32) Rose PG et al: Prolonged oral etoposide as second-line therapy for platinum-resistant and platinum-sensitive ovarian carcinoma: a Gynecologic Oncology Group study. J Clin Oncol, 16(2):405-410, 1998
33) Pujade-Lauraine E et al: Bevacizumab Combined With Chemotherapy for Platinum-Resistant Recurrent Ovarian Cancer: The AURELIA Open-Label Randomized Phase Ⅲ Trial. J Clin Oncol, 32(13):1302-1308, 2014

（組橋　由記）

12-1 子宮がん（総論）

【子宮がんの疫学】
罹患数：28,543人，死亡数：6,808人，5年生存率：78.7%

1 子宮の基礎知識

　子宮は，女性生殖器のうち内性器に分類される。骨盤腔の中央に位置し，子宮の前方には膀胱が，後方には直腸が存在する。子宮の位置は，子宮を保持する靱帯を主とした子宮懸垂装置と，子宮を支える靱帯や筋肉を主とした子宮支持装置によって保持されている。

　子宮は，子宮内膜に着床した受精卵を発育させる器官である（図）。成熟女性の子宮はほぼ鶏卵大（全長約7cm）で，その多くは前傾前屈である。子宮壁は子宮腔側から子宮内膜，子宮筋層，子宮漿膜の順で構成されている。子宮内膜は基底層と機能層に分けられ，子宮腔側にある機能層は，思春期から閉経まで月経周期に伴って周期的な変化を繰り返す[1]。

1-1　子宮頸部の基礎知識

　子宮頸部は子宮の下部1/3をさし，そのうち上部と下部の2つに分けられ，上部を腟上部，下部を子宮腟部とよぶ。子宮頸部の内腔を子宮頸管という[1]。

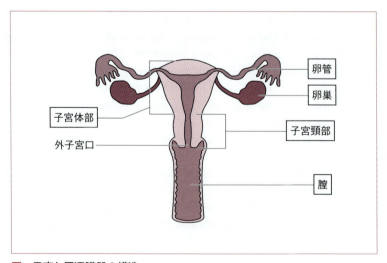

図　子宮と周辺臓器の構造

1-2　子宮体部の基礎知識

　子宮体部は子宮の上部2/3をさす。子宮体部の上部を子宮底，子宮体部の内腔を子宮腔とよび，子宮壁は子宮腔側から子宮内膜，子宮筋層，子宮漿膜の順で構成されている。子宮内膜は思春期から閉経まで，月経周期にあわせた変化を繰り返す。排卵前の増殖期（卵胞期）には，エストロゲンの作用で子宮内膜が増殖・肥厚し，排卵後の分泌期（黄体期）にはプロゲステロンの作用でらせん動脈の増生，子宮内膜の脱落膜様変化が起こる。受精が成立すると，受精卵は卵割を繰り返しながら分泌期の子宮内膜に着床する。一方，この時期に受精・着床が起こらなかった場合，エストロゲン・プロゲステロンの急激な低下によりらせん動脈の虚血性変化が起こり，脱落膜様に変化した子宮内膜が壊死・剥離して子宮外に排出される（月経期）[1]。

【参考文献】
1)　井上裕美　他　監：病気がみえる vol.9 婦人科・乳腺外科（第4版），メディカ出版，p.2-5, 2018

（日置　三紀）

第4章 疾患　12　子宮がん

12-2 子宮頸がん

【子宮頸がんの疫学】
　罹患数：10,979人，死亡数：2,887人，5年生存率：76.5%

1 子宮頸がんの基礎知識

　子宮頸がんの多くは，ヒトパピローマウイルス（human papillomavirus：HPV）の持続感染が病因とされている。子宮頸がんの組織型は扁平上皮がんが約75%と最も多いが，近年は腺がんなどの比較的放射線や化学療法への感受性が低い非扁平上皮がんの割合が増加している[1]。
　子宮頸がん検診などでも実施される子宮頸部細胞診は，スクリーニング手法として有用性が高く，異形成（前がん病変）のほか，根治可能な早期の段階での子宮頸がんの発見に寄与する[2]。子宮頸部細胞診の感度・特異度は高く，頸がんによる死亡を減少させる効果[3]や浸潤がんへの進行を減少させる効果が報告されている。20〜69歳を対象に，2年間隔での検診が推奨される[2]。
　子宮頸がんの診断方法として細胞診，コルポスコピーおよび組織診がある。

2 進行度と治療概要（外科，放射線治療など）

2-1　進行度診断（Stage分類）[4]

　子宮頸がんの進行期分類には，FIGO（International Federation of Gynecology and Obstetrics）分類，UICC（Union for International Cancer Control）による病理学的TNM分類ならびに日本産科婦人科学会他の「子宮頸癌取扱い規約」による分類がある。
　進行期分類は，全身理学的所見，視診，双合診（触診），コルポスコピー，組織生検，頸管内掻爬，子宮鏡，画像診断（肺および骨のX線検査），臨床検査としての子宮頸部円錐切除によって治療開始前に決定し，原則として変更しない。CTやMRIなどによる画像診断については，実質臓器転移（肺，肝臓，脳など）の評価を目的とし，画像診断で実質臓器転移があればⅣB期とする（表1）。子宮頸がん（扁平上皮がん）の前がん病変である子宮頸部上皮内腫瘍（cervical intraepithelial neoplasia：CIN）は，その範囲によってCIN1（上皮1/3以内），CIN2（上皮2/3以内），CIN3（上皮2/3以上〜上皮全層）に分類される。このうち，CIN3を前がん病変として扱う。子宮頸部腺がんの前がん病変はAIS（adenocarcinoma in situ）として知られている。

表1 子宮頸がんの病期別標準治療

臨床進行期	治療
Stage Ⅰ A1	単純子宮全摘術，準広汎子宮全摘術 （脈管侵襲陰性で妊孕性温存を強く望む場合，円錐切除後厳重管理）
Stage Ⅰ A2	準広汎子宮全摘術 （高齢や合併症などで手術が困難な場合，放射線治療）
Stage Ⅰ B1 Stage Ⅰ B2	広汎子宮全摘術±放射線治療 または CCRT*
Stage Ⅱ A1	広汎子宮全摘術，放射線治療 または CCRT*
Stage Ⅱ A2 Stage Ⅱ B	広汎子宮全摘術 または CCRT*
Stage Ⅲ	CCRT*
Stage Ⅳ A	CCRT*，全身化学療法
Stage Ⅳ B	全身化学療法，BSC
再発	全身化学療法，BSC （局所再発の場合，手術・放射線治療も考慮）

＊concurrent chemoradiotherapy（同時化学放射線療法）
（日本婦人科腫瘍学会　編：子宮頸癌治療ガイドライン2017年版，金原出版，2017をもとに作成）

2-2 外科治療[4]

子宮頸がんの病期別標準的治療を表1に示す。

1）子宮頸部円錐切除術

外子宮口を含む円状の領域を底面にして，子宮頸部を円錐状に切除する方法である。微小浸潤がんの診断やCIN3の診断・治療のために行われる。CIN3で円錐切除後，断端陰性の場合は円錐切除のみで経過観察となる。AISやStage Ⅰ A1期では準広汎子宮全摘術が基本だが，脈管侵襲陰性で患者が妊孕性温存を強く望む場合，円錐切除後慎重に経過観察となる場合がある。

2）子宮全摘出術

子宮と腟の一部，付属器（卵管・卵巣）やリンパ節を切除する方法である。子宮傍（結合）組織などの切除範囲によって，単純子宮全摘出術，準広汎子宮全摘出術，広汎子宮全摘出術に大別される。Stage Ⅰ，Ⅱ期の場合，卵巣は温存される場合もある。

3）子宮頸部摘出術

子宮頸部の浸潤がんで，子宮頸部，子宮傍（結合）組織，腟壁および腟傍（結合）組織の一部の摘出と骨盤リンパ節郭清を行い，子宮体部を温存することで妊孕性を温存する方法である。

4）骨盤除臓術

女性内性器（子宮，卵巣，卵管，腟）とともに膀胱，直腸など骨盤内臓器を摘出する術式である。

表2 推奨放射線治療スケジュール

進行期 （がんの大きさ）	外部照射 全骨盤	外部照射 中央遮蔽	腔内照射高線量率
Stage ⅠB1・ⅡA1（小）	20 Gy	30 Gy	24 Gy／4回
Stage ⅠB2・Ⅱ（大）・Ⅲ	30 Gy	20 Gy	24 Gy／4回
	40 Gy	10 Gy	18 Gy／3回
Stage ⅣA	40 Gy	10 Gy	18 Gy／3回
	50 Gy	0 Gy	12 Gy／2回

（日本婦人科腫瘍学会　編：子宮頸がん治療ガイドライン2017年版，金原出版，2017をもとに作成）

2-3　放射線治療

　子宮頸がんの放射線治療には，根治を目的とする放射線治療や同時化学放射線療法（CCRT），緩和的放射線治療がある。また，照射の方法として腔内照射と外部照射がある（表2）。
・腔内照射：子宮および腟内に線源を挿入し，直接病巣に放射線を照射する方法。
　　　遠隔操作式高線量率腔内照射（remote after loading system：RALS）など。
・外部照射：高エネルギーX線治療装置であるリニアック（直線加速器）で照射する方法。
　　　比較的広範囲への照射が可能で，転移が疑われるリンパ節や浸潤の強い子宮傍組織に追加照射（boost）が行われる場合もある。小腸や骨髄への被曝を低減するために，強度変調放射線治療（intensity-modulated radiation therapy：IMRT）が用いられる場合がある。

1）根治的放射線治療
　根治的手術を行わずに，治癒を目的として行われる放射線治療である。原則として，腔内照射と外部照射の併用で行う。

2）術後放射線療法
　根治的手術後に，骨盤内再発予防を目的として行われる放射線治療である。基本的に外部照射単独で行う。

3）緩和的放射線治療
　主に外部照射で行われる。

3　子宮頸がんの薬物療法

3-1　同時化学放射線療法

　局所進行（StageⅢ・ⅣA期）の子宮頸がんでは，シスプラチンを含む同時化学放射線療法（concurrent chemoradiotherapy：CCRT）が推奨される。複数のRCTやメタアナリシスでもその効果が報告されているが，放射線治療単独に比べて有害事象が強いため注意する。

(1) CDDP併用CCRT [5]

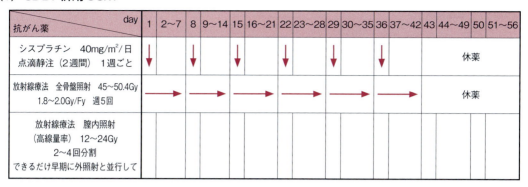

主な副作用：悪心嘔吐，好中球数減少，貧血，腎機能障害，電解質異常，下痢

3-2 全身化学療法

子宮頸がん治療の主体は手術療法だが，治癒切除不能な転移を伴う例や再発例のほか，手術前に腫瘍縮小を図る場合や，手術による根治が難しい場合は化学療法が選択される。

(1) TP±BEV療法 [6]

3週ごと，病勢増悪まで

抗がん薬 day	1	2〜21
パクリタキセル 135mg/m² 点滴静注（24時間） または 175mg/m² 点滴静注（3時間）	↓	休薬
シスプラチン 50mg/m²/日 点滴静注（2時間）	↓	
ベバシズマブ 15mg/kg/日 点滴静注（90分→60分→30分）*	↓	

＊初回90分で投与。忍容性が良好であれば2回目60分，3回目以降は30分まで短縮可。

主な副作用：悪心嘔吐，骨髄抑制，便秘，筋肉・関節痛，末梢神経障害，腎機能障害，過敏反応，脱毛，（ベバシズマブ併用の場合）高血圧，出血，タンパク尿，消化管穿孔，直腸腟瘻

(2) TC療法 [7]

3週ごと，6コース

抗がん薬 day	1	2〜21
パクリタキセル 175〜180mg/m² 点滴静注（3時間）	↓	休薬
カルボプラチン AUC 5〜6 点滴静注（1時間）	↓	

主な副作用：悪心嘔吐，骨髄抑制，便秘，筋肉・関節痛，末梢神経障害，過敏反応，脱毛

(3) Topotecan-Paclitaxel ± BEV療法[6]

3週ごと，病勢増悪まで

抗がん薬 / day	1	2	3	4～21
パクリタキセル　175～180mg/m² 点滴静注（3時間）	↓			休薬
ノギテカン　0.75mg/m² 点滴静注（30分）	↓	↓	↓	
ベバシズマブ　15mg/kg 点滴静注	↓			

主な副作用：骨髄抑制，筋肉・関節痛，末梢神経障害，過敏反応，脱毛，高血圧，出血，タンパク尿，消化管穿孔，直腸腟瘻

(4) Topotecan+Cisplatin療法[8]

3週ごと，6コース

抗がん薬 / day	1	2	3	4～21
ノギテカン　0.75mg/m² 点滴静注（30分）	↓	↓	↓	休薬
シスプラチン　50mg/m² 点滴静注（2時間）	↓			

主な副作用：骨髄抑制，悪心嘔吐，腎機能障害，電解質異常

3-3　HPVワクチン

　子宮頸がん患者の90％以上からHPV-DNAが検出される。HPVには100種類以上の型が存在するが，その一部に発がんリスクが高いハイリスクHPV（HPV16・18,31,33,35,39,45,51,52,56,58,66,68型）が存在する。なかでもHPV16・18型の頻度は高く，子宮頸がん全体の約70％を占める[9]。

　HPVは2本鎖DNAウイルスで，ハイリスクHPVは$E6,E7$などのがん遺伝子を含む。多くの場合，性器粘膜から扁平上皮基底層に潜伏感染したHPVは不顕性感染で自然に排除されるが，宿主の染色体に取り込まれると溶解感染を起こし，最終分化した上皮細胞でウイルスを放出しつづける。

　初交前のHPVワクチン接種によって，浸潤性子宮頸がんの罹患リスクが低下することが報告されている[10]。HPVワクチンの種類と対象者などについて表3に示す。

表3　HPVワクチンの種類

	接種区分[*1]	商品名	予防するVPD[*2]	対象者
2価	定期	サーバリックス®	(16,18型) 子宮頸がん，前がん病変	10歳以上 女性
4価	定期	ガーダシル®	(16,18型) 子宮頸がん，外陰がん，腟がん，肛門がん (6,11型) 尖圭コンジローマ	9歳以上 男女
9価	任意	シルガード®	(16,18,31,33,45,52,58型) 子宮頸がん，外陰がん，腟がん (6,11型) 尖圭コンジローマ	9歳以上 女性

*1　接種区分は2021年10月現在
*2　vaccine preventable disease（ワクチンで予防できる疾病）

【参考文献】
1) 日本臨床腫瘍学会・編：新臨床腫瘍学 改訂第6版，南江堂，p.521-525，2018
2) 国立がん研究センター社会と健康研究センター：有効性評価に基づく子宮頸がん検診ガイドライン更新版，2020（http://canscreen.ncc.go.jp/shikyukeiguide2019.pdf）（2022年6月閲覧）
3) Sankaranarayanan R et al：Effect of visual screening on cervical cancer incidence and mortality in Tamil Nadu, India: a cluster-randomised trial. Lancet, 370(9585):398-406, 2007
4) 日本婦人科腫瘍学会　編：子宮頸癌治療ガイドライン 2017年版，金原出版，2017
5) Chemoradiotherapy for Cervical Cancer Meta-Analysis Collaboration：Reducing uncertainties about the effects of chemoradiotherapy for cervical cancer: a systematic review and meta-analysis of individual patient data from 18 randomized trials. J Clin Oncol, 26(35):5802-5812, 2008
6) Tewari KS et al：Improved survival with bevacizumab in advanced cervical cancer. N Engl J Med, 370(8):734-743, 2014
7) Kitagawa R et al：Paclitaxel Plus Carboplatin Versus Paclitaxel Plus Cisplatin in Metastatic or Recurrent Cervical Cancer: The Open-Label Randomized Phase Ⅲ Trial JCOG0505. J Clin Oncol, 33(19):2129-2135, 2015
8) Monk BJ et al：Phase Ⅲ trial of four cisplatin-containing doublet combinations in stage ⅣB, recurrent, or persistent cervical carcinoma: a Gynecologic Oncology Group study. J Clin Oncol, 27(28):4649-4655, 2009
9) Onuki M et al：Human papillomavirus infections among Japanese women: age-related prevalence and type-specific risk for cervical cancer. Cancer Sci, 100(7):1312-1316, 2009
10) Lei J et al：HPV Vaccination and the Risk of Invasive Cervical Cancer. N Engl J Med, 383(14):1340-1348, 2020

（日置　三紀）

12-3 子宮体がん

【子宮体がんの疫学】
罹患数：17,089人，死亡数：2,644人，5年生存率：81.3%

1 子宮体がんの基礎知識[1]

子宮体部に発生する悪性腫瘍は，子宮内膜の腺上皮由来の子宮体がん（子宮内膜がん）と，子宮平滑筋または内膜間質由来の子宮肉腫，両者の混合型であるがん肉腫に分類される[2]。

子宮内膜がんはType I（約80～90%）とType II（数%）に分けられる。Type I はunopposed estrogen（プロゲステロンによって拮抗されないまま持続的にエストロゲンにさらされている状態）を背景に，子宮内膜異型増殖症から発がんに至る。内因性のエストロゲン刺激（肥満，未経産，排卵障害・多嚢胞性卵胞など），外因性のエストロゲン刺激（エストロゲン単独補充療法，タモキシフェン内服）がリスク因子となる。

子宮内膜がんの病理組織分類では，類内膜がんが約80%と多数を占める。Type I では中～高分化類内膜がんが多く，比較的予後良好である。一方で de novo 発生する子宮内膜がんはType II に分類され，組織型は漿液性がん，低分化型類内膜がん，明細胞がん，未分化がんなどさまざまで，予後は比較的不良である。

2 進行度と治療概要（外科，放射線治療など）

2-1 進行度診断（Stage分類）

子宮体がんの診断方法として子宮内膜細胞診，子宮内膜搔爬による組織診が行われる。

子宮体がんの進行期分類には，FIGO（International Federation of Gynecology and Obstetrics）分類，UICC（Union for International Cancer Control）による病理学的TNM分類ならびに日本産科婦人科学会他の「子宮体癌取扱い規約」による分類がある。

2-2 外科治療[3]

子宮体がん治療の第一選択は手術療法であり，子宮全摘術や両側付属器摘出術を基本として骨盤・傍大動脈リンパ節郭清，大網切除術，腹腔細胞診などが行われる。

1）単純子宮全摘出術

子宮頸部付近で靭帯を切断し，子宮のみを摘出する術式である。子宮体がんでは体部に限局したものに対して実施される。

2）準広汎子宮全摘出術

広汎子宮全摘出術と単純子宮全摘出術との中間的な術式である。子宮，子宮傍組織に加えて，腟上部を一部切除する。体部の腫瘍や頸部間質への浸潤がみられる場合などに選択される。

3）広汎子宮全摘出術

子宮および子宮傍組織，腟壁および腟傍組織の一部を摘出し，骨盤内所属リンパ節を郭清する術式である。切除範囲が広く，膀胱や直腸に分布する神経の損傷に伴い，排尿・排便障害を来しやす

表1　子宮体がん術後再発リスク分類

	筋層浸潤なし	筋層浸潤＜1/2	脈管浸潤あり	筋層浸潤≧1/2	頸部間質浸潤あり	子宮外病変あり
類内膜がんG1/G2	低	低	中	中	高	高
類内膜がんG3	中	中	中	高	高	高
漿液性がん明細胞がん	中	高	高	高	高	高

（日本婦人科腫瘍学会　編：子宮体がん診療ガイドライン2018年版，金原出版，2018をもとに作成）

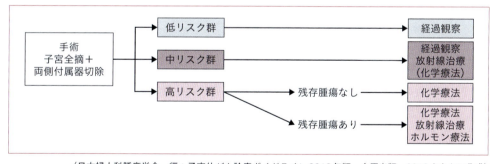

（日本婦人科腫瘍学会　編：子宮体がん診療ガイドライン2018年版，金原出版，2018をもとに作成）

図　子宮体がん術後再発リスクごとの治療方針

表2　子宮体がん術後再発リスク分類

分類	定義	推奨される治療
Low risk	Ⅰa期かつGrade1または2	経過観察
Intermediate risk	LowとHighの間	コンセンサスなし
High risk	Ⅲ期またはⅣ期	化学療法

（佐藤隆美　他　編：What's New in Oncology がん治療エッセンシャルガイド 改訂4版，南山堂, p.240, 2019）

い。

　術後は再発リスク評価に基づいてリスク分類され，術後補助療法が検討される（表1，図，表2[4]）。子宮体がんは組織型によって予後が異なり，類内膜がんGrade1/2が最も予後がよく，漿液性がん/明細胞がんでは比較的予後不良である。

2-3　放射線療法

　子宮体がんに対する放射線療法は，術後照射（全骨盤照射/経腟照射）または緩和的放射線照射である。NCCNのガイドラインでは，前述のIntermediate riskに該当する大部分の症例で放射線治療が推奨されており[5]，全骨盤照射および／または経腟照射が行われる。ただし，進行がんを対象にしたシスプラチン＋ドキソルビシン（AP）療法と全腹部照射の比較試験で，AP療法の方がPFS，OSで優れていたとの報告[6]より，わが国では術後治療として放射線照射が選択される機会は多くない。

3　子宮体がんの薬物療法

3-1　術後補助薬物療法

　子宮体がんで術後補助薬物療法が推奨されるのは高リスク群，病期別ではⅢ，Ⅳ期が対象となる。

(1) AP療法

3週ごと，6コース

抗がん薬	day 1	2〜21
ドキソルビシン　60mg/m²/日 点滴静注（30分程度）	↓	休薬
シスプラチン　50mg/m²/日 点滴静注（2時間以上）	↓	

　Stage Ⅲ/Ⅳ術後の子宮体がん（残存腫瘍（2cm）の術後補助療法として，全骨盤照射とAP療法を比較した臨床試験[6]）では，治療関連死が8％に認められている。要因の多くは敗血症と心毒性であったことから，現在はAP療法を6コースで終了することが一般的である。子宮体がんの患者では，肥満や糖尿病，高血圧などの心疾患リスクを有している症例も多く，術後補助薬物療法のベネフィットがリスクを上回るか，慎重な検討が必要である。

(2) TC療法

3週ごと，6コースまで

抗がん薬	day 1	2〜21
パクリタキセル　175mg/m² 点滴静注（3時間）	↓	休薬
カルボプラチン　AUC6 点滴静注（1時間）	↓	

Stage1-Ⅳの再発高リスク症例に対する術後補助薬物療法として，AP療法に対するTC（パクリタキセル＋カルボプラチン）療法，DP（ドセタキセル＋シスプラチン）療法の有効性を比較検証した試験では，AP療法と比較してDP療法やTC療法は優越性を示せなかったものの，PFSやOSが近似しており，TC療法も標準的に用いられている[7]。

3-2 再発症例に対する化学療法

再発症例で化学療法未施行の場合，AP療法が標準的である[8]。AP療法とAP療法にパクリタキセルを加えたTAP療法の比較試験では，奏効率，PFS，OSともにTAP療法が優れていた[9]が，有害事象が多く標準治療とはされていない。TC療法はTAP療法との比較試験で非劣性を示しており[10]，TC療法も標準治療として用いられる。

3-3 内分泌療法

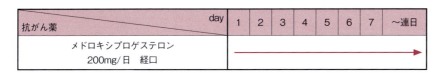

プロゲステロン受容体陽性の症例が対象になる。比較的Gradeの低い症例が適用になりやすいが，緩和的に用いられる場合もある。投与量について，200mg/日の内服に対し，1,000mg/日（高用量）の優越性を検証した第Ⅲ相試験では，奏効率は200mg/日群で高く，PFSやOSでも高用量での優越性は示されなかったため，200mg/日が標準的である[11]。

3-4 免疫チェックポイント阻害薬

子宮体がんの約30%で，DNAのマイクロサテライト領域におけるミスマッチ修復機能低下（mismatch repair deficient：dMMR）があると報告されている[12]。dMMRの状態ではDNA塩基の繰り返し配列（マイクロサテライト）の反復回数に変化が生じ，DNAが修復されるたびに複製エラーが蓄積される。マイクロサテライト不安定性により，腫瘍抑制，細胞増殖，DNA修復，アポトーシスなどに関与する遺伝子群に修復異常による変異が集積し，腫瘍発生，増殖に関与すると考えられている。マイクロサテライト不安定性が高頻度に認められる場合をMSI-High（MSI-H）とよぶ。MSI-Highの固形がんはより多くの体細胞遺伝子変異を有するため，腫瘍特異抗原が発現しやすくT細胞に認識されやすいと考えられており，PD-1阻害薬（ペムブロリズマブ）の適応となる。

【参考文献】
1) 医療情報科学研究所・編：病気がみえる vol.9 婦人科・乳腺外科（第4版），メディックメディア，p.2-5，2018
2) 日本臨床腫瘍学会・編：新臨床腫瘍学 改訂第6版，南江堂，p.527-530，2021

3) 日本婦人科腫瘍学会・編：子宮体がん治療ガイドライン 2018年版，金原出版，2018
4) 佐藤 隆美，松本光史 他：What's New in Oncology がん治療エッセンシャルガイド 改訂4版，南江堂，p.239-242，2019
5) NCCN Clinical Practice Guidelines in Oncology, Uterine Neoplasms ver 4, 2021
6) Randall ME et al：Randomized phase III trial of whole-abdominal irradiation versus doxorubicin and cisplatin chemotherapy in advanced endometrial carcinoma: a Gynecologic Oncology Group Study. J Clin Oncol, 24(1):36-44, 2006
7) Nomura H et al：Effect of Taxane Plus Platinum Regimens vs Doxorubicin Plus Cisplatin as Adjuvant Chemotherapy for Endometrial Cancer at a High Risk of Progression: A Randomized Clinical Trial. JAMA Oncol, 5(6):833-840, 2019
8) Thigpen JT et al：Phase III trial of doxorubicin with or without cisplatin in advanced endometrial carcinoma: a gynecologic oncology group study. J Clin Oncol, 22(19):3902-3908, 2004
9) Fleming GF et al：Phase III trial of doxorubicin plus cisplatin with or without paclitaxel plus filgrastim in advanced endometrial carcinoma: a Gynecologic Oncology Group Study. J Clin Oncol, 22(11):2159-2166, 2004
10) Miller DS et al：Carboplatin and Paclitaxel for Advanced Endometrial Cancer: Final Overall Survival and Adverse Event Analysis of a Phase III Trial (NRG Oncology/GOG0209). J Clin Oncol, 38(33):3841-3850, 2020
11) Thigpen JT et al：Oral medroxyprogesterone acetate in the treatment of advanced or recurrent endometrial carcinoma: a dose-response study by the Gynecologic Oncology Group. J Clin Oncol, 17(6):1736-1744, 1999
12) Kunitomi H et al：New use of microsatellite instability analysis in endometrial cancer. Oncol Lett, 14(3):3297-3301, 2017

（日置　三紀）

第4章 疾患

13 大腸がん

【大腸がんの疫学】
　罹患数：152,254人，死亡数：51,788人，5年生存率：71.4%

❶ 大腸の基礎知識

　大腸は食物の消化や吸収を行う消化器官で，小腸（回腸）側から盲腸，上行結腸，横行結腸，下行結腸，S状結腸，直腸S状部，直腸へと続き，肛門（肛門管）に至る（図）。大腸がんとは，大腸にできた悪性腫瘍であり，大きく「結腸がん」と「直腸がん」に分けることができる。部位別の発生頻度としては，直腸がんとS状結腸がんが多く，この2つで全体の半分以上を占める。

❷ 進行度と治療概要（外科・放射線治療など）

2-1　分類

　大腸がんの病期については，「進行度」と「リンパ節転移の程度」，肝臓や肺などへの「遠隔臓器

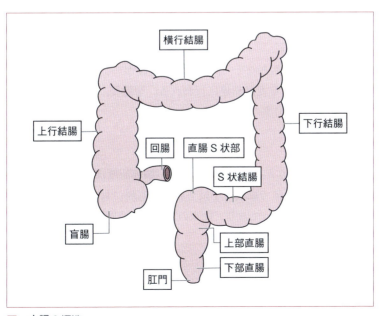

図　大腸の構造

表　Dukes分類

Dukes A	がんが大腸壁内（固有筋層）に限局
Dukes B	がんが大腸壁を貫くがリンパ節転移がない
Dukes C	がんが大腸壁を貫き，かつリンパ節転移がある
Dukes D	腹膜，肝臓，肺等，他の臓器への遠隔転移がある

転移の程度」から決定され，日本では『大腸癌取扱い規約第9版』が用いられている。国際的にはTNM分類やDukes（デュークス）分類（表）が用いられている。

2-2　診断

1）原発診断
（1）大腸内視鏡検査
　大腸内部をモニターに映し観察する。粘膜表面の微細な病変まで発見することができ，また，病理検査のために病変の一部を採取することもできる。
（2）注腸造影検査
　腸の形状やがんの有無を調べることができるが，大腸内視鏡のように組織検査はできない。

2）転移診断
（1）胸腹骨盤部CT
　遠隔転移や骨盤内の周囲臓器への浸潤などの確認のために実施される。そのほか，必要に応じてMRIや超音波内視鏡検査，PET検査などを追加する。

2-3　外科治療

1）内視鏡治療
　リンパ節転移の可能性がほとんどなく，内視鏡的に腫瘍が一括切除できるcTis癌（粘膜固有層までに限局），cT1（粘膜下層）軽度浸潤癌に行われる。切除後，病理検査により外科的追加切除が行われる場合もあり，診断と治療の両面を兼ねている。

2）手術治療
　主にStage0〜StageⅢの大腸がんで行われる。リンパ節郭清度は腫瘍の深達度とリンパ節転移の有無にて変わる。また，特に正確で繊細な手技を要する直腸に対しては，2018年4月よりロボット支援下での手術が保険適用となっており，従来の開腹手術や腹腔鏡下手術に加え選択肢の1つとして挙げられる。

3　大腸がんの薬物療法

　大腸がんの治療については，術後補助化学療法と切除不能進行再発大腸がんに対する化学療法に

分けられる。

3-1 補助化学療法

　補助化学療法は，R0切除が行われたStage Ⅲ以上の症例に対し，再発を抑制し予後を改善する目的で術後に実施される。術後4～8週頃までに開始することが望ましい。High risk Stage Ⅱ症例に対しては，適切なインフォームド・コンセントのもとに適応を考慮する。推奨されるレジメンはmFOLFOX療法もしくはCapeOX療法であるが，オキサリプラチンの使用が適切でないと判断される場合は5-FU＋l-LV療法，UFT＋LV（テガフール・ウラシル＋ホリナート）療法，Cape単独療法などが選択肢となる。いずれも投与期間は原則6カ月とする。

　わが国のACHIEVE試験[1]を含む6つの試験の統合解析であるIDEA collaboration[2]において，Stage Ⅲ結腸がんでのオキサリプラチン併用術後補助化学療法（FOLFOXまたはCapeOX）に対する6カ月投与と3カ月投与の有用性が比較検証されている。無病生存率において，3カ月投与群の6カ月投与群に対する非劣勢は示されなかったものの，再発リスク別のサブグループ解析において，再発低リスク例（T1-3かつN1）のCapeOX投与例では3カ月投与群の非劣勢が確認されている。このように，Stage Ⅲ結腸がんの術後治療としてオキサリプラチン併用化学療法を行うことが標準であるが，その投与期間について，実地臨床においては再発リスクと有害事象などの総合的な判断により検討されており，特に再発低リスク例ではCapeOX療法の3カ月投与が選択されることが多い。

　なお，術後補助化学療法におけるイリノテカンおよび分子標的治療薬の有効性について複数の試験が行われているが，有効性は示されなかった。

(1) mFOLFOX療法

2週ごと

抗がん薬	day 1	2	3～14
オキサリプラチン　85mg/m²/日 点滴静注（2時間）	↓		休薬
レボホリナート　200mg/m²/日 点滴静注（2時間）	↓		
フルオロウラシル　400mg/m²/日 急速静注	↓		
フルオロウラシル　2,400mg/m²/46時間 46時間持続静注	→		

- 主な副作用は末梢神経障害，過敏症，骨髄抑制などである。
- 末梢神経障害はオキサリプラチンの用量制限毒性であり，数日以内に軽快する可逆性の急性神経毒性と蓄積性の慢性神経毒性に分けられる。急性神経毒性は85～95％の患者に発現する一過性の四肢末端，口およびその周囲のしびれ感や感覚異常であり，呼吸困難や嚥下障害を伴う咽頭喉頭感覚異常（絞扼感）などを伴うことがある。寒冷刺激で誘発・増悪するため，冷たい飲み物や氷の使用を避け，低温時には皮膚を露出しないよう指導を行う。
- 一方，慢性神経毒性は総投与量に依存して発症・増悪し，総投与量が850mg/m²に達すると，約

10％の患者に日常生活への支障が生じるとされるGrade3以上の神経障害が認められる。休薬により軽減・消失するとされている一方，治療後4年時点で末梢神経障害が約15％（このうちGrade2/3は3.5％）で残存するという報告もあり[3]，不可逆性に残存する可能性が示唆される。

(2) CapeOX療法

3週ごと，8コース

抗がん薬	day	1	2〜15	16〜21
カペシタビン 2,000mg/m²/日 経口 1日2回（day1夕〜day15朝）		→		休薬
オキサリプラチン 130mg/m²/日 点滴静注（2時間）		↓		

・CapeOX療法の治療成績はFOLFOX療法とほぼ同等である。投与が3週間ごとであること，ポート造設を必須としないことなどのメリットがある一方で，mFOLFOXと比較して血管痛を生じる場合や手足症候群の発現がやや多い。

3-2 切除不能進行再発がん

1）切除不能進行再発大腸がんに対する化学療法

切除不能進行再発大腸がんの生存期間中央値は約30カ月前後まで延長してきたが，現在でも一部の症例を除き根治は難しい。したがって，薬物療法の主目的は延命と症状コントロールである。

ガイドラインでは，強力な治療が適応となる患者と強力な治療が適応とならない患者に分けて治療方針を選択するのが望ましいとされている。また，薬物療法が適応可能と判断される症例に対しては，一次治療開始前に*RAS*（*KRAS/NRAS*）遺伝子検査，*BRAF*^{V600E}遺伝子検査，MSI検査を実施すべきである。一次・二次治療において分子標的治療薬が適応となる症例には，化学療法（mFOLFOX，FOLFIRI，CapeOXなど）との併用が推奨される。なお，切除不能と診断された一部の症例においては化学療法が奏効して切除可能となることがあり，その際には手術を考慮する。

2）RAS（KRAS/NRAS）遺伝子変異陽性例における化学療法

EGFRの下流に存在する*RAS*（*KRAS/NRAS*）遺伝子変異は切除不能進行大腸がん患者の約4〜5割に認められ，これらの遺伝子変異を有する場合には，抗EGFR抗体（パニツムマブ，セツキシマブ）の効果が期待できないことが知られている。よって，抗EGFR抗体の投与を検討する際には，事前に遺伝子変異の有無について検査を実施し，確認する必要がある。最近では，抗EGFR抗体薬併用の有無を比較した臨床試験の統合解析[4]において，原発巣占居部位が左側（下行・S状結腸，直腸）の患者に対しては，一次治療における抗EGFR抗体薬の効果が高いものの，右側（盲腸，上行・横行結腸）の患者に対する効果は乏しいことが報告されている。このことから，実地臨床ではRAS野生型大腸がんにおいて，原発巣占居部位が左側では抗EGFR抗体薬が，右側ではBV併用が選択されることが多い。

3) *BRAF*^V600E 遺伝子変異陽性例における化学療法

切除不能進行再発大腸がんにおいて，*BRAF*^V600E 遺伝子変異を有する症例は化学療法の有効性が乏しく，極めて予後不良であることが知られている。TRIBE試験[5]におけるサブグループ解析[6]において，*BRAF*^V600E 遺伝子変異を有する症例における一次治療として，triplet＋BV（FOLFOXIRI＋BV）療法の有効性が期待されていたが，統合解析[7]の結果においてtriplet＋BVはdoublet＋BVと比較し，奏効割合と無増悪生存期間の有意な延長は示されたものの，生存期間延長には寄与しないことが示唆された。

また，二次治療以降においては，エンコラフェニブ＋ビニメチニブ＋セツキシマブ（3剤併用療法）群およびエンコラフェニブ＋セツキシマブ（2剤併用療法）群のイリノテカン（もしくはFOLFIRI）＋セツキシマブ群に対する優越性を検証したBEACON CRC試験[8]の結果から，3剤併用療法および2剤併用療法が標準として推奨されることとなった。しかし，同試験の探索的解析において，3剤併用療法では2剤併用療法と比較して死亡リスクの低下効果に差が認められないことから，米国食品医薬品局（FDA）および欧州医薬品庁（EMA）では2剤併用療法のみで薬事承認を得ている。一方，わが国でもまずは2剤併用療法の適否を検討すべきであるが，3剤併用療法も承認されていることから，患者の状態を勘案したうえで選択することが可能である。実地臨床では，サブグループ解析[9]において3剤併用療法での死亡リスクが低い傾向にある患者集団，具体的にはECOG Performance Statusが1，転移臓器3個以上，血清CRP高値（＞1mg/dL），原発巣切除歴なしの症例では，2剤併用療法では治療効果が不十分である可能性が示唆されるため，3剤併用療法を選択することが望ましいとされている。

4) *RAS*（*KRAS*/*NRAS*）遺伝子・*BRAF*遺伝子変異陰性例における化学療法

*RAS*遺伝子変異陰性例における化学療法では，細胞障害性の抗がん薬であるオキサリプラチン，イリノテカン，フルオロウラシル〔5-FU（注射剤），カペシタビン，S-1〕をキードラッグとしたうえで，分子標的治療薬（抗VEGF抗体，抗EGFR抗体）を組み合わせることで，基本的にはこれらの薬剤を使いきることが重要とされている。分子標的治療薬の使い分けについては，各臨床試験によって一貫した規準はなく，あまり明確ではないが，患者の希望や状態に応じて，エビデンスに則った薬剤選択を行うことが重要である。

(1) mFOLFOX療法：前出参照（p.433）
(2) CapeOX療法：前出参照（p.434）
(3) FOLFIRI療法

2週ごと，病勢増悪まで

抗がん薬	day 1	2	3〜14
イリノテカン　150mg/m²/日　点滴静注（90分）	↓		
レボホリナート　200mg/m²/日　点滴静注（2時間）	↓		休薬
フルオロウラシル　400mg/m²/日　短時間注射	↓		
フルオロウラシル　2,400mg/m²/46時間　46時間持続静注	→		

- オキサリプラチンとフルオロウラシルとの併用療法（FOLFOX, CapeOX療法など）同様に，分子標的治療薬との組み合わせは大腸がんに対する標準化学療法の1つである。
- 主な副作用は骨髄抑制と下痢，脱毛である。

5）MSI-High（高頻度マイクロサテライト不安定性）を有する大腸がん

細胞のDNA複製の際に生じる誤った塩基対合（ミスマッチ）を修復する働きをミスマッチ修復機構（MMR）といい，このMMRに異常がある腫瘍細胞ではミスマッチを修復できず，ゲノム中に存在する単純な繰り返し配列（マイクロサテライト）が正常とは異なる反復回数を示す。これをマイクロサテライト不安定性（Microsatelite Instability：MSI）といい，MSI検査陽性の場合にMSI-High（H）と判定される。日本人のStage IV大腸がんにおけるMSI-Hの頻度は2～3%とされている。現在，MSI-Hを有する切除不能進行再発大腸がんに対し適応があるのはペムブロリズマブ単剤療法，ニボルマブ単剤療法，ニボルマブ＋イピリムマブ併用療法である。ペムブロリズマブはKEYNOTE-177試験[10]の結果から，2021年8月に「治癒切除不能な進行・再発の高頻度マイクロサテライト不安定性（MSI-High）を有する結腸・直腸癌」として効能・効果が追加承認され，一次治療として使用できるようになった。

3-3　大腸がんの分子標的治療薬

主にmFOLFOX，FOLFIRIなど5-FU basedの化学療法との併用で投与を行う。組み合わせなどについてはレジメンを参照のこと。

1）ベバシズマブ（抗VEGF抗体）

- ベバシズマブは血管内皮増殖因子（VEGF-A）に対するヒト化IgG1モノクローナル抗体である。
- VEGFは血管内皮細胞の細胞分裂促進・生存を防御するとともに，血管透過性の亢進に関与するサイトカインであり，種々のがん細胞において発現が亢進している。ベバシズマブはヒトVEGFに特異的結合をすることにより，VEGFの生物活性を阻止し，腫瘍組織での血管新生を抑制し，腫瘍の増殖を阻害する。また，VEGFにより亢進した血管透過性を低下させ，腫瘍組織で亢進した間質圧を低減することにより，抗がん薬の腫瘍内移行を高めるとされる。
- 本剤は治癒切除不能な進行・再発の大腸がんにおいてmFOLFOX，FOLFIRIなど5-FU basedの化学療法との併用で治療効果が示されている。なお，大腸がんにおいてベバシズマブ単独では使用されない。
- 主な副作用は高血圧，消化管穿孔，創傷治癒遅延など。ほかに蛋白尿，鼻出血などもあるが，コントロール可能である。
- ファーストラインでベバシズマブを含むレジメンが不応となった後，セカンドラインでも継続してベバシズマブを投与すること（bevacizumab beyond progression：BBP）の有用性については，ML18147試験[11]において，主要評価項目である全生存期間の有意な延長（BBP群11.2カ月 vs 非BBP群9.8カ月，HR＝0.81）が示されている。

2）ラムシルマブ（抗VEGF抗体）
(1) FOLFIRI＋ラムシルマブ療法
2週ごと

抗がん薬 / day	1	2	3～14
ラムシルマブ　8mg/kg/日 点滴静注（60分）	↓		
イリノテカン　150mg/m²/日 点滴静注（90分）	↓		
レボホリナート　200mg/m²/日 点滴静注（120分）	↓		休薬
フルオロウラシル　400mg/m²/日 急速静注	↓		
フルオロウラシル　2,400mg/m²/46時間 46時間持続静注	→		

・本剤の一次化学療法における有効性および安全性は確立していない。
・ラムシルマブの主な副作用については，ベバシズマブとほぼ同様である。
・一次治療においてオキサリプラチン，フッ化ピリミジン系製剤，ベバシズマブを投与した患者におけるRAISE試験[12]において，二次治療におけるFOLFIRIに対するFOLFIRI＋Ramucirumab療法の主要評価項目である全生存期間の有意な延長（Ramucirumab群13.3カ月vsプラセボ群11.7カ月，HR＝0.844）が示されている。

3）アフリベルセプト　ベータ（抗VEGF抗体）
2週ごと

抗がん薬 / day	1	2	3～14
アフリベルセプト　ベータ　4mg/kg/日 点滴静注（60分）	↓		
イリノテカン　150mg/m²/日 点滴静注（90分）	↓		
レボホリナート　200mg/m²/日 点滴静注（2時間）	↓		休薬
フルオロウラシル　400mg/m²/日 短時間注射	↓		
フルオロウラシル　2,400mg/m²/46時間 46時間持続静注	→		

・本剤の一次化学療法における有効性および安全性は確立していない。
・主な副作用については，ベバシズマブ，ラムシルマブとほぼ同様である。
・オキサリプラチン不応・不耐例を対象としたVELOUR試験[13]において，二次治療におけるFOLFIRIに対するFOLFIRI＋Aflibercept療法について，主要評価項目である全生存期間の有意な延長（Aflibercept群13.5カ月vsプラセボ群12.1カ月，HR＝0.82）が示されている。

4）セツキシマブ／パニツムマブ（抗EGFR抗体薬）
(1) イリノテカン＋セツキシマブ療法
2週ごと

抗がん薬	day 1	8	9〜14
イリノテカン　150mg/m²/日 点滴静注（2時間）	↓		休薬
セツキシマブ　初回400mg/m²/日（2時間） 2回目以降250mg/m²（1時間） 点滴静注	↓	↓	

(2) パニツムマブ単剤療法
2週ごと

抗がん薬	day 1	2〜14
パニツムマブ　6mg/kg/日 点滴静注（初回60分，2回目以降30分）	↓	休薬

- 前治療でイリノテカン不応となった患者に対しても，抗EGFR抗体薬とイリノテカンを同時併用することで抗腫瘍効果が期待できる。また，抗EGFR抗体薬単独でも抗腫瘍効果を有するため，患者の全身状態によってレジメン選択を行う。
- セツキシマブはヒト・マウスキメラ型，パニツムマブは完全ヒト型の抗EGFR抗体製剤である。
- 両薬剤ともにがんの増殖，浸潤，転移などに関与するとされているEGFR（Epidermal Growth Factor Receptor，上皮成長因子受容体）に特異的に結合することで，細胞増殖，細胞生存，細胞運動，腫瘍内血管新生および細胞浸潤など，腫瘍増殖・転移に関与する多くの細胞機能を抑制するとされる。
- RAS遺伝子変異型には効果が期待できないため，使用されない。
- 主な副作用は，皮膚症状，infusion reactionなどである。特に皮膚症状は，副作用として90％を超える患者で発現する。主な皮膚障害として，にきびのような皮疹（ざ瘡様皮疹）が特徴的である。皮疹に続き，乾皮症といわれる皮膚が乾燥した状態になり，さらに少し遅れて爪囲炎が起こる。

5）エンコラフェニブ（BRAF阻害薬）＋ビニメチニブ（MEK阻害薬）＋セツキシマブ

抗がん薬	day 1	2〜7	8	9〜14	…
セツキシマブ　初回400mg/m²/日（2時間） 2回目以降250mg/m²/日（1時間） 点滴静注	↓	休薬	↓	休薬	…
エンコラフェニブ　300mg/日 経口　1日1回	→→→→→→→→→→→→→→→→				…
ビニメチニブ　45mg/回 経口　1日2回	→→→→→→→→→→→→→→→→				…

注：セツキシマブ＋エンコラフェニブ＋ビニメチニブ／セツキシマブ＋エンコラフェニブ

- $BRAF^{V600E}$遺伝子変異陽性大腸がんは，急速に増悪を来すこともある極めて予後不良な大腸がん

である。治療前の患者の状態を考慮し、エンコラフェニブ＋ビニメチニブ＋セツキシマブ併用療法（3剤併用療法），もしくはエンコラフェニブ＋セツキシマブ併用療法（2剤併用療法）が二次治療として実施されている。
- ECOG Performance Status（PS）が1，3臓器以上の転移，血清CRP上昇例など，病状が進んだ症例では3剤併用療法でより有効である可能性が示唆されている。
- 副作用として，3剤併用療法では下痢・嘔吐・皮疹などの発生頻度が高い一方，2剤併用療法では頭痛・関節痛・色素性母斑・続発性悪性腫瘍などが高い傾向にあり，必ずしも3剤併用療法で有害事象が高頻度となるわけではない。

3-4 免疫チェックポイント阻害薬

1）ペムブロリズマブ単剤療法
3週ごと

抗がん薬	day	1	2〜21
ペムブロリズマブ　200mg/body/日 点滴静注（30分）		↓	休薬

2）ペムブロリズマブ単剤療法
6週ごと

抗がん薬	day	1	2〜42
ペムブロリズマブ　400mg/body/日 点滴静注（30分）		↓	休薬

3）ニボルマブ単剤療法
2週ごと

抗がん薬	day	1	2〜14
ニボルマブ　240mg/body/日 点滴静注（30分）		↓	休薬

4）ニボルマブ単剤療法
4週ごと

抗がん薬	day	1	2〜28
ニボルマブ　480mg/body/日 点滴静注（30分）		↓	休薬

5）ニボルマブ＋イピリムマブ併用療法

3週ごとを4回繰り返す

抗がん薬	day	1	2〜21
ニボルマブ　240mg/body/日 点滴静注（30分）		↓	休薬
イピリムマブ　1mg/kg/日 点滴静注（30分）		↓	

→

ニボルマブ単剤療法
2週ごと

抗がん薬	day	1	2〜14
ニボルマブ　240mg/body/日 点滴静注（30分）		↓	休薬

ニボルマブ単剤療法
4週ごと

抗がん薬	day	1	2〜28
ニボルマブ　480mg/body/日 点滴静注（30分）		↓	休薬

以降，繰り返し投与

- MSI-Hを有する切除不能進行再発大腸がんに対し使用できる免疫チェックポイント阻害薬は，ペムブロリズマブ（抗PD-1抗体），ニボルマブ（抗PD-1抗体），イピリムマブ（抗CTLA-4抗体）である。
- ニボルマブ＋イピリムマブ併用療法は，CheckMate-142試験[14]の併用療法コホートの結果を受

け適応拡大となった。主要評価項目の奏効率は54.6%（95%信頼区間45.2〜63.8%）であった。同試験[15]のニボルマブ単剤療法コホートでは，主要評価項目の奏効率は31.1%（95%信頼区間20.8〜42.9%）ではあるが，直接比較をしていない点には留意する必要がある。
- MSI-HまたはMMR欠損を有する切除不能進行再発結腸・直腸がんに対して，一次治療でペムブロリズマブと標準治療を比較したKEYNOTE-177試験[10]において，主要評価項目である無増悪生存期間はペムブロリズマブ単独療法群で有意な延長（ペムブロリズマブ群16.5カ月vs標準治療群 8.2カ月，HR=0.60）が示された。
- 副作用は間質性肺疾患，下痢，皮膚障害，内分泌障害，肝障害など，免疫関連有害事象とよばれるものがさまざま報告されている。これら免疫関連有害事象は，早期に発見し治療に取り掛かる必要がある。このため，免疫チェックポイント阻害薬の治療中または投与歴のある患者は，体調に異変を認めた際はすぐに医療スタッフに報告することが大切である。そして，このような対応ができるよう患者教育を行うことが重要である。また，免疫関連有害事象は診療科横断的に対応しなくてはならないこともあるため，多職種で連携をとれるような仕組みを構築することも大切である。

3-5　サルベージラインにおける化学療法

　レゴラフェニブは5-FU，オキサリプラチン，イリノテカン，RAS遺伝子変異陰性例では抗EGFR抗体を使用した後のサルベージラインに位置づけられており，トリフルリジン・チピラシル（TAS-102）単剤療法もレゴラフェニブと同様，ほかの治療を使い切った症例に適応となる。これらサルベージラインに移行する場合には，PSや臓器機能の評価を行うことが必要である。

1）レゴラフェニブ単剤療法

4週ごと，病勢増悪まで

抗がん薬	day	1〜21	22〜28
レゴラフェニブ　160mg/日 経口　1日1回（食後）		→	休薬

- 主な副作用は，手足症候群，皮疹，肝機能障害，血圧上昇，下痢など。特に手足症候群は高頻度かつ重症化しやすく，症状コントロールが治療成功可否に大きく影響する。
- レゴラフェニブは，標準治療抵抗性の切除不能進行再発大腸がんにおけるプラセボ対照比較試験であるCORRECT試験[16]において，主要評価項目である全生存期間の延長（レゴラフェニブ群6.4カ月vsプラセボ群5.0カ月，HR=0.77）を示している。

2）トリフルリジン・チピラシル（TFTD，TAS-102）単剤療法

4週ごと，病勢増悪まで

抗がん薬 \ day	1～5	8～12	13～28
トリフルリジン　35mg/m²/回 経口　1日2回（朝夕食後）	→	→	休薬

- 主な副作用は，好中球減少，貧血，嘔気，疲労など。
- 骨髄抑制は留意すべき副作用であり，Grade3以上の発現頻度は好中球減少50%，貧血17%と報告されている。好中球数1,500/μL以上，血小板数7.5万/μL以上およびヘモグロビン8.0g/dL以上を目安に投与可否の判断を行う。前コース（休薬期間を含む）中に減量基準に該当する有害事象が発現した場合には，本剤の投与再開時において，コース単位で1日単位量として10mg/日単位で減量する。ただし，最低投与量は30mg/日までとする。

〈減量基準〉

	減量基準
好中球数	500/μL未満
血小板数	50,000/μL未満

- トリフルリジン・チピラシルは，2レジメン以上の化学療法歴〔フッ化ピリミジン製剤，オキサリプラチン，イリノテカン，ベバシズマブ，セツキシマブまたはパニツムマブ（RAS野生型の場合）〕がある患者におけるプラセボ対照の比較試験であるRECOURCE試験[17]において，主要評価項目である全生存期間の延長（TFTD群7.1カ月vsプラセボ群5.3カ月，HR＝0.68）を示している。

【参考文献】

1) Yoshino T：Efficacy and Long-term Peripheral Sensory Neuropathy of 3 vs 6 Months of Oxaliplatin-Based Adjuvant Chemotherapy for Colon Cancer: The ACHIEVE Phase 3 Randomized Clinical Trial. JAMA Oncol, 5(11):1574-1581, 2019
2) Grothey A et al：Duration of Adjuvant Chemotherapy for Stage Ⅲ Colon Cancer. N Engl J Med, 378(13):1177-1188, 2018
3) Thierry A et al：Improved overall survival with oxaliplatin, fluorouracil, and leucovorin as adjuvant treatment in stage Ⅱ or Ⅲ colon cancer in the MOSAIC trial. J Clin Oncol, 27(19):3109-3116, 2009
4) Arnold D et al：Prognostic and predictive value of primary tumour side in patients with RAS wild-type metastatic colorectal cancer treated with chemotherapy and EGFR directed antibodies in six randomized trials. Ann Oncol, 28(8):1713-1729, 2017
5) Loupakis F et al：Initial Therapy with FOLFOXIRI and Bevacizumab for Metastatic Colorectal Cancer. N Engl J Med, 371(17):1609-1618, 2014
6) Cremolini C et al：FOLFOXIRI plus bevacizumab versus FOLFIRI plus bevacizumab as first-line treatment of patients with metastatic colorectal cancer: updated overall survival and molecular subgroup analyses of the open-label, phase 3 TRIBE study. Lancet Oncol, 16(13):1306-1315, 2015
7) Cremolini C et al：Individual Patient Data Meta-Analysis of FOLFOXIRI Plus Bevacizumab Versus Doublets Plus Bevacizumab as Initial Therapy of Unresectable Metastatic Colorectal Cancer. J Clin Oncol, 38(28):3314-3324, 2020

8) Kopetz S et al : Encorafenib, Binimetinib, and Cetuximab in BRAF V600E-Mutated Colorectal Cancer. N Engl J Med, 381(17):1632-1643, 2019
9) Tabernero J et al : Encorafenib Plus Cetuximab as a New Standard of Care for Previously Treated *BRAF* V600E-Mutant Metastatic Colorectal Cancer: Updated Survival Results and Subgroup Analyses from the BEACON Study. J Clin Oncol, 39(4):273-284, 2021
10) André T et al : Pembrolizumab in Microsatellite-Instability-High Advanced Colorectal Cancer. N Engl J Med, 383(23):2207-2218, 2020
11) Bennouna J et al : Continuation of bevacizumab after first progression in metastatic colorectal cancer (ML18147): a randomised phase 3 trial. Lancet Oncol, 14(1):29-37, 2013
12) Tabernero J et al : Ramucirumab versus placebo in combination with second-line FOLFIRI in patients with metastatic colorectal carcinoma that progressed during or after first-line therapy with bevacizumab, oxaliplatin, and a fluoropyrimidine (RAISE): a randomised, double-blind, multicentre, phase 3 study. Lancet Oncol, 16(5):499-508, 2015
13) Van Custem E et al : Addition of aflibercept to fluorouracil, leucovorin, and irinotecan improves survival in a phase Ⅲ randomized trial in patients with metastatic colorectal cancer previously treated with an oxaliplatinbased regimen. J Clin Oncol, 30(28):3499-3506, 2012
14) Overman MJ et al : Durable Clinical Benefit With Nivolumab Plus Ipilimumab in DNA Mismatch Repair-Deficient/Microsatellite Instability-High Metastatic Colorectal Cancer. J Clin Oncol, 36(8):773-779, 2018
15) Overman MJ et al : Nivolumab in patients with metastatic DNA mismatch repair-deficient or microsatellite instability-high colorectal cancer (CheckMate 142): an open-label, multicentre, phase 2 study. Lancet Oncol, 18(9):1182-1191, 2017
16) Grothey A et al : Regorafenib monotherapy for previously treated metastatic colorectal cancer (CORRECT): an international, multicentre, randomised, placebo-controlled, phase 3 trial. Lancet, 381(9863):303-312, 2013
17) Meyer RJ et al : Randomized trial of TAS-102 for refractory metastatic colorectal cancer. N Engl J Med, 372(20):1909-1919, 2015

（岩本　義弘，板垣　麻衣）

第4章 疾患

14 前立腺がん

【前立腺がんの疫学】
罹患数：92,021人，死亡数：12,759人，5年生存率：99.1%

1 前立腺の基礎知識

前立腺は男性特有の生殖器で，膀胱や精囊に隣接し尿道を取り囲むように位置する。大きさは，栗の実あるいはクルミ程度で約20g程度とされている。前立腺は主に内腺（中心領域，移行領域）と外腺（辺縁領域）に区分される。前立腺は前立腺液を分泌し，精液の一部となり精子の保護や運動機能の保持に寄与するが，これらの生理機能はアンドロゲン（男性ホルモン）によって維持される。

2 進行度と治療概要（外科，放射線治療など）

2-1 前立腺がん診断の流れ

前立腺がんの診断の流れは，前立腺特異抗原（prostate specific antigen：PSA）の測定，前立腺生検，病期診断の順に行い，進行度を分類したうえで治療方針を決定する。

一般的に，PSAの基準値は4.0ng/mLとされる[1]。一方で，PSA 4.0ng/mL以下の場合でも15.2%に前立腺がんが報告されていること[2]などからカットオフ値の引き下げの検討がされたが，不必要な生検を避ける必要がある。そのため，加齢によるPSA上昇を加味し，年齢階層別カットオフ値（表1）も推奨される[1]。

前立腺がんでは，悪性度評価としてGleason分類，病期分類としてTNM分類が用いられる。転移のない前立腺がんに対し使用頻度の高いリスク分類として，D'Amico分類[3]（表2）やNCCN分類があり，これらを複合して治療方針を決定していく（図）。

表1 年齢階層別PSAカットオフ値

50〜64歳	65〜69歳	70歳以上
3.0ng/mL	3.5ng/mL	4.0ng/mL

（日本泌尿器科学会 編：前立腺がん検診ガイドライン2018年版，メディカルレビュー社，p.72-74，2018をもとに作成）

表2 D'Amico分類

D'Amico分類	PSA（ng/mL）	Gleasonスコア	T病期
低リスク	≦10	≦6	T1～T2a
中間リスク	10～20	7	T2b
高リスク	20<	8～10	T2c

※1：低リスクはすべての条件を満たすことが必須で高リスクは1因子でも満たせば該当。
※2：中間リスクは，低・高リスク以外に分類されるもの。
〔D'Amico AV et al：JAMA, 280(11):969-974, 1998をもとに作成〕

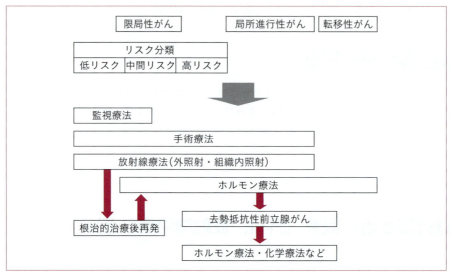

（日本泌尿器科学会　編：前立腺癌診療ガイドライン2016年版，メディカルレビュー社, p.7, 2016をもとに作成）

図　前立腺がんの病期別治療アルゴリズム

2-2　監視療法

　低悪性度の限局性がんの場合に選択される。監視治療中は直腸診やPSA検査，前立腺生検を行いながら治療開始時期を判断する。監視療法は過剰治療を防ぎ，治療に伴うQOL低下回避などに有用だが，患者選択基準や検査に関しては現在も模索中である。

2-3　手術療法（前立腺全摘除術）

　前立腺全摘除術は監視療法と比較し，限局性がんの有用な選択肢となる[4]。特に期待余命が10年以上の低～中間リスク限局性がんに推奨される[5]。わが国では開腹手術，腹腔鏡下摘出術のほかにロボット支援前立腺全摘除術が行われるが，治療成績は同等とされている。

2-4 放射線療法

1）外照射
　低リスク症例に対する外照射単独での治療成績は，手術成績とほぼ同等とされている[6]。中間・高リスク症例では内分泌放射線療法の有用性が報告[7, 8]されているが，高線量照射での併用療法の至適期間などは今後の課題となっている。

2）組織内照射（小線源療法）
　ヨウ素125シード線源を用いた永久挿入密封小線源療法と，高線量率イリジウム192線源を用いた高線量率組織内照射の2通りがある。小線源療法単独でも有効なデータは報告されているが，特に中間・高リスク症例では，外照射との併用あるいは外照射とホルモン療法との併用で有効性が報告されている[9]。

3）重粒子線治療
　前立腺がんは重粒子線治療の適応がんであり，限局がんに対しては重粒子線単独療法が，局所進行がんに対しては内分泌療法との併用療法が行われる。

❸ 前立腺がんの薬物治療

　転移性ホルモン感受性前立腺がん（metastatic hormone-sensitive prostate cancer：mHSPC）では，アンドロゲンによる前立腺がんの腫瘍増大を防ぐために，内科的去勢術や抗アンドロゲン薬によるホルモン療法が開始される。治療を進めていくうえで，去勢抵抗性前立腺がんと判断された場合には，新規ホルモン薬や化学療法を選択するのが一般的な治療方針となる。一方，新規ホルモン薬やドセタキセルが転移性前立腺がんでも使用できるようになり，薬物治療の選択肢が増えてきている。そのため，新たな治療形態の確立が期待される。

3-1 転移性前立腺がんの薬物治療

1）ホルモン療法に用いられる薬剤
　精巣および副腎由来のアンドロゲンを抑えるため，外科的・内科的去勢療法と非ステロイド性抗アンドロゲン薬を併用する複合アンドロゲン遮断（Combined Androgen Blockade：CAB）療法[10]は，去勢単独療法と比較し有意な治療成績が報告[11～14]されている。これらの治療は，先述した放射線併用療法でも用いられることには留意したい。

(1) LH-RHアゴニスト：内科的去勢療法
①リュープロレリン
　1回3.75mg/4週ごと，または1回11.25mg/12週ごと，または1回22.5mg/24週ごとを皮下注
・病勢増悪まで継続

②ゴセレリン

　　1回3.6mg/4週ごと，または1回10.8mg/12～13週ごとを前腹部に皮下投与

　・病勢増悪まで継続

(2) Gn-RHアンタゴニスト製剤：内科的去勢療法

　①デガレリクス

　　初回：240mgを1カ所あたり120mgずつ腹部2カ所に皮下注

　　2回目以降：初回投与4週間後より1回80mg/4週ごとを腹部1カ所に皮下注，または1回480mg/12週ごと（240mgを腹部2カ所）を皮下注

　・病勢増悪まで継続

(3) 抗アンドロゲン薬

　①フルタミド

　　1回125mgを1日3回食後に服用

　・病勢増悪まで継続

　②ビカルタミド

　　1日1回80mgを服用

　・病勢増悪まで継続

　③エンザルタミド：詳細は次項参照

　④アパルタミド：詳細は次項参照

(4) CYP17阻害薬

　①アビラテロン：詳細は次項参照

(5) 化学療法

　①ドセタキセル

　　従来は去勢抵抗性前立腺がんのみの適応であったが，初回ホルモン療法にドセタキセルを6コース併用することで予後を改善することが報告された[15, 16]。ドセタキセルの詳細は次項を参照。

2) ホルモン療法における有害事象

　男性機能障害，ホットフラッシュ（急な発汗，のぼせやほてり），女性化乳房，骨密度低下などがある。特にホットフラッシュは日常における指導や重症時の指導も重要であり，休薬・中止・薬剤変更のタイミングなどをよく検討する必要がある。また，LH-RHアゴニストでは，一過性にテストステロンが上昇するために尿閉や骨痛などの病勢が悪化する「フレアアップ現象」に注意が必要であり，あらかじめ抗アンドロゲン薬の服用を開始しておくことが望ましい。また，病状に応じてGn-RHアンタゴニストを選択するのも有効である。各種注射剤においては注射部位の痛みや硬結などにも注意する。フルタミドやビカルタミドでは肝機能障害などをモニタリングしていく必要がある。

3-2　去勢抵抗性前立腺がん（CRPC）の薬物治療

　一次ホルモン療法の治療効果は永続的ではない。転移性前立腺がんでは，去勢抵抗性前立腺がん（Castration-Resistant Prostate Cancer：CRPC）として再燃するまでの時間は平均で18.7カ月と

報告されている[17]。CRPCに対する治療薬が増えたことで，至適な逐次療法の臨床研究が数多く行われている。また，免疫チェックポイント阻害薬の臨床研究も行われており，その結果が期待されている。

(1) 抗アンドロゲン薬

①エンザルタミド

1回160mgを1日1回服用

- 主な有害事象は疲労，悪心，高血圧，ほてり，食欲減退，背部痛，便秘，けいれんなど
- 去勢抵抗性前立腺がんおよび遠隔転移を有する前立腺がんに適応
- 病勢増悪まで継続

②アパルタミド

1回240mgを1日1回服用

- 主な有害事象は皮膚障害，疲労，悪心，ほてり，けいれん，心臓障害，骨折など
- 遠隔転移を有しない去勢抵抗性前立腺がんおよび遠隔転移を有する前立腺がんに適応
- 病勢増悪まで継続

③ダロルタミド

1回600mgを1日2回食後に服用

- 主な有害事象は疲労，ほてり，悪心，けいれん，心臓障害，骨折など
- 遠隔転移を有しない去勢抵抗性前立腺がんに適応
- 病勢増悪まで使用

(2) CYP17阻害薬

①アビラテロン

1回1,000mgを1日1回空腹時に服用。プレドニゾロン10mgを併用する

- 主な有害事象は高血圧，低カリウム血症，体液貯留，浮腫，骨折など
- 去勢抵抗性前立腺がんおよび内分泌療法未治療のハイリスク予後因子を有する前立腺がんに適応
- 病勢増悪まで使用

(3) 化学療法

①ドセタキセル

ドセタキセル＋プレドニゾロン療法

3週ごと，病勢増悪まで

抗がん薬	day 1	8	15	21
ドセタキセル 75mg/m²/回 点滴静注（1時間）	↓			
プレドニゾロン 10mg/日 経口 1日2回	→→→→→→→→→→→→→→→→			

- 主な有害事象は好中球減少，貧血，脱毛，末梢神経障害，浮腫，疲労，倦怠感など。
- 去勢抵抗性前立腺がんおよび遠隔転移を有する前立腺がんに適応

②カバジタキセル

Cabazitaxel＋Prednisolone療法

3週ごと，病勢増悪まで

抗がん薬	day	1	8	15	21
カバジタキセル　25mg/m²/回 点滴静注（1時間）		↓			
プレドニゾロン　10mg/日 経口　1日2回		→→→→→→→→→→→→→→→→→→→→→→→→			

・主な有害事象は好中球減少，下痢，肝障害，間質性肺炎など。
・発熱性好中球減少症の頻度が高いためG-CSFの一次予防投与が推奨される。

(4) PARP阻害薬

①オラパリブ

1回300mgを1日2回服用

・*BRCA*遺伝子変異陽性の遠隔転移を有する去勢抵抗性前立腺がん
・主な有害事象は貧血，好中球減少，悪心，食欲減退，疲労，間質性肺炎など
・病勢増悪まで使用

(5) RI療法（²²³Ra）

①塩化ラジウム（²²³Ra）

4週ごと，最大6回まで

抗がん薬	day	1	2〜28
塩化ラジウム(²²³Ra)　55kBq/kg/回 点滴静注		↓	休薬

・主な副作用は悪心，貧血，下痢，骨痛，疲労など。
・骨転移のある去勢抵抗性前立腺がんに適応。
・塩化ラジウム（²²³Ra）を取り扱う際は，医療従事者の放射線被爆対策として抗がん薬の調製エリアとは別の薬剤の調製・投与環境が必要となる。

【参考文献】

1) 日本泌尿器科学会・編：前立腺がん検診ガイドラン 2018年版，メディカルレビュー社，p.72-74，2018
2) Thompson IM et al: Prevalence of prostate cancer among men with a prostate-specific antigen level < or =4.0 ng per milliliter. N Engl J Med, 350(22):2239-2246, 2004
3) D'Amico AV et al: Biochemical outcome after radical prostatectomy, external beam radiation therapy, or interstitial radiation therapy for clinically localized prostate cancer. JAMA, 280(11):969-974, 1998
4) Bill-Axelson A et al: Radical prostatectomy or watchful waiting in early prostate cancer. N Engl J Med, 370(10):932-942, 2014
5) 日本泌尿器科学会・編：前立腺癌診療ガイドラン 2016年版，メディカルレビュー社，p.116-117，2016
6) Potters L et al: Monotherapy for stage T1-T2 prostate cancer: radical prostatectomy, external beam radiotherapy, or permanent seed implantation. Radiother Oncol, 71(1):29-33, 2004
7) Jones CU et al: Radiotherapy and short-term androgen deprivation for localized prostate cancer. N Engl J Med, 365(2):107-118, 2011

8) Roach M 3RD et al: Predicting long-term survival, and the need for hormonal therapy: a meta-analysis of RTOG prostate cancer trials. Int J Radiat Oncol Biol Phys, 47(3):617-627, 2000
9) Rodda S et al: ASCENDE-RT: An Analysis of Treatment-Related Morbidity for a Randomized Trial Comparing a Low-Dose-Rate Brachytherapy Boost with a Dose-Escalated External Beam Boost for High- and Intermediate-Risk Prostate Cancer. Int J Radiat Oncol Biol Phys, 98(2):286-295, 2017
10) Labrie F et al: New hormonal therapy in prostatic carcinoma: combined treatment with an LHRH agonist and an antiandrogen. Clin Invest Med, 5(4):267-275, 1982
11) Akaza H et al: Combined androgen blockade with bicalutamide for advanced prostate cancer: long-term follow-up of a phase 3, double-blind, randomized study for survival. Cancer, 115(15):3437-3445, 2009
12) Akaza H et al: Superior anti-tumor efficacy of bicalutamide 80 mg in combination with a luteinizing hormone-releasing hormone (LHRH) agonist versus LHRH agonist monotherapy as first-line treatment for advanced prostate cancer: interim results of a randomized study in Japanese patients. Jpn J Clin Oncol, 34(1):20-28, 2004
13) Arai Y et al: Evaluation of quality of life in patients with previously untreated advanced prostate cancer receiving maximum androgen blockade therapy or LHRHa monotherapy: a multicenter, randomized, double-blind, comparative study. J Cancer Res Clin Oncol, 134(12):1385-1396, 2008
14) Schellhammer PF et al: Clinical benefits of bicalutamide compared with flutamide in combined androgen blockade for patients with advanced prostatic carcinoma: final report of a double-blind, randomized, multicenter trial. Casodex Combination Study Group. Urology, 50(3):330-336, 1997
15) James ND et al：Addition of docetaxel, zoledronic acid, or both to first-line long-term hormone therapy in prostate cancer (STAMPEDE): survival results from an adaptive, multiarm, multistage, platform randomised controlled trial. Lancet, 387(10024):1163-1177, 2016
16) Sweeney CJ et al：Chemohormonal Therapy in Metastatic Hormone-Sensitive Prostate Cancer. N Engl J Med, 373(8):737-746, 2015
17) Miyake H et al: Prognostic Significance of Time to Castration Resistance in Patients With Metastatic Castration-sensitive Prostate Cancer. Anticancer Res, 39(3):1391-1396, 2019

（伊藤　剛貴）

第4章 疾患

15 腎がん

【腎がんの疫学】
　罹患数：29,763人，死亡数：9,712人，5年生存率：68.6%
〔腎・尿路として（膀胱を除く）〕

1 腎臓の基礎知識

　腎臓とは，後腹膜という腹部の背中側，背骨の両脇，横隔膜の下に位置する。手を後ろに回してわき腹と背骨の中間あたりの場所にある。そら豆のような形をした握りこぶし大の一対の臓器である。腎臓の最も大きな役割は，尿をつくることである。腎臓には心臓から送り出される血液の約4分の1が流れ込み，糸球体で濾過され，この濾過液が原尿である。重さは120〜150gである[1]。

2 進行度と治療概要（外科，放射線治療など）

2-1　進行度診断（Stage分類）

　腎細胞がん診療においての進行度分類は，『腎癌取扱い規約第5版』[2]や分類改訂第8版（2017年）TNM（UICC）分類[3,4]に基づく。

2-2　転移性腎がん患者のリスク分類[2]

　Memorial Sloan-Kettering Cancer Center（MSKCC）によるリスク分類[5]とInternational Metastatic renal cell carcinoma Database Consoritium（IMDC）によるリスク分類[6]が，転移性腎がん患者の予後予測因子として広く用いられる（表1〜3）。

2-3　外科治療

1) 腎細胞がんに対する手術[7]

　腎がんの外科療法・局所療法としては，原発巣に対する治療，転移巣に対する治療がある。原発巣に対する治療としては，腎摘除術と腎機能温存手術（腎部分切除術）があり，低侵襲治療として経皮的凍結療法（cryoablation）やラジオ波焼灼術（radiofrequency ablation：RFA）がある。

表1 MSKCC criteria

1. 高LDH血症（正常上限の1.5倍超）
2. 低ヘモグロビン血症（基準値未満）
3. アルブミン値補正後の高カルシウム血症（10mg/dL超）
4. Karnofsky performance status で80％未満
5. 腎癌診断後から治療開始までが1年未満

0因子をfavorable，1あるいは2因子をintermediate，3因子以上をpoorと分類。

表2 IMDC criteria

1. 低ヘモグロビン血症（基準値下限未満）
2. アルブミン値補正後の高カルシウム血症（施設基準値上限超）
3. Karnofsky performance status で80％未満
4. 腎癌診断後から治療開始までが1年未満
5. 好中球数増多（基準値上限超）
6. 血小板増多（基準値上限超）

0因子をfavorable，1あるいは2因子をintermediate，3因子以上をpoorと分類。

表3 進行腎がんに対する薬物療法の選択基準

		分類	推奨治療薬
一次治療		淡明細胞型腎細胞癌（低リスク）	ペムブロリズマブ＋アキシチニブ併用 アベルマブ＋アキシチニブ併用，スニチニブ，パゾパニブ（ソラフェニブ，インターフェロン-α，低用量インターロイキン-2）
		淡明細胞型腎細胞癌（中リスク）	イピリムマブ＋ニボルマブ併用，ペムブロリズマブ＋アキシチニブ併用 アベルマブ＋アキシチニブ併用，カボザンチニブ スニチニブ，パゾパニブ （ソラフェニブ，インターフェロン-α，低用量インターロイキン-2）
		淡明細胞型腎細胞癌（高リスク）	イピリムマブ＋ニボルマブ併用，ペムブロリズマブ＋アキシチニブ併用 アベルマブ＋アキシチニブ併用，カボザンチニブ （スニチニブ，テムシロリムス）
		非淡明細胞癌	スニチニブ，テムシロリムス
二次治療		チロシンキナーゼ阻害薬後	ニボルマブ，カボザンチニブ，アキシチニブ （エベロリムス，ソラフェニブ）
		サイトカイン療法後	アキシチニブ，ソラフェニブ（スニチニブ，パゾパニブ）
		mTOR阻害薬後	臨床試験など
三次治療		チロシンキナーゼ阻害薬2剤後	ニボルマブ，カボザンチニブ（エベロリムス）
		チロシンキナーゼ阻害薬/mTOR阻害薬後	ソラフェニブ，アキシチニブ（スニチニブ，パゾパニブ）
		その他	臨床試験など

※（ ）内の薬剤は，標準的推奨薬の投与が適さない場合の代替治療薬，リスク分類はIMDC分類による
〔日本泌尿器科学会 編：腎癌診療ガイドライン2017年版（2020年アップデート内容），p.6，メディカルレビュー社，2017〕

2）原発巣に対する外科療法・局所療法

　腎がんに対しては根治的腎摘除術が標準術式として位置づけられてきたが，近年，画像診断技術の向上などにより腎部分切除術が施行されることが多くなってきた。腎部分切除術は開放手術あるいは腹腔鏡手術で行われてきたが，最近ではロボット支援腎部分切除術も施行されるようになり，2016年4月に保険収載された。

　腎摘除術も多くの患者に腹腔鏡手術が選択されているが，腫瘍径が大きい場合，静脈内腫瘍進展例，リンパ節転移例などでは開放手術が選択される。

(1) 腎部分切除術

European Association of Urology (EAU), National Comprehensive Cancer Network (NCCN) などのガイドラインでは，4cm以下のT1a腫瘍にはできる限り腎部分切除術を選択し，4～7cmのT1b腫瘍に対しても可能であれば腎部分切除術を実施するよう推奨している。腎部分切除の術式としては，開放手術，腹腔鏡手術（laparoscopic partial nephrectomy：LPN），ロボット支援手術（robot-assisted partial nephrectomy：RAPN）が選択できる。

(2) 根治的腎摘除術

T1a／T1b症例でも，腎部分切除術が困難な場合には腎摘除術の適応となる。このような患者では多くの場合腹腔鏡手術が選択され，現在では標準術式となっている。開放手術に比して制癌性は同等で，低侵襲で術後の回復が早いとされている。

(3) 経皮的凍結療法・RFA

がんに対する低侵襲治療として経皮的凍結療法やRFAなどの有用性が指摘され，小径腎腫瘍に対しても施行されてきた。小径腎腫瘍の標準治療は腎機能温存手術であるが，高齢者や重篤な合併症により全身麻酔下の手術が困難な患者，手術を希望しない患者，家族性・多発性腎がん患者などでは，低侵襲な経皮的凍結療法や経皮的RFAが選択されてきた。

3）転移巣に対する外科療法・局所療法

転移性腎がんの治療は薬物療法が中心となるが，切除可能な転移巣に対する手術療法，骨転移，脳転移などに対する定位放射線療法により，予後，QOLの改善が期待できる。

(1) 転移巣切除術

診断時に転移を認める場合あるいは腎摘除術後に転移が出現した場合，転移巣の完全切除が可能であれば予後の改善・根治が期待でき，外科的切除の選択が考慮される。薬物療法では完全治癒は困難であるが，手術の場合は根治が得られる可能性がある。肺転移では，複数であっても少数で完全切除が可能な場合は手術を選択することがある。また，リンパ節転移，膵転移，副腎転移も切除可能であれば手術により根治や長期無再発が期待でき，下肢や上肢の骨転移の場合も予後やQOLの改善が期待できる。肝転移，脳転移，脊椎骨転移なども，他臓器に転移がない場合には外科的切除を検討する価値はあるが，完全切除が困難な場合が多い。一方，全身状態不良，多臓器転移，完全切除が不可能な場合などは，外科療法の適応はない。

2-4 放射線療法

1）定位放射線療法

転移巣に対する定位放射線療法は，予後，QOLの改善が期待できる。骨転移による疼痛を認める場合，放射線療法により病勢や疼痛のコントロールが期待できる。脳転移では転移数が少ない場合や病巣が小さい場合はガンマナイフなどの定位放射線療法により病勢および症状のコントロールが期待できる。分子標的薬との併用により効果の増強が期待できるとの報告もある。

3 腎がんの薬物療法

3-1 術前・術後補助療法

　腎がんに対して根治的腎摘除術を施行した後，一定の割合で再発を認めるが，腎がんにおける再発リスクの評価は十分には確立されておらず，再発リスクの高い患者群が必ずしも明確ではない。また，転移性腎がんに対する薬物療法の有効性に関しては多くのエビデンスが示されているが，根治的腎摘除術の術後補助薬物療法としての有効性は明らかではない。

　術後再発予防のための補助薬物療法は現時点では保険適応外であり，無再発生存期間および全生存期間の延長効果に一定の見解はなく，重篤な有害事象の報告もあるため，推奨されない。

3-2 進行腎がんに対する薬物療法

1) ニボルマブ＋イピリムマブ併用療法

抗がん薬 / day	1	22	43	64
イピリムマブ　1mg/kg 点滴静注（30分） 3週おき　4回	↓	↓	↓	↓
ニボルマブ　240mg固定量 点滴静注（30分） 3週おきにイピリムマブと4回投与	↓	↓	↓	↓

→ 3週間

抗がん薬 / day	1	15
ニボルマブ 点滴静注（30分） 240mg固定量，2週間隔で単剤投与 または480mg固定量，4週間間隔で単剤投与	↓	↓

　ニボルマブとイピリムマブの併用療法が"化学療法未治療の根治切除不能又は転移性の腎細胞癌"に対して承認された。無治療の進行性淡明細胞がん症例を対象とした，ニボルマブ＋イピリムマブ併用療法とスニチニブ単独療法を比較する第Ⅲ相試験（CheckMate-214）[8]が行われ，主要評価項目は，IMDCによるリスク分類intermediateおよびpoorリスク症例における奏効率（ORR），無増悪生存期間（PFS）および全生存期間（OS）であった。IMDCリスク数1，2におけるORRはそれぞれ41.8％および41.6％と高く，ほかのエンドポイントも良好な結果が得られ，TKI単独やほかの2つの免疫チェックポイント阻害薬との併用療法に比べて一次治療における効果の期待が最も高い。ただし，この治療では早期にGrade3のirAEが出る可能性が高い。特に最初の12週は要注意である。医師，メディカルスタッフ，患者，家族へのirAEの教育を行う必要がある。

2) ペムブロリズマブ＋アキシチニブ併用療法

抗がん薬 / day	1	2	3	4	5	…	22
ペムブロリズマブ 点滴静注（30分） 3週ごと　200mg/回 または6週ごと　400mg/回	↓						↓
アキシチニブ 経口　1日2回，1回5mg 連日内服	→→→→→→→						

化学療法歴のない根治切除不能または転移性の腎がん患者を対象とした，ペムブロリズマブ＋アキシチニブ併用療法とスニチニブ単独療法を比較する国際第Ⅲ相試験（KEYNOTE-426）が行われた[9]。主要評価項目であるOS［ハザード比0.53（95％CI：0.38〜0.74, p＜0.0001）］およびPFS［ハザード比0.69（95％CI：0.57〜0.84, p＜0.001）］で有意な延長が認められた。全グレードの有害事象は併用療法群で98.4％，スニチニブ群で99.5％と，ほぼすべての症例において発現していた。ペムブロリズマブとアキシチニブの併用療法による有害事象において，外国人と比べて日本人患者にGrade3以上の肝機能異常が多くみられた（1例；0.3％ vs 6例；13.6％）ことから，この点に注意が必要である。

3）アベルマブ＋アキシチニブ併用療法

抗がん薬 \ day	1	2	3	4	5	…	15
アベルマブ 点滴静注（60分） 2週ごと 10mg/kg	↓						↓
アキシチニブ 経口 1日2回，1回5mg内服 連日内服	→						

また，同様に，化学療法歴のない根治切除不能または転移性の腎がん（淡明細胞型腎細胞がんを含む組織型）患者において，アベルマブとアキシチニブの併用療法（アベルマブ1回10mg/kg（体重）2週間隔点滴静注とアキシチニブ5mg 1日2回経口投与）とスニチニブ単独療法（50mg/日 4週投与2週休薬）を比較する国際第Ⅲ相試験（JAVELIN Renal 101）が行われ[10]，主要評価項目は，IMDCによるすべてのリスク症例において，PD-L1陽性患者で無増悪生存期間と全生存期間であった。

スニチニブ単独群に比べてアベルマブ＋アキシチニブ併用群で有意に無増悪生存期間が延長していた。また，PD-L1陽性患者での奏効率においても併用群の成績が有意に優れていた（55％ vs 26％）。スニチニブ単独群に比べてアベルマブ＋アキシチニブ併用群で，有意に無増悪生存期間が延長していた。全生存期間については，有意な差は認めていない。Grade3以上の有害事象については併用群と単独群において同等であった（いずれも71％）。

4）経口マルチキナーゼ阻害薬（表4）

IMDC分類favorable riskの淡明細胞型腎細胞がんについては，スニチニブ，パゾパニブが推奨される。そして，IMDC分類intermediate risk, poor riskの淡明細胞型腎細胞がんについては，カボザンチニブが推奨される。

IMDCによるリスク分類で，intermediate／poorリスクの進行または転移性腎がんに対し，vascular endothelial growth factor receptor（VEGFR）2, MET, AXLなどを阻害するマルチキナーゼ阻害薬であるカボザンチニブ（60mg/日 連日投与）とスニチニブ（50mg/日 4週投与2週休薬）を比較する第Ⅱ相試験（CABOSUN）が行われた[11]。主要評価項目である無増悪生存期間は，スニチニブ群に対してカボザンチニブ群が有意に延長していた。また，奏効率はスニチニブ群12％に比べてカボザンチニブ群33％と良好であった。レトロスペクティブな評価も行われ[12]，無

表4　経口マルチキナーゼ阻害薬一覧

経口マルチキナーゼ阻害薬
- スニチニブカプセル
  1回50mg　1日1回食後　4週間内服，2週間休薬
- パゾパニブ錠
  1回800mg　1日1回空腹時　連日内服
- アキシチニブ錠
  1回5mg　1日2回朝夕食後　連日内服
- カボザンチニブ錠
  1回60mg　1日1回空腹時　連日内服
- エベロリムス錠
  1回10mg　1日1回空腹時　連日内服
- ソラフェニブ錠
  1回400mg　1日2回空腹時　連日内服

増悪生存期間は，カボザンチニブ群8.6カ月とスニチニブ群5.3カ月に比べて有意に良好であった。経口マルチキナーゼ阻害薬の有害事象としては，下痢，手足症候群，高血圧，蛋白尿，甲状腺機能低下症，肝障害，味覚異常などのマネジメントが治療継続には重要である。

【参考文献】
1) 日本泌尿器科学会：こんな症状があったら（https://www.urol.or.jp/public/symptom/）（2022年6月閲覧）
2) 日本泌尿器科学会　他・編：泌尿器科・病理・放射線科 腎癌取扱い規約 第5版．メディカルレビュー社，2021
3) Brierley JD　他・編著，UICC日本委員会TNM委員会・訳：TNM悪性腫瘍の分類 第8版 日本語版．金原出版，2017
4) Brierley JD et al：TNM Classification of Malignant Tumours, 8th ed. Wiley-Blackwell, 2017
5) Motzer RJ et al：Interferon-alfa as a comparative treatment for clinical trials of new therapies against advanced renal cell carcinoma. J Clin Oncol, 20(1):289-296, 2002
6) Heng DY et al：Prognostic factors for overall survival in patients with metastatic renal cell carcinoma treated with vascular endothelial growth factor-targeted agents: results from a large, multicenter study. J Clin Oncol, 27(34):5794-5799, 2009
7) 日本泌尿器科学会・編：腎癌診療ガイドライン 2017年版，メディカルレビュー社，2017
8) Motzer RJ et al：Nivolumab plus Ipilimumab versus Sunitinib in Advanced Renal-Cell Carcinoma. N Engl J Med, 378(14):1277-1290, 2018
9) Rini BI et al：Pembrolizumab plus Axitinib versus Sunitinib for Advanced Renal-Cell Carcinoma. N Engl J Med, 380(12):1116-1127, 2019
10) Motzer RJ et al：Avelumab plus Axitinib versus Sunitinib for Advanced Renal-Cell Carcinoma. N Engl J Med, 380(12):1103-1115, 2019
11) Choueiri TK et al：Cabozantinib Versus Sunitinib As Initial Targeted Therapy for Patients With Metastatic Renal Cell Carcinoma of Poor or Intermediate Risk: The Alliance A031203 CABOSUN Trial. J Clin Oncol, 35(6):591-597, 2017
12) Choueiri TK et al：Cabozantinib versus sunitinib as initial therapy for metastatic renal cell carcinoma of intermediate or poor risk (Alliance A031203 CABOSUN randomised trial): Progression-free survival by independent review and overall survival update. Eur J Cancer, 94:115-125, 2018

（藤堂　真紀）

第4章 疾患

16 膀胱がん

【膀胱がんの疫学】
　罹患数：23,230人，死亡数：9,168人，5年生存率：73.3%

1 膀胱がんの基礎知識

　膀胱は骨盤内にあり，腎臓で作られた尿が，腎盂，尿管を通り膀胱に貯留される。膀胱の表面は伸縮性に富んだ移行上皮という組織で覆われており，膀胱がんの多くは，この移行上皮がんが約90％を占めるとされている。残りは，扁平上皮がん，腺がん，小細胞がんなどが知られている[1]。膀胱と同様に尿路上皮粘膜を有する腎盂・尿管などのほかの尿路に病変を合併することも多く，膀胱がんの診療においては尿路全体をスクリーニングする必要があるとされている[2]。また，膀胱がんの確立された主なリスクとしては，喫煙が知られている。喫煙者は非喫煙者に比較して2～5倍，膀胱がんの発症リスクを高めるとされている[3]。また，職業性曝露によるリスク因子としてナフチルアミン，ベンジジンの発がん性が高いとされている。

2 進行度と治療概要（外科，放射線治療など）

　膀胱がんが発見される契機となる主な臨床症状は，血尿（無症候性肉眼的血尿，顕微鏡的血尿），膀胱刺激症状（頻尿，排尿時痛，残尿感など）であり，特に無症候性肉眼的血尿が多いとされている。また，膀胱刺激症状は，膀胱がん症例の約3分の1で認められるとされ，筋層浸潤がんや上皮内がん（CIS）にてみられる。したがって，治療に難渋する膀胱炎様症状の場合，膀胱がんを鑑別診断にあげる必要がある[4]。
　膀胱がんの確定診断は，膀胱鏡検査，尿細胞診，経腹的超音波検査による腫瘍を確認し，経尿道的膀胱腫瘍切除術（TURBT）による採取した腫瘍組織を病理学的に確認して確定診断となる。膀胱鏡検査により腫瘍の肉眼的形態を確認することは，以後の診断治療計画を決定するうえで重要な情報をもたらすとされている。腫瘍表面の性状により乳頭型（約70％），結節型（約20％），平坦型（約4％）といわれている。
　病期診断では，筋層非浸潤性がんの多くの場合，局所で浸潤することがまれであり，必ずしも全身転移の検査は必要ではない。一方，筋層浸潤性がんの場合は遠隔転移の判定のために全身CT検査，骨シンチグラフィを行う。膀胱がんの存在が確認された後は，上部尿路腫瘍の有無の評価と病期診断が必要となるため，CT尿路造影や静脈性腎盂造影が必要な場合がある。膀胱がんの深達度の判定はTURBTにより診断されるが，MRI検査も有用な場合がある。これらの検査結果を参照し，治療方針決定のために原発巣の膀胱壁内深達度の評価（T staging），リンパ節転移有無の評価（N

staging），遠隔転移の有無の評価（M staging）を行う。膀胱がんの他臓器転移の頻度は，肝臓（38％），肺（36％），骨（27％），副腎（21％）の順に多い[5, 6]。

2-1 外科的治療

1）筋層非浸潤性膀胱がんに対する外科的治療

未治療膀胱がんの約70％を占め，基本的に初期治療としてTURBTによる膀胱温存を目指した治療方針をとる。しかし，TURBTで完全切除が困難な腫瘍に対する治療目的あるいは術後の再発予防目的で，薬剤の膀胱内注入が行われる。再発，進展のリスクが低リスクの場合，抗がん薬（マイトマイシン，ピノルビン，エピルビシン）が選択され，中・高リスクの場合はBCGの膀胱内注入療法を行い再発・進展を抑えることが，筋層非浸潤性膀胱がんの課題である。そのために腫瘍の残存の可能性が高い場合には，2nd TURが推奨されている。

2）上皮内がん（CIS）に対する外科的治療

BCG注入療法に失敗したときや前立腺部尿道にCISが存在する場合は進展リスクが高く，即時膀胱全摘も考慮される。

3）Stage Ⅱ，Ⅲに対する外科的治療

リンパ節転移や遠隔転移のない，Stage Ⅱ（筋層への浸潤が半ばまで，あるいは超えるもの），Stage Ⅲ〔膀胱周囲脂肪組織への顕微鏡的または肉眼的浸潤，または，隣接臓器（前立腺，精囊，子宮，膣）への浸潤〕の筋層浸潤性膀胱がんに対する標準治療は「膀胱全摘除術＋骨盤リンパ節郭清術＋尿路変向術（回腸導管，代用膀胱など）」である。

筋層浸潤性膀胱がんに対して，シスプラチンを含む術前薬物療法は生存率改善に寄与することが示された[7, 8]。術後薬物療法に関するメタアナリシスにおいても，生存率改善を示唆する結論には至っていない[9]。

2-2 放射線治療

筋層浸潤性膀胱がんに対する膀胱温存を目的とした根治的放射線療法，および骨転移や局所浸潤に伴う痛みや血尿などの症状改善を目的とした対症的放射線療法として行われることがある。

3 膀胱がんの薬物治療

3-1 CISに対する膀胱内注入療法

膀胱内に上皮内がんなどがある場合には，BCGの導入療法として膀胱内に週1回，計6〜8回（NCCNやEAUのガイドラインでは6回[10, 11]）注入が推奨されている。BCGが施行できないときは，マイトマイシンCが推奨されている。BCGの導入療法後は，投与間隔に関しては明確ではないが，1〜3年間の維持療法の重要性が指摘されている[10]。

3-2 浸潤性がん，転移性がんに対する全身化学療法

(1) M-VAC療法

4週ごと

抗がん薬 / day	1	2	15	22	23〜28
メトトレキサート 30mg/m²/日 点滴静注	↓		↓	↓	休薬
ビンブラスチン 3mg/m²/日 点滴静注		↓	↓	↓	
ドキソルビシン 30mg/m²/日 点滴静注		↓			
シスプラチン 70mg/m²/日 点滴静注		↓			

注：ドキソルビシンの総投与量は500mg/m²以下とする

- Stage IV膀胱がん，転移性または再発性膀胱がんの化学療法として，1985年にSternbergらによってM-VAC療法が報告されて以来，長年膀胱がんの標準治療とされていた[12]。しかし，4剤併用化学療法であるため副作用が強く，Grade4の好中球減少が約60%，Grade2〜3の口内炎が約50%，Grade3〜4の悪心・嘔吐が約20%と報告されており，投与量の減量なしで治療を行えるのは約40%であると報告されている[13, 14]。そこで，新規レジメンの開発が望まれた。

(2) GC療法

4週ごと

抗がん薬 / day	1	2	8	15	16〜28
ゲムシタビン 1,000mg/m²/日 点滴静注	↓		↓	↓	休薬
シスプラチン 70mg/m²/日 点滴静注		↓			

- 2000年のvon der MaaseらのランダムChemical化比較試験にて，GC療法が進行膀胱がんに対してM-VAC療法と同等の効果を示し，有害事象が少ないことが示された[13]。主な副作用の違いとしては，GC療法では貧血と血小板減少が多いことが確認された一方，好中球減少，口内炎，脱毛が少ないことも確認された。これをもって，GC療法がM-VACに代わり現在の第一選択の化学療法となっている。このように，転移性あるいは進行性尿路上皮がんに対する化学療法では，シスプラチンを含むレジメンが第一選択であるものの，40〜50%の患者では腎機能に問題があり，シスプラチンの使用が困難なケースもある[15]。

ミニコラム ③シスプラチン使用回避時のカルボプラチン変更による検討

①GC療法 vs GCb療法

　腎毒性の少ないカルボプラチンが，シスプラチンに変わりうるかが検討されてきた。Dogliottiらは GC療法とGCb療法（ゲムシタビン＋カルボプラチン）を55名ずつ無作為化比較試験第Ⅱ相試験にて比較試験を行った。その結果，血液毒性のなかで最もGrade≧3の頻度が高かった副作用は好中球減少であり，その頻度はGC療法/GCb療法＝34.6％/45.4％であった。一方で，非血液毒で最もGrade≧3の頻度が高かったものは悪心・嘔吐であり，GC療法/GCb療法＝9.1％/3.6％であった。病勢進行までの中央値はGC療法/GCb療法＝8.3カ月/7.7カ月であり，全生存期間の中央値はGC療法/GCb療法＝12.8カ月/9.8カ月であった[1]。

②M-VEC療法 vs M-VECa療法

　Petrioliらは，57名の再発性，転移性膀胱がん患者に対して，M-VEC療法（メソトレキサート＋ビンブラスチン＋エピルビシン）とM-VECa療法（メトトレキサート＋ビンブラスチン＋ドキソルビシン＋カルボプラチン）のランダム化比較試験を実施した。その結果，奏効率はM-VEC療法が71％であったのに対し，M-VECa療法は41％と有意に低い結果であった[2]。

　以上の結果より，腎機能障害において，積極的にシスプラチンを使用できない場合には，カルボプラチンレジメンも選択肢の1つに加えることも可能であると思われるが，有意に効果が落ちることも考慮する必要がある。

【参考文献】
1) Dogliotti L et al：Gemcitabine plus Cisplatin versus Gemcitabine plus Carboplatin as First-Line Chemotherapy in Advanced Transitional Cell Carcinoma of the Urothelium: Results of a Randomized Phase 2 Trial. Eur Urol, 52(1):134-141, 2007
2) Petrioli R et al：Comparison between a cisplatin-containing regimen and a carboplatin-containing regimen for recurrent or metastatic bladder cancer patients. A randomized phase Ⅱ study. Cancer, 77(2):344-351, 1996

(3) ペムブロリズマブ

3週ごと

抗がん薬	day 1	2～21
ペムブロリズマブ　200mg/回 点滴静注（30分）	↓	休薬

・悪性黒色腫，肺がん，腎がんなどに続き，尿路上皮がんにおいてもペムブロリズマブが使用されることとなり，この領域では初の免疫チェックポイント阻害薬となる。ペムブロリズマブは，白金製剤併用化学療法による治療中，または治療後に疾患進行した局所進行性，または転移性の尿路上皮がんの患者を対象とした国際共同第Ⅲ相臨床試験において，有効性および安全性が示された。ペムブロリズマブ群は化学療法群に対し，全生存期間中央値を有意に延長（10.3カ月 vs 7.4カ月）し，死亡リスクは27％減少（HR：0.73，P＝0.002）した。副作用においては，ペムブロリズマブ群では60.9％，化学療法群で90.2％であった。また，ペムブロリズマブ群の主な副作用（10％以上）はそう痒症：19.5％，疲労：13.9％，悪心：10.9％であった[16]。

3-3　術前，術後薬物療法

　筋層浸潤性膀胱がんでは膀胱全摘術が基本であるが，それを施行しても治療成績は満足のいくものではない。この状況を打破する目的で，術前後の薬物療法が検討されてきた。neoadjuvant療法（術前薬物療法）においては11試験を集計したメタアナリシスの結果があり，5年生存率においてneoadjuvant療法群が対照群に比較して5%優れていることが示されている。また，5年無再発率も9%優れていることが確認されている[7]。よって，neoadjuvant療法は生存に寄与することが示されている。

　一方で，adjuvant療法（術後薬物療法）においては，思うような結果が出ず有用性を示す試験がなかった[17]。そんななか，免疫チェックポイント阻害薬による初めての術後補助療法の有効性が報告された。

(1) アベルマブ

3週ごと

抗がん薬	day	1	2〜21
アベルマブ 10mg/kg 点滴静注（60分）		↓	休薬

- 一次治療でプラチナ製剤を含む化学療法を4〜6サイクル実施し，進行が認められない患者を対象とし，プラセボ群に比較した結果，アベルマブ単独療法による維持療法の有効性，安全性が証明された。これにより「免疫チェックポイント阻害薬による維持療法」という新しい治療法が確立された。ここで対象となっているプラチナ製剤の治療歴としては，ゲムシタビン＋シスプラチンまたはカルボプラチンを4〜6サイクルを対象とした。アベルマブ群はBSC群に対し，全生存期間中央値を有意に延長（21.4カ月 vs 14.3カ月）し，奏効率においては9.7% v.s. 1.4%であった[18]。アベルマブ群の主な副作用（10%以上）は倦怠感17.7%，搔痒感：17.7%，下痢：16.6%，関節痛：16.3%，便秘：16.3%，甲状腺機能低下症：11.6%，輸液関連反応：10.2%であった。

【参考文献】
1) Lynch CF et al：Urinary system. Cancer, 75(1 suppl):316-329, 1995
2) Habuchi T：Origin of multifocal carcinomas of the bladder and upper urinary tract: molecular analysis and clinical implications. Int J Urol, 12(8):709-716, 2005
3) Hoover R et al：Population trends in cigarette smoking and bladder cancer. Am J Epidemiol, 94(5):409-418, 1971
4) Messing EM et al：Urinary tract cancers found by homescreening with hematuria dipsticks in healthy men over 50 years of age. Cancer, 64(11):2361-2367, 1989
5) Stein JP et al：The role of lymphadenectomy in high-grade invasive bladder cancer. Urol Clin North Am, 32(2):187-197, 2005
6) Babaian RJ et al：Metastases from transitional cell carcinoma of urinary bladder. Urology, 16(2): 142-144, 1980
7) Advanced Bladder Cancer (ABC) Meta-Analysis Collaboration：Neoadjuvant chemotherapy in invasive bladder cancer: Update of a systematic review and meta-analysis of individual patient data advanced bladder cancer

(ABC) meta-analysis collaboration. Eur Urol, 48(2):202-205, 2005
8) Kitamura H et al：Randomised phase Ⅲ study of neoadjuvant chemotherapy with methotrexate, doxorubicin, vinblastine and cisplatin followed by radical cystectomy compared with radical cystectomy alone for muscle-invasive bladder cancer: Japan Clinical Oncology Group study JCOG0209. Ann Oncol, 25(6):1192-1198, 2014
9) Advanced Bladder Cancer (ABC) Meta-Analysis Collaboration：Adjuvant chemotherapy in invasive bladder cancer: Update of a systematic review and meta-analysis of individual patient data. Eur Urol, 48:189-201, 2005
10) Babjuk M et al：EAU guidelines on non-muscle-invasive urothelial carcinoma of the bladder: update 2013. Eur Urol, 64(4):639-653, 2013
11) Clark PE et al：Bladder cancer. J Natl Compr Canc Netw, 11(4):446-475, 2013
12) Loehrer PJ Sr et al：A randomized comparison of cisplatin alone or in combination with methotrexate, vinblastine, and doxorubicin in patients with metastatic urothelial carcinoma: a cooperative group study. J Clin Oncol, 10(7):1066-1073, 1992
13) von der Maase H et al：Gemcitabine and cisplatin versus methotrexate, vinblastine, doxorubicin, and cisplatin in advanced or metastatic bladder cancer: results of a large, randomized, multinational, multicenter, phase Ⅲ study. J Clin Oncol, 18(17):3068-3077, 2000
14) von der Maase H et al：Long-term survival results of a randomized trial comparing gemcitabine plus cisplatin, with methotrexate, vinblastine, doxorubicin, plus cisplatin in patients with bladder cancer. J Clin Oncol, 23(21):4602-4608, 2005
15) Bournakis E et al：Management of advanced bladder cancer in patients with impaired renal function. Expert Rev Anticancer Ther, 11(6):931-939, 2011
16) Bellmunt J et al：Pembrolizumab as Second-Line Therapy for Advanced Urothelial Carcinoma. N Engl J Med, 376(11):1015-1026, 2017
17) Meeks JJ et al：A systematic review of neoadjuvant and adjuvant chemotherapy for muscle-invasive bladder cancer. Eur Urol, 62(3):523-533, 2012
18) Powles T et al：Avelumab Maintenance Therapy for Advanced or Metastatic Urothelial Carcinoma. N Engl J Med, 383(13):1218-1230, 2020

（高田　慎也）

第4章　疾患

17 精巣腫瘍

【精巣腫瘍の疫学】
　罹患数*：2,135人，死亡数**：72人，5年生存率（精巣がんとして）***：ステージⅠ 99.0%，ステージⅡ 95.2%，ステージⅢ 75.1%
　* 厚生労働省健康局がん・疾病対策課：平成31年（令和元年）全国がん登録　罹患数・率 報告，2022より
　** 公益財団法人がん研究振興財団：がんの統計2022，2022より
　*** 公益財団法人がん研究会 有明病院ホームページより

1 精巣の基礎知識

　精巣は，男性の陰囊内に位置する左右一対の長径4〜5cmの卵形の器官で，精巣中隔で隔てられた多数の小葉を含む。思春期に入ると，視床下部から分泌されるゴナドトロピン放出ホルモン（GnRH）が下垂体に作用し，下垂体から黄体形成ホルモン（LH）と卵胞ホルモン（FSH）が分泌され，LHが精巣のライディッヒ細胞に作用してテストステロンを分泌させる。また，FSHとテストステロンにより小葉内の曲精細管で精粗細胞が分化して精子を形成する。この働きは終生持続し，精子は新しく作り続けられる。

2 進行度と治療概要（外科，放射線治療など）

2-1　診察・診断

1) 症状
　精巣腫瘍の典型的な初発症状は，片側精巣の無痛性のしこりや腫れである。下腹部の重圧感，鈍痛，精巣痛や腫瘍が産生するヒト絨毛性ゴナドトロピン（hCG）の影響で，女性化乳房や乳首の腫れ，疼痛を伴う場合もある。最も転移しやすい部位は肺および後腹膜リンパ節であり，転移がある場合は呼吸困難，腰痛などを生じる。

2) 腫瘍マーカー
(1) AFP
　胎児性蛋白で胎生期の卵黄囊，肝臓，消化管で産生されるが，生後徐々に消失し4〜5歳で成人と同じ基準値となる。卵黄囊腫瘍，胎児性がん，未熟奇形種で産生されるが，絨毛がん，セミノーマでは産生されない。セミノーマで高値の場合は組織学的な成分の確認が必要で，原発巣が単一の場合，転移巣に非セミノーマがあると考え，臨床的には非セミノーマとして扱う。生体内半減期は

約5〜7日である。

(2) β-hCG

胎盤の絨毛組織から産生される性線刺激ホルモンであり，絨毛がんのすべて，胎児性がん，セミノーマの一部で産生される。生体内半減期は約24〜36時間である。

(3) LDH

体内組織中に広く分布し，ピルビン酸と乳酸の変換の際に酸化還元反応を触媒する酵素である。精巣腫瘍以外の悪性腫瘍や，さまざまな病態で異常値となり特異性は低いが，IGCCC（International Germ Cell Classification）の予後分類での必須項目である。

3）診断

(1) 画像診断
- 精巣超音波，胸部X線，胸部・腹部・骨盤部CTにて画像診断を行う。
- 脳MRI，骨シンチグラフィは転移が疑われる場合に行う。

(2) 腫瘍マーカーの測定
- 病期診断のため，高位精巣摘除前後で行う。
- 転移がない場合，高位精巣摘除後ではAFP，β-hCGは半減期に従い減衰する。

(3) 組織診断
- 精巣原発の胚細胞腫瘍が疑われる場合は速やかに高位精巣摘除術を行い，組織型を確認する。針生検は禁忌である。

2-2　Stage分類

1）病期分類

高位精巣摘除後の転移の有無，転移部位，転移巣の個数，転移巣の最大径，腫瘍マーカーを用いて，日本泌尿器科学会病期分類に従い病期分類を行う。

2）予後分類

組織型，原発の部位，肺以外の臓器転移の有無，初診時の腫瘍マーカーを用いてIGCCCの予後分類を行う[1]。

2-3　治療概要

日本泌尿器科学会の診療ガイドラインの診療基本アルゴリズムによる。

1）セミノーマ

(1) Stage I

高位精巣摘除後，下記①〜③のいずれかを選択する。なお，いずれを選択しても疾患特異的生存率はほぼ98〜99％であり，フォローアップは10年を目処に行う。

①経過観察（サーベイランス）

再発率は約15%，7割は2年以内であるためその間は画像診断のほか，AFP，β-hCG，LDHを頻回に測定する。6.6%は6年以降にも起き，10年以降の再発もありうる。

②補助放射線療法

両側傍大動脈リンパ節（±患側骨盤リンパ節）へ20～25Gyの照射を行う。5年非再発率は96%であり，再発例の8割は2年以内に起こる。妊孕性温存のため精巣の遮蔽を検討する。

③補助化学療法

カルボプラチン単独療法（AUC 7）1～2コースを行う[2]。5年非再発率は96.1%である。

(2) Stage ⅡA

傍大動脈と患側の総腸骨動脈領域に放射線照射を行う。後腹膜転移巣の最大径が2cm未満の場合は30Gy程度，2～5cmの場合は36Gy程度照射する。

放射線照射を行わない場合は化学療法を行うことがある。IGCCCの予後分類でgood riskの場合はBEP療法3コースまたはEP療法4コース，intermediate riskの場合はBEP療法4コースが選択される[3,4]。

(3) Stage ⅡB以上

化学療法が第一選択である。IGCCCの予後分類でgood riskの場合はBEP療法3コースまたはEP療法4コース，intermediate riskの場合はBEP療法4コースが選択される。

2) 非セミノーマ

(1) Stage Ⅰ

①低リスク

5年以上の経過観察（サーベイランス）を行う。再発率は30%であり，その8割は1年以内である。腫瘍マーカー，理学的検査，腹部・骨盤部CT，胸部X線検査などを1～2カ月間隔で始め，2年目以降は2カ月間隔と順次延長して，3年目以降ではCTは半年～1年に1回行う。

経過観察を希望しない，または定期的受診が困難な場合は，BEP療法2コースや後腹膜リンパ節郭清術（RPLND）も選択肢となる。

②高リスクや脈管侵襲あり

術後薬物療法としてBEP療法2コースを行う。化学療法を希望しない，または困難な場合は，経過観察や神経温存RPLNDも選択肢となる。

(2) Stage Ⅱ

①後腹膜転移巣の最大径が2cm未満かつ高位精巣摘除後の腫瘍マーカーが正常範囲の場合，RPLNDまたは経過観察を行う。

②後腹膜転移巣の最大径が2cm以上または高位精巣摘除後の腫瘍マーカーが持続高値の場合，化学療法が第一選択である。IGCCCの予後分類でgood riskの場合はBEP療法3コースまたはEP療法4コース，intermediate riskとpoor riskの場合はBEP療法4コースが選択される。

(3) Stage Ⅲ

IGCCCの予後分類でGood riskの場合はBEP療法3コース，intermediate riskとpoor riskの場合はBEP療法4コースが標準治療である。

①腫瘍マーカーが正常化

画像上の残存腫瘍がなければ経過観察を行う。マーカー正常化後は2年までは2～3カ月後，それ以降は3～6カ月後で順次間隔を延長するが，非セミノーマの場合はセミノーマより厳密なモニタリングを行う。残存腫瘍があれば外科的切除（残存リンパ節径が3cm以上でRPLND）を行う。

②腫瘍マーカーが陰性化しない，再発症例

救済化学療法を行う。

3 精巣腫瘍の薬物療法

薬剤の安易な減量や投与間隔の延長は治癒率を損なう可能性があるため，G-CSF製剤の予防投与など，支持療法を適切に行う。

胚細胞腫瘍は化学療法高感受性のため，化学療法施行時の腫瘍崩壊症候群の発現に注意する。

精巣腫瘍患者の診断時年齢は比較的若く，治療の長期合併症（心血管系合併症，腎機能障害，神経障害など）が問題となりうる。

精巣腫瘍治療の主要薬剤であるシスプラチンは用量依存性に造精機能障害を来すため，妊孕性温存希望がある場合は化学療法開始前に精子の凍結保存をする。

3-1 標準療法（導入化学療法）

1）BEP療法

3週ごと，3コース

抗がん薬 day	1	2	3	4	5	8	9	15	16	17～21
シスプラチン 20mg/m²/日 点滴静注	↓	↓	↓	↓	↓					休薬
エトポシド 100mg/m²/日 点滴静注	↓	↓	↓	↓	↓					
ブレオマイシン 30mg/日 点滴静注 （day1, 8, 15または，day2, 9, 16に投与）	↓	┆				↓	┆	↓	┆	

注：予後良好群では3コース，予後中間・不良群は4コース

40～50歳以上や腎機能不良例などのブレオマイシン肺障害のリスクが高い症例には，BEP療法3コースをEP療法4コースで代替可能である。

ブレオマイシンによる間質性肺炎や肺繊維症が疑われた場合は，以後のブレオマイシン投与は中止が推奨される。次コース以降は代替治療として，IGCCCの予後分類でgood riskの場合はEP療法，intermediate riskとpoor riskの場合ではVIP療法が選択可能である[5]。

2）EP療法

3週ごと，4コース

抗がん薬	day	1	2	3	4	5	6〜21
シスプラチン 20mg/m^2/日 点滴静注		↓	↓	↓	↓	↓	休薬
エトポシド 100mg/m^2/日 点滴静注		↓	↓	↓	↓	↓	

注：肺障害リスクの高い患者にBEP療法の代替として施行できる

3）VIP療法

3週ごと

抗がん薬	day	1	2	3	4	5	6〜21
シスプラチン 20mg/m^2/日 点滴静注		↓	↓	↓	↓	↓	休薬
エトポシド 100mg/m^2/日 点滴静注		↓	↓	↓	↓	↓	
イホスファミド 1.2g/m^2/日 点滴静注		↓	↓	↓	↓	↓	
メスナ 1回量：イホスファミド1日量の20% 点滴静注 1日3回		↓↓↓	↓↓↓	↓↓↓	↓↓↓	↓↓↓	

注：メスナはイホスファミドの投与時，4時間後，8時間後の1日3回投与する

3-2 救済療法（難治性または再発症例）

BEP療法が標準的な導入化学療法となってから，転移を有する場合でも70〜80%の患者は長期寛解を得られるが，残りの20〜30%の患者に対しては救済化学療法が必要となる。

VIP療法，VeIP療法あるいはTIP療法がその代表的なものとして施行されている[6〜9]。BEP療法後は，使用する薬剤が2剤異なるVeIP療法が行われることが多い。その長期寛解率はおおむね25%であるが，骨髄抑制などの有害事象が比較的強いことが問題である。

TIP療法のシスプラチンをネダプラチンに変更したTIN療法の有効性も示されており，従来の救済化学療法に比べ同等以上の効果を認め，有害事象も神経学的異常がやや強く認められる以外重篤なものはみられていない[10]。

救済療法としての大量化学療法とVIP療法，VeIP療法，TIP療法との優劣は明らかではない。

ゲムシタビンやイリノテカンを含むレジメンが3rd line以降の救済化学療法として用いられるが，確立されたレジメンはない。

1）VeIP療法

3週ごと

抗がん薬	day	1	2	3	4	5	6〜21
シスプラチン　20mg/m²/日 点滴静注		↓	↓	↓	↓	↓	休薬
ビンブラスチン　0.11mg/kg/日 点滴静注		↓	↓				
イホスファミド　1.2g/m²/日 点滴静注		↓	↓	↓	↓	↓	
メスナ 1回量：イホスファミド1日量の20% 点滴静注　1日3回		↓↓↓	↓↓↓	↓↓↓	↓↓↓	↓↓↓	

注：メスナはイホスファミドの投与時，4時間後，8時間後の1日3回投与する

2）TIP療法

3週ごと

抗がん薬	day	1	2	3	4	5	6	7〜21
シスプラチン　25mg/m²/日 点滴静注			↓	↓	↓	↓	↓	休薬
パクリタキセル　250mg/m²/日 点滴静注		↓						
イホスファミド　1.5g/m²/日 点滴静注			↓	↓	↓	↓	↓	
メスナ 1回量：イホスファミド1日量の20% 点滴静注　1日3回			↓↓↓	↓↓↓	↓↓↓	↓↓↓	↓↓↓	

注：メスナはイホスファミドの投与時，4時間後，8時間後の1日3回投与する

【参考文献】

1) International Germ Cell Cancer Collaborative Group: International Germ Cell Consensus Classification: a prognostic factor-based staging system for metastatic germ cell cancers. J Clin Oncol, 15 (2):594-603, 1997
2) Oliver RT et al：Randomized trial of carboplatin versus radiotherapy for stageI seminoma:mature results on relapse and contralateral testis cancer rates in MRC TE19/EORTC 30982 study（ISRCTN27163214）. J Clin Oncol, 29(8):957-962, 2011
3) Williams SD et al：Treatment of disseminated germ-cell tumors with cisplatin, bleomycin, and either vinblastine or etoposide. N Eng J Med, 316 (23):1435-1440, 1987
4) Culine S et al：Refining the optimal chemotherapy regimen for good-risk metastatic nonseminomatous germ-cell tumors: a randomized trial of the Genito-Urinary Group of the French Federation of Cancer Centers (GETUG T93BP). Ann Oncol, 18 (5):917-924, 2007
5) Nichols CR et al：Randomized comparison of cisplatin and etoposide and either bleomycin or ifosfamide in treatment of advanced disseminated germ cell tumors: an Eastern Cooperative Oncology Group, Southwest Oncology Group, and Cancer and Leukemia Group B Study. J Clin Oncol, 16 (4):1287-1293, 1998
6) Motzer RJ et al：The role of ifosfamide plus cisplatin-based chemotherapy as salvage therapy for patients

with refractory germ cell tumors. Cancer, 66 (12):2476-2481, 1990
7) Loehrer PJ Sr et al：Vinblastine plus ifosfamide plus cisplatin as initial salvage therapy in recurrent germ cell tumor. J Clin Oncol, 16 (7):2500-2504, 1998
8) Motzer RJ et al：Paclitaxel, ifosfamide, and cisplatin second-line therapy for patients with relapsed testicular germ cell cancer. J Clin Oncol, 18 (12):2413-2418, 2000
9) Kawai K et al：Paclitaxel, ifosfamide, and cisplatin regimen is feasible for Japanese patients with advanced germ cell cancer. Jpn J Clin Oncol, 33 (3):127-131, 2003
10) Nonomura N et al：Paclitaxel, ifosfamide, and nedaplatin (TIN) salvage chemotherapy for patients with advanced germ cell tumors. Int J Urol, 14 (6):527-531, 2007
11) 日本泌尿器科学会　編：精巣腫瘍診療ガイドライン 2015年版，金原出版，2015
12) 日本泌尿器科学会　他　編：精巣腫瘍取扱い規約 第4版，金原出版，2018

（森　祐佳）

第4章 疾患

18 悪性黒色腫

【悪性黒色腫の疫学】
罹患数：24,079人，死亡数：1,707人，5年生存率*：94.6%
（皮膚がんとして）
*悪性黒色腫を含む

I 皮膚の基礎知識

皮膚は大きく表皮・真皮・皮下組織の3層構造になっている[1]（図）。

表皮の95%は角化細胞（ケラチノサイト）であり，残りの5%は色素細胞（メラノサイト）やランゲルハンス細胞などから構成される。角化細胞は表皮の最下層で分裂し，成熟するに伴い上層へ移行して角層を形成し，外界と直に接し，異物や紫外線などの外的環境から人体を防御したり，皮膚の保湿をしバリア機能を有する。表皮は角化細胞の層からなり，深部から基底層・有棘層・顆粒層・角層に分類される。色素細胞は，基底層と毛母に分布しており，皮膚1mm^{2}あたり約1,000～1,500個存在する[2]（図）。色素細胞が含有するメラノソーム内でチロシンからメラニンが合成され，メラニンが紫外線防御の役割を担う。

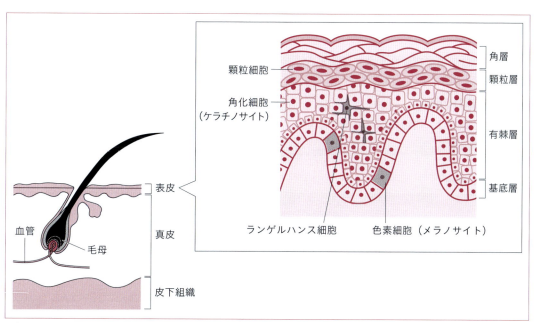

図 皮膚の構造

真皮には膠原線維や弾性線維，血管などの支持組織のほか，汗腺，脂腺，毛包などの附属器が存在する。

② 進行度と治療概要（外科，放射線治療など）

診断には，まず肉眼またはダーモスコピーによる観察を行う。その後，必要に応じて皮膚生検や組織診断により確定診断を行う。診断確定後，転移の有無を確認するため，各種画像検査を行う。

2-1 臨床所見

臨床的特徴にしたがって悪性黒色腫を疑う所見にABCDE ruleがある（表）。

2-2 病型分類

見た目の特徴により，悪性黒子型，表在拡大型，結節型，末端黒子型の4つがある。

2-3 Stage分類[3]

AJCC（American Joint Committee on Cancer）/UICC（Union for International Cancer Control）の分類が用いられる。臨床分類（cTNM）を生検により判断するが，わが国ではダーモスコピーの所見や臨床所見で悪性黒色腫が明らかである場合，生検を行わずに拡大切除を行うこともあり，それで得られた組織の病理所見を補足して，病理学的分類（pTNM）を行う。

2-4 手術

Ⅲ期までは手術で病変をすべて切除することが基本である。

1）原発巣の切除

手術する際には，周辺の転移も取り除くために，原発巣の端から1〜2cmのマージンで切除することが原則である。

表 ABCDE rule

	特徴
A：asymmetry（非対称）	形が左右非対称
B：border（境界）	輪郭が不均一で境界不明瞭であり，色の滲み出しがある
C：color（色調）	色が不均一で濃淡差が目立つ
D：diameter（直径）	長径が6mm以上
E：evolving（増大・隆起）	拡大したり，色調や性状・形の変化がある

〔Abbasi NR et al：JAMA, 292(22):2771-2776, 2004 をもとに作成〕

傷口が大きく縫い寄せられない場合は，自分の皮膚の一部を移植する場合がある（植皮）。たいてい，下腹部や大腿部などの皮膚を植皮に用いる。

2）リンパ節切除

リンパ節転移の有無を確認するために，術中にセンチネルリンパ節生検を実施することが推奨されている。センチネルリンパ節転移陽性の場合は，より広範囲な根治的リンパ節郭清を行う場合がある。また，センチネルリンパ節生検により正確な病期を知ることができる（N因子の決定）。

2-5 放射線療法

悪性黒色腫は，X線や電子線照射の効果があまり期待できない疾患である。先進医療として限られた施設において速中性子線や陽子線，重粒子線などの照射を行うことができる場合もあるが，自費負担となる。骨転移や脳転移に対しては症状緩和照射が行われる。脳転移に対しては，ガンマナイフ治療やサイバーナイフ治療も行われる場合がある。

3 悪性黒色腫の薬物治療

3-1 術後補助療法

これまで，インターフェロンβの切除部分周辺への局所注射が慣習的に行われてきたが，科学的根拠のあるデータはない。現在，わが国ではインターフェロンβによる術後補助療法の有効性を検証する臨床試験（JCOG1309試験）が実施中である。また，世界的にはⅢ期のBRAF遺伝子変異陽性例におけるダブラフェニブ＋トラメチニブ併用療法の有効性が示されたCOMBI-AD試験[4]や，Ⅲ/Ⅳ期におけるイピリムマブに対するニボルマブの有効性が示されたCheckMate 238試験[5]，完全切除後Ⅲ期におけるプラセボに対するペムブロリズマブの有効性が示されたKEYNOTE-054試験[6]が報告されており，わが国でも承認されている。術後再発リスクが高い症例を対象に行う場合がある。

(1) ダブラフェニブ＋トラメチニブ併用療法

（術後，$BRAF^{V600E}$/K変異陽性症例）連日投与（12カ月間まで）

抗がん薬	day	1	2	3	4	5	6	7	～連日
ダブラフェニブ　150mg/回 経口　1日2回（空腹時）									→
トラメチニブ　2mg/回 経口　1日1回（空腹時）									→

・コンパニオン診断薬はTHxID BRAFキット。
・食事により吸収が低下するため，食事の1時間以上前または食後2時間以降に内服する。
・ダブラフェニブはCYP2C8およびCYP3A4の基質であり，CYP2C9およびCYP3A4を誘導する。

- トラメチニブは遮光して冷所（2〜8℃）保管する。
- 自覚症状を有する主な副作用は，発熱，皮膚障害（発疹など），眼障害（ぶどう膜炎など）である。発熱時はNSAIDsやアセトアミノフェンを投与する。解熱薬の効果が不十分のときは，経口ステロイド（プレドニゾロン10mg〜）の投与を考慮する。発疹時は外用ステロイドを塗布し，症状が強い場合は経口ステロイドの投与を考慮する。眼障害（視力低下，羞明など）の有無を定期的に確認し，有症時には眼科へコンサルトする。
- その他の副作用は，心障害，肝障害，脳血管障害，間質性肺障害，横紋筋融解症，二次がんなど。

(2) ニボルマブ（術後）

2週ごと（12カ月間まで）

抗がん薬	day	1	2〜14
ニボルマブ　240mg/日　点滴静注（30分）		↓	休薬

4週ごと（12カ月間まで）

抗がん薬	day	1	2〜28
ニボルマブ　480mg/日　点滴静注（30分）		↓	休薬

- 2週間隔投与法と4週間隔投与法のどちらも保険適用されている。
- 主な副作用は，免疫関連有害事象（内分泌系異常；甲状腺・副腎・下垂体・血糖，肝障害，腸炎，筋障害，皮膚障害，腎障害）や間質性肺疾患など。

(3) ペムブロリズマブ（術後）

3週ごと（12カ月間まで）

抗がん薬	day	1	2〜21
ペムブロリズマブ　200mg/日　点滴静注（30分）		↓	休薬

6週ごと（12カ月間まで）

抗がん薬	day	1	2〜42
ペムブロリズマブ　400mg/日　点滴静注（30分）		↓	休薬

- 3週間隔投与法と6週間隔投与法のどちらも保険適用されている。
- 主な副作用は，免疫関連有害事象（内分泌系異常；甲状腺・副腎・下垂体・血糖，肝障害，腸炎，筋障害，皮膚障害，腎障害）や間質性肺疾患など。

3-2 切除不能進行悪性黒色腫に対する薬物療法

　手術不能症例，遠隔転移のあるIV期では，化学療法，がん免疫療法（抗PD-1抗体・抗CTLA-4抗体）を行う。

　これまでさまざまな多剤併用化学療法の検討がなされてきたが，ダカルバジン単剤療法を上回る生存期間の延長効果が得られた化学療法はない。その奏効率は約10％であり十分なものではないが，免疫チェックポイント阻害薬や分子標的薬が登場する2011年まで，このダカルバジン単剤療法が主たる薬物療法であった。

　分子標的薬（MAP Kinase阻害薬）においては，2011年，切除不能の*BRAF*遺伝子変異陽性例に対し，悪性黒色腫における従来の標準治療であったダカルバジンとBRAF阻害薬のベムラフェニブの比較試験（BRIM3試験）[7]の結果，ベムラフェニブが承認された。その後，ダブラフェニブ＋トラメチニブ併用療法がベムラフェニブ単剤療法との比較試験（COMBI-v試験）[8]の結果より承認され，さらに2019年に，エンコラフェニブ＋ビニメチニブ併用療法がベムラフェニブ単剤療法との比較試験（COLUMBUS試験）[9]の結果より承認された。

　免疫チェックポイント阻害薬の第一選択療法は，ニボルマブ（CheckMate 066試験[10]，ChackMate 037試験[11]），ペムブロリズマブ（KEYNOTE-006試験[12]，KEYNOTE-002試験[13]），イピリムマブ＋ニボルマブ併用療法（CheckMate 067試験[14]）である。イピリムマブ＋ニボルマブ併用療法については，毒性が強いことから患者背景を考慮して治療選択がなされる。イピリムマブ単剤療法は，二次治療以降に用いられる（CheckMate 064試験[15]，KEYNOTE-006試験[12]）。

　ウイルス免疫療法は，現時点ではわが国未承認である。腫瘍溶解性ウイルス製剤であるT-VEC（talimogene laherparepvec）は2015年にFDAに承認されている。

(1) ダブラフェニブ＋トラメチニブ併用療法（*BRAF*遺伝子変異陽性例）

連日投与

抗がん薬	day	1	2	3	4	5	6	7	～連日
ダブラフェニブ　150mg/回 経口　1日2回（空腹時）		→							
トラメチニブ　2mg/回 経口　1日1回（空腹時）		→							

(2) エンコラフェニブ＋ビニメチニブ併用療法（*BRAF*遺伝子変異陽性例）

連日投与

抗がん薬	day	1	2	3	4	5	6	7	～連日
エンコラフェニブ　450mg/回 経口　1日1回		→							
ビニメチニブ　45mg/回 経口　1日2回		→							

・コンパニオン診断薬はTHxID BRAFキット。

・主な副作用は，皮膚悪性腫瘍，手掌・足底発赤知覚不全症候群，眼障害，心障害，肝障害，横紋筋融解症，高血圧，出血など．

(3) ベムラフェニブ（*BRAF*遺伝子変異陽性例）

連日投与

抗がん薬	day	1	2	3	4	5	6	7	〜連日
ベムラフェニブ　960mg/回 経口　1日2回		→							

・コンパニオン診断薬はコバスBRAF V600変異検出キット．
・食事の1時間以上前または食後2時間以降に内服することが望ましい．
・主にCYP3A4で代謝され，CYP3A4を誘導し，CYP1A2，CYP2C9およびP-糖蛋白を阻害する．
・主な副作用は，皮膚悪性腫瘍，皮膚障害，QT間隔延長，肝障害，腎障害，光線過敏症，眼障害，骨髄抑制など．

(4) ニボルマブ

2週ごと

抗がん薬	day	1	2〜14
ニボルマブ　240mg/日 点滴静注（30分）		↓	休薬

4週ごと

抗がん薬	day	1	2〜28
ニボルマブ　480mg/日 点滴静注（30分）		↓	休薬

・2週間隔投与法と4週間隔投与法のどちらも保険適用されている．

(5) ペムブロリズマブ

3週ごと

抗がん薬	day	1	2〜21
ペムブロリズマブ　200mg/日 点滴静注（30分）		↓	休薬

6週ごと

抗がん薬	day	1	2〜42
ペムブロリズマブ　400mg/日 点滴静注（30分）		↓	休薬

・3週間隔投与法と6週間隔投与法のどちらも保険適用されている。

(6) イピリムマブ＋ニボルマブ

3週ごと（4コースまで）

抗がん薬	day	1	2〜21
ニボルマブ　80mg/日 点滴静注（30分）		↓	休薬
イピリムマブ　3mg/kg/日 点滴静注（30分）		↓	

・4コース後はニボルマブ単独で継続する。
・投与時はinfusion reactionに留意する。
・主な副作用は，内分泌系異常；甲状腺・副腎・下垂体・血糖，肝障害，腸炎，筋障害，皮膚障害，腎障害，間質性肺疾患，結核，心障害，脳炎，膵炎，血球貪食症候群など。単剤療法よりも副作用発現頻度は高い。

(7) イピリムマブ

3週ごと（4コースまで）

抗がん薬	day	1	2〜21
イピリムマブ　3mg/kg/日 点滴静注（30分）		↓	休薬

・投与時はinfusion reactionに留意する。
・主な副作用は，腸炎，肝障害，皮膚障害，内分泌系異常；甲状腺・副腎・下垂体・血糖，筋障害，神経障害，腎障害，間質性肺疾患，心障害など。

(8) ダカルバジン

約5週ごと

抗がん薬	day	1	2	3	4	5	6〜35
ダカルバジン　100〜200mg/日 点滴静注（10分）		↓	↓	↓	↓	↓	休薬

3週ごと　※保険適応外の用法・用量

抗がん薬	day	1	2〜21
ダカルバジン　850〜1,000mg/m^2/日 点滴静注（10〜30分）		↓	休薬

・主な副作用は，悪心・嘔吐，骨髄抑制，肝障害，腎障害など。
・光により血管痛の原因となる発痛物質が産生されるため，投与時の点滴経路も遮光する。

【参考文献】
1) 清水宏：あたらしい皮膚科学．第3版，中山書店，p.1, 2011
2) 内田さえ 他：人体の構造と機能．第5版，医歯薬出版株式会社，p.135-136, 2019
3) Brierley JD et al：UICC TNM Classification of Malignant Tumours, 8th ed. Wiley-Blackwell, 2017
4) Long GV et al：Adjuvant Dabrafenib plus Trametinib in Stage III BRAF-Mutated Melanoma. N Engl J Med, 377(19):1813-1823, 2017
5) Weber J et al：Adjuvant Nivolumab versus Ipilimumab in Resected Stage III or IV Melanoma. N Engl J Med, 377(19):1824-1835, 2017
6) Eggermont AMM et al：Adjuvant Pembrolizumab versus Placebo in Resected Stage III Melanoma. N Engl J Med, 378(19):1789-1801, 2018
7) Chapman PB et al：Improved Survival with Vemurafenib in Melanoma with BRAF V600E Mutation. N Engl J Med, 364(26):2507-2516, 2011
8) Grob JJ et al：Comparison of dabrafenib and trametinib combination therapy with vemurafenib monotherapy on health-related quality of life in patients with unresectable or metastatic cutaneous BRAF Val600-mutation-positive melanoma (COMBI-v)：results of a phase 3, open-label, randomised trial. Lancet Oncol, 16(13):1389-1398, 2015
9) Dummer R et al：Encorafenib plus binimetinib versus vemurafenib or encorafenib in patients with BRAF-mutant melanoma (COLUMBUS)：a multicentre, open-label, randomised phase 3 trial. Lancet Oncol, 19(5):603-615, 2018
10) Robert C et al：Nivolumab in Previously Untreated Melanoma without BRAF Mutation. N Engl J Med, 372(4):320-330, 2015
11) Weber JS et al：Nivolumab versus chemotherapy in patients with advanced melanoma who progressed after anti-CTLA-4 treatment (CheckMate 037)：a randomised, controlled, open-label, phase 3 trial. Lancet Oncol, 16(4):375-384, 2015
12) Robert C et al：Pembrolizumab versus Ipilimumab in Advanced Melanoma. N Engl J Med, 372(26):2521-2532, 2015
13) Ribas A et al：Pembrolizumab versus investigator-choice chemotherapy for ipilimumab-refractory melanoma (KEYNOTE-002)：a randomised, controlled, phase 2 trial. Lancet Oncol, 16(8):908-918, 2015
14) Larkin J et al：Combined Nivolumab and Ipilimumab or Monotherapy in Untreated Melanoma. N Engl J Med, 373(1):23-34, 2015
15) Weber JS et al：Sequential administration of nivolumab and ipilimumab with a planned switch in patients with advanced melanoma (CheckMate 064)：an open-label, randomised, phase 2 trial. Lancet Oncol, 17(7):943-955, 2016

(宇田川　涼子)

第4章 疾患 | 19 白血病

19-1 白血病（総論）

【白血病の疫学】
　罹患数：14,287人，死亡数：8,983人，5年生存率：44.0%

1 白血病の基礎知識

　血液の中にある血球には，外部から体内に侵入した細菌やウイルスなど異物の排除などを役割とする白血球，酸素を運搬する赤血球，出血を止める働きをする血小板などがあり，これらはすべて骨髄に存在する造血幹細胞から作られる。白血病の定義は，「造血幹細胞に後天的に突然変異が起こり，異常なクローンが発生し，異常クローン由来の細胞が骨髄をはじめとする全身の臓器に浸潤し，末梢血中にも出現する致死的疾患である」とされる[1]。白血病は大きく分けて急性，慢性，さらに骨髄性あるいはリンパ性の4種類に分類される。診断，病態，経過，治療はいずれにおいても大きく異なるため，まず正しい診断が重要である。臨床的，形態学的，免疫表現型的，および遺伝学的特徴に基づいたWHO分類を基準としている。また，使用頻度は少ないものの，異常な白血球の形態学的所見に基づいたFrench-American-British（FAB）分類がある。

2 白血病治療における特有の用語

　白血病治療における，特有の用語を説明する。

1) 完全寛解

　完全寛解とは，末梢血液中や骨髄中に芽球がなく，骨髄における造血能が回復した状態のことを指す。正確には，骨髄中の芽球が5%未満の状態。完全寛解のなかには，血液学的完全寛解（光学顕微鏡で白血病細胞が検出不能で，白血病細胞が10^9個以下，CHR）と，分子遺伝学的完全寛解（PCR法で白血病細胞が検出不能で，白血病細胞が10^6個以下，CMR）がある。
　完全寛解後，微小残存病変が再増殖した状態を再発という。

2) 微小残存病変

　寛解導入療法にて，血液学的完全寛解への導入に成功しても，体内には少量（$10^6 \sim 10^9$個）の白血病細胞が残存していると考えられており，これを微小残存病変（Minimal Residual Disease：MRD）という。MRDを根絶するために，寛解導入療法に続いて寛解後療法を行う。

【参考文献】
1) 溝口秀昭　編：イラスト血液内科　第2版, 文光堂, p.120-123, 2004

（増田　信一）

19-2 急性リンパ芽球性白血病／リンパ芽球性リンパ腫（ALL/LBL）

1 急性リンパ芽球性白血病／リンパ芽球性リンパ腫の基礎知識

急性リンパ芽球性白血病（Acute Lymphoblastic Leukemia：ALL）／リンパ芽球性リンパ腫（Lymphoblastic Lymphoma：LBL）は，未熟なリンパ球が腫瘍化したがんの一種であり，正常な造血機能が抑制され，全身倦怠感，めまい，易感染性，貧血，息切れ，動悸，出血など非特異的な症状が現れることが多い。染色体異常や遺伝子異常は多岐に渡り，その種類によって治療方法や治療反応性，そして予後が大きく異なる[1]。そのため，まず下記に示す検査を実施して診断し，患者背景なども考慮しつつ治療計画を立てる。

なお，従前より馴染みのある「急性リンパ性白血病」という名称は，未熟な細胞ががん化していることを表す「急性リンパ芽球性白血病／リンパ芽球性リンパ腫」と表記されるようになってきている。

【診断のための主な検査】
血液検査，骨髄検査（ペルオキシダーゼ染色，フローサイトメトリー法），染色体検査（FISH法，Gバンド分染法），遺伝子検査（RT-PCR法），脳脊髄液検査

2 病型分類と治療概要

2-1 病型分類

まず，急性白血病においては，白血病細胞は発症時点から全身に広がっており，進行期分類（stage分類）という概念がないため，病型分類と予後因子について以下に解説する。

ALLの病型分類としては，がん細胞の形態学的な分類とされるFAB（French-American-British）分類と，がん細胞に由来する染色体異常や遺伝子異常による分類とされるWHO（World Health Organization）分類が用いられる。そのうえで，予後因子を同定し，患者背景などを考慮して治療方針を検討する。

1）FAB分類[2,3]

1976年に提唱され，白血病を血球形態学的に分類した国際病型分類の1つである。

まず，骨髄中の細胞全体の中で白血病細胞（芽球）が30%以上占める場合を急性白血病，30%未満の場合を骨髄異形成症候群と分類。急性白血病のうち，ペルオキシダーゼ染色陽性の芽球が3%以上の場合をAML（Acute Myeloid Leukemia：急性骨髄性白血病），3%未満をALLとしてい

る。ALLはさらにL1〜L3に分類しているが，L1とL2の形態学的な違いによる臨床的意義は乏しいとされている。L3はBurkitt白血病に相当するため，治療戦略が異なる。

2）WHO分類第4版（2017年改訂）

最近はWHO分類が日常診療に広く用いられており，ALL/LBLは2008年に発表されたWHO分類第4版[4]，その後2017年に発表された改訂版[5]に基づいて病型分類がなされている。

2008年版のALL/LBL項目では，B細胞性とT/NK（natural killer）細胞性に大別し，B細胞性が染色体や遺伝子異常に基づいて細分類化された。その後2017年改訂版では，BCR-ABL1-likeなどの暫定的分類（provisional entity）が追記された。このような病型分類は，ALLの予後予測や治療方針の決定の重要な情報の1つである。

なお，WHO分類の詳細は最新の診療ガイドラインなどを参照されたい。

2-2　予後因子

ALLの予後不良因子として，年齢（35歳以上），初診時の白血球数高値（B細胞性：30,000/μL，T細胞性：100,000/μL），染色体異常の種類（t (9;22)，t (4;11)，低倍数体染色体異常），中枢神経浸潤の有無，完全寛解までの到達期間，寛解期間などが知られている[6]。

ALLにおける染色体異常のうちフィラデルフィア（Philadelphia Chromosome：Ph）染色体は最も有名であり，現在ではPh陽性ALLに対しては，BCR-ABL融合遺伝子に対するイマチニブやダサチニブなどのチロシンキナーゼ阻害薬（TKI）を含んだ薬物療法を行うことで，良好な予後が期待できるようになった[7,8]。

一方BCR-ABL1-like ALLは，BCR-ABL1遺伝子転座は陰性であるが遺伝子発現のプロファイルはPh陽性ALLと類似しており，成人ALLの約20％にみられ予後不良とされている。しかし近年，TKIなどの分子標的薬の有効性が期待されている[9,10]。

また，白血病細胞特異的なDNAやキメラmRNAを検出できるPCR法や，白血病細胞特有の抗原を有するごく少数の細胞を検出できるフローサイトメトリー法で評価する微小残存病変（minimal residual disease：MRD）は，最も重要な予後因子とされている。

2-3　治療概要

Ph陽性ALLとPh陰性ALLでは治療法が異なるため，ALLの診断時には速やかにPh染色体またはBCR-ABL1融合遺伝子の有無を判定することが重要である。そして，白血病細胞の根絶（total cell kill）の治療概念に基づいて，根治を目指した治療を行う。

ALL/LBLの治療は多剤併用化学療法が中心であり，化学療法のみで治癒が困難と考えられる症例では，造血幹細胞移植（hematopoietic stem cell transplantation：HSCT）を組み合わせた強力な治療を行う。

ALLでは従来，成人と小児で別々の治療プロトコルが用いられてきた。小児ALLの治療成績はこの数十年の間で飛躍的に向上したが，成人ALLの治療成績が小児に劣ることが課題であった。そこでさまざまな試みがなされ，思春期・若年成人（Adolescent and Young Adult：AYA）世代

のうち，特に15〜24歳のALL患者においては，成人用プロトコルよりも強力な小児用プロトコルを使用した場合に治療成績が良好であったことが，複数の臨床試験で明らかにされている[11〜16]。

小児の治療成績が良好な理由の1つとしては，小児用プロトコルには副腎皮質ステロイド（PSLやDEX），L-アスパラギナーゼ（L-ASP），ビンクリスチン（VCR）などの薬剤総投与量が成人用プロトコルより多いことと，CNS予防投与の回数が多いことがあげられている。一方で，成人に対して小児用プロトコルを適応した場合に治療関連死や有害事象の増加の危険性が指摘されているため，小児用プロトコルの適応年齢の拡大について，そして成人用プロトコルの治療強度を高める試みが慎重になされている[14, 17]。

ALLに対して一般的に行われる治療アルゴリズムの概要について図に示す。

なお，本書ではAYA世代以上のALL治療について述べることとする。

1）プレドニゾロンprephase

小児プロトコルでは，寛解導入療法開始前にプレドニゾロン（PSL）を用いたprephaseを約1週間程度行う。この期間にPSLの治療反応性を評価するとともに，Ph染色体の検査結果を待って寛解導入療法以降の治療レジメンを組み立てる。この方法は近年，成人ALL治療でも一般的になりつつある。

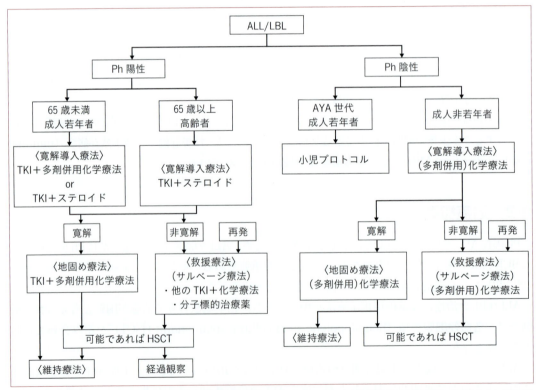

（日本血液学会 編：造血器腫瘍診療ガイドライン 2018年版補訂版，金原出版，2020をもとに作成）

図 ALL/LBL治療アルゴリズム

2）寛解導入療法

白血病細胞の減少と正常造血機能の回復を目指して，VCR，アントラサイクリン系，L-ASP，副腎皮質ステロイドなどを組み合わせた多剤併用化学療法を行う。完全寛解（complete remission：CR）が得られなかった場合は，CR達成を目指して救援療法を行う。

3）地固め療法（寛解後療法）

CRを達成したのちに地固め療法を行うことで，さらに目に見えない白血病細胞の根絶を狙う。ここでは，寛解導入療法で使用しなかった薬剤を中心とした強力な多剤併用化学療法（大量シタラビン（Ara-C）または大量メトトレキサート（MTX））と寛解導入療法時に使用した薬剤の再投与を組み合わせて複数回行うことが多い。

4）維持療法

少量のMTX内服とメルカプトプリン（6-MP），副腎皮質ステロイド（主にPSL）内服とVCRなどを併用した治療を長期間（2～3年間）行い，再発の芽の根絶を目指す。

特に第一寛解期にHSCTを行わない場合は，ALL再発予防目的に維持療法が必要とされている。

なお，Ph陽性ALLではすべてのphaseにおいて，BCR-ABLチロシンキナーゼ阻害薬を併用することが推奨されている。

5）中枢神経系（central nervous system：CNS）白血病の浸潤予防

ALLは初診時から白血病細胞のCNSへの浸潤を認めることも多く，治療経過中は常にその評価が必要である。いずれの治療phaseにおいても，CNS浸潤を予防または治療するための化学療法は必須である。直接髄腔内に投与する薬剤としては，MTX，Ara-C，副腎皮質ステロイドをそれぞれ単独または併用で用いる。また，地固め療法などで用いる大量Ara-Cや大量MTXは経静脈投与からでも血液脳関門を通過できるため，CNS再発予防効果が期待できる。

なお，CNS再発高リスク群においては，予防的全脳照射を併用するプロトコルもある。

6）造血幹細胞移植（HSCT）

同種HSCTは，根治を目指すうえで最も強力な治療法である。その一方で，移植関連死や長期的にQOL低下を招くなど多くの問題があるため，HSCTの実施時期，適応患者や実施方法については課題もある。

「造血器腫瘍診療ガイドライン 2018年版補訂版」では，移植が可能な（主に65歳未満）成人ALL患者のうち初回寛解導入療法でCRを達成した（第一寛解期）症例で，適切なドナー（HLA適合血縁者もしくは非血縁ドナー）が存在する場合には，同種HSCTを行うことが推奨されている[18〜20]。しかし，近年では小児型プロトコルの導入による治療成績の向上によって，移植適応が見直されてきている[21,22]。

いずれにしても，第二寛解期以降においては可能な限りHSCTを実施すべきとされている。

また，近年ではALL治療においてもがん遺伝子パネル検査によるMRDの有用性が期待されており，MRDをモニタリングして薬物治療の強弱やHSCT施行の判断に用いることもある。

ALL治療に限ったことではないが，ALLでは前述のいずれの過程においても，治療に関連する重篤な合併症が一定の頻度で発生することが報告されている[23]。特に，出血，DIC，感染症，腫瘍崩壊症候群などが代表的であり，その予防と対処のための支持療法薬の使用は欠かせない。そのため薬剤師は，使用される数多くの薬剤の適正使用に努めるとともに，相互作用の確認，注射薬の配合変化の確認など，重要な役割を担う必要がある。

③ 急性リンパ芽球性白血病／リンパ芽球性リンパ腫の薬物治療

3-1　Ph陰性ALL（AYA世代）

　JALSG（Japan Adult Leukemia Study Group，特定非営利活動法人 成人白血病治療共同研究機構）は，未治療BCR-ABL陰性若年成人急性リンパ性白血病に対する小児化学療法の臨床第Ⅱ相試験（JALSG ALL202-U）[24]を実施した。

　この試験は，若年成人（AYA世代のうち15歳以上25歳未満）に対して，小児プロトコルに準じた治療法の有効性と安全性を検証することを目的に実施された。

・ビンクリスチン：L-アスパラギナーゼ併用時は毒性軽減のためL-アスパラギナーゼの12〜24時間前に投与する。

①寛解導入療法（第1〜5週）

抗がん薬	day 1	7	8	9	10	11	14	15	17	19	21	22	23	25	27	28	29	30	31	35
プレドニゾロン　60mg/m²/日 経口or点滴静注（1時間）1日2回	→																			
デキサメタゾン　10mg/m²/日 点滴静注（1時間）1日2回			↓	↓	↓	→														
プレドニゾロン　40mg/m²/日 経口1日3回								———————————————————→									- - →※1			
メトトレキサート　12mg/body 髄腔内投与	↓																			
髄腔内投与 3剤併用 メトトレキサート（12mg/body） シタラビン（30mg/body） ヒドロコルチゾン（25mg/body）			↓			↓※2		↓※2				↓								
ビンクリスチン　経静脈投与　1.5mg/m² （max 2mg/body）			↓					↓				↓					↓			
ピラルビシン　25mg/m² 点滴静注（1時間）			↓	↓																
シクロホスファミド　1,200mg/m² 点滴静注（1時間）						↓														
L-アスパラギナーゼ　6,000U/m² 点滴静注（4時間）or 筋肉内投与								↓	↓	↓	↓		↓	↓	↓		↓			

※1：プレドニゾロンはday1〜day28まで投与した後，day29〜day31まで10mg/m² 3日間で漸減中止する
※2：初診時CNS病変陽性のみ

- シクロホスファミド：出血性膀胱炎予防のため，尿量を十分に確保する。

②地固め療法（第6〜9週）

抗がん薬 \ day	1	2	3	4	5	6	7	8	9	10	11	12	13	14	…	28
ピラルビシン 25mg/m² 点滴静注（1時間）	↓	↓														
シクロホスファミド 750mg/m² 点滴静注（1時間）	↓							↓								
シタラビン 75mg/m² 点滴静注（1時間）	↓	↓	↓	↓	↓			↓	↓	↓	↓	↓	↓			
髄腔内投与 3剤併用 メトトレキサート（12mg/body） シタラビン（30mg/body） ヒドロコルチゾン（25mg/body）	↓							↓								
メルカプトプリン 50mg/m²/日 経口 1日1回 眠前	→→→→→→→→→→→→→→→→→→→→→→→→→→→→																

- アロプリノール併用時は，メルカプトプリンを半量にする。

③中枢神経治療（第10〜11週）

抗がん薬 \ day	1	2	3	4	…	8	9	10	11	12	13	14
メトトレキサート 3,000mg/m² 点滴静注（24時間）	↓					↓						
ロイコボリン 15mg/m²/回 メトトレキサート投与開始42時間後から 6時間ごと6回投与 経静脈投与			↓↓↓↓	↓↓				↓↓↓↓	↓↓			
髄腔内投与 3剤併用 メトトレキサート（12mg/body） シタラビン（30mg/body） ヒドロコルチゾン（25mg/body）	↓						↓					

- ニューモシスチス肺炎予防のためのST合剤は，メトトレキサート（MTX）開始72時間以上前から休薬。
- 利尿薬はアセタゾラミドを使用し，十分な補液を行う（1日尿量3,000mL以上，尿pH7.0以上に保つ）。
- MTX血中濃度（必須）
  MTX投与開始48時間値1.0μmol/L以上→ロイコボリン3時間ごとに投与。
  　　　　　　　　　0.5〜1.0μmol/L→補液を増量し尿量確保。
  MTX投与開始72時間値0.2〜1.0μmol/L→ロイコボリン3時間ごとに投与。
  　　　　　　　　（96時間後時点で0.1μmol/L未満であれば中止）
  　　　　　　　　　0.1〜0.2μmol/L→ロイコボリン6時間ごとに4回追加投与。

④再寛解導入療法（第12〜15週）

抗がん薬	day	1	2	3	4	5	6	7	8	9	10	11	12	13	14	15	16	17	…	28
プレドニゾロン　40mg/m²/日 経口 1日3回		→→→														→→→ ※1				
ビンクリスチン　1.5mg/m² （max 2mg/body） 経静脈投与		↓							↓							↓				
ピラルビシン　25mg/m² 点滴静注（1時間）		↓							↓											
シクロホスファミド　500mg/m² 点滴静注（1時間）		↓							↓											
L-アスパラギナーゼ　6,000U/m² 筋肉内投与		↓			↓		↓		↓			↓	↓							
髄腔内投与 3剤併用 メトトレキサート（12mg/body） シタラビン（30mg/body） ヒドロコルチゾン（25mg/body）		↓																		

※1：プレドニゾロンはday1〜day14まで投与した後，day15〜day17まで1日あたり10mg/m² 3日間で漸減中止する

・ビンクリスチン：L-アスパラギナーゼ併用時は毒性軽減のためL-アスパラギナーゼの12〜24時間前に投与する。

⑤再地固め療法（第16〜19週）
⇒②地固め療法（第6〜9週）と同じ

⑥維持療法第20〜98週
⇒維持療法1〜4まで計16コース

⑥-1　維持療法1（第20〜25週）
★初診時CNS病変陰性の場合

抗がん薬	day	1	…	15	…	28	29	…	42
メトトレキサート　150mg/m² 経静脈投与		↓		↓			↓		
メルカプトプリン　50mg/m²/日 経口 1日1回 眠前		→→→→→→→→→→→→→→→→→→→→→→→→→→→→							
髄腔内投与 3剤併用 メトトレキサート（12mg/body） シタラビン（30mg/body） ヒドロコルチゾン（25mg/body）							↓		

★初診時CNS病変陽性の場合

抗がん薬 \ day	1	…	8	12	…	28	29	…	42
メトトレキサート　150mg/m² 点滴静注（1時間）							↓		
メルカプトプリン　50mg/m²/日 経口1日1回　眠前	→————————————→								
髄腔内投与 3剤併用 メトトレキサート（12mg/body） シタラビン（30mg/body） ヒドロコルチゾン（25mg/body）	↓		↓						
頭蓋放射線照射	1日1回 8回照射								

・頭蓋内照射終了後は，髄腔内投与をしない。
・アロプリノール併用時は，メルカプトプリンを半量にする。

⑥-2　維持療法2（第26〜29週）（第46〜49週）（第66〜69週）（第86〜89週）

抗がん薬 \ day	1	…	8	…	14	15	16	17	…	28
ビンクリスチン　1.5mg/m² （max 2mg/body）経静脈投与	↓		↓			↓				
L-アスパラギナーゼ　10,000U/m² 筋肉内投与	↓		↓			↓				
シクロホスファミド　600mg/m² 点滴静注（1時間）			↓							
プレドニゾロン　40mg/m²/日 経口1日3回	→————————————→					- - - →※1				

※1：プレドニゾロンはday1〜day14まで投与した後，day15〜day17まで1日あたり10mg/m² 3日間で漸減中止する

・ビンクリスチン：L-アスパラギナーゼ併用時は毒性軽減のためL-アスパラギナーゼの12〜24時間前に投与する。

⑥-3　維持療法3（第30〜35週）（第40〜45週）（第50〜55週）（第60〜65週）（第70〜75週）（第80〜85週）（第90〜95週）

抗がん薬 \ day	1	…	15	…	28	29	…	42
メトトレキサート　150mg/m² 経静脈投与	↓		↓			↓		
メルカプトプリン　50mg/m²/日 経口1日1回　眠前	→————————————→							
髄腔内投与 3剤併用 メトトレキサート（12mg/body） シタラビン（30mg/body） ヒドロコルチゾン（25mg/body）						↓		

- アロプリノール併用時は，メルカプトプリンを半量にする。
- 髄腔内投与は，初診時にCNS浸潤陰性の場合，第34, 44, 54, 64週のみ投与。
- 第74, 94週は投与しない。
- 初診時にCNS病変陽性の場合，頭蓋内照射終了後は髄腔内投与をしない。

⑥-4　維持療法4（第36～39週）（第56～59週）（第76～79週）（第96～99週）

抗がん薬	day	1	…	8	…	14	15	16	17	…	28
ビンクリスチン　1.5mg/m^2（max 2mg/body）経静脈投与		↓		↓			↓				
ピラルビシン　25mg/m^2 点滴静注（1時間）				↓							
L-アスパラギナーゼ　10,000U/m^2 筋肉内投与		↓		↓			↓				
プレドニゾロン　40mg/m^2/日 経口1日3回		→→→→→→→→→→→→→→					- - →※1				

※1：プレドニゾロンはday1～day14まで投与した後，day15～day17まで1日あたり10mg/m^2　3日間で漸減中止する

- ビンクリスチン：L-アスパラギナーゼ併用時は，毒性軽減のためL-アスパラギナーゼの12～24時間前に投与する。

3-2　Ph陰性ALL（一般成人）

　未治療BCR-ABL陰性成人急性リンパ性白血病に対する，高用量メトトレキサートを含んだ地固め療法の有効性に関するランダム化比較試験（JALSG ALL202-O）[23]がある。この試験は，年齢25歳以上65歳未満の未治療Ph陰性ALL患者を対象に，小児ではその有効性が明らかになっている地固め療法（寛解後療法）としての大量Ara-Cと大量MTXを成人にも導入することによって寛解維持効果を検証した。

①寛解導入療法

抗がん薬 / day	1	2	3	8	9	11	13	15	16	18	20	21	22	…	28	29
プレドニゾロン 60mg/m²/日 経口	→	→	→	→	→	→	→	→	→	→	→	※1	→	→	※2	
ビンクリスチン 1.3mg/m² (max 2mg/body) 経静脈投与	↓			↓				↓				↓				
ダウノルビシン <60歳:60mg/m² ≧60歳:30mg/m² 点滴静注(1時間)	↓	↓	↓													
シクロホスファミド <60歳:1,200mg/m² ≧60歳:800mg/m² 点滴静注(3時間)	↓															
L-アスパラギナーゼ 3,000U/m² 点滴静注(2時間)					↓	↓	↓		↓	↓	↓					

※1:60歳以上はプレドニゾロンをday1〜day7まで投与した後,day8〜day14に漸減終了する
※2:60歳未満はプレドニゾロンをday1〜day21まで投与した後,day22〜day28に漸減終了する

- ビンクリスチン:L-アスパラギナーゼ併用時は,毒性軽減のためL-アスパラギナーゼの12〜24時間前に投与する。
- シクロホスファミド:出血性膀胱炎予防のため,尿量を十分に確保する。
- G-CSFの投与が必要な場合はday4以降に行う。

②地固め療法C1

抗がん薬 / day	1	2	3	…	28
デキサメタゾン 40mg/body/日 点滴静注(1時間)	↓	↓	↓		
シタラビン 12時間ごと <60歳:2g/m² ≧60歳:1g/m² 点滴静注(3時間)	↓↓	↓↓	↓↓		
エトポシド 100mg/m² 点滴静注(1時間)	↓	↓	↓		
髄腔内投与 メトトレキサート(15mg/body) デキサメタゾン(4mg/body)	↓				

- シタラビン投与期間中は,結膜炎予防のためステロイド点眼液:1日4回以上予防点眼する。
- Day5以降,好中球数が1,000/μL以下になったら直ちにG-CSFを開始する。

③-1 地固め療法C2（ArmA）

抗がん薬 \ day	1	2	3	4	…	15	16	17	18	…	21	…	28
ビンクリスチン 1.3mg/m² （max 2mg/body） 経静脈投与	↓					↓							
メトトレキサート ＜50歳：3g/m² ≧50歳：1.5g/m² 点滴静注（24時間）	↓					↓							
ロイコボリン 50mg/body メトトレキサート投与開始36時間後 経静脈投与		↓					↓						
ロイコボリン 15mg/m²/回 メトトレキサート投与開始42時間後から 6時間ごと7回投与 経静脈投与			↓↓↓	↓↓				↓↓↓	↓↓				
髄腔内投与 （メトトレキサート開始2時間後以降 投与中に施行） メトトレキサート（15mg/body） デキサメタゾン（4mg/body）	↓					↓							
メルカプトプリン 25mg/m²/日 1日1回眠前 経口	→→→→→→→→→→→→→→→→→→→→→→→→→→→												

- ビンクリスチンはメトトレキサート開始の1時間前に投与する。
- 髄注はメトトレキサート開始2時間後から終了するまでの間に施行する。
- ニューモシスチス肺炎予防のためのST合剤は，メトトレキサート開始72時間以上前から休薬。
- 利尿薬はアセタゾラミドを使用し，十分な補液を行う（1日尿量3,000mL以上，尿pH7.0以上に保つ）。
- メトトレキサート血中濃度（必須）
  投与開始48時間値1.0μmol/L以上→ロイコボリン50mg/bodyに増量
  投与開始72時間値0.1μmol/L以上→ロイコボリン50mg/bodyに増量
  0.1μmol/L未満になるまでロイコボリン6時間ごとに投与

③-2 地固め療法C2（ArmB）

抗がん薬	day	1	2	3	4	…	15	16	17	18	…	21	…	28
ビンクリスチン　1.3mg/m² （max 2mg/body） 経静脈投与		↓					↓							
メトトレキサート　500mg/m² 点滴静注（24時間）*		↓					↓							
ロイコボリン　15mg/body メトトレキサート投与開始36時間後から 6時間ごと8回投与 経静脈投与			↓↓	↓↓↓			↓							
髄腔内投与 （メトトレキサート開始2時間後以降 投与中に施行） メトトレキサート（15mg/body） デキサメタゾン（4mg/body）		↓					↓							
メルカプトプリン　25mg/m²/日 1日1回眠前 経口		→→→→→→→→→→→→→→→→→→→→→→→→→→→→												

＊メトトレキサートは最初の2時間で100mg/m²を投与し，残りの22時間で400mg/m²を投与。

- ビンクリスチンはメトトレキサート開始の1時間前に投与する。
- 髄注はメトトレキサート開始2時間後から終了するまでの間に施行する。
- ニューモシスチス肺炎予防のためのST合剤は，メトトレキサート開始72時間以上前から休薬。
- 利尿薬はアセタゾラミドを使用し，十分な補液を行う（1日尿量3,000mL以上，尿pH7.0以上に保つ）。
- メトトレキサート血中濃度（必須）
  投与開始48時間後 1.0 μmol/L以上
  または
  投与開始72時間後 0.1 μmol/L以上の時点よりロイコボリン50mg/bodyを6時間ごとに計8回投与

なお，ArmAとして大量メトトレキサート（3g/m²）とArmBとして中等量メトトレキサート（500mg/m²）との比較成績が公表され，ArmA（大量MTX療法）の優位性が示された[25]。

④地固め療法C3

抗がん薬	day	1	...	8	15	...	22	...	29	...	33	36	...	40	42
ビンクリスチン　1.3mg/m² （max 2mg/body） 経静脈投与		↓		↓	↓										
ドキソルビシン　30mg/m² 点滴静注（1時間）		↓		↓	↓										
デキサメタゾン　10mg/m²/日 経口		↓→		↓	↓→		↓								
シクロホスファミド　1g/m² 点滴静注（3時間）									↓						
シタラビン　75mg/m² 点滴静注（1時間）									↓→		↓	↓→		↓	
メルカプトプリン　60mg/m²/日 1日1回眠前 経口									↓————————→						↓
髄腔内投与 3剤併用 メトトレキサート（15mg/body） シタラビン（40mg/body） デキサメタゾン（4mg/body）		↓							↓						

・シクロホスファミド：出血性膀胱炎予防のため，尿量を十分に確保する。
・アロプリノール併用時は，メルカプトプリンを半量にする。
・Day36以降の化学療法は好中球が0になった時点で中止し，G-CSFを開始する。

⑤地固め療法C4
　⇒C1を繰り返す。
⑥地固め療法C5
　⇒C2と同じArmを繰り返す。

⑦維持療法

抗がん薬	day	1	...	5	...	8	...	15	...	22	...	28
ビンクリスチン　1.3mg/m² （max 2mg/body） 経静脈投与		↓										
プレドニゾロン　60mg/m²/日 経口		→————→										
メトトレキサート　20mg/m²/日 眠前 or 朝食後 経口		↓				↓		↓		↓		
メルカプトプリン　60mg/m²/日 1日1回眠前 経口		————————————————————→										

・寛解導入療法開始日から2年間継続する。

3-3 Ph陽性ALL

　Ph陽性ALLは，かつては予後不良であった。しかし，イマチニブをはじめとするTKIの登場でその治療成績は確実に進歩している。本書では，JALSG Ph+ALL208IMA試験の治療レジメンを示す[26]。この試験は，年齢15歳から65歳未満の未治療Ph陽性ALL患者を対象に，イマチニブを併用した多剤併用化学療法と造血幹細胞移植を導入することによる有効性を評価した第Ⅱ相試験である。

①寛解導入療法

抗がん薬	day	1	2	3	8	…	15	…	21	22	…	28	29	…	42
プレドニゾロン　60mg/m²/日　経口		←――――――――――――――→※1 ―――→※2													
ビンクリスチン　1.3mg/m²（max 2mg/body）経静脈投与		↓			↓		↓		↓						
ダウノルビシン　<60歳：60mg/m²　≧60歳：30mg/m²　点滴静注（1時間）		↓	↓	↓											
シクロホスファミド　<60歳：1,200mg/m²　≧60歳：800mg/m²　点滴静注（3時間）		↓													
イマチニブ　600mg/日　経口					←―――――――――――――――――――――→										
髄腔内投与 3剤併用　メトトレキサート（15mg/body）　シタラビン（40mg/body）　デキサメタゾン（4mg/body）													↓		

※1：60歳以上はプレドニゾロンをday1～day7まで投与した後，day8～day14に漸減終了する
※2：60歳未満はプレドニゾロンをday1～day21まで投与した後，day22～day28に漸減終了する

・G-CSFの投与が必要な場合はday4以降に行う。

②地固め療法C1（4週間）

抗がん薬 / day	1	2	3	4	…	21	…	28
メトトレキサート　1g/m² 点滴静注（24時間）※	↓							
ロイコボリン　15mg/body メトトレキサート投与開始36時間後から 6時間ごと8回投与 経静脈投与		↓	↓	↓				
シタラビン <60歳：2g/m² ≧60歳：1g/m² 12hrごと4回（div 3hr） 点滴静注（1時間）		↓	↓					
メチルプレドニゾロン　50mg/body/回 1日2回　12時間ごと 経静脈投与	↓	↓	↓					
イマチニブ　600mg/日 経口				→→→→				
髄腔内投与　3剤併用 メトトレキサート（15mg/body） シタラビン（40mg/body） デキサメタゾン（4mg/body）	↓							

※メトトレキサートは最初の1時間で100mg/m²を投与し，残りの23時間で900mg/m²を投与。

- 髄注はメトトレキサート開始2時間後から終了するまでの間に施行する。
- シタラビン投与期間中は，結膜炎予防のためステロイド点眼液：1日4回以上予防点眼。
- ニューモシスチス肺炎予防のためのST合剤は，メトトレキサート開始72時間以上前から休薬。
- ロイコボリン投与終了後から再開可。
- 利尿薬はアセタゾラミドを使用し，十分な補液を行う（1日尿量3,000mL以上，尿pH7.0以上に保つ）。
- 血中濃度（必須）
  　メトトレキサート投与開始48時間後1.0μmol/L以上
  または
  　メトトレキサート投与開始72時間後0.1μmol/L以上の時点よりロイコボリン50mg/bodyを6時間ごとに増量し，0.1μmol/L未満になるまで続ける。

③地固め療法C2（4週間）

抗がん薬 \ day	1	2	…	7	8	…	14	…	21	…	28
シクロホスファミド　1,200mg/m² 点滴静注（3時間）	↓										
ダウノルビシン　60mg/m² 点滴静注（1時間）	↓										
ビンクリスチン　1.3mg/m²（max 2mg/body）経静脈投与	↓										
プレドニゾロン　60mg/m²/日 経口	→→→→→→→ - - - →※1										
イマチニブ　600mg/日 経口	→→→→→→→→→→→→→→→→→→→→										
髄腔内投与 3剤併用 メトトレキサート（15mg/body）シタラビン（40mg/body）デキサメタゾン（4mg/body）	↓										

※1：プレドニゾロンをday1〜day7まで投与した後，day8〜day14に漸減終了する

・地固め療法C1とC2を1サイクルとして8週ごとに4サイクル繰り返す。

④維持療法（4週間）

抗がん薬 \ day	1	…	5	…	8	…	15	…	22	…	28
ビンクリスチン　1.3mg/m²（max 2mg/body）経静脈投与	↓										
プレドニゾロン　60mg/m²/日 経口	→→→→										
イマチニブ　600mg/日 経口	→→→→→→→→→→→→→→→→→→→→→→										

・寛解到達後2年目まで4週ごとに継続し，イマチニブは連続的に投与する。

　この試験のあと，JALSGでは初発Ph陽性成人ALL患者を対象に，第2世代のTKIであるダサチニブを併用した化学療法と，同種造血幹細胞移植を組み合わせた臨床第Ⅱ相試験（JALSG Ph+ALL213）を実施した．現在はすでに登録が終了し，結果の公表が待たれているところである．
　ほかに，イマチニブやダサチニブに抵抗性を示すT315I変異に対しても有効とされるポナチニブを化学療法と併用することによって，分子レベルでの高い有効性とさらなる長期生存を目指した治療法が開発されている．

3-4 再発または難治性 ALL
〔再発や寛解導入困難例に対する救援（サルベージ）療法〕

　ALLの再発時期は，あらゆる時期に起こり得る。再発時に確立した治療レジメンはなく，前治療歴を考慮して選択される。

　近年，再発または難治性ALLに対して適応をもついくつかの薬剤が臨床で使用できるようになっている。通常診療で行うことが可能な治療薬の一例を以下に示す。

1）Hyper-CVAD/MA交代療法
　成人ALLに対する治療として，大量Ara-C療法と大量MTX療法のいずれも用いるプロトコルである[27, 28]。また，LBLにおいても，骨髄浸潤の有無にかかわらずALLと同様の治療を行うことが推奨されている[20, 29]。

Hyper-CVAD療法：1，3，5，7コース目

抗がん薬	day 1	2	3	4	…	11	12	13	14	…	21
シクロホスファミド　300mg/m² 12時間ごと6回 点滴静注（2時間）	↓	↓	↓								
ビンクリスチン　2mg/body 経静脈投与				↓		↓					
ドキソルビシン　50mg/m² 30分 or 点滴静注（24時間）				↓							
デキサメタゾン　40mg/body/日 経静脈投与 or 経口	↓	↓	↓	↓		↓	↓	↓	↓		

MA療法：2，4，6，8コース目

抗がん薬	day 1	2	3	4	…	21
メトトレキサート　1g/m² 点滴静注（24時間）※	↓					
シタラビン <60歳：2 or 3g/m² ≧60歳：1g/m² 12hrごと4回 点滴静注（2時間 or 3時間）		↓	↓			
メチルプレドニゾロン　50mg/body/回 12時間ごと　1日2回 経静脈投与	↓	↓	↓			
ロイコボリン　15mg/body メトトレキサート投与開始36時間後から 6時間ごと8回投与 経静脈投与			↓	↓		

※メトトレキサートは最初の2時間で200mg/m²を投与し，残りの22時間で800mg/m²を投与。

・シタラビン投与期間中は，結膜炎予防のためステロイド点眼液：1日4回以上予防点眼する。

- ニューモシスチス肺炎予防のためのST合剤は，メトトレキサート開始72時間以上前から休薬。
- 利尿薬はアセタゾラミドを使用し，十分な補液を行う（1日尿量3,000mL以上，尿pH7.0以上に保つ）。
- メトトレキサート血中濃度：0.1μmol/L未満になるまでロイコボリン投与を続ける。

2）その他の治療薬剤

表にその他の治療薬剤について示す。具体的な投与方法や留意点については，最新の添付文書や適正使用ガイドなどを参照されたい。

なお，現在でも再発または難治性ALLに対して，HSCTは唯一の治癒の可能性がある治療法とされているため，適応になりうる患者であれば，上記のような新規抗がん薬とHSCTとを組み合わせた治療戦略が考慮できるとされる。

表 再発／難治性ALLに対する治療薬剤

適応	薬剤・製剤	特徴
再発・難治性T-ALL/LBL	ネララビン	DNA合成を阻害し細胞死を誘導するヌクレオチド代謝拮抗薬
再発・難治性ALL	クロファラビン	DNA合成阻害作用とアポトーシス誘導作用をもつ代謝拮抗薬
再発・難治性のB-ALL	ブリナツモマブ	B細胞に発現するCD19と，T細胞に発現するCD3に結合する二重特異性T細胞誘導（bispecific T cell engager：BiTE）抗体
再発・難治性のCD22陽性ALL	イノツズマブ オゾガマイシン	抗CD22抗体薬であるイノツズマブに，細胞障害作用を有するカリケアマイシンを結合させた抗体薬物複合体
再発・難治性のCD19陽性B-ALL	チサゲンレクルユーセル	患者から採取したT細胞に，CD19を特異的に認識するようキメラ抗原受容体を発現させたCAR-T細胞を患者に投与する，再生医療等製品
再発・難治性Ph+ALL	ダサチニブ	BCR-ABLのみならず，SRCファミリーキナーゼなども阻害するチロシンキナーゼ阻害薬
再発・難治性Ph+ALL	ポナチニブ	野生型のBCR-ABLのみならず，ほかのTKIに抵抗性を示すT315I変異などに対しても強力な阻害活性を有するチロシンキナーゼ阻害薬

【参考文献】
1) Gu Z et al：PAX5-driven subtypes of B-progenitor acute lymphoblastic leukemia. Nat Genet, 51(2): 296-307, 2019
2) Bennett JM et al：Proposals for the classification of the acute leukaemias. French-American-British (FAB) co-operative group. Br J Haematol, 33(4): 451-458, 1976
3) Bennett JM et al：The morphological classification of acute lymphoblastic leukaemia: concordance among observers and clinical correlations. Br J Haematol, 47(4): 553-561, 1981
4) Swerdlow SH eds：WHO Classification of Tumours of Haematopoietic and Lymphoid Tissues, World Health Organization, 2008
5) Borowitz MJ et al：Precursor lymphoid neoplasms. Swerdlow SH eds, WHO Classification of Tumours of Haematopoietic and Lymphoid Tissues, Lyon, IARC;2017, pp200-213
6) Takeuchi J et al：Induction therapy by frequent administration of doxorubicin with four other drugs, followed by intensive consolidation and maintenance therapy for adult acute lymphoblastic leukemia: the JALSG-ALL93

study. Leukemia, 16(7): 1259-1266, 2002
7) Hatta Y et al : Final analysis of the JALSG Ph+ALL202 study: tyrosine kinase inhibitor-combined chemotherapy for Ph+ALL. Ann Hematol, 97(9): 1535-1545. 2018
8) Sugiura I et al : Dasatinib-Based Two-Step Induction Prior to Allogeneic Hematopoietic Cell Transplantation for Newly Diagnosed Philadelphia Chromosome-Positive Acute Lymphoblastic Leukemia: Results of the JALSG Ph+ALL213 study. Blood, 134(Sup_1): 743, 2019
9) Iacobucci I et al : Genetic Basis of Acute Lymphoblastic Leukemia. J Clin Oncol, 35(9): 975-983, 2017
10) Pui CH et al : Treatment of acute lymphoblastic leukemia. N Engl J Med, 354(2): 166-178, 2006
11) Kondo E : [Feasibility and safety of chemotherapy for acute lymphoblastic leukemia in adolescents and young adults: Interim analysis of JALSG ALL202-U]. Rinsho Ketsueki, 53(8): 747-752, 2012
12) Nachman JB et al : Young adults with acute lymphoblastic leukemia have an excellent outcome with chemotherapy alone and benefit from intensive postinduction treatment: a report from the children's oncology group. J Clin Oncol, 27(31): 5189-5194, 2009
13) Ribera JM et al : Comparison of the results of the treatment of adolescents and young adults with standard-risk acute lymphoblastic leukemia with the Programa Español de Tratamiento en Hematología pediatric-based protocol ALL-96. J Clin Oncol, 26(11): 1843-1849, 2008
14) Huguet F et al : Pediatric-inspired therapy in adults with Philadelphia chromosome-negative acute lymphoblastic leukemia: the GRAALL-2003 study. J Clin Oncol, 27(6): 911-918, 2009
15) Barry E et al : Favorable outcome for adolescents with acute lymphoblastic leukemia treated on Dana-Farber Cancer Institute Acute Lymphoblastic Leukemia Consortium Protocols. J Clin Oncol, 25(7): 813-819, 2007
16) Hayakawa F et al : Markedly improved outcomes and acceptable toxicity in adolescents and young adults with acute lymphoblastic leukemia following treatment with a pediatric protocol: a phase II study by the Japan Adult Leukemia Study Group. Blood cancer J, 4(10):e252, 2014
17) Storring JM et al : Treatment of adults with BCR-ABL negative acute lymphoblastic leukaemia with a modified paediatric regimen. Br J Haematol, 146(1): 76-85, 2009
18) Nagafuji K et al : Monitoring of minimal residual disease (MRD) is useful to predict prognosis of adult patients with Ph-negative ALL: results of a prospective study (ALL MRD2002 Study). J Hematol Oncol, 6;6: 14, 2013
19) Goldstone AH et al : In adults with standard-risk acute lymphoblastic leukemia, the greatest benefit is achieved from a matched sibling allogeneic transplantation in first complete remission, and an autologous transplantation is less effective than conventional consolidation/maintenance chemotherapy in all patients: final results of the International ALL Trial (MRC UKALL XII/ECOG E2993). Blood, 111(4): 1827-1833, 2008
20) 日本血液学会　編：造血器腫瘍診療ガイドライン 2018年版補訂版[2020年4月]，金原出版，2020
21) 日本造血細胞移植学会：造血細胞移植ガイドライン 急性リンパ性白血病（成人）（第3版），2020
22) 八田善弘：Ph陰性ALL治療の最前線．臨床血液，61(9): 1236-1243，2020
23) Coiffier B et al : Guidelines for the management of pediatric and adult tumor lysis syndrome: an evidence-based review. J Clin Oncol, 26(16): 2767-2778, 2008
24) Kondo E : [Feasibility and safety of chemotherapy for acute lymphoblastic leukemia in adolescents and young adults: Interim analysis of JALSG ALL202-U]. Rinsho Ketsueki, 53(8): 747-752, 2012
25) Sakura T et al : High-dose methotrexate therapy significantly improved survival of adult acute lymphoblastic leukemia: a phase III study by JALSG. Leukemia, 32(3): 626-632, 2018
26) Fujisawa S et al : Phase II study of imatinib-based chemotherapy for newly diagnosed BCR-ABL-positive acute lymphoblastic leukemia. Am J Hematol, 92(4): 367-374, 2017
27) Kantarjian HM et al : Results of treatment with hyper-CVAD, a dose-intensive regimen, in adult acute lymphocytic leukemia. J Clin Oncol, 18(3): 547-561, 2000
28) Kantarjian H et al : Long-term follow-up results of hyperfractionated cyclophosphamide, vincristine, doxorubicin, and dexamethasone (Hyper-CVAD), a dose-intensive regimen, in adult acute lymphocytic leukemia. Cancer, 101(12): 2788-2801, 2004

29) Hoelzer D et al：Outcome of adult patients with T-lymphoblastic lymphoma treated according to protocols for acute lymphoblastic leukemia. Blood, 99(12): 4379-4385, 2002
30) Kantarjian H et al：Blinatumomab versus Chemotherapy for Advanced Acute Lymphoblastic Leukemia. N Engl J Med, 376(9): 836-847, 2017
31) ビーリンサイト点滴静注用35μg 添付文書（2021年5月，第2版）
32) Kantarjian HM et al：Inotuzumab Ozogamicin versus Standard Therapy for Acute Lymphoblastic Leukemia. N Engl J Med, 375(8): 740-753, 2016
33) ベスポンサ点滴静注用1mg 添付文書（2021年4月改訂，第1版）
34) Maude SL et al：Tisagenlecleucel in Children and Young Adults with B-Cell Lymphoblastic Leukemia. N Engl J Med, 378(5): 439-448, 2018
35) 厚生労働省：最適使用推進ガイドライン チサゲンレクルユーセル（販売名：キムリア点滴静注），令和元年5月（令和3年4月改訂），2021
36) DeAngelo DJ et al：Nelarabine induces complete remissions in adults with relapsed or refractory T-lineage acute lymphoblastic leukemia or lymphoblastic lymphoma: Cancer and Leukemia Group B study 19801. Blood, 109(12): 5136-5142, 2007
37) アラノンジー静注用250mg 添付文書（2018年9月改訂，第6版）

（衛藤　智章）

19-3 急性骨髄性白血病（AML）/急性前骨髄球性白血病（APL）

1 急性骨髄性白血病／急性前骨髄球性白血病の基礎知識

急性骨髄性白血病（acute myeloid leukemia：AML）は，前駆細胞の分化・増殖機能の障害による幼若な骨髄系細胞（芽球）のクローナルな自律性増殖を特徴とする血液腫瘍である。正常造血機能が障害され，白血球減少，貧血，血小板減少とそれに伴う発熱，感染症や出血などの症状を認め，適切な治療がなされない場合，短期間で致命的となる。

AMLは複数の遺伝子異常が多段階集積によって発症することが知られており，ほかの悪性腫瘍治療や骨髄異形成症候群の状態から二次的に発症することもある。

また，急性前骨髄球性白血病（acute promyelocytic leukemia：APL）は，AMLの一病型であり，FAB分類ではM3，WHO分類では「t(15;17)（q22;q12）；PML-RARαを有するAPL」とよばれ，骨髄や末梢血において特徴的な細胞形態と染色体異常を認める。APLは，正常造血機能障害に伴う諸症状に加え，主に病初期には播種性血管内凝固症候群（disseminated intravascular coagulation：DIC）による重篤な出血や分化症候群（differentiation syndrome：DS）などで致命的となることも少なくないため，適切な支持療法が必須である。

2 病型分類，予後因子

2-1 病型分類

急性白血病においては，発症時点から白血病細胞は全身に広がっており，進行期分類（Stage分類）という概念がないため，病型分類と予後因子について以下に解説する。

AMLの診断過程として，まず骨髄穿刺を行い，骨髄全有核細胞のうち芽球が20％以上あれば急性白血病を疑う。ただし，特異的な染色体異常を認める場合は，芽球が20％未満でも急性白血病と診断する。そして，ミエロペルオキシダーゼ（myeloperoxidase：MPO）染色を行い，芽球の3％以上が染色陽性であればAMLと診断する。

一方，MPO染色が陰性であってもエラスターゼ染色や細胞表面マーカーの解析を行い，骨髄系由来細胞の特徴を有していればAMLと診断する。さらには，白血病細胞の染色体核型や遺伝子変異の解析結果に基づいて，FAB分類およびWHO分類に従った病型分類を行う。なお，FAB分類とWHO分類の詳細は最新の診療ガイドラインなどを参照されたい[1〜4]。

表1 AMLにおける予後層別化因子

層別化因子	良好とされる因子	不良とされる因子
年齢	50歳以下	60歳以上
全身状態（PS）	2以下	3以上
発症様式	de novo	二次性
染色体核型	t(8;21)(q22;q22.1) inv(16)(p13.1q22) t(16;16)(p13.1;q22) t(15;17)(q22;q21)	3q異常［inv(3)(q21.3q26.2) t(3;3)(q21.3q26.2) など］ 5番7番染色体の欠失または長腕欠失 t(6;9)(p23;q24) 複雑核型
遺伝子変異	*NPM1* 変異 両アレル*CEBPA* 変異	*FLT3*-ITD 変異
寛解までに要した治療回数	1回	2回以上

2-2 予後因子

AMLの予後を左右する最大の因子は，染色体核型と遺伝子異常である。これらを踏まえた予後層別化システムがEuropean LeukemiaNet（ELN）から示されており，予後良好群，中間群，予後不良群の3群に大別されている[1, 5]。

ほかにも年齢，併存疾患，全身状態（performance status：PS），初発時白血球数，二次性白血病，染色体核型や細胞形態（異形成の有無，FAB分類，MPO染色陽性率），治療反応性などが知られている。AMLの予後は，患者側の要因と白血病細胞側の要因の双方が関係する（表1）[1, 6, 7]。

3 治療概要（急性前骨髄球性白血病を除く急性骨髄性白血病）と薬物療法

初発のAMLに対しては，白血病細胞の根絶（total cell kill）の治療概念に基づいて，根治を目指した強力な多剤併用化学療法を行う。ただ，その治療適応は，化学療法に耐えうる臓器機能や全身状態，年齢であるかどうかなどを考慮して慎重に判断される（表2）。

初発AMLに対する薬物療法として，寛解導入療法と寛解後療法を行う。また，再発・難治例に

表2 強力化学療法適応規準

項目	基準
年齢	65歳未満
心機能	左室駆出率（LVEF）50％以上
肺機能	PaO_2 60Torr以上またはSpO_2 90％以上（room air）
肝機能	血清ビリルビン2.0mg/dL以下
腎機能	血清クレアチニン施設基準値の上限の1.5倍以下
感染症	制御不能の感染症の合併なし

JALSG（日本成人白血病治療共同研究グループ）における臨床第Ⅲ相試験で定める適格規準などを参考に強力化学療法を行うにあたり上記規準が目安となるが，患者の全身状態やその他の合併症を考慮して総合的に判断する必要がある。
（日本血液学会 編：造血器腫瘍診療ガイドライン2018年版補訂版，金原出版，p.8，2020）

対してはサルベージ療法を行うが，根治を目指す場合，可能であれば造血幹細胞移植（hematopoietic stem cell transplantation：HSCT）を行う。表2と合わせて，患者の全身状態やそのほかの合併症を考慮して総合的に判断する必要がある。

急性白血病は，白血病細胞によって正常造血機能が障害された状況下で治療を行うため，重度の汎血球減少となり，感染症など重篤な合併症を引き起こすリスクが高まる。さらに，腫瘍崩壊症候群（tumor lysis syndrome：TLS）やDIC，出血，消化管・粘膜障害などの発症リスクが高いため支持療法のマネジメントも非常に重要である。

65歳以下のAML治療アルゴリズムを図に示す。

1）寛解導入療法

65歳未満の成人AMLに対する標準的寛解導入療法は，アントラサイクリン系抗がん薬〔イダルビシン（IDA）もしくはダウノルビシン（DNR）〕と標準量シタラビン（Ara-C）併用療法である。1コース実施してCRが得られれば地固め療法へ進む。CRが得られない場合には，追加でもう1コース行うことが多いが，それでもCRが得られない場合は，非寛解としてサルベージ療法に変更す

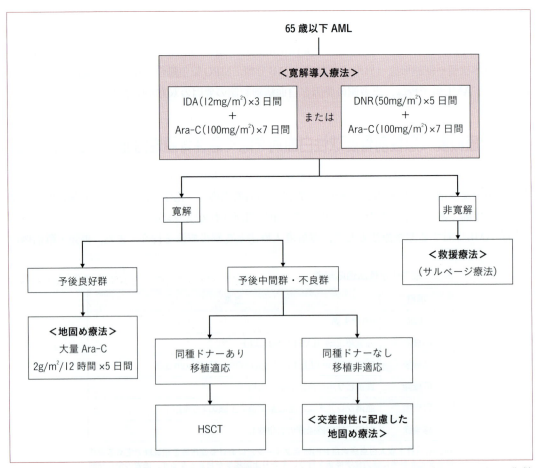

（日本血液学会 編：造血器腫瘍診療ガイドライン2018年版補訂版，金原出版，2020をもとに作成）

図 65歳以下のAML治療アルゴリズム

る。下記に寛解導入療法レジメンを示す。

① IDA+Ara-C（3+7）療法
4週ごと，2コースまで

抗がん薬 \ day	1	2	3	4	5	6	7	8〜28
イダルビシン　12mg/m^2/日 点滴静注（30分）	↓	↓	↓					休薬
シタラビン　100mg/m^2/日 点滴静注（24時間）	↓	↓	↓	↓	↓	↓	↓	

② DNR+Ara-C（5+7）療法
4週ごと，2コースまで

抗がん薬 \ day	1	2	3	4	5	6	7	8〜28
ダウノルビシン　50mg/m^2/日 点滴静注（30分）	↓	↓	↓	↓	↓			休薬
シタラビン　100mg/m^2/日 点滴静注（24時間）	↓	↓	↓	↓	↓	↓	↓	

- 2コース目を開始する場合，原則として1コース目day28以降とするが，day14以降で明らかに芽球増加が認められれば開始日を前倒ししてもよい。
- 治療中ステロイドは使用しないが，制吐療法やアレルギー反応抑制など副作用対策であれば使用してもよい。
- 治療終了後の好中球減少時や発熱性好中球減少症発現時は，骨髄中の白血病細胞が15％以下であればG-CSFを使用してもよい。その場合可能な限り短期間とする。

2）寛解後療法（地固め療法）

寛解導入療法でCRを達成したら，微小残存病変（Minimal Residual Disease：MRD）の根絶と再発予防を目的とした地固め療法（Consolidation therapy）を行う。

65歳未満の若年成人AMLに対する地固め療法では，寛解導入療法時に使用した薬剤と交差耐性のない薬剤として国内外とも大量Ara-C（HD-AC）療法が標準的に用いられている。

① HD-AC療法
4週ごと，3コースまで

抗がん薬 \ day	1	2	3	4	5	6〜28
シタラビン　2g/m^2/回 点滴静注（3時間）1日2回 12時間ごと10回	↓↓	↓↓	↓↓	↓↓	↓↓	休薬

- 60歳以上では，1回投与量を1.5g/m^{2}に減量してもよい。

- 中枢神経系障害や遷延性の骨髄抑制を防ぐために，1回の点滴時間は3時間を厳守すること．
- シタラビン症候群（発熱や発疹など）の予防として，Ara-C投与前にステロイド（メチルプレドニゾロンやヒドロコルチゾンなど）を考慮すること．感染に起因しないと思われる発熱があった場合も同剤の投与を考慮すること．
- Ara-C投与期間中は，角膜炎結膜炎予防のためステロイド点眼液を1日4回以上予防点眼すること．

② その他の地固め療法

　HD-AC療法を行わない場合（例：予後中間群や予後不良群とされる症例など）には，多剤併用化学療法を行う．寛解導入療法時に使用した薬剤と交差耐性のないアントラサイクリン系抗がん薬〔ミトキサントロン（MIT），DNR，アクラルビシン（ACR）〕と標準量Ara-C，さらにエトポシド（ETP），ビンクリスチン（VCR），ビンデシン（VDS）を組み合わせた治療レジメンを行う場合がある．

　JALSG AML201 多剤併用化学療法群（D群）では以下の4つのコースを行う．各コース，原則として好中球数1,500/μL，白血球数3,000/μL，血小板数10万/μL以上で開始する．

　治療終了後の好中球減少や発熱性好中球減少症発現時は，骨髄中の白血病細胞が15％以下であればG-CSFを使用できる．その場合は，可能な限り短期間とする．（全コース共通）

#D-1　地固め第1コース：MA療法

抗がん薬 \ day	1	2	3	4	5
ミトキサントロン　7mg/m²/日　点滴静注（30分）	↓	↓	↓		
シタラビン　200mg/m²/日　点滴静注（24時間）	↓	↓	↓	↓	↓

#D-2　地固め第2コース：DA療法

抗がん薬 \ day	1	2	3	4	5
ダウノルビシン　50mg/m²/日　点滴静注（30分）	↓	↓	↓		
シタラビン　200mg/m²/日　点滴静注（24時間）	↓	↓	↓	↓	↓

- 地固め第2コース終了後，血小板数が10万/μLに回復次第，MTX（15mg/body）+Ara-C（40mg/body）+PSL（10mg/body）の髄腔内投与を行う．

#D-3 地固め第3コース：AA療法

抗がん薬 \ day	1	2	3	4	5
アクラルビシン　20mg/m²/日 点滴静注（30分）	↓	↓	↓	↓	↓
シタラビン　200mg/m²/日 点滴静注（24時間）	↓	↓	↓	↓	↓

#D-4 地固め第4コース：A triple V療法

抗がん薬 \ day	1	2	3	4	5	8	10
シタラビン　200mg/m²/日 点滴静注（24時間）	↓	↓	↓	↓	↓		
エトポシド　100mg/m²/日 点滴静注（1時間）	↓	↓	↓	↓	↓		
ビンクリスチン　0.8mg/m²/日 点滴静注						↓	
フィルデシン　2mg/m²/日 点滴静注							↓

3）高齢者・移植非適応AML

　主に65歳以上の高齢者では，臓器機能など患者側の要因によって若年成人と同様の治療を一律に行うことが難しいため，標準的な治療法は確立していない。ただし，強力化学療法によって予後が改善される場合もあるため，全身状態や臓器機能，AMLの特性（染色体核型や発症様式）なども考慮しつつ，化学療法の適応とその治療強度について慎重に検討する必要がある。

　また，重大な併存疾患を有する非高齢者AML患者も，強力な寛解導入療法に対する忍容性は低い[1]。わが国では，強力化学療法が適応とならない65歳未満のAML患者が，AML全体の約17%を占めると推定されている[8]。こうしたAML患者に対して，近年ようやく以下の2種類の薬剤が保険承認された。

- アザシチジン（AZA）：DNAメチル化阻害薬
- ベネトクラクス（Ven）：アポトーシス抑制タンパク質BCL-2（B-cell lymphoma-2）を選択的に阻害し，腫瘍細胞のアポトーシス誘導作用を有するBCL-2阻害薬

① AZA単剤療法

　AZAは2つの臨床試験において，65歳以上でHSCT非適応の未治療AML患者もしくは，強力な寛解導入療法の適応とならないAML患者に対して臨床的に意義のある生存期間の延長が確認された[9,10]。

4週ごと

抗がん薬 \ day	1	2	3	4	5	6	7	8~28
アザシチジン　75mg/m² 皮下投与 or 点滴静注 10分	↓	↓	↓	↓	↓	↓	↓	休薬

・AZAは原則皮下投与だが，出血傾向があり皮下投与でのリスクが高ければ点滴静注でも可。

② Ven+AZA療法，Ven+LDAC療法

18歳以上で強力な寛解導入療法の適応とならないAML患者を対象に，2つの第Ⅲ相試験が実施された。
- VIALE-A（M15-656）試験：VenとAZA併用療法がAZA単独投与よりも優れた有効性を確認[11]。
- VIALE-C（M16-043）試験：Venと低用量シタラビン（LDAC）併用療法の有効性を確認[12]。

4週ごと

抗がん薬 \ day	1	2	3	4	5	6	7	8〜28
アザシチジン 75mg/m² 皮下投与 or 点滴静注 10分	↓	↓	↓	↓	↓	↓	↓	休薬
ベネトクラクス 1日1回 食後内服	100mg	200mg	400mg	連日1日400mg				
	1コース目のみ 用量漸増期			維持投与期				

4週ごと

抗がん薬 \ day	1	2	3	4	5	6	7	8	9	10	11〜28
低用量シタラビン 20mg/m² 1日1回 皮下投与	↓	↓	↓	↓	↓	↓	↓	↓	↓	↓	休薬
ベネトクラクス 1日1回 食後内服	100mg	200mg	400mg	600mg	連日1日600mg						
	1コース目のみ 用量漸増期				維持投与期						

これらの試験の結果から，強力な寛解導入療法の適応にならないAML患者に対して，AZAとVen併用療法，AZAとLDAC併用療法，AZA単独投与が使用できるようになった。

4）維持療法

AMLでは，十分な地固め療法が行われて寛解となった症例では，その後の維持療法は通常行わない[13]。

5）造血幹細胞移植（Hematopoietic stem cell transplantation：HSCT）

HSCTは，移植関連死や早期および晩期合併症に伴うQOL低下など多くの課題が挙げられているが，もっとも強力な寛解後療法である。通常診療では，患者背景，染色体核型や遺伝子異常の種類，移植関連毒性などを考慮してHSCTの適否を判断する。

予後良好な染色体異常を有するAML患者の第一寛解期では，化学療法のみで良好な生存率が得られる可能性が高くHSCTの有効性は示されていない。予後中間群や予後不良染色体異常群では，

適切なドナー（HLA一致の血縁もしくは非血縁ドナー）がいる場合には第一寛解期でのHSCTの有用性が示されている[1, 14〜17]。

なお，本稿ではHSCTについての詳細は割愛する。

6）救援化学療法（サルベージ療法）

完全寛解（complete remission：CR）を達成したものの再発をした場合や，寛解導入療法を2回行ったが不応の場合は，再発・難治性AMLとしてサルベージ療法を行う。この場合，化学療法のみでは根治が困難であるため，可能であればHSCTを行う必要がある。

サルベージ療法は，それまでに使用してきた薬剤と交差耐性のない薬剤や未使用薬，HD-AC療法を組み込んだ治療を行う。特に，初回寛解期間が12カ月以上経過したのちに再発した場合に比べて，12カ月未満の早期再発例やCRが達成できなかった症例は治療抵抗性で難治である。そのため，再発・難治性AMLでは，サルベージ療法による第二寛解達成と，可能であれば引き続いてHSCTまで行うことが重要とされている[18]。

以下にサルベージ療法として用いられる化学療法レジメンの一例を示すが，再発・難治性AML患者の多くは，前治療レジメンの強い骨髄抑制によって骨髄がすでに疲弊していることも珍しくないため，患者背景を考慮しつつ慎重に治療戦略を立てる必要がある。

① ゲムツズマブ オゾガマイシン（Gemtuzumab Ozogamicin：GO）療法

AML細胞，特にAPL細胞に多く発現するCD33抗原に特異的に結合し，細胞内に取り込まれたのち抗腫瘍効果を示す抗体薬物複合体である[19]。

GOは，1日1回9mg/m^{2}を2時間かけて点滴静注し，2週間ごとに2回まで投与できる。ただし，実臨床では減量して行うことが多い。

GOは，HSCT前115日以内に使用した場合，重篤な静脈閉塞性肝疾患（VOD）などの肝障害を発症するリスクが高まり，肝不全やVODによる死亡例も報告されているため注意が必要である[20]。

② FLAGM療法

フルダラビン（FLU）によって，HD-ACの抗腫瘍効果を最大化することを目的に計画された投与方法である。この治療でCR達成した患者は，可能な限りHSCTを行ったところ高い有効性が確認された[21, 22]。

FLAGM療法

抗がん薬 \ day	1	2	3	4	5
フルダラビン　15mg/m²/回 点滴静注（30分）　1日2回を12時間ごと	↓↓	↓↓	↓↓	↓↓	
シタラビン　2g/m²/回 点滴静注（3時間）　1日2回を12時間ごと	↓↓	↓↓	↓↓	↓↓	
G-CSF製剤（顆粒球コロニー刺激因子） 300μg/m²/日 皮下投与	↓	↓	↓	↓	
ミトキサントロン　10mg/m²/日 点滴静注（30分）		↓	↓	↓	

・FLU開始4時間後からHD-ACを投与。
・G-CSFはFLU投与の20時間前に投与。末梢血白血球数が500/μL以上に回復するまで継続。

③ Sequential HAM（s-HAM）療法[23]

HAM（HD-ACとMIT）療法に抵抗性を示した症例でもHD-ACとMITを逐次投与するs-HAM療法で有効であったことが報告されている。

抗がん薬 \ day	1	2	3	4	5	6	7	8	9	10	11	12〜28
シタラビン　2g/m²を12時間ごと （点滴静注）3時間	↓↓	↓↓						↓↓	↓↓			
メチルプレドニゾロン 40mg/body/回を12時間ごと （点滴静注） シタラビン投与前	↓↓	↓↓						↓↓	↓↓			
ミトキサントロン　10mg/m² 点滴静注　30分			↓	↓						↓	↓	

・60歳以上では，1回投与量を1.5g/m²に減量することも考慮する。
・Ara-Cによる中枢神経系障害や遷延性の骨髄抑制を防ぐために，1回の点滴時間は3時間を厳守すること。
・Ara-C投与期間中は，角膜炎結膜炎予防のためステロイド点眼液を1日4回以上予防点眼する。

④ ギルテリチニブ，キザルチニブ（FLT3阻害薬）

ギルテリチニブとキザルチニブは，初期の造血幹細胞および前駆細胞に発現するFMS様チロシンキナーゼ3（FMS-like tyrosine kinase 3：FLT3）に対して，強力かつ選択的な阻害作用を示す受容体型のチロシンキナーゼ阻害薬（tyrosine kinase inhibitor：TKI）である。FLT3遺伝子の活性化変異は，AML患者全体の約30％に認め，予後不良である。

・ギルテリチニブは，*FLT3*変異サブタイプである遺伝子内縦列重複（ITD：Internal Tandem Duplication）変異，およびチロシンキナーゼドメイン（TKD：Tyrosine Kinase Domain）変異の両方に阻害活性を有する低分子化合物である[24, 25]。再発または難治性のFLT3陽性AMLに

対して，1日1回120mgを経口投与する。
・キザルチニブは，ITD変異を有するFLT3（FLT3-ITD変異）にのみ阻害活性を示し，FLT3を介したシグナル伝達を阻害する低分子化合物である[26, 27]。再発または難治性のFLT3-ITD陽性AMLに対して，1日1回26.5mgを2週間経口投与後，以降1日1回53mgを経口投与する。

※なお，FLT3-ITDの検査については，PMDA（独立行政法人医薬品医療機器総合機構）から公開されている，医薬品の適応判定を目的として承認された体外診断用医薬品または医療機器の情報（コンパニオン診断薬の情報）を確認すること。

4 急性前骨髄球性白血病の治療概要と薬物療法

トレチノイン（all-trans retinoic acid：ATRA）と亜ヒ酸（arsenic trioxide：ATO）の登場により，APL治療は飛躍的に進歩した。両薬剤とも，PML-RARα融合遺伝子に作用する分子標的薬であり，APL細胞に対し分化誘導作用（分化障害を起こしている前骨髄球を，成熟顆粒球へ分化を誘導する作用）を示す[28]。APLは，ATRAとATOとの併用や必要に応じて化学療法との併用により，高い完全寛解（CR）率と長期生存が得られるようになっている[29, 30]。

APLの診療においては，Sanzらにより提唱された予後予測モデルを参考にして，初診時白血球数が10,000/μL未満を低リスク，10,000/μL以上を高リスクと分類する方法が広く用いられている[31, 32]。

1）寛解導入療法

ATRAやATOを投与すると，分化した白血球が急増し，大量のサイトカインが放出され発熱，体重増加，呼吸困難，肺への浸潤，胸腹水，低血圧，急性腎不全などAPL分化症候群（differentiation syndrome：DS）を合併する可能性がある。そのため，初診時の白血病細胞数や白血球の増加に応じて，ステロイドを併用することを検討する。

初発APLの寛解導入療法として代表的なレジメンを以下に示す[33]。

① JALSG APL204 寛解導入療法
(1) A群：白血球数＜3,000/μLかつAPL細胞（芽球＋前骨髄球）＜1,000/μLのとき
・ATRA45mg/m^2/日，分3，連日経口，最大60日間（休薬なし）。
・途中，APL細胞（芽球＋前骨髄球）≧1000/μLが確認された日からD群としてイダルビシン＋シタラビンを追加。

D群（A群後）

抗がん薬	day	1	2	3	4	5	6	7
イダルビシン 12mg/m^2/日 点滴静注（30分）		↓	↓	↓				
シタラビン 100mg/m^2/日 点滴静注（24時間）		↓	↓	↓	↓	↓	↓	↓

(2) B群：3,000 ≦白血球数＜10,000/μL あるいは APL細胞（芽球＋前骨髄球）≧1,000/μLのとき

抗がん薬 \ day	1	2	3	4	5	~60 (MAX)
ATRA（オールトランス型レチノイン酸）45mg/m²/日 経口 分3	→→→→→→					→→→
イダルビシン 12mg/m²/日 点滴静注（30分）	↓	↓				
シタラビン 100mg/m²/日 点滴静注（24時間）	↓	↓	↓	↓	↓	

・途中，APL細胞（芽球＋前骨髄球）≧1000/μLが確認された日からD群としてイダルビシン＋シタラビンを追加。

D群（B群後）

抗がん薬 \ day	1	2
イダルビシン 12mg/m²/日 点滴静注（30分）	↓	
シタラビン 100mg/m²/日 点滴静注（24時間）	↓	↓

(3) C群：白血球数≧10,000/μLのとき

抗がん薬 \ day	1	2	3	4	5	6	7	~60 (MAX)
ATRA（オールトランス型レチノイン酸）45mg/m²/日 経口 分3	→→→→→→							→→→
イダルビシン 12mg/m²/日 点滴静注（30分）	↓	↓	↓					
シタラビン 100mg/m²/日 点滴静注（24時間）	↓	↓	↓	↓	↓	↓	↓	

・途中，APL細胞（芽球＋前骨髄球）≧1000/μLが確認された日からD群としてイダルビシンを追加。

D群（C群後）

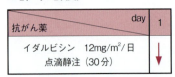

抗がん薬 \ day	1
イダルビシン 12mg/m²/日 点滴静注（30分）	↓

このように，ATRA+化学療法との併用が標準治療とされてきたが，近年諸外国ではATRA＋ATO併用療法で非常に良好な成績が報告されており，NCCNガイドラインでも第一選択とされて

いる[34~38]。そこで，わが国でもAPL患者を対象にしたATRA＋ATOの有効性を評価する第Ⅱ相試験が実施されている。国内ではまだ保険適応外ではあるが，日本のガイドラインにも言及があるため，以下に海外で実施された試験での一例を示す。

②

#低リスク群：初診時白血球数10,000/μL未満

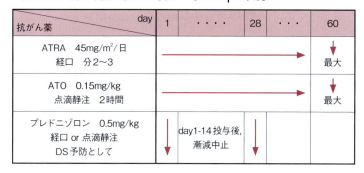

#高リスク群：初診時白血球数10,000/μL以上

抗がん薬	day	1	2	3	...	28	...	60
ATRA　45mg/m²/日 経口　分2～3		→						↓ 最大
ATO　0.15mg/kg 点滴静注　2時間		→						↓ 最大
イダルビシン　12mg/m² 点滴静注　30分		↓		↓				
プレドニゾロン　0.5mg/kg 経口 or 点滴静注 DS予防として		↓	day1-14投与後，漸減中止		↓			

- イダルビシンは，白血球数の推移によって主治医判断で追加や削除を検討する（最大6回まで）。
- 高齢者の場合，イダルビシンは1回8mg/m²に減量する。
- ATO投与開始後は，QT延長，カリウムやマグネシウムなどの電解質異常や併用薬に注意する。
- ATRAとアゾール系抗真菌薬との併用に注意する。
- 発熱性好中球減少症（febrile neutropenia：FN），TLS，DIC，DS，急性ヒ素中毒などの発症と予防に留意する。TLS，DIC予防のため，治療開始後の白血球増加に対してハイドロキシウレア（HU）の内服を考慮する。
- DSを疑う場合は，速やかにデキサメタゾンを開始。症状消失するまで継続し漸減中止する。
- DICを疑う場合は，必要に応じてthrombomodulin alfa，AT-Ⅲ製剤，新鮮凍結血漿（FFP）などの治療薬を考慮する。
- 重篤な急性ヒ素中毒（例：けいれん，筋脱力感，錯乱状態など）が疑われる場合，ATOを速やかに中止し，キレート療法（ジメルカプロール，ペニシラミンなど）を検討する。

③ 髄腔内投与（IT）：主に高リスク群を対象に中枢神経浸潤予防のため
　　好中球数1,000/μL以上，血小板数10万/μL以上を目安
・MTX（15mg/body）＋Ara-C（40mg/body）＋PSL（10mg/body） or DEX（3.3mg/body）

2）地固め療法（低・高リスク共通）

初発APLの地固め療法として代表的なレジメンを以下に示す。原則として各コースとも好中球数1,500/μL以上，白血球数3,000/μL以上，血小板数10万/μL以上となったら開始する[33]。

① JALSG APL204 地固め療法（C1～C3）

#C1　地固め第1コース（MIT+Ara-C療法）

抗がん薬	day 1	2	3	4	5
ミトキサントロン　7mg/m²/日 点滴静注（30分）	↓	↓	↓		
シタラビン　200mg/m²/日 点滴静注（24時間）	↓	↓	↓	↓	↓

#C2　地固め第2コース（DNR+Ara-C療法）

抗がん薬	day 1	2	3	4	5
ダウノルビシン　50mg/m²/日 点滴静注（30分）	↓	↓	↓		
シタラビン　200mg/m²/日 点滴静注（24時間）	↓	↓	↓	↓	↓

・骨髄抑制から回復後，中枢神経浸潤予防のためITを施行する。
　MTX（15mg/body）＋Ara-C（40mg/body）＋PSL（10mg/body）

#C3　地固め第3コース（IDA+Ara-C療法）

抗がん薬	day 1	2	3	4	5
イダルビシン　12mg/m²/日 点滴静注（30分）	↓	↓	↓		
シタラビン　140mg/m²/日 点滴静注（24時間）	↓	↓	↓	↓	↓

② その他の地固め療法

そのほかに，寛解導入療法としてのATRA+ATOに引き続き実施される地固め療法の一例を示す。

- ATRAは2週間投与，2週間休薬を1コースとして計7コース実施する．
- ATOは4週間で計20日（平日5日投与し週末休みなど）投与と4週間休薬を1コースとして計4コース実施する．

3) 維持療法

地固め療法終了時に，RT-PCR法にてPML-RARαが陰性化しているAPL高リスク群において，ATRAまたはタミバロテン（Am80）による維持療法を考慮する[1, 33]．なお，低リスク群と中間リスク群における再発率低下のための最適な維持療法は今後の課題である[1]．

① ATRA維持療法

（1コース：14日間内服し，14日間と2カ月間休薬/3カ月）×8コース

抗がん薬 \ day	1～14	15～28	29～56	57～84
ATRA（オールトランス型レチノイン酸） 45mg/m²/日 経口 分3	→	休薬		

② Am80維持療法

（1コース：14日間内服し，14日間と2カ月間休薬/3カ月）×8コース

抗がん薬 \ day	1～14	15～28	29～56	57～84
タミバロテン 6mg/m²/日 経口 分2	→	休薬		

4) 救援化学療法（サルベージ療法）

再発APLでは，通常ATOを含むレジメンによる再寛解導入療法を行う[1]．

再寛解後はさらにATOによる地固め療法を行い，PML-RARαが陰性化すれば自家末梢血幹細胞移植を，PML RARαが陽性もしくは若年者ではHSCTも考慮される．ATOを使用できない場合や移植非適応症例ではGO，もしくはAm80が選択肢となる．

① 再寛解導入療法：ATO療法

最大60回

抗がん薬 \ day	1	2	3	4	5	6	7	～60 (MAX)
ATO（亜ヒ酸） 0.15mg/kg/日 点滴静注（2時間）	↓	↓	↓	↓	↓	↓	↓	↓

・白血球数＞20,000/μLまたはAPL細胞＞5,000/μLの場合，またはブラストーマがある場合，イダルビシン（12mg/m^2，30分，divを2日間）追加。

② 地固め療法 ATO療法

最大25回

抗がん薬	day	1	2	3	4	5	～25 (MAX)
ATO（亜ヒ酸） 0.15mg/kg/日 点滴静注（2時間）		↓	↓	↓	↓	↓	↓

・再寛解後3～6週間後に開始

【参考文献】
1) 日本血液学会 編：造血器腫瘍診療ガイドライン2018年版補訂版．金原出版，2020
2) 神田善伸：血液病レジデントマニュアル第3版．医学書院，2019
3) Arber DA et al：The 2016 revision to the World Health Organization classification of myeloid neoplasms and acute leukemia. Blood. 127(20):2391-2405, 2016
4) Swerdlow SH et al：WHO Classification of Tumours of Haematopoietic and Lymphoid Tissues. Lyon, IARC, 2017
5) Dühner H et al：Diagnosis and management of AML in adults: 2017 ELN recommendations from an international expert panel. Blood. 129(4):424-447, 2017
6) Grimwade D et al：The importance of diagnostic cytogenetics on outcome in AML: analysis of 1,612 patients entered into the MRC AML 10 trial. The Medical Research Council Adult and Children's Leukaemia Working Parties. Blood. 92(7):2322-2333, 1998
7) Kuriyama K et al：Trial to extract prognostic factors prior to the start of induction chemotherapy for adult AML. Berlin, Springer, 901-905, 1998
8) CancerMPact® Treatment Architecture. Acute Myeloid Leukemia, Japan, v1.2. Kantar Health, 2019
9) Dombret H et al：International phase 3 study of azacitidine vs conventional care regimens in older patients with newly diagnosed AML with >30% blasts. Blood, 126(3):291-299, 2015
10) 日本新薬株式会社：ビダーザ注射用適正使用ガイド（急性骨髄性白血病）；NS17A-P2試験（2021年8月作成）
11) DiNardo CD et al：Azacitidine and Venetoclax in Previously Untreated Acute Myeloid Leukemia. N Engl J Med, 383(7):617-629, 2020
12) Wei AH et al：Venetoclax plus LDAC for newly diagnosed AML ineligible for intensive chemotherapy: a phase 3 randomized placebo-controlled trial. Blood, 135(24):2137-2145, 2020
13) Sakamaki H et al：Allogeneic stem cell transplantation versus chemotherapy as post-remission therapy for intermediate or poor risk adult acute myeloid leukemia: results of the JALSG AML97 study. Int J Hematol, 91(2):284-292, 2010
14) Koreth J et al：Allogeneic stem cell transplantation for acute myeloid leukemia in first complete remission: systematic review and meta-analysis of prospective clinical trials. JAMA. 301(22):2349-2361, 2009
15) Miyawaki S et al：A randomized, postremission comparison of four courses of standard-dose consolidation therapy without maintenance therapy versus three courses of standard-dose consolidation with maintenance therapy in adults with acute myeloid leukemia: the Japan Adult Leukemia Study Group AML 97 Study. Cancer, 104(12):2726-2734. 2005
16) Burnett AK et al：Attempts to optimize induction and consolidation treatment in acute myeloid leukemia: results of the MRC AML12 trial. J Clin Oncol, 28(4):586-595, 2010
17) Schlenk RF et al：Mutations and treatment outcome in cytogenetically normal acute myeloid leukemia. N Engl

J Med, 358(18):1909-1918, 2008
18) Kurosawa S et al：Prognostic factors and outcomes of adult patients with acute myeloid leukemia after first relapse. Haematologica, 95(11):1857-1864, 2010
19) Burnett AK et al：Identification of patients with acute myeloblastic leukemia who benefit from the addition of gemtuzumab ozogamicin: results of the MRC AML15 trial. J Clin Oncol, 29(4):369-377, 2011
20) 日本血液学会 編：血液専門医テキスト（改訂第3版），南江堂，2019
21) Hatsumi N et al：Phase Ⅱ study of FLAGM (fludarabine + high-dose cytarabine + granulocyte colony-stimulating factor + mitoxantrone) for relapsed or refractory acute myeloid leukemia Int J Hematol. Apr; 109(4):418-425, 2019
22) Montillo M et al：Fludarabine, cytarabine, and G-CSF (FLAG) for the treatment of poor risk acute myeloid leukemia. Am J Hematol, 58(2):105-109, 1998
23) Hiddemann W et al：High-dose cytosine arabinoside and mitoxantrone: preliminary results of a pilot study with sequential application (S-HAM) indicating a high antileukemic activity in refractory acute leukemias. Onkologie, 11(1):10-12, 1988
24) Perl AE et al：Gilteritinib or Chemotherapy for Relapsed or Refractory FLT3-Mutated AML. N Engl J Med, 381(18):1728-1740, 2019
25) アステラス製薬株式会社：ゾスパタ錠　添付文書（第1版，2020年11月改訂）
26) Cortes JE et al：Quizartinib versus salvage chemotherapy in relapsed or refractory FLT3-ITD acute myeloid leukaemia (QuANTUM-R): a multicentre, randomised, controlled, open-label, phase 3 trial. Lancet Oncol, 20(7):984-997, 2019
27) 第一三共株式会社：ヴァンフリタ錠　添付文書（第3版，2020年7月改訂）
28) Tallman MS et al：How I treat acute promyelocytic leukemia. Blood, 114(25):5126-5135, 2009
29) 麻生範雄：急性前骨髄球性白血病の治療．日本内科学会雑誌，107(7):1287-1293, 2018
30) Shen ZX et al：Use of arsenic trioxide (As2O3) in the treatment of acute promyelocytic leukemia (APL): II. Clinical efficacy and pharmacokinetics in relapsed patients. Blood, 89(9):3354-3360, 1997
31) Sanz MA et al：Definition of relapse risk and role of nonanthracycline drugs for consolidation in patients with acute promyelocytic leukemia: a joint study of the PETHEMA and GIMEMA cooperative groups. Blood, 96(4):1247-1253, 2000
32) Russell N et al：Attenuated arsenic trioxide plus ATRA therapy for newly diagnosed and relapsed APL: long-term follow-up of the AML17 trial. Blood, 132(13):1452-1454, 2018
33) Shinagawa K et al：Tamibarotene as maintenance therapy for acute promyelocytic leukemia: results from a randomized controlled trial. J Clin Oncol, 32(33):3729-3735, 2014
34) Lo-Coco F et al：Retinoic acid and arsenic trioxide for acute promyelocytic leukemia. N Engl J Med, 369(2):111-121, 2013
35) Platzbecker U et al：Improved Outcomes With Retinoic Acid and Arsenic Trioxide Compared With Retinoic Acid and Chemotherapy in Non-High-Risk Acute Promyelocytic Leukemia: Final Results of the Randomized Italian-German APL0406 Trial. J Clin Oncol, 35(6):605-612, 2017
36) Abaza Y et al：Long-term outcome of acute promyelocytic leukemia treated with all-*trans*-retinoic acid, arsenic trioxide, and gemtuzumab. Blood, 129(10):1275-1283, 2017
37) Burnett AK et al：Arsenic trioxide and all-trans retinoic acid treatment for acute promyelocytic leukaemia in all risk groups（AML17）: Results of a randomised, controlled, phase 3 trial. Lancet Oncol, 16(13):1295-1305, 2015
38) National Comprehensive Cancer Network：NCCN Guidelines Version 3.2021, Acute Promyelocytic Leukemia, 2021

（衛藤　智章）

19-4 慢性リンパ性白血病（CLL）

1 慢性リンパ性白血病の基礎知識

　リンパ球は白血球の一種で，リンパ球や白血球を含むすべての血液細胞は，骨髄中の造血幹細胞から分化・成熟し，リンパ球は生体内で重要な生体防御機能を担っている。骨髄は，胸骨，肋骨，脊椎，骨盤など，われわれの体を構成しているすべての骨の髄腔にある組織で，Bリンパ球は，造血幹細胞からリンパ系前駆細胞へと分化し，産生される[1, 2]。慢性リンパ性白血病（chronic lymphocytic leukemia：CLL）は，わが国では非常にまれな疾患で，骨髄や血管中を流れている末梢血にがん化したBリンパ球が多くみられる。

2 進行度と治療概要

　CLLは最も悪性度の低いリンパ系腫瘍であり，経過が長く不適切な治療介入による治療関連死亡は避けなければならない。一方で，進行が速く，予後不良なものも一部存在することから，病期診断が治療方針の決定に重要となる。病期分類は，米国の改訂Rai分類や欧州のBinet分類が使用される[3]。CTなどの画像所見は用いず，診察所見と貧血，血小板減少だけで決定される。50％生存期間は，改訂Rai分類の低リスクで10年以上，中間リスクで8年，高リスクで6.5年，Binet分類のA期で10年以上，B期で8年，C期で6.5年である[4]。

　病期分類およびInternational Workshop on Chronic Lymphocytic Leukemia（iwCLL）のガイドライン基準を用いて，治療適応を慎重に判断する。①改訂Rai分類の高リスク症例，②Binet分類のC期症例，③iwCLLの治療開始基準を満たす活動性病変のある早期進行期症例が治療の対象となり，それ以外の症例は経過観察とすることが推奨される。CLLは治癒困難ではあるが長期生存が可能であり，また高齢者に多いため，一部の若年者を除き治癒を目指すより，症状緩和や病状コントロールが治療の主目的となる。

　治療適応となる活動性徴候のある早期進行期の場合，併存疾患や機能的な活動性などの側面からアセスメントする総合的高齢者機能評価（physical fitness）を用いて，標準治療の妥当性を判断する[5]。このphysical fitnessは，標準治療が実施可能な「Fit群」，標準治療が推奨されない「Uunfit群」，supportive careが考慮される「Frail群」に分けられる[3]。

3 慢性リンパ性白血病の薬物療法

　B細胞受容体のシグナル伝達に働くブルトン型チロシンキナーゼ（Bruton's tyrosine kinase：BTK）阻害薬のイブルチニブやリツキシマブにフルダラビンとシクロホスファミドを併用する

FCR療法が標準的な薬物療法である．しかし，FCR療法は毒性が強いため，治療に際しては全身状態やphysical fitnessを評価したうえで実施を判断する必要がある．

染色体17p欠失やTP53異常を有する症例は，フルダラビンなどの治療に抵抗性を示し予後不良であることから，イブルチニブを使用することが推奨される[3]．通常の多剤併用化学療法が不可能と判断した場合には，多剤併用化学療法の減量を考慮する．

再発や治療抵抗性の症例に対しては救援療法が実施され，初回治療には適応外である抗CD52抗体アレムツズマブが使用される[3]．また，初回治療後2～3年以降の再発で，染色体17p欠失やTP53異常がない場合は初回治療を再施行する，あるいは初回治療でイブルチニブが未使用であれば，イブルチニブの使用などを考慮する[3]．一方，初回治療後2～3年以内の再発や染色体17p欠失やTP53異常がある場合は，新規分子標的薬であるベネトクラクスとリツキシマブの併用，あるいはイブルチニブなどが候補となる[3]．若年者で救援療法に反応がある場合には，同種造血幹細胞移植（allogeneic hematopoietic stem cell transplantation：allo-HSCT）が考慮される．

3-1　FCR療法

- 2コース目以降は，1日目にリツキシマブ，1～3日目にフルダラビンとシクロホスファミドを投与する．
- 主な副作用は悪心，嘔吐，口内炎，下痢など．

4週ごと，6コース

抗がん薬	day	1	2	3	4	5～28
リツキシマブ　375mg/m^2/日 点滴静注		↓				
フルダラビン　25mg/m^2/日 点滴静注			↓	↓	↓	休薬
シクロホスファミド　250mg/m^2/日 点滴静注			↓	↓		

3-2 イブルチニブ療法

- 主な副作用は下痢，倦怠感，発熱，悪心など。
- 肝薬物代謝酵素チトクロームP450（CYP）3Aにより代謝されるため，イトラコナゾール，クラリスロマイシンなどと併用すると，イブルチニブの血中濃度が上昇し，副作用が増強される可能性があることから禁忌となっている。

3-3 アレムツズマブ療法

- 主な副作用はinfusion reaction，悪寒，発熱，悪心，嘔吐，好中球減少症など。
- Infusion reactionが高頻度で発現し，特に初回投与開始1週間以内の頻度が高いため注意を要する[6]。そのためアレムツズマブ投与時には，infusion reaction予防目的に抗ヒスタミン薬，解熱鎮痛薬を前投与することが必須である。
- 前クール時にGrade3〜4のinfusion reactionが発現した際には，上記に加えて副腎皮質ステロイド薬の予防投与を適宜検討する。
- 国内臨床試験における前投与薬の処方例：ジフェンヒドラミン50mg，アセトアミノフェン500〜1,000mg，ヒドロコルチゾン200mg（前クールでGrade3〜4のIRが発現した場合に投与）。

投与開始から12週間まで投与

抗がん薬	day	1	2	3	4	〜連日
アレムツズマブ 3mg/body/日 連日点滴静注		↓	↓	↓	↓	↓

※ Grade3以上のinfusion reaction（IR）が認められない場合，10mg/body/日の連日点滴静注へ増量可能。さらにGrade3以上のIRが認められない場合，30mg/body/日の週3回隔日点滴静注に増量可能

3-4　ベネトクラクス＋リツキシマブ療法

- リツキシマブ投与が困難な場合を除き，6週目から29週目までリツキシマブと併用する。
- 主な副作用は下痢，悪心，倦怠感，咳嗽，好中球減少症，貧血，血小板減少症など。
- 肝薬物代謝酵素チトクロームP450（CYP）3Aにより代謝されるため，イトラコナゾール，クラリスロマイシンなどとの併用は禁忌，グレープフルーツ含有食品との併用は注意となっている。また，中等度以上のCYP阻害薬との併用時は，ベネトクラクスの血中濃度が上昇し腫瘍崩壊症候群などの副作用が増強するおそれがあるため，表の減量基準を参考に投与量を検討する。

病勢増悪あるいは許容できない副作用が発現するまで継続

	抗がん薬	day	1	2	3	4	5〜7
1週目	ベネトクラクス　20mg/回　経口　1日1回食後		→				
2週目	ベネトクラクス　50mg/回　経口　1日1回食後		→				
3週目	ベネトクラクス　100mg/回　経口　1日1回食後		→				
4週目	ベネトクラクス　200mg/回　経口　1日1回食後		→				
5週目	ベネトクラクス　400mg/回　経口　1日1回食後		→				
6〜29週目	ベネトクラクス　400mg/回　経口　1日1回食後		▶				
30週目以降	ベネトクラクス　400mg/回　経口　1日1回食後		→				

	抗がん薬	day	1	2〜28
6〜29週目	リツキシマブ　375mg/m²/日　点滴静注		↓	休薬

※2回目以降は500mg/m²/日　点滴静注
※最大投与回数：6回（6カ月）まで

表 CYP3A阻害薬との併用時の減量基準

併用薬剤	用量漸増期	維持投与期
弱いCYP3A阻害薬 （シロスタゾール，シメチジン，フルボキサミン，ホスアプレピタントメグルミン，ラニチジン，タクロリムス，クロトリマゾール，ロミタピド，チカグレロルなど）	減量基準なし	
中程度のCYP3A阻害薬 （アプレピタント，アタザナビル，シプロフロキサシン，クリゾチニブ，シクロスポリン，ジルチアゼム，エリスロマイシン，フルコナゾール，ホスアンプレナビル，イマチニブ，イストラデフィリン，ミコナゾール，トフィソパム，ベラパミルなど）	ベネトクラクスを半量以下に減量	
強いCYP3A阻害薬 （コビシスタット，イトラコナゾール，リトナビル，ボリコナゾール，ポサコナゾール，ケトコナゾール，クラリスロマイシン，グレープフルーツジュースなど）	ベネトクラクスを併用しない	ベネトクラクスを100mg以下に減量

（アッヴィ：ベネトクラクス®適正使用ガイド，2021をもとに作成）

【参考文献】
1) 血液内科学会　編：血液内科専門医テキスト改訂第3版，南江堂，2019
2) Lyengar V et al：Leukemia. Bookshelf ID: NBK560490, 2020
3) 日本血液学会　編：造血器腫瘍診療ガイドライン2018年版補訂版，金原出版，2020
4) Eichhorst B et al：Chronic lymphocytic leukaemia: ESMO Clinical Practice Guidelines for diagnosis, treatment and follow-up. Ann Oncol, 26 Suppl 5:v78-84, 2015
5) Wierda WG et al：Chronic Lymphocytic Leukemia/Small Lymphocytic Lymphoma, Version 4.2020, NCCN Clinical Practice Guidelines in Oncology. J Natl Compr Canc Netw, 18(2):185-217, 2020
6) サノフィ株式会社：マブキャンパス点滴静注適正使用ガイド（2021年9月作成）
7) ノバルティスファーマ株式会社：アーゼラ適正使用ガイド（2021年7月作成）

（内田　まやこ）

19-5 慢性骨髄性白血病（CML）

I 慢性骨髄性白血病の基礎知識

　造血幹細胞は骨髄系前駆細胞から分化し，骨髄系前駆細胞からは赤血球，血小板，好中球，好塩基球，好酸球，単球が産生され，リンパ系前駆細胞からはB細胞，T細胞，NK細胞が産生される[1]。慢性骨髄性白血病（chronic myelogenous leukemia：CML）は，造血幹細胞に遺伝子異常が生じ腫瘍化することで発症する[1, 2]。具体的には，造血幹細胞レベルでみられる染色体相互転座t;(9;22)(q34.1;q11.2)によりPhiladelphia（Ph）染色体が形成され，22番染色体上のBCR遺伝子と9番染色体上のABL遺伝子が融合し，BCR-ABL融合遺伝子が産生される（図1）。この融合遺伝子の産物であるBCR-ABLタンパクが恒常的活性型チロシンキナーゼとして造血幹細胞に過剰な増殖をもたらすことで発症する（図2）。

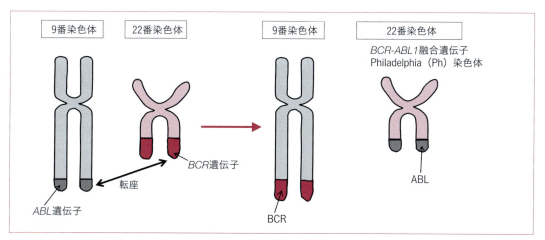

図1　9番22番染色体転座とBCR-ABL遺伝子産生機構

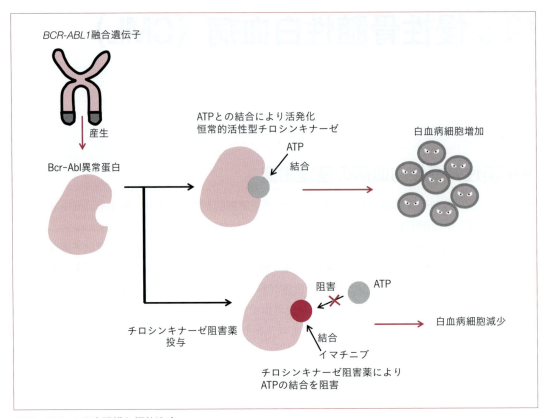

図2 CMLの発症機構と標的治療

2 進行度と治療概要

　CMLは慢性期（chronic phase：CP），移行期（accelerated phase：AP），急性転化期（blast phase：BP）の3つの病期に分けられる。多くの患者（85％）は，白血球や血小板の増加を認めるものの自覚症状の乏しいCPで診断されるが，無治療で放置すると数年の経過で顆粒球の分化異常が進行するAPを経て，未分化な芽球が増加して急性白血病に類似するBPへと進展し，致死的となることもある[1, 2]。病期分類にはWHO改訂分類（2017）[3]または，European LeukemiaNet（ELN）2013年版[4]の規準が用いられる。

　CMLの治療は，Tyrosine kinase inhibitor（TKI）の開発により劇的に変わり，TKI時代の初発CML-CP症例の生命予後は，同年代の一般人口とほぼ同程度とまでいわれている。初発症例には患者背景を考慮して，イマチニブ，ニロチニブ，ダサチニブのいずれかが選択される。治療開始後はELN2013年版に従って効果判定を行い，至適奏効（Optimal）の場合は治療継続，Warning（要注意）の場合は頻回なモニタリングを行い，Failure（不成功）の場合，イマチニブは第二世代TKIへ，ニロチニブはダサチニブまたはボスチニブ，ダサチニブはニロチニブまたはボスチニブへ薬剤を変更するとともに，同種移植に備えて本人・同胞のHLA（Human Leukocyte Antigen＝ヒト白血球抗原）検索を行う。BCR-ABL1遺伝子の変異解析やイマチニブ血中濃度の結果も，治療方針を決める際に重要な情報である。CML-CPから進展したAP期には未使用TKIで治療し，BC

期にはTKI単独もしくは急性白血病に準じた化学療法を併用する。移植適応症例であれば，同種移植（allogeneic hematopoietic stem cell transplantation：allo-HSCT）が推奨される。T315I点突然変異が確認された場合は，T315I変異にも有効なポナチニブへ変更する。長期に分子遺伝学的完全奏効が得られた症例では，およそ半数でTKIを中止できる可能性が示されているが，臨床試験以外の日常臨床においてTKIを中止することは推奨されない。しかし，臨床試験や妊娠を希望する女性，重篤な副作用のために継続服用が困難な場合に限り，TKI中止を考慮する。その際は，BP期への進行に対するリスクを十分に説明したうえで，TKI休薬に関する同意を得る必要がある。

3 慢性骨髄性白血病の薬物療法

3-1 イマチニブ

- 病勢増悪あるいは許容できない副作用が発現するまで継続。
- 主な副作用は体液貯留，皮疹，肝障害，筋痛，関節痛など。
- イマチニブ継続で治療効果持続が期待される。一方で，Failureに該当した症例ではほかの第二世代TKIへの変更が必要となる[2]。

1）慢性期

イマチニブ単剤療法

連日投与

抗がん薬	day	1	2	3	4	5	6	7	～連日
イマチニブ　400mg/日　経口　1日1回（食後）		→							

- 1回600mg，1日1回まで増量可

2）移行期または急性転化期

イマチニブ単剤療法

連日投与

抗がん薬	day	1	2	3	4	5	6	7	～連日
イマチニブ　600mg/日　経口　1日1回（食後）		→							

- 1回400mg，1日2回まで増量可

3-2 ニロチニブ

- 病勢増悪あるいは許容できない副作用が発現するまで継続。
- 主な副作用はQT延長，肝障害，脂質異常，耐糖能障害，膵酵素上昇，心血管系閉塞性病変など。
- イマチニブFailure症例に対する2nd-lineの治療としても良好な成績が得られている[5]。

ニロチニブ単剤療法

連日投与

抗がん薬	day	1	2	3	4	5	6	7	〜連日
ニロチニブ 800mg/日 経口 1日2回（食間）		→							

・初発慢性期の場合は1回300mg，1日2回

3-3 ダサチニブ

・病勢増悪あるいは許容できない副作用が発現するまで継続。
・主な副作用は胸水貯留，肺高血圧，消化管出血，心囊液貯留など。
・初発CML-CPに対するニロチニブとダサチニブの直接比較試験はなく，患者背景などを考慮して両薬剤を選択する。

1）慢性期

ダサチニブ単剤療法

連日投与

抗がん薬	day	1	2	3	4	5	6	7	〜連日
ダサチニブ 100mg/日 経口 1日1回（食後）		→							

・1回140mg，1日1回まで増量可

2）移行期または急性転化期

ダサチニブ単剤療法

連日投与

抗がん薬	day	1	2	3	4	5	6	7	〜連日
ダサチニブ 140mg/日 経口 1日2回（食後）		→							

・1回90mg，1日2回まで増量可

3-4 ボスチニブ

・病勢増悪あるいは許容できない副作用が発現するまで継続。
・主な副作用は下痢，肝障害，皮疹，嘔吐など。
・初発CP-CMLに対するボスチニブの治療効果は，イマチニブと比較した第Ⅲ相試験（BFORE試験）において，ボスチニブ群で有意に高かった[6]。一方でボスチニブ群では，消化器症状と肝障害を中心とする有害事象のために，投与中断が必要であった症例や減量・中止となった症例が多く，忍容性の面でイマチニブに劣る結果となった。

ボスチニブ単剤療法

連日投与

抗がん薬	day	1	2	3	4	5	6	7	～連日
ボスチニブ　500mg/日 経口　1日1回（食後）		→→→→→→→→→→→→→→→→							

・1回600mg，1日1回まで増量可

3-5　ポナチニブ

- 病勢増悪あるいは許容できない副作用が発現するまで継続。
- 主な副作用は心血管系閉塞性病変，膵炎，腹痛，リパーゼ上昇など。
- 特に動脈閉塞性事象が問題となっており[7]，使用の際には慎重な経過観察が求められる。
- 既存のTKIがすべて無効であるBCR-ABL T315I変異にも有効性を示す唯一のTKI製剤である（わが国では，前治療に抵抗性あるいは不耐容の症例に対して使用可能）。

ポナチニブ単剤療法

連日投与

抗がん薬	day	1	2	3	4	5	6	7	～連日
ポナチニブ　45mg/日 経口　1日1回		→→→→→→→→→→→→→→→→							

注：食事にかかわらず投与可

【参考文献】
1) 血液内科学会　編：血液内科専門医テキスト改訂第3版，南江堂，2019
2) 日本血液学会　編：造血器腫瘍診療ガイドライン2018年版補訂版，金原出版，2020
3) Arber DA et al：The 2016 revision to the World Health Organization classification of myeloid neoplasms and acute leukemia. Blood, 127(20):2391-2405, 2016
4) Baccarani M et al：European LeukemiaNet recommendations for the management of chronic myeloid leukemia: 2013. Blood, 122(6):872-884, 2013
5) Kantarjian HM et al：Nilotinib is effective in patients with chronic myeloid leukemia in chronic phase after imatinib resistance or intolerance: 24-month follow-up results. Blood, 117(4):1141-1145, 2011
6) Cortes JE et al：Bosutinib Versus Imatinib for Newly Diagnosed Chronic Myeloid Leukemia: Results From the Randomized BFORE Trial. J Clin Oncol, 36(3):231-237, 2018
7) Lipton JH et al：Ponatinib versus imatinib for newly diagnosed chronic myeloid leukaemia: an international, randomised, open-label, phase 3 trial. Lancet Oncol, 17(5):612-62, 2016

（内田　まやこ）

第4章 疾患

20 多発性骨髄腫

【多発性骨髄腫の疫学】
罹患数：7,765人，死亡数：4,243人，5年生存率：42.8％

1 多発性骨髄腫の基礎知識

多発性骨髄腫とは，血液細胞の中のリンパ球のひとつであるB細胞より分化した形質細胞が腫瘍化し，異常に増殖する疾患である。腫瘍細胞が骨髄を占拠する形で増殖するため，正常な血液細胞の生産ができなくなり，貧血や易感染性，出血傾向などさまざまな症状を来すとされている。また，腫瘍細胞は破骨細胞を活性化する分子を放出し，骨密度の低下や骨折により大きく生活の質を低下させる。さらに腫瘍化した細胞は，異常な免疫グロブリン（M蛋白）を作り続けることで血液の粘性が上昇し，腎機能障害を来す。多発性骨髄腫は発症してしまうと完治は困難であり，継続的に治療を続けていくことが重要である。現在多くの新薬が登場しており，5年生存率は約50％と報告されている[1]。

2 診察・診断

多発性骨髄腫の診察・診断は，国際骨髄腫作業部会（International Myeloma Working Group：IMWG）による診断規準が広く用いられている[2,3]。診断するために必要な検査項目として，一般検査，M蛋白の同定と定量，骨髄形成細胞の増加・形質細胞腫の証明，臓器障害の診断，必要に応じてそのほかの検査を実施することが一般的である。多発性骨髄腫の種類には意義不明の単クローン性ガンマグロブリン血症（Monoclonal Gammopathy of Undetermined Significance：MGUS）や無症候性骨髄腫（くすぶり型多発性骨髄腫）といった，積極的治療の有効性が得られていない多発性骨髄腫が存在する。まだ治療を必要としないMGUSから無症候性骨髄腫を経て，全身化学療法が必要となる多発性骨髄腫などに進展していくとされている。しかしながら，MGUS合併の腎障害があった場合，血液学的に多発性骨髄腫の診断および治療介入基準を満たさずとも，M蛋白が強く腎病態に関与している疾患をMGRS（monoclonal gammopathy of renal significance）と総称し，そのM蛋白を産生するクローン細胞を標的とした早期の治療介入を検討すべきと提唱された報告がある。MGRSの有病率や治療後の腎・生命予後などはまだ明らかでなく，今後の前向き臨床研究などが期待されるところである。現在，後ろ向きの検討では腎障害を伴うMGUS症例の約半数がMGRSであった報告がなされており，腎機能障害を伴うMGUS症例は注意すべきである[4]。治療開始時期の判断基準として提唱されているものとして，形質細胞の増加に伴う臓器障害の出現，骨髄中の形質細胞の比率が60％以上・遊離軽鎖（フリーライトチェーン）の

κ（kappa）／λ（lambda）比が100以上・MRIで2カ所以上の病変，髄外腫瘍が出現した場合には症候性骨髄腫と診断され，全身化学療法の対象となる[3]。

1）M蛋白の同定と定量

　M蛋白とは，異常に増殖した1つのクローンの形質細胞もしくはB細胞から，均一な免疫グロブリンまたはその構成成分が産生されたものを指す。体内ではさまざまな抗原に対するさまざまな免疫グロブリンが形質細胞から作成されているが，腫瘍化した形質細胞からは全く同じM蛋白が異常に産生されている。増殖しているM蛋白の種類を決定するために，免疫電気泳動・免疫固定法が用いられる。また，尿検査において尿中の蛋白質，特にBJP（Bence-Jones Protein）の有無について検査する。

2）形質細胞の増加に伴う臓器障害

　治療開始の基準となる臓器障害の項目として，高カルシウム血症（C），腎不全（R），貧血（A），骨病変（B）の頭文字をとってCRABと表現される。

(1) CRAB

①高カルシウム血症：血清カルシウム＞11mg/dL
②腎障害：血清クレアチニン＞2 mg/dLまたはクレアチニンクリアランス＜40mL/min
③貧血：ヘモグロビン＜10g/dLまたは正常値から2g/dLより多く低下
④骨病変：全身MRIや全身PET/CT検査にて溶骨性病変が1つ以上存在

いずれかのCRAB症状が1つ以上ある場合，全身化学療法の対象となる。

　さらに，くすぶり型多発性骨髄腫の中で，診断後2年以内に80％以上の確率で多発性骨髄腫へ移行する可能性を予測する因子について検討がなされた。myeloma-defining biomarker（SLiM：骨髄中形質細胞≧60％，involved/uninvolved血清遊離軽鎖比≧100，またはMRIで2カ所以上の5mmを超える巣状病変あり）の3因子が抽出され，これらのバイオマーカーを1つでも有する場合には，多発性骨髄腫（症候性）の範疇に含められるよう2014年の新IMWG規準から変更された。

2-1　Stage分類

　多発性骨髄腫は単クローン性の形質細胞が増殖し，κ型もしくはλ型のL鎖の増加が見られ，κ/λ比の異常が生じ，単クローン性の形質細胞が作り出すM蛋白の種類に応じて，IgG型，IgA型，IgD型，IgE型，BJP型に分類される。多発性骨髄腫の病期はDurie-Salmon分類（DS分類）とInternational Staging System（ISS分類：国際病期分類基準）を用いて分類される。近年，ISS分類に血清乳酸脱水素酵素（LDH）の検査値と特定の染色体異常を組み合わせたRevised ISS（R-ISS）分類の有用性について検討されている[5,6]。

1）Durie-Salmon分類（DS分類）[5]

　DS分類は，古くから（1975年）世界中で広く使用されている，多発性骨髄腫の重症度の分類基準である。DS分類では，骨髄腫細胞数とさまざまな検査値を用いて，重症度の判定を行う（表1）。

2）ISS分類とR-ISS分類[6, 7]

　ISS分類では，β_2ミクログロブリン（β_2MG）と血清アルブミン（Alb）値によって病期を分類され，β_2MGは骨髄腫細胞の量が多い場合や活動性が高い場合，骨髄腫による腎機能障害を合併している場合に高くなるとされている。また同時に，M蛋白が増加することで正常蛋白の減少が引き起こり，Albの低下が誘発される。β_2MG値とAlb値が骨髄腫の勢いを示すとされており，2つの値でStage分類が決定する。また近年，予後に影響を及ぼすさまざまな研究が実施されており，IMWGより予後不良遺伝子としてdel(17p)，t(4:14)について報告された。予後不良染色体異常であるdel(17p)，t(4:14)，t(14:16)とLDHの値をISS分類に追加したR-ISS分類は，現在のISS分類を用いた予後予測より簡便で強力な予後推定可能ステージングシステムになると検討されている（表2，3）。

3　多発性骨髄腫の薬物療法

　多発性骨髄腫は治癒を期待できる疾患ではなく，治療により長期の生存が可能となっている疾患であることから，QOLを維持しながら微量残存病変（MRD）の陰性化を目指し，長期生存を獲得することが治療目標となる。治療方針は，自家造血幹細胞移植併用大量化学療法（high-dose chemotherapy followed by autologous hematopoietic stem cell transplantation：HDC/ASCT）の適応となる65歳未満の移植適応患者と，65歳以上あるいは重要臓器の障害のために自家造血幹

表1　Durie & Salmon病期分類

病期	診断基準
I期	以下の項目のすべてを満たすもの： ①ヘモグロビン＞10g/dL ②血清カルシウム：正常（≦12mg/dl） ③骨病変：正常像もしくは独立性形質細胞腫 ④低M成分産生率 　　a．IgG＜5g/dL 　　b．IgA＜3g/dL 　　c．尿中ベンズジョーンズ蛋白（BJP）＜4g/24hr
II期	病期I，III以外
III期	以下の項目のうち1つ以上を満たすもの： ①ヘモグロビン＜8.5g/dL ②血清カルシウム＞12mg/dL ③進行性骨融解病変（広範囲） ④高M成分産生率 　　a．IgG＞7g/dL 　　b．IgA＞5g/dL 　　c．尿中ベンズジョーンズ蛋白（BJP）＞12g/24hr

亜分類　A＝腎機能比較的正常（血清クレアチニン＜2.0mg/dL）
　　　　B＝腎機能異常（血清クレアチニン≧2.0mg/dL）
　　　　※血清クレアチニンの代わりにBUNを用いてもよい。A＝BUN＜30mg/dL，B＝BUN≧30mg/dL

〔Durie BG et al：Cancer, 36(3):842-854, 1975をもとに作成〕

表2 International Staging System（ISS）

	基準	生存期間中央値
Stage I	血清β2MG＜3.5mg/L かつ 血清アルブミン≧3.5 g/dL	62カ月
Stage II	I，III以外	44カ月
Stage III	血清β2MG≧5.5mg/L	29カ月

〔Greipp PR et al：J Clin Oncol, 23(15):3412-3420, 2005〕

表3 Revised ISS（R-ISS）分類

R-ISS Stage	ISS Stage	基準
I	I	血清β2MG＜3.5mg/L かつ 血清アルブミン≧3.5 g/dL, LDH正常値, 染色体異常*なし）
II		I，III以外
III	III	血清β2MG＞5.5mg/L, LDH高値またはハイリスク染色体異常*

*：del(17P),t(4:14),t(14:16)

〔Palumbo A et al：J Clin Oncol, 33(26):2863-2869, 2015〕

細胞移植の適応とならない移植非適応患者によって異なった治療戦略が選択される。ただし、65歳という年齢はあくまで目安であり、日常臨床においては生物学的年齢を考慮したうえで治療方針を決定することがある。

3-1 移植適応のある初発症候性骨髄腫患者

　移植適応の初発骨髄腫患者に対しては、効果が迅速で深い奏効を期待でき、かつ自家造血幹細胞採取効率に悪影響を与えない導入療法を施行後、自家造血幹細胞移植を併用した大量メルファラン療法を実施することが推奨される。そして、HDC/ASCT後はレナリドミドによる維持療法が推奨されている（図）。導入化学療法中に期待している効果が得られない場合には、難治性多発性骨髄腫として、救援療法へ移行する。救援療法施行後、一定の治療効果が得られた場合には、再度HDC/ASCTについて有用性を示す報告[8]がなされており、検討する余地がある。

1）導入化学療法

　寛解導入療法は、骨髄腫細胞を減らし寛解に近づけることを目的とする。この治療では、通常3剤（プロテアソーム阻害薬＋免疫調節薬＋デキサメタゾン）の薬剤を組み合わせたもの、あるいは2剤（プロテアソーム阻害薬もしくは免疫調節薬＋デキサメタゾン）を各レジメンの投与スケジュールに合わせて3〜4週間ごとに4〜6コース程度実施後、自家末梢血造血幹細胞移植へ移行する。忍容性に問題がなければ、3剤を組み合わせた治療が推奨される。

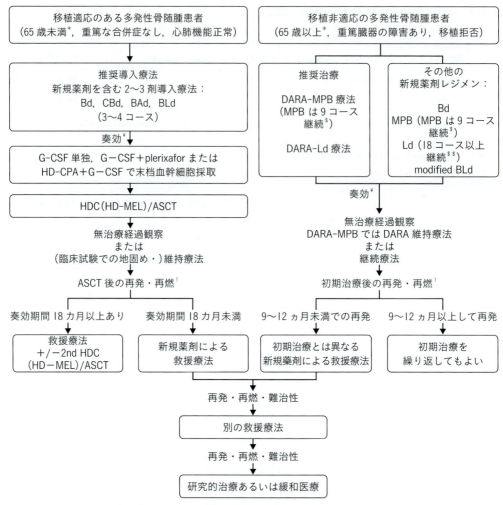

図 多発性骨髄腫患者に対する治療アルゴリズム

①プロテアソーム阻害薬＋免疫調節薬を中心とした治療

BLd療法　21日/1コース[9, 10]

抗がん薬 / day	1	2	4	5	8	9	11	12	14	15～21
ボルテゾミブ　1.3mg/m² 皮下注射	↓		↓		↓		↓			休薬
レナリドミド　25mg/日 経口	→→→→→→→→→→→→→→									
デキサメタゾン　20mg/日 経口	↓	↓	↓	↓	↓	↓	↓	↓		

・現在最も推奨度が高い治療としてBLd療法が挙げられているが，レナリドミドを使用することから，腎機能障害の程度によって投与量を調整する必要がある。高度腎機能障害を有する多発性骨髄腫患者では，初回治療としてCBd療法を用いることが推奨されており，腎機能障害の改善が得られた後にBLd療法への変更が推奨されている[11]。

②プロテアソーム阻害薬を中心とした治療

CBd療法　28日/1コース[12]

4週ごと

抗がん薬 / day	1	4	8	9	10	11	12	15	17	18	19	20	22	23～28
ボルテゾミブ　1.3mg/m² 皮下注射	↓	↓	↓			↓								休薬
シクロホスファミド　300mg/m²/日 経口　1日1回	↓		↓					↓					↓	
デキサメタゾン　40mg/日 経口　1日1回　朝食後	→		→					→						

・CBd療法はさまざまな投与方法が存在し，シクロホスファミドを点滴静注21日/1コースで実施する投与方法の報告がある[13]。日本からの報告では，より簡便なCBd療法として，ボルテゾミブ1.3mg/m²静注または皮下注，シクロホスファミド300mg/m²内服，デキサメタゾン40mg内服を毎週投与（いずれもday1，8，15，22）28日/1コースがある[14]。

BAd療法　28日/1コース[15]

抗がん薬 / day	1	2	4	8	9	11	12	17	20	21～28
ボルテゾミブ　1.3mg/m² 皮下注射	↓		↓	↓		↓				休薬
ドキソルビシン　9mg/m² 点滴静注	→									
デキサメタゾン　20mg/日 経口	→			→		→				

第4章　疾患　20 多発性骨髄腫

③免疫調節薬を中心とした治療

Ld療法　28日/1コース[9]

4週ごと

抗がん薬	day	1	8	15	21	22	23〜28
レナリドミド　25mg/日 経口　1日1回　朝食後		←			→		休薬
デキサメタゾン　40mg/日 経口　1日1回　朝食後		↓	↓	↓		↓	

BD療法：ボルテゾミブ＋デキサメサゾン　21日/1コース[16]

3週ごと

抗がん薬	day	1	4	8	9	10	11	12	13〜21
ボルテゾミブ　1.3mg/m² 皮下注射		↓	↓	↓			↓		休薬
デキサメタゾン　40mg/日 経口　1日1回　朝食後		→		→					

・BD療法におけるデキサメタゾンの内服方法はさまざまであり，ボルテゾミブ投与日のみ服用する方法や投与翌日に分けて服用する方法が報告されている。ボルテゾミブによって誘発される末梢神経障害は，サイトカインが関与する可能性について言及した報告があり，ボルテゾミブ投与日，投与翌日に服用することで末梢神経障害の軽減傾向が認められた[17, 18]。

2）自家末梢血造血幹細胞移植

末梢血幹細胞採取のための治療[19, 20]

抗がん薬	day	1	2	…	採取日
大量シクロホスファミド　2,000mg/m²/日 点滴静注（3時間）		↓	↓		

注：造血幹細胞（CD34陽性細胞）の目標細胞数：2.0×10^6 個/kg以上とする

抗がん薬	day	1	2	3	4	5 (採取日)
プレリキサホル　0.24mg/kg/日 皮下注射					↓ *1	
G-CSF製剤 皮下注射　毎朝		↓	↓	↓	↓	↓ *2

*1：末梢血幹細胞採取実施9〜12時間前に投与
*2：末梢血幹細胞採取実施1時間前に投与
注：CD34陽性細胞の目標採取数が達成できるまで，プレリキサホル投与から末梢血幹細胞採取を最大4回繰り返す（灰色部分）

・大量シクロホスファミドを用いた造血幹細胞採取では，11日目頃からG-CSFを投与し，造血幹細胞を採取する。採取時期に関しては，白血球数や幼若顆粒球出現を目安に採取を開始する

ことが一般的である。
- HDC/ASCT後，約100日後程度経過してからレナリドミド維持療法もしくはイキサゾミブ維持療法を検討することが推奨されている。IMWGより，予後不良染色体異常であるdel（17p），t（4:14），t（14:16）をもつような高リスク多発性骨髄腫の場合，レナリドミド維持療法だけでは期待する治療効果が得られない可能性があり，維持療法開始前に地固め療法を施行することで治療成績が向上する報告がある[21]。地固め療法を実施する場合，治療回数として2～4コース程度実施後にレナリドミド維持療法へ移行するのが一般的である。

3）維持療法

レナリドミド維持療法[22]
4週ごと，病勢増悪まで

抗がん薬	day	1～21	22～28
レナリドミド 10mg/日 経口		→	休薬

- レナリドミド維持療法は免疫賦活化作用を期待した治療方法であるため，至適な投与間隔が定まっていないのが現状である。実際，投与方法はレナリドミド10mgを3投1休で投与する方法だけでなく，10～15mgを連日行う方法[23]についても報告されている。直接比較を行っている臨床試験はないことから，患者にあわせた投与設計が望ましい。

イキサゾミブ維持療法[24]
4週ごと，病勢増悪まで継続

抗がん薬	day	1	8	15	16～28
イキサゾミブ 3mg/日 経口（空腹時）		↓	↓	↓	休薬

※4サイクルまで3mg/body，5サイクル目以降はイキサゾミブを4mg/bodyへ増量

3-2 移植非適応の初発症候性骨髄腫患者

　移植非適応の初発骨髄腫患者に対しては，導入療法とそれに引き続く維持療法が推奨されている。導入療法は移植適用患者に用いる治療方法と類似しており，移植適応患者に対する場合と同様に3剤レジメンが推奨されている（図，p.528参照）。通常3剤（抗体製剤＋免疫調節薬＋ステロイド）の薬剤を組み合わせたもの，あるいは2剤（プロテアソーム阻害薬もしくは免疫調節薬＋ステロイド）を3～4週間ごとに実施し，維持療法に移行する。移植適応患者同様，多剤の薬剤を組み合わせた治療が推奨されているが，高齢な患者やフレイル患者では2剤を組み合わせた治療についても検討する。

1）導入化学療法

①抗体製剤＋免疫調節薬を中心とした治療

DLd療法　28日/コース[25]

1〜2コース

抗がん薬	day	1	8	15	21	22	23〜28
ダラツムマブ・ボルヒアルロニダーゼ　アルファ 1,800mg/body　皮下注射		↓	↓	↓		↓	
レナリドミド　25mg/日 経口		→→→→→→→→→→→→→→→→					休薬
デキサメタゾン　40mg/日 経口		↓	↓	↓		↓	

3〜6コース

抗がん薬	day	1	8	15	21	22	23〜28
ダラツムマブ・ボルヒアルロニダーゼ　アルファ 1,800mg/body　皮下注射		↓		↓			
レナリドミド　25mg/日 経口		→→→→→→→→→→→→→→→→					休薬
デキサメタゾン　40mg/日 経口		↓	↓	↓			

7コース以降，4週ごと

抗がん薬	day	1	8	15	21	22	23〜28
ダラツムマブ・ボルヒアルロニダーゼ　アルファ 1,800mg/body　皮下注射		↓					
レナリドミド　25mg/日 経口		→→→→→→→→→→→→→→→→					休薬
デキサメタゾン　40mg/日 経口		↓	↓		↓		

②抗体製剤＋プロテアソーム阻害薬を中心とした治療

Dara-VMP療法（42日/コース）[26]

1コース

抗がん薬	day	1	2	4	8	11	15	22	25	29	32	36	37〜42
ダラツムマブ・ボルヒアルロニダーゼ　アルファ 1,800mg/body　皮下注射		↓			↓		↓	↓		↓		↓	
ボルテゾミブ 1.3mg/m² 皮下注射		↓		↓	↓	↓		↓		↓		↓	休薬
メルファラン　9mg/m²/日 経口（空腹時）		→→→→→→→→											
プレドニゾロン　60mg/m²/日 経口		→→→→→→→→											

Dara-VMP療法（42日/コース）

2～9コース

抗がん薬 \ day	1	2	4	8	22	29	30～42
ダラツムマブ・ボルヒアルロニダーゼ　アルファ 1,800mg/body　皮下注射	↓				↓		休薬
ボルテゾミブ 1.3mg/m² 皮下注射	↓			↓	↓	↓	
メルファラン　9mg/m²/日 経口（空腹時）	→→→						
プレドニゾロン　60mg/m²/日 経口	→→→						

Dara-VMP療法（28日/コース）

10コース以降

抗がん薬 \ day	1	2～28
ダラツムマブ・ボルヒアルロニダーゼ　アルファ 1,800mg/body　皮下注射	↓	休薬

- ダラツムマブのinfusion reaction対策として，アセトアミノフェン650～1,000mg，ジフェンヒドラミン25～50mg，デキサメタゾン20mgが推奨されている．ダラツムマブの特徴的な呼吸器症状に関連したinfusion reactionを低下させることが報告されていることから，ロイコトリエン阻害薬の追加についても記載があり，1サイクル目のday1にモンテルカスト10mgが推奨されている[27, 28]．
- ダラツムマブ投与日に，デキサメタゾン20mgを経口もしくは静脈投与する．

③プロテアソーム阻害薬と免疫調節薬を中心とした治療

Modified BLd（BLd Lite）療法　35日/1コース [29, 30]

導入化学療法　5週ごと，9コース

抗がん薬 \ day	1	2	8	9	15	16	21	22	23	24～35
ボルテゾミブ　1.3mg/m² 皮下注射	↓		↓		↓			↓		休薬
レナリドミド　15mg/日 経口	→→→→→→→→→→→→→→→→→→→→→									
デキサメタゾン*　20mg/日 経口	↓	↓	↓	↓	↓			↓	↓	

注：9コース実施した後，地固め療法へ移行する
＊76歳以上の場合：20mg/日　経口内服　day 1, 8, 15, 22

Modified BLd（BLd Lite）療法（地固め療法）　28日/1コース
地固め療法　4週ごと，6コースまで

抗がん薬 \ day	1	15	21	22〜28
ボルテゾミブ　1.3mg/m² 皮下注射	↓	↓		休薬
レナリドミド　15mg/日 経口	→→→→→			

注1：6コース実施した後，維持療法について検討する
注2：定められた臨床試験では，維持療法の追加に関して主治医に判断が任されていたため必須ではない

- 本来の推奨されているBLd療法は，移植適応症例と同様のBLd療法[9]が推奨されているが，65歳以上の症例が少なく，高齢者の治療として確立したとはいえる結果ではなかった。特にGrade3以上の有害事象（ボルテゾミブによる末梢神経障害や神経性疼痛）による中止例が多く，適応については注意する必要がある。そのため，実臨床で多く使われているBLd-Lite療法を記載した。

④プロテアソーム阻害薬を中心とした治療方法
MPB療法　42日/1コース[31]
1〜4コース，6週ごと

抗がん薬 \ day	1	4	8	11	22	25	29	32	33〜42
ボルテゾミブ　1.3mg/m² 皮下注射	↓	↓	↓	↓	↓	↓	↓	↓	休薬
メルファラン　9mg/m²/日 経口	→								
プレドニゾロン　60mg/m²/日 経口	→								

5〜9コース，6週ごと

抗がん薬 \ day	1	4	8	22	29	30〜42
ボルテゾミブ　1.3mg/m² 皮下注射	↓		↓	↓	↓	休薬
メルファラン　9mg/m²/日 経口	→					
プレドニゾロン　60mg/m²/日 経口	→					

注：9コース終了後は維持療法へ移行する

CBd療法　28日/1コース[32]
- 移植適応のある初発症候性骨髄腫患者の導入化学療法と同様の投与スケジュールである（p.529）。
- 高度腎機能障害を有する多発性骨髄腫患者では，初回治療としてBCd療法を用いることが推奨されており，腎機能障害の改善が得られた後にLdを含む治療法への変更が推奨されている[14]。

⑤免疫調節薬を中心とした治療方法

Ld療法：レナリドミド＋デキサメタゾン　28日/1コース[33]
- 移植適応のある初発症候性骨髄腫患者の導入化学療法と同様のスケジュールである（p.530）。
- 病勢増悪まで継続となる。

2）維持療法

レナリドミド維持療法[22, 23, 33]
- 投与量，投与期間について明確なものは決まっていない。Ld療法では，18週間に固定された投与に比べ，継続投与群の方がPFSの延長が認められ，VGPR以上の治療効果がある患者では，18週間固定投与に比べtime to next treatmentが30カ月延長を示した。

イキサゾミブ維持療法[34]

病勢増悪まで継続

抗がん薬	day	1	8	15	16〜28
イキサゾミブ　3mg/日[*1] 経口（空腹時）[*2]		↓	↓	↓	休薬

*1　4サイクルまで3mg/日，5サイクル以降は4mg/日へ増量する
*2　食事の1時間前から食後2時間は避ける

3-3　再発・難治性骨髄腫患者

　再発・難治例に対して，初期治療の最終投与日から12カ月以上経過してからの再発・再燃であれば，初期治療レジメンに対する感受性を有する可能性があり，初回の導入化学療法を再度検討することがある。初期治療の最終投与から12カ月未満の再発の場合には，患者の状況にあわせて治療内容が選択される。健康状態が良い患者では，初期治療では用いていない新規薬剤を含む3剤併用，もしくは2剤併用療法が検討される。健康状態が良くない患者においては，緩和医療主体の治療方針へ検討することもある。

　移植適応のある患者において救援療法が奏効した場合には，2回目の自家造血幹細胞移植併用の大量MEL療法を行うという選択がある。救援療法における薬剤選択は，新規薬剤を含む救援化学療法が推奨され，初回治療終了後6カ月未満の再発・再燃や治療中の進行や増悪の場合，高リスク染色体病型を有する場合には特に考慮する必要がある（表3，p.527参照）。

　再発・難治性骨髄腫治療における薬剤選択に優先順位は確立されておらず，前治療レジメンや患者の有する合併症，臓器機能障害の有無などを考慮しながら決定していくことが必要である。また，救援療法が奏効してHLA適合ドナーがいる場合には，同種造血幹細胞移植という選択肢もある。再発・難治性骨髄腫治療の選択肢が非常に多く存在し，患者個々の状況に応じて最も適した治療を選択していく必要がある。また近年，B細胞成熟抗原（B cell mature antigen：BCMA）を標的としたキメラ抗原受容体導入T細胞（chimera antigen receptor-T cell：CAR-T）療法や二重特異性T細胞誘導（bispecific T-cell engager：BiTE）抗体をはじめとする細胞免疫療法開発が進んでおり，今後に期待したい。

1）プロテアソーム阻害薬＋免疫調節薬が中心となる治療方法

CLd療法　28日/1コース[35]

4週ごと，病勢増悪まで

抗がん薬	day	1	2	8	9	15	16	21	22	23〜28
カルフィルゾミブ 1コース目day1・2：20mg/m^2 1コース目day8・9・15・16，2コース目以降：27mg/m^2 点滴静注（10分）		↓	↓	↓	↓	↓	↓			休薬
レナリドミド　25mg/日 経口　1日1回　朝食後		→→→→→→→→→→→→→→→→→→→→→								休薬
デキサメタゾン　40mg/日 経口　1日1回　朝食後		↓		↓		↓			↓	休薬

※原則，病勢増悪まで継続だが，18コースを超えて投与した場合の有効性および安全性については確立がされていない

Ixa-Ld療法　28日/1コース[36]

4週ごと，病勢増悪まで継続

抗がん薬	day	1	8	15	21	22〜28
イキサゾミブ　4mg/日 経口（空腹時）*		↓	↓	↓		休薬
レナリドミド　25mg/日 経口		→→→→→→→→→→→→→→				休薬
デキサメタゾン　40mg/日 経口		↓	↓	↓	↓	休薬

＊食事の1時間前から食後2時間は避ける

BPd療法　21日/1コース[37]

1〜8コース，3週ごと

抗がん薬	day	1	2	4	5	8	9	11	12	14	15〜21
ボルテゾミブ　1.3mg/m^2 皮下注射		↓		↓		↓		↓			休薬
ポマリドミド　4mg/日 経口		→→→→→→→→→→→→→→→→→→→→									休薬
デキサメタゾン　20mg/日* 経口		↓	↓	↓	↓	↓	↓	↓	↓		休薬

＊76歳以上の患者に投与する場合：10mg/日

9コース以降，3週ごと

抗がん薬	day	1	2	8	9	14	15～21
ボルテゾミブ 1.3mg/m² 皮下注射		↓		↓			
ポマリドミド 4mg/日 経口		→→→→→→→→→→→→→					休薬
デキサメタゾン 20mg/日* 経口		↓	↓	↓	↓		

＊76歳以上の患者に投与する場合：10mg/日

2) モノクローナル抗体医薬品＋免疫調節薬/プロテアソーム阻害薬が中心となる治療方法

- ダラツムマブのinfusion reaction対策として，アセトアミノフェン650～1,000mg，ジフェンヒドラミン25～50mg，デキサメタゾン20mgが推奨されている。ダラツムマブの特徴的な呼吸器症状に関連したinfusion reactionを低下させることが報告されていることから，ロイコトリエン阻害薬の追加についても記載があり，1サイクル目のday1にモンテルカスト10mgが推奨されている[27,28]。

DLd療法 28日/1コース[38]

1～2コース，4週ごと

抗がん薬	day	1	2	8	9	15	16	21	22	23	24～28
ダラツムマブ・ボルヒアルロニダーゼ アルファ 1,800mg/body 皮下注射		↓		↓		↓			↓		
レナリドミド 25mg/日 経口		→→→→→→→→→→→→→→→→→→→→→→									休薬
デキサメタゾン 20mg/body 点滴静注		↓		↓		↓					
デキサメタゾン* 20mg/日 経口			↓		↓		↓			↓	

＊76歳以上の場合や過少体重（BMI：18.5kg/m²未満）の場合：day 1, 8, 15, 22

3～7コース，4週ごと

抗がん薬	day	1	2	8～14の うちいずれか	15	16	21	22～28の うちいずれか
ダラツムマブ・ボルヒアルロニダーゼ　アルファ 1,800mg/body　皮下注射		↓			↓			
レナリドミド　25mg/日 経口		→→→→→→→→→→→→→→→→→→→						
デキサメタゾン　20mg/body 点滴静注		↓			↓			
デキサメタゾン　20mg/日 経口			↓			↓		
デキサメタゾン　40mg/日 経口				↓				↓

＊76歳以上の場合や過少体重（BMI：18.5kg/m²未満）の場合：day 1, 8, 15, 22

8コース以降，4週ごと

抗がん薬	day	1	2	8～14の いずれか	15～21の いずれか	22～28の いずれか
ダラツムマブ・ボルヒアルロニダーゼ　アルファ 1,800mg/body　皮下注射		↓				
レナリドミド　25mg/日 経口		→→→→→→→→→→→→→→				
デキサメタゾン　20mg/body 点滴静注		↓				
デキサメタゾン＊　20mg/日 経口			↓			
デキサメタゾン　40mg/日 経口				↓	↓	↓

＊76歳以上の場合や過少体重（BMI：18.5kg/m²未満）の場合：day 1, 8, 15, 22

DBd療法　21～28日/1コース[39]

1～3コース：3週ごと

抗がん薬	day	1	2	4	8	9	11	15	16	17～21
ダラツムマブ・ボルヒアルロニダーゼ　アルファ 1,800mg/body　皮下注射		↓			↓			↓		
ボルテゾミブ　1.3mg/m² 皮下注射		↓		↓	↓		↓			休薬
デキサメタゾン　20mg/body 点滴静注		↓								
デキサメタゾン＊　20mg/日 経口			↓		↓	↓		↓	↓	

＊76歳以上の場合や過少体重（BMI：18.5kg/m²未満）の場合：day 1, 8, 15, 22

4〜8コース：3週ごと

抗がん薬	day	1	2	4	8	9	11	15	16	17〜21
ダラツムマブ・ボルヒアルロニダーゼ　アルファ 1,800mg/body　皮下注射		↓								休薬
ボルテゾミブ　1.3mg/m² 皮下注射		↓		↓	↓		↓			休薬
デキサメタゾン　20mg/body 点滴静注		↓								休薬
デキサメタゾン＊　20mg/日 経口			↓		↓	↓		↓	↓	休薬

＊76歳以上の場合や過少体重（BMI：18.5kg/m²未満）の場合：day 1, 8, 15, 22

9コース以降：4週ごと，病勢増悪まで

抗がん薬	day	1	2〜28
ダラツムマブ・ボルヒアルロニダーゼ　アルファ 1,800mg/body　皮下注射		↓	休薬

Isa-Pd療法　28日/1コース[40)]

4週ごと

抗がん薬		day	1	8	14	15	22	23〜28
イサツキシマブ 10mg/kg 点滴静注	【1コース】		↓	↓		↓	↓	休薬
	【2コース以降】		↓			↓		休薬
ポマリドミド　4mg/body 経口			→					休薬
デキサメタゾン　40mg/日＊ 経口			↓	↓		↓	↓	休薬

＊76歳以上の場合：20mg/日

- 体重によって投与量と投与速度が異なるため，イサツキシマブの適正使用ガイドなどに掲載されている「サークリサ®点滴速度換算表」を用いて，適切な投与速度で点滴静注を実施できるように注意する必要がある。

DKd療法[41)]

1コース

抗がん薬	day	1	2	8	9	15	16	22	23～28
ダラツムマブ・ボルヒアルロニダーゼ アルファ[*1] 1,800mg/body 皮下注射		↓		↓		↓		↓	休薬
カルフィルゾミブ 20mg/m² 点滴静注		↓	↓						
カルフィルゾミブ 56mg/m² 点滴静注（30分）					↓	↓	↓		
デキサメタゾン[*2] 20mg/日 経口		↓	↓	↓	↓	↓	↓	↓[*3]	

*1 DKd療法の適正使用ガイドには点滴静注のダラツムマブのみしか記載がないことに注意
*2 76歳以上の患者にデキサメタゾンを投与する場合：20mgをday1, 2, 8, 15, 22，8mgをday9, 16に投与
*3 day22のみ40mg/日で投与

2コース

抗がん薬	day	1	2	8	9	15	16	22	23～28
ダラツムマブ・ボルヒアルロニダーゼ アルファ 1,800mg/body 皮下注射		↓		↓		↓		↓	休薬
カルフィルゾミブ 56mg/m² 点滴静注（30分）		↓	↓	↓	↓	↓	↓		
デキサメタゾン[*1] 20mg/日 経口		↓	↓	↓	↓	↓	↓	↓[*2]	

*1 76歳以上の患者にデキサメタゾンを投与する場合：20mgをday1, 8, 15, 22に投与
*2 day22のみ40mg/日で投与

3～6コース

抗がん薬	day	1	2	8	9	15	16	22	23～28
ダラツムマブ・ボルヒアルロニダーゼ アルファ 1,800mg/body 皮下注射		↓				↓			休薬
カルフィルゾミブ 56mg/m² 点滴静注（30分）		↓	↓	↓	↓	↓	↓		
デキサメタゾン[*1] 20mg/日 経口		↓	↓	↓	↓	↓	↓	↓[*2]	

*1 76歳以上の患者にデキサメタゾンを投与する場合：20mgをday1, 15, 22に，12mgをday8に，8mgをday9に投与
*2 day22のみ40mg/日で投与

7コース以降：4週ごと，病勢増悪まで継続

抗がん薬 / day	1	2	8	9	15	16	22	23〜28
ダラツムマブ・ボルヒアルロニダーゼ　アルファ 1,800mg/body　皮下注射	↓							休薬
カルフィルゾミブ　56mg/m² 点滴静注（30分）	↓	↓	↓	↓	↓	↓		休薬
デキサメタゾン*¹　20mg/日 経口	↓	↓	↓	↓	↓	↓	↓*²	休薬

*1　76歳以上の患者にデキサメタゾンを投与する場合：12mgをday1, 22に，8mgをday9, 16に投与
*2　day22のみ40mg/日で投与

ELd療法　28日/1コース[42]

1, 2コース：4週ごと

抗がん薬 / day	1	8	15	21	22	23〜28
エロツズマブ　10mg/kg/日 点滴静注	↓	↓	↓		↓	休薬
レナリドミド　25mg/日 経口　1日1回　朝食後	→→→→→→→					休薬
デキサメタゾン　28mg/日 経口　1日1回　朝食後	↓	↓	↓		↓	休薬
デキサメタゾン　8mg/body 点滴静注	↓	↓	↓		↓	休薬

注：エロツズマブの投与30分〜90分前までに抗ヒスタミン薬，H₂受容体拮抗薬，解熱鎮痛薬を投与する

3コース以降，病勢憎悪まで

抗がん薬 / day	1	8	15	21	22	23〜28
エロツズマブ　10mg/kg/日 点滴静注	↓	↓				休薬
レナリドミド　25mg/日 経口　1日1回朝食後服用	→→→→→→→					休薬
デキサメタゾン day1・15：28mg/日 day8・22：40mg/日 経口　1日1回　朝食後	↓	↓	↓		↓	休薬
デキサメタゾン　8mg/body 点滴静注	↓	↓				休薬

注：エロツズマブの投与30分〜90分前までに抗ヒスタミン薬，H₂受容体拮抗薬，解熱鎮痛薬を投与する

EPd療法　28日/1コース[43]

1～2コース：4週ごと

抗がん薬	day	1	8	15	21	22	23～28
エロツズマブ　10mg/kg 点滴静注		↓	↓	↓		↓	
ポマリドミド　4mg/日 経口		→→→→→→→					休薬
デキサメタゾン　28mg/日＊ 経口		↓	↓	↓		↓	
デキサメタゾン　8mg/body 点滴静注		↓	↓	↓		↓	

＊76歳以上の場合：8mg/body

3コース以降：4週ごと

抗がん薬	day	1	8	15	21	22	23～28
エロツズマブ　20mg/kg 点滴静注		↓					
レナリドミド　25mg/日 経口		→→→→→→→					休薬
デキサメタゾン　28mg/日＊1 経口		↓					
デキサメタゾン　40mg/日＊2 経口			↓	↓		↓	
デキサメタゾン　8mg/body 点滴静注		↓					

＊1　76歳以上の場合：8mg/日
＊2　76歳以上の場合：20mg/日

3）プロテアソーム阻害薬が中心となる治療方法

Cd（56mg/m^2）療法　28日/1コース[44]

1コース：4週間

抗がん薬	day	1	2	8	9	15	16	22	23	24～28
カルフィルゾミブ　day1・2：20mg/m^2 day8・9・15・16：56mg/m^2 点滴静注（30分）		↓	↓	↓	↓	↓	↓			休薬
デキサメタゾン　20mg/日 経口　1日1回　朝食後		↓	↓	↓	↓	↓	↓	↓	↓	

2コース目以降：4週ごと，病勢増悪まで

抗がん薬	day	1	2	8	9	15	16	22	23	24〜28
カルフィルゾミブ　56mg/m² 点滴静注（30分）		↓	↓	↓	↓	↓	↓			休薬
デキサメタゾン　20mg/日 経口　1日1回　朝食後		↓	↓	↓	↓	↓	↓	↓	↓	

wCd（70mg/m²）療法　28日/1コース[45]

1コース

抗がん薬	day	1	8	15	22	23〜28
カルフィルゾミブ　20mg/m² 点滴静注（30分）		↓				休薬
カルフィルゾミブ　70mg/m² 点滴静注（30分）			↓	↓		
デキサメタゾン　40mg/日 経口		↓	↓	↓	↓	

2コース目以降：4週ごと，病勢増悪まで

抗がん薬	day	1	8	15	22	23〜28
カルフィルゾミブ　70mg/m² 点滴静注（30分）		↓	↓	↓		休薬
デキサメタゾン　40mg/日 経口		↓	↓	↓	↓	

4）免疫調節薬が中心となる治療方法

Pd療法　28日/1コース[46]

4週ごと，病勢増悪まで

抗がん薬	day	1	8	15	21	22	23〜28
ポマリドミド　4mg/日 経口		→————————→					休薬
デキサメタゾン　40mg/日 経口　1日1回　朝食後		↓	↓	↓		↓	

【参考文献】

1) 国立がん研究センター　がん情報サービス：多発性骨髄腫　患者数（がん統計）（https://ganjoho.jp/public/cancer/MM/patients.html）（2022年6月閲覧）
2) International Myeloma Working Group：Criteria for the classification of monoclonal gammopathies, multiple myeloma and related disorders: a report of the International Myeloma Working Group. Br J Haematol, 121(5):749-757, 2003
3) Rajkumar SV et al：International Myeloma Working Group updated criteria for the diagnosis of multiple myeloma. Lancet Oncol, 15(12):e538-548, 2014

4) Leung N et al：Monoclonal gammopathy of renal significance: when MGUS is no longer undetermined or insignificant. Blood, 120(22):4292-4295, 2012
5) Durie BG et al：A clinical staging system for multiple myeloma. Correlation of measured myeloma cell mass with presenting clinical features, response to treatment, and survival. Cancer, 36(3):842-854, 1975
6) Palumbo A et al：Revised International Staging System for Multiple Myeloma: A Report From International Myeloma Working Group. J Clin Oncol, 33(26):2863-2869, 2015
7) Sonneveld P et al：Treatment of multiple myeloma with high-risk cytogenetics: a consensus of the International Myeloma Working Group. Blood, 127(24):2955-2962, 2016
8) Cornell RF et al：Evolving paradigms in the treatment of relapsed/refractory multiple myeloma: increased options and increased complexity. Bone Marrow Transplant, 51(4):479-491, 2016
9) Durie BGM et al：Bortezomib with lenalidomide and dexamethasone versus lenalidomide and dexamethasone alone in patients with newly diagnosed myeloma without intent for immediate autologous stem-cell transplant (SWOG S0777): a randomised, open-label, phase 3 trial. Lancet, 389(10068):519-527, 2017
10) Attal M et al：Lenalidomide, Bortezomib, and Dexamethasone with Transplantation for Myeloma. N Engl J Med, 376(14):1311-1320. 2017
11) The National Comprehensive Cancer Network：NCCN Guideline Multiple Myeloma Version 1.2022
12) Reeder CB et al：Cyclophosphamide, bortezomib and dexamethasone induction for newly diagnosed multiple myeloma: high response rates in a phase II clinical trial. Leukemia, 23(7):1337-1341, 2009
13) Einsele H et al：Phase II study of bortezomib, cyclophosphamide and dexamethasone as induction therapy in multiple myeloma: DSMM XI trial. Br J Haematol, 179(4):586-597, 2017
14) 塚田信弘　他：移植適応未治療多発性骨髄腫に対するCyBorD療法の検討．臨床血液 Vol. 56(8):1069-1075, 2015
15) Sonneveld P et al：Bortezomib induction and maintenance treatment in patients with newly diagnosed multiple myeloma: results of the randomized phase III HOVON-65/ GMMG-HD4 trial. J Clin Oncol, 30(24):2946-2955, 2012. Erratum in: J Clin Oncol, 30(29):3654, 2012
16) Harousseau JL et al：Bortezomib plus dexamethasone is superior to vincristine plus doxorubicin plus dexamethasone as induction treatment prior to autologous stem-cell transplantation in newly diagnosed multiple myeloma: results of the IFM 2005-01 phase III trial. J Clin Oncol, 28(30):4621-4629, 2010
17) Kumar SK et al：Impact of concomitant dexamethasone dosing schedule on bortezomib-induced peripheral neuropathy in multiple myeloma. Br J Haematol, 178(5):756-763, 2017
18) Fitoussi O et al：A comparison of toxicity following two different doses of cyclophosphamide for mobilization of peripheral blood progenitor cells in 116 multiple myeloma patients. Bone Marrow Transplant, 27(8):837-842, 2001
19) DiPersio JF et al：Plerixafor and G-CSF versus placebo and G-CSF to mobilize hematopoietic stem cells for autologous stem cell transplantation in patients with multiple myeloma. Blood, 113(23):5720-5726, 2009
20) Child JA et al：High-dose chemotherapy with hematopoietic stem-cell rescue for multiple myeloma. N Engl J Med, 348(19):1875-1883, 2003
21) Nooka AK et al：Consolidation and maintenance therapy with lenalidomide, bortezomib and dexamethasone (RVD) in high-risk myeloma patients. Leukemia, 28(3):690-693, 2014
22) Jackson GH et al：Lenalidomide maintenance versus observation for patients with newly diagnosed multiple myeloma (Myeloma XI): a multicentre, open-label, randomised, phase 3 trial. Lancet Oncol, 20(1):57-73, 2019
23) Attal M et al：Lenalidomide maintenance after stem-cell transplantation for multiple myeloma. N Engl J Med, 366(19):1782-1791, 2012
24) Dimopoulos MA et al：Oral ixazomib maintenance following autologous stem cell transplantation (TOURMALINE-MM3) : a double-blind, randomised, placebo-controlled phase 3 trial. Lancet, 393(10168):253-264, 2019
25) Durie BGM et al：Daratumumab-lenalidomide-dexamethasone vs standard-of-care regimens: Efficacy in transplant-ineligible untreated myeloma. Am J Hematol, 95(12):1486-1494, 2020

3 ホジキンリンパ腫の薬物療法

　HLへの化学療法の基本はABVD療法[5]であり，進行度により化学療法の回数や放射線療法との組み合わせが異なる。HLは治癒率が高いが，治療による二次発がんや不妊などの長期的な毒性が問題になる。そのため，放射線照射領域の縮小や毒性の少ない化学療法レジメンの選択など，治療強度を下げる研究が進められてきた。近年，CD30モノクローナル抗体であるブレンツキシマブ ベドチンや，抗PD-1モノクローナル抗体であるニボルマブ，ペムブロリズマブの効果が認められ，治療選択肢が広がっている。

　また，若年者初回再発CHLへは救援化学療法を行い，感受性が認められた場合，自家造血幹細胞移植併用大量化学療法（high-dose chemotherapy with autologous hematopoietic stem cell transplantation：HDC/ASCT）が推奨される。

3-1　限局期HLの治療

　限局期NLPHLは単独IFRT療法，限局期CHLではABVD療法とIFRT療法の併用療法が行われる。Bulky病変（10cm以上の巨大腫瘍）がなければ，化学療法のみが推奨される（表）[6]。

1）ABVD（d）療法

4週ごと，2～6コース

抗がん薬	day 1	15	16～28
ドキソルビシン　25mg/m²/日 点滴静注（30分）	↓	↓	休薬
ブレオマイシン　10mg/m²/日 （最高投与量15mg/回） 点滴静注（30分）	↓	↓	
ビンブラスチン　6mg/m²/日 （最高投与量10mg/回） 緩徐に静注	↓	↓	
ダカルバジン　375（250）mg/m²/日 点滴静注（2時間）	↓	↓	

・日本では，消化器毒性軽減のためダカルバジンを2/3に減量したABVd療法の有効性が示されている[9]。

表　限局期CHLに対する化学療法治療回数と放射線療法の組み合わせ

治療方法	予後良好群	予後不良群
ABVD 2コース＋IFRT（20Gy）[7]	○	×
ABVD 4コース＋IFRT（30Gy）[8]	○	○
ABVD 6コース[6]	○	○ （Bulky病変なし）

- 主な副作用は，悪心・嘔吐，白血球減少，好中球減少，発熱性好中球減少症，便秘，末梢神経障害，脱毛など。
- ドキソルビシンの総投与量は500mg/m^2，ブレオマイシンは300mgまで。
- ブレオマイシンは，遅発性の肺障害に注意する。
- ダカルバジンは溶解後直ちに遮光する。点滴経路全般も遮光して投与することが望ましい。

3-2 進行期HLの治療

進行期CHLへは，ABVD療法6～8コースが標準療法となる。また，CD30陽性CHLへは，ブレオマイシンをブレンツキシマブ ベドチン（BV）に変更したBV併用AVD療法6コースも推奨される[10]。化学療法終了時，部分奏効の場合，IFRT（30Gy）の追加が考慮される[11]。

1）ブレンツキシマブ ベドチン＋AVD療法

4週ごと，6コース

抗がん薬	day	1	15	16～28
ブレンツキシマブ ベドチン　1.2mg/kg/日 （最高投与量120mg/回） 点滴静注（30分）		↓	↓	休薬
ドキソルビシン　25mg/m^2/日 点滴静注（30分）		↓	↓	
ビンブラスチン　6mg/m^2/日 （最高投与量10mg/回） 緩徐に静注		↓	↓	
ダカルバジン　375mg/m^2/日 点滴静注（2時間）		↓	↓	

- 主な副作用は，悪心・嘔吐，白血球減少，好中球減少，発熱性好中球減少症，便秘，末梢神経障害，脱毛，infusion reactionなど。
- BV投与前後は，ラインを生理食塩液または5％ブドウ糖注射液でフラッシュする。
- BVは肺毒性発現の可能性があるため，ブレオマイシンとの併用は禁忌。

3-3 再発・難治性HLの治療

治療抵抗性や化学療法後の再発症例では，非ホジキンリンパ腫と同様ESHAP療法[12]（エトポシド，メチルプレドニゾロン，高用量シタラビン，シスプラチン），CHASE療法[13]（シクロホスファミド，高用量シタラビン，デキサメタゾン，エトポシド），あるいはICE療法[14]（イホスファミド，カルボプラチン，エトポシド）などの救援化学療法が施行される。救援化学療法に感受性があり，臓器機能が保たれている65歳以下の症例にはHDC/ASCTが推奨される[15]。

CD30陽性CHLにおいては，HDC/ASCTが不成功であった患者およびHDC/ASCTの適応にかかわらず2レジメン以上の化学療法による前治療が不成功であった患者へは，BV単独[16]が考慮される。また，ニボルマブ[17]，あるいはペムブロリズマブ[18]などもCHLへは治療選択肢として考慮

される。

1）ブレンツキシマブ ベドチン療法

3週ごと，8コース

抗がん薬	day	1	2～21
ブレンツキシマブ ベドチン　1.8mg/kg/日 （最高投与量180mg/回） 点滴静注（30分）		↓	休薬

- 主な副作用は，悪心・嘔吐，白血球減少，好中球減少，発熱性好中球減少症，末梢神経障害，infusion reactionなど。
- 単独療法とAVD療法との併用療法では単回投与量，投与期間は異なる。

2）ニボルマブ療法

2週または4週ごと

抗がん薬	day	1	2～14 (2～28)
ニボルマブ 240mg/回（2週ごと）または480mg/回（4週ごと） 点滴静注（30分）		↓	休薬

- 副作用は，T細胞活性化作用を介した過度の免疫反応に起因すると考えられる内分泌障害（1型糖尿病，甲状腺機能障害，副腎機能不全，下垂体機能低下症），間質性肺疾患，消化器系障害（大腸炎，重度の下痢），神経系の障害（重症筋無力症，心筋炎，筋炎，横紋筋融解症），肝機能障害などのさまざまな疾患や病態を呈する。
- 2019年11月に，1回240mgを2週間間隔で点滴静注する用法および用量に加え，1回480mgを4週間間隔の投与方法が適応追加された。投与回数，受診・通院頻度を調整することが可能であり，患者あるいは医療スタッフの利便性の向上につながる。

3）ペムブロリズマブ療法

3週または6週ごと

抗がん薬	day	1	2～21 (2～42)
ペムブロリズマブ 200mg/回（3週ごと）または400mg/回（6週ごと） 点滴静注（30分）		↓	休薬

- 副作用はニボルマブと同様に，T細胞活性化作用を介した過度の免疫反応に起因すると考えられるさまざまな疾患や病態を呈する。
- 2020年8月に，1回200mgを3週間間隔で点滴静注する用法および用量に加え，1回400mgを6週間間隔の投与方法が適応追加された。投与回数，受診・通院頻度を調整することが可能であり，患者あるいは医療スタッフの利便性の向上につながる。

4) その他の療法

　日本での保険適応はないものの，海外においてベンダムスチン[19]，レナリドミド[20]，あるいはエベロリムス[21]などの単剤療法，あるいはBV+ベンダムスチン[22]，BV+ニボルマブ[23]など併用療法の有効性が示されている。また，BVをHDC/ASCT後の地固め療法とした治療方法も報告され[24]，選択肢の広がりが期待される。

【参考文献】

1) Cheson BD et al：Recommendations for initial evaluation, staging, and response assessment of Hodgkin and non-Hodgkin lymphoma: the Lugano classification. J Clin Oncol, 32(27):3059-3068, 2014
2) Hasenclever D et al：A prognostic score for advanced Hodgkin's disease. International Prognostic Factors Project on Advanced Hodgkin's Disease. N Engl J Med, 339(21):1506-1514, 1998
3) Chen RC et al：Early-stage, lymphocyte-predominant Hodgkin's lymphoma: patient outcomes from a large, single-institution series with long follow-up. J Clin Oncol, 28(1):136-141, 2010
4) Brusamolino E et al：Long-term events in adult patients with clinical stage IA-IIA nonbulky Hodgkin's lymphoma treated with four cycles of doxorubicin, bleomycin, vinblastine, and dacarbazine and adjuvant radiotherapy: a single-institution 15-year follow-up. Clin Cancer Res, 12(21):6487-6493, 2006
5) Canellos GP et al：Chemotherapy of advanced Hodgkin's disease with MOPP, ABVD, or MOPP alternating with ABVD. N Engl J Med, 327(21):1478-1484, 1992
6) Canellos GP et al：Treatment of favorable, limited-stage Hodgkin's lymphoma with chemotherapy without consolidation by radiation therapy. J Clin Oncol, 28(9):1611-1615, 2010
7) Bonadonna G et al：ABVD plus subtotal nodal versus involved-field radiotherapy in early-stage Hodgkin's disease: long-term results. J Clin Oncol, 22(14):2835-2841, 2004
8) Fermé C et al：Chemotherapy plus involved-field radiation in early-stage Hodgkin's disease. N Engl J Med, 357(19):1916-1927, 2007
9) Ogura M et al：Phase II study of ABVd therapy for newly diagnosed clinical stage II-IV Hodgkin lymphoma: Japan Clinical Oncology Group study (JCOG 9305). Int J Hematol, 92(5):713-724, 2010
10) Ramchandren R et al：Brentuximab Vedotin plus Chemotherapy in North American Subjects with Newly Diagnosed Stage III or IV Hodgkin Lymphoma. Clin Cancer Res, 25(6):1718-1726, 2019
11) Connors JM et al：Brentuximab Vedotin with Chemotherapy for Stage III or IV Hodgkin's Lymphoma. N Engl J Med, 378(4):331-344, 2018
12) Aparicio J et al：ESHAP is an active regimen for relapsing Hodgkin's disease. Ann Oncol, 10(5):593-595, 1999
13) Ogura M et al：Pilot phase I/II study of new salvage therapy (CHASE) for refractory or relapsed malignant lymphoma. Int J Hematol, 77(5):503-511, 2003
14) Zelenetz AD et al：Ifosfamide, carboplatin, etoposide (ICE)-based second-line chemotherapy for the management of relapsed and refractory aggressive non-Hodgkin's lymphoma. Ann Oncol, Suppl 1:i5-10, 2003
15) Schmitz N et al：Aggressive conventional chemotherapy compared with high-dose chemotherapy with autologous haemopoietic stem-cell transplantation for relapsed chemosensitive Hodgkin's disease: a randomised trial. Lancet, 359(9323):2065-2071, 2002
16) Chen R et al：Five-year survival and durability results of brentuximab vedotin in patients with relapsed or refractory Hodgkin lymphoma. Blood, 128(12):1562-1566, 2016
17) Younes A et al：Nivolumab for classical Hodgkin's lymphoma after failure of both autologous stem-cell transplantation and brentuximab vedotin: a multicentre, multicohort, single-arm phase 2 trial. Lancet Oncol, 17(9):1283-1294, 2016
18) Chen R et al：Phase II Study of the Efficacy and Safety of Pembrolizumab for Relapsed/Refractory Classic Hodgkin Lymphoma. J Clin Oncol, 35(19):2125-2132, 2017

19) Moskowitz AJ et al：Phase Ⅱ study of bendamustine in relapsed and refractory Hodgkin lymphoma. J Clin Oncol, 31(4):456-460, 2013
20) Fehniger TA et al：A phase 2 multicenter study of lenalidomide in relapsed or refractory classical Hodgkin lymphoma. Blood, 118(19):5119-5125, 2011
21) Johnston PB et al：A Phase Ⅱ trial of the oral mTOR inhibitor everolimus in relapsed Hodgkin lymphoma. Am J Hematol, 85(5):320-324, 2010
22) O'Connor OA et al：Brentuximab vedotin plus bendamustine in relapsed or refractory Hodgkin's lymphoma: an international, multicentre, single-arm, phase 1-2 trial. Lancet Oncol, 19(2):257-266, 2018
23) Herrera AF et al：Interim results of brentuximab vedotin in combination with nivolumab in patients with relapsed or refractory Hodgkin lymphoma. Blood, 131(11):1183-1194, 2018
24) Moskowitz CH et al：Brentuximab vedotin as consolidation therapy after autologous stem-cell transplantation in patients with Hodgkin's lymphoma at risk of relapse or progression (AETHERA): a randomised, double-blind, placebo-controlled, phase 3 trial. Lancet, 385(9980):1853-1862, 2015

（宇佐美　英績）

第4章 疾患 | 21 悪性リンパ腫

21-3 非ホジキンリンパ腫（NHL）

【非ホジキンリンパ腫の疫学】
　罹患数：34,833人
　※濾胞性非ホジキンリンパ腫（C82），びまん性非ホジキンリンパ腫(C83)，非ホジキンリンパ腫のその他および詳細不明(C85)の合計

1 非ホジキンリンパ腫の基礎知識

　非ホジキンリンパ腫（NHL）は70歳代が発症ピークであり，高齢者に多い疾患である。発症部位はリンパ節および節外病変（中枢神経・精巣・鼻腔等）など，あらゆる臓器に発生する。最も発症頻度が高い病型はびまん性大細胞型B細胞リンパ腫（diffuse large B-cell lymphoma：DLBCL）であり，全体の3割を占める[1]。そのほかに多種多様な病型が存在するが，多くは抗がん薬や放射線に感受性が高く，根治が期待できる腫瘍群である。一方で，治療が困難な病型も存在するが，病勢進行が緩やかであるため長期生存が可能である場合が多い。さらに，近年上市された新薬による再発・難治性の患者に対する救援療法の充実も，生命予後の向上に寄与している。

2 進行度と治療概要

2-1　進行度

　NHLは，進行速度に基づいてWorking Formulation分類が提唱されている。無治療での予後が「年単位」で経過するものを低悪性度（indolent lymphoma），「月単位」を中悪性度（aggressive lymphoma）および「週単位」を高悪性度（highly aggressive lymphoma）と定義している。近年ではaggressive lymphomaに対するIPI[2]（International Prognostic Index：国際予後指標），DLBCLに対するNCCN-IPI[3]および濾胞性リンパ腫（FL）に対するFLIPI[4]（Follicular Lymphoma International Prognostic Index：濾胞性リンパ腫国際予後指標）のように，病型または臨床分類にて個別に提唱されている。

2-2　病期診断

　近年ではAnn Arbor分類の改定版としてLugano分類[5]が使用されている（**表1**）。

表1 Lugano 分類

病期		病変部位	節外病変
限局期	Ⅰ期	1つのリンパ節	リンパ節病変を伴わない
		（隣接するリンパ節病変）	単独のリンパ外臓器の病変
	Ⅱ期	横隔膜の同側にある2つ以上の	リンパ節病変と節外臓器の病変を伴う Ⅰ期またはⅡ期
		リンパ節病変	
	Ⅱ期bulky	Bulky を伴うⅡ期	—
進行期	Ⅲ期	横隔膜の両側にある複数のリンパ節病変または脾臓病変と伴う横隔膜上のリンパ節病変	—
	Ⅳ期	リンパ節病変に加え，非連続性のリンパ節外病変	—

〔Cheson BD et al：J Clin Oncol, 32 (27):3059-3068, 2013をもとに作成〕

2-3　経過観察

FL（予後不良群）において，無症候性かつ低腫瘍量であればwatch & waitが選択肢の1つになる。これは，複数の臨床試験において「経過観察」が全生存期間に（ほとんど）影響しないとされていることが背景としてある[6]。

2-4　放射線療法（放射線併用化学療法）

FL（限局期）の一部の患者には推奨される。限局期non bulky DLBCLにおいては放射線併用化学療法の有効性が報告[7]されているものの，化学療法単独（R-CHOP療法6～8コース）との使い分ける明確な指標がないため患者の状態を勘案して決定する。一方で，Bulky DLBCLにおいては地固め（逐次）放射線療法が考慮される場合もあり[8]，進行期DLBCLに対する放射線併用化学療法は全生存期間を延長するとの報告[9]がある。

❸ 非ホジキンリンパ腫の薬物療法

NHLは，Working Formulation分類および病型により治療ラインに応じてレジメン（薬剤）が策定されている。さらに，Lugano分類による病期に基づいて治療アルゴリズムが細分化されている。まず，臨床分類や病型にかかわらず最も標準的なレジメンとしてR-CHOP療法（T細胞性はCHOP）が挙げられる。また，未治療の低悪性度B細胞性NHLにはR-B療法が標準治療となった[10]。併用するモノクローナル抗体としてはCD20をターゲットとするリツキシマブが代表的であり，近年では第二世代のオビヌツズマブが上市され，CHOP療法やベンダムスチンと併用されている。さらに救援療法としてポラツズマブ ベドチンを筆頭に，多種多様の薬剤が承認とされている。これら新薬の登場により，大量化学療法が対象とならない患者への治療の選択肢拡大と生命予後の延長が期待できる。主な治療レジメン（薬剤）の総体的位置づけを表2に示す。

表2 主な治療レジメン（薬剤）の総体的位置づけ

	非ホジキンリンパ腫		
	Indolent	Aggressive	Highaggressive
一次治療	・(R-) ベンダムスチン（FL）(Mantle) ・(G-) ベンダムスチン（FL） ・(R-) CHOP ・(G-) CHOP（FL） ・VR-CAP（Mantle） ・V-CAP（Mantle） ・イブルチニブ（CLL/SLL） ・チラブルチニブ（WM/LPL） ・ベキサロテン（CTCL）	・(R-) CHOP ・mLSG15（VCAP/AMP/VECP）(ATL) ・DeVIC（NK/T鼻型） ・SMILE（NK/Tその他） ・モガムリズマブ（ATL） ・A+CHP（PTCL） ・(R-) MPV（DLBCL由来PCNSL）	・R-CODOX-M/IVAC ・R-hyper-CVAD ・DA-EPOCH-R
二次治療以降	大量化学療法　適応なし ・イットリウム（⁹⁰Y）イブリツモマブチウキセタン ・フルダラビン ・(G-) ベンダムスチン（FL） ・(G-) CHOP（FL） ・イブルチニブ（Mantle） ・ボルテゾミブ（Mantle） ・ベンダムスチン（Mantle）(FL) ・(R-) レナリドミド（FL）(MZL) ・アカラブルチニブ（CLL/SLL） ・ボリノスタット（CTCL） ・モガムリズマブ（CTCL） ・デニロイキンジフチトクス（CTCL） ・タゼメトスタット（FL-EZH2positive）	・モガムリズマブ（PTCL） ・プララトレキサート（PTCL） ・ブレンツキシマブベドチン（PTCL） ・ロミデプシン（PTCL） ・デニロイキンジフチトクス（PTCL） ・レナリドミド（ATL） ・フォロデシン（PTCL） ・アレクチニブ（ALCL-ALKpositive） ・(R-) ベンダムスチン（DLBCL） ・(R-) (Pola-) ベンダムスチン（DLBCL） ・チラブルチニブ（PCNSL） ・チサゲンレクルユーセル（DLBCL） ・アキシカブタゲンシロルユーセル（DLBCL）	・アキシカブタゲンシロルユーセル（High-gradeB-cell）
その他救援療法	大量化学療法　適応あり ・(R-) IVAD　・(R-) DHAP　・(R-) ESHAP　・(R-) ICE　・CHASE (R)　・DA-EPOCH-R ・(R-) GDP　・MINE		

ALCL-ALKpositive：未分化大細胞リンパ腫・ALK陽性型（Anaplasticlargcelllymphoma,ALKpositive）
ALCL：未分化大細胞リンパ腫（anaplasticlarge-celllymphoma）
ATL：成人T細胞白血病／リンパ腫（adultT-cellleukemia-lymphoma）
CLL/SLL：慢性リンパ性白血病／小リンパ球性リンパ腫（chroniclymphocyticleukemia/smalllymphocyticlymphoma）
CTCL：皮膚T細胞リンパ腫（cutaneousT-celllymphoma）
FL：濾胞性リンパ腫（follicularlymphoma）
Mantle：マントル細胞リンパ腫（mantle-celllymphoma）
MZL：節性辺縁帯リンパ腫（nodalmarginalzonelymphoma）
NK/T鼻型：節外性NK/T細胞リンパ腫, 鼻型（extranodalNK/T-celllymphoma,nasaltype：ENKL）
PCNSL：中枢神経原発リンパ腫primarycentralnervoussystemlymphoma
PTCL：末梢性T細胞リンパ腫（peripheralT-celllymphoma）
WM/LPL：原発性マクログロブリン血症／リンパ形質細胞性リンパ腫（Waldenström'smacroglobulinemia/Lymphoplasmacyticlymphoma）
High-gradeB-cell：高悪性度B細胞リンパ腫（High-gradeB-celllymphomaB）

3-1 低悪性度（Indolent）NHLの薬物治療

①R-B　対象：未治療の低悪性度NHL

1コース4週間　6〜8コース

抗がん薬	day	1	2	3〜28
リツキシマブ　375mg/m² 点滴静注		↓		休薬
ベンダムスチン　90mg/m² 点滴静注		↓	↓	

　適応疾患および抗体製剤の併用により，ベンダムスチンの用量および1コースの期間が異なるため注意する。リツキシマブは初回投与時に高頻度でinfusion reactionが発現するため，前処置が義務づけられている。Infusion reactionのリスク因子として高腫瘍量（≧25,000/mm³），心・肺機能障害，FLおよびbulky massが報告されている[11, 12]。

②ベンダムスチン単剤　対象：再発・難治性の低悪性度NHL

1コース3週間

抗がん薬	day	1	2	3〜21
ベンダムスチン　120mg/m² 点滴静注		↓	↓	休薬

　適応疾患および抗体製剤の併用によりベンダムスチンの用量および1コース期間が異なるため注意する。

③G-B　対象：低悪性度NHL

1コース4週間　6サイクルまで

抗がん薬	day	1	2	8	15	16〜28
オビヌツズマブ*　1,000mg/body 点滴静注		↓		↓	↓	休薬
ベンダムスチン　90mg/m² 点滴静注		↓	↓			

＊2コース目よりオビヌツズマブはday1のみ投与

　未治療低悪性度NHL（CD20陽性FL）に対して同様な位置づけの治療としてCHOP療法と併用したG-CHOP療法も存在する。

④VR-CAP　対象：未治療マントル細胞リンパ腫

1コース3週間　6サイクルまで（奏効が認められれば8サイクルまで）

抗がん薬 \ day	1	2	3	4	5	6	9	12	13～22
リツキシマブ　375mg/m² 点滴静注	↓								休薬
シクロホスファミド　750mg/m² 点滴静注		↓							
ドキソルビシン　50mg/m² 点滴静注		↓							
ボルテゾミブ*　50mg/m² 皮下注射または点滴静注		↓			↓		↓	↓	
プレドニゾロン　100mg/body 内服		→							

＊ボルテゾミブは最低72時間空けて投与する

　ボルテゾミブは静脈内投与が困難な場合には，皮下投与することも可能。

3-2　中悪性度（Aggressive）NHLの薬物治療

①R-CHOP　対象：中悪性度NHL

1コース3週間　6～8コース

抗がん薬 \ day	1	2	3	4	5	6	7～21
リツキシマブ　375mg/m² 点滴静注	↓						休薬
シクロホスファミド　750mg/m² 点滴静注		↓					
ドキソルビシン　50mg/m² 点滴静注		↓					
ビンクリスチン　1.4mg/m² （最大2mg） 点滴静注		↓					
プレドニゾロン　100mg/body 内服		→					

　R-CHOPレジメンを施行する際，心毒性のリスクが高い患者に対しては，ドキソルビシンをピラルビシンにしたTHP-COPが代替治療になる可能性が示唆されており，両レジメンの効果（PFS，OS）は同等と報告されている[13]。ピラルビシンはドキソルビシンと比較して心臓から速やかに排泄され[14]，さらに遅発性心不全に対して累積用量と機能異常に相関がないと報告されている[15]。

②A+CHP　対象：未治療CD 30陽性末梢性T細胞リンパ腫

1コース3週間　最大8コース

抗がん薬 \ day	1	2	3	4	5	6〜21
シクロホスファミド　750mg/m² 点滴静注	↓					休薬
ドキソルビシン　50mg/m² 点滴静注	↓					
ブレンツキシマブ ベドチン　1.8mg/kg 点滴静注	↓					
プレドニゾロン　100mg/body 内服	→→→→→					

　ブレンツキシマブ ベドチンの細胞障害活性を有するモノメチルアウリスタチンE（MMAE）は主にCYP3A4によって代謝されるため，CYP3A4阻害薬との併用により血中濃度が上昇し，毒性の発現頻度が高まる可能性がある。

③R-B　対象：再発・難治性びまん性大細胞型B細胞性リンパ腫

1コース3週間　6コース

抗がん薬 \ day	1	2	3〜21
リツキシマブ　375mg/m² 点滴静注	↓		休薬
ベンダムスチン　120mg/m² 点滴静注	↓	↓	

　適応疾患および抗体製剤の併用により，ベンダムスチンの用量および1コースの期間が異なるため注意する。

④mLSG15（VCAP/AMP/VECP）（ATL）　対象：未治療成人 T 細胞白血病/リンパ腫
1コース4週間

抗がん薬 \ day	1	8	15	16	17	18～28
シクロホスファミド　375mg/m² 点滴静注	↓					
ドキソルビシン　40mg/m² 点滴静注	↓					
ドキソルビシン　30mg/m² 点滴静注		↓				
ビンクリスチン　1mg/m² （最大2mg） 点滴静注	↓					
ラニムスチン　60mg/m² 点滴静注		↓				休薬
エトポシド　100mg/m² 点滴静注			↓	↓	↓	
ビンデシン　2.4mg/m² 点滴静注			↓			
カルボプラチン　250mg/m² 点滴静注			↓			
プレドニゾロン　40mg/m² 点滴静注	↓	↓	↓	↓	↓	

　ラニムスチンは光に対して不安定であるため遮光投与（室内散乱光下では2時間で約8％，6時間で約20％の分解を認める）。

⑤DeVIC　対象：節外性 NK/T 細胞リンパ腫，鼻型
1コース3週間　6コース

抗がん薬 \ day	1	2	3	4～21
デキサメタゾン　40mg/body 点滴静注または内服	↓	↓	↓	
カルボプラチン　300mg/m² 点滴静注	↓			
エトポシド　100mg/m² 点滴静注	↓	↓	↓	休薬
イホスファミド　1,500mg/m² 点滴静注	↓	↓	↓	
ウロミテキサン　300mg/m² （IFOの20％の用量）×3 点滴静注	↓	↓	↓	

　イホスファミドの代謝物が血液脳関門を通過しやすいため，中枢毒性は強い傾向である。また，

イホスファミド由来による心毒性は投与後2週間以内に発症することが多いと報告されている[16]。

⑥Pola+R-B　対象：再発・難治性びまん性大細胞型B細胞性リンパ腫
1コース3週間　最大6コース

抗がん薬	day 1	2	3	4～21
リツキシマブ　375mg/m² 点滴静注	↓			
ポラツズマブ ベドチン　1.8mg/kg 点滴静注		↓		休薬
ベンダムスチン　90mg/m² 点滴静注		↓	↓	

　初回コースはポラツズマブ ベドチンとリツキシマブの同日の投与は避ける。2コース目より同日投与可能。

3-3　中枢神経原発リンパ腫の薬物治療

R-MPV　1コース2週間　5～7コース

抗がん薬	day 1	2	3	4	5	…	8	9～21
リツキシマブ　375mg/m² 点滴静注	↓							
メトトレキサート　3,500mg/m² 点滴静注		↓						
ホリナートカルシウム*　21mg/回 点滴静注			↓	↓	↓			休薬
ビンクリスチン　1.4mg/m² （最大2mg）点滴静注		↓						
プロカルバジン**　100mg/m²/日 内服	→	→	→	→	→	→	→	

*　MTX開始24時間後から6時間毎に少なくとも72時間後まで投与。その後必要に応じてMTX濃度＜0.1μmol/Lとなるまで投与
**　プロカルバジンは奇数コースのみ内服

　メトトレキサートとの併用により，ST合剤は葉酸代謝阻害作用が協力的に作用し，NSAIDs，プロトンポンプ阻害薬はメトトレキサートの排出遅延のため，注意が必要である。ホリナートカルシウムは救援療法に準じて投与する。
　R-MPV後に地固め療法として大量シタラビン療法を2コース実施する。

3-4 高悪性度（highly aggressive）NHLの薬物治療

DA-EPOCH-R　1コース3週間

抗がん薬 \ day	1	2	3	4	5	6	7～21
リツキシマブ　375mg/m² 点滴静注	↓						
エトポシド　100mg/m² 点滴静注		↓	↓	↓	↓		
ビンクリスチン　0.4mg/m² （最大0.5mg）点滴静注		↓	↓	↓	↓		休薬
ドキソルビシン　10mg/m² 点滴静注		↓	↓	↓	↓		
シクロホスファミド　750mg/m² 点滴静注						↓	
プレドニゾロン　120mg/m² 内服	→→→→→→						

※エトポシド，ビンクリスチンおよびドキソルビシンの3剤は混合し24時間投与とする

用量調節として好中球数および血小板数を指標にレベル−2〜6の範囲で設定されている。

【参考文献】
1) The world health organization classification of malignant lymphomas in japan: incidence of recently recognized entities. Lymphoma Study Group of Japanese Pathologists. Pathol Int, 50(9):696-702, 2000
2) International Non-Hodgkin's Lymphoma Prognostic Factors Project: A predictive model for aggressive non-Hodgkin's lymphoma. N Engl J, 329(14):987-994. 1993
3) Zhou Z et al：An enhanced International Prognostic Index (NCCN-IPI) for patients with diffuse large B-cell lymphoma treated in the rituximab era. Blood, 123(6):837-842, 2013
4) Solal-Céligny P et al：Follicular lymphoma international prognostic index. 104(5):1258-1265, 2004
5) Cheson BD et al：Recommendations for initial evaluation, staging, and response assessment of Hodgkin and non-Hodgkin lymphoma: the Lugano classification. J Clin Oncol, 32 (27):3059-3068, 2013
6) Pugh TJ et al：Improved survival in patients with early stage low-grade follicular lymphoma treated with radiation: a Surveillance, Epidemiology, and End Results database analysis. Cancer, 116(16):3843-3851, 2010
7) Miller TP et al：Chemotherapy alone compared with chemotherapy plus radiotherapy for localized intermediate- and high-grade non-Hodgkin's lymphoma. N Engl J Med, 339(1):21-26, 1998
8) Horning SJ et al：Chemotherapy with or without radiotherapy in limited-stage diffuse aggressive non-Hodgkin's lymphoma: Eastern Cooperative Oncology Group study 1484. J Clin Oncol. 22(15):3032-3038, 2004
9) Held G et al：Role of radiotherapy to bulky disease in elderly patients with aggressive B-cell lymphoma. J Clin Oncol, 32(11):1112-1118, 2014
10) Mathias J Rummel et al：Bendamustine plus rituximab versus CHOP plus rituximab as first-line treatment for patients with indolent and mantle-cell lymphomas: an open-label, multicentre, randomised, phase 3 non-inferiority trial. Lancet. 381(9873):1203-1211, 2013
11) Genentech：RITUXAN. Drug label information. Revised 4/2019
12) Hayama T et al：A clinical prediction model for infusion-related reactions to rituximab in patients with B cell

lymphomas. Int J Clin Pharm, 39(2):380-385, 2017
13) Zhai L et al：Long-term results of pirarubicin versus doxorubicin in combination chemotherapy for aggressive non-Hodgkin's lymphoma: single center, 15-year experience. Int J Hematol, 91(1):78-86, 2010
14) 久松充　他：化学療法の領域，4(12):72-85, 1988
15) Shimomura Y et al：Assessment of late cardiotoxicity of pirarubicin (THP) in children with acute lymphoblastic leukemia. Pediatr Blood Cancer, 57(3):461-466, 2011
16) Klastersky J：Side effects of ifosfamide. Oncology.65 Suppl 2:7-10, 2003

〔葉山　達也〕

第4章 疾患 | 22 骨軟部腫瘍

22-1 骨肉腫

【骨肉腫の疫学】
　本邦の罹患数：年間発生は200人から300人，5年生存率：初診時に転移のない，四肢に発生した症例では70％程度
　※上記数値等は国立がん研究センター希少がんセンターHPより
　（https://www.ncc.go.jp/jp/rcc/about/bone_sarcomas/index.html#%E9%AA%A8%E8%82%89%E8%85%AB%EF%BC%88Osteosarcoma%EF%BC%89）（2022年7月閲覧）

1 骨肉腫の基礎知識

　骨肉腫は，小児の骨に発生する悪性腫瘍の中で頻度の高い代表的ながんであり，10歳代の思春期に発生しやすい[1]。主な症状は痛みだが，症状が出ないことも珍しくない。治療方法は抗がん薬治療と手術からなり，放射線治療はあまり効果がないと考えられている。骨肉腫は標準的治療法（術前薬物療法→手術→術後薬物療法）が確立されている。
　初診時に転移のない四肢に発生した症例では，現在の5年生存率は70％程度である[2]。好発部位は長管骨の骨幹端であり，大腿骨遠位，脛骨近位，上腕骨近位の順に多い。脊椎や骨盤に発生することもあるが，その場合は中高年者に発症することが多い[3]。

2 進行度と治療概要（外科，放射線治療など）

2-1 進行度診断（Stage分類）

　骨肉腫の診断のためには，血液検査のほかにレントゲンが有用で，補助的にCT，MRI，骨シンチグラフィー，PETなどの画像検査を行う。最終的には生検を行い，腫瘍組織を採取して病理組織診断を行う。骨肉腫では，Ennekingにより提唱された骨軟部腫瘍に共通の分類が利用されている。腫瘍が部位内にあるか否か，組織学的悪性度，所属リンパ節や遠隔転移の有無により病期を決定する[4]。

2-2 外科治療

1）低悪性度骨肉腫
　低悪性度骨肉腫では，局所再発が唯一の予後不良因子で，再発・転移後も外科切除が唯一の治療法である。その他の救済的治療法は開発されていない。原発巣の広範切除縁による外科切除を確実

に行うことが重要である。

2）高悪性度骨肉腫

原発限局性の骨肉腫は，2～3カ月の術前薬物療法を行い，広範切除縁で原発腫瘍を完全に切除し，術後6カ月の補助化学療法を行う。

3 骨肉腫の薬物療法

骨肉腫の治療成績はメトトレキサート（HD-MTX），ドキソルビシン（ADR），シスプラチン（CDDP）の3剤を中心とする化学療法（MAP療法）の進歩により改善されてきた[5,6]。骨肉腫では，化学療法の効果判定は主として切除標本での腫瘍壊死割合を用いて行われており，術前薬物療法による腫瘍壊死割合が90％以上の場合は予後がよく，90％未満の場合は予後不良とされている。予後不良な術前薬物療法の効果が不十分な患者に対し，術後にMAP療法にイホスファミド（IFO）を加えた化学療法を行うことで，予後が改善する可能性が示唆されており[7,8]，ランダム化比較試験が行われている。化学療法はさまざまな投与方法があり，レジメンは各論文を参照していただきたい。以下にわが国で報告されたレジメンを示す[9]。

まず，MTX，ADR，CDDP導入化学療法を行い，PDの場合はIFMに変更し治療を行った後に手術を行う。術後もGood response（90％以上の腫瘍壊死）と，Poor response（90％未満の腫瘍壊死）で化学療法を変更する。

3-1　MAP＋IFO療法

MAP＋IFO療法は以下の薬剤の組み合わせを術前より投与する。さまざまな投与方法があり，1例を次頁に示す。

抗がん薬 \ day	1	2～7
メトトレキサート 8～12g/m² 点滴静注	↓	休薬

1コース3週ごと

抗がん薬 \ day	1	2	3～21
ドキソルビシン 30mg/m² 点滴静注	↓	↓	休薬
シスプラチン 120mg/m² 点滴静注	↓		

1コース3週ごと，メスナをイホスファミドと同量併用

抗がん薬 \ day	1	2	3	4	5	6	7	8～21
イホスファミド 4g/m² 点滴静注	↓							
イホスファミド 2g/m² 点滴静注			↓	↓	↓	↓	↓	休薬
メスナ イホスファミドと同量	↓	↓	↓	↓	↓	↓		

1）投与スケジュール例

（1）術前
- 2コースのMTXおよび1コースのCDDP＋ADR投与後→効果を評価

（2）（1）投与後：SD, PR, CRの場合
- 4コースのMTXおよび1コースのCDDP＋ADR投与後→手術施行（図）

  手術後
- 術前薬物療法の組織学的反応良好時：ADR（1日30mg/m²，3日間）を術後薬物療法として1コース，MTXを3コース，CDDP＋ADRを1コース投与する（図）

（3）（1）投与後：PD
- 術前薬物療法は2コースのIFMを投与後，手術施行（図）
- 骨肉腫化学療法の例[9]

【参考文献】
1) 国立がん研究センター小児がん情報サービス：骨肉腫〈小児〉(http://ganjoho.jp/child/cancer/osteosarcoma/index.html)（2022年6月閲覧）
2) 国立がん研究センター希少がんセンター：骨の肉腫 (https://www.ncc.go.jp/jp/rcc/about/bone_sarcomas/index.html)（2022年6月閲覧）
3) 小児慢性特定疾病情報センター：骨肉腫 (https://www.shouman.jp/disease/details/01_05_035/)（2022年6月閲覧）
4) 日本整形外科学会 他 編：整形外科・病理 悪性骨腫瘍取扱い規約 第4版, 金原出版, p.35, 2015
5) Meyers PA et al：Osteosarcoma: a randomized, prospective trial of the addition of ifosfamide and/or muramyl tripeptide to cisplatin, doxorubicin, and high-dose methotrexate. J Clin Oncol, 23(9):2004-2011, 2005

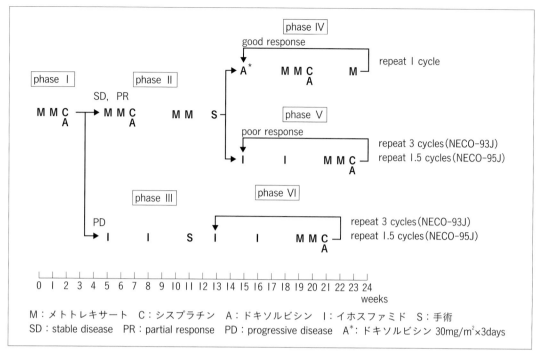

図　骨肉腫化学療法の例

6) Smeland S et al：Scandinavian Sarcoma Group Osteosarcoma Study SSG Ⅷ: prognostic factors for outcome and the role of replacement salvage chemotherapy for poor histological responders. Eur J Cancer, 39(4):488-494, 2003

7) Ferrari S et al：Neoadjuvant chemotherapy with high-dose Ifosfamide, high-dose methotrexate, cisplatin, and doxsorubicin for patients with localized osteosarcoma of the extremity: a joint study by the Italian and Scandinavian Sarcoma Groups. J Clin Oncol, 23(34):8845-8852, 2005

8) Fuchs N et al：Long-term results of the co-operative German-Austrian-Swiss osteosarcoma study group's protocol COSS-86 of intensive multidrug chemotherapy and surgery for osteosarcoma of the limbs. Ann Oncol, 9(8):893-899, 1998

9) Iwamoto Y et al：Multiinstitutional phase Ⅱ study of neoadjuvant chemotherapy for osteosarcoma (NECO study) in Japan: NECO-93J and NECO-95J. J Orthop Sci, 14(4):397-404, 2009

（青山　剛）

22-2 悪性軟部腫瘍

【悪性軟部腫瘍の疫学】
　罹患数＊：47,852人（2006〜2015年の10年間の数値），5年生存率＊＊：ステージⅠ 90％，ステージⅡ 81％，ステージⅢ 56％
　＊日本整形外科学会　監　他：軟部腫瘍診療ガイドライン2020 改訂第3版，南江堂，2020より
　＊＊Edge S et al：AJCC Cancer Staging Manual 7th Edition, Springer, p.291-298, 2009より

1 軟部組織の基礎知識

　軟部組織は，皮下・筋膜などの繊維性結合組織，腱や靱帯などの繊維組織，脂肪組織，横紋筋組織，平滑筋組織，血管およびリンパ管組織，滑膜組織などの中胚葉由来の組織と，末梢神経組織などの外胚葉由来の組織をいう。軟部肉腫はあらゆる軟部組織で発生する。軟部肉腫の中で，脂肪肉腫と粘液線維肉腫および未分化/分類不能肉腫は太ももに多く，滑膜肉腫は大きな関節の近くに発生する。平滑筋肉腫は後腹膜や腸間膜に発生することが多く，横紋筋肉腫は頭頸部や膀胱の近くに多く発生する。線維肉腫はいろいろな部位に発生するが，比較的体幹に多くみられる[1, 2]。

2 進行度と治療概要（外科，放射線治療など）

2-1　進行度診断（Stage分類）

　軟部肉腫の診断は，主に画像検査と病理組織検査で行われる。確定診断を得るためには，腫瘍を生検して病理組織診断を行う[3]。
　軟部腫瘍の分類で最も一般的なのはWHO分類である[4]。円形細胞肉腫である横紋筋肉腫で汎用されている病期分類としては，IRS（Intergroup Rhabdomyosarcoma Study）で採用された術前・術後ステージ分類が汎用されている[5]。
　軟部肉腫の悪性度に関しては，Grade1から3の3段階に分類するFNCLCC（French Fédération Nationale des Centres de Lutte Contre Le Cancer）が広く使用されており，FNCLCCでは腫瘍の分化度，壊死の程度，核分裂数に各々スコアがつき，これらのスコアの合計点数よりGradeを求める仕組みとなっている。病気分類で頻用されているのは，FNCLCCを組み込んだ分類であるAJCC system（American Joint Committee on Cancer system），ほかにUICC system（Union for International Cancer Control system），そしてEnnekingによる病期分類の3つである[6〜8]。

2-2　外科治療

　悪性軟部腫瘍の治療は，手術療法，放射線療法，化学療法を組み合わせて行う。病気の進行の度合いによって手術療法の前後に化学療法や放射線療法を併用するが，軟部肉腫の治療は手術による切除が原則である。円形細胞軟部腫瘍であるEwing肉腫は，明らかな遠隔転移がない限局例においても微小転移があるといわれており，化学療法により微小転移に対する治療を行った後，手術および放射線治療で腫瘍に対する治療を行う。

2-3　放射線治療

　切除断端に腫瘍陰性，あるいはごく一部の顕微鏡学的断端陽性例に対して手術後に放射線治療を併用した群は，放射線治療を施行しなかった群に比べて有意に局所再発率が低下し，縮小手術に対する放射線治療は局所制御において有用であることが示されている[9]。

3　軟部肉腫の薬物療法

　軟部肉腫は，化学療法に対する感受性から円形細胞肉腫と非円形細胞肉腫に分けて考える。円形細胞腫は化学療法の感受性が高いが，非円形細胞肉腫は，化学療法の感受性は低い。

1）円形細胞肉腫

　円形細胞肉腫は横紋筋肉腫や骨外性Ewing肉腫などであり，化学療法の有用性が確立している。

（1）骨外性Ewing肉腫の化学療法

　骨外性Ewing肉腫に対しては，骨原発のEwing肉腫と同じ治療戦略がとられ，多剤併用化学療法に局所治療を織り交ぜることが原則となる。多剤併用化学療法としては，ビンクリスチン，ドキソルビシン，シクロホスファミド（VDC）およびイホスファミド，エトポシド（IE）の交代療法が推奨されている[10, 11]。

VDC/IE交代療法

VDC療法：3週間ごと

抗がん薬	day 1	2	3〜21
ビンクリスチン　1.5mg/m² (MAX 2mg) 点滴静注	↓		
ドキソルビシン　37.5 mg/m² 点滴静注	↓	↓	休薬
シクロホスファミド　1,200mg/m² 点滴静注	↓		

注：シクロホスファミドの投与4時間後，8時間後にメスナ 480mg/m²を投与

IE療法：3週ごと，1コースおき

抗がん薬	day 1	2	3	4	5	6〜21
イホスファミド　1.8g/m²/日 点滴静注	↓	↓	↓	↓	↓	休薬
エトポシド　100mg/m²/日 点滴静注	↓	↓	↓	↓	↓	

注：イホスファミドの投与4時間後，8時間後にメスナ540mg/m²を投与

- VDC/IE療法を交代で7〜8コース実施する。
- 主な副作用は骨髄抑制，悪心・嘔吐，口内炎，心毒性，脱毛

　INT0091試験では，VDCとIEの交替療法とVDC単独療法の前方視的ランダム化比較試験を非遠隔転移例398人，遠隔転移例120人に対して施行した。治療は3週ごとで，12週目に外科治療を行う合計17コース，49週の治療である。ドキソルビシンの総投与量が375mg/m²に達したとき，ドキソルビシンをアクチノマイシンDに変更する。結果は遠隔転移ではVDC＋IE群とVDC群の成績に差はなかったが，非遠隔転移例ではVDC＋IE群の5年無病生存率（DFS）が69％，VDC単独群が54％とVDC＋IE群で有意に成績が良かった。さらに治療期間を2週間に短縮することで予後の改善が示されている[12]。

(2) 横紋筋肉腫の化学療法

　横紋筋肉腫では，転移の有無や発生部位などでリスク分類が行われ，リスク別に治療レジメンが規定されている。整形外科領域で扱う四肢発生の横紋筋肉腫は，ほとんどが中間リスク群に相当し，ビンクリスチン，アクチノマイシンD，シクロホスファミド（VAC）3剤によるレジメンが標準化学療法とされている[13, 14]。

VAC療法

3週ごと

抗がん薬	day	1	8	15	16～21
ビンクリスチン　1.5mg/m²/日 （MAX 2mg） 静注		↓	↓	↓	休薬
アクチノマイシンD　0.045mg/kg/日 （MAX 2.5mg） 静注		↓			
シクロホスファミド　2,200mg/m²/日 点滴静注		↓			

注1：シクロホスファミドに合わせてメスナを投与
注2：日本の添付文書では，アクチノマイシンDと他の抗悪性腫瘍薬との併用における用法・用量は，1日1回1.25～1.35mg/m²（体重30kg以上：1日最大投与量2.3mg）または0.045mg/kg（体重30kg未満）を静注または点滴静注とする
注3：文献によってスケジュールの内訳に相違がある
注4：シクロホスファミドの投与4時間後，8時間後にメスナ880mg/m²を投与

- 最大12サイクル
- 主な副作用は骨髄抑制，末梢神経障害，悪心・嘔吐，口内炎

　IRS-IV研究での3年無再発生存率は，術前Stage分類1：86%，Stage 2：80%，Stage 3：68%，Stage 4：25%であった。IRSの術後グループ分類での3年無再発生存率はグループI：83%，グループII：86%，グループIII：73%，グループIV：25%であった（グループ分類については文献5を参照）。

2）非円形細胞肉腫の化学療法

　非円形細胞肉腫は，紡錘形や多形性の細胞からなる平滑筋肉腫，悪性線維性組織球腫，滑膜肉腫などの軟部腫瘍である。円形細胞肉腫よりもはるかに発生頻度が高いが，化学療法に対する感受性は低い。転移を有する軟部肉腫の化学療法において，ドキソルビシン単剤を超える治療成績は報告されていない。したがって，軟部肉腫進行例に対してはドキソルビシン単剤が標準治療に位置づけられている[15]。最近では，殺細胞性のエリブリン[16]やトラベクテジン[17]，分子標的薬のパゾパニブ[18]が導入されており，治療成績向上が期待されている。また，非円形細胞肉腫の切除可能な非進行例に関しては世界的には手術が標準治療とされているが，近年メタアナリシスによって，ドキソルビシンおよびイホスファミドによる補助化学療法の有効性が示されている[19]。

①ドキソルビシン単剤療法

3週ごと，6コース

抗がん薬	day	1	2～21
ドキソルビシン　75mg/m²/日 静注		↓	休薬

注1：添付文書と投与方法が異なる
注2：文献によって投与方法・投与量などに相違がある

・主な副作用は骨髄抑制，悪心・嘔吐，口内炎，心毒性。

②エリブリン単剤療法

3週ごと，病勢増悪まで

抗がん薬	day	1	8	9〜21
エリブリン　1.4mg/m²/日 静注（2〜5分）		↓	↓	休薬

・主な副作用は骨髄抑制，発熱，疲労，悪心。
・アントラサイクリン系抗がん剤治療を含む，少なくとも2レジメンの前治療後に増悪した進行または再発の軟部肉腫（平滑筋肉腫または脂肪肉腫）を対象とした309試験の主要評価項目である全生存期間において，エリブリン投与群は，対照薬であるダカルバジン投与群に比較して統計学的に有意な延長を示した（13.5カ月 vs 11.5カ月）。

③トラベクテジン療法

3週ごと，病勢増悪まで

抗がん薬	day	1	2〜21
トラベクテジン　1.2mg/m²/日 点滴静注（24時間）		↓	休薬

・主な副作用は肝機能障害，疲労，悪心，横紋筋融解症。
・前治療において使用可能な化学療法に無効または不応となった，染色体転座が報告されている進行軟部肉腫に対する国内第Ⅱ相比較試験がベストサポーティブケアを対照として行われ，無増悪生存期間を有意に延長した（5.6カ月 vs 0.9カ月）。

④パゾパニブ療法

連日投与，病勢増悪まで

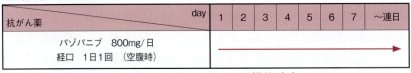

抗がん薬	day	1	2	3	4	5	6	7	〜連日
パゾパニブ　800mg/日 経口　1日1回（空腹時）									

・主な副作用高血圧，疲労，悪心，嘔吐，肝機能障害。
・進行，転移性軟部肉腫を対象としてプラセボを比較した国際多施設共同試験（PALETTE試験）の結果，無増悪生存期間を有意に延長した（4.6カ月 vs 1.6カ月）。

【参考文献】
1) 日本整形外科学会　監　他：軟部腫瘍診療ガイドライン2020年版，南江堂，p.1，2012
2) 国立がん研究センターがん情報サービス：軟部肉腫〈成人〉（http://ganjoho.jp/public/cancer/soft_tissue_adult/index.html）（2022年6月閲覧）
3) 国立がん研究センター希少がんセンター：軟部肉腫（https://www.ncc.go.jp/jp/rcc/about/soft_tissue_sarcomas/index.html）（2022年6月閲覧）
4) Fletcher CDM et al：Pathology and Genetics of Tumours of Soft Tissue and Bone, WHO Classification of Tumours, 3rd ed, Volume5. IARC Press, 2002

5) Newton WA Jr et al：Classification of rhabdomyosarcomas and related sarcomas. Pathologic aspects and proposal for a new classification--an Intergroup Rhabdomyosarcoma Study. Cancer, 76(6):1073-1085, 1995
6) Amin MB et al：AJCC Cancer Staging Manual, 8th ed. Springer, 2017
7) Brierley JD et al：International Union Against Cancer: TNM Classification of Malignant Tumors, 8th ed. Wiley-Blackwell, 2017
8) Enneking WF et al：A system for the surgical staging of musculoskeletal sarcoma. Clin Orthop Relat Res, (153):106-120, 1980.
9) Yang JC et al：Randomized prospective study of the benefit of adjuvant radiation therapy in the treatment of soft tissue sarcomas of the extremity. J Clin Oncol, 16(1):197-203, 1998
10) Grier HE et al：Addition of ifosfamide and etoposide to standard chemotherapy for Ewing's sarcoma and primitive neuroectodermal tumor of bone. N Engl J Med, 348(8):694-701, 2003
11) Granowetter L et al：Dose-intensified compared with standard chemotherapy for nonmetastatic Ewing sarcoma family of tumors: a Children's Oncology Group Study. J Clin Oncol, 27(15):2536-2541, 2009
12) Womer RB et al：Randomized controlled trial of interval-compressed chemotherapy for the treatment of localized Ewing sarcoma: a report from the Children's Oncology Group. J Clin Oncol, 30(33):4148-4154, 2012
13) Crist WM et al：Intergroup rhabdomyosarcoma study-IV: results for patients with nonmetastatic disease. J Clin Oncol, 19(12):3091-3102, 2001
14) Arndt CA et al：Vincristine, actinomycin, and cyclophosphamide compared with vincristine, actinomycin, and cyclophosphamide alternating with vincristine, topotecan, and cyclophosphamide for intermediate-risk rhabdomyosarcoma: children's oncology group study D9803. J Clin Oncol, 27(31):5182-5188, 2009
15) Bramwell VH et al：Doxorubicin-based chemotherapy for the palliative treatment of adult patients with locally advanced or metastatic soft tissue sarcoma. Cochrane Database Syst Rev, (3):CD003293, 2003
16) Schöffski P et al：Eribulin versus dacarbazine in previously treated patients with advanced liposarcoma or leiomyosarcoma: a randomised, open-label, multicentre, phase 3 trial. Lancet, 387(10028):1629-1637, 2016
17) Kawai A et al：Trabectedin monotherapy after standard chemotherapy versus best supportive care in patients with advanced, translocation-related sarcoma: a randomised, open-label, phase 2 study. Lancet Oncol, 16(4):406-416, 2015
18) van der Graaf WT et al：Pazopanib for metastatic soft-tissue sarcoma (PALETTE): a randomised, double-blind, placebo-controlled phase 3 trial. Lancet, 379(9829):1879-1886, 2012
19) Pervaiz N et al：A systematic meta-analysis of randomized controlled trials of adjuvant chemotherapy for localized resectable soft-tissue sarcoma. Cancer, 113(3):573-581, 2008

（青山　剛）

index.html）（2022年6月閲覧）
29) Gupta S et al：Efficacy of granulocyte colony stimulating factor as a secondary prophylaxis along with full-dose chemotherapy following a prior cycle of febrile neutropenia. Biosci Trends, 4(5):273-278, 2010
30) Green MD et al：A randomized double-blind multicenter phase III study of fixed-dose single-administration pegfilgrastim versus daily filgrastim in patients receiving myelosuppressive chemotherapy. Ann Oncol, 14(1):29-35, 2003
31) Holmes FA et al：Comparable efficacy and safety profiles of once-per-cycle pegfilgrastim and daily injection filgrastim in chemotherapy-induced neutropenia: a multicenter dose-finding study in women with breast cancer. Ann Oncol, 13(6):903-909, 2002
32) Holmes FA et al：Blinded, randomized, multicenter study to evaluate single administration pegfilgrastim once per cycle versus daily filgrastim as an adjunct to chemotherapy in patients with high-risk stage II or stage III/IV breast cancer. J Clin Oncol, 20(3):727-731, 2002
33) Vose JM et al：Randomized, multicenter, open-label study of pegfilgrastim compared with daily filgrastim after chemotherapy for lymphoma. J Clin Oncol, 21(3):514-519, 2003
34) Grigg A et al：Open-label, randomized study of pegfilgrastim vs. daily filgrastim as an adjunct to chemotherapy in elderly patients with non-Hodgkin's lymphoma. Leuk Lymphoma, 44(9):1503-1508, 2003
35) Pinto L et al：Comparison of pegfilgrastim with filgrastim on febrile neutropenia, Grade IV neutropenia and bone pain: a meta-analysis of randomized controlled trials. Curr Med Res Opin, 23(9):2283-2295, 2007
36) Cooper KL et al：Granulocyte colony-stimulating factors for febrile neutropenia prophylaxis following chemotherapy: systematic review and meta-analysis. BMC Cancer, 11:404, 2011
37) 厚生労働省：薬剤耐性（AMR）対策について（http://www.mhlw.go.jp/stf/seisakunitsuite/bunya/0000120172.html）（2022年6月閲覧）
38) Montassier E et al：Recent changes in bacteremia in patients with cancer: a systematic review of epidemiology and antibiotic resistance. Eur J Clin Microbiol Infect Dis, 32(7):841-850, 2013

（大谷　俊裕）

I-2 貧血

1 概要

がん患者の貧血は，さまざまな抗がん薬で発現するが，多くの場合，悪性腫瘍自体からの出血や骨髄浸潤，病状悪化，併存疾患によるものなど多数の要因が複雑に絡み合っている[1]。貧血は，患者の治療経過を複雑にし，QOLを低下させる一般的な要因であることからも適切な対応が重要となる。

2 発症機序

抗がん薬による貧血は，骨髄抑制による赤血球の生産低下により発症する。しかし，がん患者の貧血は，抗がん薬以外のさまざまな要因が重なって起こることが多いため，それらすべての要因を理解することが重要である。抗がん薬以外の要因として，悪性腫瘍自体による直接的な要因（腫瘍からの出血，骨髄浸潤など），悪性腫瘍による間接的な要因（自己抗体，血栓性微小血管障害，アミロイド産生，サイトカイン産生による造血前駆細胞の増殖抑制，赤芽球形成不全など）がある。

3 症状

労作時の息切れ，動悸，めまい，顔面蒼白，頭重感，易疲労感，意欲低下などが一般的な症状である。抗がん薬による貧血の重症度はCTCAE v5.0（表1）を用いて評価する。

4 原因となりうる薬剤（抗がん薬など）

頻度や重症度は異なるものの，貧血は多くの抗がん薬で発現し，その機序は前述したように骨髄

表1 CTCAE v5.0 貧血

CTCAE v5.0 Term 日本語	Grade1	Grade2	Grade3	Grade4	Grade5
貧血 Anemia	Hb＜LLN～10.0g/dL； ＜LLN～6.2mmol/L； ＜LLN～100g/L	Hb＜10.0～8.0g/dL； ＜6.2～4.9mmol/L； ＜100～80g/L	Hb＜8.0g/dL； ＜4.9mmol/L； ＜80g/L； 輸血を要する	生命を脅かす； 緊急処置を要する	死亡

LLN：（施設）基準範囲下限
Hb：ヘモグロビン

〔有害事象共通用語規準 v5.0 日本語訳 JCOG版より（JCOGホームページ http://www.jcog.jp）〕

抑制に起因するものである。それ以外の機序として報告のある薬剤は，免疫性溶血性貧血を引き起こすとされている免疫チェックポイント阻害薬や，フルダラビン，オキサリプラチンなどである。また，一部の殺細胞性抗がん薬（プラチナ製剤など）の腎障害は，腎臓からのエリスロポエチン生産を減少させ腎性貧血を誘発する。

5 対処方法

抗がん薬による貧血は，各薬剤で設定されている減量基準や中止基準に従って対応することが重要である。原則として慢性貧血に対して赤血球輸血は行わないが，急速な補正を必要とする病態では輸血が唯一の治療法である。赤血球輸血の適応[2]を以下に示す。必ずしも輸血が必要な病態とは限らないため，臨床症状を考慮して慎重に判断する必要がある。また，がん患者における貧血は，化学療法以外の複数の因子が関与し貧血の発現や悪化を誘発させるため，化学療法以外の要因（表2）への対処が重要となる。

〈赤血球輸血の適応〉
　固形がんに対する化学療法による貧血：7～8g/dL未満
　造血器腫瘍に対する化学療法，造血幹細胞移植治療などによる貧血：7～8g/dL未満
〈赤血球輸血の投与によって改善されるHb値〉
　予測上昇Hb値（g/dL）＝投与Hb量（g）/循環血液量（dL）
　循環血液量（dL）＝70mL/kg（体重1kgあたりの循環血液量）×体重（kg）/100

1）赤血球造血刺激因子製剤（erythropoiesis-stimulating agent：ESA）

NCCNガイドラインで，ESAは輸血を回避，貧血に関連する症状の緩徐な改善を主な目的としているが，血栓塞栓症の増加や生存期間の短縮や病勢コントロールの悪化などのリスクから，ESAの使用は限定的とされている。わが国では適応外である。

2）トリラシクリブ

進展型小細胞肺がんでプラチナ製剤／エトポシドもしくはトポテカン（＝ノギテカン）含有レジメンによる骨髄抑制発現率を低下させたとしてFDA（米国食品医薬品局）が承認した。NCCNガイドラインにおいては貧血と赤血球輸血を減少させる予防オプションとして言及している。わが国では未承認薬である。

表2 抗がん薬以外の貧血因子

判別が必要な病態
腫瘍出血（胃や腸管など），播種性血管内凝固症候群（DIC），骨髄浸潤，血球貪食症候群，アミロイドーシス，放射線治療による骨髄抑制，再生不良性貧血，骨髄異形成症候群，溶血性貧血，腎性貧血，鉄欠乏，ビタミンB_{12}欠乏，葉酸欠乏　など
抗がん薬以外の薬剤[3]
NSAIDs，ST合剤，β-ラクタム系抗菌薬，イソニアジド，フェニトイン　など

6 その他（輸血後鉄過剰症）[4]

輸血後は副作用・合併症として免疫機序による溶血や，過敏反応，輸血関連性循環負荷，輸血関連性肺障害，感染症，輸血後鉄過剰症などに注意が必要である．特に，さまざまな理由で輸血を繰り返す場合は鉄過剰症に注意が必要である．赤血球輸血製剤は1単位に約100mgの鉄が含まれており，成人男性の排泄量は1日1〜2mgであることから，頻回の輸血にて鉄過剰症を引き起こす．そのため，過剰鉄による臓器障害の回避および改善を目的に，鉄キレート療法を行う必要がある．

〈輸血後鉄過剰症診断〉

血清フェリチン値：500ng/mL以上，かつ総赤血球輸血量20単位（小児の場合，ヒト赤血球液50mL/体重kg）以上

注：総輸血量20単位未満でも輸血後鉄過剰症を疑う場合があることには留意

〈治療〉鉄キレート療法

デフェラシロクス顆粒製剤　1回12mg/kg　1日1回　経口投与（懸濁用錠：1回20mg/kg）

治療開始後は血清フェリチン値を月1回測定し，投与量の調節を行う．また，注射剤としてデフェロキサミンが国内承認されているが，半減期が短く十分な治療効果を得るために連日長時間の投与が必要となることから，注射剤の選択は現実的でない．

〈開始基準〉

血清フェリチン値1,000ng/mL以上，補助基準として総赤血球輸血量40単位以上．

〈治療目標〉

診断基準である500ng/mLを目標に継続すること．

【参考文献】

1) Macciò A et al: The role of inflammation, iron, and nutritional status in cancer-related anemia: results of a large, prospective, observational study. Haematologica, 100(1):124-132, 2015
2) 厚生労働省医薬・生活衛生局：血液製剤の使用指針．2019（https://www.mhlw.go.jp/content/11127000/000493546.pdf）（2022年6月閲覧）
3) 厚生労働省：重篤副作用疾患別対応マニュアル　薬剤性貧血，2021（https://www.mhlw.go.jp/topics/2006/11/dl/tp1122-1f05-r03.pdf）（2022年6月閲覧）
4) 厚生労働科学研究費補助金 難治性疾患等政策研究事業 特発性造血障害に関する調査研究班：輸血後鉄過剰症診療の参照ガイド 令和1年改訂版，2020（http://zoketsushogaihan.umin.jp/file/2020/05.pdf）

（妹尾　啓司）

第5章 支持療法　I 造血器系

I-3 血小板減少

1 概要

骨髄抑制の1つである血小板減少は，さまざまな抗がん薬で発現し，抗がん薬の投与量に依存する。一方で，血小板減少の発現や重症度は効果と相関することが多く，発現を想定して抗がん薬治療を行うことが必要である。また，抗がん薬による血小板減少以外の要因の検索も重要となる。抗がん薬以外の要因としてさまざまな病態や，薬剤性（抗がん薬以外）も考えられ，それらの除外が重要となる（表1）。

わが国では一部の疾患を除き血小板減少の予防は存在せず，対処療法として標準的な治療は血小板輸血のみである。

2 発症機序

抗がん薬による血小板減少は，造血細胞から成熟血球に至る分化・増殖過程が障害されることが原因とされている。そのほか，薬物依存性抗体によって引き起こされる場合や，免疫チェックポイント阻害薬のように免疫関連有害事象として引き起こされる場合がある。

3 症状

出血傾向は血小板数5万/μL以下で認めるが，多くの場合は無症状である。

出血傾向として四肢の紫斑，点状出血，口腔内粘膜出血，鼻出血，歯肉出血，眼球結膜下出血，血尿などの臨床症状を認めることがある。抗がん薬による血小板減少の重症度はCTCAE v5.0（表2）を用いて評価する。

表1　抗がん薬以外の血小板減少因子

判別が必要な病態
栄養障害，感染症，播種性血管内凝固症候群，特発性血小板減少性紫斑病，放射線障害，骨転移，再生不良性貧血，溶血性貧血，抗リン脂質抗体症候群，脾機能亢進症，発作性夜間ヘモグロビン尿症，全身性エリテマトーデス，血栓性微小血管障害　など
抗がん薬以外の薬剤
抗菌薬，抗ウイルス薬，抗結核薬，生物学的製剤，免疫抑制薬，NSAIDs，H_2受容体拮抗薬，プロトンポンプ阻害薬，抗血栓薬，抗不整脈薬，利尿薬，抗精神病薬，抗てんかん薬　など

表2 CTCAE v5.0 血小板数減少

CTCAE v5.0 Term 日本語	Grade1	Grade2	Grade3	Grade4	Grade5
血小板数減少 Platelet count decreased	<LLN〜75,000/mm^3； <LLN〜75.0×10^9/L	<75,000〜50,000/mm^3； <75.0〜50.0×10^9/L	<50,000〜25,000/mm^3； <50.0〜25.0×10^9/L	<25,000/mm^3； <25.0×10^9/L	―

LLN：(施設)基準範囲下限

〔有害事象共通用語規準 v5.0 日本語訳 JCOG版より（JCOGホームページ http://www.jcog.jp）〕

4 原因となりうる薬剤（抗がん薬など）

　頻度や重症度は異なるものの，多くの抗がん薬で血小板減少は発現し，その機序は，前述したように骨髄抑制に起因するものである。それ以外の機序として報告のある薬剤は，薬物依存性抗体が関与した血小板減少を誘発するオキサリプラチン[1]やイリノテカン[2]，免疫関連有害事象として，血小板減少を誘発する免疫チェックポイント阻害薬（ニボルマブやイピリムマブなど）がある。

5 対処方法

　抗がん薬による血小板減少は，各薬剤で設定されている減量基準や中止基準に従って対応することが重要である。血小板減少の要因として併存疾患が疑わしい場合はその治療を行い，抗がん薬以外の薬剤が疑わしい場合はその薬剤を中止する。抗がん薬による血小板減少にて輸血が必要となることは稀であり，がん・造血器悪性腫瘍（急性前骨髄球性白血病を除く）の化学療法，自家・同種造血幹細胞移植における血小板輸血は1万/μL未満の場合に血小板輸血を考慮する[3]。ただし，患者の状態（出血リスクや併存疾患など）や医療環境に応じて1万/μL以上の場合でも血小板輸血を考慮する。一方で，治療前の急性前骨髄球性白血病は通常出血リスクが高いため，臨床病態に応じて2〜5万/μLで輸血を考慮する。そのほか，NCCNガイドラインでは抗がん薬による血小板減少の対応として，トロンボポエチン受容体作動薬の使用について言及されている。しかし，臨床研究レベルであることや，一部の研究で有用性が報告されているロミプロスチムも根拠となるデータは十分でない。わが国では抗がん薬による血小板減少に対するトロンボポエチン受容体作動薬の使用は適応外である。

　濃厚血小板製剤の投与量の算出には，下記計算式を使用する[3,4]。

投与量の算出方法

$$予測血小板増加数（/\mu L）= \frac{輸血血小板数}{循環血液量（mL）\times 10^3} \times 2/3$$

　（2/3：輸血された血小板が脾臓に捕捉されるための補正係数）

【参考文献】
1) Curtis BR et al：Immune-mediated thrombocytopenia resulting from sensitivity to oxaliplatin. Am J Hematol, 81(3):193-198, 2006
2) Mirtsching BC et al：Irinotecan-induced immune thrombocytopenia. Am J Med Sci, 347(2):167-169, 2014
3) 高見昭良　他：科学的根拠に基づいた血小板製剤の使用ガイドライン：2019年改訂版. Japanese Journal of Transfusion and Cell Therapy，65(3):544-561，2019
4) 厚生労働省：血液製剤の使用指針. 2019（https://www.mhlw.go.jp/content/11127000/000493546.pdf）（2022年6月閲覧）

（妹尾　啓司）

2-1 悪心・嘔吐

1 概要

抗がん薬による悪心・嘔吐（chemotherapy-induced nausea and vomiting：CINV）は，患者にとって最も苦痛を感じる症状の1つであり，適切に対応する必要がある。CINVは，その発症機序が解明され，セロトニン受容体拮抗薬（5-HT_3RA）やニューロキニン1受容体拮抗薬（NK_1RA）などの発症機序に応じた制吐薬が開発されている。また，制吐療法ガイドライン[1〜4]が公開されており，2010年に日本癌治療学会から「制吐薬適正使用ガイドライン」が発出され，国内でも世界標準の制吐療法が実施可能となっている。

2 発症機序

消化管内の腸クロム親和性細胞は，抗がん薬を有害物質として感知すると，セロトニンやサブスタンス-Pなどの原因物質を分泌する。これらの物質は求心性迷走神経上に存在するセロトニン受容体やニューロキニン1（NK_1）受容体を介し，延髄外側網様体に存在する嘔吐中枢を直接刺激するか第4脳室の最後野（延髄）に存在する化学受容器引金帯（chemoreceptor trigger zone：CTZ）を介して嘔吐中枢を刺激することで，悪心・嘔吐が誘発される[5]。

また，投与された抗がん薬は，血液脳関門の外側からCTZを介して嘔吐中枢（vomiting center：VC）を刺激する。CTZで感知した刺激は，脳内のVCや孤束核に存在する5-HT_3受容体やNK_1受容体に伝達され，VCから遠心性迷走神経，体性運動神経を介して悪心・嘔吐を誘発すると考えられている[5]。

3 症状

3-1 悪心・嘔吐の定義

嘔吐とは，胃内容物が口から逆流性に排出されることであり，嘔吐反射は起こるが吐物が排出されないことを空嘔吐という。悪心は，むかむか感や嘔吐の衝動（嘔吐はない）をいう。

3-2 CINVの分類

1）急性CINV

抗がん薬投与後24時間以内に出現するものを急性CINVといい，セロトニンの関与が大きいと

されている。主に腸クロム親和性細胞から分泌されたセロトニンが，5-HT$_3$受容体を刺激し引き起こされると考えられている。

2）遅発性CINV

抗がん薬投与24時間後から約1週間程度持続するものを遅発性CINVといい，サブスタンスPの影響が大きいとされている。急性嘔吐の対処が不十分な場合に起こりやすいとされる。

3）突出性CINV

制吐薬の予防投与にもかかわらず発現したものを，突出性CINVという。突出性CINVの制御は困難であるため，抗がん薬投与時には十分な予防的制吐療法を行っておくことが重要である。

4）予期性CINV

抗がん薬を投与する前から，抗がん薬による治療のことを考えただけで誘発される心因性の悪心・嘔吐を予期性CINVという。大脳皮質や大脳辺縁系は嘔吐中枢を制御していることから，心理的要因により悪心・嘔吐が誘発されると考えられている。過去の抗がん薬治療によるCINVの経験や治療への不安などが，症状発現の契機となりうる。抗不安薬の投与が有効である場合がある。

3-3　CINVの重症度分類

CINVの重症度評価は，一般に有害事象共通用語規準 v5.0 日本語訳JCOG版（略称：CTCAE v5.0-JCOG）（表1）[6]が用いられている。普段の食習慣や栄養状態を基準として把握し，治療後の状態と比較して評価する。また，患者による主観的評価にあたるPatient-Reported Outcome（PRO）の重要性も認識されてきており，患者の自己評価に基づいた症状アセスメントツールとしてPRO-CTCAE（表2）[7]が開発され，がん臨床試験で導入されている。今後，日常診療として客観的評価とどのようにして関連づけて評価していくか検討が必要である。

悪心は主観的な症状であり，痛みの評価に頻用されているVisual Analoge Scale（VAS），Numerical Rating Scale（NRA）やフェイススケールを用いて評価することもできる。CINVを特異的に測定するための質問票として，MASCC Antiemesis Tool（MAT）[8]が公開されており，日本人における有用性[9]も検証されている。

表1　CTCAE v5.0　悪心・嘔吐

CTCAE v5.0 Term日本語	Grade1	Grade2	Grade3	Grade4
悪心	摂食習慣に影響のない食欲低下	顕著な体重減少，脱水または栄養失調を伴わない経口摂取量の減少	カロリーや水分の経口摂取が不十分；経管栄養/TPN/入院を要する	―
嘔吐	治療を要さない	外来での静脈内輸液を要する；内科的治療を要する	経管栄養/TPN/入院を要する	生命を脅かす

〔有害事象共通用語規準 v5.0 日本語訳 JCOG版より（JCOGホームページhttp://www.jcog.jp）〕

悪心・嘔吐は，さまざまな原因で起こりうるため，抗がん薬以外の原因との鑑別も重要である。また，制吐療法の効果の指標として，下記の指標が汎用されている。

完全奏効（complete response：CR）	嘔吐なし，救済治療なし
完全制御（complete control：CC）	嘔吐なし，救済治療なし，悪心なしまたは軽度
総制御（total control：TC）	嘔吐なし，救済治療なし，悪心なし

4 原因となりうる薬剤（抗がん薬など）

4-1 注射抗がん薬

1）ガイドラインにおける催吐リスク分類（単剤）

　CINVは，ほぼすべての抗がん薬で引き起こされる。抗がん薬の種類，投与量，併用抗がん薬により催吐性は異なる。催吐性の程度の分類は確立されたものはないが，国内外のガイドラインでは，予防的な制吐薬の投与なしで各種抗がん薬投与後24時間以内に発現するCINVの割合（％）に従って定義し，表3の4つに分類されている。なお，個々の抗がん薬の催吐リスクについては，最新のガイドライン[4]を参照されたい。

表2　PRO-CTCAE　吐き気・嘔吐

吐き気	この7日間で，吐き気はありましたか？				
	なかった	ほとんどなかった	ときどき	頻繁に	ほとんどいつも
	この7日間で，吐き気は一番ひどい時でどの程度でしたか？				
	そういうことはなかった	軽度	中等度	高度	極めて高度
嘔吐	この7日間で，嘔吐はありましたか？				
	なかった	ほとんどなかった	ときどき	頻繁に	ほとんどいつも
	この7日間で，嘔吐は一番ひどい時でどの程度でしたか？				
	そういうことはなかった	軽度	中等度	高度	極めて高度

〔PRO-CTCAEより（JCOGホームページ http://www.jcog.jp）〕

表3　国内外ガイドラインにおける催吐リスク分類

高度リスク（high emetic risk：HEC）	・90％を超える患者に発現 ・シスプラチン，乳がんAC療法など
中等度リスク（moderate emetic risk：MEC）	・30〜90％の患者に発現 ・オキサリプラチン，イリノテカンなど
軽度リスク（low emetic risk：LEC）	・10〜30％の患者に発現 ・パクリタキセル，ゲムシタビンなど
最小度リスク（minimal emetic risk）	・発現しても10％未満 ・ビンクリスチンなど

2）併用療法における催吐リスク分類
（1）併用療法における催吐リスク分類の考え方
複数の抗がん薬の併用療法における催吐性リスクは，原則として，最も催吐リスクの大きい抗がん薬に合わせて判断する。

> 【例】
> ・シスプラチン（高度）＋ペメトレキセド（軽）　→レジメンのリスクは「高度」
> ・カルボプラチン（中等度）＋パクリタキセル（軽）→レジメンのリスクは「中等度」

（2）例外的な催吐リスク分類
最近の臨床試験では，予防制吐療法なしに試験が実施されることは稀である。そのため，臨床試験におけるCINV発現率を参考に例外的なリスク分類が行われているレジメンもある。

> AC療法／EC療法
> 　ドキソルビシン（中）＋シクロホスファミド（中）／エピルビシン（中）＋シクロホスファミド（中）
> 　　⇒レジメンのリスクは「高度」
> FOLFIRINOX/FOLFOXIRI療法
> 　フルオロウラシル（軽）＋オキサリプラチン（中）＋イリノテカン（中）＋レボホリナート（分類なし）
> 　　⇒レジメンのリスクは「高度」
> CHOP療法
> 　シクロホスファミド（中）＋ドキソルビシン（中）＋ビンクリスチン（最小）
> 　　⇒レジメンのリスクは「高度」
> EPOCH療法
> 　エトポシド（軽）＋ビンクリスチン（最小）＋シクロホスファミド（中）＋ドキソルビシン（中）＋プレドニゾロン（分類なし）
> 　　⇒レジメンのリスクは「高度」
> GEM/CDDP（25mg/m^2）胆道がん
> 　ゲムシタビン（軽）＋シスプラチン（高）
> 　　⇒レジメンリスクは「中等度」
> GEM＋S-1
> 　ゲムシタビン（軽）＋テガフール・ウラシル・オテラシルカリウム（軽）
> 　　⇒レジメンリスクは「中等度」
> GEM＋nab-PTX
> 　ゲムシタビン（軽）＋アルブミン懸濁型パクリタキセル（軽）
> 　　⇒レジメンリスクは「中等度」

4-2　経口抗がん薬

経口薬に関しても注射薬と同様に，催吐リスクによって分類されている。クリゾチニブはCINVの発現率が高く，「中等度」に分類されている。同じくトリフルリジン・チピラシル塩酸塩（TAS-102）も「中等度」であり，アレクチニブ，アファチニブ，パゾパニブなどは「軽度」に分類されている。個々の抗がん薬の催吐リスクについては，最新のガイドライン[4]を参照されたい。

5 対処方法

5-1　制吐療法の基本原則

制吐療法の基本原則を表4に示す。

5-2　国内ガイドラインで推奨される予防的制吐療法

制吐療法は，原則として国内のガイドラインである「制吐薬適正使用ガイドライン」[4]に準拠して実施されるべきである。ただし，推奨されている方法は，必ずしもエビデンスが十分ではない項目もある。また，患者背景因子などの治療以外の要因が症状に大きく影響することも少なくない。ガイドラインは，診療の意思決定を支援するものであり，決まった方法を強制するものではないため，医療者の経験や裁量を含め，状況に応じて薬剤の追加や調節を行うなど柔軟に対応することが求められる。

表4　制吐療法の基本原則

1) 予防が原則であり，過不足ない適切な治療を行うことが目標となる
2) 制吐薬は経口薬，注射薬のいずれも有効性は同等とされている
3) 制吐薬特有の副作用を考慮する
4) 制吐薬は，抗がん薬の催吐性リスク，過去の制吐療法の効果，患者因子を考慮して決定する
5) 抗がん薬に起因しない悪心・嘔吐の原因がないか確認する

・腸管の部分狭窄や完全閉塞	・腸管運動麻痺（原病腫瘍，抗がん薬，糖尿病性自律神経障害など）
・前庭機能障害	
・脳腫瘍（脳圧亢進状態）	・過剰分泌（頭頸部がんでの流涎など）
・電解質異常（高Ca，低Na，高血糖）	・悪性腹水
・尿毒症	・心因性要因（不安，予期性悪心・嘔吐）
	・オピオイドを含む併用薬剤

6) 放射線治療やがん薬物療法とは無関係の悪心・嘔吐に対しても制吐療法を行う
7) 多剤併用療法においては最も催吐性リスクの高い薬剤に対する制吐療法を選択する
8) 最小度リスク抗がん薬の投与時，胸やけや消化不良症状の訴えに対しては，H_2受容体拮抗薬，またはプロトンポンプ阻害薬を考慮する
9) 自己管理に関する患者教育・指導
10) 生活・環境における工夫や整備
11) 制吐療法は，がん治療の一環として行われており，専門性を高めた多職種連携のチーム医療での実施が重要である

〔日本癌治療学会：制吐薬適正使用ガイドライン 2015年10月【第2版】一部改訂版 ver.2.2（2018年10月）(http://www.jsco-cpg.jp/item/29/index.html）をもとに作成〕

1）注射抗がん薬

注射抗がん薬の催吐リスク別の標準制吐療法を**表5**に示す。

【催吐リスク別の制吐療法に関する注意点】
（1）高度リスク
- 乳がんのAC療法では，パロノセトロンを使用する場合は，2日目以降のデキサメタゾンを省略可能（5-6 ステロイド・スペアリングの項参照）。
- アプレピタントを併用する3剤併用療法では，デキサメタゾンは相互作用のため，9.9mg静注（12mg経口）に減量となっている。ただし，副腎皮質ステロイドが抗がん薬として投与されるCHOP療法などではレジメン内のステロイドは減量してはならない。
- ホスアプレピタントを併用する場合は，薬物相互作用の影響が経口のアプレピタントと異なるため，3日目以降のデキサメタゾンの減量は不要である。
- 日本で実施されたランダム化比較試験（J-FORCE study）[10]にて，シスプラチンを含む化学療法の制吐療法として，パロノセトロン＋デキサメタゾン＋アプレピタントの3剤併用制吐療法へのオランザピン5mgの上乗せの効果が報告された。

（2）中等度リスク
- アプレピタントを併用する場合は，デキサメタゾンは相互作用のため半量の4.95mg静注（4mg

表5　注射抗がん薬の催吐リスク別の標準制吐療法

リスク分類／投与日	1日目	2日目	3日目	4日目	5日目
高度リスク					
アプレピタント	125mg（PO）	80mg（PO）	80mg（PO）		
［もしくはホスアプレピタント1日目に150mg（IV）］					
5-HT$_3$受容体拮抗薬	○				
デキサメタゾン	9.9mg（IV）	8mg（PO）	8mg（PO）	8mg（PO）	8mg（PO）
中等度リスク					
5-HT$_3$受容体拮抗薬	○				
デキサメタゾン	9.9mg（IV）	8mg（PO）	8mg（PO）	8mg（PO）*	
※カルボプラチン（オプション：オキサリプラチン，イホスファミド，イリノテカン，メトトレキサートなど）					
アプレピタント	125mg（PO）	80mg（PO）	80mg（PO）		
［もしくはホスアプレピタント1日目に150mg（IV）］					
5-HT$_3$受容体拮抗薬	○				
デキサメタゾン	4.95mg（IV）	4mg（PO）	4mg（PO）	4mg（PO）	
軽度リスク					
デキサメタゾン	6.6mg（IV）				
最小リスク					
予防投与は不要					

PO：経口投与　IV：静脈内投与

〔日本癌治療学会　編：制吐薬適正使用ガイドライン2015年10月（第2版）一部改訂版（ver.2.2），2018をもとに作成〕

経口）に減量となる。
- パロノセトロンを使用する場合は，2日目以降のデキサメタゾンは省略可能とする報告がある（**5-6 ステロイド・スペアリング**の項参照）。

(3) 軽度リスク
- 状況に応じて，デキサメタゾンの代わりにプロクロルペラジンまたはメトクロプラミドを使用してもよい。

2) 経口抗がん薬

経口抗がん薬に対する制吐療法については，制吐薬の比較試験がないため，推奨される制吐療法の信頼度は低い。有効性を示した臨床試験のプロトコルを参照し，「何らかの支持療法」→「休薬」→「減量」の原則を守り，Grade3以上のCINVを発現させず，Grade2のCINVが継続しないように内服を継続することが求められる。海外のガイドライン[1,3]で推奨されている制吐療法の例を**表6**に示す。

5-3　突出性CINVへの対処方法

一般的には，予防に使用した制吐薬と作用機序の異なる制吐薬を追加投与する。予防に5-HT₃受容体拮抗薬を使用した場合は，予防投与時と異なる5-HT₃受容体拮抗薬に変更する。また，薬剤を複数併用し，定時的な投与を行う。そのほかの薬剤としては，ドパミン受容体拮抗薬（メトクロプラミド，ハロペリドール），副腎皮質ステロイド，ベンゾジアゼピン系抗不安薬（ロラゼパム，アルプラゾラム）などが報告されている。

5-4　予期性CINVへの対処方法

予期性CINVへの対応においては，最初からCINVを生じさせないことが重要である。NCCNガイドライン[3]では，予期性CINVの誘因となりうる強い匂いを避けることを推奨している。予期性CINVに対しては，ベンゾジアゼピン系抗不安薬が有効であり，NCCNガイドライン[3]，MASCC/ESMOガイドライン2016[11]でも推奨されている。わが国では保険適応外であるが，ロラゼパム[12]やアルプラゾラム[13]が有効であることが報告されている。また，これらのベンゾジアゼピン系抗

表6　経口抗がん薬の催吐リスク別の標準制吐療法[1,3]

リスク	MASCC/ESMO 2016	NCCN 2021
高度，中等度	5-HT₃受容体拮抗薬と副腎皮質ステロイドの2剤併用	5-HT₃受容体拮抗薬の経口連日投与※
軽度	・5-HT₃受容体拮抗薬 ・デキサメタゾン ・ドパミン受容体拮抗薬 いずれかを単剤で使用	・メトクロプラミド ・プロクロルペラジン ・5-HT₃受容体拮抗薬※ いずれかを連日投与（必要に応じてオランザピンやロラゼパムを併用）

※わが国では，5-HT₃受容体拮抗薬は5日程度が目安（連日投与は保険適応外）

不安薬の効果は，がん化学療法を継続するうちに，減弱する傾向があることに留意する。

5-5 制吐薬としてのオランザピン

　オランザピンは統合失調症などに対する抗精神病薬であり，多元受容体作用抗精神病薬（multi-actingreceptor-targeted-antipsychotic：MARTA）に分類され，脳内の嘔吐中枢やCTZに存在するドパミン，セロトニン，ヒスタミンなどの悪心・嘔吐に関連する複数の受容体に拮抗する作用を有する。わが国では，2017年に抗悪性腫瘍薬投与（シスプラチンなど）に伴う消化器症状（悪心，嘔吐）に対して保険適用が追加となった。日本で実施されたランダム化比較試験（J-FORCE study）[10]にて，シスプラチンを含む化学療法の制吐療法として，パロノセトロン＋デキサメタゾン＋アプレピタントの3剤併用制吐療法へのオランザピン5mgの上乗せにより，遅発期CINVを有意に改善し，睡眠や食欲に関しても良好な結果が報告された。これにより，今後，標準制吐療法＋オランザピン5mgは，シスプラチンを含む高度催吐性CINVに対して，国内外における新しい標準制吐療法の1つとなると考えられる。

【制吐薬としてオランザピンを使用する際の注意点】
・5mgを1日1回経口投与する（1日量は10mgまで）。
・ほかの制吐薬と併用して予防的に投与する。
・各コースの投与期間は6日間までを目安とする（日本がんサポーティブケア学会（JASCC）では4日間を推奨）。
・過度の鎮静（眠気）や高血糖などの副作用に注意が必要。
・喫煙者や女性では，オランザピンのクリアランスが低下する点に留意する。
・海外では，突出性嘔吐へのオランザピン10mgの有用性[14]が報告されているが，国内の臨床研究では，5mgの投与では期待したレスキュー効果が得られなかったとする報告[15]もある。現時点で，オランザピンの突出性嘔吐に対する有用性に関するエビデンスは十分ではない。

5-6 ステロイド・スペアリング

　デキサメタゾンは制吐薬として長年使用されてきているが，不眠や消化器障害などのさまざまな有害事象も懸念される薬剤である。これまで制吐療法は，制吐効果を高める方向で開発が進められ，デキサメタゾンについても，その投与量や投与日数を増やす方向で臨床試験が展開されてきた。しかしながら，第2世代5-HT₃受容体拮抗薬のパロノセトロンやNK₁受容体拮抗薬のアプレピタントといった症状コントロールに難渋する遅発期CINVに対して有効性を示す新規制吐薬が登場したことで，遅発期CINVの制御におけるデキサメタゾンの役割が見直されるようになった。中等度またはシスプラチン以外の高度催吐リスク化学療法（乳がんAC療法など）に対して，5-HT₃受容体拮抗薬としてパロノセトロンを使用する場合に，2日目以降のデキサメタゾンを省略する「ステロイド・スペアリング戦略」が検討され（表7），複数の臨床試験[16〜20]によって，従来の標準制吐療法に対する非劣性が示されている。

　シスプラチンに関しては，遅発期悪心の制御に懸念が残るため，スペアリングを適用する患者の

表7 中等度リスクレジメンにおけるステロイド・スペアリングの例

	1日目	2日目	3日目	4日目
パロノセトロン	○			
デキサメタゾン	9.9mg（IV）	~~8mg（PO）~~	~~8mg（PO）~~	~~8mg（PO）~~

※2日目以降のデキサメタゾンを省略

表8 CINV発現に関連するリスク因子

- 女性
- 若年者
- 飲酒習慣なし
- 妊娠時の悪阻の経験
- 過去の抗がん薬治療の悪心・嘔吐経験
- 治療や副作用への不安
- 栄養状態や全身状態不良

選択を慎重に行う必要があるとの報告[21]がある。また，シスプラチン含有レジメンを対象とした，オランザピンを含む4剤併用制吐療法におけるステロイド・スペアリングの有用性を検討する臨床試験[22]が行われており，論文の公表が待たれるところである。

近年，骨密度の低下[23]や副腎機能抑制[24]，糖尿病[25]など，ステロイドの長期投与の際に問題となると考えられていた有害事象についても，制吐薬としての短期間，間欠投与であっても注意が必要であることが報告されており，デキサメタゾンは必要最小限の使用とすることが望ましい。

6 CINV発現のリスク因子

CINV発現に関連するリスク因子[26〜28]が報告されている（表8）。また，あてはまる因子の数が多くなるほど，CINVのコントロールは不良となる傾向があるとの報告がある[26]。治療前にリスク因子の有無を確認し，該当する数によっては，予防的制吐療法を強化する必要がある。

【参考文献】

1) Herrstedt J et al：2016 Updated MASCC/ESMO Consensus Recommendations: Prevention of Nausea and Vomiting Following High Emetic Risk Chemotherapy. Support Care Cancer, 25(1):277-288, 2017
2) Hesketh PJ et al：Antiemetics: ASCO Guideline update. J Clin Oncol, 38(24):2782-2797, 2020
3) NCCN clinical practice guidelines in oncology (2021) Antiemetics. Version 1（https://www.nccn.org/professionals/physician_gls/pdf/antiemesis.pdf）（2022年6月閲覧）
4) 日本癌治療学会：制吐薬適正使用ガイドライン 2015年10月【第2版】一部改訂版 ver.2.2（http://www.jsco-cpg.jp/item/29/index.html）（2022年6月閲覧）
5) Navari RM et al：Antiemetic Prophylaxis for Chemotherapy-Induced Nausea and Vomiting. N Engl J Med, 374(14):1356-1367, 2016
6) 日本臨床腫瘍研究グループ（JCOG）：有害事象共通用語規準 v5.0 日本語訳JCOG版」（CTCAE v5.0-JCOG）（http://www.jcog.jp/doctor/tool/ctcaev5.html）（2022年6月閲覧）
7) 日本臨床腫瘍研究グループ（JCOG）：PRO-CTCAE™(version 1.0)（http://www.jcog.jp/doctor/tool/PRO_CTCAE.html）（2022年6月閲覧）
8) MASCC Antiemesis Tool©（MAT）（https://www.mascc.org/mat）（2022年6月閲覧）
9) Matsuda Y et al：Evaluation of the validity of chemotherapy-induced nausea and vomiting assessment in outpatients using the Japanese version of the MASCC antiemesis tool. Support Care Cancer, 23(11):3331-3339,

2015
10) Hashimoto H et al：Olanzapine 5 mg plus standard antiemetic therapy for the prevention of chemotherapy-induced nausea and vomiting (J-FORCE): a multicentre, randomised, double-blind, placebo-controlled, phase 3 trial. Lancet Oncol, 21(2):242-249, 2020
11) Dupuis LL et al：2016 updated MASCC/ESMO consensus recommendations: Anticipatory nausea and vomiting in children and adults receiving chemotherapy. Support Care Cancer 25(1):317-321, 2017
12) Malik IA et al：Clinical efficacy of lorazepam in prophylaxis of anticipatory, acute, and delayed nausea and vomiting induced by high doses of cisplatin. A prospective randomized trial. Am J Clin Oncol, 18(2):170-175, 1995
13) Razavi D et al：Prevention of adjustment disorders and anticipatory nausea secondary to adjuvant chemotherapy: a double-blind, placebo-controlled study assessing the usefulness of alprazolam. J Clin Oncol, 11(7):1384-1390, 1993
14) Navari RM et al：The use of olanzapine versus metoclopramide for the treatment of breakthrough chemotherapy-induced nausea and vomiting in patients receiving highly emetogenic chemotherapy. Support Care Cancer, 21(6):1655-1663, 2013
15) Maeda A et al：Effects of 5-mg dose of olanzapine for breakthrough nausea and vomiting in patients receiving carboplatin-based chemotherapy: a prospective trial. Ann Palliat Med, 10(3):2699-2708, 2021
16) Okada Y et al：One-Day Versus Three-Day Dexamethasone in Combination with Palonosetron for the Prevention of Chemotherapy-Induced Nausea and Vomiting: A Systematic Review and Individual Patient Data-Based Meta-Analysis. Oncologist, 24(12):1593-1600, 2019
17) Komatsu Y et al：Open-label, randomized, comparative, phase III study on effects of reducing steroid use in combination with Palonosetron. Cancer Sci, 106(7):891-895, 2015
18) Aapro M et al：Double-blind, randomised, controlled study of the efficacy and tolerability of palonosetron plus dexamethasone for 1 day with or without dexamethasone on days 2 and 3 in the prevention of nausea and vomiting induced by moderately emetogenic chemotherapy. Ann Oncol, 21(5):1083-1088, 2010
19) Celio L et al：Palonosetron plus single-dose dexamethasone for the prevention of nausea and vomiting in women receiving anthracycline/cyclophosphamide-containing chemotherapy: meta-analysis of individual patient data examining the effect of age on outcome in two phase III trials. Support Care Cancer, 21(2):565-573, 2013
20) Kosaka Y et al：Phase II randomized, controlled trial of 1 day versus 3 days of dexamethasone combined with palonosetron and aprepitant to prevent nausea and vomiting in Japanese breast cancer patients receiving anthracycline-based chemotherapy. Support Care Cancer, 24(3):1405-1411, 2016
21) Ito Y et al：Placebo-Controlled, Double-Blinded Phase III Study Comparing Dexamethasone on Day 1 With Dexamethasone on Days 1 to 3 With Combined Neurokinin-1 Receptor Antagonist and Palonosetron in High-Emetogenic Chemotherapy. J Clin Oncol, 36(10):1000-1006, 2018
22) Shimomura K et al：Placebo-controlled, double-blinded phase III study comparing dexamethasone on day 1 with dexamethasone on days 1 to 4, with combined neurokinin-1 receptor antagonist, palonosetron, and olanzapine in patients receiving cisplatin-containing highly emetogenic chemotherapy: SPARED trial. Ann Oncol, 32 (suppl_5): S1283-S1346, 2021
23) Nakamura M et al：A Prospective Observational Study on Effect of Short-Term Periodic Steroid Premedication on Bone Metabolism in Gastrointestinal Cancer (ESPRESSO-01). Oncologist, 22(5):592-600, 2017
24) Han HS et al：A Prospective Multicenter Study Evaluating Secondary Adrenal Suppression After Antiemetic Dexamethasone Therapy in Cancer Patients Receiving Chemotherapy: A Korean South West Oncology Group Study. Oncologist 20(12):1432-1439, 2015
25) Jeong Y et al：A Pilot Study Evaluating Steroid-Induced Diabetes after Antiemetic Dexamethasone Therapy in Chemotherapy-Treated Cancer Patients. Cancer Res Treat, 48(4):1429-1437, 2016
26) Sekine I et al：Risk factors of chemotherapy-induced nausea and vomiting: index for personalized antiemetic prophylaxis. Cancer Sci, 104(6):711-717, 2013

27) Tamura K et al：Testing the effectiveness of antiemetic guidelines: results of a prospective registry by the CINV Study Group of Japan. Int J Clin Oncol, 20(5):855-865, 2015
28) Tsuji D et al：Risk factors associated with chemotherapy-induced nausea and vomiting in the triplet antiemetic regimen including palonosetron or granisetron for cisplatin-based chemotherapy: analysis of a randomized, double-blind controlled trial. Support Care Cancer, 27(3):1139-1147, 2019

（林　稔展）

2-2 便秘

I 概要

　便秘は，何らかの原因により排便困難を呈するものであり，消化器症状の中ではよく認められる症状の一つである。便秘の定義は，日本内科学会，日本消化器病学会，日本大腸肛門病学会などそれぞれにあるが明確に統一されていない。

　国際的には慢性便秘症の定義として，国際消化器病学会のRome IV診断基準[1]が用いられる（表1）。排便は個人差が大きく，表1のように排便のあった日数だけではなく，便性状，残便感などの複数の要因により決定される。便の性状は一般的にブリストル便形状スケール（Bristol Stool Form Scale：BSFS）が用いられる（図）。便秘は通常，Type1もしくは2を示し，Type3から5までの範囲が健常の糞便である。つまり，毎日排便があったとしても，患者に対してどのような便性状なのかを確認することが便秘の判断には必要となる。

　慢性便秘症は，一般的に原発性，続発性に分類され，続発性の原因としては，①大腸がんや潰瘍性大腸炎等の手術後の癒着やクローン病での腸管狭窄等で起こる器質性，②甲状腺機能低下症による大腸の蠕動運動低下や糖尿病等により起こる内分泌代謝疾患性，③脊髄損傷やパーキンソン病等により起こる神経疾患性，④オピオイド鎮痛薬や抗うつ薬等による薬剤性等が挙げられる[2,3]。2017年に刊行された慢性便秘症診療ガイドラインでは，原因分類として器質性と機能性があり，器質性便秘は大腸の形態的変化を伴う便秘（例：大腸がん等に起因）であり，機能性便秘は大腸の形態的変化を伴わない便秘である[4]と記載されている。

　オピオイド誘発性便秘症（opioid-induced constipation：OIC）についてはRome IV診断基準のなかで一つの項目として加わっているが，詳細は他項（第6章 3-5）を参照されたい。

表1　「Rome IV 診断基準」機能性便秘の診断基準[1]

1. 以下の項目のうち2項目以上を満たすこと
a. 排便の25%以上の時間は，強くいきんでいる 　b. 排便の25%以上は兎糞状あるいは硬便（BSFS*でType1もしくは2）を認める 　c. 排便の25%以上は残便感を伴う 　d. 排便の25%以上は直腸肛門部の閉塞感や排便困難感がある 　e. 排便の25%以上で摘便や骨盤部の圧迫等が必要である 　f. 自発的な排便回数が1週間に3回未満
2. 緩下剤を使わなくとも軟便が出ることは稀である
3. IBSの診断基準は満たさないこと
症状が少なくとも6カ月以上前から出現し，直近3カ月は診断基準を満たす必要がある

＊BSFS：Bristol Stool Form Scale, ブリストル便形状スケール

〔Mearin F et al：Gastroenterology, 150(6):1393-1407, 2016〕

Type	形		
1		Separate hard lumps like nuts (difficult to pass) 硬くてコロコロの木の実状，ウサギの糞状の便。排便困難	
2		Sausage shaped but lumpy ソーセージ状だが，小さな塊からなる硬い便	
3		Like a sausage but with cracks on its surface 表面にひび割れの入ったソーセージ状の便	
4		Like a sausage or snake, smooth and soft ソーセージまたはヘビのようにとぐろを巻く，なめらかで軟らかい便	
5		Soft blobs with clear-cut edges (passed easily) 半固形で輪郭のはっきりした軟らかい便。排便容易。	
6		Fluffy pieces with ragged edges, a mushy stool 境界のはっきりしないぼろぼろした不定形の泥状便	
7		Watery, no solid pieces, entirely liquid 水様の固形物のない液状便。水様便	

便秘 ↕ (Type 1–2) / 正常便 ↕ (Type 3–5) / 下痢 ↕ (Type 6–7)
消化管通過時間：遅い ↔ 速い

図 ブリストル便形状スケール（Bristol Stool Form Scale）
〔O'Donnell LJ：BMJ, 300(6722): 439-440, 1990, LongstrethGF, et al：Gastroenterology, 130(5):1480-1491, 2006 を参考に作成〕

② 発症機序

がん患者の便秘の機序と要因について表2に示す[5,6]。がん患者の便秘はがん自体の器質的な原因による消化管閉塞のほかに，内分泌障害，代謝障害，抗がん薬自体の薬理作用，予防的制吐薬，がんによる症状緩和に対する薬剤，高齢などの複数の要因があり，がん薬物療法に起因する便秘を区別した調査を困難にしている[7]。

③ 症状

便秘の症状を呈するがん患者は多い。進行がん患者における便秘は32〜87%[8,9]と高頻度に発現しているとされる。また，がん薬物療法を実施している患者462名を対象にした有症状率に関する調査では，便秘は倦怠感，食欲不振に続いて3番目に多く，16%（中等症11%，重症4.9%）と報告されている[10]。しかし前述の通り，がん患者の便秘症状は複数の要因が原因となりうる。

便秘は頭痛，倦怠感，腹部膨満，腹痛，悪心・嘔吐，食欲不振，痔核，尿路合併症などの症状を付随することがあるため，注意が必要である[9]。特に，消化器がんや腹膜播種を合併している患者においては，腸閉塞を除外するうえで便通異常には注意を払う必要がある。そのためには原発巣部位，転移部位，手術歴，がん薬物療法のレジメン，併用薬剤を確認し，必要に応じて胸腹部X線や

表2 がん患者の便秘の機序と要因[5,6]

原因分類		機序	主な原因，要因
器質性	狭窄型	下部大腸の狭窄・閉塞，外部からの圧迫により便が通過困難となる	・腸管内外の腫瘍 ・開腹手術による腸管の狭窄 ・がん性腹膜炎
機能性	排便回数減少型	大腸の緊張・蠕動低下（大腸通過遅延）	・疼痛・脱水・食事環境の変化・活動性の低下 ・嘔吐・排便の意識的抑制・発熱・環境変化など ・内分泌障害（高Ca血症など） ・代謝障害（脱水，全身衰弱など） ・薬剤性（一部の抗がん薬，5-HT_3受容体拮抗薬，オピオイド，抗コリン作用をもつ薬剤（抗うつ薬，統合失調症薬，抗アレルギー薬など），過度な止痢薬，Ca拮抗薬，抗けいれん薬 など）
機能性		大腸の痙攣性収縮のために直腸への便の輸送が障害される（排泄障害）	・動揺・緊張などの精神的・心理的ストレス，うつなど
機能性	排便困難型	大脳や脊髄などの障害により排便反射の障害や便の輸送障害が起こる	・脳腫瘍 ・脊髄腫瘍 ・脊髄浸潤・圧迫など

〔髙木良重 他：エキスパートナース，32(7):77-88, 2016, 濱口恵子 他：がん化学療法ケアガイド 改訂版，中山書店，pp173-180, 2012をもとに作成〕

表3 CTCAE v5.0 便秘

CTCAE v5.0 Term 日本語	Grade 1	Grade 2	Grade 3	Grade 4	Grade 5
便秘	不定期または間欠的な症状；便 軟化薬/緩下薬/食事の工夫/浣腸を不定期に使用	緩下薬または浣腸の定期的使用を要する持続的症状；身の回り以外の日常生活動作の制限	摘便を要する頑固な便秘；身の回りの日常生活動作の制限	生命を脅かす；緊急処置を要する	死亡

〔有害事象共通用語基準 v5.0 日本語訳 JCOG版より（JCOGホームページhttp://www.jcog.jp）〕

CTなどの画像検査を行う[11]。一方で，胆汁排泄型のイリノテカンなどでは便秘が遅発性下痢を起こす原因であることが知られている。

4 重症度分類

症状の重症度はCTCAE v5.0を用いる（表3）。

5 起こりやすい抗がん薬

便秘は種々の要因が存在することから，抗がん薬による正確な便秘の発生率を推定することは困難であるが，一般的にはビンカアルカロイド系抗がん薬とタキサン系抗がん薬で便秘が生じやすい。ビンカアルカロイド系抗がん薬は，神経細胞の微小管障害を起こし自律神経機能異常を介して腸管運動抑制を起こすと考えられている[12]。この微小管障害作用はビンクリスチン，ビンデシン，ビンブラスチンの順で起こしやすいとされる。ビンクリスチンによる自律神経障害を含む末梢神経障害

は用量依存的と考えられており，自律神経障害の重篤な状態として，麻痺性イレウスがある。したがって，ビンクリスチンにおいては，1回投与量が2mg/bodyを上限とする設定がなされている。また，タキサン系薬剤は微小管の脱重合阻害作用を有することから同様のことが想定される。サリドマイドおよびレナリドミドにおいても，多様な薬理作用の中での自律神経障害の一つとして便秘が発現していると考えられる。

6 対処方法

便秘を効果的に管理するためには予防，原因の同定と除去，効果的な下剤の投与を含めた総合的なアプローチが必要である。

NCCNガイドラインVer2. 2021[13]では，便秘の予防には水分を摂取し，水分摂取と活動性が十分保たれているのであれば食物繊維の摂取量を増やし，また可能なら運動量を増やし，予防的薬剤を使用する。その際，便軟化剤と刺激性下剤を単剤もしくは組み合わせて使用し，1〜2日ごとの排便を目標とする。それでも目標となる排便がみられなければ，原因と重症度を評価し，便秘の起因となる薬剤を中止できるか検討する[9]。緩和ケアを受けている便秘患者を対象にラクツロース，センナなどの複数の下剤の効果や有害事象の優劣についてコクラン・レビューにて検証されている[14]。しかし，quantitative synthesis（量的解析）を含む研究がなく，便秘の治療薬にはさまざまな種類があるがどの治療薬が最善かのエビデンスは得られていない。

実臨床においては，便軟化剤と刺激性薬剤を単剤もしくは組み合わせて使用することが多かったが，近年新たな作用機序を有する薬剤が複数開発され，あるいは欧米で使用されていた薬剤が日本でも使用可能となり，治療薬の選択肢が広がっている。がん薬物療法中に汎用される下剤について表4に示し，代表的な薬剤について以下に記載する。

1）浸透圧性下剤
（1）塩類下剤

酸化マグネシウムは，胃酸HClと反応し塩化マグネシウム$MgCl_2$となり，その後腸管内において難吸収性の重炭酸塩または炭酸塩になる。その結果，腸管内の浸透圧が高張となるため，腸管内に水分が移行することで腸管内容物が軟化・増大し，腸管を刺激し軟便が排泄される。

副作用として高マグネシウム血症があり，呼吸抑制，意識障害，不整脈等の発現に注意する。通常，血中のマグネシウムは腎臓から速やかに排泄されるが，緩下作用を認める比較的多量の酸化マグネシウムの経口投与では，長時間にわたり通常よりも高い血中マグネシウム濃度が維持されている可能性が指摘されている[15]。高マグネシウム血症に関する詳細なリスク因子解析はほとんどなく，高齢者や長期投与患者に対する高マグネシウム血症について注意喚起がされている[16]。

また，高分子量のポリエチレングリコール（PEG）製剤であるマクロゴールは，高い浸透圧により，消化管内に水分が保持される[17]。その結果，腸内の水分量が増加し，便軟化・便容積の増大に伴い，用量依存的に便の排出が促進される[18]。PEG製剤は，海外ではエビデンスが豊富で，システマティックレビューにおける報告では，慢性便秘症の症状改善に効果的であり，推奨度およびエビデンスレベルともに高いことが記載されている[19]。さらに，マクロゴールは，体内でほとんど吸収されないため，腎機能障害がある患者にも比較的使用しやすいと考えられる。

(2) 糖類下剤

ラクツロースはガラクトースとフルクトースの人工二糖類である。未変化体が大腸にて高繊維食摂取に似た生理的な排便作用と，腸内細菌により分解され生成した乳酸や酢酸などの有機酸により腸管運動が亢進される。ただし，便秘に対する適応症としては小児，産婦人科術後となっており，その他には便秘を伴った高アンモニア血症に対して適応となる。

表4 代表的な便秘症治療薬

分類			一般名	作用機序	作用発現時間	便秘に関する適応症
便軟化	浸透圧性下剤	塩類下剤	酸化マグネシウム	胃酸で重炭酸Mgもしくは炭酸Mgに変換することで浸透圧維持し腸管から水分を奪い腸管内容物を軟化	8〜10時間	便秘症
			マクロゴール	高浸透圧によって，消化管内の水分保持，腸内水分量増加，便軟化・便容積の増大に伴い，便排出	2日	慢性便秘症
		糖類下剤	ラクツロース	・高繊維食摂取に似た生理的な排便作用 ・腸内細菌により分解され生成した乳酸や酢酸等の有機酸により腸管運動が亢進	1〜2日	小児における便秘（商品により適応症が異なる）
	上皮機能変容薬	クロライドチャネルアクティベーター	ルビプロストン	小腸での水分分泌を促進し軟便化	1日	慢性便秘症
		グアニル酸シクラーゼC受容体活性化	リナクロチド	小腸での水分分泌を促進し軟便化，腸管輸送能の亢進	1日	便秘型過敏性腸症候群，慢性便秘症
刺激性	大腸刺激薬		センナ，センノシド，大黄	大腸の蠕動運動を亢進	8〜12時間	便秘症
			ピコスルファートナトリウム	大腸の蠕動運動を亢進	7〜12時間	便秘症
その他	胆汁酸トランスポーター阻害薬		エロビキシバット	胆汁酸トランスポーター阻害により，胆汁酸の再吸収抑制，大腸内に流入する胆汁酸量増加。胆汁酸により大腸内の水分・電解質分泌促進，消化管運動亢進	5時間	慢性便秘症
	末梢性μオピオイド拮抗薬		ナルデメジン	消化管に存在するμオピオイド受容体に結合，オピオイドの末梢性作用に拮抗	5時間	オピオイド誘発性便秘症
直腸型	浣腸		グリセリン	直腸内体積の増加による強制排出，便の膨潤軟化作用，潤滑作用	直後	便秘，腸疾患時の排便
	坐剤		炭酸水素ナトリウム・無水リン酸二水素ナトリウム	腸管内におけるCO_2発生により蠕動運動を亢進	5〜15分	便秘症
			ビサコジル	大腸の蠕動運動を亢進	15〜60分	便秘症

2) 上皮機能変容薬

本分類の薬剤としては，ルビプロストン，リナクロチドがある。

(1) ルビプロストン

ルビプロストンは小腸上皮に局在するType2クロライドイオンチャネルを活性化することで，小腸腸管内腔へのクロライドイオン輸送によって浸透圧を生じさせ，腸液の分泌を促進させる。その結果，便の水分含有量が増え軟便化により排便を促す。Child-Pugh分類クラスBまたはC，重度の腎機能障害患者においては減量を検討する。副作用は開始2日以内に多く発現し，アミティーザ®市販直後調査結果では，下痢以外に悪心が36％と多いが，1日1回への減量や食事中もしくは食後に服薬することで軽減するとされる[20, 21]。2018年12月からは，24μg製剤に加えて，12μg製剤が使用可能となった。システマティックレビューにおける報告では，非がん患者を対象としたオピオイド誘発性便秘に対するルビプロストンの効果が認められている[22]。

(2) リナクロチド

リナクロチドは，腸管上皮細胞表面に存在するグアニル酸シクラーゼC（GC-C）受容体に作動しcGMP濃度を上昇させ，腸管分泌ならびに腸管輸送能を促進させることで便通を改善する。副作用として最も多いのは下痢であり，発現時期は投与開始数日以内が多く，食後内服では下痢の発現率が高かったことから食前内服となっている。適応症は便秘型過敏性腸症候群および慢性便秘症である。

3) 大腸刺激性下剤

本分類の薬剤としては，センノシド，センナ，ピコスルファートナトリウムなどがある。

センノシドなどのアントラキノン系薬剤は，このままでは不活性型である。大腸において腸内細菌により加水分解され，活性体であるレインアンスロンが生成されることにより大腸の蠕動運動を促進させ排便を促す。ジフェノール誘導体であるピコスルファートナトリウムは大腸に移行し，大腸細菌叢由来の酵素アリルスルファターゼにより活性型へ変換されることで大腸蠕動運動を亢進させる。

アントラキノン系のエビデンスは限られており，ピコスルファートナトリウムについては慢性便秘症を対象とした短期使用に関して有用性が示されている[23, 24]。

刺激性下剤は短期間の使用は安全とされているが，長期的な使用は薬剤耐性，精神的依存性，習慣性等が指摘されている[3]。慢性的な刺激性下剤の使用により結腸膨起の欠如といった解剖学的変化を認める報告[25]や，特にアントラキノン系の長期使用による大腸メラノーシスの発現[26]，大腸がんのリスク増加の可能性[27]などが報告されていることから，長期的な使用については注意が必要である。

4) 胆汁酸トランスポーター阻害薬

エロビキシバットは，2018年4月よりわが国で使用可能となった世界初の胆汁酸トランスポーター阻害薬である。回腸末端部の上皮細胞に発現している胆汁酸トランスポーターを阻害することで，胆汁酸の再吸収を抑制し，大腸内へ流入する胆汁酸量を増加させる[28]。さらに，胆汁酸は大腸内に水分および電解質を分泌させ，消化管運動を亢進させることで，排便が促進される[29]。主な副作用として下痢と腹痛があげられる。食事などの刺激によって胆汁酸が分泌されるため，効果的な

服用方法として食前に服用することが望ましい。

5）末梢性μオピオイド受容体拮抗薬

　ナルデメジンは，2017年6月よりわが国で使用可能となった末梢性μオピオイド受容体拮抗薬である。本剤の特徴として，中枢には作用しないためオピオイドの鎮痛作用を阻害することなく，消化管に存在するμオピオイド受容体に結合することより，オピオイドの末梢性作用に拮抗し，便秘改善作用を有する[30, 31]。

6）直腸型下剤

　一般的に直腸型下剤の発現時間は早い。脊髄圧迫などを除き，通常のがん患者の排便に対しては定期的に使用するものではない[32]。ビサコジルは弛緩した直腸にある軟便を排出するのに対し，グリセリン浣腸は直腸内の硬便を軟化することが可能である[32]。好中球減少や血小板減少などの血球減少リスクのある化学療法を受けている患者に対する坐薬および浣腸の使用は注意すべきである[32, 33]。また造血幹細胞移植患者[34]や好中球減少患者[35]では，皮膚もしくは粘膜損傷を避けるため直腸温計，浣腸，坐薬および直腸検査は禁忌とされている。そのようなリスクがないことを確認したうえで使用を検討する。

【参考文献】
1) Mearin F et al：Bowel Disorders. Gastroenterology, 150(6):1393-1407, 2016
2) Lembo A et al：Chronic constipation. N Engl J Med, 349(14):1360-1368, 2003
3) 中島淳：慢性便秘の診断と治療. 日本内科学会雑誌, 105(3):429-433, 2016
4) 日本消化器病学会関連研究会　慢性便秘の診断・治療研究会：慢性便秘症診療ガイドライン2017, 南江堂, 2017
5) 高木良重　他：重篤な便秘を招かない！　予防・対応のポイント；見抜きたい！"重篤な便秘". エキスパートナース, 32(7):77-88, 2016
6) 濱口恵子　他：便秘;がん化学療法ケアガイド 改訂版, 中山書店, p.173-180, 2012
7) Gibson RJ et al：Cancer chemotherapy-induced diarrhoea and constipation: mechanisms of damage and prevention strategies. Support Care Cancer, 14(9):890-900, 2006
8) Larkin PJ et al：The management of constipation in palliative care: clinical practice recommendations. Palliat Med, 22(7):796-807, 2008
9) Abernethy AP et al：Detailing of gastrointestinal symptoms in cancer patients with advanced disease: new methodologies, new insights, and a proposed approach. Curr Opin Support Palliat Care, 3(1):41-49, 2009
10) Yamagishi A et al：Symptom prevalence and longitudinal follow-up in cancer outpatients receiving chemotherapy. J Pain Symptom Manage, 37(5):823-830, 2009
11) 深堀理：化学療法中に遭遇する便秘・下痢；病棟でのがん患者サポート（堀之内秀仁　編）．レジデントノート，18(16):2880-2886, 2017
12) 厚生労働省：重篤副作用疾患別対応マニュアル【消化器】麻痺性イレウス, 2008（http://www.mhlw.go.jp/topics/2006/11/dl/tp1122-1g09.pdf）（2022年6月閲覧）
13) NCCN：Palliative Care. In NCCN Clinical Practice Guidelines ver2, 2021
14) Candy B et al：Laxatives for the management of constipation in people receiving palliative care. Cochrane Database Syst Rev. 5, CD003448, 2015
15) 吉村勇哉　他：酸化マグネシウム製剤を経口投与したラットでのマグネシウムの動態解析. YAKUGAKU ZASSHI, 137(5):581-587, 2017
16) 厚生労働省医薬・生活衛生局：医薬品・医療機器等安全性情報 No.328, p.3-6, 2015

17) Schiller LR et al：Osmotic effects of polyethylene glycol. Gastroenterology, 94(4):933-941, 1988
18) Hammer HF et al：Studies of osmotic diarrhea induced in normal subjects by ingestion of polyethylene glycol and lactulose. J Clin Invest, 84(4):1056-1062, 1989
19) Ford AC et al：American College of Gastroenterology monograph on the management of irritable bowel syndrome and chronic idiopathic constipation. Am J Gastroenterol, 109（Suppl 1）:S2-26; quiz S27, 2014
20) Baker DE：Lubiprostone: a new drug for the treatment of chronic idiopathic constipation. Rev Gastroenterol Disord, 7(4):214-222, 2007
21) Rivkin A et al：Lubiprostone: chloride channel activator for chronic constipation. Clin Ther, 28(12):2008-2021, 2006
22) Passos MDCF et al：Systematic review with meta-analysis: lubiprostone efficacy on the treatment of patients with constipation. Arq Gastroenterol, 57(4):498-506, 2020
23) Mueller-Lissner S et al：Multicenter, 4-week, double-blind, randomized, placebo-controlled trial of sodium picosulfate in patients with chronic constipation. Am J Gastroenterol, 105(4):897-903, 2010
24) Wulkow R et al：Randomised, placebo-controlled, double-blind study to investigate the efficacy and safety of the acute use of sodium picosulphate in patients with chronic constipation. Int J Clin Pract, 61(6):944-950, 2007
25) Joo JS et al：Alterations in colonic anatomy induced by chronic stimulant laxatives: the cathartic colon revisited. J Clin Gastroenterol, 26(4):283-286, 1998
26) Walker NI et al：Melanosis coli. A consequence of anthraquinone-induced apoptosis of colonic epithelial cells. Am J Pathol, 131(3):465-476, 1988
27) Siegers CP et al：Anthranoid laxative abuse--a risk for colorectal cancer? Gut, 34(8):1099-1101, 1993
28) Acosta A et al：Elobixibat and its potential role in chronic idiopathic constipation. Therap Adv Gastroenterol, 7(4):167-175, 2014
29) Mitchell WD et al：Bile acids in the diarrhoea of ileal resection. Gut, 14(5):348-353, 1973
30) Kanemasa T et al：Pharmacologic effects of naldemedine, a peripherally acting μ-opioid receptor antagonist, in in vitro and in vivo models of opioid-induced constipation. Neurogastroenterol Motil, 3(5):e13563, 2019
31) Watari R et al：Minimal contribution of P-gp on the low brain distribution of naldemedine, a peripherally acting μ-opioid receptor antagonist. Drug Metab Pharmacokinet, 34(2):126-133, 2019
32) Fallon M et al：ABC of palliative care. Constipation and diarrhoea. BMJ, 315(7118):1293-1296, 1997
33) O'Mahony S et al：Current management of opioid-related side effects. Oncology (Williston Park), 15(1):61-73, 2001
34) Centers for Disease Control and Prevention; Infectious Disease Society of America; American Society of Blood and Marrow Transplantation：Guidelines for Preventing Opportunistic Infections among hematopoietic stem cell transplant recipients. MMWR Recomm Rep, 49(RR10): 1-125, 2000
35) Freifeld AG et al：Clinical practice guideline for the use of antimicrobial agents in neutropenic patients with cancer: 2010 update by the infectious diseases society of america. Clin Infect Dis, 52(4):e56-e93, 2011

（内田　まやこ）

第5章 支持療法　2 消化器系

2-3 下痢

1 概要

　下痢という用語は医療者だけではなく，広く患者にも使われていることから，明瞭な確固たる定義はない。例として，WHOでは「通常よりも軟らかいもしくは液状の便が1日3回以上，またはいつもより回数が多い状態」とされ[1]，世界的な内科学の教科書では「異常に水分の多い便や固形ではない便が頻度を増して排泄することであり，1日200gを超える便のこと」[2]，がんの臨床試験の有害事象評価の指標として汎用される有害事象共通用語基準（Common Terminology Criteria for Adverse Events：CTCAE）においては「排便頻度の増加や軟便または水様便の排泄」[3]とさまざまある。便の排泄行為自体が，がんに罹患しているか否かにかかわらず極めて日常的な行為であり，患者の生活習慣などによっても大きく影響を受けることを念頭におく必要がある。

　なお，本稿では免疫チェックポイント阻害薬（Immune Checkpoint Inhibitors：ICIs）投与に伴う「免疫関連有害事象（irAE）としての下痢」については別項目があるため割愛する。

2 発症機序

1）細胞障害性抗がん薬

　それぞれの薬剤の細胞障害の機序は異なるが，基本的に細胞障害性抗がん薬によって引き起こされる下痢は，抗がん薬あるいはその代謝物による腸管粘膜の傷害が原因の1つと考えられている。代表的なものとして，イリノテカン投与後の下痢は，投与後24時間以内に起こることの多い早発性の下痢と，活性代謝物であるSN-38による消化管粘膜の傷害で引き起こされる遅発性の下痢とに大別される。前者は抗がん薬投与により副交感神経が刺激されることで生じるとされているため，コリン作動性下痢ともよばれている。後者の遅発性の下痢は，投与24時間後から1週間程度経過して発現することが多いが，遅いものでは数カ月後に起こることもある。また，SN-38はグルクロン酸抱合され，胆汁経由で腸管に排出されるが，腸内細菌によって脱抱合され，再びSN-38となって腸肝循環することが知られている。

2）分子標的治療薬

　分子標的治療薬として長らく使用されている上皮成長因子受容体（EGFR）阻害薬における下痢には，いくつかの機序が提唱されている。1つは，正常な消化管粘膜において，EGFRはクロライドイオンの分泌を抑制的に作用しているが，EGFR阻害薬がその調節経路を遮断することにより，クロライドイオンの分泌が亢進され，結果として腸管内の水分量が増加することで下痢を誘発するというものである[4,5]。また，別の説としては，EGFRが発現している腸管上皮の成長と，傷害か

らの治癒につながるEGFRのシグナルを阻害することで，粘膜萎縮を引き起こすというものである[6]。また，哺乳類ラパマイシン標的蛋白質（mTOR）阻害薬では腸内細菌叢の不均衡や水分の吸収不良などが，ボルテゾミブでは自律神経障害の影響が，イマチニブでは腸管に存在する自発運動のペースメーカー的な役割を担うCajal（カハール）細胞の変性などの機序が考えられている。

③ 症状

　下痢の症状の重篤度を評価する指標として，CTCAEv5.0がある（表1）[3]。これはあくまで臨床試験での評価を世界共通で比較検討可能にする目的で作成されているが，実地臨床においても活用されている。このCTCAEは，「がん治療中に起こるさまざまな有害事象を評価するうえでの共通指標」という意味では使いやすい反面，下痢の評価に関しては，ともすれば「排便回数重視の指標」とも読み取れ，便の性状や血性有無，下痢が続いている期間，便の量や腹痛などの随伴症状の有無などが必ずしも考慮されないため，注意が必要である。われわれ薬剤師が接することの多いがん薬物治療中の下痢に関しては，発症のタイミングや使用されている抗がん薬の種類などから，その多くは治療関連のものと推察される場合が多いことも事実である。

　また，担がん患者では，がんそれ自体の特性〔神経内分泌腫瘍，結腸がん，悪性リンパ腫，甲状腺髄様がん，膵がん（特に膵内分泌腫瘍），褐色細胞腫など〕によって下痢が引き起こされる可能性も知っておく必要があり，治療開始前のベースラインでの排便状況の評価も重要となる。医原性のものとしては，消化管切除，回腸ストマ造設，骨盤内放射線療法や治療関連で開始および中止された薬剤なども下痢の原因となることがあり，下痢の評価と一口に言っても，カルテから整理すべき事項や患者から聞き取るべき情報は多岐にわたる。症状の聴取をする際には，便の性状に関する患者と医療者の相違が生じている可能性があれば，ブリストル便形状スケール（p.602，図を参照）[7]などの視覚的な情報を加味したツールを使用することも有用である。

　がん薬物治療中であれば，採血での臨床検査値を比較的頻回に確認していることが多いが，下痢に特徴的な臨床検査所見はないため，重篤な下痢への進展を回避するために，脱水に伴う電解質や腎機能の変化に注意が必要となる。炎症反応や白血球数にも注意を要するが，合併した感染や抗がん薬自体による骨髄抑制の影響も加味して，総合的な判断が必要となる。

表1　CTCAE v5.0　下痢

CTCAE v5.0 Term 日本語	Grade 1	Grade 2	Grade 3	Grade 4	Grade 5
下痢	ベースラインと比べて<4回/日の排便回数増加：ベースラインと比べて人工肛門からの排泄量が軽度に増加	ベースラインと比べて4～6回/日の排便回数増加：ベースラインと比べて人工肛門からの排泄量の中等度増加：身の回り以外の日常生活動作の制限	ベースラインと比べて7回以上/日の排便回数増加：入院を要する：ベースラインと比べて人工肛門からの排泄量の高度増加：身の回りの日常生活動作の制限	生命を脅かす：緊急処置を要する	死亡

〔有害事象共通用語規準 v5.0 日本語訳 JCOG版より（JCOGホームページhttp://www.jcog.jp）〕

4 原因となりうる薬剤（抗がん薬など）

1）細胞障害性抗がん薬

多くの細胞障害性抗がん薬において下痢の有害事象は認められており，以下に主なものを取り上げる。

イリノテカンにおいては，出典となる臨床試験によってイリノテカンの投与量設定が異なり，頻度も多様であるが，多剤併用療法レジメン（FOLFIRI，FOLFOXIRI，CapeIRI）においてGrade 3〜4の重篤な下痢の発現が知られており，14〜47%と極めて高率である[8〜10]。イリノテカンの毒性は，UDP-グルクロニルトランスフェラーゼ（UGT）1A1の遺伝子多型との関連が多数報告されている。特に好中球減少との関連が強く示唆されているが，下痢に関してもその傾向が認められているため[11]，治療前のリスク評価の1つとして保険適用で実施可能な遺伝子多型検査の実施を検討する。カペシタビンは，単剤で2,000mg/m^2 14日間服用7日間休薬の投与法でも全Gradeで30〜40%程度の下痢の発現があり，Grade3〜4の重篤なものも10〜20%程度認められる[12]。そのほか，ドセタキセル[13]，パクリタキセル[13]，カバジタキセル[14]，およびアルブミン懸濁型パクリタキセル[15]などのタキサン系抗がん薬においても下痢は頻度の高い有害事象として知られており，おおむね全Gradeで約20〜50%程度，Grade3〜4の重篤なものは数%の発現を認めている。

2）分子標的治療薬

下痢の頻度が比較的高頻度な主な分子標的治療薬を表2[16]に列挙した。EGFRやHER2を標的とした薬剤に多く認められている傾向にあり，それ以外にも機序は明確になっていないが経口薬を中心に広く認められている。

3）その他

がん薬物治療中には下痢の原因は抗がん薬にあると片付けがちではあるが，「併用されているほかの薬剤の中に，下痢を引き起こしやすい薬剤が含まれていないか」という視点も重要である。高齢患者などでは一包化された薬剤の中に下剤が含まれており，それが盲目的に継続されていることなどもある。また，抗菌薬，ラクツロース，マンニトール，非ステロイド性抗炎症薬（NSAIDs）やアンジオテンシン変換酵素阻害薬（ACE-I）なども原因となることが知られているため，注意が必要である[17]。

5 対処方法

上述の症状の項で記載したように，適切な対処のためにも，下痢の発現時期，持続している期間，排便回数や便性状，随伴する発熱や腹痛の有無を確認する。治療開始前の排便回数よりも4回以上増加するとGrade2以上の評価となるが，その状態が継続すると患者によっては脱水やそれに伴う電解質異常を来し，より重篤な状況になることがある。一般に止瀉薬などの対症療法を講じてもGrade2が持続したり，Grade3相当を来す場合には抗がん薬の休薬や減量が考慮されるが，個々のレジメン（薬剤）によってその規定は若干異なるため，適宜確認が必要である。

現在，がん患者における下痢に関する代表的なガイドライン（以下，GL）としては，2004年に

表2 主な分子標的治療薬の下痢の頻度

クラス	薬剤名	All Grade（%）	Grade 3-4（%）
抗EGFR	ゲフィチニブ	25.9-51.6	0.9-4.9
	エルロチニブ	18-57	3.0-6.0
	アファチニブ	87-95	14.4-22.0
	オシメルチニブ	41-58	1-2
	セツキシマブ	13-80*	2-28*
	パニツムマブ	21-70*	2-20*
抗HER2	ラパチニブ	47.4-75*	2.6-23.4*
	トラスツズマブ	7-63*	1.6-5.6*
	ペルツズマブ	48.3-66.8*	3-7.9*
Multi-targeted TKI	イマチニブ	20-26	1
	パゾパニブ	52	4
	レゴラフェニブ	34-40	5-8
	カボザンチニブ	64	12
	スニチニブ	44-55.3	5-7.8
	ソラフェニブ	43-55.3	2-7.8
	アキシチニブ	55	11
	バンデタニブ	74	10
	レンバチニブ	59	8
抗VEGF	ベバシズマブ	20	2-6.7
	アフリベルセプト	69.2	19.3
抗mTOR	エベロリムス	30	1-3
抗EML4-ALK	クリゾチニブ	50-60	0
	セリチニブ	78-85	5-20
抗MEK	トラメチニブ	45-50	0
抗CDK4/6	パルボシクリブ	21-26	1-4
	アベマシクリブ	86-90	13-20
抗プロテアソーム	ボルテゾミブ	57	7
	カルフィルゾミブ	42.3	3.8
	イキサゾミブ	45	6
抗PARP	オラパリブ	11-18	0

＊：単剤および他剤との併用時の情報を統合
CDK:cyclin-dependent kinase; EGFR: epidermal growth factor receptor; EML4/ALK: echinoderm microtubule-associated protein-like 4/anaplastic lymphoma kinase;
HER2: human epidermal growth factor receptor 2; MEK: MAPK ERK kinase; mTOR: mammalian target of rapamycin; PARP: poly（adenosine diphosphate-ribose）polymerase;
TKI: tyrosine kinase inhibitor; VEGF: vascular endothelial growth factor.

大腸がんにおけるIFL（イリノテカン/フルオロウラシル/ロイコボリン）療法での重篤な下痢の発現を契機に改訂された米国臨床腫瘍学会（American Society of Clinical Oncology：ASCO）[18]のものと，2018年に最近の抗がん薬の知見を含めた欧州臨床腫瘍学会（European Society of Medical Oncology：ESMO）[13]から発出されたものがある。がん薬物治療中の下痢の治療に際して両GLともに提唱しているのは，初期の評価によって，非複雑性（軽症）と複雑性（重症）とに大別されていることである。CTCAEのGradeで1～2かつ，けいれん，嘔気・嘔吐，Performance status（PS）の低下，発熱，敗血症，好中球減少，出血および脱水などの症状を呈していないものを軽症とし，Grade3～4もしくは1～2であっても前述のような症状が認められる際には重症に分類されている。

1）治療的対処

下痢の治療アルゴリズムは，重症度別に対応が異なっている（図）[13]。非複雑性の下痢の場合には，経口での補水や食事内容の変更（乳糖含有製品や高浸透圧性の健康食品の除去など），ロペラミドの使用などが推奨されている。ロペラミドは末梢性オピオイドであることから，消化管での局所作用に留まり，全身症状を来さないと考えられている。ただし，海外での推奨投与量（初回4mgにて開始し，その後2～4時間ごともしくは水様便が続く限り2mgを継続，1日最大量16mg）と国内での添付文書上の用量（1日2回，1回1 mg；最大2 mg/日）との乖離が著しいため，注意が必要である。ロペラミドの添付文書上の適宜増減の解釈として，上限用量の倍量程度までは患者の状況を見て許容されると考えられるものの，仮に下痢が必発の抗がん薬を投与されている場合であっても，患者の年齢および背景によって1日上限用量の設定は慎重に行う必要がある。頻用される止瀉薬を表3[19]に示す。

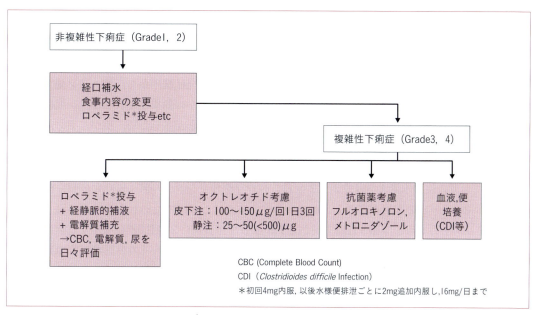

図　下痢への対処（治療的介入）

〔Bossi P et al：Ann Oncol, 29(Supplement_4):iv126-iv142, 2018をもとに作成〕

表3 止瀉薬一覧表

種類	一般名	商品名	用法・用量の例
吸着薬	ケイ酸アルミニウム	ケイ酸アルミニウム	1日3〜10gを3〜4回に分割経口
収斂薬	タンニン酸アルブミン	タンナルビン	1日3〜4gを3〜4回に分割経口
	次硝酸ビスマス	次硝酸ビスマス	1日2gを2〜3回に分割経口
殺菌薬	ベルベリン	フェロベリン	1日6錠を3回に分割経口
腸管運動抑制薬	ロペラミド	ロペミン	1日1〜2mgを1〜2回に分割経口 注：ESMOガイドライン：初回4mg内服，以後水様便排泄ごとに2mg追加内服し，16mg/日まで
	コデインリン酸塩	コデインリン酸塩	1日60mgを3回に分割経口
	アヘンチンキ	アヘンチンキ	1日1.5mLを3回に分割経口
乳酸菌製剤	ラクトミン製剤	ビオスリー	1日1.5〜3gを3回に分割経口
	ビフィズス菌	ラックビー	1日3〜6gを3回に分割経口
	耐性乳酸菌	ビオフェルミンR	1日3gを3回に分割経口
漢方製剤	半夏瀉心湯	半夏瀉心湯	1日7.5gを2〜3回に分割経口
ソマトスタチンアナログ製剤	オクトレオチド	サンドスタチン	緩和医療における消化管閉塞に伴う消化器症状の場合：オクトレオチドとして1日量300μgを24時間持続皮下投与 注1：わが国では下痢に対する保険適用なし 注2：ESMOガイドライン：100〜150μg皮下注1日3回または25〜50μg/hrの静注で開始。症状改善なければ，500μgまで用量増加
抗コリン薬	アトロピン硫酸塩	硫酸アトロピン	0.5mgを皮下または筋肉内に注射 ※わが国では下痢に対する保険適用なし

（日本緩和医療学会　編：専門家をめざす人のための緩和医療学，南江堂，2014をもとに作成）

2）予防的対処

　イリノテカンによって生じる早発性の下痢に対しては，その発症機序から，抗コリン薬であるアトロピンの投与が推奨されている。症状発現時の使用でも速やかに効果が現れるが，一度症状を発現すると，それ以降の投与でも繰り返し同様の症状を認めることが多いため，抗がん薬の前投薬の補液などに0.25〜0.5mg程度を混合して予防的に点滴静注することも可能である。また，イリノテカンによる遅発性の下痢に対しても，腸管内のアルカリ化などを目的とした経口薬の併用療法が報告されており，炭酸水素ナトリウム：2 g/日，ウルソデオキシコール酸：300 mg/日，酸化マグネシウム：2〜4 g/日の服用が必要とされている[20]。また，わが国で行われた半夏瀉心湯（シスプラチン/イリノテカン療法開始3日以上前から7.5 g/日で毎食前に21日間継続服用；試験群）によるランダム化比較試験においては，コントロール群に比してGrade3〜4の重篤な下痢の発現を有意に抑制したという一方で，下痢の頻度や持続期間については差がないとされている[21]。

【参考文献】

1) Diarrhoeal disease World Health Organization definition（https://www.who.int/news-room/fact-sheets/detail/diarrhoeal-disease）（2022年6月閲覧）
2) 福井 次矢 他 監訳：ハリソン内科学 第5版（原著第19版），メディカル・サイエンス・インターナショナル，2017
3) 有害事象共通用語規準 v5.0 日本語訳JCOG版（CTCAE v5.0 - JCOG），2017（http://www.jcog.jp/doctor/tool/CTCAEv5J_20220301_v25.pdf）（2022年6月閲覧）
4) Loriot Y et al：Drug insight: gastrointestinal and hepatic adverse effects of molecular-targeted agents in cancer therapy. Nat Clin Pract Oncol, 5(5):268-278, 2008
5) Uribe JM et al：Epidermal growth factor inhibits Ca（2+）-dependent Cl- transport in T84 human colonic epithelial cells. Am J Physiol, 271(3 Pt 1):C914-922, 1996
6) Bowen JM：Mechanisms of TKI-induced diarrhea in cancer patients. Curr Opin Support Palliat Care, 7(2):162-167, 2013
7) Parés D et al：Adaptation and validation of the Bristol scale stool form translated into the Spanish language among health professionals and patients. Rev Esp Enferm Dig, 101(5):312-316, 2009
8) Tournigand C et al：FOLFIRI followed by FOLFOX6 or the reverse sequence in advanced colorectal cancer: a randomized GERCOR study. J Clin Oncol, 22(2):229-237, 2004
9) Falcone A et al：Phase III trial of infusional fluorouracil, leucovorin, oxaliplatin, and irinotecan (FOLFOXIRI) compared with infusional fluorouracil, leucovorin, and irinotecan (FOLFIRI) as first-line treatment for metastatic colorectal cancer: the Gruppo Oncologico Nord Ovest. J Clin Oncol, 25(13):1670-1676, 2007
10) Fuchs CS et al：Randomized, controlled trial of irinotecan plus infusional, bolus, or oral fluoropyrimidines in first-line treatment of metastatic colorectal cancer: results from the BICC-C study. J Clin Oncol, 25(30):4779-4786, 2007
11) Minami H et al：Irinotecan pharmacokinetics/pharmacodynamics and UGT1A genetic polymorphisms in Japanese: roles of UGT1A1*6 and *28. Pharmacogenet Genomics, 17(7):497-504, 2007
12) Cutsem EV et al：Capecitabine, an oral fluoropyrimidine carbamate with substantial activity in advanced colorectal cancer: results of a randomized phase II study. J Clin Oncol, 18(6):1337-1345, 2000
13) Bossi P et al：Diarrhoea in adult cancer patients: ESMO Clinical Practice Guidelines. Ann Oncol, 29 Suppl 4:iv126-iv142, 2018
14) de Bono JS et al：Prednisone plus cabazitaxel or mitoxantrone for metastatic castration-resistant prostate cancer progressing after docetaxel treatment: a randomised open-label trial. Lancet, 376(9747):1147-1154, 2010
15) Von Hoff DD et al：Increased survival in pancreatic cancer with nab-paclitaxel plus gemcitabine. N Engl J Med, 369(18):1691-1703, 2013
16) 大橋養賢：シリーズ：抗がん薬治療の副作用 No. 3，副作用管理：下痢（Chemotherapy-induced Diarrheoa: CTID）．日本臨床腫瘍薬学会雑誌，16:16-28，2020
17) 佐藤健太：下痢・便秘症．日本プライマリ・ケア連合学会誌，35(1):56-65，2012
18) Benson AB 3rd et al：Recommended guidelines for the treatment of cancer treatment-induced diarrhea. J Clin Oncol, 22(14):2918-2926, 2004
19) 日本緩和医療学会 編：専門家をめざす人のための緩和医療学，南江堂，2014
20) Takeda Y et al：Prevention of irinotecan (CPT-11) -induced diarrhea by oral alkalization combined with control of defecation in cancer patients. Int J Cancer, 92(2):269-275, 2001
21) Mori K et al：Preventive effect of Kampo medicine (Hangeshashin-to) against irinotecan-induced diarrhea in advanced non-small-cell lung cancer. Cancer Chemother Pharmacol, 51(5):403-406, 2003

（大橋　養賢）

第5章 支持療法　2 消化器系

2-4 口内炎

1 概要

　抗がん薬による口内炎の発生頻度は約40％であり，比較的高頻度で現れる副作用である．これは口腔粘膜上皮細胞の増殖能が盛んであることから，抗がん薬が口腔粘膜上皮細胞に取り込まれやすいことに由来している．

　口内炎が重症化すると，水分や食事摂取量を低下させ脱水や低栄養の原因となることがある．また，口内炎の重症化による抗がん薬や，がん治療の中止，治療の開始時期の延長により，がん治療の継続が困難になることは，患者のQOLを著しく悪化させることになる．

　口内炎は予防が極めて重要であり，含嗽や口腔ケアなどの実施は口腔内の二次感染の予防や重症化を回避させることができる[1,2]．

2 発症機序

　口内炎の発症機序には，抗がん薬が直接DNA合成を阻害，また細胞の生化学的代謝経路を阻害することに伴い発生するサイトカインやフリーラジカルにより口腔粘膜の基底細胞が障害され，アポトーシスを引き起こすことによって生じるもの（一次口内炎）と，口腔細菌感染，低栄養，骨髄抑制等の免疫低下によって生じるもの（二次口内炎）が考えられる．また，抗がん薬のアレルギー反応によっても生じることがある[3]．

3 症状

1）好発時期

　口内炎は口腔粘膜上皮細胞の再生周期が10日程度であることから，抗がん薬の投与後，数日〜10日目頃に発生し，通常は2週間程度で改善し，一般的に予後は良好である．しかしながら，抗がん薬の多剤併用や投与期間が長い場合や頭頸部がんにおける放射線治療を同時に実施する場合は，口内炎が重篤化することがあるため注意が必要である[3,4]．

2）自覚症状・他覚症状

　早期の段階で患者が自覚できる症状は，口腔内の疼痛・違和感・出血・冷温水痛，口腔乾燥，口腔粘膜の発赤・腫脹，開口障害，咀嚼障害，嚥下障害，味覚異常などがある．他覚的症状としては口腔粘膜の発赤，紅斑，びらん，アフタ，潰瘍，偽膜，出血などの所見が観察される[3]．

　殺細胞性抗がん薬と分子標的治療薬の粘膜障害は同様の発症部位の特徴を有するが，分子標的治

療薬はアフタ性口内炎の病態を呈することが多い。

3）好発部位

口内炎の好発部位は機械的刺激を受けやすい，下口唇や舌側縁部，頬粘膜に発生することが多い。しかしながら，分子標的治療薬による口内炎は，機械的刺激の少ない舌背部や軟口蓋などに局在する形で発生することが多い[1]。

4）検査・重症度分類

診断となる検査は炎症反応の指標であるCRP，栄養状態の指標である総蛋白質・アルブミン，骨髄抑制の指標である抹消血液像，起因菌同定のための口腔内検査などがある。

口内炎のgrade分類に最も汎用されているものはCTCAE（表1，2）とWHO scale（表3）で

表1 CTCAE v5.0 口腔粘膜炎

CTCAE v5.0 Term 日本語	Grade 1	Grade 2	Grade 3	Grade 4	Grade 5
口腔粘膜炎	症状がない，または軽度の症状；治療を要さない	経口摂取に支障がない中等度の疼痛または潰瘍；食事の変更を要する	高度の疼痛；経口摂取に支障がある	生命を脅かす；緊急処置を要する	死亡

〔有害事象共通用語規準 v5.0 日本語訳 JCOG版より（JCOGホームページhttp://www.jcog.jp）〕

表2 CTCAE v3.0 口内炎

CTCAE v3.0 Term 日本語	Grade 1	Grade 2	Grade 3	Grade 4	Grade 5
口内炎 （診察所見）	粘膜の紅斑	斑状潰瘍または偽膜	融合した潰瘍または偽膜；わずかな外傷で出血	組織の壊死；顕著な自然出血；生命を脅かす	死亡
口内炎 （機能/症状）	上気道/上部消化管；わずかな症状で摂食に影響なし；わずかな呼吸器症状があるが機能障害はない 下部消化管；わずかに不快感があるが治療を要さない	上気道/上部消化管；症状はあるが食べやすく加工した食事を摂取し嚥下することはできる呼吸器症状があり機能障害があるが日常生活に支障はない 下部消化管；症状があり内科的治療を要するが日常生活に支障なし	上気道/上部消化管；症状があり十分な栄養や水分の経口摂取ができない；呼吸器症状があり日常生活に支障がある 下部消化管；便失禁やその他の症状により日常生活に支障がある	生命を脅かす症状がある	死亡

〔有害事象共通用語規準 v3.0 日本語訳 JCOG版より（JCOGホームページhttp://www.jcog.jp）〕

表3 WHOの分類 口腔内有害事象スケール

Scale 0	Scale 1	Scale 2	Scale 3	Scale 4
有害事象なし	ひりひりする，紅斑	紅斑，潰瘍，嚥下痛	潰瘍，広範囲なびらん，嚥下困難	経口摂取不可

ある。CTCAEの最新版はv5.0（表1）だが，2つ前のバージョンであるv3.0は診察所見と自覚所見の2つが示されているため（表2），現在でもv3.0を用いられることがある。なお，v3.0では口内炎（stomatitis）だったが，v4.0からは口腔粘膜炎（Mucositis oral）と用語も変更されている。

v4.0，v3.0ともに，日常生活に支障が出るほどの重症度はGrade3以上となっており，受診などが必要となってくる。

④ 原因となりうる薬剤（抗がん薬など）

通常のがん薬物療法（表4）における口内炎の発現頻度は約40％とされているが，大量の抗がん薬を使用する造血幹細胞移植時では70～90％，放射線化学療法が使用される頭頸部がんでは，ほぼ100％の確率で発現するとされている[3]。

⑤ 対処方法

口内炎には確立された治療がないため，実臨床では対症療法が主たる治療となる。口腔ケアは予防および治療においてその有効性が報告されており，広く実践されている。

1）クライオセラピー

抗がん薬投与時に氷片を口に含むクライオセラピー（凍結療法）は，口内炎の予防に効果的ではあり[3]，MASCC/ISOOの「がん治療に伴う粘膜障害に対するエビデンスに基づいた臨床診療ガイドライン概要」では，フルオロウラシルの急速静注化学療法を受ける患者に対し，口内炎予防のため30分の口腔クライオセラピーが推奨されている。

しかしながら，大腸がんにおけるFOLFOX療法ではオキサリプラチンの低温刺激による感覚異常を誘発するため，使用することはできない。

2）口腔ケア

口内炎は予防が最も重要であり，予防の基本は口腔ケアである。ESMOガイドラインにおいて

表4　口内炎を発現しやすい抗がん薬[1]

一般名	商品名
フルオロウラシル	5-FU
メトトレキサート	メソトレキセート
シクロホスファミド水和物	エンドキサン
メルファラン	アルケラン
シスプラチン	ランダ
ドセタキセル水和物	タキソテール
ドキソルビシン塩酸塩	アドリアシン
エベロリムス	アフィニトール

も歯科の早期介入，ブラッシング，含嗽が推奨されている。また含嗽は患者が継続して行うことのできる口腔ケアであり，予防から対処療法において継続することが望ましい。口腔内の細菌叢により形成されたバイオフィルムは，含嗽による口腔ケアでは除去することができないためブラッシングなどの物理的清掃が必要となる[4]。口内炎の疼痛により自身でのブラッシングが困難な場合は，看護師などに依頼するとよい。

3）含嗽

含嗽は口腔内の清潔を保ち，保湿することを目的としていることから，頻回に行うことが好ましく，浸透圧が粘膜に近く刺激の少ない生理食塩水やアズレンスルホン酸による含嗽が推奨されている。イソジンガーグルは組織の上皮化を阻害し刺激性が高いため，口内炎の治療には用いるべきではない。

①アズレンスルホン酸ナトリウム含嗽水

アズレンスルホン酸ナトリウム顆粒5包または液25滴とグリセリン液60mLに水を加え，計500mLとする。1日数回，1回20mL程度の含嗽水でうがいをする。

②アズレンスルホン酸ナトリウム・リドカイン含嗽液

アズレンスルホン酸ナトリウム顆粒5包または液25滴とグリセリン液60mL，リドカイン塩酸塩液5〜10mLに水を加え計500mLとする。1回20mL程度の含嗽水で食直前に2分程度うがいをする。

4）消炎および鎮痛薬

軽度から中等度の痛みにはアセトアミノフェン，非ステロイド性抗炎症薬（NSAIDs）を使用する。中等度以上の痛みで除痛困難な場合はオピオイド鎮痛薬を使用する。

MASCC/ISOOの「がん治療に伴う粘膜障害に対するエビデンスに基づいた臨床診療ガイドライン概要」では，口内炎の疼痛管理のための経皮的フェンタニル貼付剤の有効性を提言している。NSAIDsには腎障害の副作用があるため，腎毒性のある抗がん薬（白金製剤など）を服用している患者には注意を要する[5]。

また，口内炎の痛みがサイトカインによって生じるプロスタグランジンE_2が神経細胞を刺激することによって発現することから，プロスタグランジンE_2産生を濃度依存的に抑制することが知られている半夏瀉心湯も有効である。

口内炎に有効とされる漢方薬は多数存在するが，口腔粘膜炎に対する効果についてエビデンスレベルの高い臨床研究が行われているのは半夏瀉心湯のみであり，口腔粘膜炎の病悩期間を短縮させたとの報告がある。また，適応外ではあるが，本剤の予防的服用および含嗽による外用でも有効であるとの報告もある。

治療薬ではないが，口腔粘膜保護材であるエピシル口腔用液が疼痛緩和に有効である。本剤は創部に接着し保護，外部刺激から物理的に保護することで疼痛緩和効果を表すが，特定保険材料であり，がん主治医と連携した歯科医師のもと患者に適用する必要がある。

5）低出力レーザー

ヘリウム-ネオンを用いた低出力レーザーは細胞活性化，コラーゲン新生の促進，血流改善，血

表5 診断基準別治療方針

Grade0〜1	含嗽
Grade1〜2	含嗽＋保湿剤，粘膜保護剤，冷却法，低出力レーザー
Grade3〜4	含嗽＋保湿剤，粘膜保護剤，局所麻酔薬，冷却法，鎮痛薬

管新生の促進などに関与し，疼痛緩和効果をはじめ抗炎症効果，鎮静効果，創傷治癒促進効果が認められ口内炎治療に応用されている（**表5**）。MASCC/ISOOの「がん治療に伴う粘膜障害に対するエビデンスに基づいた臨床診療ガイドライン概要」では，大量化学療法を併用する造血幹細胞移植（全身放射線照射の有無を問わない）を受ける患者に対し，口内炎予防のため低出力レーザー治療を推奨している。

6 薬剤師の役割

　口内炎は直接死に至る副作用ではないものの，重症化することで治療の中断や開始時期を遅らせ，その結果，がん治療の継続が困難となり患者のQOLは著しく悪化する。

　口内炎は予防が最も重要であることから，がん治療開始前から継続した口腔ケアを実施することが望まれる。

　口内炎にかかわらず，患者が経験する副作用の多くは療養中（自宅）で現れることが多く，患者の生活のより近くにいる薬局薬剤師の役割は大きい。薬剤師の関与により副作用の早期発見はもちろんのこと，安全ながん薬物治療の完遂により患者QOLの向上にも寄与することが可能である。

【参考文献】
1) 日本臨床腫瘍薬学会　編：ホップ・ステップ・ジャンプで進めるがん治療の薬薬連携（CD-ROM付），南江堂，p78-79, 2016
2) 田中弘人　他：口内炎; がん患者でみられる副作用．調剤と情報, 21(12):42-43, 2015
3) 厚生労働省：抗がん剤による口内炎; 重篤副作用疾患別対応マニュアル，平成21年5月
4) 国立がん研究センターがん対策情報センター：がん治療と口内炎; がんと療養203. がんの冊子　がんと療養シリーズ，2012
5) 髙瀬久光　他　編：口内炎; ケーススタディで学ぶ　がん患者ロジカル・トータルサポート（片山志郎　他　監），じほう，p33-47, 2017
6) 日本がんサポーティブケア学会：がん治療に伴う粘膜障害マネジメントの手引き2020年版，金原出版，2020

（山口　俊司）

2-5 B型肝炎ウイルス再活性化

1 概要

B型肝炎ウイルス再活性化は，わが国においては1990年代以降に生体肝移植が普及することによって認知されるようになり，2000年以降に分子標的治療薬，生物学的製剤などを用いた新たな免疫抑制・化学療法が登場したことでその重要性が増してきている。

2 発症機序

B型肝炎ウイルス（HBV）の再活性化は，それまで患者の肝細胞内に潜伏していたHBVが増殖している現象を表しているが，免疫抑制が解除された後で，患者のTリンパ球によって，HBV感染肝細胞がウイルスもろとも攻撃されることによって肝炎として発症すると考えられており，特にHBV既往感染例のそれを de novo B型肝炎とよんでいる。また，HBV再活性化は，HBs抗原陽性例（HBVキャリア）とHBs抗原陰性でかつHBc抗体もしくはHBs抗体陽性例（HBV既往感染例）とに大別して定義されている。日本肝臓学会より発出されている『B型肝炎治療ガイドライン（第3.4版）』（以下，国内ガイドライン）[1]には明瞭な定義は記載されていないものの，海外の各種ガイドラインには具体的に記載されているものがあり，表1のように定義されていることが多い[2,3]。

薬剤師がHBV再活性化を理解するうえで，まずB型肝炎それ自体の疾患の複雑さがあるため，表2に各種HBVマーカーの用語解説を併せて記載するので参考にされたい。

3 症状

一般にHBV-DNAが増えて再活性化し，さらに進んだ病態として肝炎を来してAST/ALTやT-Bilなどの肝胆道系酵素の上昇を伴うと，黄疸や倦怠感などの症状が出現する場合がある。しかしながら，AST/ALT上昇Grade4相当（CTCAE v5.0）を表しても特段の症状を呈さないこともしばしば経験するため，再活性化を症状のみでモニタリングすることは得策ではない。

表1 HBV再活性化の定義の例

HBs抗原陽性例 （HBVキャリア）	①HBV-DNAのbaselineが判明しており，検出されている場合：2 Log（100倍）以上の上昇 ②HBV-DNAのbaselineが判明しており，検出感度以下の場合：3 Log（1,000 IU/mL）以上 ③HBV-DNAのbaselineが不明の場合：4 Log（10,000 IU/mL）以上
HBV既往感染例	HBV-DNAのbaselineからの上昇 and/or HBs抗原の陽転化

表2 各種HBVマーカーとその臨床的意義の要約

抗原（HBV由来）		抗体（宿主の体内で合成）	
HBs抗原	HBVの表面を覆っている蛋白質の1つ。HBV感染の有無を判定する際に調べられる。	HBs抗体	HBs抗原に対する中和抗体。陽性の場合，過去にHBVに感染したがウイルスが排除されている，またはHBワクチン接種後の状態であり，HBVに対する免疫があることを示す。
HBc抗原	HBVを構成する蛋白質の1つ。しかし，外殻の内部に存在するため，そのままでは検出されず，ルーチンの検査には用いられていない。	HBc抗体	HBc抗原に対する抗体（IgM-HBc抗体，IgG-HBc抗体）の総称。HBVの過去の感染既往があることを示す。
		IgM-HBc抗体	HBV感染初期に現れ，数カ月後には消える。比較的最近，HBVに感染したことを示し，急性肝炎の診断に使用される。
HBe抗原	HBVが増殖する際に血中に放出される蛋白質。陽性の場合，肝臓でHBVが活発に増殖している状態で，感染力が強いことを示す。	HBe抗体	HBe抗原に対する抗体。ウイルス量と増殖の程度を示す指標。陽性であれば感染力が弱いことを示す。

4 原因となりうる薬剤（抗がん薬など）

先述の国内ガイドラインの中に「添付文書上B型肝炎ウイルス再活性化について注意喚起のある薬剤（2021年4月現在）」という一覧がある。そこには抗がん薬はもちろんのこと，カルシニューリン阻害薬に代表される免疫抑制薬，副腎皮質ホルモン薬，抗リウマチ薬やC型肝炎治療に用いる直接作用型抗ウイルス薬（DAA）なども記載されている。また，この一覧に記載のない抗がん薬でもHBV再活性化を来したという症例報告は多数あり[4〜7]，骨髄抑制が一般に軽度と考えられているチロシンキナーゼ阻害薬などでも散見される[8]。また，近年処方頻度が飛躍的に増加している免疫チェックポイント阻害薬（ICI）投与時に関してもHBV再活性化の報告は散見されている[9〜11]。ICI単剤投与の際のHBVスクリーニングの必要性としては，免疫関連有害事象（irAE）が発症した際に用いることの多い，高用量の副腎皮質ステロイド薬の投与によるHBV再活性化のリスクを考慮したものであった。しかしながら，実際にはirAEによるステロイド薬の投与がない場合でもHBV再活性化や重篤な肝障害を来した報告があるため，通常の化学療法同様にHBVスクリーニングが重要であり，特にHBs抗原陽性例においては，ICI投与時においても核酸アナログ製剤の予防投与が推奨されている[1,2]。

5 対処方法

5-1 国内外のガイドラインの策定

HBV再活性化のリスクは，「治療前のHBVの感染状況」と「治療に伴う免疫抑制の程度」によって大きく異なるとされている（図1）[12]。HBVの感染状況に応じた治療開始前の対処については，国内外の複数のHBV再活性化ガイドラインが策定されている。それらに若干の相違点はあるものの，治療前のスクリーニング項目としてHBs抗原およびHBc抗体を推奨している点では共通しているため，国内ガイドラインの内容を掘り下げて記載する。

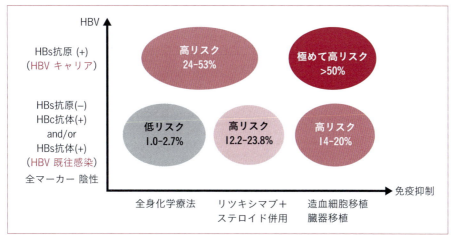

（Kusumoto S et al：Int J Hematol, 90:13-23, 2009 をもとに作成）
図1　HBV再活性化の頻度とリスク

5-2　国内ガイドライン

　国内ガイドラインは，2009年1月に初版が作成され，複数回の改訂を経て現在に至っている（図2）。基本的にはリスクに応じて方針が大きく2つ（HBs抗原陽性例，HBV既往感染例）示されている。まずスクリーニングとしてHBs抗原だけでなく，HBc抗体，HBs抗体を測定し，HBs抗原陽性であればHBe抗原，HBe抗体およびHBV-DNA量などを測定して活動性の評価をしたうえで，核酸アナログ製剤の投与を検討する。

1）HBs抗原陽性例の注意点

　ウイルス量が多いHBs抗原陽性例においては，核酸アナログ投与中であっても劇症肝炎による死亡例が報告されており，治療開始前にウイルス量を低下させておくことが望ましい。HBs抗原陽性例の中には肝硬変合併例など，AST/ALTが正常であっても肝予備能が低下している症例が含まれる場合もあるため，可能な限り肝臓専門医へのコンサルテーションが推奨される。

2）既往感染例の注意点
（1）HBV-DNA検出感度以上

　既往感染例においては，HBV-DNAが1.3Log IU/mL（20 IU/mL）以上の場合は原則核酸アナログ投与が推奨される。

（2）HBV-DNA検出感度未満

　HBV-DNAが上記未満であったとしても，治療終了後少なくとも12カ月までは1〜3カ月（治療に伴う免疫抑制の程度が強いリツキシマブや造血幹細胞移植症例は1カ月）に1回程度はHBV-DNAをモニタリングし，陽転化した時点で核酸アナログ製剤の投与が推奨される。これはHBV既往感染例におけるHBV-DNAの上昇から肝炎の発症までの中央値が18.5週（範囲：12〜28週）という過去の報告[13]に基づき，肝炎発症の未然回避のためのモニタリングの目安とされている。

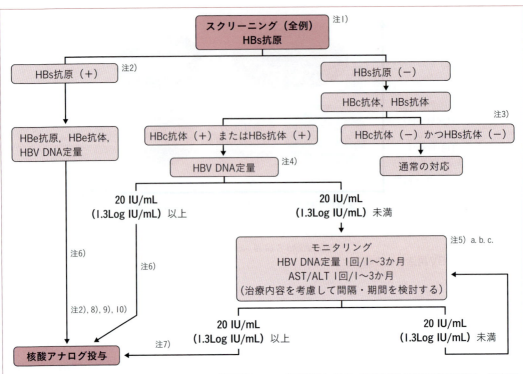

補足：血液悪性疾患に対する強力な化学療法中あるいは終了後に，HBs抗原陽性あるいはHBs抗原陰性例の一部においてHBV再活性化によりB型肝炎が発症し，その中には劇症化する症例があり，注意が必要である．また，血液悪性疾患または固形癌に対する通常の化学療法およびリウマチ性疾患・膠原病などの自己免疫疾患に対する免疫抑制療法においてもHBV再活性化のリスクを考慮して対応する必要がある．通常の化学療法および免疫抑制療法においては，HBV再活性化，肝炎の発症，劇症化の頻度は明らかでなく，ガイドラインに関するエビデンスは十分ではない．また，核酸アナログ投与による劇症化予防効果を完全に保証するものではない．

注1）免疫抑制・化学療法前に，HBVキャリアおよび既往感染者をスクリーニングする．HBs抗原，HBc抗体およびHBs抗体を測定し，HBs抗原が陽性のキャリアか，HBs抗原が陰性でHBs抗体，HBc抗体のいずれか，あるいは両者が陽性の既往感染かを判断する．HBs抗原・HBs抗体およびHBc抗体の測定は，高感度の測定法を用いて検査することが望ましい．また，HBs抗体単独陽性（HBs抗原陰性かつHBc抗体陰性）例においても，HBV再活性化は報告されており，ワクチン接種歴が明らかである場合を除き，ガイドラインに従った対応が望ましい．

注2）HBs抗原陽性例は肝臓専門医にコンサルトすること．また，すべての症例において核酸アナログの投与開始ならびに終了にあたって肝臓専門医にコンサルトするのが望ましい．

注3）初回化学療法開始時にHBc抗体，HBs抗体未測定の再治療例および既に免疫抑制療法が開始されている例では，抗体価が低下している場合があり，HBV DNA定量検査などによる精査が望ましい．

注4）既往感染者の場合は，リアルタイムPCR法によりHBV DNAをスクリーニングする．

注5）
a. リツキシマブ・オビヌツズマブ（±ステロイド），フルダラビンを用いる化学療法および造血幹細胞移植：既往感染者からのHBV再活性化の高リスクであり，注意が必要である．治療中および治療終了後少なくとも12か月の間，HBV DNAを月1回モニタリングする．造血幹細胞移植例は，移植後長期間のモニタリングが必要である．
b. 通常の化学療法および免疫作用を有する分子標的治療薬を併用する場合：頻度は少ないながら，HBV再活性化のリスクがある．HBV DNA量のモニタリングは1〜3か月ごとを目安とし，治療内容を考慮して間隔および期間を検討する．血液悪性疾患においては慎重な対応が望ましい．
c. 副腎皮質ステロイド薬，免疫抑制薬，免疫抑制作用あるいは免疫修飾作用を有する分子標的治療薬による免疫抑制療法：HBV再活性化のリスクがある．免疫抑制療法では，治療開始後および治療内容の変更後（中止を含む）少なくとも6か月間は，月1回のHBV DNA量のモニタリングが望ましい．なお，6か月以降は3か月ごとのHBV DNA量測定を推奨するが，治療内容に応じて高感度HBs抗原測定（感度0.005 IU/mL）で代用することを考慮する．

注6）免疫抑制・化学療法を開始する前，できるだけ早期に核酸アナログ投与を開始する．ことに，ウイルス量が多いHBs抗原陽性例においては，核酸アナログ予防投与中であっても劇症肝炎による死亡例が報告されており，免疫抑制・化学療法を開始する前にウイルスを低下させておくことが望ましい．

注7）免疫抑制・化学療法中あるいは治療終了後に，HBV DNA量が20IU/mL（1.3LogIU/mL）以上になった時点で直ちに核酸アナログ投与を開始する（20IU/mL未満陽性の場合は，別のポイントでの再検査を推奨する）．また，高感度HBs抗原モニタリングにおいて1 IU/mL未満陽性（低値陽性）の場合は，HBV DNAを追加測定して20IU/mL以上であることを確認した上で核酸アナログ投与を開始する．免疫抑制・化学療法中の場合，免疫抑制薬や免疫抑制作用のある抗腫瘍薬は直ちに投与を中止するのではなく，対応を肝臓専門医と相談する．

注8）核酸アナログは薬剤耐性の少ないETV，TDF，TAFの使用を推奨する．

注9）下記の①か②の条件を満たす場合には核酸アナログ投与の終了が可能であるが，その決定については肝臓専門医と相談した上で行う．
①スクリーニング時にHBs抗原陽性だった症例では，B型慢性肝炎における核酸アナログ投与終了基準を満たしていること．②スクリーニング時にHBs抗原陽性またはHBc抗体陽性だった症例では，(1)免疫抑制・化学療法終了後，少なくとも12か月間は投与を継続すること．(2)この継続期間中にALT（GPT）が正常化していること（ただしHBV以外にALT異常の原因がある場合は除く）．(3)この継続期間中にHBV DNAが持続陰性化していること．(4)HBs抗原およびHBコア関連抗原も持続陰性化することが望ましい．

注10）核酸アナログ投与終了後少なくとも12か月間は，HBV DNAモニタリングを含めて厳重に経過観察する．経過観察方法は各核酸アナログの使用上の注意に基づく．経過観察中にHBV DNA量が20IU/mL（1.3LogIU/mL）以上になった時点で直ちに投与を再開する．

〔日本肝臓学会 肝炎診療ガイドライン作成委員会 編「B型肝炎治療ガイドライン（第3.4版）」2021年5月，P78-80，https://www.Jsh.or.Jp/medical/guidelines/jsh_guidlines/hepatitis_b.html（2022年6月参照）〕

図2 免疫抑制・化学療法により発症するB型肝炎対策ガイドライン

5-3　治療中のHBV-DNAモニタリングの有用性

　治療中のHBV-DNAモニタリングの有用性を検証した1例として，リツキシマブ＋ステロイド併用化学療法を行ったHBV既往感染の悪性リンパ腫症例を対象とした多施設共同前向き観察研究の結果について概説する[14]。再活性化した際には核酸アナログを遅滞なく投与開始する国内ガイドラインでの推奨投与法にて，評価対象269例中21例のHBV再活性化を認めたが，HBV再活性化による肝炎発症は認めておらず，現行の国内ガイドラインの再活性化対策の妥当性が支持された。HBV再活性化による肝炎は，通常の慢性肝炎からの進展に比べて高率で重症化し死亡率も高い[15]とされており，肝炎への進展を防ぐべくHBV-DNAの推移を定期的にモニタリングすることが重要となる。

5-4　核酸アナログ製剤

　2022年6月現在，国内で使用可能な核酸アナログ製剤は，4薬剤（ラミブジン，エンテカビル，テノホビル ジソプロキシルフマル酸塩，テノホビル アラフェナミド）であり，いずれの製剤も「B型肝炎ウイルスの増殖を伴い肝機能の異常が確認されたB型慢性肝疾患におけるB型肝炎ウイルスの増殖抑制」が効能・効果として添付文書に記載されている。よって，治療前のAST/ALT値に異常を認めない場合は前述の適応範囲を逸脱しているようにみえるが，2011年の厚生労働省保険局医療課による疑義解釈資料[16]にて，HBV再活性化を考慮した投薬として前述のような場合においても保険算定が認められていることは理解しておくべきである。また，HBVの再活性化対策として前述4薬剤のなかでも，長期使用における耐性化率が低いとされているエンテカビルおよびテノホビルが推奨されているが，腎機能障害を併発している際にはその程度による減量や中止規定があるため注意を要する。

【参考文献】

1) 日本肝臓学会 肝炎診療ガイドライン作成委員会　編：B型肝炎治療ガイドライン（第3.4版），p.77-92, 2021
2) Hwang JP et al：Hepatitis B Virus Screening and Management for Patients With Cancer Prior to Therapy: ASCO Provisional Clinical Opinion Update. J Clin Oncol, 38(31):3698-3715, 2020
3) Terrault NA et al：Update on prevention, diagnosis, and treatment of chronic hepatitis B: AASLD 2018 hepatitis B guidance. Hepatology, 67(4):1560-1599, 2018
4) Cheong K et al：Gemcitabine and reactivation of hepatitis B. Med Oncol, 20(4):385-388, 2003
5) Yeo W et al：Phase II study of docetaxel and epirubicin in Chinese patients with metastatic breast cancer. Anticancer Drugs, 13(6):655-662, 2002
6) Mok TS et al：A phase II study of gemcitabine plus oral etoposide in the treatment of patients with advanced nonsmall cell lung carcinoma. Cancer, 89(3):543-550, 2000
7) Busuttil DP et al：Delayed reactivation of hepatitis B infection after cladribine. Lancet, 348(9020):129, 1996
8) Yao ZH et al：Incidence of hepatitis B reactivation during epidermal growth factor receptor tyrosine kinase inhibitor treatment in non-small-cell lung cancer patients. Eur J Cancer, 117:107-115, 2019
9) Godbert B et al：Hepatitis B reactivation and immune check point inhibitors. Dig Liver Dis, 53(4):452-455, 2021
10) Pandey A et al：A Rare Case of Pembrolizumab-Induced Reactivation of Hepatitis B. Case Rep Oncol Med, 2018:5985131, 2018
11) 青山昌広　他：ペムブロリズマブ投与によりB型肝炎急性増悪をきたしたHBs抗原陽性肺腺癌の1例．肺癌,

60(2):115-119, 2020
12) Kusumoto S et al : Reactivation of hepatitis B virus following systemic chemotherapy for malignant lymphoma. Int J Hematol, 90(1):13-23, 2009
13) Hui CK et al : Kinetics and risk of de novo hepatitis B infection in HBsAg-negative patients undergoing cytotoxic chemotherapy. Gastroenterology, 131(1):59-68, 2006
14) Kusumoto S et al : Monitoring of Hepatitis B Virus (HBV) DNA and Risk of HBV Reactivation in B-Cell Lymphoma: A Prospective Observational Study. Clin Infect Dis, 61(5):719-729, 2015
15) Umemura T et al : Mortality secondary to fulminant hepatic failure in patients with prior resolution of hepatitis B virus infection in Japan. Clin Infect Dis, 47(5):e52-e56, 2008
16) 厚生労働省保険局医療課「疑義解釈資料の送付について（その10）」（平成23年9月22日事務連絡）（https://www.mhlw.go.jp/bunya/iryouhoken/iryouhoken12/dl/index-160.pdf）（2022年6月閲覧）

（大橋　養賢）

2-6 薬物性肝障害

1 概要

　肝障害の中でも，薬剤によって引き起こされる肝障害が薬物性肝障害（drug-induced liver injury：DILI）である。DILIの原因薬物の再投与は重篤化のおそれがあり，困難である。また，肝機能障害が劇症化すると死に至る場合もあり，副作用の中でも特に重要視されている。

2 発症機序

　DILIは大きく「中毒性」と「特異体質性」に分けられる。中毒性は，薬物自体あるいはその代謝物が引き起こすと考えられており，濃度依存的に肝障害を引き起こす。特異体質性はさらに「アレルギー性」と「代謝性」に分けられ，濃度に関係なく引き起こされる。特異体質に基づく肝障害の発現頻度は低いが予測不可能であり，注意が必要である。また，DILIの多くは特異体質に基づくものである。

3 症状

　アレルギー性のDILIの場合，発熱，発疹，皮膚掻痒などのアレルギー症状がみられる。このほかの機序では，急性肝障害の症状である全身倦怠感や食欲不振，微熱や胆汁うっ滞に伴う黄疸，かゆみ，暗色尿などの症状がみられる。

　一方で，無症状の患者も多く，血液検査の異常値によりDILIが発見されることが多いため，肝障害を起こしやすい薬剤では定期的な血液検査の実施が求められる。発症時期は，服薬開始から90日以内が特に多く[1]注意が必要であるが，発症機序によっては1回の投与で発現することや，2年以上継続投与した後の発現もみられるため[2]，投与期間での判断は難しく，モニタリングが重要となる。

　肝障害のタイプ別には肝細胞障害型，胆汁うっ滞型および両者の混合型の3つに分類される。肝細胞障害型では血清AST，ALT値の上昇が主体で，ALPは基準値上限の2倍を超えることはない。胆汁うっ滞型では，AST，ALT値は基準値上限の2倍を超えることはないが，ALPは基準値上限の2倍以上である。γ-GTPも著明な上昇を示し，ビリルビン値も早期より上昇する。混合型ではAST，ALTおよびALP値はいずれも基準値上限の2倍を超えて上昇する。

　なお，DILIの判定には表1[3]でタイプ分類を行い，表2でスコアリングを行う。その際，必ずB型肝炎ウイルス再活性化（第5章2-5），アルコール性肝障害などほかの原因による肝疾患，悪性腫瘍の増悪（転移性肝腫瘍の増大，閉塞性黄疸）などがないことを除外する。

表1 肝酵素による薬物性肝障害のタイプ分類

肝細胞障害型	ALT>2N＋ALP≦NまたはALT比/ALP比≧5
胆汁うっ滞型	ALT≦N＋ALP>2NまたはALT比/ALP比≦2
混合型	ALT>2N＋ALP>Nかつ2<ALT比/ALP比<5

N：正常上限，ALT比＝ALT値/N，ALP比＝ALP値/N

〔滝川 一，他：肝臓 2005；46（2）：85-90より一部抜粋〕

表2 DDW-J 2004薬物性肝障害ワークショップのスコアリング

	肝細胞障害型		胆汁うっ滞または混合型		スコア
	初回投与	再投与	初回投与	再投与	
1. 発症までの期間[1)] 　a. 投与中の発症の場合 　　投与開始からの日数 　b. 投与中止後の発症の場合 　　投与中止後の日数	5〜90日 <5日，>90日 15日以内 >15日	1〜15日 >15日 15日以内 >15日	5〜90日 <5日，>90日 30日以内 >30日	1〜90日 >90日 30日以内 >30日	＋2 ＋1 ＋1 0
2. 経過 　投与中止後のデータ 　投与続行および不明	ALTのピーク値と正常上限との差 8日以内に50％以上の減少 30日以内に50％以上の減少 （該当なし） 不明または30日以内に50％未満の減少 30日後も50％未満の減少か再上昇		ALPのピーク値と正常上限との差 （該当なし） 180日以内に50％以上の減少 180日以内に50％未満の減少 不変，上昇，不明 （該当なし）		＋3 ＋2 ＋1 0 －2 0
3. 危険因子	肝細胞障害型 飲酒あり 飲酒なし		胆汁うっ滞または混合型 飲酒または妊娠あり 飲酒，妊娠なし		＋1 0
4. 薬物以外の原因の有無[2)]	カテゴリー1，2がすべて除外 カテゴリー1で6項目すべて除外 カテゴリー1で4つか5つが除外 カテゴリー1の除外が3つ以下 薬物以外の原因が濃厚				＋2 ＋1 0 －2 －3
5. 過去の肝障害の報告 　過去の報告あり，もしくは添付文書に記載あり 　なし					＋1 0
6. 好酸球増多（6％以上） 　あり 　なし					＋1 0
7. DLST 　陽性 　擬陽性 　陰性および未施行					＋2 ＋1 0
8. 偶然の再投与が行われたときの反応 　単独再投与 　初回肝障害時の併用薬と共に再投与 　初回肝障害時と同じ条件で再投与 　偶然の再投与なし，または判断不能	肝細胞障害型 ALT倍増 ALT倍増 ALT増加するも正常域		胆汁うっ滞または混合型 ALP（T.Bil）倍増 ALP（T.Bil）倍増 ALP（T.Bil）増加するも正常域		＋3 ＋1 －2 0
				総スコア	

1) 薬物投与前に発症した場合は「関係なし」，発症までの経過が不明の場合は「記載不十分」と判断して，スコアリングの対象としない。
　投与中の発症か，投与中止後の発症化により，aまたはbどちらかのスコアを使用する。
2) カテゴリー1：HAV，HBV，HCV，胆道疾患（US），アルコール，ショック肝。カテゴリー2：CMV，EBV。
　ウイルスはIgM HA抗体，HBs抗原，HCV抗体，IgM CMV抗体，IgM EB VCA抗体で判断する。
　　判定基準：総スコア2点以下：可能性が低い。3，4点：可能性あり。5点以上：可能性が高い。

〔滝川 一，他：肝臓 2005；46（2）：85-90〕

4 起こしやすい抗がん薬

テガフール・ウラシル，メトトレキサート，シクロホスファミド，メルカプトプリン，フルタミドなどが報告されている。フルタミドは緊急安全性情報も出され，注意が必要である。ゲフィチニブ，レゴラフェニブといった分子標的治療薬でも報告がある一方，生物学的製剤による肝障害は稀である[2]。免疫チェックポイント阻害薬では，免疫関連有害事象（第5章10）としてDILIが報告されている。

肝中心静脈閉塞症/肝類洞閉塞症候群（VOD/SOS）は，オキサリプラチン，ブスルファン，ダカルバジン，シクロホスファミドなどで稀に出現する重篤なDILIであり，肝表面が青色に見えることからblue liverともよばれている。

いずれの抗がん薬であっても，肝障害は起こりうることを念頭に置く必要がある。また，抗菌薬や解熱鎮痛薬，消化器官用薬といった支持療法薬によっても肝障害は起こりうる。がん患者では健康食品を摂っている場合もあり，これら健康食品によっても引き起こされる場合があると報告されている[4]。

5 がん薬物療法中のモニタリング

DILIの重篤化を予防するために，肝障害を早期に発見し対処することが重要である。特に特異体質性は予測が困難であることから，早期発見のために，薬剤投与前と投与後の定期的な肝機能検査を実施する必要がある。薬剤投与後はAST，ALT，ALP，γ-GTPの変動には注意する。加えてプロトロンビン時間，血清アルブミン，ビリルビンの測定などが重篤化の早期発見には有用である[2]。重症度の判定にはCTCAE v5.0（表3）やChild-Pugh分類が用いられる。

多くの抗がん薬の添付文書には，重大な副作用として肝障害が記載されている。また，投与開始後に定期的な肝機能検査の実施を指示している薬剤については，検査実施の有無を確認し，肝機能障害の発現の早期発見に努める必要がある。

表4に医薬品添付文書の「重大な副作用」の項に肝障害，あるいはVODが記載されている抗がん薬を示す。

6 対処方法

DILIでは原因薬物を同定し，中止することが基本である。しかし，がん薬物治療中では代替治療が限られる場合もあり，DILIが疑われても投与を中止できない場合は肝機能検査値に十分注意しながら投与する。また，DILIにより使用薬剤の投与を中止した多剤併用療法例において，代替治療がなく肝機能の回復を待って同じレジメンを再開する場合は，1剤ずつ再開するなどして原因薬剤を特定できる可能性のある方法を検討する。

対処療法として，グリチルリチンの静脈内投与やウルソデオキシコール酸の経口投与が行われる場合があるが，エビデンスに乏しい[5]。

SOSに対して，デフィブロチドナトリウムが希少疾病用医薬品として承認されている。重症または重症化するおそれのあるSOSの治療に使用することとされており，肝類洞内皮細胞の障害や

表3 CTCAE v5.0 肝機能障害関連検査値

CTCAE v5.0 Term 日本語	Grade 1	Grade 2	Grade 3	Grade 4	Grade 5
アスパラギン酸アミノトランスフェラーゼ増加	ベースラインが基準範囲内の場合＞ULN〜3.0×ULN；ベースラインが異常値の場合＞1.5〜3.0×ベースライン	ベースラインが基準範囲内の場合＞3.0〜5.0×ULN；ベースラインが異常値の場合＞3.0〜5.0×ベースライン	ベースラインが基準範囲内の場合＞5.0〜20.0×ULN；ベースラインが異常値の場合＞5.0〜20.0×ベースライン	ベースラインが基準範囲内の場合＞20.0×ULN；ベースラインが異常値の場合＞20.0×ベースライン	―
アラニンアミノトランスフェラーゼ増加	ベースラインが基準範囲内の場合＞ULN〜3.0×ULN；ベースラインが異常値の場合＞1.5〜3.0×ベースライン	ベースラインが基準範囲内の場合＞3.0〜5.0×ULN；ベースラインが異常値の場合＞3.0〜5.0×ベースライン	ベースラインが基準範囲内の場合＞5.0〜20.0×ULN；ベースラインが異常値の場合＞5.0〜20.0×ベースライン	ベースラインが基準範囲内の場合＞20.0×ULN；ベースラインが異常値の場合＞20.0×ベースライン	―
血中ビリルビン増加	ベースラインが基準範囲内の場合＞ULN〜1.5×ULN；ベースラインが異常値の場合＞1.0〜1.5×ベースライン	ベースラインが基準範囲内の場合＞1.5〜3.0×ULN；ベースラインが異常値の場合＞1.5〜3.0×ベースライン	ベースラインが基準範囲内の場合＞3.0〜10.0×ULN；ベースラインが異常値の場合＞3.0〜10.0×ベースライン	ベースラインが基準範囲内の場合＞10.0×ULN；ベースラインが異常値の場合＞10.0×ベースライン	―
アルカリホスファターゼ増加	ベースラインが基準範囲内の場合＞ULN〜2.5×ULN；ベースラインが異常値の場合＞2.0〜2.5×ベースライン	ベースラインが基準範囲内の場合＞2.5〜5.0×ULN；ベースラインが異常値の場合＞2.5〜5.0×ベースライン	ベースラインが基準範囲内の場合＞5.0〜20.0×ULN；ベースラインが異常値の場合＞5.0〜20.0×ベースライン	ベースラインが基準範囲内の場合＞20.0×ULN；ベースラインが異常値の場合＞20.0×ベースライン	―

ULN：upper limit of normal：（施設）基準値上限
〔有害事象共通用語規準 v5.0 日本語訳 JCOG版より（JCOGホームページhttp://www.jcog.jp）〕

表4 「重大な副作用」の項に肝障害，肝中心静脈閉塞症（VOD）が記載されている抗がん薬

薬剤名	「重大な副作用」 肝障害	「重大な副作用」 VOD	薬剤名	「重大な副作用」 肝障害	「重大な副作用」 VOD
アキシチニブ	○		エストラムスチンリン酸エステルナトリウム水和物	○	
アクチノマイシンD		○	エピルビシン塩酸塩	○[*1]	
アザシチジン	○		エリブリンメシル酸塩	○	
アテゾリズマブ	○		L-アスパラギナーゼ	○	
アナストロゾール	○		エルロチニブ塩酸塩	○	
アビラテロン酢酸エステル	○		エンコラフェニブ	○	
アファチニブマレイン酸塩	○		オキサリプラチン	○	○
アベルマブ	○		オシメルチニブメシル酸塩	○	
アレクチニブ塩酸塩	○		オファツムマブ	○	
イピリムマブ	○		カバジタキセル アセトン付加物	○	
イブルチニブ	○		カプマチニブ塩酸塩水和物	○	
イマチニブメシル酸塩	○		カペシタビン	○	
イリノテカン塩酸塩水和物	○		カボザンチニブリンゴ酸塩	○	
エキセメスタン	○				

薬剤名	「重大な副作用」		薬剤名	「重大な副作用」	
	肝障害	VOD		肝障害	VOD
カルフィルゾミブ	◯		トレチノイン	◯*2	
カルボプラチン	◯		トレミフェンクエン酸塩	◯	
クロファラビン	◯	◯	ニボルマブ	◯	
クリゾチニブ	◯		ニロチニブ塩酸塩水和物	◯	
クロルマジノン酢酸エステル	◯		ネララビン	◯	
ゲフィチニブ	◯		パクリタキセル	◯	
ゲムシタビン塩酸塩	◯		パゾパニブ塩酸塩	◯	
ゲムツズマブ オゾガマイシン	◯	◯	パノビノスタット乳酸塩	◯	
ゴセレリン酢酸塩	◯		バンデタニブ	◯	
サリドマイド	◯		ビカルタミド	◯	
シクロホスファミド水和物	◯		ビニメチニブ	◯	
シスプラチン	◯		ビンクリスチン硫酸塩	◯	
シタラビン	◯		ブスルファン		◯
ストレプトゾシン	◯		ブリグチニブ	◯	
スニチニブリンゴ酸塩	◯		フルオロウラシル	◯	
セリチニブ	◯		フルタミド	◯	
セルペルカチニブ	◯		フルベストラント	◯	
ソトラシブ	◯		ブレンツキシマブ ベドチン	◯	
ソラフェニブトシル酸塩	◯		ベキサロテン	◯	
ダカルバジン	◯	◯	ペムブロリズマブ	◯	
ダコミチニブ水和物	◯		ベムラフェニブ	◯	
ダブラフェニブメシル酸塩	◯		ボスチニブ水和物	◯	
タモキシフェンクエン酸塩	◯		ポナチニブ塩酸塩	◯	
チオテパ		◯	ポマリドミド	◯	
チラブルチニブ塩酸塩	◯		ポラツズマブ ベドチン	◯	
テガフール	◯		ボルテゾミブ	◯	
テガフール・ウラシル	◯		マイトマイシンC	◯*1	
テガフール・ギメラシル・オテラシルカリウム	◯		ミトタン	◯	
			ミリプラチン水和物	◯	
デガレリクス酢酸塩	◯		メトトレキサート	◯	
デニロイキン ジフチトクス	◯		メルファラン	◯	◯*3
テポチニブ塩酸塩水和物	◯		モガムリズマブ	◯	
テモゾロミド	◯		ラパチニブトシル酸塩	◯	
ドキシフルリジン	◯		ラロトレクチニブ硫酸塩	◯	
ドキソルビシン塩酸塩	◯		リツキシマブ	◯	
ドセタキセル	◯		リュープロレリン酢酸塩	◯	
トラベクテジン	◯		ルキソリチニブリン酸塩	◯	
トラメチニブ ジメチルスルホキシド付加物	◯		レトロゾール	◯	
			レナリドミド水和物	◯	
トラスツズマブ	◯		レゴラフェニブ水和物	◯	
トラスツズマブ エムタンシン	◯		レンバチニブメシル酸塩	◯	

＊1：肝動脈投与時のみ　＊2：類薬で報告　＊3：注射剤のみ

血栓形成を抑制することで，肝類洞の狭小化や線維化を伴うSOSの悪化を抑制すると考えられている。出血している患者や血栓溶解剤を投与中の患者は禁忌である。

7 患者モニタリングと患者指導

1) 患者モニタリング

　DILIに関しては，肝障害の早期発見と原因薬物の特定・中止が重要である。そのためには，肝障害を来しやすい薬物を把握し，必要な肝機能検査の実施がなされているかの確認が必要である。また，外来がん薬物療法での治療においては在宅療養時に肝障害が悪化する場合もあるため，患者教育も十分に行う必要がある。

2) 患者指導

　「多くの薬物は肝障害を起こす可能性がある」ということを，患者も認識しておく必要がある。薬剤投与歴は重要な確認事項であり，発症までの期間，経過および肝障害の報告などが起因物質の特定には重要な要素となるので，がん薬物療法開始前に必ず患者に確認しておく。

　定期的な肝機能検査が実施できない場合には，患者にあらかじめ肝障害に伴う症状（倦怠感，食欲低下，悪心，茶褐色尿，黄疸）を伝え，これらの症状に気づいた場合にはすぐに主治医や薬剤師に連絡するよう指導する。

【参考文献】
1) 滝川 一：薬物性肝障害の診断と治療. 日本内科学会雑誌, 104(5): 991-997, 2015
2) 厚生労働省：重篤副作用疾患別対応マニュアル　薬物性肝障害（肝細胞障害型薬物性肝障害，胆汁うっ滞型薬物性肝障害，混合型薬物性肝障害，急性肝不全，薬物起因の他の肝疾患），平成20年4月, 2008（http://www.pmda.go.jp/files/000145280.pdf）
3) 滝川 一 他：DDW-J 2004ワークショップ薬物性肝障害診断基準の提案. 肝臓, 46(2):85-90, 2005
4) Mukai H et al：An alternative medicine, Agaricus blazei, may have induced severe hepatic dysfunction in cancer patients. Jpn J Clin Oncol, 36(12):808-810, 2006
5) 松崎 靖　他：薬物性肝障害の治療: 治療の実際とEBMに基づくUDCAの効果　薬物性肝障害. 日本消化器病学会雑誌, 100(6):659-666, 2003

（佐藤　由美子）

3-1 高血圧

1 概要

　近年の血管新生阻害薬を中心とした分子標的治療薬の普及により，がん薬物療法由来の副作用としての高血圧が出現するようになった。高血圧の定義には各国のガイドラインにおいて多少差はみられるが，わが国の高血圧治療ガイドライン2019[1]によれば，一般的に高血圧とは診察室血圧：収縮期血圧140mmHg以上，または拡張期血圧90mmHg以上，家庭血圧：135mmHg以上，または拡張期血圧85mmHg以上を指し，降圧治療には後者を指標として用いることが推奨されている。

2 発症機序

　腫瘍細胞の転移や増殖において血管網からの血管新生が重要な役割を担っているという理論が提唱[2]されて以来，抗悪性腫瘍薬としての血管新生阻害薬が開発，臨床応用されている。生体内における血管新生やリンパ管新生に関与する増殖因子として，血管内皮増殖因子（Vascular Endothelial Growth Factor：VEGF），胎盤増殖因子（Placental Growth Factor：PlGF），線維芽細胞増殖因子（Fibroblast Growth Factors：FGF）およびRearranged During transfectionがん原遺伝子（RET）等が知られている。これらの増殖因子由来の受容体を介したシグナル伝達は，血管内皮細胞の遊走や増殖，血管透過性の更新，および管腔形成等の血管新生や血管の恒常性維持において重要な役割を担っている。そのため，こうした増殖因子に対するモノクローナル抗体およびそのシグナル伝達阻害薬の投与は，血管の恒常性機能維持に影響を与え，血管機能を低下させ，結果，高血圧に代表される多くの臨床症状を引き起こす。

　例えば，血管の恒常性機能維持機構の一つとして，血管内皮細胞から産生される一酸化窒素（NO）の関与が報告[3]されているが，このNO産生経路としてVEGFを介した経路が知られている[4]。そのため，ベバシズマブやレゴラフェニブ等に代表されるVEGF経路に影響を与えるモノクローナル抗体およびそのシグナル伝達阻害薬の投与は，血管拡張因子である内因性NOの合成低下による末梢血管抵抗の増加から，高血圧を引き起こすと考えられている[5]。また，別の高血圧発症機序として，末梢の血管床減少に伴う血管抵抗の増加が高血圧の原因となる可能性も報告[6]されており，血圧上昇の原因として複数の経路の関与が考えられている。

　なお，このような高血圧発現はVEGF抑制のバイオマーカーとしての側面も報告[7]されており，いくつかの分子標的治療薬においては，高血圧発現と抗腫瘍効果との関連性が報告[8]されている。

　また，内分泌関連性の高血圧発症機序も知られており，アビラテロンはコルチゾールの産生を低下させることから結果的に視床下部-下垂体-副腎系の亢進による鉱質コルチコイド産生上昇に伴う高血圧を引き起こす[9]。

表1　CTCAE v5.0　高血圧

CTCAE v5.0 Term 日本語	Grade 1	Grade 2	Grade 3	Grade 4	Grade 5
高血圧	成人：収縮期血圧120〜139 mmHgまたは拡張期血圧80〜89 mmHg； 小児：収縮期/拡張期血圧＞90パーセンタイルかつ＜95パーセンタイル； 青年：＜95パーセンタイルであっても，血圧≧120/80	成人：ベースラインが正常範囲の場合は収縮期血圧140〜159 mmHgまたは拡張期血圧90〜99 mmHg）；ベースラインで行っていた内科的治療の変更を要する；再発性または持続性（≧24時間）；症状を伴う＞20 mmHg（拡張期血圧）の上昇または以前正常であった場合は＞140/90 mmHgへの上昇；単剤の薬物治療を要する； 小児および青年：再発性または持続性（≧24時間）の＞ULNの血圧上昇；単剤の薬物治療を要する；収縮期/拡張期血圧が＞95パーセンタイルと99パーセンタイルの5 mmHg上の間； 青年：＜95パーセンタイルであっても，収縮期血圧130-139 mmHgまたは拡張期血圧80-89 mmHg	成人：収縮期血圧≧160 mmHgまたは拡張期血圧≧100 mmHg）；内科的治療を要する；2種類以上の薬物治療または以前よりも強い治療を要する； 小児および青年：収縮期/拡張期血圧が99パーセンタイルより5 mmHg上回る	成人および小児：生命を脅かす（例：悪性高血圧，一過性または恒久的な神経障害，高血圧クリーゼ）；緊急処置を要する	死亡

〔有害事象共通用語規準 v5.0 日本語訳 JCOG版より（JCOGホームページhttp://www.jcog.jp）〕

③ 症状

　高血圧の初期には無症状で経過するケースも少なくないが，急激な血圧上昇時には頭痛や頭重感，眩暈等の自覚症状が出現する。また，初期には症状がみられなくても，高血圧の進行により頻脈や胸痛，浮腫等が心機能障害由来の症状として出現する可能性もある。さらに，高血圧は慢性腎臓病のリスク因子となることも指摘されており[10, 11]，長期的には腎障害に伴う随伴症状等の出現も否定できない。このように，発症後の症状持続は高血圧由来の症状を進行させる。

　CTCAE v5.0における高血圧のGrade分類を**表1**に示す。

④ 原因となりうる薬剤（抗がん薬など）

　抗VEGF抗体薬（ベバシズマブ），複数のVEGFとPlGFを阻害する薬剤（アフリベルセプト）やその受容体である血管内皮増殖因子受容体2（Vascular Endothelial Growth Factor Receptor 2：VEGFR2）に対するモノクローナル抗体であるラムシルマブ，VEGFRもしくはその下流域におけるさまざまなシグナル伝達阻害薬であるマルチキナーゼ阻害薬（スニチニブ，ソラフェニブ，アキシチニブ，レゴラフェニブ，レンバチニブ，パゾパニブ，バンデタニブ等）が挙げられる。また，直接的な高血圧の原因とはならないが，CYP17阻害薬のアビラテロンも知られている。**表2**にこれらの薬剤とその特徴および高血圧の発生率を示した。

表2 高血圧を引き起こす抗がん薬とその特徴

一般名 (商品名)	剤形	タイプ	標的部位	高血圧発現頻度 All Grade (Grade3)	適応症
ベバシズマブ (アバスチン)	注射剤	モノクローナル抗体薬	VEGF-A	海外第Ⅲ相ランダム化比較試験17.6～20.5%（3.5～4.5%）	大腸がん, 肺がん（扁平上皮がんを除く）, 乳がん, 卵巣がん, 子宮頸がん, 悪性神経芽腫, 肝細胞がん
ラムシルマブ (サイラムザ)	注射剤	モノクローナル抗体薬	VEGFR-2	第Ⅲ相臨床試験（国際共同試験：RAINBOW試験23.9%（14.1%）	大腸がん, 胃がん, 肺がん, 肝細胞がん
アフリベルセプト (ザルトラップ)	注射剤	モノクローナル抗体薬	VEGF-A, VEGF-B, PIGF	海外第Ⅲ相臨床試験41.4%（19.3%）	大腸がん
ソラフェニブ (ネクサバール)	経口剤	チロシンキナーゼ阻害薬	Raf, VEGF-R, PDGF-R, RET等	海外第Ⅲ相臨床試験5.1%（1.7%）	腎細胞がん, 肝細胞がん, 甲状腺がん
スニチニブ (スーテント)	経口剤	チロシンキナーゼ阻害薬	VEGFR-1～3, PDGFR-α, β, PDGFR-α, β, KIT, CSF-1R, FLT-3, およびRET	海外phaseⅢ：23.7%（47.5%）	消化管間質腫瘍, 腎細胞がん, 膵神経内分泌腫瘍
アキシチニブ (インライタ)	経口剤	チロシンキナーゼ阻害薬	VEGFR-1, VEGFR-2, VEGFR-3	国際共同phase3Ⅲ：39.3%（15.7%）	腎細胞がん
パゾパニブ (ヴォトリエント)	経口剤	チロシンキナーゼ阻害薬	VEGFR-1, 2, 3, PDGFR-α, β, c-Kit	第Ⅲ相国際共同臨床試験43%（14%）	悪性軟部腫瘍, 腎細胞がん
レゴラフェニブ (スチバーガ)	経口剤	チロシンキナーゼ阻害薬	VEGFR1～3, PDGFRβ, FGFR, KIT, RET, RAF-1, BRAF	国際共同第Ⅲ相臨床試験（試験14387, CORRECT）27.8%（7.4%）	大腸がん, 肝細胞がん, 消化管間質腫瘍
レンバチニブ (レンビマ)	経口剤	チロシンキナーゼ阻害薬	VEGFR1～3, FGFR1～4, PDGFR-α, KIT, RET	国際共同第Ⅲ相試験67.8%（41.4%）	甲状腺がん, 肝細胞がん, 胸腺がん
バンデタニブ (カプレルサ)	経口剤	チロシンキナーゼ阻害薬	VEGFR-2, EGFR, RET	海外第Ⅲ相試験24.7%（5.6%）	甲状腺髄様がん
アビラテロン (ザイティガ)	経口剤	アンドロゲン合成阻害薬	CYP17	国際共同第Ⅲ相試験38.4%（20.9%）	前立腺がん

4-1 発現時期

高血圧の発現時期は起因薬剤により異なる。アキシチニブ等は投与開始後数日で出現する一方で、ベバシズマブに関しては適応疾患により投与量が異なり、腫瘍の種類やその用量に関係性があることが報告されている[12, 13]。このように薬剤ごとに発現時期や出現パターンが異なるため、注意が必要である。

5 対処方法

1) 原因薬剤の投与量調節，休薬

血管新生阻害薬による高血圧は治療効果との関連性も報告[8,14]されているが，安全性にも十分に配慮する必要がある。一般的に高血圧の発現時には降圧薬の投与に加えて各薬剤の減量・休薬基準に従って，投与量調節や原因薬剤の休薬を行うことで対応する。図1，図2に代表的な薬剤の高血圧発現時の減量・休薬基準を記載した。各薬剤で高血圧発現時の対応方法や減量・休薬基準が異なる点に注意する。

2) 降圧薬の選択

海外のガイドライン[15]等ではVEGFを介した発現機構や蛋白尿の減少作用を狙ったアンジオテンシンⅡ受容体拮抗薬（Angiotensin Ⅱ Receptor Blocker：ARB）やアンジオテンシン変換酵素阻害薬（Angiotensin Converting Enzyme inhibitor：ACE-I）の投与が推奨されている。しかし，血管新生阻害薬による血圧上昇のメカニズムが現段階で詳細に確立されているわけではないため，一般的な高血圧治療に準じた対応方法で対応するケースが多い。わが国では高血圧治療ガイドライン2019を参考に対応するのが一般的である。表3にVEGF阻害薬における海外やわが国のガイドラインに記載されている降圧薬の推奨内容を示した。

これらを踏襲すると，現在の実臨床における降圧薬の選択肢はARB，ACE-I，Ca拮抗薬（ジヒドロピリジン系），利尿薬（少量）の中から，患者背景，病態，相互作用，降圧効果を考慮して選択するが，一般的に以下の4点に留意する。

①単剤の少量開始を基本とし，降圧効果が不十分であれば増量，もしくは他の種類の降圧薬を併用投与する。作用機序の異なる他の降圧薬を少量ずつ併用するほうが良好な降圧効果が得られる[16]。

②Ⅱ度以上（160/100mmHg）の際は単剤を通常用量から開始するか，作用機序の異なる2剤を少量併用から用いる。

③降圧薬に特徴的な症状に留意して選択する。例えば，ARBを使用する際はK値の変動に留意しながら使用し，ACE-Iの空咳は呼吸器領域で用いるベバシズマブの喀血を誘発する可能性もある。

④薬物間相互作用にも注意する。例えば，経口のシグナル伝達阻害薬はCYP3A4で代謝される薬剤が多いため，CYP3A4阻害活性の強い降圧薬併用時には，血中濃度上昇が想定される。

また，アビラテロン由来の高血圧に関しては，ステロイド以外にもエプレレノンの投与が報告[9]されている。

3) 休薬時の注意点

VEGF阻害作用由来の血圧上昇はその多くが可逆的である。ベバシズマブやラムシルマブ等では半減期が長いため，あまり問題とならないが，シグナル伝達阻害薬ではその半減期が比較的短い薬剤も存在する。これらの薬剤の休薬時には，服用している降圧薬の作用が過剰となり，過度の降圧を来す可能性もあるため注意が必要である．その際は，服用している降圧薬を調整して対応する。

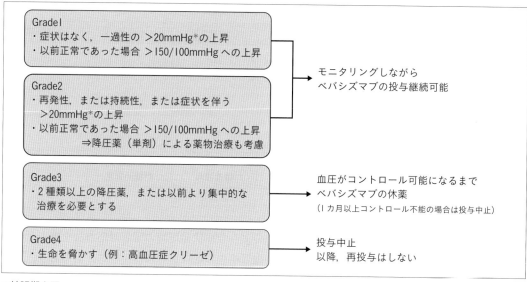

＊拡張期血圧
※Gradeの基準はCTCAE v3.0

〔中外製薬:アバスチン 適正使用ガイド(乳がん)をもとに作成〕

図1　ベバシズマブの国内臨床試験における高血圧発現時の休薬・中止基準(乳がん)

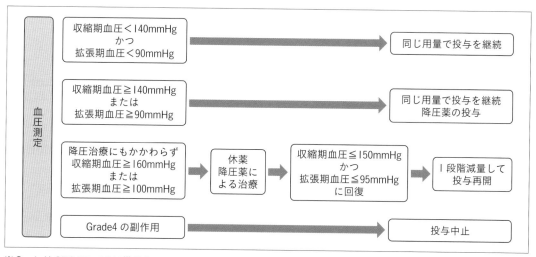

※GradeはCTCAE v4.0に準じる

〔エーザイ:レンビマカプセル 適正使用ガイド(甲状腺癌)をもとに作成〕

図2　甲状腺がんにおけるレンバチニブによる高血圧発現時の休薬,減量および中止基準

6 症状マネージメントとハイリスク患者へのフォローアップの重要性

　高血圧は降圧薬に比較的スムーズに反応し,症状コントロール可能なケースが多い。したがって,適切な降圧治療を行い,症状をマネージメントすることが不要な休薬を防ぎ,薬剤のDose Intensity(用量強度)の維持にもつながるため,早期からの適切な対応が重要である。また,急

表3 VEGF阻害薬における高血圧発現時の推奨薬剤

	ARB	ACE-I	Ca拮抗薬	利尿薬	β遮断薬
海外のガイドライン推奨の有無	○	○	—	—	—
症状発現機構との関連性	○	○	—	—	—
わが国の高血圧治療ガイドライン	○	○	○	○	—
注意点	カリウム値上昇	カリウム値上昇, 空咳	心不全には慎重投与	体液量減少, 耐糖能異常	

激な症状発現時には重篤化する可能性もあり，そのような症状発現時の緊急対応方法を患者と事前に確認しておくことも必要である．特に高血圧や血管疾患の既往患者はハイリスク群であり，フォローアップ体制が重要となる[17]。

【参考文献】

1) 日本高血圧学会高血圧治療ガイドライン作成委員会　編：高血圧治療ガイドライン 2019, 日本高血圧学会/ライフサイエンス出版, 2019
2) Folkman J：Tumor angiogenesis: therapeutic implications. N Engl J Med, 285(21):1182-1186, 1971
3) Vallance P et al：Effects of endothelium-derived nitric oxide on peripheral arteriolar tone in man. Lancet, 2(8670):997-1000, 1989
4) Bouloumié A et al：Vascular endothelial growth factor up-regulates nitric oxide synthase expression in endothelial cells. Cardiovasc Res, 41(3):773-780, 1999
5) Sica DA：Angiogenesis inhibitors and hypertension; an emerging issue. J Clin Oncol, 24(9):1329-1331, 2006
6) Steeghs N：Hypertension and rarefaction during treatment with telatinib, a small molecule angiogenesis inhibitor. Clin Cancer Res, 14(11):3470-3476, 2008
7) 近藤恒徳：腎細胞癌に対する分子標的薬-血管新生阻害薬. 日腎会誌, 54(5):574-580, 2012
8) Kidoguchi S et al：New Concept of Onco-Hypertension and Future Perspectives. Hypertension, 77(1):16-27, 2021
9) Zhu X et al：Risk of hypertension in cancer patients treated with abiraterone: a meta-analysis. Clin Hypertens, 25:5, 2019
10) Tozawa M et al：Blood pressure predicts risk of developing end-stage renal disease in men and women. Hypertension, 41(6):1341-1345, 2003
11) Kanno A et al：Pre-hypertension as a significant predictor of chronic kidney disease in a general population: the Ohasama Study. Nephrol Dial Transplant, 27(8):3218-3223, 2012
12) Miles DW et al：Phase III study of bevacizumab plus docetaxel compared with placebo plus docetaxel for the first-line treatment of human epidermal growth factor receptor 2-negative metastatic breast cancer. J Clin Oncol, 28(20):3239-3247, 2010
13) Zhu X et al：Risks of proteinuria and hypertension with bevacizumab, an antibody against vascular endothelial growth factor: systematic review and meta-analysis. Am J Kidney Dis, 49(2):186-193, 2007
14) Rixe O et al：Hypertension as a predictive factor of Sunitinib activity. Ann Oncol, 18(6):1117, 2007
15) Kabbinavar F et al：Guidelines for the management of side effects of bevacizumab in patients With colorectal cancer. Cancer Ther, 6(1):327-340, 2008
16) Wald DS et al：Combination therapy versus monotherapy in reducing blood pressure:meta-analysis on 11,000

participants from 42 trials. Am J Med, 122(3):290-300, 2009
17) Steingart RM et al：Management of cardiac toxicity in patients receiving vascular endothelial growth factor signaling pathway inhibitors. Am Heart J, 163(2):156-163, 2012

（橋本　直弥）

第5章 支持療法 ｜ 3 心・血管系

3-2 静脈血栓塞栓症

1 概要

　静脈血栓塞栓症（venous thromboembolism：VTE）とは，肺塞栓症（pulmonary thromboembolism：PTE）と深部静脈血栓症（deep vein thrombosis：DVT）の総称である。がん患者においてVTEの発症リスクは高く，がんが転移している患者ではさらにリスクが増大する[1]。わが国の研究では，VTE患者の27％をがん既往患者が占めている[2]。ただし，非がん患者のVTE発症率は経年的に不変であるが，がん患者のVTE発症率は増加傾向であると近年報告[3]されており，VTE発症患者に占めるがん患者の割合は，今後さらに増加していくものと考えられる。また，がん患者ではVTEの再発リスクが高いことが知られており，非がん患者と比較し3倍程度の再発リスクを有していることが知られている[4, 5]。さらに，がん患者の死因としてはがんの進行（71％）が最も多いが，VTEは感染症とともに2番目（9％）である[6]。このように，VTEはがんと互いに密接な関係がある疾患であり，がん患者の予後に影響を及ぼす疾患の1つである。

2 発症機序

　がん細胞は，がん遺伝子のEGFRファミリーやK-rasなどのがん遺伝子の活性化，p-53やPTENなどのがん抑制遺伝子の不活性化などにより組織因子を発現するとともに，組織因子を含有するマイクロパーティカルを恒常的に放出する。組織因子は，活性化凝固因子がトロンビンを生成する過程を手助けすることで凝固の引き金を引く[7]。その結果，血液凝固系が過剰に活性化され，トロンビンによるフィブリン形成と血小板の活性化をもたらし，担がん患者にさまざまな血栓形成病態を惹起する。このように，がん患者は潜在的な凝固亢進状態が起こっているとされている。また，がん治療の進歩に伴って高齢のがん患者の生命予後が延長していることや，がん患者では定期的な通院により血栓症が発見されやすいことも関係する可能性がある。

3 症状

　PTEの症状は呼吸困難，胸痛が主症状であり，診断の根拠となる特異的な症状はない。ただし，PTEはDVTの結果として引き起こされるため，DVTも併発していることが多い。
　DVTの典型的な症状としては，下肢の腫脹，疼痛，色調変化である。発生部位としてはほとんどが下肢に発生し，上肢に発生することは少ない。通常は片側性に上記の症状を呈することが多く，右下肢よりも左下肢の方に多く発症するとされるが，両側性に症状が出現することもある[8]。また，下肢において血栓症の部位が膝窩静脈より中枢側が中枢型（近位型），末梢側が末梢型（遠位型）

とされる。入院患者やADLが低く立位になる機会が少ない患者では症状が出現しにくく，無症候性の場合も多いため，早期の発見は困難な場合もある。

❹ 原因となりうる薬剤（抗がん薬など）

　VTEを多く併発する代表的な抗がん薬としては，プラチナ製剤（シスプラチン）やタキサン系抗がん薬，代謝拮抗薬のアスパラキナーゼが知られている。ホルモン薬はASCOガイドライン[9]にて静脈血栓症のリスク因子に挙げられ，エストロゲン製剤は血栓の既往のある患者は禁忌である。サリドマイド，レナリドミドなどの免疫調節薬は，単剤よりデキサメタゾン併用時にDVTの発症リスクが上昇する[10]。VEGF阻害薬は，血管内皮細胞の恒常性の変化，再生能の障害によりVTEのリスクを高める。ただし，ベバシズマブについてはメタ解析の結果から，動脈血栓症のリスクは上昇するが，静脈血栓症の頻度の変化はなかったとの報告がある[11]。また，がん薬物療法の支持療法として使用されるステロイド，G-CSF，エリスロポエチン製剤などもVTEのリスクを上昇させることが知られている。

❺ 対処方法

5-1　検査

　症状所見からVTEを疑うことになるが，症状のみでは診断における感度や特異度は低く，確定診断には画像検査が必須となる[12]。ただし，画像検査を行う前には検査前臨床確率の評価（DVT：Wellsスコア[13]，PTE：Genevaスコア[14]）（表1，2）とDダイマーを用いて，画像検査を要する症例を絞り込むことが推奨される。低臨床確率，あるいは中臨床確率の症例においては，Dダイマーを測定し，異常値例について画像検査を行う。ただし，Dダイマーは悪性腫瘍，感染，炎症，出血，加齢などのVTE以外の要因でも上昇し，VTEに特異的なマーカーではないことを留意する必要がある。高臨床確率の症例においてはDダイマーを測定せず，画像検査で診断を行う。DVTの確定診断には下肢静脈エコーが第一選択である。PTEの合併が疑われる場合は，造影CTでの検査が必要となる[12]。

5-2　予防

　ASCOガイドラインでは，外来がん治療患者にはKhoranaスコア[15]（表3）にてリスクを分類し，VTEのリスクが高い患者が新規に薬物治療を受ける際に，DOACまたは低分子ヘパリンで予防を考慮してもよいとされている。ただし，出血リスクが多い場合やDOACの相互作用が問題となる場合はその限りではなく，すべての外来薬物療法患者に予防投与を考慮すべきではないとされている[9]。また，日本ではDOAC，低分子ヘパリンのVTEに対する一次予防投与については，周術期を除いて保険適応は認められていない。
　VTEのリスクが高い免疫調節薬を投与する多発性骨髄腫患者は，SAVEDスコア[16]（表4）にてVTEリスクを評価することができる。NCCNガイドラインではVTEの予防として，高リスクでは，

表1 DVTの検査前臨床確率の評価（Wellsスコア）

臨床的特徴	スコア
活動性のがん（過去6カ月以内の治療，緩和的治療）	1
下肢の完全麻痺，不全麻痺，最近のギプス装着による固定	1
臥床安静3日以上または12週以内の全身あるいは部分麻酔を伴う手術	1
下肢深部静脈分布に沿った圧痛	1
下肢全体の腫脹	1
腓腹部（脛骨粗面の10cm下方）の左右差＞3cm	1
症状のある下肢の圧痕性浮腫	1
表在静脈の側副血行路の発達（非静脈瘤性）	1
DVTの既往	1
DVTと同程度の可能性を有する他疾患の存在	−2
臨床的確率	
スコア0点：低確率，スコア1〜2点：中確率，スコア3点以上：高確率	

〔Wells PS et al：N Engl J Med, 349(13):1227-1235, 2003をもとに作成〕

表2 PTEの検査前臨床確率の評価（改訂Genevaスコア）

臨床的特徴	スコア
年齢66歳以上	1
PTEあるいはDVTの既往	3
1カ月以内の手術，骨折	3
活動性のがん	5
片側の下肢痛	2
下肢深部静脈の触診による痛みと片側性浮腫	2
心拍数	2
・75〜94bpm	3
・95bpm以上	4
血痰	1
臨床的確率	
スコア0〜3点：低確率，スコア4〜10点：中確率，スコア11点以上：高確率	

〔Gal GL et al：Ann Intern Med, 144(3):165-171, 2006をもとに作成〕

表3 担がん患者におけるVTE予測スコア（Khoranaスコア）

担がん患者リスク因子	リスクスコア
腫瘍部位	
・very high risk（胃がん，膵がん）	2
・high risk（肺がん，悪性リンパ腫，婦人科骨盤腫瘍，泌尿器系腫瘍）	1
・low risk（乳がん，大腸がん，頭頸部がん）	0
化学療法前血小板数　35万/μL以上	1
ヘモグロビン値　10g/dL未満，またはエリスロポエチン使用	1
化学療法前白血球数　11,000/μL以上	1
BMI　35kg/m² 以上	1
VTEリスク予測スコア	
スコア0点：低リスク，スコア1〜2点：中等度リスク，スコア3点以上：高リスク	

〔Khorana AA et al：Blood, 111(10):4902-4907, 2008をもとに作成〕

表4　多発性骨髄腫患者に特化したVTEリスク評価（SAVED Score）および予防的抗凝固療法

担がん患者リスク因子	リスクスコア
90日以内の手術	+2
アジア人	−3
VTEの既往	+3
80歳以上	+1
デキサメタゾンの用量	
・標準用量（120〜160mg/サイクル）	+1
・高用量（＞160mg/サイクル）	+2
VTEリスク予測スコア	

スコア0〜1点：低リスク

・アスピリン81〜325mg/日　経口

スコア2点以上：高リスク

・低分子ヘパリン：エノキサパリン40mg/日　皮下注

・リバーロキサバン　10mg/日　経口

・アピキサバン　5mg/回　1日2回　経口

・フォンダパリヌクス　2.5mg/日　皮下注

・ワルファリン　PT-INR　2〜3で調整

〔Li A et al：J Natl Compr Canc Netw, 17(7):840-847, 2019をもとに作成〕

低分子ヘパリン，ワルファリン，DOAC，低リスクではアスピリンが推奨されている[17]。

5-3 治療

　VTEの治療は薬物療法，カテーテル治療，下大静脈フィルター留置，外科的治療がある。その中心を担うのは薬物療法であり，欧米では低分子ヘパリン，ワルファリンが標準的治療である。しかし，低分子ヘパリンはわが国では保険適応上VTE治療には使用できない。また，ワルファリンは化学療法に使用する薬剤との相互作用に注意する必要があり，栄養状態にも影響を受ける可能性がある。よって，がん患者のVTE治療に際してはDOACによる期待が大きい。治療期間は原則3カ月だが，がん患者は再発のリスクが高いため，より長期間の治療を要する。

1）DOAC

　VTEに使用するDOACは，ワルファリンと比較して食事の影響を受けにくく，薬物相互作用の報告も少ないが，CYP3A4代謝，P糖蛋白のいずれの代謝も受ける薬剤が多いため，それらの阻害および誘導作用のある薬剤との併用には注意が必要である。実臨床での相互作用のデータとして国内の後ろ向きコホート研究の結果では，アミオダロン，フルコナゾール，リファンピシン，フェニトインとDOACの併用は大出血のリスクを有意に高めていたため，臨床現場で注意すべき薬剤とされている[18]。また，DOACは腎機能，年齢や体重によって用量を調節する必要があるため，患者個々の背景に応じた用量決定が必要な薬剤である。

エドキサバン

　初期に5日以上の非経口抗凝固薬を投与した後，エドキサバンを開始する。通常，60mgを1日1回投与するが，体重60kg以下，クレアチニン・クリアランス50mL/min以下，P糖蛋白作用を有する薬剤を使用する場合は30mg1日1回へ減量する。クレアチニン・クリアランス15mL/min以下の患者への投与は禁忌である。

リバーロキサバン

　VTE発症初期は1回15mgの1日2回投与を3週間継続した後，通常用量である1回15mgの1日1回投与にて治療を行う。減量基準はなく，クレアチニン・クリアランス30mL/min以下の患者への投与は禁忌である。

アピキサバン

　VTE発症初期は1回10mgの1日2回投与を1週間継続した後，通常用量である1回10mgの1日2回投与にて治療を行う。減量基準はなく，クレアチニン・クリアランス30mL/min以下の患者への投与は禁忌である。

ダビガトラン

　VTE発症初期には110mgの1日2回投与を1週間施行し，その後通常用量である1回5mg，1日2回にして治療を継続する。

【参考文献】

1) Blom JW et al：Malignancies, prothrombotic mutations, and the risk of venous thrombosis. JAMA, 293(6):715-722, 2005

2) Nakamura M et al：Current venous thromboembolism management and outcome in Japan. Circ J, 78(3):708-717, 2014
3) Walker AJ et al：Incidence of venous thromboembolism in patients with cancer-a cohort study using linked United Kingdom databases. Eur J Cancer, 49(6):1404-1413, 2013
4) Prandoni P et al：Recurrent venous thromboembolism and bleeding complications during anticoagulant treatment in patients with cancer and venous thrombosis. Blood, 100(10):3484-3488, 2002
5) Sakamoto J et al：Cancer-Associated Venous Thromboembolism in the Real World-From the COMMAND VTE Registry. Circ J, 83(11):2271-2281, 2019
6) Khorana AA et al：Thromboembolism is a leading cause of death in cancer patients receiving outpatient chemotherapy. J Thromb Haemost, 5(3):632-634, 2007
7) Boccaccio C et al：Genetic link between cancer and thrombosis. J Clin Oncol, 27(29):4827-4833, 2009
8) 佐戸川弘之　他：深部静脈血栓症症例と静脈血栓塞栓症の予防についてのアンケート調査―本邦における静脈疾患に関するサーベイXIII―日本静脈学会静脈疾患サーベイ委員会報告. 静脈学, 23(3):271-281, 2012
9) Key NS et al：Venous Thromboembolism Prophylaxis and Treatment in Patients With Cancer: ASCO Clinical Practice Guideline Update. J Clin Oncol, 38(5):496-520, 2020
10) Palumbo A et al：Prevention of thalidomide- and lenalidomide-associated thrombosis in myeloma. Leukemia, 22(2):414-423, 2008
11) Scappaticci FA et al：Arterial thromboembolic events in patients with metastatic carcinoma treated with chemotherapy and bevacizumab. J Natl Cancer Inst, 99(16):1232-1239, 2007
12) 日本循環器学会　他：肺血栓塞栓症および深部静脈血栓症の診断, 治療, 予防に関するガイドライン（2017年改訂版）, 2018
13) Wells PS et al：Evaluation of D-dimer in the diagnosis of suspected deep-vein thrombosis. N Engl J Med, 349(13):1227-1235, 2003
14) Gal GL et al：Prediction of pulmonary embolism in the emergency department: the revised Geneva score. Ann Intern Med, 144(3):165-171, 2006
15) Khorana AA et al：Development and validation of a predictive model for chemotherapy-associated thrombosis. Blood, 111(10):4902-4907, 2008
16) Li A et al：Derivation and Validation of a Risk Assessment Model for Immunomodulatory Drug-Associated Thrombosis Among Patients With Multiple Myeloma. J Natl Compr Canc Netw, 17(7):840-847, 2019
17) NCCN Guideline Version3. 2022 Multiple Myeloma
18) Chang SH et al：Association Between Use of Non-Vitamin K Oral Anticoagulants With and Without Concurrent Medications and Risk of Major Bleeding in Nonvalvular Atrial Fibrillation. JAMA, 318(13):1250-1259, 2017

〔阪田　安彦〕

3-3 心機能障害

1 概要

　抗がん薬治療による心機能障害を見逃すと重篤な転帰への原因となりうる。しかしながら初期段階では自覚症状が乏しいこともあるため，正しくモニタリングを行って重篤化を回避することが重要である。

2 発症機序

1）心筋障害

　心筋障害の機序として①心筋細胞のミトコンドリア機能の障害〔コエンザイム（CoQ10）システムの抑制〕，②ミクロソームを介したフリーラジカルの産出とそれに続く脂質の過酸化，③細胞膜透過性の変化によるCa^{2+}の過剰流入とCa^{2+}代謝の変化によるミトコンドリア機能の障害，④細胞膜のNa^+/K^+ ATPase活性障害，⑤DNAやRNAの合成阻害——が仮説推定されてきた[1]。
　その後，2017年にはドキソルビシン投与により心筋細胞膜上に存在するCa^{2+}透過型カチオン（transient receptor potential canonical 3：TRPC3）チャネルの発現が増加し，活性酸素種（Reactive Oxygen Species：ROS）の生成酵素である細胞膜タンパク質NADPHオキシダーゼ2（Nox2）と複合体（TRPC3-Nox2複合体）を形成することでROS生成が促進し，心筋細胞の委縮が誘導されることが報告されている[2]。その他，鉄蓄積の関与[3]や心筋細胞に多く発現がみられるトポイソメラーゼ2βを介した心毒性[4]が報告されており，これらの因子が複合的に関与することがアンスラサイクリンによる心筋障害の機序と考えられる。
　一方，抗HER2抗体製剤のトラスツズマブではミトコンドリアのアポトーシス経路の活性化等が心筋障害の機序として推定されてきた[5]が，心筋細胞に存在するHER2は，ErbB4とそのリガンドであるNRG-1とでヘテロダイマーを形成し，心筋障害時の修復（肥大，増殖，脱分化，収縮）のためのシグナル伝達に関与していることから，HER2を標的とする薬剤はその修復能を低下させることもわかってきている[6]。

2）刺激伝導系障害

　パクリタキセルの心毒性のうち，76％はGrade1の無症候性徐脈であったと報告[7]されているが，その機序については明らかではない。
　亜ヒ酸（三酸化ヒ素）では心筋細胞において活動電位の延長と細胞内カルシウム過負荷が引き起こされ，これが心室性頻拍やQT延長等の催不整脈作用の機序と考えられている[8]。また，BCR-ABLチロシンキナーゼ阻害薬のニロチニブ，ダサチニブについてはhERG電流を用量依存的に阻

害し,活動電位持続時間を延長させることからQT延長を起こすことが知られているが,詳細な機序は明らかではない[9]。その他,ヒストン脱アセチル化酵素（Histone Deacetylase：HDAC）阻害薬のパノビノスタット,内分泌療法薬のトレミフェンについてもQT延長を起こすことが知られているが,この機序についても明らかではない。

3）冠血管障害

フルオロウラシルによる冠血管障害は冠血管の攣縮,凝固系亢進による冠血管の血栓塞栓等がその機序として推定されている[10]。また血管内皮細胞増殖因子（Vascular endothelial growth factor：VEGF）を標的とした薬剤では,一酸化窒素合成酵素やCOX2が阻害されることから血小板凝集能が亢進する[11]。

4）前負荷増大

シスプラチン投与時に,腎障害予防のため大量の輸液を投与することがあるが,一般的に短時間のうちに排泄能を超える大量の輸液（1時間あたり500mL以上）を行うと前負荷が増大し,場合によっては心不全の原因となりうる。

5）後負荷増大

VEGFを標的とした薬剤では一酸化窒素の減少に伴う末梢血管抵抗の上昇等により血圧が上昇し,後負荷が増大すると考えられている[12]。

6）心臓の免疫関連有害事象（immune-related adverse event：irAE）

健常人であっても心筋のαミオシン重鎖に反応するT細胞が末梢に存在しているが[13],末梢におけるさまざまな免疫寛容機構（CTLA-4やPD-1経路など）が機能することで,T細胞による心筋への自己免疫反応が回避されている[14]。心臓でのirAE発症機序は,免疫チェックポイント阻害薬によってこれらの免疫寛容の機構が破綻することに起因し,その結果として心筋炎,心血管障害に至るものと考えられている。

３ 症状

1）急性心毒性

急性心毒性の自覚症状は不整脈,胸部症状等,他覚症状は心電図異常等で,その多くは投与当日に発症し,一過性である。ただし,VEGFを標的とした薬剤による急性心筋虚血は投与日にかかわらず発症することがあるので注意が必要である。

2）慢性心毒性

慢性心毒性の自覚症状は労作時の息切れ,浮腫,頻脈,仰臥位での呼吸困難感等が挙げられる。他覚症状は左室駆出率（left ventricular ejection fraction：LVEF）の低下,心肥大,心電図異常,トロポニンT上昇,脳ナトリウム利尿ペプチド濃度（brain natriuretic peptide：BNP）上昇等がみられる。多くは投与開始後1カ月以降に緩徐に発現する。特にアントラサイクリン系抗がん薬に

よる慢性心毒性は，投与終了後10年以上を経ても出現することがあり，長期間にわたった注意が必要となる。

4 原因となりうる薬剤（抗がん薬など）

以下に原因となりうる代表的な薬剤を記す。

4-1 細胞障害性抗がん薬

1）アントラサイクリン系抗がん薬

細胞障害性抗がん薬のなかで，最も心機能障害に注意が必要なのがアントラサイクリン系抗がん薬である。特にアントラサイクリン系抗がん薬によって心不全が発症すると，無治療では症状不可逆で非常に予後が悪い。アントラサイクリン系抗がん薬の慢性心毒性は生涯累積投与量に依存することからも，投与量の上限が定められている（表）。

2）タキサン系抗がん薬

アルコールを溶媒としたタキサン系抗がん薬は，アルコールに起因する一時的な心拍数増加等を起こすことがある。また，パクリタキセルは洞徐脈，房室ブロック，脚ブロック，心室性期外収縮，心筋虚血，心筋梗塞等の心毒性が報告されているが，そのうち76％はGrade1の無症候性徐脈であったと報告[15]されている。

3）アルキル化薬

造血幹細胞移植の前処置としての高用量シクロホスファミド療法（120～200mg/kg）は，頻脈性不整脈，完全房室ブロック，急性重症心不全，心囊水貯留，出血性心筋心膜炎等を起こすことがある。通常は1～2週間以内で発症，2～3日間の持続をみるが改善する。しかしながら患者のうち約11％においては致命的であるとされ，注意を要する[10]。

表　アントラサイクリン系抗がん薬の生涯累積投与量の上限

成分名	商品名（先発品）	生涯累積投与量の上限	ドキソルビシンへの換算
ドキソルビシン	アドリアシン	500mg/m^2	
エピルビシン	ファルモルビシン	900mg/m^2	×1/2
ピラルビシン	テラルビシン，ピノルビン	950mg/m^2	×1/2
イダルビシン	イダマイシン	120mg/m^2	×4
ダウノルビシン	ダウノマイシン	25mg/kg	×3/4
ミトキサントロン	ノバントロン	160mg/m^2	×3

※上限は他のアントラサイクリン系抗がん薬未治療例の場合
（各先発薬品の添付文書をもとに作成）

4）代謝拮抗薬

5-FUとその誘導体は心筋虚血を起こすことがあり，そのリスクは冠動脈疾患の既往がある場合やシスプラチンとの併用療法で上昇することが報告されている[16]。

4-2 分子標的治療薬

1）HER2を標的とする分子標的治療薬

トラスツズマブによるLVEF低下は，アントラサイクリン系抗がん薬と同時期併用を行わない場合であれば，数週間から数カ月かけて緩徐に進行するものの，通常可逆的であり，症状が改善すれば，再投与も可能である[17]。

ラパチニブも同様であるが，カペシタビン併用療法の場合は，カペシタビンが5-FUの誘導体であることから心筋虚血には注意する。

2）VEGFを標的とする分子標的治療薬

前述のとおり，VEGFを標的とした薬剤（ベバシズマブ，ラムシルマブ，アフリベルセプト，レゴラフェニブ，スニチニブ，ソラフェニブ等）では一酸化窒素の減少に伴う末梢血管抵抗の上昇等により血圧が上昇し，後負荷が増大する。また，血栓性心筋虚血にも注意が必要である。さらにスニチニブではLVEFの低下のおそれもあるので，注意する。

3）BCR-ABLを標的とする分子標的治療薬

ニロチニブはQT延長，心筋梗塞，狭心症，心不全を起こすことが知られている。またダサチニブはQT延長，頻度は低いが心不全，心筋梗塞を起こすことが知られている。ボスチニブもQT延長，不整脈，心筋梗塞，心房細動を起こすことがある。

4-3 内分泌療法薬

乳がんの内分泌療法に用いるトレミフェンはQT延長を起こすことが知られている。

4-4 免疫チェックポイント阻害薬

免疫チェックポイント阻害薬による心臓のirAE発現頻度は0.27〜1.14％程度と報告されているが[18]，そのうち，重大心血管イベント（心血管死亡，心停止，心原性ショック，完全房室ブロック）の割合は50％，重大心血管イベント以外でも26％が介入を要する不整脈，46％が利尿薬の静脈内投与を要する程の心不全であり，発症するとその多くは重篤化することが報告されている[19]。発現時期はほとんどの症例で初回または2回目の投与後と，早期（発現時期中央値30日）に発症することが報告[20]されている。

4-5 その他

急性前骨髄球性白血病の治療に用いる分化誘導剤も，心機能障害の副作用に注意が必要である[21]。

1）オールトランスレチノイン酸（all-trans retinoic acid：ATRA，トレチノイン）

レチノイン酸症候群（発熱・呼吸困難・肺浸潤・低血圧・末梢性浮腫・心筋虚血・心囊水貯留・急性腎不全）が投与後2～3週後に，10～25％の頻度で出現することが知られており，注意が必要である。

2）亜ヒ酸（三酸化二ヒ素）

レチノイン酸症候群に加えて，患者のうち50％以上で有意なQT延長がみられ，torsades de pointesを含む重大な心室性不整脈の出現が起こりうるので注意が必要である。

5 対処方法

1）累積投与量への注意

アントラサイクリン系抗がん薬は，表にも示したとおり生涯累積投与量の上限がある。現治療のみならず，前治療にてアントラサイクリン系抗がん薬の投薬歴がないか十分な確認を行い，換算した累積投与量が上限を超えていないか，投薬前に確認を行うことが重要である。

2）併用薬への注意

(1) アントラサイクリン系抗がん薬

アントラサイクリン系抗がん薬のドキソルビシンはパクリタキセル投与後に投与されるとドキソルビシンの血中濃度が上昇し[22]，心毒性が高まることが知られている。他方，ドキソルビシン誘発性心毒性に対してドセタキセルの前投与は心保護的に働くとの報告がある[23]。また，アントラサイクリン系抗がん薬とトラスツズマブは，逐次投与よりも同時期併用することで，重篤な心機能低下のリスクが高まることが知られているので，これらの投与順や併用については十分に留意し，事前に適切な投与計画を策定しておくことが重要である。

(2) フッ化ピリミジン系抗がん薬

フッ化ピリミジン系抗がん薬はシスプラチンとの併用により虚血性心疾患のリスクが高くなる[24]ので，特に虚血性心疾患の既往のある患者には注意が必要である。

(3) トレミフェン

トレミフェンについてはクラスⅠAまたはクラスⅢの抗不整脈薬との併用によりQT延長が増強され，torsades de pointesを含む重大な心室性不整脈を起こすおそれがあることから，これらの併用は添付文書上も禁忌とされており，他科も含めた薬歴の確認が重要である。

3）投与速度への注意
（1）アントラサイクリン系抗がん薬
　アントラサイクリン系抗がん薬は急速静注での投与が一般的であるが，6時間かけて緩徐に投与したほうが心毒性のリスクは低いとされる報告もある[25]。一方で投与速度を遅くすると効果が下がる可能性を示唆する報告[26]もあることから，特にハイリスク症例へのやむを得ない投与の場合は患者への十分な説明のもと，慎重に投与速度を考慮する。

（2）トラスツズマブ
　トラスツズマブは初回90分以上，2回目以降は忍容性が良好であれば30分まで投与時間を短縮することができるとされている。一方，通常トラスツズマブは全量を250mLに調製することから，30分で投与すると500mL/hrの投与速度とやや高負荷になるので，投与速度時間を短縮する際は患者ごとのリスクに配慮し，慎重に行う必要がある。

4）心機能のモニタリング
（1）LVEF（左室駆出率）
　アメリカ臨床腫瘍学会（American Society of Clinical Oncology：ASCO）のガイドラインでは，LVEFが50〜55％程度であれば心機能障害を発症するリスクが高いとみなされるべき[27]とされている。
　特にアントラサイクリン系抗がん薬ではLVEFの評価が重要であり，投与前，投与中，投与後にLVEFを含めた心機能検査を行うことが必要と考えられる。また，トラスツズマブについては通常投与前と12週ごとのLVEF評価が勧められているが，LVEFが55％以下，あるいは無症候性心機能障害の場合は6〜8週ごとのLVEF評価が勧められている。

（2）トロポニンT，BNP
　その他，心筋マーカーであるトロポニンTやBNP等についても心不全を予測するマーカーとして考えられるが，現時点では測定をルーチンで推奨する意義までは確立していない。

（3）心電図，電解質モニタリング
　刺激伝導系障害には心電図や電解質をモニタリングすることが重篤化回避に必要である。特に亜ヒ酸（三酸化ヒ素）では治療開始前および治療中は最低週2回，12誘導心電図を実施し，血清電解質異常があれば補正を行う必要がある。

5）予防的薬剤投与
　アントラサイクリン系抗がん薬治療患者に対して，小規模な臨床試験ではあるが，β遮断薬を併用することで心毒性の発現率を低下させるといった報告がある[28]。また，乳がんのアントラサイクリン系抗がん薬を含む補助化学療法にアンジオテンシンII受容体拮抗薬（Angiotensin II Receptor Blocker：ARB）のカンデサルタンを併用するとLVEFの低下を予防することができたという報告がある[29]。これらの試験結果より患者の状況によってはβ遮断薬やARBの予防的併用を考慮してもよい。
　その他，血管外漏出治療薬のデクスラゾキサンは，ドキソルビシンやエピルビシンによる心毒性の発現率を低下させることが報告されている[30]。ASCOのガイドラインではドキソルビシンの総投与量が250mg/m^{2}以上，エピルビシンの総投与量が600mg/m^{2}以上になる場合はデクスラゾキサン

併用を考慮するとされているが[27]，わが国では保険適応外となることに注意が必要である。
　2019年，抗喘息薬であるイブジラストがTRPC3チャネル活性を低下させることなく，TRPC3-Nox2複合体の形成を阻害することにより，ドキソルビシン投与による心毒性が軽減されることを示唆する基礎的研究報告がされた。今後の臨床での実用化に期待したい[31]。

6）免疫チェックポイント阻害薬による心臓のirAE

　前述のとおり免疫チェックポイント阻害薬による心臓のirAEの発現頻度は低いものの，発症する場合は重篤な転帰をたどることが多く，身体所見に特異的なものはみられないため，丁寧なモニタリングを行い，早期発見および早期専門的治療介入が必要となる。可能な限りベースラインの心機能（心電図，心筋トロポニンなど）を確認し，心筋炎が疑われる場合は速やかに循環器専門医と連携して対応することが重要である[32]。

6 適切な治療計画を患者と医療者間で共有する

　がん治療を行っていくうえで心機能障害という副作用は，患者にとっても，また医療従事者にとっても大きな不安材料となりうる。一方，正しい投与計画のもと，適切な事前確認を行い，モニタリングを継続すれば重篤化は回避しやすい。そうしたことから，治療計画を策定する際には心機能障害に対しても十分配慮されるべきである。さらにモニタリングも含めたスケジューリングを患者と共有しておく等の対策を講じることで，患者，医療者双方の治療に対する不安の軽減にもつなげることができる。
　近年では，がん診療部門と循環器領域で診療科横断的に連携することの必要性から，腫瘍循環器学（Onco-Cardiology/Cardio-Oncology）という新たな臨床研究領域が確立しはじめ，わが国では2017年に日本腫瘍循環器学会が発足した[33]。今後，こうした新領域においても薬剤師の活躍が期待される。

【参考文献】

1) 赤沢修吾　他　編：がん化学療法の副作用対策―改訂版―（吉田清一　監），先端医学社．p.239-246，1996
2) Shimauchi T et al：TRCP3-Nox2 complex mediates doxorubicin-induced myocardial atrophy. JCl Insight, 2(15):e93358, 2017
3) Link G et al：Role of iron in the potentiation of anthracycline cardiotoxicity: identification of heart cell mitochondria as a major site of iron-anthracycline interaction. J Lab Clin Med, 127(3):272-278. 1996
4) Vejpongsa P et al：Topoisomerase 2β: a promising molecular target for primary prevention of anthracycline-induced cardiotoxicity. Clin Pharmacol Ther, 95(1):45-52, 2014
5) Guglin M et al：Trastuzumab-induced cardiomyopathy. J Card Fail, 14(5):437-444, 2008
6) Tajiri K et al：Cardiovascular toxic effects of targeted cancer therapy. Jpn J Clin Oncol, 47(9):779-785, 2017
7) Trimble EL et al：Paclitaxel for platinum-refractory ovarian cancer: results from the first 1,000 patients registered to National Cancer Institute Treatment Referral Center 9103. J Clin Oncol, 11(12):2405-2410, 1993
8) Yamazaki K et al：Arrhythmogenic effects of arsenic trioxide in patients with acute promyelocytic leukemia and an electrophysiological study in isolated guinea pig papillary muscles. Circ J, 70(11):1407-1414, 2006
9) Zhenshu Xu et al：Cardiotoxicity of tyrosine kinase inhibitors in chronic myelogenous leukemia therapy. Hematol Rev, 1(1): e4, 2009
10) Floyd JD et al：Cardiotoxicity of cancer therapy. J Clin Oncol, 23(30):7685-7696, 2005

11) Scappaticci FA et al：Arterial thromboembolic events in patients with metastatic carcinoma treated with chemotherapy and bevacizumab. J Natl Cancer Inst, 99(16):1232-1239, 2007
12) Facemire CS et al：Vascular endothelial growth factor receptor 2 controls blood pressure by regulating nitric oxide synthase expression. Hypertension, 54(3):652-658, 2009
13) Huijuan Lv et al：Impaired thymic tolerance to α-myosin directs autoimmunity to the heart in mice and humans. J Clin Invest, 121(4):1561-1573, 2011
14) Tajiri K et al：Immune checkpoint inhibitor-related myocarditis. Jpn J Clin Oncol, 48(1):7-12, 2018
15) Yeh ET：Cardiotoxicity induced by chemotherapy and antibody therapy. Annu Rev Med, 57:485-498, 2006
16) Gamelin E et al：Acute cardiac toxicity of 5-fluorouracil: pharmacokinetic correlation. Bull Cancer, 78(12):1147-1153, 1991
17) Ewer MS et al：Reversibility of trastuzumab-induced congestive heart failure in patients previously treated with anthracyclines. J Cardiac Failure, 10(4):S117, 2004
18) Hu JR et al：Cardiovascular toxicities associated with immune checkpoint inhibitors. Cardiovasc Res, 115(5):854-868, 2019
19) Mahmood SS et al：Myocarditis in Patients Treated With Immune Checkpoint Inhibitors. J Am Coll Cardiol, 71(16):1755-1764, 2018
20) Salem JE et al：Cardiovascular toxicities associated with immune checkpoint inhibitors: an observational, retrospective, pharmacovigilance study. Lancet Oncol, 19(12):1579-1589, 2018
21) Yeh ET et al：Cardiovascular complications of cancer therapy: diagnosis, pathogenesis, and management. Circulation, 109(25):3122-3131, 2004
22) Gianni L et al：Human pharmacokinetic characterization and in vitro study of the interaction between doxorubicin and paclitaxel in patients with breast cancer. J Clin Oncol, 15(5):1906-1915, 1997
23) Tomonari M et al：Mechanism of the cardioprotective effects of docetaxel pre-administration against adriamycin-induced cardiotoxicity. J Pharmacol Sci, 115(3):336-345, 2011
24) Polk A et al：Cardiotoxicity in cancer patients treated with 5-fluorouracil or capecitabine: a systematic review of incidence, manifestations and predisposing factors. Cancer Treat Rev, 39(8):974-984, 2013
25) Todaro MC et al：Cardioncology: state of the heart. Int J Cardiol, 168(2):680-687, 2013
26) Casper ES et al：A prospective randomized trial of adjuvant chemotherapy with bolus versus continuous infusion of doxorubicin in patients with high-grade extremity soft tissue sarcoma and an analysis of prognostic factors. Cancer, 68(6):1221-1229, 1991
27) Armenian SH et al：Prevention and Monitoring of Cardiac Dysfunction in Survivors of Adult Cancers: American Society of Clinical Oncology Clinical Practice Guideline. J Clin Oncol, 35(8):893-911, 2017
28) Kalay N et al：Protective effects of carvedilol against anthracycline-induced cardiomyopathy. J Am Coll Cardiol, 48(11):2258-2262, 2006
29) Gulati G et al：Prevention of cardiac dysfunction during adjuvant breast cancer therapy (PRADA): a 2×2 factorial, randomized, placebo-controlled, double-blind clinical trial of candesartan and metoprolol. Eur Heart J, 37(21):1671-1680, 2016
30) Seymour L et al：Use of dexrazoxane as a cardioprotectant in patients receiving doxorubicin or epirubicin chemotherapy for the treatment of cancer. The Provincial Systemic Treatment Disease Site Group. Cancer Prev Control, 3(2):145-159, 1999
31) Nishiyama K et al：Ibudilast attenuates doxorubicin-induced cytotoxicity by suppressing formation of TRPC3 channel and NADPH oxidase 2 protein complexes. Br J Pharmacol, 176(18):3723-3738, 2019
32) 日本臨床腫瘍学会　編：がん免疫療法ガイドライン 第2版，金原出版，p.69-72，2019
33) 佐瀬一洋：特集 Onco-Cardiologyの最前線 はじめに．医学のあゆみ，273（6）：481，2020

（葉田　昌生）

4-1 薬剤性腎障害

1 概要

腎臓は多くの抗がん薬およびその代謝産物の主要な排泄経路である。腎機能の低下は抗がん薬の代謝・排泄の遅延をもたらし，さまざまな毒性を増加させる[1]。抗がん薬の中はシスプラチンのように腎毒性を有するものも少なくなく，細胞障害性抗がん薬だけでなく分子標的治療薬も例外ではない。薬剤性腎障害のおよそ20％は抗がん薬によるとされている[2]。

「onco-nephrology」という概念もここ数年で広く浸透し，『がん薬物療法時の腎障害診療ガイドライン2016』[3]（以下，GL2016）の改訂作業も進んでいるようである。がん治療における腎臓への注目はさらに高まっている。

2 発症機序

がん薬物療法に伴う腎障害は，①治療の有害事象である食欲不振・嘔吐・下痢などにより循環血液量減少を来し腎血流量が低下して起こるもの（腎前性）と，②抗がん薬による腎臓への直接的な障害によるもの（腎性），③腫瘍自体による尿路閉塞に伴うもの（腎後性）——に分類できる。また，腫瘍崩壊症候群（第5章 6-1）のような二次的な障害もある。ここでは直接的腎障害の機序について記す（図）。

1）急性尿細管障害

シスプラチンやイホスファミドなどが原因薬剤として挙げられ，頻度としては最も多い機序である。シスプラチンによる尿細管障害は，有機カチオントランスポーターを介して近位尿細管上皮細胞内に取り込まれ，ミトコンドリア由来のアポトーシス経路を活性化する。また，細胞内沈着による炎症や酸化ストレス，虚血障害も発生し細胞死を起こすこととされている[4]。

2）結晶誘発性腎症

メトトレキサートが原因薬剤として知られている。低用量では問題とならないが，高用量（1g/m^2以上）を投与する際は注意が必要である。メトトレキサートが遠位尿細管内で結晶化，沈着することにより尿管腔を閉塞させ腎障害を起こす[5]。

3）血栓性微小血管症

血栓性微小血管症（thrombotic microangiopathy：TMA）は，マイトマイシンC[6]による発現頻度が高いが，ゲムシタビン[7]，シスプラチン[8]なども原因薬剤とされる。発症機序は明確ではな

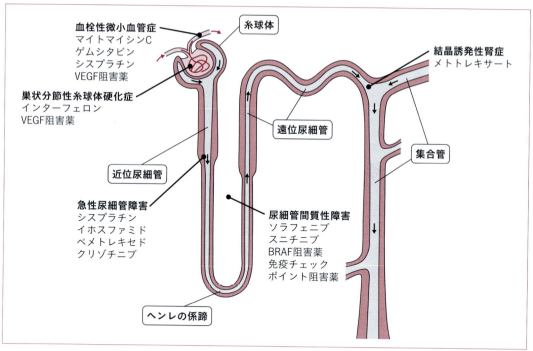

[Rosner MH et al：N Engl J Med, 376(18)：1770-1781, 2017 をもとに作成]

図　腎尿細管と各抗がん薬の障害部位

いが，マイトマイシンCでは直接的な血管内皮障害と推察されており，累積投与量に依存する．また，血管内皮増殖因子（Vascular Endothelial Growth Factor：VEGF）阻害薬による蛋白尿の一因ともされ，糸球体上皮細胞において特異的にVEGFの発現を阻害したマウスでは高度のTMAを発症する報告がある[9]．

4）その他

前述した中毒性の機序のほかに，アレルギー・免疫学的機序による，インターフェロン[10]の糸球体障害や免疫チェックポイント阻害薬[11]の間質性障害も知られている．

ミニコラム ①血栓性微小血管症

血栓性微小血管症（thrombotic microangiopathy：TMA）とは，①細小血管内血小板血栓，②破壊性血小板減少症，③細血管障害性溶血性貧血の3つの病態の総称であり，微小血栓形成による臓器障害や溶血性貧血などを呈する．血栓性血小板減少性紫斑病（Thrombotic Thrombocytopenic Purpura：TTP）と，溶血性尿毒症症候群（Hemolytic Uremic Syndrome：HUS）などが含まれる．腸管出血性大腸菌による腸炎の後に発症するHUSの頻度が高い．二次性TMAの原因として，薬剤・悪性腫瘍・造血幹細胞移植などが挙げられる．

3 症状

一般的な急性腎障害と同様に尿量の変化や浮腫, 倦怠感などが, アレルギー性の場合は発熱, 皮疹などを伴う場合もある。早期では自覚症状を伴わないことも多く, 抗がん薬によるほかの有害事象が合併している場合もあり, その鑑別も重要である。腎障害の発現頻度の高い薬剤を投与する際は, 症状だけでなく定期的な血液検査によるモニタリングが必要である。

4 原因となりうる薬剤（抗がん薬など）[1,12]

抗がん薬による腎障害は発現頻度が異なるものの, 細胞障害性抗がん薬から分子標的治療薬, 免疫チェックポイント阻害薬まで多数の作用機序の薬剤で報告されている。原因薬剤と病態, 機序について表1に記載した。

5 対処方法

薬剤性腎障害の治療の基本は被疑薬の中止であり, 抗がん薬も例外ではない。しかしながら, 薬剤の選択肢の少ないがん薬物療法において, 薬剤の中止は患者の予後に直接影響を与える。そのため, 腎機能をできるだけ低下させないための予防措置が, 治療継続には最も重要となる。腎障害の機序, 原因薬剤は多岐にわたるが, その対処方法が確立されているものは残念ながら少ない。ここではGL2016を参考に, 比較的確立されている対処方法について記載する。

5-1 投与前評価

1) リスク因子の確認

急性腎障害のリスク因子としては, 脱水や高齢, 慢性腎臓病（Chronic Kidney Disease：CKD）, 慢性疾患（心・肺・肝）, 糖尿病などが挙げられる[13]。高リスクの患者に対しては事前に十分な補液を行うなど, できるだけリスクを除外することが必要である。また, 非ステロイド性抗炎症薬（NSAIDs）やレニン・アンジオテンシン系阻害薬, シクロスポリンなどの腎血流量を減少させる薬剤を使用している場合も注意が必要である[2]。

2) 腎機能評価

抗がん薬投与にあたっての腎機能評価[3]には, 推算糸球体濾過量（estimated Glomerular Filtration Rate：eGFR）を用いることが推奨される。栄養不良などで筋肉量が標準よりも著しく少ないと考えられる患者の場合は, 血清クレアチニン（Creatinine：Cr）の値からeGFRを推算するのではなく, 蓄尿によるGFR測定等他の方法を併用することが推奨されている。

一般的にCockcroft-Gault式による推算クレアチニンクリアランス（Creatinine Clearance：CCr）を用いることが多いが, CCrはCrの尿細管分泌によりGFRより高値になるため, より正確な推算式が開発され用いられるようになってきた。日本人に対しては, 日本腎臓学会の推算式がこれまでの推算式より正確であるとされている。注意点として, わが国では酵素法でCr値を測定す

表1 原因薬剤と病態，機序

原因薬剤		発生機序・病態	腎毒性
大分類	一般名／作用機序分類		
細胞障害性抗がん薬	シスプラチン	急性尿細管障害	急性腎障害，Fanconi症候群，低Mg血症
		血栓性微小血管症	溶血性尿毒症症候群，血栓性血小板減少性紫斑病
	イホスファミド	急性尿細管障害	急性腎障害，Fanconi症候群
	ペメトレキセド	急性尿細管障害	急性腎障害，Fanconi症候群
	メトトレキサート	結晶誘発性腎症	尿細管閉塞性腎不全
	マイトマイシンC	血栓性微小血管症	溶血性尿毒症症候群
	ゲムシタビン	血栓性微小血管症	溶血性尿毒症症候群
	アルキル化薬ニトロソウレア系	糸球体硬化症	慢性尿細管・間質性障害
	カルボプラチン	尿細管障害	低Mg血症
	シクロホスファミド	尿細管障害	低Na血症
	微小管阻害薬ビンカアルカロイド系	SIADH（抗利尿ホルモン不適合分泌症候群）	低Na血症
分子標的治療薬	VEGF阻害薬	血栓性微小血管症	蛋白尿，高血圧，ネフローゼ症候群
	抗EGFR抗体薬	尿細管障害	低Mg血症
	BRAF阻害薬	尿細管障害，尿細管間質性障害	急性腎障害，電解質異常
	ALK阻害薬	尿細管障害，尿細管間質性障害	急性腎障害，電解質異常，腎小嚢胞
免疫調節薬	インターフェロン	血栓性微小血管症，巣状分節性糸球体硬化症	急性腎障害，ネフローゼ症候群，蛋白尿
免疫チェックポイント阻害薬	CTLA-4阻害薬	尿細管間質性障害，ループス様膜性腎症	急性腎障害，蛋白尿
	PD-1阻害薬	尿細管間質性障害	急性腎障害

〔Rosner MH et al：N Engl J Med, 376(18):1770-1781, 2017, Rosner MH：Overview of kidney disease in the cancer patient. In: UpToDate, Post TW (Ed), UpToDate, Waltham, MA をもとに作成〕

ることが多いが，それをCockcroft-Gault式に用いる場合は，Cr値の測定法の違いから，酵素法で出したCr値に0.2を加える必要がある。また，日本腎臓学会のGFR推算式は1.73m^{2}あたりに体表面積補正されている点がある。

患者ごとの腎機能は日本腎臓学会のGFR推算式を用いたeGFRで評価し，投与量調節が必要な場合は，それぞれの薬剤の臨床試験等で用いられたものと同じ腎機能評価方法や推算式を使用することが推奨される。

①Cockcroft-Gault式

推算Ccr(mL/分) = (140 − 年齢) × 体重(kg) ÷ (72 × 血清Cr)
（女性は0.85を乗ずる）

②日本腎臓学会のGFR推算式

$$eGFR(mL/分/1.73m^2) = 194 \times 血清Cr^{-1.094} \times 年齢^{-0.287}$$

（女性は0.739を乗ずる）

3）投与量調節

前述のように，腎臓は多くの抗がん薬とその代謝物の主要な排泄経路である．そのため腎機能の低下は薬剤の排泄，代謝の遅延をもたらし毒性を増加させる可能性があり，投与量の調節が必要とされる[1]．調節が必要とされる薬剤には，主に肝臓で代謝される抗がん薬も一部含まれていることに注意する[2,14]（表2）．

個々の薬剤の詳細な減量方法については，それぞれの報告ごとに異なる場合も見受けられるが，日本腎臓病薬物療法学会が公開している腎機能別薬剤投与量一覧，米国や欧州の添付文書などが指標となる．

投与量を調節する際は，患者ごとの背景（治療目的，予後，年齢，PSなど）を明確に把握した

表2　腎機能低下時に用量調節が必要な抗がん薬

細胞障害性抗がん薬		分子標的治療薬
アザシチジン	ストレプトゾシン	アファチニブ
アムルビシン	ダウノルビシン	イマチニブ
イキサゾミブ	ダカルバジン	オラパリブ
イダルビシン	テガフール・ウラシル	スニチニブ
イホスファミド	ノギテカン	ソラフェニブ
イリノテカン	トラベクテジン	バンデタニブ
テガフール・ギメラシル・オテラシルカリウム	ヒドロキシカルバミド	ブレンツキシマブ ベドチン
	プララトレキサート	ボスチニブ
エトポシド	フルダラビン	
エリブリン	ブレオマイシン	
オキサリプラチン	ペメトレキセド	
カペシタビン	ベンダムスチン	
カルボプラチン	ペントスタチン	
クラドリビン	ポマリドミド	
クロファラビン	マイトマイシンC	
三酸化ヒ素	メトトレキサート	
シクロホスファミド	メルファラン	
シスプラチン	レナリドミド	
シタラビン		

〔Merchan JR：Chemotherapy nephrotoxicity and dose modification in patients with kidney impairment. In: UpToDate, Post TW（Ed）, UpToDate, Waltham, MA 薬剤性腎障害の診療ガイドライン作成委員会：薬剤性腎障害診療ガイドライン2016．日腎会誌，58(4)：477-555, 2016をもとに作成〕

表3 CTCAE v5.0 急性腎障害，クレアチニン増加

CTCAE v5.0 Term 日本語	Grade 1	Grade 2	Grade 3	Grade 4	Grade 5
急性腎障害	—	—	入院を要する	生命を脅かす；人工透析を要する	死亡
クレアチニン増加	>ULN〜1.5×ULN	>1.5〜3.0×ULN	>3.0〜6.0×ULN	>6.0×ULN	—

ULN：upper limit of normal：(施設) 基準値上限
〔有害事象共通用語規準 v5.0 日本語訳 JCOG版より (JCOGホームページ http://www.jcog.jp)〕

うえで慎重に検討することが重要である。
CTCAEにおける腎障害のGradeを**表3**に示す。

5-2 予防方法[3]

1) シスプラチン

シスプラチンは腎排泄型薬剤であることに加え，その腎毒性により投与症例の1/3が急性腎障害を合併するといわれている。そのため，腎機能の低下はその後のシスプラチン投与を制限することにもつながる。また，シスプラチンの総投与量が急性腎障害のリスク因子の一つとされており，投与コースごとに腎機能を評価し，場合によっては投与量調節も必要となる。以下に推奨される腎機能障害の軽減方法について記載する。

(1) 補液（3L/日以上）

補液はシスプラチンの尿中濃度低下を目的に行われる。シスプラチンの添付文書にも，「1. 本剤投与前，1,000〜2,000mLの適当な輸液を4時間以上かけて投与する。2. 本剤投与時，投与量に応じて500〜1,000mLの生理食塩液またはブドウ糖−食塩液に混和し，2時間以上かけて点滴静注する。3. 本剤投与終了後，1,000〜2,000mLの適当な輸液を4時間以上かけて投与する」との記載があるが，シスプラチン投与時の補液はガイドラインでも強く推奨されている。

short hydration法

通常の補液投与は長時間に及ぶため入院での投与が必要となるが，short hydration法は，2,000〜2,500mLの補液を4時間程度で投与するもので，外来でのシスプラチン投与が可能となった。投与日から3日間は1,000mL/日程度の経口補給が必要であり，施行にはアドヒアランスも含めた患者選定が重要である。

(2) 利尿薬投与

白金代謝物と尿細管との接触時間を低下させる目的で投与され，浸透圧利尿薬のマンニトールやループ利尿薬のフロセミドが使用される。どちらの優越性も示されてはいないが，不利益も証明されておらず，投与については弱い推奨となっている。多くの臨床試験では補液とともに利尿薬投与が含まれていることから日常臨床では使用することが多い。

(3) マグネシウム投与

シスプラチン投与時は，腎からの排泄亢進や消化管毒性により高頻度に低マグネシウム血症が発現する。また，低マグネシウム血症がシスプラチンの腎毒性を増悪させる可能性が報告されている。

そのため，シスプラチン投与時はマグネシウムの補充が推奨される。

2) その他

抗がん薬以外の併用薬にも注意が必要である。非ステロイド性抗炎症薬など腎障害の原因となりうる薬剤の併用は避けることが望ましい。

(1) メトトレキサート

メトトレキサートの約90％は，尿中に未変化体として排泄される。$1g/m^2$以上の高用量を投与する場合，尿細管内で析出し直接的な尿細管障害や尿細管閉塞性の腎障害が発現する。メトトレキサートとその代謝産物の溶解度は，尿PHが6.0から7.0に上昇すると5〜8倍高くなるとされる[5]。そのため，結晶の析出を防ぐ目的で，炭酸水素ナトリウム投与による尿のアルカリ化と十分な輸液投与が推奨される。また，メトトレキサートの排泄を競合的に阻害する，プロベネシドやペニシリン，NSAIDsの併用は避けるべきである。血中濃度のモニタリングも重要となる。

(2) その他

ガイドラインでは，抗がん薬によるTMAに対する血漿交換についても言及されているが，有効性を評価するまでには至らず現時点では推奨されていない。

VEGF阻害薬による蛋白尿，シクロホスファミド・イホスファミドによる出血性膀胱炎（第5章4-2），腫瘍崩壊症候群（第5章6-1），免疫チェックポイント阻害薬による間質性障害（第5章10）については他項を参照されたい。

5-3　投与後腎機能評価

抗がん薬投与後の急性腎障害（Acute Kidney Injury：AKI）を早期に診断するためにさまざまなバイオマーカーの有用性が検討されているが，現時点ではそれらによる評価は強く推奨できないとされている。

AKIの診断基準としては，2004年にRIFLE（Risk, Injury, Failure, Loss, End-stage kidney disease）分類[15]，2007年にAKIN（Acute Kidney Injury Network）分類[16]が提唱され，それらを統合したKDIGO（Kidney DiseaseImproving Global Outcomes）分類（**表4**）[13]が2012年に定義された。これらの診断基準はすべて血清Crと尿量に基づいているが，血清Crは年齢・体重・性差・薬剤・筋肉代謝・蛋白摂取・体液過剰の影響を受けることや，腎障害を受けてから上昇するまでに48〜72時間かかるとされていることから，早期診断に用いることへの限界も認識されている。そのため新たなバイオマーカーが求められ，報告もされているが，日常臨床で使用できるほどには至っていない。現在，AKIに対するバイオマーカーとして，尿中蛋白・尿中アルブミン・血清シスタチンC・β2ミクログロブリン・尿中NAG（尿中β-D-Nアセチルグルコサミニダーゼ）・尿中L-FABP（肝臓型脂肪酸結合蛋白）・尿中NGAL（好中球ゼラチナーゼ結合性リポカリン）が保険診療で測定可能であるが，それぞれの特徴を理解し個々の患者において判断する必要があるとされている。

表4　KDIGOの急性腎障害の分類

ステージ	血清Cr	尿量
1	ベースラインの1.5～1.9倍の上昇 または 0.3mg/dL以上の上昇	6～12時間で0.5mL/kg/hr以下
2	ベースラインの2.0～2.9倍の上昇	0.5mL/kg/hr以下が12時間以上持続
3	ベースラインの3倍以上の上昇 または 4.0mg/dL以上の上昇 または 血液浄化療法の開始 または 18歳未満ではeGFR<35mL/min/1.73m^{2}の低下	0.3mL/kg/hr以下が24時間以上持続 または 12時間以上の無尿

〔KDIGO：Section 2: AKI Definition. KDIGO Clinical Practice Guidline for Acute Kidney Injury. Kidney Int Suppl, 2(1):8, 2012〕

6 腎機能の悪化を最小限に

腎機能の低下は，治療の継続を困難にする可能性があり患者の予後に影響する．

腎障害を起こしうる薬剤を投与する際は常にそのことを念頭に置き，予防できるものはもちろん，発症した場合も早期に発見・対処し腎機能の悪化を最小限にする必要がある．

【参考文献】

1) Merchan JR：Chemotherapy nephrotoxicity and dose modification in patients with kidney impairment. In: UpToDate, Post TW (Ed), UpToDate, Waltham, MA
2) 薬剤性腎障害の診療ガイドライン作成委員会：薬剤性腎障害診療ガイドライン2016．日腎会誌，58(4):477-555, 2016
3) 日本腎臓学会　他　編：がん薬物療法時の腎障害診療ガイドライン2016．ライフサイエンス出版，2016
4) Pabla N et al：Cisplatin nephrotoxicity:mechanisms and renoprotective strategies. Kidney Int, 73(9):994-1007, 2008
5) Widemann BC et al：Understanding and managing methotrexate nephrotoxicity. Oncologist, 11(6):694-703, 2006
6) Lesesne JB et al：Cancer-assoiated hemolytic-uremic syndrome: analysis of 85 cases from a national registry. J Clin Oncol 7(6):781-789, 1989
7) Saif MW et al：Thrombotic microangiopathy associated with gemcitabine: rare but real. Expert Opin Drug Saf, 8(3):257-260, 2009
8) Canpolat C et al：Cisplatin-associated hemolytic uremic syndrome. Cancer, 74(11):3059-3062, 1994
9) Eremina V et al：VEGF inhibition and renal thrombotic microangiopathy. N Engl J Med, 358(11):1129-1136, 2008
10) Markowitz GS et al：Treatment with IFN- |alpha| ,- |beta| , or- |gamma| is associated with collapsing focal segmental glomerulosclerosis. Clin J Am Soc Nephrol, 5(4):607-615, 2010
11) Cortazar FB et al：Clinicopathological features of acute kidney injury associated with immune checkpoint inhibitors. Kidney Int, 90(3):638-647, 2016
12) Rosner MH et al：Acute Kidney Injury in Patients with Cancer. N Engl J Med, 376(18):1770-1781, 2017
13) KDIGO：Section 2: AKI Definition. KDIGO Clinical Practice Guideline for Acute Kidney Injury. Kidney Int Suppl, 2(1):8, 2012
14) Merchan JR et al：Chemotherapy nephrotoxicity and dose modification in patients with renal insufficiency:

Conventional cytotoxic agents. In:UpToDate, Post TW(Ed), Up To Date, 2017
15) Bellomo R et al : for the Acute Dialysis Quality Initiative work- group.Acute renal failure-definition, outcome measures, animal models, fluid therapy and information technology needs: the Second International Consensus Conference of the Acute Dialysis Quality Initiative(ADQI)Group. Crit Care, 8(4):R204-212, 2004
16) Mehta RL et al : for the Acute Kidney Injury Network. Acute Kidney Injury Network: report of an initiative to improve outcomes in acute kidney injury. Crit Care. ;11(2): R31, 2007

(野村　充俊)

第5章 支持療法 | 4 腎・泌尿器系

4-2 蛋白尿，血尿（出血性膀胱炎）

1 概要

　がん細胞の増殖を抑制する分子を標的とする分子標的治療薬の開発が急速に進み，がん薬物療法における分子標的治療薬の役割は年々大きくなっている。分子標的治療薬は，その性質より従来の細胞性障害抗がん薬とは全く異なる副作用プロファイルを示す。泌尿器系統の副作用である「蛋白尿」もその一つといえる。

　また，古くからさまざまながん種に用いられている細胞障害性抗がん薬のアルキル化薬の代表的な副作用に「血尿」がある。本稿では蛋白尿と血尿について述べる。

2 蛋白尿

2-1 発症機序

　蛋白尿は高血圧と同じく，分子標的治療薬である血管新生阻害薬，すなわちVEGF（Vascular Endothelial Growth Factor，血管内皮増殖因子）阻害薬による有害事象の一つである。

　抗VEGF抗体における蛋白尿発症機序は，高血圧による腎糸球体内圧の上昇といった血流動態の変化によるもの[1]や，あるいは糸球体上皮細胞から産出されるVEGFのブロックにより，糸球体内皮細胞に障害が発生し，内皮細胞障害およびスリット膜に機能障害を来たして蛋白尿を生ずる可能性[2]が指摘されている。蛋白尿の成因として血圧上昇が深く関与していることが示唆されるとともに，高血圧および蛋白尿の発現に関し共通の遺伝的背景が関与している可能性も考えられる[3]。

2-2 症状

　CTCAE 5.0では，検査によって得られる結果から，表1のようなGrade分類がなされている。

　軽い蛋白尿であれば自覚症状はほとんどみられず，尿検査によって1＋等の結果が得られるのみであることが多い。また，血圧の上昇に伴い蛋白尿がみられることがある。前述のようにVEGF阻害薬では，高頻度に高血圧がみられることから蛋白尿の発現のリスクはさらに高いと考えられている。高血圧に蛋白尿を併発した場合の自覚症状として，頭痛，めまい，むくみ，だるさ，動悸，不眠等を訴えることがある。1日に3.5g以上の蛋白尿が認められる場合，あるいはネフローゼ症候群と診断された場合，むくみが強く現れる。またアルブミンの喪失による低アルブミン血症（血清アルブミン値3.0g/dL以下，血清総蛋白量6.0g/dL）を呈することが多い。アキシチニブの臨床試験では，日本人ではアキシチニブ投与開始1カ月以内の患者の20.6％に尿蛋白が認められ，発現まで

表1 CTCAE v5.0 蛋白尿

CTCAE v5.0 Term 日本語	Grade 1	Grade 2	Grade 3	Grade 4	Grade 5
蛋白尿	蛋白尿 1＋；尿蛋白≧ULN～＜1.0 g/24時間	成人：蛋白尿2＋～3＋；尿蛋白1.0～＜3.5 g/24時間；小児：尿蛋白/クレアチニン比0.5～1.9	成人：尿蛋白≧3.5g/24時間；尿蛋白4＋小児：尿蛋白/クレアチニン比＞1.9	―	―

ULN：(施設) 基準値上限

〔有害事象共通用語規準 v5.0 日本語訳 JCOG版より（JCOGホームページ http://www.jcog.jp）〕

表2 蛋白尿の起こりやすい抗がん薬

抗VEGF抗体	ベバシズマブ ラムシルマブ アフリベルセプト　ベータ
VEGFR-TKI	スニチニブ ソラフェニブ アキシチニブ パゾパニブ レゴラフェニブ バンデタニブ レンバチニブ カボザンチニブ

の日数の中央値は29日であった。

2-3　原因となりうる薬剤（抗がん薬など）

蛋白尿が起こりやすい抗がん薬を表2に示す。ベバシズマブ，アフリベルセプト　ベータ，ラムシルマブといった抗VEGF抗体や，スニチニブ，アキシチニブ，レゴラフェニブ等のVEGFR（血管内皮増殖因子受容体）をターゲットとした低分子マルチキナーゼ阻害薬（VEGFR-TKI）で蛋白尿が多くみられる。アキシチニブの国内第Ⅱ相試験[4]では，投与開始1カ月間は毎週，2カ月目以降は2週間毎，5カ月目以降は4週毎に尿検査を実施しており，国際共同第Ⅲ相試験では，投与期間を通して4週毎に尿検査を実施していた。同様に添付文書でも示されているように定期的な尿検査の実施が必要である。

2-4　対処方法

1）抗がん薬の減量・一時休薬

蛋白尿や微量アルブミン尿の出現は，腎機能障害や心血管合併症の独立したリスク因子であることが明らかにされており[5]，抗VEGF抗体投与時に蛋白尿が出現した際は，適切な管理が必要とされる。抗VEGF抗体ごとに蛋白尿の出現頻度は異なるものの，蛋白尿は用量依存性に起こると考えられている[6]。そのため，蛋白尿が出現した際には，抗VEGF抗体の減量や一時休薬が現実的な選

択肢となる。

　実際、抗VEGF抗体の臨床試験では、薬剤投与中にGrade2以上の蛋白尿が出現した場合には、減量または休薬してから再投与することが多い。ただし、予後の限られた進行がん患者に対する治療中においては、すべての症例で休薬や減量が必要とは限らず、薬物治療継続の利益／不利益や患者の希望も考慮して判断していく。

　例として蛋白尿が起こりやすいベバシズマブおよびアフリベルセプト　ベータの休薬・中止基準をそれぞれ表3, 4に示す。休薬・中止の判断に試験紙による定性検査や24時間蓄尿おける定量

表3　蛋白尿におけるベバシズマブの休薬・中止基準

蛋白尿のGrade	検査値	対応
Grade1	1＋　または　0.5〜1.0g/24hr	投与継続可能 モニタリングを継続
Grade2	2＋〜3＋　または 1.0〜3.5g/24hr	Grade1に回復するまで休薬
Grade3	4＋　または　>3.5g/24hr	
Grade4	ネフローゼ症候群	投与中止

（中外製薬：アバスチン®適正使用ガイドをもとに作成）

表4　蛋白尿におけるアフリベルセプト　ベータの減量・休薬・中止基準

程度	処置			
	今回の投与	今回投与後の 尿蛋白量（最高値）	次回の投与 （投与直近値で判断）	次々回の投与 （投与直近値で判断）
1＜UPCR≦2で、血尿が認められない場合	投与継続	＜3.5g/日	≦2g/日：投与継続	
			>2g/日：休薬	≦2g/日：2mg/kgに減量
				>2g/日：投与中止
		≧3.5g/日	≦2g/日：2mg/kgに減量	
			>2g/日かつ ≦3.5g/日：休薬	≦2g/日：2mg/kgに減量
				>2g/日：投与中止
			>3.5g/日：投与中止	
・1＜UPCR≦2で、血尿が認められる場合 ・UPCR＞2の場合	休薬	―	≦2g/日：投与継続	
			>2g/日かつ ≦3.5g/日：休薬	≦2g/日：2mg/kgに減量
				>2g/日：投与中止
			>3.5g/日：投与中止	
2mg/kgに減量しても再発した場合	投与中止			
ネフローゼ症候群 血栓性微小血管症	投与中止			

UPCR：尿中蛋白－Cr比（尿Cr1gあたりの尿蛋白）

（サノフィ：ザルトラップ®適正使用ガイドより一部抜粋）

的な評価を行う。24時間蓄尿が実施困難な場合には尿中蛋白Cr比（尿Cr1gあたりの蛋白尿）を用いる。尿中蛋白Cr比は1日尿蛋白排泄量とよく相関する。実際，アフリベルセプト ベータは，尿中蛋白Cr比を用いた評価を行うことが添付文書等にも記載されている。蛋白尿のモニタリングの際は抗がん薬がそれぞれどの評価を用いるかあらかじめ確認する。

2）高血圧合併蛋白尿への降圧薬の使用

アンジオテンシン受容体拮抗薬（Angiotensin II Receptor Blocker：ARB）は血圧降下作用の他，輸出細動脈を弛緩させることにより糸球体内圧を下げ，蛋白漏出を低下させる効果も有する[7]ことから，高血圧を合併した蛋白尿に対してはARBあるいはアンジオテンシン変換酵素阻害薬（Angiotensin-Converting-Enzyme Inhibitor：ACE-I）をどちらか単剤で開始するよう推奨されている[8,9]。

3 血尿（出血性膀胱炎）

3-1 発症機序

アルキル化薬ナイトロジェンマスタード類のシクロホスファミドやイホスファミドは，肝で代謝されその活性代謝産物であるアクロレインが腎から尿中に排泄され，尿路上皮細胞に取り込まれ，尿路上皮細胞を直接的に障害する。アクロレインは細胞質内において活性酸素物質を誘導し核内に取り込まれ，DNAを損傷するとされている[10]。また，イホスファミドはシクロホスファミドよりも出血性膀胱炎の頻度が高いとされ，それはイホスファミドの代謝物であるクロロアセトアルデヒドも尿路上皮細胞を障害するためと考えられている[11]。さらにクロロアセトアルデヒドは急性，慢性に腎毒性があり，糸球体や尿細管にも影響を及ぼす。

3-2 症状

1）自覚症状

自覚症状としては，肉眼的血尿，排尿痛，残尿感，頻尿および尿意切迫感等の膀胱刺激症状がみられることが多い。男性では膀胱の痙攣的収縮により亀頭部に放散痛を感じることもある。軽症では顕微鏡的血尿，中等症では肉眼的血尿と，ときに排尿時の凝血塊の排出がみられることもある。重症では膀胱内の凝血塊により膀胱タンポナーデ（尿閉）となり膀胱痛を生じ，ときに腎後性腎不全の状態となる。

ミニコラム ②その他，血尿の原因

筋層非浸潤性（早期）膀胱がんで経尿道的腫瘍切除術（TUR-Bt）に併せてBCGやマイトマイシンC，ドキソルビシン等の抗がん薬を膀胱内に注入する際も血尿等の膀胱刺激症状が出現する場合がある。それらは注入による反応性のものであり，多くは一時的かつ軽度である。

2）検査所見

検査所見としては，尿検査で尿潜血が認められることがあるが，尿細菌培養は陰性を示す。さらに尿沈渣では薬剤の化学的作用による尿路上皮細胞の変性を認めることがある。その他，血尿の程度が強いとヘモグロビン値やヘマトクリット値の低下，また腎後性腎不全を合併したときはBUN（尿素窒素）やCrの上昇を認めることがある。

イホスファミドおよびシクロホスファミドによる出血性膀胱炎の多くは，投与後2〜3日目に発現する。

3-3 原因となりうる薬剤（抗がん薬など）

血尿については，シクロホスファミドやイホスファミド等のアルキル化薬の他，副腎皮質ホルモン薬や抗アレルギー薬，漢方薬，抗菌薬等，抗がん薬治療中あるいは治療後に使用が想定される薬剤でもみられることがあるため注意が必要である（表5）。

3-4 対処方法

イホスファミドおよびシクロホスファミドによる出血性膀胱炎の予防対策として，メスナの投与[12]，尿量の確保および尿のアルカリ化が有効である。

メスナは静脈から投与後尿中でアクロレインと結合し無障害性の付加体となり排泄される（第3章1，p.90）。シクロホスファミドやイホスファミドの血中半減期は6〜7時間であるが，メスナの血中半減期は90分であるため，化学療法中の膀胱にメスナが存在するように投与する必要がある。通常，イホスファミド投与量の20％相当量を1回量として，投与開始より0，4，8時間目の3回静脈内投与する。骨肉腫や軟部肉腫等，イホスファミドを大量に投与する際には，イホスファミド投与量と同量のメスナを投与することがある。シクロホスファミドはイホスファミドに比べ，出血性膀胱炎の発現頻度は低いが，造血幹細胞移植の前治療として大量投与される際にはメスナを併用する。通常シクロホスファミド（大量）投与量の40％相当量を1回量として，0，4，8時間目の3回静脈内投与する。

メスナの投与と並行して，大量の輸液および水分摂取によって，1日の尿量を3,000mL以上にすることも重要である。また，尿をアルカリ化するために，輸液500mLに対して20mLの7％炭酸水素ナトリウムを投与する。尿のアルカリ化を図る理由としては，pH7.3の弱アルカリ尿では，pH5.5の尿と比較して尿中アクロレインの分解が促進され，半減期が短くなったとの報告[13]によるものである。さらに頻繁に排尿することで，膀胱粘膜とアクロレインが接触する時間が短縮され，出血性膀胱炎のリスクは低下する。

表5 血尿の起こりやすい抗がん薬

アルキル化薬	イホスファミド シクロホスファミド ブスルファン

【参考文献】

1) Gündüz F et al：Effect of nitric oxide on exercise-induced proteinuria in rats. J Appl Physiol, 95(5):1867-1872, 2003
2) Schrijvers BF et al：The role of vascular endothelial growth factor(VEGF)in renal pathophysiology. Kidney Int, 65(6):2003-2017, 2004
3) 金子 佳賢 他：分子標的療法薬の副作用マネジメントのコツ　腎臓・高血圧．泌尿器外科, 25(11):2117-2120, 2012
4) Tomita Y et al：Key predictive factors of axitinib(AG-013736)-induced proteinuria and efficacy: a phase II study in Japanese patients with cytokine-refractory metastatic renal cell Carcinoma. Eur J Cancer, 47(17):2592-2602, 2011
5) Kandula P et al：Proteinuria and hypertension with tyrosine kinase inhibitors. Kidney Int, 80(12):1271-1277, 2011
6) Land JD et al：Proteinuria with first-line therapy of metastatic renal cell cancer. J Oncol Pharm Pract, 22(2): 235-241, 2016
7) West NJ：Prevention and treatment of hemorrhagic cystitis. Pharmacotherapy, 17(4):696-706, 1997
8) Brinda BJ et al：Anti-VEGF-Induced Hypertension: a Review of Pathophysiology and Treatment Options. Curr Treat Options Cardiovasc Med, 18(5):33, 2016
9) 日本高血圧学会高血圧治療ガイドライン作成委員会　編：高血圧治療ガイドライン2019, 日本高血圧学会/ライフサイエンス出版，p109, 2019
10) Korkmaz A et al：Pathophysiological aspects of cyclophosphamide and ifosfamide induced hemorrhagic cystitis; implication of reactive oxygen and nitogen species as well as PARP activation. Cell Biol Toxicol, 23(5):303-312, 2007
11) Brade WP et al：Ifosfamide--pharmacology, safety and therapeutic potential. Cancer Treat Rev, 12(1):1-47, 1985
12) Andriole GL et al：The efficacy of mesna(2-mercaptoethane sodium sulfonate)as a uroprotectant in patients with hemorrhagic cystitis receiving further oxazaphosphorine chemotherapy. J Clin Oncol, 5(5):799-803, 1987
13) Wagner T et al：Comparative study on human pharmacokinetics of activated ifosfamide and cyclophosphamide by a modified fluorometric test. J Cancer Res Clin Oncol, 100(1):95-104, 1981

（玉木　慎也）

第5章 支持療法

5 間質性肺炎

1 概要

　間質性肺炎は，がん化学療法の副作用の中で特に重篤な副作用の1つであり，これによって長期の治療中断が余儀なくされることからも，がん患者の予後に大きな影響を及ぼす。間質性肺炎は近年のがん薬物療法の主体である細胞障害性抗がん薬，分子標的治療薬，免疫チェックポイント阻害薬に共通して起こりうることから，診療科・がん種によらず医療者の理解と知識が必要とされる。

1）薬剤性間質性肺炎の分類
　抗がん薬を含む薬剤性間質性肺炎は，以下の4つに分類される。
　① 急性間質性肺炎（acute interstitial pneumonia：AIP）／びまん性肺胞傷害（diffuse alveolar damage：DAD）パターン
　② 特発性器質化肺炎（cryptogenic organizing pneumonia：COP）／器質化肺炎（organizing pneumonia：OP）パターン
　③ 非特異性間質性肺炎（non-specific interstitial pneumonia：NSIP）パターン
　④ 過敏性肺炎（hypersensitivity pneumonia：HP）パターン
　AIP/DADパターンは急性に発症することが多く，治療抵抗性で予後不良であることから治療反応性や予後を予測するうえで重要なポイントとなる。

2）間質性肺疾患のリスク因子，予後不良因子
　細胞障害性の抗がん薬またはゲフィチニブが投与された非小細胞肺がん患者を対象とした間質性肺疾患の発現状況の調査において，間質性肺疾患の発症に関わる因子として，① 55歳以上，② Performance Status 2以上，③ 喫煙，④ 非小細胞肺がんの診断から6カ月以内，⑤ CTスキャンによる正常肺占有率が50％以下，⑥ 既存の間質性肺疾患，⑦ 心疾患の合併が挙げられている[1]。また，予後不良因子としては，65歳以上，喫煙，既存の間質性肺疾患，CTスキャンによる正常肺占有率が50％以下，胸膜の癒着領域50％以上が挙げられている[1]。

2 発症機序

　すべての薬剤は肺障害を起こす可能性があり，一般的に薬剤の投与後2〜3週間から2〜3カ月で発症する。多くの薬剤において発症の機序は不明とされているが，①細胞障害性薬剤による直接毒性や，②免疫系細胞の活性化による間接的な毒性の2つの機序が考えられている。

1）細胞障害性薬剤による直接毒性

　直接的な細胞傷害作用による間質性肺炎では，投与量や投与期間に依存して発症することが多い。代表的な例として，ブレオマイシンによる間質性肺炎は用量依存的に発現率が上昇することが知られ，150mg以下で6.5%，151〜300mgで10.2%，300mg以上で18.8%となることが添付文書に記載されている。しかし，蓄積投与量と間質性肺炎の発現率の関連については不明な点も多く，明確な結論は得られていないものの，わが国では総投与量が300mgを超えないことが規定されている。また，ブレオマイシンによる間質性肺炎では，フリーラジカルやTNF-α（Tumor Necrosis Factor-α，腫瘍壊死因子），インターロイキン6（IL-6）などの炎症性サイトカインが原因となることが報告されている[2]。

2）免疫系細胞の活性化による間接的な毒性

　抗がん薬の初回投与や少量にもかかわらず間質性肺炎が誘発される場合，免疫系細胞の活性化など間接的な細胞傷害作用が示唆される。代表的な例としてProgrammed death-1（PD-1）阻害薬，Programmed death-ligand 1（PD-L1）阻害薬，Cytotoxic T-lymphocyte-associated protein 4（CTLA-4）阻害薬などの免疫チェックポイント阻害薬による間質性肺炎が挙げられる。免疫チェックポイント阻害薬投与開始から発症までの日数は，各臨床試験において中央値がおおむね2〜3カ月となっているが，投与終了した数カ月後に発症することもあり，継続的なモニタリングが必要である。

　肺障害を引き起こしやすい薬剤は，間質性肺疾患を合併している患者への投与が禁忌となるものや，慎重な投与を必要とするものがあるため注意が必要である。

3 症状

　間質性肺炎の症状の特徴と，注意すべき検査値のポイントを以下に示す（表1）。

- 呼吸器症状の出現：呼吸困難，乾性咳嗽，胸痛（胸膜炎，胸水貯留），喘鳴（気管支病変），血痰（肺胞出血）
- 全身症状の出現：発熱，皮疹，倦怠感
- 呼吸状態の評価：呼吸数の増加，労作後の経皮的動脈血酸素飽和度（パルスオキシメータ表示酸素飽和度：saturation of pulse-oximetory oxygen：SpO_2）の低下，動脈血ガス分析（≧80Torr軽症，60〜＜80Torr中等症，＜60Torr重症），肺拡散能（diffusing capacity of the lung Carbon monoxide：DLco）の低下[3]
- 聴診所見：呼吸音の左右差，ラ音（特に捻髪音），気道病変（深吸気，強制吸気で確認）の確認。肺障害の初期や閉塞性細気管支炎では異常を来さない場合もある
- 胸水貯留や新たな胸部異常影の出現：胸部単純X線画像では初期変化の補足は困難であることがあり，胸部高分解能CT（high-resolution computed tomography：HRCT）が必要となる
- 非特異的な炎症，組織障害，アレルギー反応をみる検査：赤血球沈降反応の亢進，C反応性蛋白（CRP）・乳酸脱水素酵素（LDH）・末梢血好中球数・IgE値の上昇
- 間質性肺炎マーカー：シアル化糖鎖抗原KL-6（KL-6），肺サーファクタントプロテインA（SP-A），肺サーファクタントプロテインD（SP-D）の上昇

表1 CTCAE v5.0 間質性肺疾患

CTCAE v5.0 Term 日本語	Grade1	Grade2	Grade3	Grade4	Grade5	CTCAE v5.0 AE Term Definition 日本語【定義】
成人呼吸窮迫症候群	―	―	画像所見がある；気管内挿管を要さない	生命を脅かす呼吸障害／循環動態の悪化；気管内挿管や緊急処置を要する	死亡	肺の基礎疾患を伴わない進行性で生命を脅かす肺の障害。通常大きな外傷や手術の後に生じる
肺臓炎	症状がない；臨床所見または検査所見のみ；治療を要さない	症状がある；内科的治療を要する；身の回り以外の日常生活動作の制限	高度の症状；身の回りの日常生活動作の制限；酸素投与を要する	生命を脅かす；緊急処置を要する（例：気管切開や気管内挿管）	死亡	肺実質の局所性またはびまん性の炎症
肺線維症	画像所見上の線維化が総肺容量の＜25％で低酸素症を伴う	肺高血圧症；画像所見上の線維化が25～50％で低酸素症を伴う	高度の低酸素症；右心不全；画像所見上の線維化が＞50～75％	生命を脅かす（例：循環動態／肺合併症）；気管内挿管と人工呼吸を要する；画像所見上の線維化が＞75％であり，高度な蜂巣状変化を伴う	死亡	結合組織による肺組織の置換。進行性の呼吸困難，呼吸不全，右心不全の原因となる
呼吸器，胸郭および縦隔障害，その他（具体的に記載）	症状がない，または軽度の症状；臨床所見または検査所見のみ；治療を要さない	中等症；最小限／局所的／非侵襲的治療を要する；年齢相応の身の回り以外の日常生活動作の制限	重症または医学的に重大であるが，ただちに生命を脅かすものではない；入院または入院期間の延長を要する；身の回りの日常生活動作の制限	生命を脅かす；緊急処置を要する	死亡	―

〔有害事象共通用語規準 v5.0 日本語訳JCOG版より（JCOGホームページ http://www.jcog.jp）〕

・薬剤リンパ球刺激試験（drug-induced lymphocyte stimulation test：DLST）：陽性率は66.9％。メトトレキサートは高率に偽陽性となる[3]

❹ 原因となりうる薬剤（抗がん薬など）

　間質性肺炎は，その原因を即座に特定することは非常に難しい。抗がん薬の投与歴や症状をよく確認する。感染症（抗酸菌，肺炎球菌，マイコプラズマ，クラミドフィラ，レジオネラ，ウイルスや真菌による呼吸器感染など）や，ほかの疾患（過敏性肺炎，膠原病・血管炎に伴う呼吸器合併症）

を除外することが必要である。

4-1　細胞障害性抗がん薬

表2に細胞障害性抗がん薬による間質性肺炎のパターンと頻度を示した[3]。1つの抗がん薬から多彩なパターンの間質性肺炎が発症しており，薬剤に固有なものはみられない。服薬指導時に，間質性肺炎が疑われる症状を患者から聴取した際には，慎重な問診を行う。

4-2　分子標的治療薬

細胞障害性の抗がん薬だけではなく，分子標的治療薬でも間質性肺炎は生じる。ゲフィチニブなど上皮成長因子受容体チロシンキナーゼ阻害薬（epidermal growth factor receptor tyrosine kinase inhibitor：EGFR-TKI）による肺障害は致死例がしばしばみられ，ゲフィチニブによる間質性肺炎の主要な病態はDADである。分子標的治療薬による間質性肺炎の多くが投与開始後4週間以内に発症するため，治療初期は入院またはそれに準ずる管理下で観察を十分行うよう警告されている。表3に間質性肺炎のリスクとなる代表的な分子標的治療薬を示した。

4-3　免疫チェックポイント阻害薬

近年，PD-1/PD-L1阻害薬，CTLA-4阻害薬に代表される免疫チェックポイント阻害薬はさまざまながん種で急速に適応を拡大しており，診療科にかかわらず免疫関連有害事象に対する理解と知識が必要とされる。免疫関連有害事象は全身の多様な臓器で起こりうるが，間質性肺炎は比較的発現頻度が高く，重篤な場合は死に至る可能性があるため，特に注意が必要である。表4に国内で承認された免疫チェックポイント阻害薬の間質性肺炎発現率を示した。

デュルバルマブにおける発現率が高いのは，対象患者が化学放射線療法後の肺がん患者であり間質性肺炎のリスクが高かったことが影響している可能性がある。

⑤ 対処方法

軽症例では被疑薬の中止，中等症では被疑薬の中止とステロイド治療，重症ではステロイドパルス療法とステロイドの維持療法を行う。ステロイド投与法は図に示すように，軽症～中等症では，プレドニゾロン0.5～1.0mg/kgを4週間投与した後に，漸減する。一方，重症例では，メチルプレドニゾロンのパルス療法（0.5～1g/日×3日間）を行う。パルス療法以降は，維持治療として軽症例に準じたプレドニゾロンの投与を行う[4,5]。治療期間に定まった基準はないが，おおよその目安は2カ月程度で，改善があれば1カ月以内，改善が悪ければ3カ月以上を要することもある。

また，ステロイド治療による合併症については，以下のような対応を検討する。

・ステロイドによる高血糖の管理を行う。特に，ステロイドパルス療法時には高度の高血糖を来しやすいので，定期的な血糖測定やインスリンスライディングスケール対応などの厳重な管理を行う

表2 細胞障害性抗がん薬による間質性肺炎のパターンと発症頻度

作用機序分類	一般名	報告数	A	B	C	D	E	F	G	H	I	J	K	L	M	N	O	P
アルキル化薬	イホスファミド	*		△			△						△	△				
	シクロホスファミド	***		▲		△			▲				△	▲				▲
	ブスルファン	***		△			△		○							△		
	プロカルバジン	**	△	△					△									
	メルファラン	**		△					▲									
代謝拮抗薬	アザチオプリン	*		▲										△				
	ゲムシタビン	**		△									▲					
	シタラビン	**											▲	▲	△			
	フルオロウラシル	*					△											
	フルダラビン	**	△	△						△			△		△			
	ペメトレキセド	**		△									▲					
	メトトレキサート	****	◎	○	△	◎			△				▲	▲		△		○
	メルカプトプリン	*		△														
抗悪性腫瘍性抗生物質	ドキソルビシン	*		△									△					
	ブレオマイシン	****			○		▲		○	▲	○			○			△	
	マイトマイシンC	***		△					▲				▲	▲	○	▲		
	ミトキサントロン	*		△														
微小管阻害薬	エリブリン	*		△														
	ドセタキセル	**	△	△								△	△	△				
	パクリタキセル	**		△	△				△			△						
	ビノレルビン	*										△						
	ビンデシン	**	△										△	△				
	ビンブラスチン	***									△		△	△				
トポイソメラーゼ阻害薬	イリノテカン	**		△									▲	▲				
	エトポシド	***		△									△					
	ノギテカン	*				△							▲	▲				
白金製剤	オキサリプラチン	**		△			△							▲				
	カルボプラチン	*					△											
	シスプラチン	*					△											

A：急性間質性肺疾患/非特異性間質性肺炎, B：亜急性間質性肺炎/非特異性間質性肺炎, C：肺好酸球増多症, D：肉芽腫性間質性肺疾患, E：器質化肺炎, F：剥離性間質性肺炎, G：肺線維症, H：縮小肺, I：肺小結節, J：一過性浸潤, K：肺水腫, L：急性呼吸窮迫症候群, M：溶血性尿毒症性症候群, N：びまん性肺胞出血, O：肺静脈閉塞症, P：日和見感染
＊：数例　＊＊：10〜20例　＊＊＊：20〜100例　＊＊＊＊：100例以上
△：稀　▲：低頻度　○：中頻度　◎：高頻度

（日本呼吸器学会 薬剤性肺障害の診断・治療の手引き第2版作成委員会　編：薬剤性肺障害の診断・治療の手引き 第2版 2018, p.68, 2018をもとに作成）

表3 分子標的治療薬による間質性肺炎発現率

薬剤	分類	根拠データ	全Grade	Grade3以上
アファチニブ	EGFR-TKI	臨床試験46試験の併合結果	0.7%（28/3,865）	ND
アフリベルセプト	VEGF阻害薬	国内第Ⅱ相試験	0.2%（1/611）	0.2%（1/611）
アレクチニブ	ALK阻害薬	全例調査	3.8%（47/1,221）	ND
エベロリムス	mTOR阻害薬	第Ⅲ相試験	11.7%（32/274）	3.3%（9/274）
エルロチニブ	EGFR-TKI	全例調査（非小細胞肺がん）	4.3%（429/9,909）	ND
オシメルチニブ	EGFR-TKI	使用成績調査	6.8%（245/3,578）	2.9%（104/3,578）
カルフィルゾミブ	プロテアソーム阻害薬	第Ⅲ相試験	1.0%（4/392）	1.0%（4/392）
クリゾチニブ	ALK阻害薬	使用成績調査	3.84%（47/1,221）	0.73%（9/1,221）
ゲフィチニブ	EGFR-TKI	特別調査	5.8%（193/3,322）	ND
セツキシマブ	抗EGFR抗体	使用成績調査	1.2%（24/2,006）	ND
セリチニブ	ALK阻害薬	臨床試験7試験の併合結果	2.2%（22/1,001）	0.9%（9/1,001）
テムシロリムス	mTOR阻害薬	第Ⅱ相臨床試験	17.1%（14/82）	3.7%（3/82）
トラスツズマブ	抗HER2抗体	使用成績調査（乳がん）	0.44%（5/1,142）	ND
トラスツズマブエムタンシン	抗HER2抗体	第Ⅲ相試験	2.8%（21/740）	0.4%（3/740）
トラスツズマブデルクステカン	抗HER2抗体	臨床試験5試験の併合結果	11.2%（72/645）	2.5%（16/645）
パニツムマブ	抗EGFR抗体	全例調査	1.3%（39/3,085）	ND
ブレンツキシマブ	抗CD30抗体	全例調査	4.6%（13/284）	3.9%（11/284）
ベバシズマブ	抗VEGF抗体	特定使用成績調査	0.4%（11/2,696）	ND
ボルテゾミブ	プロテアソーム阻害薬	特定使用成績調査	3.4%（34/1,010）	ND
ラムシルマブ	抗VEGFR抗体	第Ⅲ相試験（単独投与）	0.42%（1/236）	0

表4 免疫チェックポイント阻害薬による間質性肺炎発現率

薬剤	根拠データ	全Grade	Grade3以上
アテゾリズマブ	第Ⅲ相試験（非小細胞肺がん）	3.8%（11/286）	0.7%（2/286）
アベルマブ	第Ⅲ相試験	3.5%（12/344）	0.3%（1/344）
イピリムマブ	全例調査（中間報告）	3.47%（19/547）	ND
デュルバルマブ	第Ⅲ相試験	33.9%（161/475）	3.4%（16/475）
ニボルマブ	特定使用成績調査（非小細胞肺がん）	9.6%（345/3,606）	2.8%（100/3,606）
ペムブロリズマブ	市販後調査（非小細胞肺がん・悪性黒色腫）	5.6%（202/3,603）	ND

・ステロイドの長期投与より発症するステロイド性骨粗鬆症に対して，ビスホスホネート製剤またはヒト型抗RANKLモノクローナル抗体の投与を行う
・ニューモシスチス肺炎（Pneumocystis jirovecii pneumonia：PCP）の予防にスルファメトキサゾール／トリメトプリムを1錠/日もしくは2錠×3回/週の投与を行う[6〜8]

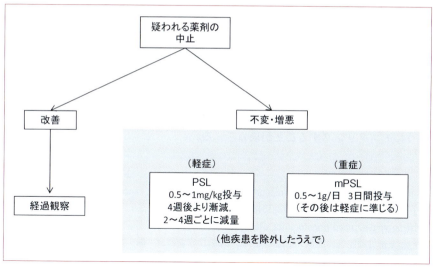

「髙山浩一：抗悪性腫瘍薬（分子標的治療薬・免疫チェックポイント阻害薬を除く），間質性肺疾患診療マニュアル（久保惠嗣 監修，藤田次郎，喜舎場朝雄 編集），改訂第3版，p.401, 2020, 南江堂」より許諾を得て転載．

図　間質性肺炎における副腎皮質ホルモン薬の投与

　副腎皮質ホルモン薬の治療による有効性が乏しい場合には，シクロスポリン，シクロホスファミド，タクロリムスなどの免疫抑制薬を副腎皮質ホルモン薬と併用することで，生存期間の延長がみられたとする結果が報告されている[9]。そのほか，ポリミキシンB固定化線維カラム（polymyxin B-immobilized fiber column：PMX）療法の有効性が期待されているが，エビデンスが不十分であるため適用は慎重に検討する必要がある。

　各免疫チェックポイント阻害薬の適正使用ガイドにおけるステロイドの投与量は，それぞれの薬剤の臨床試験時に規定されていた対処方法を参考に作成されているため，薬剤ごとにステロイドの投与量が異なっている。各薬剤の実地臨床においては，これらを参考に病院内で統一した方法を確立しておくとよいと思われる。

免疫チェックポイント阻害薬の適正使用ガイド一覧

ニボルマブ・イピリムマブ：https://www.opdivo.jp/file-download/download/private/6211
ペムブロリズマブ：https://www.msdconnect.jp/properuse_guide_keytruda/
デュルバルマブ：https://med2.astrazeneca.co.jp/safety/download/IMF03.pdf
アベルマブ：https://www.bavencio.jp/product/BVC51K001D.pdf
アテゾリズマブ：https://chugai-pharm.jp/content/dam/chugai/product/tec/div/guide-lg/doc/tec_guide_lg.pdf

（2022年6月閲覧）

　また，ステロイド開始により48時間以内に改善が認められない場合，追加でインフリキシマブなどの免疫抑制薬の投与を検討する[10]。

6 早期発見と迅速な対応

　間質性肺炎は，臨床像と画像所見により分類される．また，分類されたパターンにより経過，治療への反応性，予後が大きく異なる．間質性肺炎のマネジメントにおいて，最も重要なことは，間質性肺炎を早期に発見し，抗がん薬の休薬を含めた対処を迅速に開始することにある．そのためには，患者に間質性肺炎の初期症状を説明し，セルフチェックを促すとともに，薬剤師もその症状を見逃さないようにモニタリングすることが求められる．

【参考文献】
1) Kudoh S et al：Interstitial lung disease in Japanese patients with lung cancer: a cohort and nested case-control study. Am J Respir Crit Care Med, 177(12):1348-1357, 2008
2) Sleijfer S：Bleomycin-induced pneumonitis. Chest, 120(2):617-624, 2001
3) 日本呼吸器学会 薬剤性肺障害の診断・治療の手引き第2版作成委員会　編：薬剤性肺障害の診断・治療の手引き第2版 2018，メディカルレビュー社，2018
4) 久保惠嗣　監，藤田次郎　他　編：間質性肺疾患診療マニュアル改訂第3版，南江堂，2020
5) Vahid B et al：Pulmonary complications of novel antineoplastic agents for solid tumors. Chest, 133(2):528-538, 2008
6) 日本感染症学会　編：感染症専門医テキスト 第Ⅰ部 解説編．南江堂，2017
7) 日本骨代謝学会ステロイド性骨粗鬆症管理と治療ガイドライン改定委員会　編：ステロイド性骨粗鬆症の管理と治療ガイドライン2014年改訂版，大阪大学出版会，2014
8) Limper AH et al：An official American Thoracic Society statement: Treatment of fungal infections in adult pulmonary and critical care patients. Am J Respir Crit Care Med, 183(1):96-128, 2011
9) Homma S et al：Cyclosporin treatment in steroid-resistant and acutely exacerbated interstitial pneumonia. Intern Med, 44(11):1144-1150, 2005
10) Schneider BJ et al：Management of Immune-Related Adverse Events in Patients Treated With Immune Checkpoint Inhibitor Therapy: ASCO Guideline Update. J Clin Oncol, JCO2101440, 2021

〈渡辺　大地，飯原　大稔〉

6-1 腫瘍崩壊症候群

1 概要

腫瘍崩壊症候群（Tumor Lysis Syndrome：TLS）は，1970年代にバーキットリンパ腫患者において報告されて以降[1]，多くの報告がなされている代謝異常である。現在では早急な治療介入が必要とされるオンコロジックエマージェンシー（oncologic emergency）の一つとされている。

2 発症機序

TLSは，抗がん薬に対し，感受性の高い腫瘍である造血器腫瘍や肺がんなどで発生しやすいことが報告されている[2]。TLSは，さまざまな原因でがん細胞が急速に死滅・崩壊した際，細胞内のカリウム，リンおよび核酸等が大量に循環血液中に流入し，高負荷となることで発生し，高尿酸血症，高カリウム血症，高リン血症，低カルシウム血症，高サイトカイン血症および代謝性アシドーシス等に至る。またこれらが進行すると，急性腎不全や心室性不整脈に至る場合もある。

TLSは2010年の「an expert TLS panel consensus」において提唱されたものに基づき，Laboratory TLS（LTLS）とClinical TLS（CTLS）の2つに分類され，定義されていることが多い[3]。表1に示した定義のとおり，LTLSは，臨床症状は伴わないがTLSによる代謝異常が検出される状態を指し，LTLSに臨床症状が伴うとCTLSとなる。TLS症状として，低カルシウム血症が起こりうるが，これは，高リン血症による付随現象であることから，LTLSの診断基準には含まれてはいない。

薬剤師ががん薬物療法に関わるうえで，目の前で治療を受けている患者がTLSの状態にあるの

表1 TLS診断基準

LTLS：下記の臨床検査値異常のうち2つ以上ががん薬物療法開始3日前〜7日後までに認められる	
高尿酸血症	基準値上限を超える
高カリウム血症	基準値上限を超える
高リン血症	基準値上限を超える
CTLS：LTLSに加えて下記のいずれかの臨床症状を伴う	
腎機能低下	血清クレアチニン≧1.5×基準値上限
不整脈，突然死	
痙攣	

〔Cairo MS et al：Br J Haematol, 149(4):578-586, 2010をもとに作成〕

かどうかを理解するための知識として，定義を知っておく必要がある。

3 症状

　TLSは治療開始前からすでに発症しているSpontaneous TLSもあるが[4]，抗がん薬治療開始12～72時間以内に発症する[5]。兆候として，悪心・嘔吐，筋力低下，浮腫，うっ血性心不全，不整脈や突然死等が発現することがある[5]。

1) 高尿酸血症

　血清尿酸値が7mg/dLを超えると高尿酸血症と診断される。腫瘍細胞から放出された核酸がプリン体に代謝され，ヒポキサンチン，キサンチンを経て最終的に尿酸となる。腫瘍細胞の急速な死滅・崩壊により，尿酸が体内で過剰に合成されると，排泄が間に合わなくなり，高尿酸血症に至る。高尿酸血症で尿pHが酸性側に傾いていると，尿酸が尿酸塩となり，腎臓集合管で析出しやすくなる。これにより尿細管閉塞が生じ，急性腎不全に至ることがある[6]。

2) 高カリウム血症

　腫瘍細胞の急速な死滅・崩壊により，細胞内のカリウムが血中に放出されることで起こる。また，前述のように高尿酸血症等により急性腎不全を来した場合も高カリウム血症が助長されることもある。高カリウム血症（K≧5.5mEq/L）により，脱力，知覚異常，筋痙攣等の症状が起こるが，心毒性（命に関わるような心室細動や心室粗動）が現れるまで[7]無症状のことが多いため，検査値異常に注意する。

3) 高リン血症・低カルシウム血症

　腫瘍細胞の急速な死滅・崩壊により大量のリンが血中に放出される。血中のリンが，尿中排泄を超えると（血清リン濃度が4.5mg/dL）高リン血症となる。血液中に増加したリン，リン酸イオンはカルシウムと結合し，リン酸カルシウムとなる。そのため，リン酸カルシウムが尿細管で析出すると，急性腎不全の原因となる。また，このような経緯から，リン酸カルシウムの析出が起こると，二次的に低カルシウム血症を生じる。がん患者では低アルブミン血症（4g/dL未満）を呈していることも多く，イオン化カルシムはアルブミン濃度によって大きく影響を受けるため，適宜以下の式を用いて補正する必要がある。

アルブミン濃度による補正カルシウム値

　補正カルシウム値（mg/dL）＝実測カルシウム値（mg/dL）＋［4.0－血中アルブミン値（g/dL）］

　高リン血症では，悪心・嘔吐，下痢，嗜眠，痙攣が臨床症状としてみられる。また，低カルシウ

ミニコラム ③テタニー

　テタニーは，低カルシウム血症に伴い起こる症状で，口唇・舌・手足のしびれや，トルソー徴候（Trousseau sign）と呼ばれる手に現れる特異的な屈曲，筋肉の痙攣・硬直等の症状を呈する。

ム血症としてはテタニー，不整脈，低血圧，痙攣が認められ，重篤な場合は突然死する危険もある．

4）高サイトカイン血症

腫瘍細胞の急速な死滅・崩壊により大量のサイトカインが放出されると，全身性炎症反応症候群（systemic inflammatory response syndrome：SIRS）の状態となり多臓器不全に至る場合もある[8]．

4 原因となりうる薬剤（抗がん薬など）

TLS発現頻度は，治療内容，TLS予防の有無，さらにTLSの診断基準により大きく異なっており，腫瘍の種類，腫瘍径，LDH（乳酸脱水素酵素）上昇，白血球上昇，腎障害合併といった因子で発現リスクが高くなる．日本臨床腫瘍学会が2021年に改訂した腫瘍崩壊症候群診療ガイダンス第2版[9]においては，慢性リンパ性白血病と多発性骨髄腫について抗がん薬によるリスク分類が行われている．特に多発性骨髄腫は，従来，TLSリスクは低リスクに分類されていたが，近年ではプロテアソーム阻害薬やレナリドミドなどの免疫調節薬および抗体製剤の登場により，治療薬ごとにリスク分類を考慮する必要がある．一方で，TLSの発現は罹患しているがん種（急性白血病，悪性リンパ腫等の造血器腫瘍）に依存し，各抗がん薬での発現頻度は不明である．このようにTLSは薬剤でリスク分類を必ずしもできるわけではないが，多発性骨髄腫をはじめとする造血器腫瘍や固形がんで多くの分子標的治療薬や免疫チェックポイント阻害薬などの新薬が日常診療で使用されるようになっており，これらの薬剤によるTLS報告例も増加している．固形がんでは，造血器腫瘍と比較してTLSの発症頻度は低いが，急性腎不全で死亡するケースやSpontaneous TLSの報告もある[4]．そのため，これまで抗がん薬の感受性が低いと考えられていた腫瘍においても，新規抗がん薬の使用により腫瘍細胞の急速な死滅・崩壊が起こる可能性があるため，十分な注意が必要である．

5 対処方法

1）TLSリスク評価

TLSは，疾患，年齢，腫瘍量，治療に用いる抗がん薬によりリスク分類を行い，腎機能，腎浸潤の有無によりTLSのリスク調整を行い，最終的なリスクを決定する（図1）．腎障害については血清クレアチニン値が基準値を超えている場合を「腎障害あり」と判断し，その場合はリスクを1段階上げて調整を行う．これらリスク分類に従い，予防および発症時の治療を行う．また，治療前のバイタルサイン，体重，尿量，心電図，採血（尿酸，リン酸，カリウム，クレアチニン，カルシウムおよびLDH）結果から患者の状態を把握することも重要である．

2）TLS予防

（1）低リスク（TLS発生率1％未満）

治療開始から抗がん薬投与終了24時間後まで，1日1回のモニタリング（採血検査，in/outバランス），通常量の補液投与を行う．

（2）中間リスク（TLS発生率1～5％）

治療開始から抗がん薬投与終了24時間後まで，1日8～12時間ごとのモニタリング（採血検査，

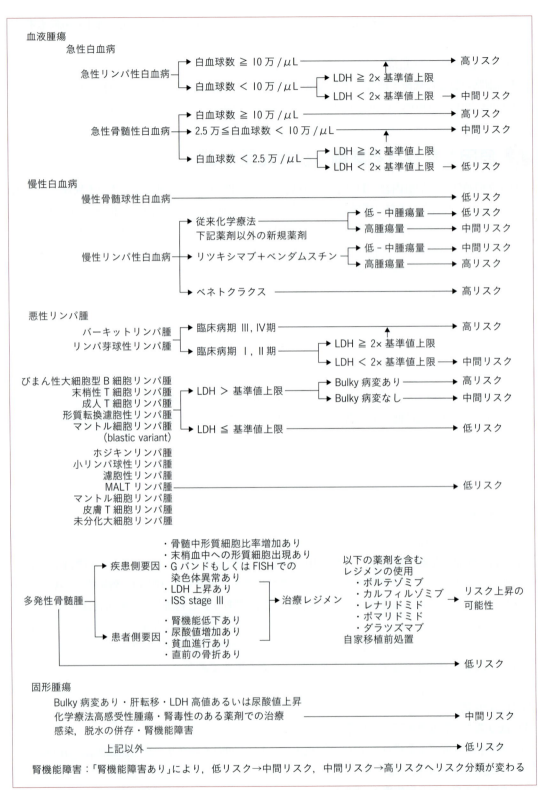

〔日本臨床腫瘍学会 編：腫瘍崩壊症候群（TLS）診療ガイダンス第2版，金原出版，2021をもとに作成〕

図1　TLS発症リスク分類

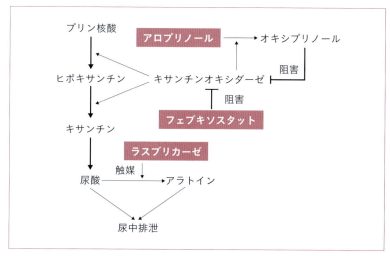

〔Cairo MS et al：Br J Haematol, 127(1):4, 2004 をもとに作成〕

図2 尿酸降下薬作用機序

表2 TLS発症時の電解質異常対応例

高カリウム血症	
中等度（≧6.0mmol/L）かつ無症候性	心電図モニタリング カリウム含有輸液投与中止 ポリスチレンスルホン酸ナトリウム投与
高度（≧7.0mmol/L）かつ/または症候性	上記に加え，下記を実施 グルコン酸カルシウム投与 グルコース・インスリン療法 重炭酸ナトリウム投与 血液透析等の腎機能代行療法
高リン血症	
中等度（6.5mg/dL以上）	リン含有輸液投与中止 炭酸カルシウム等のリン吸着剤投与
高度	血液透析等の腎機能代行療法
低カルシウム血症（Grade 3以上）	
無症候性	無治療
症候性	心電図モニタリング下でグルコン酸カルシウム投与

in/outバランス），2.5〜3.0L/m^2/日の大量補液投与，アロプリノール（300mg/m^2/日　分3）もしくはフェブキソスタット（10〜60mg/日　分1）の内服投与を行う。

　尿酸値が持続的に上昇する場合や，高尿酸血症が診断時に認められる場合はラスブリカーゼ（0.2mg/kg/日　1日1回，最大7日間）の投与を検討する。ラスブリカーゼは異種蛋白であり，期間をあけて再投与することで中和抗体が発生するため，初回投与時だけでなく，再投与時にも過敏反応に注意が必要である。そのため，ラスブリカーゼを投与する可能性がある場合は，あらかじめその投与歴については確認をしておく。また，ラスブリカーゼ投与後の採血検体を室温に放置すると，ラスブリカーゼによる酵素反応が進み，測定された尿酸値が実際のものより低値になる可能性

がある。採血後は氷上で管理し，4時間以内に測定するのが望ましい。グルコース-6-リン酸脱水素酵素（G6PD）欠損患者には溶血性貧血を起こすため禁忌となっているので注意が必要である。各尿酸降下薬の作用機序は図2を参考にされたい。

(3) 高リスク（TLS発生率5％以上）

治療開始から抗がん薬投与終了24時間後まで，1日4～6時間毎の頻回なモニタリング（採血検査，in/outバランス），$2.5～3.0L/m^2$/日の大量補液投与，ラスブリガーゼの投与を行う。また，ICUもしくはそれに準じた状況を準備することが望ましく，必要に応じて腫瘍量を軽減するための先行治療などを考慮する。

3) TLS治療

TLS治療については，TLSの発生リスク高リスクに準じた対応を行う。また，高カリウム血症や高リン血症のような電解質異常の対応については表2を参考にされたい。

6 TLSの知識と予防，モニタリングの重要性

TLSに関しては，国内外のエビデンス[10]をもとにわが国においても作成されたガイダンスが存在しており[9]，その内容はがん薬物療法に関わる薬剤師にとって知っておくべき知識である。安全ながん薬物療法を実践するためには，前述をベースに患者背景を考慮し，予防，モニタリング，治療を行っていくことが極めて重要である。

【参考文献】
1) Brereton HD et al：Hyperphosphatemia and hypocalcemia in Burkitt lymphoma. Complications of chemotherapy. Arch Intern Med, 135(2):307-309, 1975
2) Firwana BM et al：Tumor lysis syndrome: a systematic review of case series and case reports. Postgrad Med, 124(2):92-101, 2012
3) Cairo MS et al：Recommendations for the evaluation of risk and prophylaxis of tumour lysis syndrome(TLS)in adults and children with malignant diseases: an expert TLS panel consensus. Br J Haematol, 149(4):578-586, 2010
4) McBride A et al：Managing Tumor Lysis Syndrome in the Era of Novel Cancer Therapies. J Adv Pract Oncol, 8(7):705-720, 2017
5) Cairo MS et al：Tumour lysis syndrome: new therapeutic strategies and classification. Br J Haematol, 127(1):3-11, 2004
6) Hochberg J et al：Rasburicase: future directions in tumor lysis management. Expert Opin Biol Ther, 8(10):1595-1604, 2008
7) Cheson BD et al：Tumor lysis syndrome: an uncommon complication of fludarabine therapy of chronic lymphocytic leukemia. J Clin Oncol, 16(7):2313-2320, 1998
8) Hijiya N et al：Severe cardiopulmonary complications consistent with systemic inflammatory response syndrome caused by leukemia cell lysis in childhood acute myelomonocytic or monocytic leukemia. Pediatr Blood Cancer, 44(1):63-69, 2005
9) 日本臨床腫瘍学会　編：腫瘍崩壊症候群（TLS）診療ガイダンス第2版，金原出版，2021
10) Coiffier B et al：Guidelines for the management of pediatric and adult tumor lysis syndrome: an evidence-based review. J Clin Oncol, 26(16):2767-2778, 2008

（中島　寿久）

第5章 支持療法　6 内分泌・代謝異常

6-2 糖代謝異常（高血糖）

1 概要

　抗がん薬の作用機序の多様化により，分子標的治療薬や免疫チェックポイント阻害薬など糖代謝に影響を及ぼす抗がん薬も増えてきている．また，抗がん薬だけでなく支持療法薬によって高血糖を引き起こすことも知られている．さらに，国民の約2人に1人はがんに罹患し，40歳以上の約3人に1人は糖尿病に罹患するといわれている昨今，両疾患を併発する患者も少なくなく，がんと糖尿病の併発した組み合わせは軽視できない．これらのことにより，われわれ薬剤師はがん治療の中で血糖値に影響が出やすい状況をよく理解し，高血糖による不利益を被らないようにする必要がある．

2 原因となりうる薬剤（抗がん薬など）

1）糖代謝異常を起こしやすい抗がん薬・支持療法薬

　糖代謝異常（高血糖）を発現しやすい抗がん薬や支持療法薬を**表1**に示す．その主な薬剤についての詳細は次項に示す．

2）糖代謝異常での評価

　糖代謝異常を引き起こしやすい，薬剤使用時に注目すべきCTCAEにおける事象を**表2**に示す．

3 mTOR阻害薬

1）発症機序

　mTOR（mammalian target of rapamycin）阻害薬は，PI3K（phosphatidylinositol 3-kinase）/Akt/mTOR経路の活性化による腫瘍細胞の増殖を抑えることより，抗腫瘍効果を発揮するが，PI3K/Akt/mTOR経路はインスリンによるシグナル伝達にも関与しているため，mTORが阻害されることでインスリン分泌が減少し，耐糖能異常が引き起こされる[1]．

2）症状

　口渇，多飲，多尿，全身倦怠感などの高血糖症状に気をつける．

3）対処方法

　海外第Ⅲ相臨床試験では，エベロリムスでは12～50％で血糖上昇がみられ，そのうちGrade3以上が4～12％[2〜5]，テムシロリムスでは26％で血糖上昇がみられ，そのうちGrade3以上が11％

表1 糖代謝異常（高血糖）を発現しやすい薬剤

一般名	分類
テムシロリムス エベロリムス	mTOR阻害薬
ニロチニブ	Bcr-Abl-TKI
L-アスパラギナーゼ	抗悪性腫瘍酵素製剤
デキサメタゾン プレドニゾロン	副腎皮質ホルモン薬
オランザピン	制吐薬
ストレプトゾシン	アルキル化薬
エンホルツマブ ベドチン	抗体薬剤複合体
ニボルマブ ペムブロリズマブ イピリムマブ　など	免疫チェックポイント阻害薬
リュープロレリン酢酸塩 ゴセレリン酢酸塩	LH-RH誘導体，LH-RHアゴニスト
エストラムスチンリン酸エステルナトリウム水和物 エチニルエストラジオール クロルマジノン酢酸エステル	抗アンドロゲン薬
メドロキシプロゲステロン酢酸エステル	黄体ホルモン製剤

表2 CTCAE v4.03 高血糖

有害事象	Grade 1	Grade 2	Grade 3	Grade 4	Grade 5	定義
高血糖	空腹時血糖値＞ULN-160mg/dLまたは＞ULN-8.9mmol/L	空腹時血糖値＞160-250mg/dLまたは＞8.9-13.9mmol/L	＞250-500mmg/dL；＞13.9-27.8mmol/L；入院を要する	＞500mg/dL；＞27.8mmol/L；生命を脅かす	死亡	臨床検査にて血糖値が上昇。通常，糖尿病やブドウ糖不耐性による【JCOGにおける運用】「日本語訳に関する注」参照

ULN：upper limit of nomal（基準値上限）

〔有害事象共通用語基準 v4.03 日本語訳 JCOG版より（JCOGホームページ http://www.jcog.jp）〕

と報告されている[6]。

　投与開始前から，定期的に空腹時血糖値の測定などの十分なモニタリングを行う。糖尿病の既往のある患者ではコントロール不良となりやすいため，注意が必要である。

　状況に応じて経口血糖降下薬療法，インスリン療法の開始，または増量を行う。Grade1〜2は継続投与が可能である。Grade3ではいったん休薬し，≦Grade2になれば再開可能であるが原則減量する。Grade4ではmTOR阻害薬の中止を検討する。

　一般的に，mTOR阻害薬による高血糖は可逆的といわれているため，耐糖能異常は休薬により改善する。mTOR阻害薬を中止した場合には，その後の血糖値に気をつけながら，糖尿病治療薬の減量，中止を検討する。

4 ニロチニブ

1）発症機序
　ニロチニブによる糖代謝異常の機序は明確にはなっていないが，インスリン抵抗性の関与が示唆されている[7]。また，ニロチニブによる高血糖は可逆的である。

2）症状
　口渇，多飲，多尿，全身倦怠感などの高血糖症状に気をつける。糖尿病患者，高齢者，副腎皮質ホルモン薬を併用している患者では高血糖を来しやすいので，より注意が必要である。

3）対処方法
　国内第Ⅱ相試験では，27％で血糖上昇がみられ，そのうちGrade3以上が12％と報告されている。
　投与中は血糖値の変化に注意する。高血糖は投与初期に発現しやすい傾向にあるが，遅れて発現する場合もあるため高血糖の観察は継続する。異常が認められた場合には，経口血糖降下薬の内服やインスリンの使用，必要に応じて休薬，減量または中止も考慮する。同系統の薬剤であるイマチニブ，ダサチニブ，ボスチニブ，ポナチニブでは高血糖の報告が少ないため，血糖コントロール不良時には適応や効果なども考慮のうえ，薬剤変更も検討する。

5 L-アスパラギナーゼ

1）発症機序
　L-アスパラギナーゼによるインスリン合成阻害により，膵内分泌機能障害（膵ランゲルハンス島炎）が生じ，糖尿病を発症する。膵炎，肝障害に合併して糖尿病を発現することもある。

2）症状
　口渇感，多飲，多尿などの高血糖症状に注意する。

3）対処方法
　L-アスパラギナーゼ投与開始から1週間以内に発症することが多く，インスリンなどによる一般的な糖尿病の治療を行う。

6 副腎皮質ホルモン薬

1）発症機序
　副腎皮質ホルモン薬による糖代謝異常の機序は多様である。筋肉でのインスリン受容体の働きを弱めるほか，筋細胞内への糖を取り込む輸送体であるGLUT4の働きも弱める[8]。また，膵α細胞からのグルカゴン分泌を増やすことで肝臓での糖新生が亢進し，膵β細胞ではインスリン分泌が抑制される。本薬剤はインスリン抵抗性だけでなく，インスリン分泌の低下も引き起こす[9,10]。

2) 症状

　食後血糖が高値となることが特徴である。がん化学療法では主にデキサメタゾンが用いられるが，持続時間は36〜54時間と比較的長いため，投与翌日の空腹時血糖上昇もみられる[11]。プレドニゾロンなど短時間作用型が用いられる場合は，一般的に翌朝まで血糖上昇が続くことはなく，むしろ空腹時血糖が低値になることもある[12]。

　副腎皮質ホルモン薬開始前より糖代謝異常がある場合には血糖値が悪化することも多く，特に注意が必要である。

3) 対処方法

　インスリン療法が基本である。食後の血糖上昇に対応するため，速効型または超速効型インスリンの毎食前投与が行われることが多い。副腎皮質ホルモン薬は朝投与されることが多いため，昼前のインスリン投与量が多くなる傾向にある。ただし，デキサメタゾンなどの長時間作用型の副腎皮質ホルモン薬では高血糖が遷延するため，夕食前のインスリンの増量や中間型持効型インスリンの併用も必要となることがある。逆に，短時間作用型の副腎皮質ホルモン薬の投与の場合や副腎皮質ホルモン薬の投与量が少ない場合などで，血糖上昇が比較的軽度であれば，経口血糖降下薬での対応も可能である。

　ステロイドによる血糖上昇は個人差が大きく，治療法について一定の見解やガイドラインのようなものが存在しないため，それぞれの症例に合わせた治療法を選択する必要がある。また，がん薬物療法時の食事摂取量低下など患者側の要因にも左右されるため，各状況に合わせた血糖コントロールを行うことが重要である。摂取した食事量に合わせて超即効型インスリンを食直後に注射するのも選択肢の1つである。

❼ オランザピン

1) 発症機序

　発症機序は長らく明確となっておらず，食欲亢進に伴う体重増加，それに続くインスリン抵抗性によって説明されてきた。しかし近年，オランザピン誘発性糖尿病発症メカニズムが報告され，インスリン分泌のためにはその前駆体プロインスリンが小胞体で成熟型となることが必須だが，オランザピンが直接膵β細胞へ毒性を発揮しプロインスリンの成熟（適切な構造形成）を妨げ，その結果，インスリン分泌を阻害することで高血糖が引き起こされる可能性が示唆されている[13]。

2) 症状

　高血糖症状（口渇，多飲，多尿など），体重増加がみられる。

3) 対処方法

　本剤は糖尿病患者および糖尿病の既往がある患者には禁忌である。これは，高血糖，糖尿病，糖尿病性ケトアシドーシス，糖尿病性昏睡などの重篤な副作用が報告されており，このうち死亡例は本剤投与前に糖尿病と診断されていたか，あるいは糖尿病の危険因子（肥満，家族歴など）を有していたためである。

抗がん薬投与時の制吐薬で用いられる際は，抗精神病薬として用いるときと異なり投与期間が短くなるため，長期的な影響は少ないと考えられている。しかし，変わらず定期的な血糖値のモニタリングを行い，糖尿病と診断された場合には，オランザピンの内服を中止し，他制吐薬での対応と糖尿病の治療を行う。

8 ストレプトゾシン

1）発症機序

本剤は構造上グルコースを有しており，GLUT2を介して膵β細胞に取り込まれ，細胞障害作用に耐糖能が低下すると考えられている。ストレプトゾシンによる耐糖能異常の多くは可逆的であるともいわれている。

2）症状

口渇，多飲，多尿，全身倦怠感などの高血糖症状に気をつける。糖尿病の既往があると耐糖能異常発現率が上がるため，より注意してモニタリングする必要がある。

3）対処方法

国内臨床試験では，13.6％で血糖上昇を認め，その内Grade3以上は4.5％と報告されている。
投与を開始する前に血糖値を適切にコントロールする。投与中は定期的に血糖値を測定し，血糖上昇時は血糖降下薬の開始や休薬を行う。コントロールできない高血糖時は本剤の中止も検討する。

9 エンホルツマブ ベドチン

1）発症機序

発症機序は明確になっていないが，本剤の薬効発現に関与する微小管重合阻害作用を有するモノメチルアウリスタチンE（MMAE）の関与が示唆されている[14]。

2）症状

口渇，多飲，多尿，全身倦怠感の高血糖症状に気をつける。国際共同第Ⅲ相試験のベースライン特性別にみた結果では，糖尿病患者，BMI30kg/m^{2}以上，HbA1c 6.5％以上の患者では高血糖の発現または増悪のリスクが高かったので，より注意して観察を行う。高リスク患者への投与前には，糖尿病専門医へのコンサルテーションも検討する。

3）対処方法

国際共同第Ⅲ相試験における高血糖の発現頻度は6.4％であり，そのうちGrade3以上は3.7％と報告されている。
糖尿病の有無によらず，本剤投与により高血糖が現れ，死亡や糖尿病ケトアシドーシスに至った例が報告されている。そのため，投与開始前から血糖値のコントロール，定期的な血糖値の測定および臨床症状の十分な観察を行い，投与中は定期的な血糖値の測定と高血糖症状の発現や血糖値の

上昇に注意する必要がある。

　血糖値250mg/dL以上（随時・空腹時採血問わず）が認められた場合は休薬し，血糖値が正常な値になるまでインスリン製剤の投与など，適切な処置を行う。必要に応じて糖尿病専門医へのコンサルテーションも検討する。高血糖回復後は，同一用量で投与再開が可能である。

⑩ 免疫チェックポイント阻害薬

1）概要

　免疫チェックポイント阻害薬による免疫関連有害事象として１型糖尿病が認められる。発症頻度は0.4%程度[15]と非常に稀な副作用であるが，わが国における１型糖尿病の自然発症率（0.09%）[16]と比べると極めて高いリスクといえる。膵β細胞機能廃絶が不可逆的であること，また急激に血糖が上昇し，適切な治療を行わなければ生命予後に影響することから，早期診断と早期のインスリン治療の開始が必要である。免疫チェックポイント阻害薬による１型糖尿病は，抗CTLA-4抗体よりも抗PD-1抗体による場合が多いといわれている[17]。

2）症状

　口渇，多飲，多尿などの高血糖症状を認め，さらに進行すると全身倦怠感，意識障害，昏睡などのケトーシス・ケトアシドーシスによる症状を呈する。

　また，免疫チェックポイント投与後に発症した１型糖尿病の臨床症状については，通常の劇症１型糖尿病と比較して消化器症状や意識障害を呈しにくいことが明らかとなっている。この理由として，免役チェックポイント阻害薬投与後に発症する１型糖尿病では，劇症１型糖尿病と比較すると発症が比較的緩徐であることが影響すると考えられている[18]。

3）対処方法

　免疫チェックポイント阻害薬投与開始前，および投与開始後来院日ごとに，高血糖症状の有無を確認し，血糖値測定と尿検査（尿糖やケトン体定性検査）を行う。また，患者には１型糖尿病発症の可能性や注意すべき症状についてあらかじめ十分に説明し，高血糖症状（口渇，多飲，多尿）を自覚したら予定来院日でなくても受診または直ちに治療担当医に連絡するよう指導しておく。

　日本内分泌学会によるガイドラインでは，高血糖症状を認めるか検査に異常値（空腹時126mg/dL以上，あるいは随時200mg/dL以上）を認めた場合は，糖尿病を専門とする医師にコンサルトし，可及的速やかにインスリン治療を開始することを推奨している[19]。特に劇症１型糖尿病の場合，数日の経過で完全にインスリン分泌が枯渇し，重篤なケトアシドーシスに陥る。直ちに治療しなければ致死的となる疾患であるため，早期診断と可及的速やかなインスリン治療の開始が重要である。

　インスリン治療によって血糖コントロールが改善するまでは，免疫チェックポイント阻害薬の休薬を検討する。インスリンにより血糖コントロールが改善した後は，免役チェックポイント阻害薬の再開は可能である。

11 化学療法中の糖尿病管理

周術期血糖管理については，さまざまなエビデンスやガイドラインがある．それに対して化学療法中の血糖管理については，これまでほとんど検討されておらず明確な指針が示されていないため，担当医の判断に委ねられているところが大きい．そのため，化学療法中の血糖コントロールは患者の生命予後，併存疾患，周囲のサポート体制などを考慮して個別に目標を設定することが推奨されている．

糖尿病専門家の中では，生命予後に注目して考えた場合，がん化学療法中の血糖コントロールとしては，完治が期待できる症例に関してはがんを合併しない糖尿病患者と同等の血糖コントロールをし，完治が期待できず予後が限られた症例に関しては，日本糖尿病学会の推奨する「血糖コントロール目標」および「高齢者糖尿病の血糖コントロール目標」を参考にHbA1c8.0〜8.5％未満を1つの目標とすることも許容されるという意見もある[12]．

また，がん患者は化学療法による嘔気などで食事量が不安定なことが多い．食欲不振時や体調不良時にどう対応すべきか，いわゆるシックデイ時の対応方法の指導を徹底することも重要である．

12 がん治療と糖尿病治療の連携の重要性

抗がん薬治療中の糖代謝異常には，薬剤側の要因（糖代謝異常を起こしやすい抗がん薬や支持療法薬が含まれている）と患者側の要因（糖尿病や耐糖能異常の既往歴がある），もしくはその両方があることが考えられる．また，化学療法による嘔気や食欲不振などの副作用で血糖が乱れる可能性があり，予期せぬ低血糖や高血糖に対して，実際に患者本人や家族が適切な行動をとることができるかの確認をしておく必要もある．糖尿病とがんという2つの大きな病を抱えた人々を支えるために，がん専門医と糖尿病専門医の今まで以上の連携が求められており，そのなかで薬剤師は，服薬指導を通して両領域を統合する役割を担えることを期待されている．

【参考文献】

1) Busaidy NL et al：Management of metabolic effects associated with anticancer agents targeting the PI3K-Akt-mTOR pathway. J Clin Oncol, 30(23):2919-2928, 2012
2) Motzer RJ et al：Efficacy of everolimus in advanced renal cell carcinoma: a double-blind, randomized, placebo-controlled phase Ⅲ trial. Lancet, 372(9637):449-456, 2008
3) Yao JC et al：Everolimus for advanced pancreatic neuroendocrine tumors. N Engl J Med, 364(6):514-523, 2011
4) Pavel ME et al：Everolimus plus octreotide long-acting repeatable for the treatment of advanced neuroendocrine tumours associated with carcinoid syndrome (RADIANT-2): a randomized, placebo-controlled, phase 3 study. Lancet, 378(9808):2005-2012, 2011
5) Baselga J et al：Everolimus in postmenopausal hormone-receptor-positive advanced breast cancer. N Engl J Med, 366(6):520-529, 2012
6) Hudes G et al：Temsirolimus, interferon alfa, or both for advanced renal-cell carcinoma, N Engl J Med, 356(22):2271-2281, 2007
7) Racil Z et al：Mechanism of impaired glucose metabolism during nilotinib therapy in patients with chronic myelogenous leukemia. Haematologica, 98(10):e124-e126, 2013
8) van Raalte DH et al：Novel insights into glucocorticoid-mediated diabetogenic effects: towards expansion of therapeutic options?. Eur J Clin Invest, 39(2):81-93, 2009

9) van Raalte DH et al：Acute and 2-week exposure to prednisolone impair different aspects of beta-cell function in healthy men. Eur J Endocrinol, 162(4):729-735, 2010
10) 山本剛史：がん治療薬と高血糖．糖尿病プラクティス，35(5):9-10，2018
11) 笠山宗正：合成グルココルチコイド．日本臨牀，66(1):119-124，2008
12) 大橋健　他：こういうときはこうする！腫瘍糖尿病学Q&A　がん患者さんの糖尿病診療マニュアル．金芳堂，p.190-195，2020
13) Ninagawa S et al：Antipsychotic olanzapine-induced misfolding of proinsulin in the endoplasmic reticulum accounts for atypical development of diabetes. Elife, 9:e60970, 2020
14) Chang E et al：FDA Approval Summary: Enfortumab Vedotin for Locally Advanced or Metastatic Urothelial Carcinoma. Clin Cancer Res, 27(4):922-927, 2021
15) Byun DJ et al：Cancer immunotherapy-immune checkpoint blockade and associated endocrinopathies. Nat Rev Endocrinol, 13(4):195-207, 2017
16) 厚生労働科学研究費補助金循環器疾患・糖尿病等生活習慣病対策総合研究事業：1型糖尿病の疫学と生活実態に関する調査研究，平成27年度総括・分担研究報告書．2016
17) Jeroen MK de Filette et al：Immune checkpoint inhibitors and type 1 diabetes mellitus: a case report and systematic review. Eur J Endocrinol, 181(3):363-374, 2019
18) 日本人1型糖尿病の成因，診断，病態，治療に関する調査研究委員会　他：抗PD-1抗体投与後に発症する1型糖尿病の特徴および臨床経過に関する調査報告．糖尿病，62(1):37-46，2019
19) 日本内分泌学会：免疫チェックポイント阻害薬による内分泌障害の診療ガイドライン．日内分泌会誌，94(S. November):1-11，2018

（田内　淳子）

6-3 電解質異常（高Ca血症，低Na血症，低Mg血症）

1 概要

がんの進展が正常組織の機能を阻害すれば，臓器障害や代謝異常を起こし重篤な合併症をもたらすことがある。腫瘍に随伴する電解質異常のなかで高カルシウム（Ca）血症や低ナトリウム（Na）血症は，高頻度にみられ治療の緊急度が高いものとして位置づけられる。このように，高Ca血症や低Na血症は，オンコロジック・エマージェンシー（Oncologic Emergency）の分類に含まれ，どちらも急性腎不全や意識障害等を起こし，死に至る危険性がある緊急の病態である。また，治療によって引き起こされる電解質異常がいくつか知られているが，そのなかでも低マグネシウム（Mg）血症は，近年使用することが多くなった上皮増殖因子受容体に対するモノクロナール抗体薬やmTOR阻害薬，ABLキナーゼ阻害薬等の有害事象としても注目されている。ここでは，この3つの電解質異常を概説する。電解質異常の程度の評価として，CTCAE v5.0を表1に示す。

2 高Ca血症

2-1 発症機序

がん患者にみられる高Ca血症は，骨吸収が増加し，骨からCaが血中に放出されることから起こる。主な機序として，①悪性体液性高Ca血症，②局所性骨溶解性高Ca血症，③活性型ビタミンD_3産生，④異所性PTH（副甲状腺ホルモン）産生——が挙げられるが，高Ca血症のほとんどの原因は①と②によるものである（表2）。

1）悪性体液性高Ca血症

悪性体液性高Ca血症（humoral hypercalcemia of malignancy：HHM）によるものが80％と頻度が高い[1]。HHMは，腫瘍が産生する副甲状腺ホルモン関連蛋白（parathyroid hormone related protein：PTHrP）により，破骨細胞の骨吸収亢進と腎尿細管でのCa再吸収亢進の両者が起こる。血中のPTHの低値を確認することが鑑別のひとつである。

2）局所性骨溶解性高Ca血症

局所性骨溶解性高Ca血症（local osteolytic hypercalcemia：LOH）による高Ca血症は約20％である。LOHは，破骨細胞活性を亢進させるサイトカインであるIL-1（インターロイキン-1）やIL-6，TNF（tumor necrosis factor，腫瘍壊死因子）が，骨転移したがん細胞によって局所的に分泌され，骨吸収が骨形成を上回る。

表1 CTCAE v5.0 電解質異常関連検査値

CTCAE v5.0 Term 日本語	Grade 1	Grade 2	Grade 3	Grade 4	Grade 5
高カルシウム血症	補正血清カルシウム >ULN～11.5mg/dL；>ULN～2.9mmol/L；イオン化カルシウム >ULN～1.5mmol/L	補正血清カルシウム >11.5～12.5mg/dL；>2.9～3.1mmol/L；イオン化カルシウム >1.5～1.6mmol/L；症状がある	補正血清カルシウム >12.5～13.5 mg/dL；>3.1～3.4 mmol/L；イオン化カルシウム >1.6～1.8mmol/L；入院を要する	補正血清カルシウム >13.5mg/dL；>3.4mmol/L；イオン化カルシウム >1.8mmol/L；生命を脅かす	死亡
低ナトリウム血症	<LLN～130mmol/L	125～129 mmol/Lで症状がない	125～129 mmol/Lで症状がある；120～124 mmol/Lで症状の有無は問わない	<120mmol/L；生命を脅かす	死亡
低マグネシウム血症	<LLN～1.2mg/dL；<LLN～0.5mmol/L	<1.2～0.9mg/dL；<0.5～0.4mmol/L	<0.9～0.7 mg/dL；<0.4～0.3 mmol/L	<0.7 mg/dL；<0.3 mmol/L；生命を脅かす	死亡

ULN：upper limit of normal, (施設) 基準値上限
LLN：lower limit of normal, (施設) 基準値下限

〔有害事象共通用語規準 v5.0 日本語訳 JCOG版より （JCOGホームページhttp://www.jcog.jp）〕

表2 高Ca血症と関連したがん種

高Ca血症種類	多いがん種	頻度（％）	骨転移	因子
悪性体液性高Ca血症（HHM）	扁平上皮がん（肺・頭頸部・食道），腎がん，膀胱がん，卵巣がん，乳がん，成人T細胞白血病／リンパ腫（ATL），非ホジキンリンパ腫	80	ほとんどない	PTHrP
局所性骨溶解性高Ca血症（LOH）	乳がん，肺がん，多発性骨髄腫（MM）	20	よく起こる 進行性	IL-1，IL-6，PTHrP，RANKL[*1]
活性型ビタミンD_3産生	悪性リンパ種，多発性骨髄腫（MM）	<1	さまざま	1,25-$(OH)_2D_3$[*2]
異所性PTH産生	各種がん	<1	さまざま	PTH

[*1]：Receptor activator of NF-κB ligand
[*2]：1,25-水酸化ビタミンD_3

〔Stewart AF：New Engl J Med, 352(4):373-379, 2005 をもとに作成〕

3) その他

　活性型ビタミンD_3を産生する悪性リンパ腫等や，異所性PTH産生腫瘍によるものがあるが，かなり稀である。一般的に，がん以外で高Ca血症の最も多い原因疾患は，原発性副甲状腺機能亢進症であり，その他，甲状腺機能亢進症，副腎不全，褐色細胞腫などの内分泌疾患，家族性低Ca尿性高Ca血症（FHH），サルコイドーシス，急性腎不全，長期臥床，ミルクアルカリ症候群が知られている。

2-2 症状

通常，血清Ca値は，8.5〜10.5mg/dLの範囲で維持されており，10.5mg/dL以上を高Ca血症という。高Ca血症は，腎臓での尿濃縮機能を低下させるため，ほとんど全例で脱水がみられる。最初はイライラ感のような精神症状を認めることがある。

1）血清補正Ca値

生理機能と関連しているのは血清Ca中の45〜50％を占めるイオン化Caであり，血清中のCaの45％程度は蛋白と結合している。血清Ca濃度は常にアルブミン（Alb）で補正して考えることが重要である[2]。

Payneの式

血清補正Ca値（mg/dL）＝血清Ca値（mg/dL）＋［4－血清Alb値（g/dL）］

これは，Ca1mg/dLがAlb1g/dLと結合しているためである。血清Alb値が4を超える場合は補正しない。

2）高Ca血症の臨床症状

高Ca血症を重症度別に分類すると，次の3段階に分けられる。また，急激に高Ca血症を発症する例の方が，臨床症状を伴いやすい。

(1) 軽度：$10.5 ≦ Ca < 12.0$ mg/dL

軽症例では無症状であることも多い。

(2) 中等度：$12.0 ≦ Ca < 14.0$ mg/dL

中等症より疲労感，不眠，食欲低下，悪心・嘔吐，倦怠感，口渇，多飲，多尿，便秘等の症状がみられる。

(3) 重度：$Ca ≧ 14.0$ mg/dL

重症例になるとけいれん，傾眠，腎障害，意識障害等が出現する。

2-3 原因となりうる薬剤（抗がん薬など）

タモキシフェンの添付文書では，「骨転移のある患者で投与開始初期に，高Ca血症があらわれることがある」と注意喚起されている。その他の抗がん薬でも副作用に高Ca血症の記載があるが，腫瘍に随伴する電解質異常が起こりうる場合，要因を判別することは難しい。

抗がん薬以外の薬剤性高Ca血症の原因となる薬剤およびサプリメントには，Ca配合のサプリメントや健胃整腸消化薬，活性型ビタミンD製剤，サイアザイド系利尿薬，大量のビタミンA，テオフィリン，炭酸リチウム等が挙げられる。

2-4 対処方法

高Ca血症の治療は12mg/dLを超えた場合には開始すべきである。治療の基本は，尿中へのCa排泄促進と骨吸収の抑制であり，生理食塩液を主体とした多量の補液，ループ利尿薬，ビスホスホ

ネート（BP）製剤，カルシトニン製剤，副腎皮質ホルモン薬の投与を行う（表3）。サイアザイド系利尿薬は尿中Ca排泄の低下をもたらすので不適切である。

1）軽症の高Ca血症

血中Ca値改善のためのCaの尿中排泄増加と脱水の補正のため，水分摂取の励行または，水分負荷を行う。ほとんどの場合，緊急治療は必要ないが，患者の脱水状態に合わせて，200～500mL/hrから生理食塩液の点滴を開始，24～48時間で2～4Lを行い，その後尿量100～150mL/hrが確保できるように点滴量を調節する。浮腫等心不全傾向が出現したときには，生理食塩液の点滴は中止する。このような場合，ループ利尿薬を使用し尿中へのCa排泄を促す。

2）中等度以上の高Ca血症

骨の再吸収を抑制し，血清Ca値を低下させることを目的とした治療を行う。軽度の高Ca血症と同様に輸液とループ利尿薬による治療，または，高Ca血症発症の機序に合わせて薬物治療を行う。

(1) カルシトニン製剤

カルシトニン製剤は破骨細胞の活性を阻害することで骨吸収を抑制し，血清Ca濃度を低下させるため，HHMやLOH等の骨吸収が亢進している高Ca血症に使用する。1～2mg/dL程度の血中Ca値低下で，BP製剤程の効果は得られないものの，3時間程度で効果を発現する速効性があり，有害事象も少なく治療開始時，急性期には使用しやすい。ただし，48時間以上の連続使用により効果が減弱するタキフィラキシー〔短時間での反復使用による急性の脱感作（エスケープ現象）〕が知られており，BP製剤等との併用が必要となる。

(2) ビスホスホネート（BP）製剤

カルシトニンと同様，破骨細胞の活性を阻害し，骨吸収を抑え，血中Ca濃度を低下させる。カルシトニンと違い，Ca値低下作用は強いが，最大効果発現までに2～4日程度を要するため，速効性のある生理食塩液の点滴やカルシトニン製剤との併用が必要である。また，効果は少なくとも数週間程度持続するため，次回投与まで1週間以上空ける。

表3 高Ca血症の治療薬と用法

治療薬		用法
ループ利尿薬	生理食塩液＋フロセミド	1Lを1～2時間かけて点滴，フロセミド20mgを2時間ごとに静注（適宜，低K血症に注意）
カルシトニン製剤	エルカトニン	40単位1日2回 筋注，または生理食塩水50mLに希釈し，1～2時間かけて点滴
ビスホスホネート製剤	ゾレドロン酸	4mgを生理食塩液100mLに希釈し，15分以上かけて点滴（1週間間隔の再投与可）
抗RANKL抗体	デノスマブ（適応外）	1回120mg 皮下 4週ごと（米国では負荷投与あり）
副腎皮質ステロイド（ビタミンD受容体を介して）	プレドニゾロン	20～40mgを経口または点滴
	ヒドロコルチゾン	100mgを6時間点滴
Ca感知受容体作動薬	シナカルセト	＊副甲状腺癌における高Ca血症（添付文書参照）
	エボカルセト	

ゾレドロン酸は，臨床現場で最も多く使用されており，高Ca血症に用いる場合は，腎機能に応じた用量調節は原則不要とされているが，重篤な腎障害（血清クレアチニン値4.5mg/dL以上）のある場合には慎重に投与すべきとされている。BP製剤の副作用として，発症頻度は低いものの，顎骨壊死，顎骨骨髄炎を起こすことがある。

(3) デノスマブ

米国ではBP抵抗性の高Ca血症に対してデノスマブの投与が認められているが，わが国ではゾレドロン酸と異なり保険未承認である。

3）重度の高Ca血症

重度の高Ca血症14〜18mg/dLの治療では，前述の水分負荷，利尿薬，薬物治療を組み合わせて治療を行う。さらに重度の18〜20mg/dLの高Ca血症治療においては，前述の水分負荷，薬物治療で改善がみられず，腎障害が進行し，大量の輸液を行えない場合は，低Ca透析液による血液透析の実施を検討する。

前述の高Ca血症の治療に加えて悪性腫瘍の治療が必要な場合もある。ATL患者の初回治療では，抗がん薬以外の治療でも多くの場合，血清Ca値は正常化するが，早期に高Ca血症は再増悪するので，ATLに対するがん薬物療法が必要である。特に，高度な例では緊急となる。

③ 低Na血症

3-1 病態と発症機序

がん患者にみられる低Na血症の原因にはさまざまな病態があり，その原因や背景を明らかにすることは有効な治療に直結する。

1）体液（細胞外液）量の減少を伴う低Na血症

①嘔吐や下痢による消化管からの喪失，②胸膜炎や腹膜炎によるサードスペースへの体腔液の貯留，③利尿薬による腎臓からの喪失，④脳外科手術に伴って起きる中枢性塩類喪失症候群（cerebral salt wasting syndrome：CSWS），⑤シスプラチン等の腎尿細管障害により塩類喪失性腎症（renal salt wasting syndrome：RSWS），⑥原発性副腎皮質機能低下症——がある。総水分量，総Na量ともに欠乏するが水分よりもNaの喪失量が多い。

2）体液量の減少を伴わない低Na血症

①抗利尿ホルモン不適合分泌症候群（syndrome of inappropriate secretion of antidiuretic hormone：SIADH），②甲状腺機能低下症，③続発性副腎皮質機能低下症（下垂体前葉機能低下症）

> **ミニコラム ④ポイントなど**
>
> 免疫チェックポイント阻害薬の投与患者が意識障害やショックにより緊急搬送されてきた場合，検査で低血糖，低Na，低血圧などが認められれば副腎クリーゼの可能性があるので，早急にACTH，コルチゾールを測定して対応する。

——がある。続発性は原発性副腎皮質機能低下症よりも，脱水や低Na血症の程度は軽度となると考えられる。

3）体液量の増加を伴う低Na血症

総Na量と総水分量の増加を特徴とするが，相対的に総水分量の増加の方が大きい，①心不全，②ネフローゼ症候群，③肝硬変などの浮腫性疾患により引き起こされる。

3-2　抗利尿ホルモン不適合分泌症候群（SIADH）

低Na血症の原因は，病歴や前述のように患者の体液量の変化から特定の原因を推測することが可能な場合もあるが，SIADHは悪性腫瘍に伴う低Na血症の原因で最も多いといわれている[3]。以下，SIADHについて概説する。

1）発症機序

抗利尿ホルモンのバソプレシン（AVP）は，腎集合管でV_2受容体に結合し，アクアポリン2を増加させることで水再吸収促進作用を有する。SIADHは，このAVPが過剰に分泌されている状態である。腎集合管における水再吸収促進により，一時的に体液量が増加し，希釈性低Na血症を来す。しかし，AVPの分泌が長時間持続するとダウンレギュレーションが生じて部分的に水利尿が回復する（AVPエスケープ現象）。同時に，体液量増加により二次的にNa利尿ペプチド（ANP/BNP）の分泌亢進やレニン・アンジオテンシン・アルドステロン（RAA）系が抑制されることによりNa排泄も進み，体液量がほぼ正常の低Na血症となる。

2）症状

SIADHの特異的な症状はないが，頭痛や悪心，意識障害，けいれんなどの低Na血症の症状を認め，浮腫や脱水の所見がないことが特徴である。症状のみからSIADHを診断するのは難しく，厚生労働省の間脳下垂体機能障害に関する調査研究班によるSIADHの診断基準（平成30年度改訂）を示す（表4）。SIADH以外の3-1の1），2），3）を否定することが必要である。

3-3　原因となりうる薬剤（抗がん薬など）

SIADHを来す疾患としては，中枢神経疾患（脳腫瘍，脳血管障害，外傷，ギランバレー症候群など），肺疾患（肺腫瘍，肺炎，肺結核，肺アスペルギルス症，気管支喘息，陽圧呼吸等），異所性ADH産生腫瘍（小細胞肺がん，頭頸部がん，膵臓がん，前立腺がん，悪性リンパ腫など），薬剤性（三環系抗うつ薬，SSRI/SNRI，ACE阻害薬，アミオダロン，カルバマゼピン，バルプロ酸Na，ハロペリドール，プロクロルペラジンなど）によるものがある。特に抗がん薬でSIADHの原因としてイホスファミド，シクロホスファミド，シスプラチン，ネダプラチン，ドセタキセル，カバジタキセル，ビノレルビン，ビンクリスチン，ビンデシン，ビンブラスチンなどが報告されている。

表4 SIADHの診断の手引き

Ⅰ．主症候	1. 脱水の所見を認めない
Ⅱ．検査所見	1. 血清Na濃度は135mEq/Lを下回る 2. 血漿浸透圧は280mOsm/kgを下回る 3. 低Na血症，低浸透圧血症にもかかわらず，血漿バソプレシン濃度が抑制されていない 4. 尿浸透圧は100mOsm/kgを上回る 5. 尿中Na濃度は20mEq/L以上である 6. 腎機能正常 7. 副腎皮質機能正常
Ⅲ．参考所見	1. 倦怠感，食欲低下，意識障害などの低Na血症の症状を呈することがある 2. 原疾患の診断が確定していることが診断上の参考となる 3. 血漿レニン活性は5ng/mL/h以下であることが多い 4. 血清尿酸値は5mg/dL以下であることが多い 5. 水分摂取を制限すると脱水が進行することなく低Na血症が改善する
【診断基準】	確実例：ⅠおよびⅡのすべてを満たすもの

〔厚生労働科学研究費補助金難治性疾患等政策研究事業「間脳下垂体機能障害に関する調査研究」班　編：間脳下垂体機能障害の診断と治療の手引き．日本内分泌学会雑誌，95（Suppl）:18-20, 2019をもとに作成〕

3-4 対処方法

　SIADHの治療は，次のいずれか（組み合わせも含む）の治療法を選択する。①原疾患の治療，②1日の総水分摂取量を体重1kgあたり15〜20mLに制限する，③食塩の経口投与（成人：食塩9g/分3/日），④血清Na値120mEq/L以下で中枢神経系症状を伴うなど速やかな治療を必要とする場合は，3％食塩水を点滴投与（フロセミドの静注適宜併用），⑤重篤な中枢神経症状がある場合は3％食塩水の急速投与を考慮，急激なNa値の補正は，浸透圧性脱髄症候群（osmotic demyelination syndrome：ODS）を来すことがあるので，24時間でNa濃度の上昇は10mEq/L以下にとどめる必要がある。⑥異所性ADH産生腫瘍を原因とし，既存の治療で効果不十分な場合はモザバプタンによる治療（開始3日で有効ならば7日間継続可）※2022年3月経過措置終了，⑦2020年6月，トルバプタンがSIADHに対して適応拡大となった[4]。欧米における開始用量は15mgだが，わが国では7.5mgである。Naの急速補正に注意し3.75mgから開始することも考慮する。また，米国では肝障害がある患者での使用を控える勧告をしているが，わが国では肝性浮腫にも適用があるように禁忌ではないが，特に開始から2週間は頻回に肝機能をモニタリングする必要がある。

注：3％食塩水の作成方法
1) 10％NaCl（20mL）6A＋0.9％NaCl 400mL＝520mL
2) 10％NaCl（20mL）1.5A＋0.9％NaCl 100mL＝130mL

④ 低Mg血症

4-1 発症機序

　がん患者にみられる低Mg血症の原因は，①消化管からの喪失（摂取不足，偏食，アルコール多

飲，慢性下痢，脂肪便，下剤の乱用，急性膵炎，短腸症候群，長期の嘔吐，長期の静脈栄養），②細胞内への移動（呼吸アルカローシス，高血糖，飢餓骨症候群，カテコラミン過剰），③腎からの喪失（Na負荷，原発性アルドステロン症，利尿薬，副甲状腺機能亢進症，高Ca血症，薬剤性）――である。

腎臓でのMgの調節は，糸球体での濾過と尿細管での再吸収が主体である。循環血漿中のMgの約70％が糸球体から濾過され，そのうち約20％が近位尿細管，70％がヘンレ集合管の太い上行脚でそれぞれ受動的に再吸収され，5％が遠位尿細管で能動的に再吸収されている。

上皮成長因子（Epidermal growth factor：EGF）は基底膜に存在する上皮成長因子受容体（Epidermal growth factor receptor：EGFR）に結合してMg-TRPM6（transient receptor potential cation channel subfamily member 6）と呼ばれるチャネル蛋白質を介して遠位尿細管からのMgの能動的再吸収を促進する[5]。しかし，セツキシマブ，パニツムマブ，ネシツムマブ等の抗EGFR抗体薬を投与した場合，Mgの再吸収が阻害され尿への排泄が増加し，低Mg血症が起こると考えられている。

4-2　症状

一般に，成人の体内には約24g（2,000mEq）のMgがある。そのうち約50％は骨に存在し，20％が筋肉内に，残りの約30％はそれ以外の臓器に含まれ，細胞外液中には約1％に相当する30mEq前後が存在する。

Mgは神経，筋肉の機能維持に深く関連している。血清Mgの濃度は概ね1.8～2.4mg/dL程度に維持されているが，主に腎臓における再吸収によって調節されている。

低Mg血症とは，血清Mg値が1.8mg/dL未満をいう。食事中には25～50mEqのMgが含まれており，通常の食事をとっていればMgが欠乏することはない。

経口摂取されたMgは約30％が小腸を中心とした腸管から吸収される。また，腸管から吸収されるのとほぼ同じ量が尿から排泄され，体内のMg量が調節されている。体内にMgが不足してくると腎臓から排泄されるMgの量もそれに応じて減少するので，通常は低Mg血症はほとんど起きない。

軽度の低Mg血症の場合，無症状か食欲不振，倦怠感や疲労感を訴える程度であるが，重篤化すると，悪心，脱力，傾眠，テタニー，けいれん，不整脈等の症状を発現する。低Mg血症は，低Ca血症や低カリウム（K）血症を伴うことがあり，これらの症状と共通する，嗜眠，錯乱，振戦，筋繊維束性攣縮，運動失調，眼振，テタニー，けいれん発作等の発現に注意する。心電図変化ではPR間隔やQRS間隔，QT間隔の延長が認められ，上室性頻脈や心室性不整脈，ときにTorsades de Pointes等の致死性不整脈を呈することが知られている。

4-3　原因となりうる薬剤（抗がん薬など）

抗EGFR抗体であるセツキシマブ，パニツムマブ，ネシツムマブ，その他の機序では，シスプラチン，カルボプラチン，オキサリプラチン，ドキソルビシン，イホスファミド，ロミデプシン，エベロリムス，チロシンキナーゼ阻害薬，免疫チェックポイント阻害薬などが挙げられる。抗がん薬以外では，ループ利尿薬，サイアザイド系利尿薬，アミノグリコシド系抗菌薬，シクロスポリン，

表5 低Mg血症の治療薬と用法

治療薬	用法
酸化Mg	0.33〜0.67gを1回，1日に3回内服（Mg量50〜100mEq）
硫酸Mg	硫酸Mg1〜2gを生理食塩液50mLに希釈し，10分かけて投与（不整脈や全身痙攣を伴う場合）
	硫酸Mg約6gを生理食塩液1Lに希釈し，24時間かけて投与（症候性でない場合）
	硫酸Mg0.5〜2gを生理食塩液100mLに希釈し，60分かけて投与（軽度，単回用）

注：硫酸マグネシウム1g≒静注用マグネゾール®（1管中Mg16.2mEq/20mL）0.5管≒硫酸Mg補正液®（1管Mg20mEq/20mL）0.4管

タクロリムス，ホスカルネット，アムホテリシンB，プロトンポンプ阻害薬（長期投与または利尿薬と併用時）が挙げられる。

4-4 対処方法

低Mg血症は軽度では無症状であるが，一般に原因薬剤の投与期間が長期になるにつれてMg値が低下傾向を示すため，投与中は定期的な血清中の電解質モニタリングが推奨される。無症候性のGrade1の低Mg血症では経過観察されることが多い。経口のMg製剤による補充は行われることもあるが一般的に推奨されておらず，Mg製剤投与により下痢や腹部症状を来す可能性があるので注意が必要である。

Grade2以上（1.2mg/dL未満）あるいは有症状の場合（不整脈や全身痙攣を伴う場合）にMg製剤による治療が検討される。

高度，症候性で緊急を要する場合は硫酸Mg約1〜2gを10分かけて静脈注射，症候性でない場合は，持続点滴または硫酸Mg1g/hrで点滴静注も考慮される（表5）。なお，Mg欠乏状態では，K欠乏を伴うため，血清K，Ca値もあわせて確認する必要がある。

【参考文献】

1) Stewart AF：Clinical practice. Hypercalcemia associated with cancer. New Engl J Med, 352(4):373-379, 2005
2) Payne RB et al：Interpretation of serum calcium in patients with abnormal serum proteins. Br Med J, 4(5893):643-646, 1973
3) Ellison DH et al：Clinical practice. The syndrome of inappropriate antidiuresis. New Engl J Med, 356(20):2064-2072, 2007
4) Schrier RW et al：Tolvaptan, a selective oral vasopressin V2-receptor antagonist, for hyponatremia. N Engl J Med, 355(20):2099-2112, 2006
5) Tejpar S et al：Magnesium wasting associated with epidermal-growth-factor receptor-targeting antibodies in colorectal cancer: a prospective study. Lancet Oncol, 8(5):387-394, 2007

（香取　哲哉）

7-1 皮膚障害

1 概要

本稿では，上皮成長因子受容体（EGFR）阻害薬であるEGFRチロシンキナーゼ阻害薬および抗EGFR抗体薬による皮膚障害（ざ瘡様皮疹，爪囲炎，皮膚乾燥）について述べる。

EGFR阻害薬による皮膚障害は高頻度で発生するが，皮膚障害とその治療効果は相関するとされており[1〜3]，治療継続において皮膚障害管理が重要である。一方で，皮膚障害は患者のQOLの著しい低下を招くことがある。皮膚障害の重篤化を防ぐためにも，発現する前からの予防対策，早期の治療開始と継続した患者自身によるセルフケアが大切となるため，主治医，皮膚科医，看護師と密な連携を取り合う必要がある。

2 発症機序

表皮は角層，顆粒層，有棘層，基底層の4層構造からなる。EGFRはがん細胞に発現するほかに，表皮基底層の表皮基底膜にも多く存在する。EGFRとそのリガンドはケラチノサイトの増殖，分化をコントロールする重要な役割を有していると考えられている。EGFR阻害薬の使用により，表皮基底膜のEGFRが阻害され，ケラチノサイトの増殖・移動の停止，分化，アポトーシスが誘導され，炎症性サイトカインが放出される。その結果，皮膚の角質化が阻害され，表皮全体が薄くなり，また角層も薄く脆くなり，毛包周囲に炎症が起こることでざ瘡様皮疹や皮膚乾燥が生じるとされている[4]。

皮膚障害は一般的に図1のような臨床経過をたどることが知られている。ざ瘡様皮疹は治療開始後1〜4週目に出現し，2〜3週をピークに徐々に減少する。3〜5週間目以降に皮膚乾燥や亀裂，4〜8週間目以降に爪囲炎が遅発的に発現するとされているが，患者の皮膚状態によっても大きく変

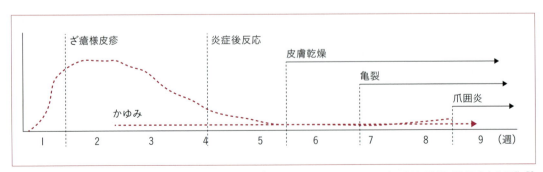

〔Custem EV：Oncologist, 11(9):1010-1017, 2006をもとに作成〕

図1 皮膚症状の時間経過

動する[5]。

❸ 症状

3-1 ざ瘡様皮疹

　ざ瘡様皮疹は，顔面，頭皮，頸部，前胸部，背部，腕，下肢などに局所的，もしくは全身的に発現する（**写真1**）。有害事象共通用語基準（CTCAE）による重篤度評価は皮疹が占める体表面積の割合で表されており，Grade評価は難しい（**表1**）。近年ではCTCAE v4.0に沿った形で作成された皮膚科・腫瘍内科有志コンセンサス会議で提案されている重篤度評価（**表2**）を使用するケースが増えつつある[6]。CTCAE v4.0でのGrade3および皮膚科・腫瘍内科有志コンセンサス会議での「重症」に該当する場合はEGFR阻害薬を休薬し，Grade1以下へ改善した後に投与を再開する。再開投与量は1段階減量が推奨されている。

3-2 爪囲炎，皮膚乾燥

　爪囲炎は手足の爪周囲の発赤・腫脹，疼痛や爪の発育障害を来し，重篤化すると肉芽，膿瘍を併発する。肉芽病変を伴うと強い疼痛を生じるため，QOL低下へ影響する。皮膚乾燥は顔，全身に出現し，手指先端や踵の皮膚の亀裂を伴うこともある。爪囲炎（**写真2**），皮膚乾燥の重篤度評価については**表3**，**表4**に示す。いずれも身の回りの日常生活動作の制限が生じるGrade3に該当する場合は休薬を提案する。患者には具体的な症状（例えば，衣服の着衣・脱衣，歩行しづらい等）をあげて問診することで評価が簡便となる。

❹ 原因となりうる薬剤（抗がん薬など）

　ざ瘡様皮疹，爪囲炎，皮膚乾燥の発現の高い薬剤の一覧を**表5**に示す。

❺ 対処方法

5-1 ざ瘡様皮疹

　ざ瘡様皮疹の治療方針を**表6**に示す。EGFR阻害薬でのざ瘡様皮疹は，通常のざ瘡とは異なり，一般的には細菌感染を伴わず無菌性といわれており，早期から副腎皮質ホルモン外用薬による治療が推奨される。副腎皮質ホルモン外用薬は塗布する部位によって吸収が異なるため，使用部位によって強さの異なるものを選択する。主に顔面にはmediumクラスを，顔以外にはvery strongクラスを使用する。また，ざ瘡様皮疹は早期に出現しピークは2週程度といわれており，遷延するざ瘡様皮疹は副腎皮質ホルモン外用薬に伴う副作用の可能性を疑うことが必要である。皮膚科・腫瘍内科有志コンセンサス会議では，2週間の治療で改善しない場合や副腎皮質ホルモン外用薬を継続中（顔：2週間以上，その他：2〜4週間以上）の場合は皮膚科専門医への紹介が推奨されており，早

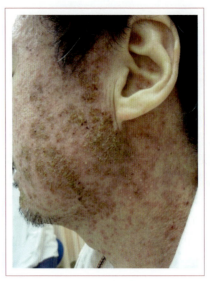

写真1 Grade3のざ瘡様皮疹

表1　CTCAE v5.0　ざ瘡様皮疹

CTCAE v5.0 Term 日本語	Grade 1	Grade 2	Grade 3	Grade 4	Grade 5
ざ瘡様皮疹	体表面積の<10%を占める紅色丘疹および/または膿疱で,そう痒や圧痛の有無は問わない	体表面積の10～30%を占める紅色丘疹および/または膿疱で,そう痒や圧痛の有無は問わない;社会心理学的影響を伴う;身の回り以外の日常生活動作の制限;体表面積の>30%を占める紅色丘疹および/または膿疱で,軽度の症状の有無は問わない	体表面積の>30%を占める紅色丘疹および/または膿疱で,中等度または高度の症状を伴う;身の回りの日常生活動作の制限;経口抗菌薬を要する局所の重複感染	生命を脅かす;紅色丘疹および/または膿疱が体表のどの程度の面積を占めるかによらず,そう痒や圧痛の有無も問わないが,抗菌薬の静脈内投与を要する広範囲の局所の二次感染を伴う	死亡

〔有害事象共通用語規準 v5.0 日本語訳 JCOG版より（JCOGホームページhttp://www.jcog.jp）〕

表2　ざ瘡様皮疹の重篤度評価

注釈：この皮膚障害の重症度評価（分類）は，有害事象の評価であるCTCAE v4.0に準じているが，患者さんの自覚症状・日常生活への影響を重視して作成した．

軽症：軽い皮膚症状がみられるが，不快な自覚症状はなく，日常生活には差し支えない
中等症：皮膚症状が明らかにみられ，不快な自覚症状を時に感じ，日常生活の作業に差し支える
重症：皮膚症状が強く，不快な自覚症状を常に感じ，日常生活の作業が著しく制限される

名称	軽症	中等症	重症
ざ瘡様皮疹	顔面を中心に全体で20個前後の丘疹，膿疱を認める。疼痛，そう痒はない。日常は気にならない	顔面，躯幹に全体で50個前後の丘疹，膿疱を認める。疼痛，そう痒を時に感じる。症状について他人から指摘される	顔面，躯幹，四肢に全体で100個前後の丘疹，膿疱を認める。疼痛，そう痒を常に感じる。他人との面会が億劫である

〔山本有紀　他：臨床医薬，32(12): 941-949, 2016〕

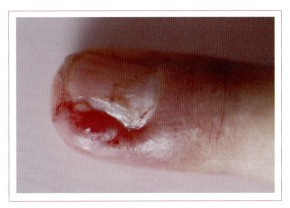

写真2　Grade3の爪囲炎

表3　CTCAE v5.0 爪囲炎，皮膚乾燥

CTCAE v5.0 Term 日本語	Grade 1	Grade 2	Grade 3	Grade 4	Grade 5
爪囲炎	爪襞の浮腫や紅斑；角質の剥脱	局所的処置を要する；内服治療を要する（例：抗菌薬／抗真菌薬／抗ウイルス薬）；疼痛を伴う爪襞の浮腫や紅斑；滲出液や爪の分離を伴う；身の回り以外の日常生活動作の制限	外科的処置を要する；抗菌薬の静脈内投与を要する；身の回りの日常生活動作の制限	—	—
皮膚乾燥	体表面積の＜10％を占め，紅斑やそう痒は伴わない	体表面積の10〜30％を占め，紅斑またはそう痒を伴う；身の回り以外の日常生活動作の制限	体表面積の＞30％を占め，そう痒を伴う；身の回りの日常生活動作の制限	—	—

〔有害事象共通用語規準 v5.0 日本語訳 JCOG版より（JCOGホームページ http://www.jcog.jp）〕

表4　爪囲炎，皮膚乾燥の重篤度評価

注釈：この皮膚障害の重症度評価（分類）は，有害事象の評価であるCTCAE v4.0に準じているが，患者さんの自覚症状・日常生活への影響を重視して作成した。

軽症：軽い皮膚症状がみられるが，不快な自覚症状はなく，日常生活には差し支えない
中等症：皮膚症状が明らかにみられ，不快な自覚症状を時に感じ，日常生活の作業に差し支える
重症：皮膚症状が強く，不快な自覚症状を常に感じ，日常生活の作業が著しく制限される

名称	軽症	中等症	重症
爪囲炎	軽度の発赤，腫脹がある。疼痛はなく，日常生活に差し支えない	発赤，腫脹がみられ，疼痛を時に感じ，日常生活の作業に差し支えることがある	発赤，腫脹が著明で，疼痛が常に強く，時に血管拡張性肉芽腫を生じ，日常生活の作業が行いづらく，歩行しづらい
乾燥	わずかな乾燥と鱗屑がみられる。そう痒はないか，軽症	乾燥と鱗屑が明らかにみられる。そう痒は軽症か，中等症	乾燥が著明で鱗屑が多量にみられる。そう痒は中等症か，重症

〔山本有紀　他：臨床医薬，32(12)：941-949，2016〕

表5 原因となりうる抗がん薬

一般名	商品名
ゲフィチニブ	イレッサ
エルロチニブ	タルセバ
アファチニブ	ジオトリフ
オシメルチニブ	タグリッソ
ダコミチニブ	ビジンプロ
ラパチニブ	タイケルブ
セツキシマブ	アービタックス
パニツムマブ	ベクティビックス
ネシツムマブ	ポートラーザ

表6 ざ瘡様皮膚疹の治療方針（例）

軽度	中等症	重症
体幹：副腎皮質ホルモン外用薬 　　　Very Strongクラス 顔　：副腎皮質ホルモン外用薬 　　　mediumクラス	体幹：副腎皮質ホルモン外用薬 　　　Very Strongクラス 顔　：副腎皮質ホルモン外用薬 　　　mediumクラス　または 　　　Very Strong クラス ＋ ミノサイクリン（経口） 　（ミノサイクリンが使用できない場合はクラリスロマイシン） ＋ 抗ヒスタミン薬	体幹：副腎皮質ホルモン外用薬 　　　Very Strongクラス　または 　　　Strongestクラス 顔　：副腎皮質ホルモン外用薬 　　　mediumクラス　または 　　　Very Strongクラス ＋ ミノサイクリン（経口） 　（ミノサイクリンが使用できない場合はクラリスロマイシン） ＋ 抗ヒスタミン薬（経口） ＋ 副腎皮質ホルモン薬（経口）

期からの皮膚科専門医へのコンサルトを十分に考慮する必要がある[6]。副腎皮質ホルモン外用薬の塗布のタイミングは1日2回朝と入浴後（夕）が一般的であり，過剰または過小な使用とならないように患者へは十分な説明を行う。これら副腎皮質ホルモン外用薬の使用とともに，ざ瘡様皮疹の予防には抗炎症作用をもつミノサイクリン内服が推奨されている。

　ミノサイクリンの副作用としては，肝障害やめまいなどが起こるため注意する。ミノサイクリンが使用できない場合はクラリスロマイシンを使用することがあるが，クラリスロマイシンを使用する際には使用するEGFR阻害薬の薬物相互作用に注意が必要である。ミノサイクリンの投与期間は，予防的内服として少なくとも6週以上行い，最大8週までが妥当とされている[7]。

5-2　爪囲炎

　爪囲炎の治療法は，テーピング法，副腎皮質ホルモン外用薬，抗生剤内服や外科的処置があり，症状によって選択される。治療前からのケアとして爪は切りすぎないようにし，趾間まで丁寧に洗

うことが有用である。爪周囲が赤くなり炎症を認める場合には，副腎皮質ホルモン外用薬を開始する。また，早期からのテーピング指導（図2）も重要である。副腎皮質ホルモン外用薬はvery strongクラスを使用し，炎症部位は清潔に保ち刺激を避けることが重要である。患者の中には，指の保護として絆創膏を巻きつけてしまうこともあるが，爪囲炎は皮膚に爪があたることで悪化するため，絆創膏による締めつけはかえって悪化を招く場合もあるので注意が必要である。指先の保護として，布の指サックか包帯またはそれに準ずるものを使用するように提案する。また，肉芽形成に対して爪甲のスクエアカット（図3）は自宅で容易に行うことが可能であり，爪甲の陥入を予防することで側爪郭の疼痛や炎症を改善させるのに有用とされている[7]。痛みが生じると，患者は洗浄することを避けて二次感染が悪化する傾向があるため注意が必要である。悪化時はミノサイクリンの服用も有用とされている。さらに凍結療法，爪甲の切除などが必要となる場合もある。爪囲炎は難渋することも多く，皮膚科専門医へ早めにコンサルトすることが望ましい。

5-3　皮膚乾燥

EGFR阻害薬使用時は前述したように，皮膚のバリア機能が低下することにより，皮膚乾燥が起

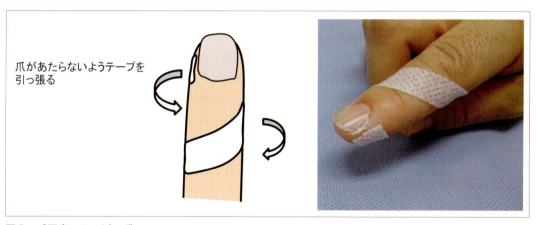

図2　爪囲炎のテーピング

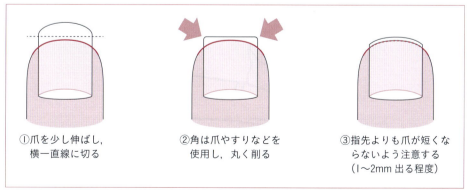

〔静岡県立静岡がんセンター：抗がん剤治療と皮膚障害, p.30, 2021をもとに作成〕

図3　爪の切り方

こりやすくなる。角質層が剥がれ，粉吹き肌が全身的に起こることも多い。特に冬の季節の乾燥時期に移行するにつれて悪化しやすい。保湿剤としてはヘパリン類似物質，ワセリン，尿素製剤が使用されている。ヘパリン類似物質はいろいろな剤形があることや，後発医薬品によっても使用感がさまざまであるため，患者が好むものを選択することができる。

　皮膚亀裂を伴う場合には刺激性のある尿素製剤は避けて，乾燥の強い部位にはワセリンを選択する。市販品においても優れた保湿効果をもつ商品もあるため，医薬品にこだわらず，患者の意向を反映することも有用である。ただし，低刺激のものでアルコールフリーなど，肌に優しいものを推奨する。また，保湿剤は入浴後だけでなく，手を洗った後にも塗るよう指導する。なお，1回の塗布量が多くても，塗布回数が少ないと保湿効率は低下するため，FTU（finger tip unit）を目安に適切な用量（図4）を指示して服薬指導を行う。皮膚乾燥によって，亀裂を生じ，二次的に紅斑，掻痒などを伴う皮膚炎症状がある場合には，副腎皮質ホルモン外用薬が使用される[7]。副腎皮質ホルモン外用薬の使用は二次的皮膚炎を抑制し，掻痒を抑制するとともに，皮膚乾燥の症状を改善すると考えられる。また，掻痒に対しては抗ヒスタミン薬の内服も考慮する。

⑥ その他（予防的治療）

　ざ瘡様皮疹に関してはパニツムマブを投与する大腸がん患者を対象に行われたSTEPP試験と日本で行われたJ-STEPP試験において，抗EGFR抗体薬投与前より予防的治療（保湿剤，副腎皮質ホルモン外用薬，日焼け止めおよびミノサイクリンの内服）を行ったほうが，皮膚障害発現後に治療を行なった群と比較してGrade2以上の皮膚障害の発現頻度が低下したとの報告があり，予防的に行うことの有用性が示されている[8, 9]。この結果より，抗EGFR抗体薬では予防的治療が推奨されている。一般的には患者アドヒアランスの維持と有用性の高さから，ミノサイクリンの内服と保湿剤を予防として使用している施設が多い。また，ざ瘡様皮疹，爪囲炎，皮膚乾燥の予防は共通しており，①清潔を保つ（保清），②保湿を行う（保湿）③刺激や刺激物を避ける（保護）等のセルフケアの指導が重要である。

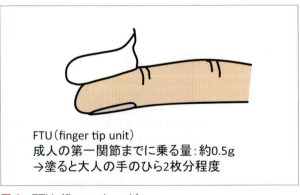

図4　FTU（finger tip unit）

【参考文献】

1) Bonner JA et al：Radiotherapy plus cetuximab for locoregionally advanced head and neck cancer: 5-year survival data from a phase 3 randomised trial, and relation between cetuximab-induced rash and survival. Lancet Oncol, 11(1):21-28, 2010
2) Cutsem EV et al：Intrapatient cetuximab dose escalation in metastatic colorectal cancer according to the grade of early skin reactions: the randomized EVEREST study. J Clin Oncol, 30(23):2861-2868, 2012
3) Wacker B et al：Correlation between development of rash and efficacy in patients treated with the epidermal growth factor receptor tyrosine kinase inhibitor erlotinib in two large phase III studies. Clin Cancer Res, 13(13):3913-3921, 2007
4) Lacouture ME：Mechanisms of cutaneous toxicities to EGFR inhibitors. Nat Rev Cancer, 6(10):803-812, 2006
5) Cutsem EV：Challenges in the use of epidermal growth factor receptor inhibitors in colorectal cancer. Oncologist, 11(9):1010-1017, 2006
6) 山本 有紀 他：EGFR阻害薬に起因する皮膚障害の治療手引き―皮膚科・腫瘍内科有志コンセンサス会議からの提案―．臨床医薬，32(12):941-949，2016
7) 国立がん研究センター 研究開発費がん患者の外見支援に関するガイドラインの構築に向けた研究班 編：がん患者に対するアピアランスケアの手引き 2016年版，金原出版，2016
8) Lacouture ME et al：Skin toxicity evaluation protocol with panitumumab (STEPP), a phase II, open-label, randomized trial evaluating the impact of a pre-Emptive Skin treatment regimen on skin toxicities and quality of life in patients with metastatic colorectal cancer. J Clin Oncol, 28(8):1351-1357, 2010
9) Kobayashi Y et al：Randomized controlled trial on the skin toxicity of panitumumab in Japanese patients with metastatic colorectal cancer: HGCSG1001 study; J-STEPP. Future Oncol, 11(4):617-627, 2015

〈魚住 真哉〉

第5章 支持療法　7 皮膚毒性

7-2 手足症候群

1 概要

　抗がん薬により発症する全身的な皮膚障害のうち，物理的刺激を受けやすい手掌（てのひら）や足底などの四肢末端部に発現する部分症を手足症候群（Hand-Foot Syndrome：HFS）と総称し，手掌・足底発赤知覚不全症候群，手掌・足底紅斑，肢端紅斑，手足皮膚反応ともよばれる。手のひらや足の裏などに発赤・紅斑，腫脹，チクチク感に代表される異常感覚などが発現し，増悪した場合には激しい疼痛を伴う水疱や潰瘍・びらんなどに及ぶこともある。手足症候群には，フッ化ピリミジン系抗がん薬など数週間～数カ月以上かけ緩徐に生じるものと，キナーゼ阻害薬など早ければ投与数日～数週後から発症し，ピークは1サイクル目（1カ月以内）と急激に生じるものがある。殺細胞性抗がん薬では，カペシタビン[1,2]やドキソルビシンリポソーム製剤[3]，キナーゼ阻害薬ではカボザンチニブやソラフェニブ，レゴラフェニブなどで非常に高い頻度で発症する。手足症候群の発症やその悪化自体は生命を脅かす有害事象ではないが，日常生活に影響を与え，著しくQOLを低下させる原因となる[4～6]。手足症候群には確立した治療法と予防法はなく，最も確実な対処は原因薬剤の休薬と減量のみ[7]とされているため，手足の感覚の異常，発赤の有無を頻繁に確認し，初期症状の早期発見とその後の適切な対処が重要である。

2 発症機序

2-1 手足症候群の発症機序

　手足症候群の詳細な発症機序は明確ではなく，また，発症に関連した臨床検査値異常も明らかになっていない。以下に手足症候群の頻度の高い抗がん薬について記述する。

(1) フッ化ピリミジン系抗がん薬

　フッ化ピリミジン系抗がん薬による手足症候群は，皮膚基底細胞の増殖能阻害やエクリン汗腺からの薬剤の分泌が原因と考えられている[8]。また，特にカペシタビンでは，thymidine phosphorylase（TP）およびdihydropyrimidine dehydrogenase（DPD）の働きによるフルオロウラシルとその分解産物の関与が示唆されている[9～11]が，同じフッ化ピリミジン系抗がん薬であるS-1では手足症候群の発症頻度は高くなく，これはDPD阻害薬が添加されていることが違いとなっていると推測可能である。いずれにしても，正確な発症機序は不明である。

(2) ドキソルビシンリポソーム製剤

　ドキソルビシンリポソーム製剤では，圧迫部位の毛細血管が破綻し，ドキソルビシンが隣接した皮下組織に局所的漏出して炎症を起こす可能性や[12]，親水性のリポソームが手掌や足底のエクリン

汗腺へ蓄積して汗に混ざって皮膚表面に拡散，角質層に浸透して濃縮され，分裂が活発な細胞に対して毒性が発現するとの報告[12, 13]がある。

(3) キナーゼ阻害薬

キナーゼ阻害薬では，チロシンキナーゼ関連型である血管内皮細胞増殖因子受容体（vascular endothelial growth factor receptor：VEGFR）や，血小板由来成長因子（Platelet-Derived Growth Factor：PDGF）受容体および幹細胞因子（Stem Cell Factor：SCF）受容体であるc-KITの活性が阻害された結果，表皮やエクリン汗腺が障害されることが示唆されている[14, 15]。しかし，手足症候群に関与する詳細な発症機序の解明には至っていない。

３ 症状

1）症状

手足症候群は手掌や足底の角化肥厚，皮膚硬結部分，手や足で反復した物理的刺激が起こる場所に好発する。早期発見のポイントは，手足の感覚異常，発赤の有無を頻繁に確認し初期症状を見過ごさないことである。紅斑・腫脹，色素沈着・色素斑，過角化（角質増生）・落屑・亀裂，水疱・びらん・潰瘍の皮膚所見，爪甲の変化などが単独あるいは混在して認められる。

(1) フッ化ピリミジン系抗がん薬

投与開始より数週～数カ月経過した後にびまん性の発赤や腫脹が発現する。進行すると皮膚表面の光沢が生じ，指紋の消失傾向や色素沈着がみられ，次第に疼痛を伴う。さらに進行すると，過角化・落屑・亀裂や水疱，びらん，潰瘍が生じる。しばしば爪の症状や知覚の異常を伴うことがある。なお，初期症状として見た目の変化がなく，手足にしびれ，ピリピリするような皮膚の感覚異常が発生することもあり，オキサリプラチンなど末梢神経障害が発現しやすい抗がん薬などと併用した場合には，末梢神経障害との鑑別に苦慮する場合がある。また，高用量で発現頻度が高く，重症化しやすい傾向にある。

(2) キナーゼ阻害薬

比較的緩徐にびまん性に発現するフッ化ピリミジン系抗がん薬とは異なり，発現時期は早く投与開始数日で発現する場合もある。荷重部により限局することが多く，角化傾向が強く疼痛や機能障害を起こしやすいという特徴がある。発赤，過角化，知覚の異常，疼痛から始まり，水疱の形成へと進展する。進行すると，疼痛を伴う浮腫や過角化による皮膚の肥厚，水疱，亀裂，潰瘍，落屑などが出現し，減量や休薬が必要とされる。疼痛は「熱傷のような痛み」と表現されることが多く，歩行困難などの機能障害を生じ，日常生活に大きく支障を来すことがある[16]。

2）症状の評価

手足症候群の重症度は，臨床領域と機能領域で判定するBlumらの分類（**表1**）[17]や，症状と皮膚所見および日常生活制限の状況により評価するCommon Terminology Criteria for Adverse Events（CTCAE v5.0，CTCAE-JCOG）[18]，国内では皮膚科・腫瘍内科有志コンセンサス会議からの提案として，より臨床に則したマルチキナーゼ阻害薬による手足症候群の評価方法（**表2**）[19]などがある。本稿では，CTCAE v5.0の手足症候群〔CTCAE v5.0では手掌・足底発赤知覚不全症候群（palmar plantar erythrodysesthesia syndrome）に相当する〕のGradeを示す（**表3**）。なお，

表1 Blumの手足症候群評価

Grade	臨床領域	機能領域
1	しびれ，皮膚知覚過敏，ヒリヒリ・チクチク感，無痛性腫脹，無痛性紅斑	日常生活に制限を受けることのない症状
2	腫脹を伴う有痛性紅斑	日常生活に制限を受ける症状
3	湿性落屑，水疱，潰瘍，強い痛み	日常生活を遂行できない症状

〔Blum JL et al：J Clin Oncol, 17(2):485-493, 1999をもとに作成〕

表2 キナーゼ阻害薬による手足症候群の評価

軽症	手掌・足底に違和感があるが，発赤や疼痛はない 日常生活の作業に差し支えない
中等症	手掌・足底に発赤，水疱形成がみられ，時に疼痛を感じる 日常生活の作業，歩行に差し支えることがある
重症	手掌・足底の発赤が著名で，大型の水疱がみられ，常に強い疼痛を感じる 日常生活の作業が行いづらく，歩行しづらい

〔白藤宜紀 他：マルチキナーゼ阻害薬に起因する皮膚障害の治療手引き―皮膚科・腫瘍内科有志コンセンサス会議からの提案―，臨床医薬，32(12):951-958, 2016より一部抜粋〕

表3 CTCAE v5.0 手足症候群

CTCAE v5.0 Term 日本語	Grade 1	Grade 2	Grade 3	Grade 4	Grade 5
手掌・足底発赤知覚不全症候群	疼痛を伴わない軽微な皮膚の変化または皮膚炎（例：紅斑，浮腫，角質増殖症）	疼痛を伴う皮膚の変化（例：角層剥離，水疱，出血，亀裂，浮腫，角質増殖症）；身の回り以外の日常生活動作の制限	疼痛を伴う高度の皮膚の変化（例：角層剥離，水疱，出血，亀裂，浮腫，角質増殖症）；身の回りの日常生活動作の制限	―	―

〔有害事象共通用語規準 v5.0 日本語訳 JCOG版より（JCOGホームページ http://www.jcog.jp）〕

患者個人の感覚に頼らざるを得ないため評価にばらつきが生じるが，「身の回り以外の日常生活動作」では食事の準備，日用品や衣服の買い物，電話の使用，金銭の管理などを，「身の回りの日常生活動作」では入浴，着衣・脱衣，食事の摂取，トイレの使用，薬の内服が可能で，寝たきりではないことを確認するなど，具体的な生活動作を基準に評価するとよい。なお，Grade1は痛みを伴わない皮膚の変化（写真1，2），あきらかな疼痛を伴う場合はGrade2（写真3，4），身の回りの日常生活動作に支障を来す場合はGrade3（写真5，6）と判定し，Grade2以上は減量・休薬が必要となる[16]。

3）判別を要する類似皮膚疾患

手足症候群に類似する皮膚疾患が多数存在することから，治療開始前には手足の状態を注意深く観察し，表4[16]に示す疾患・病態がないかを確認しておくことが望ましい。特に，抗がん薬治療前に皮膚疾患がある場合は手足症候群の増悪が予測されるため，疑わしい症状がある場合は皮膚科への受診を指導する。

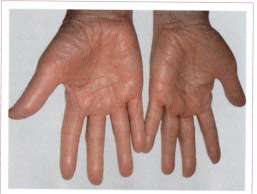

カペシタビン:両手掌にびまん性の紅斑が認められる。手指は光沢を帯び,指紋がやや不明瞭となる。

〔厚生労働省:重篤副作用疾患別対応マニュアル 手足症候群（令和元年9月改定）,p.23,2019〕

写真1　Grade 1

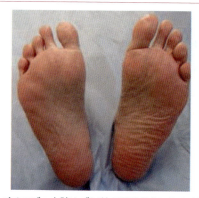

レンバチニブ:土踏まず以外の荷重部位に紅斑を認める。

〔厚生労働省:重篤副作用疾患別対応マニュアル 手足症候群（令和元年9月改定）,p.23,2019〕

写真2　Grade 1

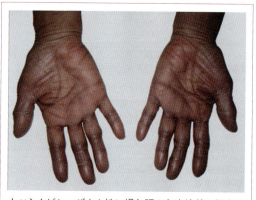

カペシタビン:びまん性に褐色調の色素沈着と軽度の紅斑があり疼痛を伴う。

〔厚生労働省:重篤副作用疾患別対応マニュアル 手足症候群（令和元年9月改定）,p.24,2019〕

写真3　Grade 2

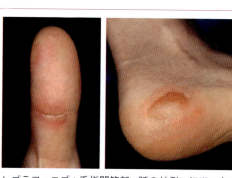

レゴラフェニブ:手指関節部,踵の外側に紅斑・水疱形成を認め,疼痛を伴うが歩行は可能。

〔厚生労働省:重篤副作用疾患別対応マニュアル 手足症候群（令和元年9月改定）,p.24,2019〕

写真4　Grade 2

4) 患者側のリスク因子

カペシタビンでは,腎機能低下時に通常量投与した場合や糖尿病患者で重症化しやすい[20, 21]こと,高齢者,貧血のある患者にGrade2以上の手足症候群が起こることが多いと報告されている[11]。

4 原因となりうる薬剤（抗がん薬など）

フッ化ピリミジン系抗がん薬（カペシタビン,テガフール・ウラシル,テガフール・ギメラシル・オテラシルカリウム,フルオロウラシル）,キナーゼ阻害薬（アキシチニブ,カボザンチニブ,スニチニブ,ソラフェニブ,パゾパニブ,レゴラフェニブ,レンバチニブ）,高分子モノクローナル抗体（ベバシズマブ,セツキシマブ）,その他（ドキソルビシンリポソーム製剤,ドセタキセル）

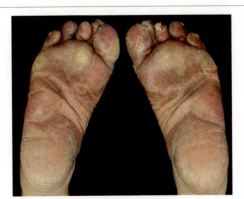

カペシタビン：びまん性に高度な角化と紅斑，一部で水疱形成し，落屑を伴う．疼痛が強く歩行が困難．

〔厚生労働省：重篤副作用疾患別対応マニュアル 手足症候群（令和元年9月改定），p.25，2019〕

写真5 Grade 3

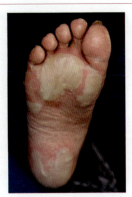

レゴラフェニブ：足底の外的刺激を受けやすい部位に紅斑および大型の水疱形成を認める．疼痛のため歩行困難．

〔厚生労働省：重篤副作用疾患別対応マニュアル 手足症候群（令和元年9月改定），p.25，2019〕

写真6 Grade 3

表4 鑑別を要する疾患・病態

手湿疹	洗剤などで角層のバリア機能が低下し生じる．主に利き手の指尖や指腹に乾燥，角化，紅斑を生じ，指紋の消失，亀裂を伴い，手掌へ拡大する．手足症候群と合併し，その増悪因子となることがある．
鑑別	利き手の指腹に症状が強く，足には症状がみられず，色素沈着も生じないことから．
白癬	足白癬（角質増殖型）：足底全体がびまん性に角化し，紅斑，落屑を伴う． 爪白癬：爪甲が白く混濁，肥厚し，脆弱になる．
鑑別	白癬は水酸化カリウム直接鏡検にて菌要素（菌糸，分節胞子）を検出することから．
凍瘡	寒冷刺激を受けやすい手指尖〜指背や足趾などの四肢末端部に紫紅色斑を生じ，腫脹を伴う．寒暖差などが誘因となって生じる局所の循環障害による病態である．
鑑別	角化や色素沈着は伴わず，発症の季節や寒冷への曝露歴から．
掌蹠膿疱症	手掌，足底に2〜4mm大の多数の小水疱と無菌性の小膿疱が出現して痂皮化する．慢性に経過し，角化性の紅斑に新旧の小水疱と小膿疱が混在するようになる．
鑑別	小膿疱や小水疱が出没することと慢性の経過から．
異汗性湿疹	局所多汗症に起因すると考えられる病態で，手掌，足底，指腹に1〜2mm程度の小水疱が多発して，数週間で落屑することを繰り返し，しばしば紅斑を伴う．夏季や季節の変わり目に出現しやすい．
鑑別	小水疱が出没を繰り返すこと，色素沈着や爪甲の変化を伴わないことなどから．
乾癬	手掌，足底に厚い鱗屑を付す紅斑角化性の病変を生じる．通常，ほかの身体部分（特に頭部，膝蓋部，肘部など）に銀白色の厚い鱗屑を付す紅斑性病変が多発性に認められるので鑑別できる．
鑑別	ほかの身体部分に銀白色の厚い鱗屑を付す紅斑性病変が多発性に認めることなどから．

〔厚生労働省：重篤副作用疾患別対応マニュアル 手足症候群（令和元年9月改定），p.29-31，2019をもとに作成〕

の報告が挙げられ，特に高頻度に発症する抗がん薬は，カペシタビン，ドキソルビシンリポソーム製剤，カボザンチニブ，ソラフェニブおよびスニチニブである．添付文書の副作用項目内に『手足症候群』と記載のある医薬品一覧を表5に示す．

5 対処方法

手足症候群の症状はさまざまであるが，軽微な初期症状も見逃さずに早期の治療を開始し重篤化を未然に防ぐのが対処法の鍵となり，「増悪因子の排除と適切な休薬」と「保湿，保清」が対処の原則となる．なお，手足症候群の予防と悪化させないための日常生活における指導に関して表6に示す[16]．

1）予防

ドキソルビシンリポソーム製剤では点滴中の手足の冷却[22,23]，ピリドキシンの経口投与[24,25]，ステロイド薬の投与[26]が発症予防に有効性を示す報告があるが，以下に一般的な対処方法を述べる．

（1）増悪因子の排除と適切な休薬

手足症候群は荷重部位に発症しやすいため，鶏眼・胼胝がある場合は治療開始前に処置する．患者自身がかみそりなどを用いて処置しようとすると皮膚を損傷する可能性があるため，場合によっては皮膚科への受診を勧める．また，角質重複部はサリチル酸ワセリンで軟化させることが重要となる．

表5　医薬品添付文書の副作用に手足症候群と記載のある薬品一覧

フッ化ピリミジン系	カペシタビン，テガフール・ウラシル，テガフール・ギメラシル・オテラシルカリウム，フルオロウラシル
チミジン誘導体（トリフルリジン）	トリフルリジン・チピラシル
微小管阻害薬タキサン系	ドセタキセル，パクリタキセル（アルブミン懸濁型）
白金製剤	オキサリプラチン
トポイソメラーゼⅡ阻害薬	ドキソルビシン，ドキソルビシンリポソーム製剤
トポイソメラーゼⅠ阻害薬	イリノテカン
抗VEGF抗体	ベバシズマブ
抗EGFR抗体	セツキシマブ
EGFR-TKI	エルロチニブ
VEGFR-TKI	アキシチニブ
BCR-ABL-TKI	イマチニブ，ダサチニブ，ニロチニブ，ボスチニブ
低分子マルチキナーゼ阻害薬	カボザンチニブ，スニチニブ，ソラフェニブ，レゴラフェニブ，レンバチニブ
mTOR阻害薬	エベロリムス
BRAFキナーゼ阻害薬	ベムラフェニブ
免疫調節薬	ホリナートカルシウム，レボホリナートカルシウム
免疫チェックポイント阻害薬	ニボルマブ

表6　日常生活の指導

①物理的刺激を避ける	やわらかく厚めで少し余裕のある靴下を履く
	足にあった柔らかい靴を履く
	圧のかかりにくい靴の中敷（ジェルや低反発のもの）を使用する
	長時間の立ち仕事や歩行，ジョギングを避け，細目に休む
	家庭で使う用具（包丁，スクリュードライバー，ガーデニング用具など）を使う時握りしめる時間を短くするか，圧をかけなくてよいもの（ピーラーなど）を使用する
	炊事，水仕事の際にはゴム手袋等を用いて，洗剤類にじかに触れないようにする
②熱刺激を避ける	熱い風呂やシャワーを控え，手や足を湯に長時間さらさないようにする
③皮膚の保護	保湿剤を塗布する（外用法の指導を含む）
④2次感染予防	清潔を心がける

〔厚生労働省：重篤副作用疾患別対応マニュアル 手足症候群（令和元年9月改定），p.20-21，2019〕

また，治療中の圧迫，熱，摩擦などの物理的刺激は発症・悪化のリスク因子となるため，これらの刺激が同じ部位へ長時間または反復して与えられないよう，日常生活に関して患者指導を行う必要がある。ただし，患者に過度の生活制限をかけないように，患者の症状や理解度，生活環境，職業など患者背景を考慮する必要がある。

さらに，受診間隔が長い場合には，次の受診までに休薬が遅れ重篤化することがある。皮膚は骨髄抑制などとは異なり，患者自身が症状の経過を観察できるという利点があるので，日常生活に支障を来す痛みを伴う症状が発現した場合には，次の受診まで我慢せずにひとまず休薬し，速やかに医師へ報告するよう投薬前に指導しておくことで，発症後の重篤化を未然に防ぐことができる可能性がある。この際，休薬が治療効果に影響するのではないかと恐れる患者も多いため，カペシタビンでは休薬や減量を行っても適切に治療継続が行われれば有効性が損なわれない報告があること[27]などを指導に付け加えるとよい。なお，休薬・減量方法の解説は，各抗がん薬の医薬品添付文書および適正使用ガイドを参考にされたい。

(2) 保湿，保清

手足の角質層および表皮における細胞肥厚と角化は乾燥により増悪しやすく，手足の保湿が発症予防・症状軽減につながる。治療開始時より保湿剤（白色ワセリン，ヘパリン類似物質，尿素含有製剤など）を塗布する。保湿剤の使用タイミングは，1日最低2〜3回は保湿剤を塗布する，手洗い後や入浴後は乾燥しやすいため，なるべく10分以内に保湿剤を塗布する，就寝中に乾燥しないよう就寝前に塗布し，木綿の手袋や靴下を着用するとよい。また，保湿剤使用量の目安は，大人の両手分で1FTU（大人の人差し指の一番先から第1関節に乗る量，約0.5g）が基本となる。

また，手足症候群は（レゴラフェニブでの報告ではあるが）足が重症化しやすいとされる[28]。この重症化の一端には，物理的皮膚刺激を避けるよう指導されると入浴まで控える患者が多く，特に手に比べて洗う機会が少ない足は清潔に保てないことがある。入浴・シャワーは低めの湯温とし，長時間の入浴は避け，（手足を含め）体を洗う場合はナイロンタオルなどの使用は避け，低刺激の石鹸を使用し，よく泡立て，よくすすぐよう指導する。

(3) その他予防のために考慮すること

　外用薬の効果は，患者の使用感に左右される可能性を考える必要がある。「軟膏」は油脂中に水滴を懸濁させたもの（W/O型乳剤）で付着性がよく，保湿，保護効果が長時間持続し浸潤部にも用いることができるが，べとつきが強く使用感が悪いため，患者に嫌厭されがちである。これに対して「クリーム」や「ローション」は水溶成分に油脂を懸濁させたもので使用感はよいが，効果が持続しないという欠点がある。皮膚症状のマネジメントには皮膚保護，保湿効果を考えれば基本的に軟膏が望ましいが，患者の使用感も考慮して軽症例あるいは予防的使用にはクリームを使用することも可能であるが，重症化した場合は軟膏に変更する必要がある。製品名が"軟膏"となっているものも，成分構成はクリームのことがあるので注意が必要である。また，女性は保湿に対する抵抗が少ないが，男性の場合は不慣れなこともあり遵守できない傾向にあるため，内服薬と同様に定時の塗布を指導し，受診時には軟膏の残量から使用状況を把握し，アドヒアランスを確認することも有用である。腫脹が強い場合は四肢の挙上と手足の冷却が有効であるが，冷感刺激で末梢神経障害を来すオキサリプラチンを併用する場合には注意を要する。

2) 治療方針

　原則，症状に応じて副腎皮質ホルモン外用薬を使用し，休薬・再開・減量基準について症状に合わせた投薬設計を行う。びらん・潰瘍化した場合は病変部を洗浄し，白色ワセリンやアズレン含有軟膏などで保護する。二次感染を伴った場合には，抗生物質の投与も考慮する。フッ化ピリミジン系抗がん薬（カペシタビン）およびキナーゼ阻害薬に共通する対処法を以下に示す。なお，副腎皮質ホルモン外用薬の一覧を表7に示す。

①Grade1の手足症候群が出現した場合

　治療薬の投与はそのまま継続し，予防の徹底とvery strong〜strongestの副腎皮質ホルモン外用薬の使用を開始する。

②Grade2に増悪した場合

　保湿剤とvery strong〜strongestの副腎皮質ホルモン外用薬を使用し皮膚科専門医への紹介を検討する。原因となる抗がん薬はGrade1以下に軽快するまで休薬し，回復後は1段階減量して投与再開することを検討するが，再開時の投与量は各抗がん薬の基準に従う。

③Grade3の状態

　原因となる抗がん薬はGrade1以下に軽快するまで休薬し，保湿剤とstrongestの副腎皮質ホルモン外用薬を使用し，皮膚科専門医へ紹介する。重症の場合は副腎皮質ホルモンの全身投与による症状の改善を検討する。その後，Grade1以下に改善されれば，治療薬を1段階減量し再開する。

表7 副腎皮質ホルモン外用薬の一覧

strongest	クロベタゾールプロピオン酸エステル
	ジフロラゾン酢酸エステル
very strong	モメタゾンフランカルボン酸エステル
	ベタメタゾン酪酸エステルプロピオン酸エステル
	フルオシノニド
	ベタメタゾンジプロピオン酸エステル
	ジフルプレドナート
	アムシノニド
	ジフルコルトロン吉草酸エステル
	酪酸プロピオン酸ヒドロコルチゾン
strong	デプロドンプロピオン酸エステル
	デキタメゾンプロピオン酸エステル
	デキサメタゾン吉草酸エステル
	ハルシノニド
	ベタメタゾン吉草酸エステル
	フルオシノロンアセトニド
medium	プレドニゾロン吉草酸エステル酢酸エステル
	トリアムシノロンアセトニド
	アルクロメタゾンプロピオン酸エステル
	クロベタゾン酪酸エステル
	ヒドロコルチゾン酪酸エステル
	デキサメタゾン
weak	プレドニゾロン

【参考文献】

1) Heo YS et al：Hand-foot syndrome in patients treated with capecitabine-containing combination chemotherapy. J Clin Pharmacol, 44(10):1166-1172, 2004
2) Abushullaih S et al：Incidence and severity of hand-foot syndrome in colorectal cancer patients treated with capecitabine: a single-institution experience. Cancer Invest, 20(1):3-10, 2002
3) Katsumata N et al：Phase II clinical trial of pegylated liposomal doxorubicin (JNS002) in Japanese patients with mullerian carcinoma (epithelial ovarian carcinoma, primary carcinoma of fallopian tube, peritoneal carcinoma) having a therapeutic history of platinum-based chemotherapy: a Phase II Study of the Japanese Gynecologic Oncology Group. Jpn J Clin Oncol, 38(11):777-785, 2008
4) Gressett SM et al：Management of hand-foot syndrome induced by capecitabine. J Oncol Pharm Pract, 12(3):131-141, 2006
5) Riechelmann RP et al：Sorafenib for metastatic renal cancer: the Princess Margaret experience. Am J Clin Oncol, 31(2):182-187, 2008
6) Tsai KY et al：Hand-foot syndrome and seborrheic dermatitis-like rash induced by sunitinib in a patient with advanced renal cell carcinoma. J Clin Oncol, 24(36):5786-5788, 2006

7) Scheithauer W et al：Coming to grips with hand-foot syndrome. Insights from clinical trials evaluating capecitabine. Oncology(Williston Park), 18(9):1161-1168, 2004
8) Baack BR et al：Chemotherapy-induced acral erythema. J Am Acad Dermatol, 24(3):457-461, 1991
9) Milano G et al：Candidate mechanisms for capecitabine-related hand-foot syndrome. Br J Clin Pharmacol, 66(1):88-95, 2008
10) Yen-Revollo JL et al：Can inhibiting dihydropyrimidine dehydrogenase limit hand-foot syndrome caused by fluoropyrimidines? Clin Cancer Res, 14(1):8-13, 2008
11) Scheithauer W et al：Oral capecitabine as an alternative to i.v. 5-fluorouracil-based adjuvant therapy for colon cancer: safety results of a randomized, phase III trial. Ann Oncol, 14(12):1735-1743, 2003
12) Lorusso D et al：Pegylated liposomal doxorubicin-related palmar-plantar erythrodysesthesia ('hand-foot' syndrome). Ann Oncol, 18(7):1159-1164, 2007
13) Lademann J et al：Efficient prevention strategy against the development of a palmar-plantar erythrodysesthesia during chemotherapy. Skin Pharmacol Physiol, 27(2):66-70, 2014
14) Lacouture ME et al：Hand foot skin reaction in cancer patients treated with the multikinase inhibitors sorafenib and sunitinib. Ann Oncol, 19(11):1955-1961, 2008
15) McLellan B et al：Regorafenib-associated hand-foot skin reaction: practical advice on diagnosis, prevention, and management. Ann Oncol, 26(10):2017-2026, 2015
16) 厚生労働省：重篤副作用疾患別対応マニュアル 手足症候群 平成22年3月（令和元年9月改定）（https://www.mhlw.go.jp/topics/2006/11/dl/tp1122-1q01_r01.pdf）（2022年6月閲覧）
17) Blum JL et al：Multicenter phase II study of capecitabine in paclitaxel-refractory metastatic breast cancer. J Clin Oncol, 17(2):485-493, 1999
18) 日本臨床腫瘍研究グループ（JCOG）：有害事象共通用語規準（Common Terminology Criteria for Adverse Events: CTCAE）v5.0 日本語訳JCOG版，10054524 Palmar-plantarerythrodysesthesia syndrome 手掌・足底発赤知覚不全症候群（http://www.jcog.jp/doctor/tool/CTCAEv5J_20210901_v24_1.pdf）（2022年6月閲覧）
19) 白藤宜紀 他：マルチキナーゼ阻害薬に起因する皮膚障害の治療手引き―皮膚科・腫瘍内科有志コンセンサス会議からの提案―．臨床医薬, 32(12):951-958, 2016
20) Cassidy J et al：First-line oral capecitabine therapy in metastatic colorectal cancer: a favorable safety profile compared with intravenous 5-fluorouracil/leucovorin. Ann Oncol, 13(4):566-575, 2002
21) Yokokawa T et al：Risk Factors Exacerbating Hand-Foot Skin Reaction Induced by Capecitabine plus Oxaliplatin with or without Bevacizumab Therapy. Ann Pharmacother, 49(10):1120-1124, 2015
22) Molpus KL et al：The effect of regional cooling on toxicity associated with intravenous infusion of pegylated liposomal doxorubicin in recurrent ovarian carcinoma. Gynecol Oncol, 93(2):513-516, 2004
23) Mangili G et al：Prevention strategies in palmar-plantar erythrodysesthesia onset: the role of regional cooling. Gynecol Oncol, 108(2):332-335, 2008
24) Lorusso D et al：Pegylated liposomal doxorubicin-related palmar-plantar erythrodysesthesia ('hand-foot' syndrome). Ann Oncol, 18(7):1159-1164, 2007
25) Eng C et al：Phase I study of pegylated liposomal doxorubicin, paclitaxel, and cisplatin in patients with advanced solid tumors. Ann Oncol, 12(12):1743-1747, 2001
26) Drake RD et al：Oral dexamethasone attenuates Doxil-induced palmar-plantar erythrodysesthesias in patients with recurrent gynecologic malignancies. Gynecol Oncol, 94(2):320-324, 2004
27) Haller DG et al：Capecitabine plus oxaliplatin compared with fluorouracil and folinic acid as adjuvant therapy for stage III colon cancer. J Clin Oncol, 29(11):1465-1471, 2011
28) Nonomiya Y et al：Regorafenib-Induced Hand-Foot Skin Reaction Is More Severe on the Feet Than on the Hands. Oncol Res, 27(5):551-556, 2019

（伊與田　友和）

7-3 血管外漏出

I 概要

血管外漏出（extravasation：EV，写真）とは抗がん薬が投与中に血管外に漏れ出ることにより，周囲の組織に障害を起こすことをいう。抗がん薬の血管外漏出の頻度は0.1〜4％とさまざまな報告[1〜6]があるが，過敏症とともに早急な対応が必要な有害事象であり，疼痛や機能障害・精神的苦痛などQOLが低下する要因ともなる。また，がん薬物療法を繰り返し行っている血管は細く，脆弱化している可能性があるため，血管外漏出が起きやすいと考えられている。抗がん薬治療における血管外漏出のガイドラインはESMO（European Society for Medical Oncology：欧州臨床腫瘍学会）とEONS（European Oncology Nursing Society：欧州がん看護学会）が共同で作成したもの[7]，ONS（Oncology Nursing Society：米国がん看護学会）が作成したもの[8]，NHS-England（National Health Service：英国国民保険サービス）が作成したもの[9]などが知られている。一方，わが国では日本がん看護学会から2009年（2014年に改訂）にガイドラインが策定された[10]が，確立された治療法は示されていない。よって，予防および早期発見することが最も重要となる。

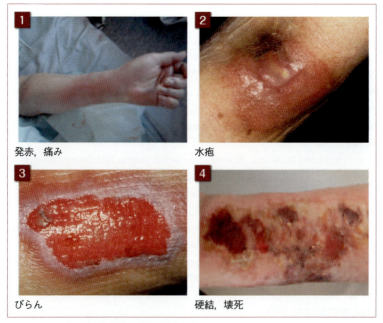

写真　血管外漏出例（起壊死性抗がん薬）
〔キッセイ薬品工業株式会社：抗がん剤の血管外漏出の予防と対応ガイド（2019年12月改訂）. p.2（https://www.kissei.co.jp/savene/download/pdf/sv_Prevention_and_response.pdf）（2022年6月閲覧）

2 発症機序

穿刺針による血管損傷により，血管の弾力性が低下し，血管内圧に負荷がかかった場合や穿刺針・カテーテル先端の移動などが原因で，抗がん薬が血管外に浸潤あるいは漏出する。これにより投与された薬液が周囲の皮膚軟部組織へ拡散され，皮膚組織を障害するため発生する。

また，後述する起壊死性抗がん薬は作用機序の違いからDNA結合型と非DNA結合型に分類され[11]，DNA結合型はアントラサイクリン系抗がん薬を代表とし，周辺組織細胞のDNAに結合することによって，細胞が障害される。障害された細胞はDNAとトポイソメラーゼⅡの複合体を放出し，隣接している正常細胞がその取り込みを繰り返すため，組織障害が広範囲かつ長期にわたる。一方，非DNA結合型はDNAに結合しないため，直接作用ではなく，間接的に作用することによって漏出部位周辺の正常細胞が障害されるが，局所的である。

3 症状

多くは漏出薬液の濃度と量に相関するが，起壊死性抗がん薬では少量でも重篤な症状が起こりうる。そのため，漏出時に症状が軽微であっても，その後重篤な皮膚症状に進展することもありうる。症状としては，穿刺部位付近の違和感，紅斑，腫脹，浮腫，疼痛，灼熱感，水疱，硬結，潰瘍，びらん，壊死などが起こる。また，漏出部位によっては，拘縮による運動障害や神経障害が生じることもある。患者によっては自覚症状を訴えないこともあるため，注意深い観察が必要である。

4 原因となりうる薬剤（抗がん薬など）

血管外に漏出した抗がん薬はすべて組織障害を来す可能性があるが，その程度によって起壊死性抗がん薬（vesicant drug），炎症性抗がん薬（irritant drug），非壊死性抗がん薬（non-vesicant drug）の3つに分類される（表1）。炎症性薬剤であっても壊死や潰瘍などの難治性の皮膚障害を起こすことがあり，注意が必要である。

1）起壊死性抗がん薬（vesicant drug）

少量の漏出でも重篤で永続的な組織壊死を起こすおそれがあり，また，極めて強い疼痛を伴う。漏出の疑いがある場合は速やかな対応が必要である。漏出後に形成される潰瘍は深部の組織が障害されるため，皮膚移植や形成手術でも治癒が困難である。また，タキサン系やアントラサイクリン系抗がん薬ではリコール現象[12]が報告されている。リコール現象とは起壊死性抗がん薬の血管外漏出を経験したことにより，その後同薬剤を投与された際，再び血管外漏出した部位に炎症が起こる現象である。

2）炎症性抗がん薬（irritant drug）

漏出局所に紅斑や腫脹が起こるが，壊死や潰瘍形成に至らず，症状は短期間で改善する。ただし，大量に漏出すると強い炎症や疼痛が起こりうる。炎症性抗がん薬であるボルテゾミブの皮下注射の際は，注射部位反応に注意が必要である。

表1　血管外漏出時の抗がん薬の組織障害性に基づく分類

起壊死性抗がん薬 vesicant drug	炎症性抗がん薬 irritant drug	非壊死性抗がん薬 non-vesicant drug
アクチノマイシンD イダルビシン エピルビシン カバジタキセル カルムスチン* ストレプトゾシン* ダウノルビシン ダカルバジン* ドキソルビシン ドセタキセル トラベクテジン パクリタキセル ビノレルビン ビンクリスチン ビンデシン ビンブラスチン ベンダムスチン* マイトマイシンC	アフリベルセプト イホスファミド イリノテカン エトポシド オキサリプラチン カルボプラチン シスプラチン テムシロリムス* ドキソルビシン　リポソーム製剤 トポカン トラスツズマブ　エムタンシン フルオロウラシル ミトキサントロン メトトレキサート* メルファラン	アスパラギナーゼ エリブリン クラドリビン ゲムシタビン 三酸化ヒ素 シクロホスファミド シタラビン チオテパ パクリタキセル　アルブミン懸濁製剤 フルダラビン ブレオマイシン ペメトレキセド ペントスタチン ボルテゾミブ 免疫チェックポイント阻害薬 モノクローナル抗体

＊文献ごとに位置づけが異なるため，より危険度の高い分類で表示している

〔Pérez Fidalgo JA et al：Ann Oncol, 23(Suppl.7):167-173, 2012, West Midlands Expert Advisory Group for Systemic Anti-Cancer Therapy: NHS-England, 2017 をもとに作成〕

3）非壊死性抗がん薬（non-vesicant drug）

多少漏出しても炎症や壊死を生じにくく，薬剤の投与方法として皮下注射や筋肉内注射が可能である。

5 対処方法

5-1　予防および教育

1）抗がん薬投与時・投与中の注意点

血管外漏出の皮膚障害に対しては確立された治療法が乏しいため，予防および早期発見が最も重要である。まず血管外漏出の危険因子（表2）を理解したうえで，予防策として，適切な穿刺部位の選択（肘と手首の中間付近が望ましい）と穿刺手技の実施，および穿刺部位の頻回な観察を行うことにより，リスクを最小限に抑えることができる。末梢への血管確保が困難な患者にがん薬物療法を継続する場合は，中心静脈ポートの留置を検討する必要がある。

2）血管外漏出早期発見のための患者教育

血管外漏出を確認した際には薬剤の曝露量，曝露時間を最小限にとどめるため，迅速な対応が求められるが，早期発見が何より重要となる。そのため，患者には穿刺部位付近の違和感，紅斑，腫脹，浮腫，疼痛，灼熱感がある場合，または点滴の滴下速度の減少があったときはすぐに報告する

表2　血管外漏出の危険因子

患者背景	・高齢（血管の弾力性や血流量の低下） ・栄養状態不良 ・肥満（血管を見つけにくい） ・糖尿病 ・がん薬物療法を繰り返している ・多剤併用がん薬物療法中 ・抗がん薬投与中の安静が保持できない（体動が激しい，点滴を気にせず動く）
穿刺部位の問題	・頻繁に静脈の穿刺を受けている部位 ・末梢静脈ライン挿入後24時間以上経過した血管 ・細くて脆い血管 ・循環障害のある四肢の血管（上大静脈症候群や腋窩リンパ節郭清後等，病変や手術の影響で浮腫や静脈内圧の上昇を伴う患側肢の血管） ・創傷瘢痕がある部位の血管 ・24時間以内に注射・採血をした部位より末梢側の血管 ・関節運動の影響を受けやすい部位や血流量の少ない血管への穿刺 ・同一血管に対する穿刺のやり直し
その他	・抗がん薬の投与量が多い，または速度が速い ・血管痛を伴う薬剤（漏出との判別がしづらい） ・輸液ポンプを使用しての投与 ・医療者の穿刺技術

〔Wengström Y, et al: European Oncology Nursing Society extravasation guidelines. Eur J Oncol Nurs, 12(4):357-361, 2008., 菅野かおり：アントラサイクリン系抗腫瘍薬による血管外漏出への対応. がん看護, 20(4):480-485, 2015., 三浦奈都子：点滴漏れの予防と対処方法に関する検討. 看護技術, 60(8):828-831, 2014., 国立がん研究センター内科レジデント・編：がん診療レジデントマニュアル 第8版, 医学書院, pp458-463, 2019をもとに作成〕

よう指導する。さらに，投与中に異常がない場合でも，投与数日から数週間にわたって，遅発性の皮膚障害が起こる可能性があるため，何らかの異常を認めた場合は，医療機関に連絡するよう患者へ指導することが重要である。

3）血管外漏出マニュアルの必要性

医療スタッフの知識や経験，技術不足もリスク因子となりうる[13]。漏出時に医療スタッフが迅速かつ適切な対応ができるよう，各施設において血管外漏出マニュアルをあらかじめ作成し，すぐに確認および行動できる体制整備が重要である。

5-2　初期治療

血管外漏出の確認，もしくは疑われたときは，直ちに一旦点滴を中止し，漏出した部位に圧力がかからないようにする。その後シリンジを用い，できるだけ漏出した薬液と血液（3～5mL）を吸引した後，カテーテルや針を抜去する。さらに漏出した患肢を挙上する。また，血管外漏出に類似した静脈炎およびフレア反応との鑑別も必要である。血管外漏出では，血液の逆流はみられないが，静脈炎およびフレア反応は，通常血液の逆流が認められる。

(1) 静脈炎

静脈に沿って炎症が生じ，疼痛，発赤，腫脹，色素沈着が発現する。硬結，潰瘍の形成が起こ

ことがある。薬剤の細胞障害性，血液とのpH，浸透圧の差が静脈炎症を起こす原因となる。また，薬剤と血管の物理的接触が長くなることもリスクとなる。ダカルバジン，ビノレルビン，ゲムシタビン，エピルビシンなどの抗がん薬は静脈炎を起こしやすく，側管からの生理食塩液を同時滴下する希釈法やホットパックにより血管を拡張させて血流を増加させる温罨法で軽減する場合がある。

(2) フレア反応

局所の疼痛を伴わないアレルギー反応で，血管に沿って紅斑や蕁麻疹様症状が生じるが，経過観察により30分以内に消失することが多い。蕁麻疹は静脈に沿って起こり，掻痒感を伴うことが多い。

5-3 冷罨法と温罨法

冷罨法の作用メカニズムは，局所の血管収縮を引き起こすことで，薬剤を局在化させ，抗がん薬の破壊的な効果を不活化することである。一方，温罨法は局所の血管拡張を引き起こすことで，薬剤の配分と吸収を増加させることである。冷罨法は，起壊死性，炎症性抗がん薬の一部で推奨[8]されており，間欠的な冷却（1回15〜20分，1日4回程度，漏出後24時間）を行う。温罨法はビンアルカロイド系抗がん薬で用いられることがあるが，ヒアルロニダーゼ皮下注射（わが国では未承認）と併用での推奨[8]であり，温罨法のみの実施は根拠がない。なお，オキサリプラチンは，急性の末梢神経障害の誘発または悪化を招くため冷罨法を避ける。

5-4 副腎皮質ホルモン薬

副腎皮質ホルモン薬の局所皮下注射は，その抗炎症作用を期待して用いられることがあるが，有効とする報告もあれば逆に悪化させる報告があり，有効性に関しては明らかではない。ステロイド局所注射を投与した患者の46％でデブリードマンが必要になったが，局所注射をしなかった群は13％であったことが報告されている[7]。局所とはいえ，何度も針を刺すという侵襲的な行為であり，有効性を示す明らかな根拠はないため，実施は前記事項を踏まえ，各施設で慎重に検討する必要がある。また，副腎皮質ホルモン外用薬も抗炎症作用を期待して用いられることがあるが，報告はほかの治療法と併用でのものであり，有効性については明らかではない。外用薬の塗布は低侵襲的な行為であるため，患者に同意のうえ，使用を検討する。使用方法としては患部への1日3回の外用剤塗布が報告されている[14]。

5-5 解毒薬

1) デクスラゾキサン

デクスラゾキサンは2014年にアントラサイクリン系抗がん薬の血管外漏出に対して承認され，使用可能となった。血管外漏出後，原則として6時間以内にデクスラゾキサンを血管外漏出した腕とは反対の腕に速やかに投与開始し，初日・2日目に1,000mg/m^2，3日目に500mg/m^{2}を1〜2時間かけて3日連続で点滴静注する（用量は初日・2日目：2,000mg，3日目：1,000mgを上限とする）。腎排泄薬剤であるため，腎機能障害患者（クレアチニンクリアランス：40mL/min未満）で

は投与量を通常の半量とする。デクスラゾキサンの副作用として骨髄抑制，悪心，発熱などがあるが，アントラサイクリン系抗がん薬にも同様の副作用があり，重複している可能性も考えられる。またpHが低く，血管痛が生じることがあるため，注射用水で溶解後は乳酸リンゲル液での希釈が推奨される。

作用機序は①トポイソメラーゼⅡと結合し，DNA-トポイソメラーゼ複合体の形成を阻害，②DNA-トポイソメラーゼ複合体に結合し，DNA切断前の状態で安定化させることである。このように，デクスラゾキサンはトポイソメラーゼⅡ阻害作用を介してアントラサイクリン系抗がん薬の作用のひとつを阻害するが，レジメン全体の抗腫瘍効果への影響は少ないと考えられている。さらに海外においては，キレート薬としてアントラサイクリン系抗がん薬の心毒性予防[15]にも使用されている。

血管外漏出の発生頻度は低く，またデクスラゾキサンの効果はアントラサイクリン系抗がん薬に限られるため，各施設が高価な薬剤を院内採用として常時在庫することは難しい。しかし，血管外漏出発生6時間以内に可能な限り速やかに投与しなければならないため，迅速な判断と対応が求められる。そのため，医薬品卸売業者と連携し，迅速に納品される体制を構築しておく必要がある。

2）その他

海外で使用されているチオ硫酸塩，ジメチルスルホキシド（DMSO），ヒアルロニダーゼ，炭酸水素ナトリウムはいずれもわが国では保険適応外である[10]。アクリノール湿布については，有用性を示す報告はなく，アクリノールの副作用として塗布部の疼痛，発赤，腫脹，さらに潰瘍，壊死を生じることがあると添付文書に記載があるため，使用は勧められない。

5-6 外科的治療

保存的治療を行うも壊死や潰瘍形成に至った場合には，デブリードマンや皮膚移植などの外科的治療（手術）を行うこともあるが，時期や適応に関しては一定の見解はない。血管外漏出部の悪化や治癒遅延がある場合は，専門的知識を有する皮膚科医師へのコンサルトを行う。

❻ 確認と観察で早期発見を

血管外漏出は予防と早期発見が最も重要である。そのため，患者教育を行い，薬剤師を含む医療者がいかに患者へ積極的に声をかけ，確認と観察をできるかが重要となる。

【参考文献】

1) Laughlin RA et al：The management of inadvertent subcutaneous adriamycin infiltration. Am J Surg, 137(3):408-412, 1979
2) Rowinsky EK et al：Clinical toxicities encountered with paclitaxe(Taxol). Semin Oncol, 20(4 Suppl. 3):1-15, 1993.
3) Ajani JA et al：Taxol-induced soft-tissue injury secondary to extravasation: characterization by histopathology and clinical course. J Natl Cancer Inst, 86(1):51-53, 1994
4) Adami NP et al：Risk management of extravasation of cytostatic drugs at the Adult Chemotherapy Outpatient Clinic of a university hospital. J Clin Nurs, 14(7):876-882, 2005

5) Watanabe H et al：Protection against the extravasation of anticancer drugs by standardization of the management system. Hosp Pharm, 43(7):571-576, 2008
6) Jackson-Rose J et al：Chemotherapy Extravasation: Establishing a National Benchmark for Incidence Among Cancer Centers. Clin J Oncol Nurs, 21(4):438-445, 2017
7) Pérez Fidalgo JA et al：Management of chemotherapy extvasation: ESMO-EONS Clinical Practice Guidelines. Ann Oncol, 23(Suppl.7):167-173, 2012
8) Polovich M et al：Chemotherapy and Biotherapy Guidelines and Recommendations for Practice(3rd ed), Oncology Nursing Society, pp105-109, 2009
9) West Midlands Expert Advisory Group for Systemic Anti-Cancer Therapy：Guidelines for the Management of Extravasation of a Systemic Anticancer Therapy including Cytotoxic Agents. National Health Service-England, 2017
10) 日本がん看護学会　編：外来がん化学療法看護ガイドライン1抗がん剤の血管外漏出およびデバイス合併症の予防・早期発見・対処 2014年版. 金原出版, pp25-57, 2014
11) 西垣玲奈他：血管外漏出に注意すべき抗がん剤. 月刊薬事, 51(13):1963-1966, 2009
12) Shapiro J et al：Paclitaxel-induced "recall"soft tissue injury occurring at the site of previous extravasation with subsequent intravenous treatment in a different limb. J Clin Oncol, 12(10):2237-2238, 1994
13) de Wit M et al：Management of cytotoxic extrasation-ASORS expert opinion for diagnosis, prevention and treatment. Onkologie, 36(3):127-135, 2013
14) Uña E et al：Drug extravasation: a dreaded complication. BMJ Case Rep, 2009:bcr09, 2009
15) Averbuch SD et al：Experimental chemotherapy-induced skin necrosis in swin. Mechanistic studies of anthracycline antibiotic toxicity and protection with a radical dimer compound. J Clin Invest, 81(1):142-148, 1988

（龍島　靖明）

第5章 支持療法

8 末梢神経障害

1 概要

がん薬物療法施行時に発現する末梢神経障害（chemotherapy-induced peripheral neuropathy：CIPN）は，手足のしびれ感，疼痛などの異常感覚が出現し発症する。薬剤の1回投与量や総投与量に相関して出現しやすく，生命を脅かす症状ではないものの，日常生活に支障を来し，QOL（quality of life）を大きく低下させる副作用である。発生頻度は抗がん薬により異なるが，化学療法終了3カ月後でも約60％の患者に症状が残存しており，6カ月以降でも約30％の患者が未回復であると報告されている[1]。症状が進行すると，原因薬剤の投与を中止しても症状の回復が不十分なこともあるため，早期からのモニタリングが重要となる。

2 発症機序

CIPNの発症機序は抗がん薬により異なり，①軸索障害，②神経細胞体障害，③髄鞘障害に分類される[2]（図）。

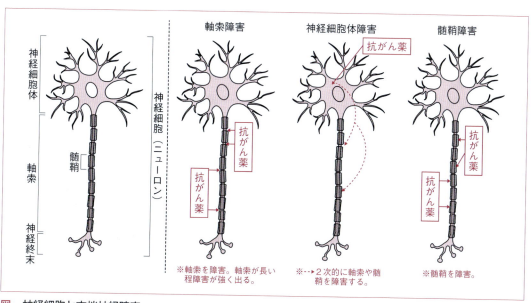

図　神経細胞と末梢神経障害

1）軸索障害

　最も多くみられる機序要因は軸索障害であり，末梢神経の軸索が障害を受けることで発生する[2]。軸索が長い方がより障害を受けやすいため，軸索の長い末梢神経に症状が出やすくなる。二次的に髄鞘が障害される場合もあるが，神経細胞体は障害されにくいため，抗がん薬の早期中止により症状回復が期待できる。

　微小管阻害薬は，軸索に存在する微小管を阻害して軸索障害を起こす。そのため，ビンカアルカロイド系・タキサン系微小管阻害薬で出現しやすい[2]。

2）神経細胞体障害

　神経細胞体障害は，神経細胞体が障害され二次的に軸索や髄鞘が障害される[2]。神経細胞全体が障害されるため，軸索の長短にかかわらず発現する。そのため，体や顔などに発現し，抗がん薬中止後も症状が継続することがある。

　オキサリプラチンやシスプラチン，カルボプラチンなどの白金製剤で起こりやすい。

3）髄鞘障害

　髄鞘障害は，インターフェロンなどT細胞系の免疫賦活化作用により髄鞘が障害される[2]。軸索や神経細胞は障害されにくく，原因薬剤の中止により回復する。

③ 症状

　CIPNの症状は感覚神経系，運動神経系，自律神経系の症状に分類される。CTCAEのv5.0における末梢神経障害のGrade分類を**表1**に示す。

1）感覚障害

　四肢のしびれ感や痛みなどの感覚異常によって出現する。四肢のしびれ感や疼痛，錯感覚，手袋・靴下型の感覚異常（触覚，温痛覚・振動覚などの感覚鈍麻や異常感覚）が出現する。

2）運動障害

　四肢の感覚異常に加え，進行すると筋萎縮と筋力低下や腱反射の低下や消失が出現する。

表1　CTCAE v5.0　末梢神経障害

CTCAE v5.0 Term 日本語	Grade 1	Grade 2	Grade 3	Grade 4	Grade 5
末梢性運動ニューロパチー	症状がない；臨床所見または検査所見のみ	中等度の症状；身の回り以外の日常生活動作の制限	高度の症状；身の回りの日常生活動作の制限	生命を脅かす；緊急処置を要する	死亡
末梢性感覚ニューロパチー	症状がない	中等度の症状；身の回り以外の日常生活動作の制限	高度の症状がある；身の回りの日常生活動作の制限	生命を脅かす；緊急処置を要する	―

〔有害事象共通用語規準 v5.0 日本語訳 JCOG版より（JCOGホームページ http://www.jcog.jp）〕

3）自律神経障害

排尿障害，発汗障害，徐脈性不整脈，起立性低血圧などが出現する。

④ CIPNが起こりやすい抗がん薬

ビンクリスチンなどのビンカアルカロイド系微小管阻害薬，パクリタキセルなどのタキサン系微小管阻害薬，シスプラチンなどの白金製剤，分子標的治療薬のボルテゾミブ，ブレンツキシマブ ベドチンで出現しやすい。

CIPNが起こりやすい薬剤の分類および名称を**表2**に示す。

4-1　ビンカアルカロイド系微小管阻害薬

1）ビンクリスチン

四肢の感覚障害，痛覚や触覚障害がみられ，症状が進行すると疼痛や運動障害も伴う。ビンクリスチンが末梢神経の微小管と結合し，チュブリンの重合が阻害され，軸索変性が起こることで末梢神経障害が発現すると考えられている。総投与量に相関性があり，成人では総投与量5～6mgで症状が発現する。小児では耐用量が高いが，年長児は影響を受けやすい。肝障害患者では薬剤の代謝，排泄遅延により発現頻度が増加すると報告されている[3]。

2）ビンブラスチン，ビンデシン

ビンクリスチンと同様の症状が出現するが，発症頻度は低いと報告されている[4]。

4-2　タキサン系微小管阻害薬

1）パクリタキセル

四肢の感覚異常や灼熱感，足底部の感覚異常，腱反射消失がみられる。パクリタキセルがチュブリンに結合し，非可逆性に微小管重合を促進し，軸索障害が起こることで出現すると考えられている。1回投与量と総投与量に相関する。蓄積性があり，進行すると徐脈性不整脈などの自律神経症状が起こる場合もある[5]。

2）ドセタキセル

パクリタキセルと同様の症状が出現するが，発症頻度は低いと報告されている[6]。

表2　末梢神経障害の要因となる抗がん薬

ビンカアルカロイド系微小管阻害薬	ビンクリスチン，ビンブラスチン，ビンデシン
タキサン系微小管阻害薬	パクリタキセル，ドセタキセル
白金製剤	シスプラチン，オキサリプラチン，カルボプラチン
分子標的治療薬	ボルテゾミブ，ブレンツキシマブ ベドチン

4-3 白金製剤

1）シスプラチン

　四肢遠位に発現するしびれ感で発症し，疼痛，異常感覚が広がり，不可逆性となる。腱反射が消失し，深部感覚も障害されることがある。シスプラチンが神経細胞と結合しDNA合成を阻害し，神経細胞のアポトーシスが起こることで出現すると考えられている。総投与量が増加するにつれ症状が出現しやすく，250〜500mg/m^{2}になると神経毒性により腱反射や深部感覚が低下する。高音域の聴力障害や耳鳴の聴神経障害も用量依存的に出現しやすく，1回投与量が80mg/m^2，総投与量が300mg/m^{2}を超えると出現しやすい。投与中止後でも数週間は進行性に悪化することがある。また，投与中止後も症状が悪化するコースティングがみられることが報告されている[7]。

2）オキサリプラチン

　投与直後より出現する急性の神経障害と，慢性の神経障害に分類される。

　急性症状は投与直後から数日間持続する。寒冷刺激によって惹起され，四肢や口唇周囲部の異常感覚や咽頭・喉頭の絞扼感がみられる。神経細胞の細胞膜にてoxalateとカルシウムがキレートを形成し，Naチャネル流入を阻害することが要因と考えられている。ほぼ全例に症状が出現するが，数日で消失する。

　慢性症状はシスプラチンと類似した症状で，総投与量が800mg/m^{2}を超えると出現しやすく，四肢末梢のしびれ感，感覚低下，腱反射の低下などが出現する。神経細胞にオキサリプラチンが蓄積し，細胞の代謝や軸索原形質輸送が障害されることにより発現すると考えられている。症状が高度になると感覚性運動失調を呈することもある。薬剤中止により80％の症例では一部症状の改善がみられるが，数カ月から数年症状が継続することもある。シスプラチンと同様にコースティングがみられることもあるが，発症機序やリスク因子は明らかとなっていない[8]。

3）カルボプラチン

　カルボプラチンによるCIPNは，シスプラチンやオキサリプラチンに比べ発症頻度は低い[9]。

4-4 分子標的治療薬

1）ボルテゾミブ

　四肢のしびれ感，疼痛が発症する。腱反射が消失し，深部感覚も障害される。運動機能も障害されるが，軽度であることが多い。ユビキチン化した蛋白が神経細胞体に蓄積し軸索変性が起こり，軸索輸送が阻害されることにより出現すると考えられている。用量依存性で累積投与量と相関し5コース目までの早期での出現例が多いことが報告されている[10]。ほとんどの症例で可逆性を示し，用量調節により回復するが，重症化すると不可逆的になることがあるため，早期発見，早期対応が重要となる。Grade4の末梢神経障害が発現した場合は投与を中止する。

2）ブレンツキシマブ ベドチン

　抗悪性腫瘍成分であるモノメチルアウリスタチンE（MMAE）が強力な微小管阻害作用を有して

おり，これが神経細胞の微小管に作用し軸索障害が起こることで末梢神経障害が出現すると考えられている。

5 対処方法

　Grade1では経過観察，Grade2以上の症状出現時には薬物療法が臨床で用いられることがあるが，予防方法や治療法は確立されていない。Grade3以上へ増悪の場合は，要因と考えられる抗がん薬の減量や中止が考慮される。また，症状に応じ，QOLを低下させないように日常生活についての指導を行う。

1）薬物療法
　デュロキセチン，ビタミンB_{12}，プレガバリン，漢方薬の使用[11〜13]などが試みられているが，確立した薬物療法はない。CIPNに対する薬物療法について表3に示す。

2）日常生活の指導[11]
　エビデンスに基づくものではないが，臨床で行われている指導について記載する。

(1) 手足の末梢循環の改善を目的とした指導
　末梢循環を改善させ症状の悪化を防ぐこと期待して行う。
　①手足を手袋や靴下で保温する。
　②手足の運動，マッサージなどを無理のない範囲で行う。
　③締め付けの強いものは血流循環を妨げるため避ける。

(2) 転倒，外傷（やけどなど）の対策についての指導
　感覚神経障害，運動神経障害により転倒やけが（やけど）などをしやすくなるため注意する。

表3　CIPNに対して使用される薬剤

薬剤名	添付文書による適応	使用される背景，モニタリング項目等
デュロキセチン	うつ病・うつ状態，糖尿病性末梢神経障害に伴う疼痛，線維筋痛症に伴う疼痛，慢性腰痛症，変形性関節症に伴う疼痛	白金やタキサン系微小管阻害薬終了後に末梢神経障害が出現した患者に対して大規模盲検ランダム化比較試験が実施され，有意に症状が改善したことが示されている[*1]。 薬物間相互作用や眠気，倦怠感，悪心等の副作用に注意が必要。
プレガバリン	神経障害性疼痛，線維筋痛症に伴う疼痛	帯状疱疹後神経痛，糖尿病性末梢神経障害性疼痛に対して効果が示されているが，CIPNに対して大規模盲検ランダム化比較試験は行われていない。 眠気，浮腫などの副作用に注意が必要。
ミロガバリン	末梢性神経障害性疼痛	
ビタミンB_{12}製剤	末梢性神経障害	末梢性神経障害に対する適応があり，有害事象が少ないため臨床使用される。 CIPNに対する有効性を示した大規模盲検ランダム化比較試験は存在しない。
牛車腎気丸	下肢疼痛，腰痛，しびれ，老人のかすみ目，かゆみ，排尿困難，頻尿，むくみ	オキサリプラチンを含む少数例の非盲検試験では末梢神経障害の出現を有意差をもって改善したことが示されている[*2]が，大規模盲検ランダム化比較試験で有効性を示した試験は存在しない。

〔各医薬品添付文書，＊1）Smith EM et al：JAMA, 309(13):1359-1367, 2013，＊2）Nishioka M et al：Int J Clin Oncol, 16(47):322-327, 2011 をもとに作成〕

①階段や段差の昇降に気をつける。
②つまずきやすい物を置かない。
③歩きやすい履物を使用する。
④熱い調理器具を使用するときは鍋つかみなどを使用する。

(3) オキサリプラチン急性神経障害の対策についての指導

オキサリプラチン投与時は寒冷刺激が症状を悪化させるため注意する。
①冷たいものに触れるときは手袋をする。
②水仕事にはなるべくお湯を使用する。
③冷房の冷気に直接触れないようにする。

【参考文献】

1) Seretny M et al：Incidence, prevalence, and predictors of chemotherapy-induced peripheral neuropathy: A systematic review and meta-analysis. Pain, 155(12):2461-2470, 2014
2) 厚生労働省：重篤副作用疾患別対応マニュアル 末梢神経障害（平成21年5月），2009（http://www.mhlw.go.jp/topics/2006/11/dl/tp1122-1c13.pdf）（2022年6月閲覧）
3) Perry MC et al：The Chemotherapy Source Book (1st Ed). Williams & Wilkins, p.362, 1992
4) 江頭伸昭 他：抗がん剤による末梢神経障害の治療薬の現状．日薬理誌，136(5):275-279, 2010
5) Postma TJ et al：Paclitaxel-induced neuropathy. Ann Oncol, 6(5):489-494, 1995
6) Hilkens PH et al：Peripheral neurotoxicity induced by docetaxel. Neurology, 46(1):104-108, 1996
7) Mollman JE et al：Unusualpresentarion of cis-platinum neuropathy. Neurology, 38(3):488-490, 1988
8) Choi J et al：Delayed oxaliplatin-associated neurotoxicity following adjuvant chemotherapy for stageIII colon cancer. Anticancer Drugs, 17(1):103-105, 2006
9) McWhinney SR et al：Platinum neurotoxicity pharmacogenetics. Mol Cancer Ther, 8(1)10-16, 2009
10) Richardson PG et al：Reversibility of symptomatic peripheral neuropathy with bortezomib in the phase III APEX trial in relapsed multiple myeloma: impact of a dose-modification guideline. Br J Haematol, 144(6):895-903, 2009
11) 日本がんサポーティブケア学会 編：がん薬物療法に伴う末梢神経障害マネジメントの手引き 2017年版，金原出版，2017
12) Smith EM et al：Effect of duloxetine on pain, function and quality of life among patients with chemotherapy-induced painful peripheral neuropathy: a randomized clinical trial. JAMA, 309(13):1359-1367, 2013
13) Nishioka M et al：The Kampo medicine, Goshajinkigan, prevents neuropathy in patients treated by FOLFOX regimen. Int J Clin Oncol, 16(47):322-327, 2011

（小倉　敬史）

9-1 過敏反応・インフュージョンリアクション

1 概要

　抗がん薬による過敏反応（hypersensitivity reaction：HSR）とインフュージョンリアクション（infusion reaction：IR）は，薬剤毒性プロファイルからの予想が困難な非特異的反応であり，重篤になるとアナフィラキシーショックを発症し生命に関わることもある緊急度の高い有害事象である（図）[1]。一部の経口抗がん薬においても遅発性の過敏反応の頻度が高いものがあるが，今回は急性に発症し，迅速な対応と適切な管理が重要となる点滴静注用の抗がん薬を中心に解説する。

2 発症機序

2-1　過敏反応（同義語：アレルギー反応）

1）過敏反応の発症機序

　過敏反応は，薬剤投与によって主に免疫系の異常反応が生じた状態である。その発症機序によりIgE抗体が介在する即時型（I型）アレルギー反応と，IgE抗体が介在しない反応に区別される。いずれの病態においても，免疫系のマスト細胞および好塩基球から放出された化学伝達物質のヒスタ

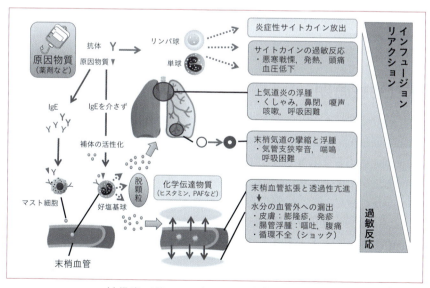

（中根 実：がんエマージェンシー，医学書院，p.44-71，2015をもとに作成）
図　過敏反応とインフュージョンリアクションの病態と症候

ミンや血小板活性化因子（PAF）等が反応して，血管透過性亢進と気管支の攣縮等が生じる。過敏反応における発熱は，薬剤と免疫系細胞が反応し炎症性サイトカインが増加することが原因と考えられている（図）。

2）IgE抗体の介在する発症の原因となる薬剤

発症にIgE抗体が介在する薬剤の代表は白金製剤である。原因薬剤の繰り返し投与によって，その薬に結合するIgE抗体が産生される。再投与によってIgE抗体と薬剤が結合すると，マスト細胞や好塩基球からヒスタミンなどの化学伝達物質を含んだ顆粒が放出されて，急速にアナフィラキシー症状が出現する。よって，カルボプラチン，オキサリプラチンでは，投与5〜8回目前後での頻度が高い。

3）IgE抗体の介在しない発症の原因となる薬剤

一方，IgE抗体が介在しない薬剤には，タキサン系薬剤，エトポシド，リポソーム化ドキソルビシン，テムシロリムスがある。これら薬剤に含まれる添加剤（ポリオキシエチレンヒマシ油やポリソルベート80など）が過敏反応の発症に関与していると考えられている。薬剤の投与に伴って免疫系の補体が活性化されると，IgE抗体を介さずにマスト細胞や好塩基球から化学伝達物質が放出されて過敏反応が発症する。また，一部の薬剤は補体の関与もなくマスト細胞や好塩基球を直接刺激するため，初回投与時から過敏反応を発生することもある。実際にタキサン系薬剤では，初回投与時での頻度が高い。

2-2　インフュージョンリアクション（同義語：サイトカイン放出症候群）

主にモノクローナル抗体薬の投与時に認められるインフュージョンリアクションの発症機序は，薬剤投与によって刺激を受けた単球やリンパ球からTNF-α，IL-6などの炎症性サイトカインが放出されることによって，発熱，呼吸困難感などの症状を出現すると考えられている[2]。しかし，詳細な機序については不明な点も多い。

3 症状と発症時期

前述のように過敏反応とインフュージョンリアクションの病態と発症機序は異なる。しかし，これらは発熱など類似した症状を認めることも多く，混合して発現することもあるため，実臨床でこれらを明確に区別することは困難である（表1）。さらに，抗がん薬とモノクローナル抗体薬はいずれも重症化するとアナフィラキシーを起こしてショック状態となることがあり[3]，十分に注意する必要がある。主な抗がん薬のインフュージョンリアクションの発症時期を表2に示す。また，過敏反応とインフュージョンリアクションに関連する有害事象共通用語規準v5.0日本語訳JCOG版（CTCAE v5.0-JCOG）のGrade分類を表3に示す。

表1 原因物質と発症機序からみたアナフィラキシーの分類および対処法

原因物質	・環境アレルゲン ・食物アレルゲン ・抗がん薬（白金製剤，タキサン系等） ・モノクローナル抗体薬 ・抗菌薬 ・その他薬剤 ・ハチ毒	・抗がん薬（オキサリプラチンを含む） ・モノクローナル抗体薬	・抗がん薬 ・モノクローナル抗体薬	・造影剤 ・バンコマイシン ・過硫酸化コンドロイチン硫酸 ・グリコサミノグリカン ・透析膜
フェノタイプ（表現型）	IgE介在性（I型）／非IgE介在性	サイトカイン放出	混合型	補体の活性化／非補体介在性
エンドタイプ（病態生理に基づく分類）	マスト細胞／好塩基球	T細胞／単球／マクロファージ	T細胞／単球／マクロファージ＋マスト細胞／好塩基球	マスト細胞／好塩基球
バイオマーカー	☆ヒスタミン，★トリプターゼ	★TNF-α，★IL-6，★IL-1β	★TNF-α，★IL-6，★IL-1β ☆ヒスタミン，★トリプターゼ	☆ヒスタミン，★トリプターゼ
主な症状	潮紅，瘙痒感，蕁麻疹，咽喉絞扼感，呼吸困難，背部痛，悪心，嘔吐，下痢，心血管虚脱	悪寒／戦慄を伴う発熱，悪心，疼痛，頭痛，血圧低下，酸素飽和度（SpO₂）低下	悪寒／戦慄を伴う発熱，悪心・嘔吐，下痢，疼痛，頭痛，潮紅，瘙痒感，蕁麻疹，咽喉絞扼感，呼吸困難，心血管虚脱	血圧低下，酸素飽和度（SpO₂）低下
治療	速やかにアドレナリンを投与			
脱感作	可能	症例に応じて考慮	症例に応じて考慮	不可

〔Castells M：J Allergy Clin Immunol, 140(2):321-333, 2017をもとに作成〕

3-1 過敏反応の症状と発症時期

過敏反応の主な症状は発熱，瘙痒感，くしゃみ，咽頭不快感，鼻閉等である．聴診では気管支狭窄音が聴取されることが多い．急激に悪化すると，悪寒と発熱とともに，喘鳴を伴う呼吸困難，苦悶様の体動，SpO₂の低下，血圧低下，意識障害等の兆候が出現して心肺機能が不安定となり，ショック状態に進行することがある．

一般的に点滴開始から30分以内に発症することが多い．発症時期は薬剤によって異なり，初回から数回投与後に発症するものまでさまざまである（表2）．

また，ゲムシタビンやベンダムスチンのように，点滴後数日～数週間経過して皮疹や瘙痒感を主体とした過敏反応様症状を認める薬剤もある．

3-2 インフュージョンリアクションの症状と発症時期

インフュージョンリアクションの症状は，悪寒，戦慄，発熱とともに，頭痛，倦怠感が生じる．

表2 主な抗がん薬の過敏反応・インフュージョンリアクションの発症時期

薬剤	頻度（全Grade）	発症しやすい時期
パクリタキセル	2～40 %	初回（特に1時間以内）
ドセタキセル	1～30 %	初回～2回目（投与数分）
カルボプラチン	1～10 %	5回目以降（6～8回目に多い）
オキサリプラチン	5～12 %	5回目以降（6～8回目に多い）
ゲムシタビン	1～10 %（発疹，瘙痒感）	投与2～10日経過後
	頻度不明，～20 %（発熱）	投与日～7日経過後
ベンダムスチン	1～10 %（発疹，瘙痒感）	投与数日～数週間経過後
テムシロリムス	0.5～5 %	初回（投与24時間以内）
セツキシマブ	1～20 %	初回（重症例は初回投与に多い）
トラスツズマブ	1～40 %	初回（40 %：投与24時間以内）
		過敏反応（3 %）
リツキシマブ	10～80 %	初回（77 %）
		4回目（30 %）
		8回目（14 %）

表3 CTCAE v5.0 過敏反応，アナフィラキシー

CTCAE v5.0 Term 日本語	Grade 1	Grade 2	Grade 3	Grade 4	Grade 5
アレルギー反応	全身的治療を要さない	内服治療を要する	気管支痙攣；続発症により入院を要する；静脈内投与による治療を要する	生命を脅かす；緊急処置を要する	死亡
アナフィラキシー	―	―	蕁麻疹の有無によらず症状のある気管支痙攣；非経口的治療を要する；アレルギーによる浮腫/血管性浮腫；血圧低下	生命を脅かす；緊急処置を要する	死亡
サイトカイン放出症候群	全身症状の有無は問わない発熱	輸液に反応する低血圧；<40 %の酸素投与に反応する低酸素症	昇圧剤単剤で管理できる低血圧；≧40 %の酸素投与を要する低酸素症	生命を脅かす；緊急処置を要する	死亡
注入に伴う反応	軽度で一過性の反応；点滴の中断を要さない；治療を要さない	治療または点滴の中断が必要．ただし症状に対する治療（例：抗ヒスタミン薬，NSAIDs，麻薬性薬剤，静脈内輸液）には速やかに反応する；≦24時間の予防的投薬を要する	遷延（例：症状に対する治療および/または短時間の点滴中止に対して速みやかに反応しない）；一度改善しても再発する；続発症により入院を要する	生命を脅かす；緊急処置を要する	死亡

〔有害事象共通用語規準 v5.0 日本語訳 JCOG版より（JCOGホームページhttp://www.jcog.jp）〕

ミニコラム⑤アナフィラキシーとアナフィラキシー様症状

　以前はIgE抗体が介在する症状を「アナフィラキシー」，IgE抗体が介在しない症状を「アナフィラキシー様症状」として区別していた．しかし，現在はIgE抗体の介在の有無にかかわらず「アナフィラキシー」と称される[1]．

【参考文献】
1) 厚生労働省: 副作用名「アナフィラキシー」について. 医薬品・医療機器安全性情報, No299, pp21-23, 2013

腫瘍部分の疼痛を伴うこともある。重篤化すると過敏反応に類似したアナフィラキシー症状を伴うことがある。

発症時期は，主に初回投与時の点滴開始から30分〜24時間以内が多い。薬剤によって頻度や好発時期は異なり，トラスツズマブでは点滴開始2〜24時間以内の発熱が多い。一方，リツキシマブでは点滴開始30分後から2時間以内（特に点滴速度の加速後）の発症が多い。

4 原因となりうる薬剤（抗がん薬など）

4-1 細胞障害性抗がん薬

白金製剤，タキサン系，L-アスパラギナーゼ，シタラビン等では過敏反応の発症頻度が比較的に高い。メトトレキサートやエトポシド等の一部の薬剤では，投与量や年齢によって発症頻度に違いがあることが知られている。

一方，シクロホスファミド，フルオロウラシル（5-FU），ビンクリスチン，ドキソルビシン等のアントラサイクリン系薬剤等では比較的に低いとされている（表4）。しかし，これら発症頻度の低い薬剤においても，重篤なアナフィラキシーを認めた報告があるため，原則，すべての薬剤で注意する必要がある[4]。

4-2 モノクローナル抗体薬

モノクローナル抗体薬によるインフュージョンリアクションは，その分子構造上のマウス由来蛋白の含有率が多いキメラ抗体で頻度が高く，100％ヒト由来蛋白であるヒト抗体では低いと考えられていた。しかし，近年多くの抗体薬が登場する中で，オファツムマブやダラツムマブのようにインフュージョンリアクションの頻度が高いヒト抗体薬もある〔オファツムマブIR発症率（全Grade）：日韓共同第I/II相100％，海外第II相49％，ダラツムマブ点滴静注時IR発症率（全Grade）：国際共同第III相77.4％，海外第III相64.2％，ダラツムマブ皮下注時IR発症率（全Grade）：国際共同第III相25.8％〕。

よって，抗体薬の分子構造の特徴（表5）のみからインフュージョンリアクションのリスクを判断することはできず，個々の薬剤に応じて必要な予防薬の投与，適切な投与速度の管理を行う必要がある。

5 対処方法

5-1 予防対策と事前準備

薬剤ごとに予防薬（抗ヒスタミン薬，副腎皮質ホルモン薬等）や投与量，投与時の点滴速度が決められている（表6）。個々の薬剤に応じた適切な予防対策を確実に実施することが重要である。

また，過敏反応とインフュージョンリアクションの頻度が高い薬剤は，「入院で投与する」，「点滴ルートは緊急対応可能な接続にする」，「過敏反応の発症時には即時対応できる救急セットを準備する」等，発症リスクの高い薬剤と患者の情報を多職種で共有し，施設ごとに適正な抗がん薬の投

表4 過敏反応に注意が必要な細胞障害性抗がん薬

高頻度（比較的多い）		低頻度（比較的稀）
パクリタキセル ドセタキセル L-アスパラギナーゼ ブレオマイシン シスプラチン カルボプラチン オキサリプラチン	シタラビン メトトレキサート（特に大量投与時） エトポシド（特に小児） ゲムシタビン ベンダムスチン リポソーム化ドキソルビシン　等	イホスファミド シクロホスファミド ダウノルビシン ドキソルビシン ミトキサントロン ビンクリスチン フルオロウラシル（5-FU） マイトマイシン メルファラン　　　　等

表5 モノクローナル抗体薬の分子構造上の特徴と薬剤

種類	マウス抗体 ［～オ(モ)マブ］	キメラ抗体 ［～キシマブ］	ヒト化抗体 ［～ズマブ］	ヒト抗体 ［～ウ(ム)マブ］
分子構造				
■ マウス由来	100 %	約 30 %	約 10 %	0 %
■ ヒト由来	0 %	約 70 %	約 90 %	100 %
主な薬剤	・イブリツモマブ ・トシツモマブ	・リツキシマブ ・セツキシマブ ・ブレンツキシマブ 　ベドチン	・トラスツズマブ ・アレムツズマブ ・エロツズマブ ・ペルツズマブ ・ベバシズマブ ・ペムブロリズマブ	・パニツムマブ ・オファツムマブ ・ダラツムマブ ・ラムシルマブ ・イピリムマブ ・ニボルマブ

与管理に取り組むことが重要となる。

5-2 発症時の対応

過敏反応やインフュージョンリアクションを発症した場合は、速やかな対応が必要である（表7）。

1）軽症～中等症（Grade1～2）

まずは、被疑薬の投与を一時中断する。その後、経過観察のみで症状が改善した場合は、点滴速度を緩徐にして再開することで治療継続が可能なことも多い。症状の改善を認めない場合は、抗ヒスタミン薬、副腎皮質ホルモン薬を投与し、状況に応じて治療継続の可否を判断する。

2）重症・アナフィラキシー（Grade3以上）

重篤な症状、および、アナフィラキシー症状を発現した場合、速やかに被疑薬の投与を中止し、以下のアナフィラキシーの初期対応[5]を行う。

(1) 被疑薬の投与中止
　　抗がん薬が含まれる点滴ルートを外し、ルート内残存の薬液を吸引除去
(2) バイタルサインの確認

表6 各抗がん薬の過敏反応・インフュージョンリアクション予防対策

分類		薬剤名	予防薬としての前投薬の設定				用法・用量の設定	
			抗ヒスタミン薬（H₁受容体拮抗薬）	H₂受容体拮抗薬	副腎皮質ホルモン薬	解熱鎮痛薬	低用量から開始，段階的に増量	緩徐な点滴速度から開始，段階的に加速
タキサン系		パクリタキセル	●	●	●	―	―	―
		カバジタキセル	●	●	●	―	―	―
アントラサイクリン系		リポソーム化ドキソルビシン	―	―	―	―	―	（1mg/分）
mTOR阻害薬		テムシロリムス	●	―	―	―	―	―
モノクローナル抗体薬	キメラ抗体	イサツキシマブ	●	●	●	●	―	●
		セツキシマブ	●	―	▲	―	―	●
		セツキシマブ サロタロカンナトリウム	●	―	●	―	―	―
		リツキシマブ	●	―	▲	●	―	●
		ブレンツキシマブ ベドチン	―	―	―	―	―	―
	ヒト化抗体	アテゾリズマブ	―	―	―	―	―	●
		アレムツズマブ	●	―	▲	●	●	―
		イノツズマブ オゾガマイシン	▲	―	▲	▲	―	―
		エロツズマブ	●	●	●	●	―	●
		オビヌツズマブ	●	―	▲	●	―	●
		ゲムツズマブ オゾガマイシン	●	―	▲	●	―	―
		トラスツズマブ	―	―	―	―	―	●
		トラスツズマブ エムタンシン	―	―	―	―	―	●
		トラスツズマブ デルクステカン	―	―	―	―	―	●
		ベバシズマブ	―	―	―	―	―	●
		ペムブロリズマブ	―	―	―	―	―	―
		ペルツズマブ	―	―	―	―	―	●
		モガムリズマブ	■	―	■	■	―	―
	ヒト抗体	アベルマブ	●	―	―	●	―	―
		オファツムマブ	●	―	●	●	―	―
		ダラツムマブ	●	―	●	●	―	●（静注時）
		デュルバルマブ	―	―	―	―	―	―
		ニボルマブ	―	―	―	―	―	―
		ネシツムマブ	―	―	―	―	―	―
		パニツムマブ	―	―	―	―	―	―
		ラムシルマブ	▲	―	―	―	―	●
二重特異性抗体		ブリナツモマブ	―	―	●	―	●	―
プロテアソーム阻害薬		カルフィルゾミブ	―	―	▲	―	●	―
VEGF阻害薬		アフリベルセプト ベータ	―	―	―	―	―	―

●：予防投与or対応の規定あり　■：薬剤選択の指定なし　▲：必要に応じて考慮

表7 重症度別の過敏反応・インフュージョンリアクション対応の例

重症度	過敏反応	インフュージョンリアクション	再投与と治療継続
軽症 Grade1	①投与中断 ②症状消失後 　点滴速度を減じて投与再開し，段階的に速度を戻す ③症状遷延，再燃，悪化する場合 　中等症（Grade2）の対応に準じる	①点滴速度を半分以下に減速または，投与中断	●投与中の観察を強化し，通常どおり投与 ●再燃が懸念される場合は，以下を考慮 　・点滴速度を減じる 　・抗ヒスタミン薬等の投与
中等症 Grade2	①投与中断 ②以下の治療薬を投与 　・抗ヒスタミン薬 　・副腎皮質ホルモン薬等 ③症状消失後 　点滴速度を減じて投与再開し，段階的に速度を戻す ④症状遷延，再燃，悪化する場合 　重症（Grade3）の対応に準じる		●治療継続による有益性がある場合 　投与中の観察を強化し，以下の対応を検討 　・点滴速度を減じる 　・前投薬，予防薬の強化（抗ヒスタミン薬，H_2受容体拮抗薬，副腎皮質ホルモン薬等） 　・脱感作法による投与 ●再燃・悪化する場合は，治療中止を考慮
重症 Grade3以上	①投与中止 ②アナフィラキシーの緊急対応を行う 　（バイタルサイン確認，アドレナリン投与・酸素投与・大量輸液投与等）		●再投与は禁忌

(3) 助けを呼ぶ。可能であれば救急担当医，院内蘇生チームで対応する
(4) 速やかにアドレナリン0.01mg/kgを大腿外側に筋肉注射
　　［アドレナリン最大投与量］成人：0.5mg，小児：0.3mg
　　必要に応じて5〜15分ごとに再投与
(5) 患者を仰臥位にし，両下肢を30cm程度挙上
(6) 酸素投与。必要に応じて，高流量（6〜8L/分）の酸素投与
(7) 大量輸液（成人：5〜10mL/kg，小児：10mL/kgの生理食塩液を5〜10分で投与）
　　大量輸液として0.9％生理食塩液1〜2Lを投与する。そのうち，初めの5〜10分間で5〜10mL/kgを投与
(8) 心肺蘇生。必要に応じて胸部圧迫法で心肺蘇生を行う
(9) バイタルサイン測定。頻回かつ定期的に血圧，脈拍，呼吸状態，酸素化を評価
(10) その他症状経過と必要に応じて以下の薬剤投与を検討する
　　①抗ヒスタミン薬の静脈注射
　　　・H_1受容体拮抗薬：ジフェンヒドラミンなど
　　②副腎皮質ホルモン薬：プレドニゾロン，メチルプレドニゾロン，ヒドロコルチゾンなど
　　③気管支拡張薬（アドレナリンに反応不良な気管支攣縮）

5-3 再投与と治療継続

軽症〜中等症の場合には，その抗がん薬による治療継続の有益性とリスクを評価する必要がある。治療継続の有益性が高い場合は，次回より投与時の過敏反応を予防する目的で，前投薬の強化や脱感作[6, 7]による投与等を検討する。ただし，これら対策による再発抑制の成功率は必ずしも高くはなく，再投与時には十分な観察が必要である。また，Grade3以上の重篤な症状やアナフィラキシ

表8 過敏反応・インフュージョンリアクションのリスク因子

・女性
・高齢者
・薬剤の過量投与
・リンパ球数 25,000/mm^3 以上(リンパ腫,白血病)
・ヨード,または,魚介類アレルギー
・薬剤アレルギー,または,前回投与時に即時型過敏反応の既往あり
・以前に原因薬剤の曝露あり
・心機能,肺機能低下患者
・喘息の診断,アトピー性疾患の既往あり
・自己免疫性疾患の合併
・β遮断薬の併用
・未治療での新規診断
・造血器腫瘍(特にマントル細胞リンパ腫,慢性リンパ性白血病,小リンパ球性リンパ腫)

〔Vogel WH:Clin J Oncol Nurs, 14(2):E15, 2010 をもとに作成〕

ーショックを認めた場合は治療を中止し,再投与は行わないことが原則である。

5-4 リスク因子

牛肉アレルギーの既往のある患者ではセツキシマブのアナフィラキシーの発症リスクが高いことが知られている[8]。治療開始前に薬物アレルギー歴,および,食物や金属アレルギーの既往を患者に聴取しておくことは重要である(表8)。

リツキシマブでは,「腫瘍量の多さ」,「脾腫の合併」,「心機能低下」,トラスツズマブでは「心肺機能低下」[1]や「肥満(BMI≧30)」,「がんの進行度(StageⅣ)」,「前投薬なし」[9]が発症のリスク因子とされており,個々の患者の過敏反応,インフュージョンリアクションの発症リスクを事前に把握しておく必要がある。また,白金製剤では投与ごとに皮内テストを行うことで過敏反応を予測できるという報告もある[10),11)]。しかし,安全性や実用性の問題から現時点では推奨できない。また,過敏反応やインフュージョンリアクションのリスク因子が特定されている薬剤は限られており,各施設での実用性と安全性,有用性を含めて総合的に判断する必要がある。

6 適切な予防対策の実施と緊急時の準備の重要性

抗がん薬による過敏反応やインフュージョンリアクションを適切に対応するためには,各薬剤の特徴と発症リスクを把握したうえで適切な予防対策を確実に実施する必要がある。また,緊急時に必要な薬剤は事前に準備を行い,アナフィラキシー発症時対応をマニュアル化するなど,多職種からなる医療チームで患者の情報を共有し,症状の早期発見,早期対応を行うことが重要である。

【参考文献】
1) 中根 実:がんエマージェンシー,医学書院,p.44-71, 2015
2) Vogel WH:Infusion reactions: diagnosis assessment and management. Clin J Oncol Nurs, 14(2):E10-E21, 2010
3) Castells M:Diagnosis and management of anaphylaxis in precision medicine. J Allergy Clin Immunol, 140(2):321-333, 2017

4) 佐藤 温 他：過敏症. 癌と化学療法, 30(6):793-800, 2003
5) Simons FE et al：World allergy organization guidelines for the assessment and management of anaphylaxis. World Allergy Organ J, 4(2):13-37,2011
6) Castells MC et al：Hypersensitivity reactions to chemotherapy: outcomes and safety of rapid desensitization in 413 cases. J Allergy Clin Immunol, 122(3):574-580, 2008
7) Brennan PJ et al：Hypersensitivity reactions to mAbs: 105 desensitizations in 23 patients, from evaluation to treatment. J Allergy Clin Immunol, 124(6):1259-1266, 2009
8) 千貫祐子 他：がん治療薬と食物アレルギー. 静脈経腸栄養, 28(2):615-618, 2013
9) Thompson LM et al：Incidence risk factors, and management of infusion-related reactions in breast cancer patients receiving trastuzumab, Oncologist, 19(3):228-234, 2014
10) Romano A et al：Diagnosis and management of drug hypersensitivity reactions. J Allergy Clin Immunol, 127(3 Suppl):S67-S73, 2011
11) Leguy-Seguin V et al：Diagnostic and predictive value of skin testing in platinum salt hypersensitivity. J Allergy Clin Immunol, 119(3):726-730, 2007

（槇枝　大貴）

9-2 味覚障害

1 概要

　味覚障害は，がん薬物療法を行う患者の約60％に発現するとされており[1]，QOLを著しく低下させる副作用の一つである。また，食欲不振による栄養状態の悪化，ADL（activities of daily living，日常生活動作）の低下を招くことがあるため，軽視することのできない副作用である。いまだ有効な治療法がないのが現状[2〜4]であるが，適切な支持療法や口腔ケアを行うことで，QOLの維持ならびに治療の遂行に努める必要がある。

2 発症機序

味覚障害の原因として以下が挙げられ，これらの原因が複合することもある。

1）味細胞の障害

　味覚のセンサーである味蕾は口腔内に約10,000個あるといわれており，多くは舌に存在している。味蕾を構成している味細胞は，味覚に関係する化学物質を感知し，情報を中枢に伝達する。味細胞の寿命は約10日[5]，味蕾は3〜4週間[6]と細胞分裂が速く，抗がん薬によるダメージを受けやすい。また，口腔カンジダ症等の感染症や放射線照射等による直接的な粘膜障害によっても味覚障害が生じる。

2）神経の障害

　味細胞から中枢へ味情報を伝達する神経（舌咽神経，顔面神経，迷走神経）が障害を受けることにより，味覚の減退・消失や変化が生じる。

3）口腔内の乾燥

　味覚を感じるには，唾液により物質が溶解し，味覚に関係する化学物質が味細胞に運搬される必要がある。しかし，抗がん薬の副作用や放射線照射により唾液分泌量が低下し，口腔内が乾燥することで味覚の低下が生じる。また，加齢により唾液分泌量が低下することが報告されている。口腔内乾燥に起因した舌苔の発生も味覚障害に影響を及ぼす。

4）亜鉛の欠乏

　細胞分裂には酵素が深く関わっており，また亜鉛が味細胞の新陳代謝に関わる多くの酵素活性に関与しているため，亜鉛が欠乏すると味細胞の新生が遅延し，味覚障害の原因や遷延につながる。

日本人成人の亜鉛摂取量は，食事摂取基準の推奨量より少ないことが報告されている。また，フルオロウラシルなど一部の抗がん薬は亜鉛とキレートを形成することにより亜鉛の吸収を阻害し，二次的な亜鉛欠乏が生じることがある。

5）その他

体内に吸収された薬剤の成分や代謝物が唾液から分泌されることにより，味覚が変化する（特に苦味を感じる）ことがある。また，薬剤自体に強い苦味をもつものがある。

3 症状

味覚障害では，甘味，酸味，塩味，苦味，旨味といった基本味を感じにくくなったり（味覚減退），まったく味がわからなくなる（無味症）等さまざまな症状がある（表1）。発現時期や期間も原因によって異なるため一定ではないが，一般的に抗がん薬投与終了後3〜4週間程度で症状は軽減する。また，嗅覚障害を伴うことが多い。CTCAE v5.0における味覚異常のGrade分類を表2に示す。

4 原因となりうる薬剤（抗がん薬など）

粘膜障害や口腔内乾燥はフルオロウラシルやテガフール・ギメラシル・オテラシルカリウム等のフッ化ピリミジン系薬剤で起こりやすい。また，神経障害はパクリタキセルやビンクリスチン等の微小管阻害薬や白金製剤で起こりやすい。その他にも，日本標準商品分類における「腫瘍用薬」に指定されている医薬品のうち，添付文書に「味覚障害」あるいは「味覚異常」の記載がある成分は約130成分あり（2022年7月時点），多くの薬剤において味覚障害は起こりうる副作用である。

表1　味覚障害の症状

味覚減退	味を感じにくくなる
無味症	味がわからなくなる
臭発性異常味覚	何も口にしていないのに不快な味（特に苦味，渋味）を感じる
解離性味覚障害	特定の味（主に甘味）だけがわからなくなる
異味症	本来の味と違って感じる
悪味症	何を食べても嫌な味がする

表2　CTCAE v5.0　味覚異常

CTCAE v5.0 Term 日本語	Grade 1	Grade 2	Grade 3	Grade 4	Grade 5
味覚異常	食生活の変化を伴わない味覚変化	食生活の変化を伴う味覚変化（例：経口サプリメント）；不快な味;味の消失	―	―	―

〔有害事象共通用語規準 v5.0 日本語訳 JCOG版より（JCOGホームページ http://www.jcog.jp）〕

表3 味覚障害が起こりやすい抗がん薬

フッ化ピリミジン系薬剤	フルオロウラシル テガフール・ギメラシル・オテラシルカリウム カペシタビン
タキサン系薬剤	パクリタキセル ドセタキセル
ビンカアルカロイド系薬剤	ビンクリスチン
白金製剤	シスプラチン オキサリプラチン

　味覚障害が起こりやすい抗がん薬の一部を**表3**に示す。
　また，抗がん薬以外の併用薬剤にも留意する必要がある。抗コリン薬や抗ヒスタミン薬の服用により唾液分泌が抑制され，口腔内乾燥が生じやすくなることから，特に併用薬剤の多い高齢者には注意する必要がある。

5 対処方法

　有効な予防法や治療法は確立されていない。治療開始前に抗がん薬やレジメンごとの副作用の発現率等を確認し，口腔ケアを含めた患者指導を実施する。味覚障害が発現した場合は，口腔内の観察（粘膜障害，口腔内乾燥，舌苔）を行い，原因の特定ならびに重症度の評価を行う。薬物療法としては亜鉛の補充や口腔内乾燥の是正が行われる。また，食事の工夫が必要となるため，看護師，栄養士とも連携を図りながら，家族も含めた指導を行う。

1）薬物療法
(1) 亜鉛含有製剤
　亜鉛欠乏の診断指針[7]においては，「味覚障害等の亜鉛欠乏症の症状があり，血清亜鉛値が亜鉛欠乏または潜在性亜鉛欠乏であれば，亜鉛を投与して，症状の改善を確認すること」が推奨されている。
　亜鉛欠乏症は，口内炎，味覚症状等の臨床症状，血清ALP（アルカリホスファターゼ）低値，血清亜鉛値（60μg/dL未満：亜鉛欠乏，60〜80μg/dL未満：潜在性亜鉛欠乏）等の検査所見から診断される。
　ただし，血清亜鉛値が正常であっても，抗がん薬投与による亜鉛不足が懸念される場合は亜鉛含有製剤が処方されることがある。投与中は定期的に血清亜鉛値を測定し，症状や血清亜鉛値を参考に投与量を増減する。主な亜鉛含有製剤を**表4**に示す。
(2) 人工唾液
　人工唾液として，頭頸部の放射線照射による唾液腺障害に基づく口腔乾燥症に保険適用のあるリン酸二カリウム・無機塩類等がある。リン酸二カリウム・無機塩類配合剤噴霧剤（サリベートエアゾール）を1回1〜2秒間，1日4〜5回口腔内に噴霧する。

表4 主な亜鉛含有製剤と投与量

ポラプレジンク	プロマック顆粒15% 投与量：1g/日
	製剤量1g中に亜鉛を34mg含有する。亜鉛欠乏症に対する保険適用はないが，原則として，亜鉛欠乏による「味覚障害（耳鼻咽喉科）」に対して処方した場合，当該使用事例を保険審査上認めるとされている[8]。
酢酸亜鉛水和物	ノベルジン錠 投与量：50～150mg/日
	製剤規格が亜鉛の含有量である。低亜鉛血症に保険適用がある。亜鉛含有量も多く，薬理作用として血清銅濃度が低下する可能性があるため，血清銅濃度を定期的に確認することが望ましい。

表5 食事をする際の工夫

- 食事前に含嗽を行う
- 症状に応じて，砂糖，みりん，塩，旨味だし，香辛料等の分量を調節し味付けする
- 亜鉛含有量の多い食材を摂取する（牡蠣，肉，煮干し，卵黄等）
- 酢の物，柑橘類等唾液分泌を促す食材を用いる

（3）ピロカルピン

本剤の剤形には錠剤と散剤があり，頭頸部の放射線治療に伴う口腔乾燥症状の改善に保険適用がある。

2）口腔ケア

口腔内乾燥や口腔感染症が味覚障害を助長するため，定期的な含嗽や歯磨き，水分の摂取による口腔内食渣の除去，口腔内の保湿を行う。また，必要に応じて舌苔の除去を行う。

3）食事の工夫

亜鉛摂取推奨量[9]は成人男性：11mg/日，成人女性：8mg/日である。前述のように，現代日本人において食事からの亜鉛摂取量は，推奨量より少ないため，食事には工夫が必要である（表5）。

6 各職種が積極的に介入

味覚障害は，悪心・嘔吐等の他の副作用に比べて支持療法も十分に確立しておらず，軽視，放置されがちである。しかしながら，その発現頻度は高く，味覚障害が最も苦痛であったとする患者も多く存在する。QOL，ADLの低下は治療中止の要因にもなりうるため，各職種が連携を図りながら，患者の味覚障害について積極的に介入する必要がある。

【参考文献】

1) Hovan AJ et al：A systematic review of dysgeusia induced by cancer therapies. Support Care Cancer, 18(8):1081-1087, 2010
2) Ripamonti C et al：Taste alterations in cancer patients. J Pain Symptom Manage, 16(6):349-351, 1998
3) Halyard MY et al：Does zinc sulfate prevent therapy-induced taste alterations in head and neck cancer patients? Results of phase III double-blind, placebo-controlled trial from the North Central Cancer Treatment

Group (N01C4). Int J Radiat Oncol Biol Phys, 67(5):1318-1322, 2007
4) Lyckholm L et al：A randomized, placebo controlled trial of oral zinc for chemotherapy-related taste and smell disorders. J Pain Palliat Care Pharmacother, 26(2):111-114, 2012
5) 後藤伸之 他：薬剤による味覚障害. 薬局, 56(1):61-65, 2005
6) 日本口腔ケア学会 学術委員会 編：治療を支える がん患者の口腔ケア（夏目長門, 他 編集代表），医学書院, p.89, 2017
7) 日本臨床栄養学会 編：亜鉛欠乏症の診療指針2018（http://www.jscn.gr.jp/pdf/aen2018.pdf）（2022年6月閲覧）
8) 厚生労働省「医薬品の適応外使用に係る保険診療上の取扱いについて」（平成23年9月28日保医発0928第1号）（2022年6月閲覧）
9) 厚生労働省：日本人の食事摂取基準（2020年版）（https://www.mhlw.go.jp/content/10904750/000586553.pdf）

（玉木　宏樹）

9-3 疲労

1 概要

多くの抗がん薬の副作用に全身倦怠感（general malaise）や疲労（fatigue）があるが，がん患者においては，抗がん薬以外の要因で疲労が発現する場合も多い。がん関連疲労（cancer-related fatigue）は，「がんやがん治療に関連した，つらく持続する主観的な感覚で，直近の活動状況とは釣り合わない，日常生活の妨げになるほどの身体的（physical），感情的（emotional）かつ／または認知的（cognitive）な倦怠感または消耗感」と定義される[1]。

2 発症機序

がん患者における疲労の特異的な発症機序は解明されていない。プロ炎症性サイトカインや視床下部－下垂体－副腎系不全，サーカディアンリズム障害，骨格筋減少などが要因として挙げられている[2]が，エビデンスは乏しい。抗がん薬による影響以外にも，さまざまな身体的・精神的要因が疲労の発現に関連する（表1）[3]。

3 症状

1）定義

疲労は，多くのがん患者が感じる症状であり，がん薬物療法や放射線療法を受ける患者の約80％が疲労を感じるとの報告もある[1]。類似する症状を定義する言葉として，無力症（asthenia）や虚弱（weakness），疲れ（tiredness），全身倦怠感（general malaise）などの言葉も使用されて

表1 がん関連疲労の原因

がん自体によるもの・併存疾患によるもの
・全身性：悪液質，低栄養，貧血，長期臥床，発熱，疼痛，自律神経失調等
・代謝・内分泌性：脱水，電解質異常，甲状腺機能障害，血糖値異常，（男性）テストステロン減少
・臓器障害：肝障害，腎障害，呼吸機能低下，心機能低下等
・感染症
・精神的要因：抑うつ，適応障害，不眠等

治療によるもの
手術療法，放射線療法，化学療法：（細胞障害性抗がん薬，分子標的治療薬，ホルモン療法薬等），オピオイド，精神神経用薬，抗ヒスタミン薬，筋弛緩薬，β受容体拮抗薬，多剤併用

〔矢野琢也 他：1. 倦怠感；D. 全身症状. がん薬物療法の支持療法マニュアル（遠藤一司 監），南江堂，p.84, 2013をもとに作成〕

いたが，現在では同様の言葉として疲労（fatigue）がガイドラインなどで広く用いられている．

2）疲労の評価

疲労の程度の評価について，CTCAE v5.0によるGradeを表2に示す[4]．疲労は主観的な症状であるため，患者の申告によって評価を行うこととなる．

ASCO（American Society of Clinical Oncology，米国臨床腫瘍学会）やNCCN（National Comprehensive Cancer Network）のガイドラインでは，0から10までのNumerical Rating Scale（NRS，図1）が評価方法の例として挙げられているなど[1, 5]．また，9項目の質問に対して数値評価尺度の平均点を算出し，総合的疲労スコアを計算する簡易倦怠感調査票（Brief Fatigue inventory：BFI，図2）などのツールも利用可能である[6]．

抗がん薬施行中の患者では，疲労は周期的に（治療サイクルに伴って）起こることが知られている[7]．一方で，放射線治療においては，治療の後半に疲労が増強することが多い[8]．治療に関連した疲労は数カ月から年単位で継続することもあり，がんサバイバーの1/3は治療完遂後にも疲労が遷延しているとの報告もある[9]．

4 原因となりうる薬剤（抗がん薬など）

疲労は，抗がん薬以外の因子も関連することや，客観的評価が難しいことから，副作用として発現しやすい薬剤を列挙することは困難である．いわゆる抗がん薬（細胞障害性抗がん薬，分子標的治療薬，ホルモン療法薬，免疫チェックポイント阻害薬）のほか，オピオイド，精神神経用薬，抗

表2 CTCAE v5.0 疲労，倦怠感

CTCAE v5.0 Term 日本語	Grade 1	Grade 2	Grade 3	Grade 4	Grade 5
疲労	休息により軽快する疲労	休息によって軽快しない疲労；身の回り以外の日常生活動作の制限	休息によって軽快しない疲労で身の回りの日常生活動作の制限を要する	―	―
倦怠感	だるさがある，または元気がない	身の回り以外の日常生活動作を制限するだるさがある，または元気がない状態	身の回りの日常生活動作を制限するだるさがある，または元気がない状態	―	―

〔有害事象共通用語規準 v5.0 日本語訳 JCOG版より（JCOGホームページhttp://www.jcog.jp）〕

```
 0    1    2    3    4    5    6    7    8    9    10
```
0：疲労なし　　　　　　　　　　　　　　　　　　10：想像できる最も強い疲労
1〜3：軽度，4〜6：中等度，7〜10：重度

図1　Numerical Rating Scale（NRS）

簡易倦怠感調査票

登録番号 _____　　　病院番号 _____

日付: ___/___/___　　時刻: _____
氏名: _____　_____
　　　　　姓　　　　　　　　名

だれでも一生のうちには、とても疲れたり、とてもだるかったりすることがあります。この1週間に、普通とは異なる疲れやだるさを感じましたか？

はい ☐　いいえ ☐

1. あなたが今感じているだるさ（倦怠感、疲労感）をもっともよく表す数字1つに○をして下さい。

0	1	2	3	4	5	6	7	8	9	10
だるさなし										これ以上考えられないほどのだるさ

2. この24時間にあなたが感じた通常のだるさ（倦怠感、疲労感）をもっともよく表す数字1つに○をして下さい。

0	1	2	3	4	5	6	7	8	9	10
だるさなし										これ以上考えられないほどのだるさ

3. この24時間にあなたが感じたもっとも強いだるさ（倦怠感、疲労感）をもっともよく表す数字1つに○をして下さい。

0	1	2	3	4	5	6	7	8	9	10
だるさなし										これ以上考えられないほどのだるさ

4. この24時間のうちで、だるさがあなたの生活にどれほど支障になったかをもっともよく表す数字1つに○をして下さい。

A. 日常生活の全般的活動

0	1	2	3	4	5	6	7	8	9	10
支障なし										完全に支障になった

B. 気持ち、情緒

0	1	2	3	4	5	6	7	8	9	10
支障なし										完全に支障になった

C. 歩行能力

0	1	2	3	4	5	6	7	8	9	10
支障なし										完全に支障になった

D. 通常の仕事（家庭外での仕事や毎日の生活における雑事を含む）

0	1	2	3	4	5	6	7	8	9	10
支障なし										完全に支障になった

E. 対人関係

0	1	2	3	4	5	6	7	8	9	10
支障なし										完全に支障になった

F. 生活を楽しむこと

0	1	2	3	4	5	6	7	8	9	10
支障なし										完全に支障になった

© UT. M.D. ANDERSON CANCER CENTER 1997

※1〜3：軽度，4〜6：中等度，7〜10：重度

〔先端医療開発センター医薬品開発グループ精神腫瘍学開発分野（柏）：Brief Fatigue Inventory（簡易倦怠感尺度）；心理尺度など．医療従事者向け資料，国立研究開発法人国立がん研究センター，https://www.ncc.go.jp/jp/epoc/division/psycho_oncology/kashiwa/020/030/BFI.pdf〕

図2 簡易倦怠感調査票〔Brief Fatigue Inventory（BFI）〕日本語版

ヒスタミン薬，β受容体拮抗薬などが疲労の原因となる（表1）。特に，多剤併用例では薬物相互作用によって中枢神経抑制作用が増強する場合もあり，薬物相互作用の確認も必須である。

5 対処方法

まず，治療開始前に，患者および家族にがん治療に伴って疲労が発現する可能性について説明し，その際，治療開始前の患者の疲労状態を確認しておく。治療開始後は，疲労に関連する可能性のある要因・症状などについて，介入を試みる。

5-1 疲労に関連する因子への介入

疲労に関連する症状で解決可能な因子があれば介入を検討する。その際，さまざまな因子が複合的に疲労に関連していることを念頭におく（表3）。また，悪心や呼吸困難，疼痛などの身体症状が疲労の原因となっている場合があるため，これらの症状のマネジメントについても検討する。

1）貧血

がん薬物療法施行中の患者では，貧血が疲労の代表的な原因であり，貧血のある患者では，適切な補正が患者のQOLや疲労の改善に関連するとの報告がある[10]。まず，貧血の原因について精査し，必要に応じて鉄や葉酸，ビタミンB_{12}を補充するか，重度の貧血の場合は輸血を考慮する。海外の報告では，エリスロポエチン製剤はがん化学療法中の患者における赤血球輸血の頻度を減らせることが報告されているほか，疲労を含む貧血関連の症状を改善するとの報告がある[11]が，日本では，エリスロポエチン製剤はがん化学療法に伴う貧血に保険適応を有していない。

2）睡眠障害

多くのがん患者が不眠などの睡眠障害を合併する[12]。睡眠障害には，一般的に，睡眠環境や生活

表3　疲労の要因とその対策

身体状態	対策の例
貧血	輸血，鉄剤・葉酸・ビタミンB_{12}の投与
電解質異常	・輸液，電解質補正 〈例：高カルシウム血症〉 　カルシトニン製剤，ビスホスホネート製剤，利尿薬などの投与
甲状腺機能低下	適切な甲状腺機能評価のうえ，甲状腺ホルモン薬の投与など
低栄養	栄養相談，食事療法，栄養補助食品の利用
睡眠障害	睡眠衛生，必要に応じて睡眠薬の投与
抑うつ，不安	精神療法，抗不安薬・抗うつ薬等の使用
呼吸機能低下	酸素吸入，モルヒネ投与
オピオイド	過量による鎮静が疑われる場合，タイトレーション 鎮静作用を有する薬剤の併用について検討

表4 睡眠衛生のための指導内容

指導項目	指導内容
定期的な運動	なるべく定期的に運動しましょう。適度な有酸素運動をすれば寝つきやすくなり、睡眠が深くなるでしょう。
寝室環境	快適な就床環境のもとでは、夜中の目覚めは減るでしょう。音対策のためにじゅうたんを敷く、ドアをきっちり閉める、遮光カーテンを用いる等の対策も手助けとなります。寝室を快適な温度に保ちましょう。暑すぎたり寒すぎたりすれば、睡眠の妨げとなります。
規則正しい食生活	規則正しい食生活をして、空腹のまま寝ないようにしましょう。空腹で寝ると睡眠は妨げられます。睡眠前に軽食（特に炭水化物）をとると睡眠の助けになることがあります。脂っこいものや胃もたれする食べ物を就寝前にとるのは避けましょう。
就寝前の水分	就寝前に水分をとりすぎないようにしましょう。夜中のトイレ回数が減ります。脳梗塞や狭心症等血液循環に問題のある方は医師の指示に従ってください。
就寝前のカフェイン	就寝の4時間前からはカフェインの入ったものはとらないようにしましょう。カフェインの入った飲料や食べ物（例：日本茶、コーヒー、紅茶、コーラ、チョコレート等）をとると、寝つきにくくなったり、夜中に目が覚めやすくなったり、睡眠が浅くなったりします。
就寝前のお酒	眠るための飲酒は逆効果です。アルコールを飲むと一時的に寝つきが良くなりますが、徐々に効果は弱まり、夜中に目が覚めやすくなります。深い眠りも減ってしまいます。
就寝前の喫煙	夜は喫煙を避けましょう。ニコチンには精神刺激作用があります。
寝床での考え事	昼間の悩みを寝床にもっていかないようにしましょう。自分の問題に取り組んだり、翌日の行動について計画したりするのは、翌日にしましょう。心配した状態では、寝つくのが難しくなるし、寝ても浅い眠りになってしまいます。

（厚生労働科学研究・障害者対策総合研究事業「睡眠薬の適正使用及び減量・中止のための診療ガイドラインに関する研究班」および日本睡眠学会・睡眠薬使用ガイドライン作成ワーキンググループ　編：睡眠薬の適正な使用と休薬のための診療ガイドライン−出口を見据えた不眠医療マニュアル−. p.9, 2013）

習慣の改善に関する睡眠衛生指導が勧められる（表4）[13]。

　睡眠衛生指導を行っても不眠が改善しない場合は、薬剤の使用を考慮する。十分な休息をとることは、疲労の改善に寄与すると考えられる。場合によっては、昼寝が体力の回復に有効であるケースもあるが、昼夜逆転や夜間不眠に繋がる懸念があるため、昼寝はおおむね1時間を超えないように注意する[1]。

5-2　非薬物療法

　複数のがん種において、治療中・治療後の運動が疲労を軽減するとの報告があり、メタアナリシスでも、有酸素運動が疲労の軽減に有効であったとの報告がある[14]。適度な運動は、抗がん薬治療中の患者においても推奨される。ASCOのガイドラインでは、疲労のあるがんサバイバーに対し、中等度レベルの運動（例：週あたり150分のエアロバイク運動や、ウォーキング、サイクリング、水泳など）を推奨している[5]。抗がん薬治療中は、疲労対策として休息や日常作業の軽減などを行いがちであるが、活動性の低下は筋肉量の低下につながり、身体機能、持久力を低下させる懸念がある。ただし、病的骨折の可能性のある骨転移を有する患者や著しい血小板減少症、重度の貧血、感染のある患者など、リスクを有する患者においては運動負荷の可否について慎重に検討する[1]。また、好中球減少期においては、公衆プールなどでの感染症にも注意が必要である。

　女性がん患者（特に乳がん）においては、ヨガの有用性についても報告されている[15]。また、マ

ッサージが一部の患者において，疲労の改善に有効であったとの報告もある[16]。非薬物療法に関しては，海外の特定のがん種に対する限定的なエビデンスしかないものもあるが，患者の取り入れやすい形でこれらの非薬物療法を勧めてもよいかもしれない。

5-3 薬物療法

がん関連疲労に用いられる薬剤には，メチルフェニデートやモダフィニルなどの中枢神経刺激薬と副腎皮質ホルモン薬がある。海外では，中枢神経刺激薬のがん関連疲労に関する有効性を示す報告がある[17, 18]が，わが国ではいずれの薬剤もがん関連疲労に保険適応はない。デキサメタゾンは，終末期がん患者において疲労を軽減させることが報告されている[19]が，副作用が多く，副腎皮質ホルモン薬自体の作用による不眠や精神状態の変調を来す可能性があり，長期に使用する際にはリスク・ベネフィットを十分に考慮する必要がある。

6 積極的な介入で患者のQOLを改善

がん関連疲労は見逃されることが多く，患者自身も体がだるいのは仕方がないこと，と諦めている場合が多い。疲労の発現状況や要因について，患者と医療者が適切に共有し，除去可能な要因に関しては積極的に介入することで，患者のQOLを改善させられる可能性がある。

【参考文献】
1) NCCN：NCCN Clinical Practice Guidelines in Oncology (NCCN Guidelines®). Cancer-Related Fatigue. Version 2. 2018
2) Kolak A et al：The problem of fatigue in patients suffering from neoplastic disease. Contemp Oncol (Pozn), 21(2): 131-135, 2017
3) 矢野琢也　他：1. 倦怠感; D. 全身症状. がん薬物療法の支持療法マニュアル（遠藤一司　監），南江堂, p.82-88, 2013
4) 有害事象共通用語規準 v4.0 日本語訳JCOG版（http://www.jcog.jp/doctor/tool/ctcaev5.html）（2022年6月閲覧）
5) Bower JE et al：Screening, assessment, and management of fatigue in adult survivors of cancer: an American Society of Clinical oncology clinical practice guideline adaptation. J Clin Oncol, 32(17): 1840-1850, 2014
6) Okuyama T et al：Validation study of the Japanese version of the brief fatigue inventory. J Pain Symptom Manage. 25(2): 106-117, 2003
7) Escalante CP et al：Cancer-related fatigue: Prevalence, screening and clinical assessment. Up to Date, 2017
8) Smets EM et al：Fatigue and radiotherapy: (A) experience in patients undergoing treatment. Br J Cancer, 78(7): 889-906, 1998
9) Bower JE et al：Fatigue in breast cancer survivors: occurrence, correlates, and impact on quality of life. J Clin Oncol, 18(4): 743-753, 2000
10) Littlewood TJ et al：Efficacy of darbepoetin alfa in alleviating fatigue and the effect of fatigue on quality of life in anemic patients with lymphoproliferative malignancies. J Pain Symptom Manage, 31(4): 317-325, 2006
11) Bohlius J et al：Effects of erythropoiesis-stimulating agents on fatigue-and anaemia-related symptoms in cancer patients: systematic review and meta-analyses of published and unpublished data. Br J Cancer, 111(1): 33-45, 2014
12) Savard J et al：Natural course of insomnia comorbid with cancer: an 18-month longitudinal study. J Clin Oncol, 29(26): 3580-3586, 2011

13) 厚生労働科学研究・障害者対策総合研究事業「睡眠薬の適正使用及び減量・中止のための診療ガイドラインに関する研究班」および日本睡眠学会・睡眠薬使用ガイドライン作成ワーキンググループ　編：睡眠薬の適正な使用と休薬のための診療ガイドライン - 出口を見据えた不眠医療マニュアル - , 2013（http://www.jssr.jp/data/pdf/suiminyaku-guideline.pdf）
14) Cramp F et al：Exercise for the management of cancer-related fatigue in adults. Cochrane Database Syst Rev, 11: CD006145,2012
15) Bower JE et al：Yoga for persistent fatigue in breast cancer survivors: a randomized controlled trial. Cancer, 118(15): 3766-3775, 2012
16) Pan YQ et al：Massage interventions and treatment-related side effects of breast cancer: a systematic review and meta-analysis. Int J Clin Oncol, 19(5): 829-841,2014
17) Stone PC：Methylphenidate in the management of cancer-related fatigue. J Clin Oncol, 31(19): 2372-2373, 2013
18) Jean-Pierre P et al：A phase 3 randomized, placebo-controlled, double-blind,　clinical trial of the effect of modafinil on cancer-related fatigue among 631 patients receiving chemotherapy: a University of Rochester Cancer Center Community Clinical Oncology Program Research base study. Cancer, 116(14): 3513-3520, 2010
19) Yennurajalingam S et al：Reduction of cancer-related fatigue with dexamethasone: a double-blind, randomized, placebo-controlled trial in patients with advanced cancer. J Clin Oncol, 31(25): 3076-3082, 2013

（日置　三紀）

第5章 支持療法　9 その他

9-4 脱毛

1 概要

　化学療法誘発性脱毛は，患者の外見に大きな変化をもたらすため，心理的負担も大きく，苦痛度の高い副作用のひとつである。1980年代から2000年代にかけて報告された，化学療法を受けた患者の苦痛度に関する調査報告[1〜3]では，脱毛は常に上位3位以内に入る副作用である。脱毛は生命を脅かすような副作用ではなく，多くが一時的なものであるが，ある報告によると女性のがん患者の47％が最も懸念する副作用は脱毛であると回答し，8％の患者が脱毛を理由に化学療法を拒否したとする報告[4,5]もある。

2 発症機序

2-1　毛器官の構造

　毛器官は毛（hair）とそれを囲む組織である毛包（hair follicle）で構成されている。毛の断面は3層構造となっており，中心部から毛髄質（medulla），毛皮質（hair cortex），毛小皮（hair cuticle）より構成されている。また，毛包は2重構造をとり，内側は上皮性毛根鞘（内毛根鞘と外毛根鞘）と結合組織性毛包で成る。毛球（hair bulb）は毛包基部の膨らんだ部分で，中央には毛の成長をコントロールする毛乳頭（dermal hair papilla）があり，その周りを毛母細胞（hair matrix cell）が取り囲んでいる（図1）。毛と上皮性毛根鞘は毛母細胞が分裂・分化することで上方に成長していく。

2-2　毛周期

　毛は「成長期」（anagen），「退行期」（catagen），「休止期」（telogen）の3つの周期（毛周期）を繰り返している（図2）。
　頭髪の場合，頭毛は数年間成長を続ける成長期（2〜5年間，頭毛の85〜90％を占める）と，毛包が収縮し細胞分裂が停止する退行期（2〜3週間，頭毛の1〜2％）を経て，細胞分裂が停止したままで毛が毛隆起部まで上昇する「休止期」（3〜5カ月，頭毛の10〜15％）に移行する（図2）[6]。毛は1本1本がそれぞれにこの周期を繰り返しているため，毛が一気に生えたり抜けたりすることはなく，全体としては一定の本数を保つ。頭毛は約10万本存在し，毎日100〜150本の髪が抜けるといわれている。また，成長期の頭毛は1日に約0.35mm伸びる。
　頭髪と睫毛・眉毛の毛周期は異なる。睫毛の毛周期は約5〜12カ月といわれており，上睫毛は約

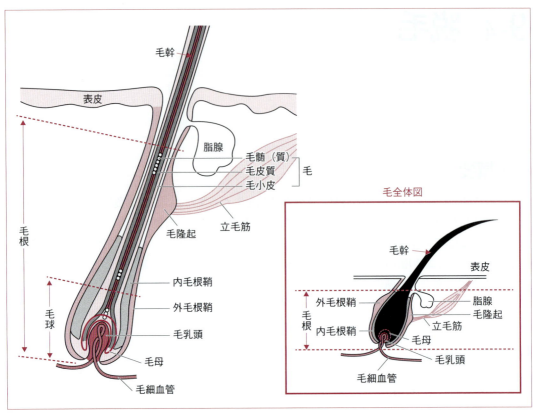

図1 毛包縦断面と全体図

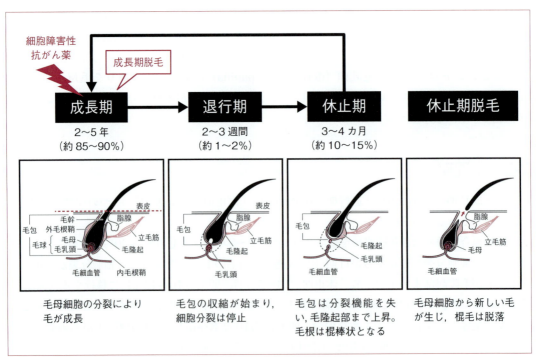

図2 毛周期

90〜160本，下睫毛は75〜80本存在し，1日に0.15mm伸びる[7]。眉毛の毛周期は3〜4カ月といわれ，1日0.18mm伸びる。

2-3 化学療法誘発性脱毛の発症機序

抗がん薬は，細胞分裂が活発な場所に強い障害を与える。毛包基部の毛乳頭では，毛母細胞が活発に細胞分裂するため，抗がん薬の影響を受けやすい。特に，成長期は毛の成長が活発であるため抗がん薬の感受性が強く，障害を受けた毛髪の毛幹は狭小化し，毛上皮が破壊され，毛は途中で切れて抜けてしまう。これが，抗がん薬による脱毛で特徴的な「成長期脱毛」であり，通常，頭毛の約90％は成長期であるため，多くの毛が障害を受け，抗がん薬を使い始めてから約2週で比較的急速にびまん性脱毛が始まる。残存する毛のほとんどは障害されずに残った休毛期毛である[8]。抗がん薬による障害が軽度な場合，成長期は急速に休止期に移行し，「休止期脱毛」を引き起こす。休止期脱毛は抗がん薬を使い始めてから3〜4カ月で起こる。

3 症状

1) 範囲と程度

抗がん薬による脱毛は頭毛だけでなく，睫毛，眉毛，腋毛，陰毛にも生じる。頭部の脱毛が最も顕著であり，脱毛はびまん性に生じるが，総頭髪密度が低い領域，特に頭頂部や後頭部領域等に多い傾向にある[9]。毛髪が50％以上抜けると見た目にもわかるようになる。抗がん薬による脱毛は通常一過性であり，かつ可逆的とされている。通常，抗がん薬治療後3カ月程度で毛母細胞の再生が始まり，1年程度で回復してくるが，個人差がある。ただし，再発した毛は脱毛前と比べて毛質や色調が異なることがある。毛質は縮毛となり，白毛となる場合があるが，この変化も通常一過性である[6]。

2) 特徴

脱毛は，投与する抗がん薬の種類，投与経路，用量，投与スケジュールに依存する。また，高用量かつ断続的な静脈内投与の場合は全頭性脱毛を誘発する可能性が高く，低用量かつ経口投与または毎週静脈内投与の場合は，全頭性脱毛や完全脱毛を誘発する可能性は低い[10,11]。例えば，3週毎投与の高用量もしくは中用量のシクロホスファミドの静脈内投与では，ほぼ例外なく脱毛がみられるが，経口のシクロホスファミドでは脱毛の可能性は低い。

3) 評価

脱毛の程度の医療者評価にはCTCAE v5.0のほか，世界保健機関（The World Health Organization：WHO）の分類や，米国東海岸がん臨床試験グループ（Eastern Cooperative Oncology Group：ECOG）の分類などがある。一般臨床ではCTCAE v5.0が用いられることが多く，国内においては日本語訳のJCOG版が主に用いられる（表1）。CTCAEでは他者にはわからない程度の50％未満の脱毛か，もしくはそれ以上，またはかつらやヘアピースが必要かどうかという内容でGrade1とGrade2の評価に分かれる。脱毛のCTCAE評価については，Grade3以上は定

表1 CTCAE v5.0 脱毛

CTCAE v5.0 Term 日本語	Grade 1	Grade 2	Grade 3	Grade 4	Grade 5
脱毛症	遠くからではわからないが近くで見るとわかる50％未満の脱毛；脱毛を隠すために，かつらやヘアピースは必要ないが，通常と異なる髪形が必要となる	他人にも容易にわかる50％以上の脱毛；患者が脱毛を完全に隠したいと望めば，かつらやヘアピースが必要；社会心理学的な影響を伴う	―	―	―

〔有害事象共通用語規準 v5.0 日本語訳 JCOG版より（JCOGホームページ http://www.jcog.jp）〕

表2 WHO分類 脱毛

Grade1	Grade2	Grade3	Grade4
Minimal loss	Moderate, patchy loss	Complete alopecia but reversible	Nonreversible loss

表3 ECOG分類 脱毛

Grade1	Grade2	Grade3	Grade4
Alopecia（mild）＜49％	Alopecia（severe）＞50％	Complete alopecia but reversible	Nonreversible loss

表4 Dean scale 脱毛

Grade1	Grade2	Grade3	Grade4
＞0 to ≤25% hair loss	＞25% to ≤50% hair loss	＞50% to ≤75% hair loss	＞75% hair loss

義されていない。

　そのほか，WHOの分類は主にヨーロッパで実施される臨床試験の有害事象評価や脱毛予防の臨床試験の評価などに用いられることがある（表2）。その一方で，アメリカの臨床試験ではWHOの分類はあまり使用されず，ECOGの分類で評価されることがある（表3）。また，脱毛予防法の有効性の評価のために使用されるより詳細な評価尺度として，Deanらによって開発されたDean Scaleとよばれている評価尺度が存在する（表4）[12, 13]。

● 4 原因となりうる薬剤（抗がん薬など）

　抗がん薬の中では，脱毛が起こる程度により高度，中等度，軽度に分類される（表5）[14〜16]。完全脱毛を引き起こす可能性が高い薬としては，アルキル化薬（シクロホスファミド，イホスファミド），アントラサイクリン系抗生物質（ドキソルビシン，ダウノルビシン，エピルビシン，イダルビシン），微小管阻害薬（パクリタキセル，ドセタキセル），トポイソメラーゼ阻害薬（イリノテカン，エトポシド）が挙げられる。

表5 脱毛を生じる抗がん薬

高度	中等度	軽度
イダルビシン	アクチノマイシン	L-アスパラギナーゼ
イリノテカン	オキサリプラチン	ブレオマイシン
イホスファミド	カルボプラチン	フルオロウラシル
エトポシド	ブスルファン	シスプラチン
エピルビシン	マイトマイシン	ストレプトゾシン
シクロホスファミド	メトトレキサート	ダカルバジン
ダウノルビシン		
ドキソルビシン		
ドセタキセル		
パクリタキセル		

〔文献13～15）より作成〕

5 対処方法

5-1 予防対策におけるエビデンス

1）頭皮冷却法とそのエビデンス

　頭皮冷却法は，頭皮を冷却することで，血管を収縮させ，頭皮の血流を減少させることにより毛包への抗がん薬の到達量を減らすと考えられており，また，頭皮の冷却によって毛包の細胞分裂を減らす作用も毛髪への抗がん薬の影響を減弱するメカニズムとして考えられている[12, 17, 18]。海外では昔からさまざまな頭皮冷却法の研究がなされており，1970年代頃にはゲル冷却キャップ（Penguin®，Elasto-Gel®など）をあらかじめ冷凍庫やドライアイスで凍結しておき，頭部に装着した後30分ごとに手動で交換する方法が試みられてきた。1990年代に入ると頭皮冷却のための自動装置（DigniCap®，PAXMAN®など）が開発され，頭皮に密着するキャップ型のシリコン素材の中に冷却液を循環させて温度を低下させる方法が検討されてきた。これを化学療法開始30分前に装着し，そのまま治療を受け，治療終了90～120分後まで冷却を継続するものである。

　2017年には，早期乳がん患者を対象とした2つの頭皮冷却装置の有効性を評価した前向き臨床試験結果[19, 20]が2つ報告されている。1つ目はアントラサイクリン系以外の抗がん薬（タキサン系抗がん薬ベース）で，術前または術後の補助薬物療法を受けるStage IまたはIIの乳がん患者を対象に，DigniCap®を用いた頭皮冷却群（106例）と非使用の対照群（16例）に分けて，脱毛予防効果の比較を行った臨床試験[19]である。頭皮冷却を受けるかどうかは患者が選択した。この試験での主要評価項目は，化学療法終了から4週間後にDean scaleのGradeが0～2（50％以下の脱毛）であり，脱毛が50％以下であった患者は，頭皮冷却群が66.3％，対照群が0％であった（P＜0.001）。この研究の予備的結果をもとに，米国食品医薬品局（Food and Drug Administration：FDA）では2015年12月に乳がん化学療法を受ける女性の脱毛症を予防するための頭皮冷却装置（DigniCap®）を初めて承認した。その後，2017年7月には乳がん以外の全固形がん患者に対する使用についても承認された。

　2つ目の試験は，アントラサイクリン系，タキサン系抗がん薬，またはそれらの両方を用いた，術前または術後の補助薬物療法を4コース以上行うStage IまたはIIの乳がん患者を対象に，Orbis Paxman Hair Loss Prevention System（OPHLPS）を用いた頭皮冷却群（119例）と非使

用の対照群（63例）に2：1にランダムに割りつけて脱毛予防効果の比較を行った臨床試験[20]である。この試験での主要評価項目は，化学療法4コース終了時の頭髪維持割合とし，CTCAE v4.0に基づくGrade0または1（かつらが不要の50％未満の脱毛）を脱毛抑制効果ありとした。中間解析時点で腫瘍評価項目の検討が可能であった142例（冷却群95例，対照群47例）を対象に中間解析を行った結果，頭髪維持がみられた患者は，頭皮冷却群で50.5％，対照群で0％であった（P＜0.001）。この試験における優越性の境界値は0.0061に設定しており，P値がこれを下回ったためデータ安全性監視委員会は試験の早期終了を勧告した。

　2019年には，アントラサイクリン系の抗がん薬またはタキサン系抗がん薬ベースのレジメン（HER2陽性患者に対しては抗HER2薬を含む）で，術前または術後の補助薬物療法を受けるStageⅠ～Ⅲの乳がん患者を対象に，DigniCap®を用いた頭皮冷却群（36例）と非使用の対照群（27例）に分けて，脱毛予防効果の比較を行った臨床試験[21]の報告がある。この試験での主要評価項目は，化学療法中におけるDean scaleによるGrade評価での最悪値であり，Gradeが0～2（50％以下の脱毛）を脱毛抑制効果ありとした。脱毛が50％以下であった患者は，頭皮冷却群が56.3％，対照群が0％であった（P＜0.001）。さらに2020年には，アントラサイクリン系とタキサン系抗がん薬を逐次投与で用いた，術前または術後の補助薬物療法行う早期乳がん患者を対象に，PAXMAN®を用いた頭皮冷却群（32例）と非使用の対照群（17例）に2：1にランダムに割りつけて脱毛予防効果の比較を行った臨床試験[22]の報告がある。この試験での主要評価項目は，化学療法4コース終了時または12週後の頭髪維持割合とし，CTCAE v4.0に基づくGrade0または1（かつらが不要の50％未満の脱毛）を脱毛抑制効果ありとした。結果，頭髪維持がみられた患者は，頭皮冷却群で50.5％，対照群で0％であった（P＝0.00004）。本研究では，タキサン系抗がん薬を先行させた場合の方が，アントラサイクリン系を先行されるより有意に成功率が高いという結果も示されている。

　頭皮冷却装置の使用は，試験により対象とする化学療法レジメン，使用装置，設定温度や冷却時間，評価法の違いがあり，標準化が課題ではあるが，脱毛予防において期待される方法である。わが国では，がん薬物療法に伴う脱毛の軽減を目的としたPAXMAN®頭部冷却装置などが医療機器として承認されているが，現在保険適用外の自由診療として行われており，現状では，実施可能施設が少ない現状である。

2）2％ミノキシジル外用薬

　ミノキシジルは「成長期」を延長させることで毛周期を変化させると考えられている。また，ミノキシジルは毛包のサイズを増大させるため，男性型脱毛症の特徴的な組織学的所見である毛包の小型化を妨ぐ可能性があることが示唆されている。

　化学療法誘発性脱毛の予防または治療におけるミノキシジルの効果を検討したランダム化比較試験は2つ[23,24]あるが，その効果は限定的である。1つはドキソルビシン含有レジメンで治療を受けた固形がん（大半が乳がん）の患者48人に対し，2％ミノキシジルの脱毛予防効果を検討した試験[23]がある。この試験では，化学療法の24時間前から2％ミノキシジルを塗布する群（24例）で脱毛が生じたのは88％，プラセボを塗布する群（24例）で脱毛が生じたのは92％であり，2％ミノキシジルの塗布はプラセボと比較し脱毛の予防効果を証明できなかった。

　2つ目は化学療法を終了した乳がん患者22例を対象とし，2％ミノキシジルによる発毛の促進効

果を検討したランダム化比較試験[24]である。この試験において，発毛までの期間は，プラセボを塗布する対照群で平均136.9日，2％ミノキシジル塗布群で平均86.7日であり，2％ミノキシジル塗布により発毛までの期間を50.2日短縮した（P=0.03）という結果であった。

国内において，ミノキシジルは壮年性脱毛症における発毛，育毛，および脱毛の進行予防の効能・効果をもつ一般用医薬品（第一類医薬品）として1％製剤と5％製剤が認可されているが，現時点で化学療法誘発性脱毛に対する効能・効果はない。

5-2 マネジメント

1）化学療法開始前の説明

化学療法誘発性脱毛といっても，使用する抗がん薬の種類によって脱毛の程度はさまざまである。化学療法開始前までに，患者が投与する予定の抗がん薬による脱毛の程度と時期，脱毛時の対応と化学療法終了後の再発毛までの状況について説明しておくことが望ましい。これらは多くの患者が必要とするものであり，治療を受ける患者にはそれらの情報を得る権利がある。時に，これらの情報は患者の治療選択にも関わる場合もあるため，医療者，特に薬剤師は薬の特徴を捉えたうえで患者個々にあわせ，必要な情報を提供する責務がある。

脱毛の程度を説明する際は，表1のように脱毛の程度を2段階に分けて説明したり，表2の内容を参考に，他人にも明らかな脱毛かどうかなど，患者にとってわかりやすい表現で説明することが望ましい。過去5年以内にアントラサイクリン系抗がん薬±タキサン系抗がん薬による術前薬物療法を受けた乳がん患者を対象としたアンケート調査（n=1,478例）[25]では，98.4％の患者が抗がん薬治療によって脱毛がみられたと回答している。また，抗がん薬治療開始から脱毛開始までの日数は約18.0日であり，抗がん薬治療終了からは約3.4カ月で発毛がみられたとされている。ただしこれは発毛までの期間であり，髪の毛が生え揃うまでにはもう少し時間がかかる。同調査において，かつらの使用期間は平均12.5カ月であったとされている。化学療法誘発性脱毛は，一般的には化学療法終了後は回復するといわれているが，まれに長期または永久的な脱毛の報告[26,27]もあり，タキサン系抗がん薬や骨髄移植前の高用量化学療法に多い。化学療法誘発性脱毛についての情報はほかの領域に比べて少ないものの，こういった具体的なデータがあるものについては知っておくことで患者説明に役立てることができる。

脱毛が予見される場合，現時点では残念ながら脱毛を確実に予防できる方法がないため，事前にかつらや帽子などの一定の準備をしておくことを患者に勧めておくのが望ましい。髪の長い女性の場合には，事前に髪を短めに切りそろえておくと洗髪のときに髪が絡みにくく，抜け毛が処理しやすい。また，あらかじめ事前に準備しておいた短めの髪のかつらと同じ髪型にカットしておけば，かつらに移行した際に，周囲からその変化に気づかれにくい。こういった情報も患者が社会生活をしながら治療を受けるうえで重要となる。

2）日常生活のポイント

脱毛開始時にはピリピリとした頭皮の痛みを訴える患者も少なくないが，これは一時的なものであり，時間の経過とともに消失することが多い。脱毛を気にして洗髪をためらう患者もいるが，不潔な状態にしておくことは，毛囊炎やかぶれ，湿疹の原因になりうる場合もあるため，頭皮を清潔

にしておくことが大切である。

　脱毛時は抜け毛の掃除にも手間がかかることがあるが，家にいるときには，スカーフやバンダナ，フィットキャップなどをかぶっていると髪の毛が床に落ちにくく，掃除しやすい。また，就寝時には使い捨てのポリプロピレン不織布のヘアキャップを利用すれば，キャップごと抜け毛を捨てることができ手軽に掃除できる。また，衣類や寝具についた抜け毛は粘着テープやロールタイプの粘着クリーナーで簡単に抜け毛をとることができる。このような情報提供も，患者にとって少しでもストレスを減らすために重要である。

3）患者支援

　化学療法誘発性脱毛に対する患者支援において重要なことは，一方的な知識や情報提供のみで終わらせないことである。

　患者の毛髪や容姿に対する考え方，社会生活や家族状況，職業等は患者個々によりさまざまである。化学療法誘発性脱毛における患者支援においては，脱毛に対する患者の心理状況の評価をすることが大切である。患者は単に，治療に伴う脱毛に対して不安を抱いているのではなく，病気自体の受け入れができていない場合や，治療をしながらこれまでと同様の社会生活が送れるか，といった別の悩みを抱いている場合がある。脱毛に対してかつらを勧めるのは販売店の店員でもできることであるが，医療スタッフが化学療法誘発性脱毛に対して支援する意味とは，患者の気持ちに寄り添い，患者が生活者として自分らしく治療を受けられるよう支援することにあることを忘れてはならない。

❻ 患者の心理状況を理解したサポート

　化学療法による副作用は多数あるが，その中で化学療法誘発性脱毛は，残念ながら現時点で確実に予防できる方法がなく，支持療法に関するエビデンスが乏しい領域である。その中で薬剤師は，薬の特徴を捉えたうえで，脱毛の程度や発現時期，発現時の症状や対処法についてアドバイスすることが求められる。ただし，その説明は一方的な知識の提供ではなく，患者の心理状況の理解と評価をしたうえで，患者が自分らしく治療を受けられるように支援することも化学療法誘発性脱毛のマネジメントにおいて大切なことである。

【参考文献】

1) Coates A et al：On the receiving end--patient perception of the side-effects of cancer chemotherapy. Eur J Cancer, 19(2):203-208, 1983
2) Griffin AM et al：On the receiving end. V: Patient perceptions of the side effects of cancer chemotherapy in 1993. Ann Oncol, 7(2):189-195, 1996
3) Carelle N et al：Changing patient perceptions of the side effects of cancer chemotherapy. Cancer, 95(1):155-163, 2002
4) McGarvey EL et al：Psychological sequelae and alopecia among women with cancer. Cancer Pract, 9(6):283-289, 2001
5) Paus R et al：In search of the "hair cycle clock"：a guided tour. Differentiation, 72(9-10):489-511, 2004
6) Trüeb RM：Chemotherapy-induced hair loss. Skin Therapy Lett, 15(7):5-7, 2010
7) Thibaut S et al：Human eyelash characterization. Br J Dematol, 162(2):304-310, 2010

8) 天野康之：毛包幹細胞から考える薬剤性脱毛症の病態. 北里医学, 44:1-5, 2014
9) Yun SJ et al：Hair loss pattern due to chemotherapy-induced anagen effluvium: a cross-sectional observation. Dermatology, 215(1):36-40, 2007
10) Dorr VJ：A practitioner's guide to cancer-related alopecia. Semin Oncol, 25(5):562-570, 1998
11) Hussein AM：Chemotherapy-induced alopecia: new developments. South Med J, 86(5):489-496, 1993
12) Dean JC et al：Prevention of doxorubicin-induced hair loss with scalp hypothermia. N Engl J Med, 301(26):1427-1429, 1979
13) Messenger AG et al：Follicular miniaturization in female pattern hair loss: clinicopathological correlations. Br J Dermatol, 155(5): 926-930, 2006
14) Batchelor D：Hair and cancer chemotherapy: consequences and nursing care--a literature study. Eur J Cancer Care (Engl), 10(3):147-163, 2001
15) Alley E et al：Cutaneous toxicities of cancer therapy. Curr Opin Oncol, 14(2):212-216, 2002
16) Chon SY et al：Chemoterapy-induced alopecia. J Am Acad Dermatol, 67(1):e37-e47, 2012
17) Bülow J et al：Frontal subcutaneous blood flow, and epi-and subcutaneous temperatures during scalp cooling in normal man. Scand J Clin Lab Invest, 45(6):505-508, 1985
18) Janssen FP et al：The relationship between local scalp skin temperature and cutaneous perfusion during scalp cooling. Physiol Meas, 28(8):829-839, 2007
19) Rugo HS et al：Association Between Use of a Scalp Cooling Device and Alopecia After Chemotherapy for Breast Cancer. JAMA, 317(6):606-614, 2017
20) Nangia J et al：Effect of a Scalp Cooling Device on Alopecia in Women Undergoing Chemotherapy for Breast Cancer: The SCALP Randomized Clinical Trial. JAMA, 317(6):596-605, 2017
21) Smetanay K et al：COOLHAIR: a prospective randomized trial to investigate the efficacy and tolerability of scalp cooling in patients undergoing (neo)adjuvant chemotherapy for early breast cancer. Breast Cancer Research and Treatment, 173(1):135-143, 2019
22) Bajpai J et al："Randomised controlled trial of scalp cooling for the prevention of chemotherapy induced alopecia". Breast, 49:187-193, 2020
23) Rodriguez R et al：Minoxidil(Mx) as a prophylaxis of doxorubicin--induced alopecia. Ann Oncol, 5(8):769-770, 1994
24) Duvic M et al：A randomized trial of minoxidil in chemotherapy-induced alopecia. J Am Acad Dermatol. 35(1):74-78, 1996
25) 渡辺隆紀：乳癌補助化学療法における脱毛の実態に関する多施設アンケート調査, パブリックヘルスリサーチセンター, 2015（http://www.csp.or.jp/hor/seika/watanabe_2015.pdf）
26) Kluger N et al：Permanent scalp alopecia related to breast cancer chemotherapy by sequential fluorouracil/epirubicin/cyclophosphamide (FEC) and docetaxel: a prospective study of 20 patients. Ann Oncol, 23(11):2879-2884, 2012
27) Machado M et al：Six cases of permanent alopecia after various conditioning regimens commonly used in hematopoietic stem cell transplantation. Bone Marrow Transplant, 40(10):979-982, 2007

（東　加奈子）

10 免疫関連有害事象（irAE）

1 概要

　これまでがん薬物療法は，主に細胞障害性抗がん薬，分子標的治療薬およびホルモン療法薬が用いられてきた。免疫チェックポイント阻害薬は，これら従来までの薬剤とは異なる新たな作用機序を有する抗がん薬であり，すでに複数のがん種で効果が認められている。一方，安全性の面でも，従来型の抗がん薬とは異なる免疫関連有害事象（immune-related adverse event：irAE）が発現しうる。

　細胞障害性抗がん薬による重篤な有害事象と比べ頻度は低い[1〜3]ものの，免疫の調整が正常に機能しないため，広範な症状が発現する可能性があることが特徴であり，稀に死亡例も報告され，種々の学会などからirAEに関するガイドラインが示されている[4〜7]。医療従事者は，その特徴と対処方法を理解し，患者と家族に十分に説明するとともに，早期発見と対策に努めるべきである。

2 発症機序

　がん細胞には，生体内のがん細胞を排除しようとする抗腫瘍免疫応答に対する，さまざまな免疫抑制因子が存在する。これらは免疫チェックポイントと総称され，活性化したT細胞上に発現するCTLA-4（cytotoxic T lymphocyte -associated antigen-4）や，活性化したエフェクターT細胞，B細胞およびNK細胞上に発現するPD-1（programmed cell death-1）がある[8, 9]。これら免疫チェックポイントを阻害する抗CTLA-4抗体および抗PD-1抗体，さらにPD-1とリガンドの結合を阻害する抗PD-L1抗体によって高い抗腫瘍効果が期待できる一方，免疫におけるブレーキの機能抑制によるさまざまなirAEが発生する可能性がある。

3 症状

　免疫チェックポイント阻害薬では，多様なirAEが発現することがある。細胞障害性抗がん薬による有害事象とは異なり，免疫の調整が正常に機能せず，自己免疫疾患や炎症性疾患に類似したさまざまな症状が発現しうることが特徴である（表1）。本稿で触れるirAE以外に，稀だが神経障害，筋障害，腎障害，1型糖尿病，副腎機能障害，眼障害および下垂体機能障害など，症状は多岐に渡る。以下に，主な症状について述べる。

　なお，ニボルマブとイピリムマブを同時併用するレジメンでは，それぞれを単剤で投与した場合に比べ，irAEの発現頻度は高くなるので特に注意を要する。

表1　免疫関連有害事象（irAE）のまとめ

分類	有害事象の種類
皮膚障害	皮疹，白斑，乾癬
肺障害	間質性肺障害
肝・胆・膵障害	肝障害，高アミラーゼ血症，高リパーゼ血症，自己免疫性肝炎，胆管炎
胃腸障害	下痢，腸炎，悪心，嘔吐，腸穿孔
心血管系障害	心筋炎，血管炎
腎障害	自己免疫性糸球体腎炎，間質性腎障害
神経・筋・関節障害	自己免疫性脳炎，無菌性髄膜炎，脊髄炎，脱髄性ニューロパチー（ギラン・バレー症候群・慢性炎症性脱髄性ニューロパチー），重症筋無力症，筋炎，リウマチ性多発筋痛症，関節炎
内分泌障害	甲状腺機能低下症，甲状腺機能亢進症，副腎機能障害，下垂体不全，1型糖尿病，低血圧症，脱水，低ナトリウム血症，高カリウム血症
眼障害	ぶどう膜炎，結膜炎，上強膜炎
その他	血小板減少，血友病A，無顆粒球症，溶血性貧血，血球貪食症候群，サイトカイン放出症候群（CRS），インフュージョンリアクション

（日本臨床腫瘍学会　編：がん免疫療法ガイドライン第2版，金原出版，p.23, 2019）

3-1　皮膚障害

　皮疹，発疹，搔痒症，紅斑および白斑など多様な症状が報告されている。悪性黒色腫患者に対する第Ⅲ相無作為化比較試験における皮膚障害の発生頻度は，ニボルマブ単独群で29％，イピリムマブ単独群で33％と高かった[10]。ほとんどがGrade1～2の軽症であるが，Grade3（びらん・水疱以外の皮疹が体表面積の30％以上）以上の皮疹も両群とも1～2％程度発生している。また，稀にStevens-Johnson症候群や中毒性表皮壊死症（TEN）などの重症例も報告されている。

3-2　間質性肺疾患

　治療前に胸部聴診，画像検査，KL-6およびSP-Dなどの検査値を確認しておく。治療開始後，定期的に胸部聴診と必要な検査を行う。主な自覚症状は発熱，乾性咳嗽，呼吸苦，息切れで，胸部X線検査にて異常所見が認められた場合は，高分解能CT検査に加え，間質性肺疾患に関する検査値と，鑑別のため感染症関連の検査値を評価する。非小細胞肺がん患者を対象とした国内第Ⅱ相試験の統合解析における発現頻度は7％で，Grade3以上は4％であった[11]。

　なお，免疫チェックポイント阻害薬の投与歴がある患者に分子標的治療薬を投与する場合，間質性肺疾患の発現リスクが高い可能性が指摘されており[12]，十分に注意する。

3-3　下痢，大腸炎

　主な症状は下痢で，排便回数の評価が重要である。軽度なら投与継続可能だが，重症例では持続する腹痛や下痢，血便およびタール便を認める。また，下痢に伴う脱水に注意する。抗PD-1抗体および抗PD-L1抗体による胃腸障害の発現頻度は10～15％程度であるが，抗CTLA-4抗体である

イピリムマブでは25〜30％と頻度が高かった[10, 13]。

3-4　肝機能検査値異常

　初期症状は乏しく，症状に先立ってAST，ALTおよびビリルビン値の上昇を認める。単剤での発現頻度は5〜15％である。

3-5　甲状腺機能障害

　甲状腺機能亢進（主な症状：動悸，頻脈，手指の振戦，発汗増加，体重減少など）と甲状腺機能低下（主な症状：倦怠感，浮腫，寒気，眠気，動作緩慢など）の，両面の機能障害が認められる。発現頻度は約10％である。免疫細胞によって甲状腺が破壊され，一過性の血中甲状腺ホルモン濃度の変化（TSH低下，遊離T3および遊離T4の上昇）を認めた後，甲状腺機能低下症となりTSH上昇，遊離T3および遊離T4の低下を認めることも多い。
　副腎機能低下を併発することがあるため，倦怠感などの症状も把握し，ACTHおよびコルチゾールも同時に評価する。

❹　起こりやすい抗がん薬

　現在，免疫チェックポイント阻害薬として，抗PD-1抗体のニボルマブおよびペムブロリズマブ，抗PD-L1抗体のアテゾリズマブ，アベルマブおよびデュルバルマブ，さらに抗CTLA-4抗体のイピリムマブがわが国で承認されている。
　いずれも免疫の調整機構の異常に起因するため，さまざまな症状が発現しうる。irAEは，どの種類の免疫チェックポイント阻害薬でも発現するが，甲状腺機能障害は抗PD-1抗体で発現頻度が高い。下垂体機能障害は稀なirAEであるが，相対的に抗CTLA-4抗体で頻度が高いといわれている。また，抗PD-1抗体と抗CTLA-4抗体を併用した場合は，irAEの発現頻度も高くなる[10, 13]。

❺　対処方法

　細胞障害性抗がん薬による有害事象に比べ，免疫チェックポイント阻害薬によるirAEは，重篤な事象の発現頻度は低いものの，さまざまな領域に及ぶ。投与前には必要な検査を実施する。投与に際しては，事前に患者と家族に対する十分な説明と，患者を中心としたさまざまな職種の注意深いモニタリングによる早期発見と早期対策が極めて重要である。irAEマネジメントの原則は，irAEを早期に発見し，重症度に応じた適切な免疫抑制療法を行うことである。副腎皮質ホルモン薬で十分に制御できない場合は，インフリキシマブやミコフェノール酸モフェチルなどの追加投与を検討する。
　irAEの中には，内分泌障害や肝・胆・膵障害のように検査値で評価できるものもあり，単にirAEが発現していないか症状をモニタリングするだけでなく，必要な検査が適切に実施されているかも確認する。発現した種々のirAEに対し各専門医との連携が必要になる。薬剤師に期待され

る役割も多い。

5-1 皮膚障害

　Grade1（表2）の症状なら免疫チェックポイント阻害薬の投与を継続し，副腎皮質ホルモン外用剤の投与を検討する。Grade2の症状なら免疫チェックポイント阻害薬の投与を継続し，ステロイド外用剤とともに抗アレルギー薬または抗ヒスタミン薬を内服する[4]。皮疹および白斑を生じた症例では全生存期間が有意に延長していることも報告されており[14]，軽度の症状で免疫チェックポイント阻害薬の投与を中止する根拠はない。ただし，Grade3以上の皮膚障害を認めたら投与を中止し，前述の支持療法に加えて0.5〜1mg/kg/日の静注メチルプレドニゾロンまたは等価量の経口剤を投与する。Grade4の場合は，免疫チェックポイント阻害薬の中止に加え，ステロイドパルス療法などを検討する。

5-2 間質性肺疾患

　間質性肺疾患が疑われた場合，Grade（表3）によらず免疫チェックポイント阻害薬を一旦中止する。Grade1（特に症状がなく画像的変化のみ）であれば，呼吸器専門医および感染症専門医と

表2 CTCAE v5.0　皮膚障害（多形紅斑，斑状丘疹状皮疹，皮膚色素減少）

CTCAE v5.0 Term 日本語	Grade 1	Grade 2	Grade 3	Grade 4	Grade 5
多形紅斑	虹彩様皮疹が体表面積の＜10%を占め，皮膚の圧痛を伴わない	虹彩様皮疹が体表面積の10〜30%を占め，皮膚の圧痛を伴う	虹彩様皮疹が体表面積の＞30%を占め，口腔内や陰部のびらんを伴う	虹彩様皮疹が体表面積の＞30%を占め，水分バランスの異常または電解質異常を伴う；ICUや熱傷治療ユニットでの処置を要する	死亡
斑状丘疹状皮疹	症状の有無は問わない（例：そう痒，熱感，ひきつれ），体表面積の＜10%を占める斑状疹/丘疹	症状の有無は問わない（例：そう痒，熱感，ひきつれ），体表面積の10〜30%を占める斑状疹/丘疹；身の回り以外の日常生活動作の制限；軽度の症状の有無は問わない，体表面積の＞30%を占める皮疹	中等度または高度の症状を伴う，体表面積の＞30%を占める斑状疹/丘疹；身の回りの日常生活動作の制限	─	─
皮膚色素減少	体表面積の≦10%を占める色素脱失または褪色；社会心理学的な影響はない	体表面積の＞10%を占める色素脱失または褪色；社会心理学的な影響を伴う	─	─	─

〔有害事象共通用語規準 v5.0 日本語訳 JCOG版より（JCOGホームページhttp://www.jcog.jp）〕

表3 CTCAE v5.0 間質性肺疾患（肺臓炎，肺線維症）

CTCAE v5.0 Term 日本語	Grade 1	Grade 2	Grade 3	Grade 4	Grade 5
肺臓炎	症状がない；臨床所見または検査所見のみ；治療を要さない	症状がある；内科的治療を要する；身の回り以外の日常生活動作の制限	高度の症状；身の回りの日常生活動作の制限；酸素投与を要する	生命を脅かす；緊急処置を要する（例：気管切開や気管内挿管）	死亡
肺線維症	画像所見上の線維化が総肺容量の＜25％で低酸素症を伴う	肺高血圧症；画像所見上の線維化が25〜50％で低酸素症を伴う	高度の低酸素血症；右心不全；画像所見上の線維化が＞50〜75％	生命を脅かす（例：循環動態/肺合併症）；気管内挿管と人工呼吸を要する；画像所見上の線維化が＞75％であり，高度な蜂巣状変化を伴う	死亡

〔有害事象共通用語規準 v5.0 日本語訳 JCOG版より（JCOGホームページhttp://www.jcog.jp）〕

表4 CTCAE v5.0 下痢，大腸炎

CTCAE v5.0 Term 日本語	Grade 1	Grade 2	Grade 3	Grade 4	Grade 5
下痢	ベースラインと比べて＜4回/日の排便回数増加；ベースラインと比べて人工肛門からの排泄量が軽度に増加	ベースラインと比べて4〜6回/日の排便回数増加；ベースラインと比べて人工肛門からの排泄量が中等度増加；身の回り以外の日常生活動作の制限	ベースラインと比べて7回以上/日の排便回数増加；入院を要する；ベースラインと比べて人工肛門からの排泄量の高度増加；身の回りの日常生活動作の制限	生命を脅かす；緊急処置を要する	死亡
大腸炎	症状がない；臨床所見または検査所見のみ；治療を要さない	腹痛；粘液または血液が便に混じる	高度の腹痛；腹膜刺激症状	生命を脅かす；緊急処置を要する	死亡

〔有害事象共通用語規準 v5.0 日本語訳 JCOG版より（JCOGホームページhttp://www.jcog.jp）〕

連携のもと経過を観察する。症状改善後は慎重に再投与も可能である。Grade2ではプレドニゾロン換算で1.0mg/kg/日，Grade3以上では2〜4mg/kg/日の静注メチルプレドニゾロンまたは等価量の経口剤を投与する。適宜必要な検査を行い，経過をみながら1週間に5〜10mgずつ，4〜6週かけて漸減する。

5-3 下痢，大腸炎

　Grade1（表4）では慎重にモニタリングしながら対症療法を行い，投与を継続する。なお，一部の分子標的治療薬による下痢に対し，比較的初期の段階からロペラミドを併用することがあるが，免疫チェックポイント阻害薬による自己免疫性下痢の場合は症状をマスクしてしまうことがあるため，ロペラミドの安易な使用は避けることが望ましい。また，下痢は感染症などほかの要因による

表5 CTCAE v5.0 肝機能障害関連検査値

CTCAE v5.0 Term 日本語	Grade 1	Grade 2	Grade 3	Grade 4	Grade 5
アスパラギン酸アミノトランスフェラーゼ増加	ベースラインが基準範囲内の場合＞ULN～3.0×ULN；ベースラインが異常値の場合＞1.5～3.0×ベースライン	ベースラインが基準範囲内の場合＞3.0～5.0×ULN；ベースラインが異常値の場合＞3.0～5.0×ベースライン	ベースラインが基準範囲内の場合＞5.0～20.0×ULN；ベースラインが異常値の場合＞5.0～20.0×ベースライン	ベースラインが基準範囲内の場合＞20.0×ULN；ベースラインが異常値の場合＞20.0×ベースライン	－
アラニンアミノトランスフェラーゼ増加	ベースラインが基準範囲内の場合＞ULN～3.0×ULN；ベースラインが異常値の場合＞1.5～3.0×ベースライン	ベースラインが基準範囲内の場合＞3.0～5.0×ULN；ベースラインが異常値の場合＞3.0～5.0×ベースライン	ベースラインが基準範囲内の場合＞5.0～20.0×ULN；ベースラインが異常値の場合＞5.0～20.0×ベースライン	ベースラインが基準範囲内の場合＞20.0×ULN；ベースラインが異常値の場合＞20.0×ベースライン	－
血中ビリルビン増加	ベースラインが基準範囲内の場合＞ULN～1.5×ULN；ベースラインが異常値の場合＞1.0～1.5×ベースライン	ベースラインが基準範囲内の場合＞1.5～3.0×ULN；ベースラインが異常値の場合＞1.5～3.0×ベースライン	ベースラインが基準範囲内の場合＞3.0～10.0×ULN；ベースラインが異常値の場合＞3.0～10.0×ベースライン	ベースラインが基準範囲内の場合＞10.0×ULN；ベースラインが異常値の場合＞10.0×ベースライン	－
アルカリホスファターゼ増加	ベースラインが基準範囲内の場合＞ULN～2.5×ULN；ベースラインが異常値の場合＞2.0～2.5×ベースライン	ベースラインが基準範囲内の場合＞2.5～5.0×ULN；ベースラインが異常値の場合＞2.5～5.0×ベースライン	ベースラインが基準範囲内の場合＞5.0～20.0×ULN；ベースラインが異常値の場合＞5.0～20.0×ベースライン	ベースラインが基準範囲内の場合＞20.0×ULN；ベースラインが異常値の場合＞20.0×ベースライン	－

ULN：upper limit of normal：（施設）基準値上限

〔有害事象共通用語規準 v5.0 日本語訳 JCOG版より（JCOGホームページ http://www.jcog.jp）〕

ものでないか評価する。Grade2では免疫チェックポイント阻害薬をいったん休薬する。消化器専門医と連携して，感染症などほかの要因がないか評価する。症状がGrade1まで回復すれば再開可能だが，症状が継続するときは経口プレドニゾロン0.5～1mg/kg/日を投与する。Grade3以上の場合は免疫チェックポイント阻害薬を休薬する。消化器専門医と連携して静注メチルプレドニゾロン1～2mg/kg/日または等価量の投与を開始し，症状が改善したら経口投与に切り替え，徐々に漸減する。さらに重症の場合は，インフリキシマブの追加投与を検討する[4]。ただし，重篤な感染症を併発している場合など，インフリキシマブ投与禁忌となる状態もあり得るので注意する。

5-4 肝機能検査値異常

Grade1（表5）では慎重にモニタリングしながら投与継続可能だが，Grade2では免疫チェックポイント阻害薬の投与を延期する。異常値が遷延する場合は経口プレドニゾロンの投与を考慮する。プレドニゾロンの投与量が10mg/日以下で，かつGrade1まで落ち着けば免疫チェックポイント阻害薬の投与再開が可能である。Grade3以上では投与を中止し，肝機能を頻回にモニタリングするとともに，1～2mg/kg/日の静注メチルプレドニゾロンまたは等価量の経口剤を投与する。

表6 CTCAE v5.0 甲状腺機能障害（甲状腺機能亢進症，甲状腺機能低下症）

CTCAE v5.0 Term 日本語	Grade 1	Grade 2	Grade 3	Grade 4	Grade 5
甲状腺機能亢進症	症状がない；臨床所見または検査所見のみ；治療を要さない	症状がある；甲状腺抑制治療を要する；身の回り以外の日常生活動作の制限	高度の症状；身の回りの日常生活動作の制限；入院を要する	生命を脅かす；緊急処置を要する	死亡
甲状腺機能低下症	症状がない；臨床所見または検査所見のみ；治療を要さない	症状がある；甲状腺ホルモンの補充療法を要する；身の回り以外の日常生活動作の制限	高度の症状；身の回りの日常生活動作の制限；入院を要する	生命を脅かす；緊急処置を要する	死亡

〔有害事象共通用語規準 v5.0 日本語訳 JCOG版より（JCOGホームページ http://www.jcog.jp）〕

5-5 甲状腺機能障害

　無症候性の甲状腺機能亢進症（表6）でTSHが0.1〜0.5μU/mLの場合，TSHなどを定期的に測定しながら免疫チェックポイント阻害薬を継続する．TSHが0.1μU/mL未満に低下，または症候性甲状腺機能亢進症の場合は，免疫チェックポイント阻害薬を休薬する．内分泌専門医と連携し，症状に応じてβ遮断薬の投与を検討する．

　一方，甲状腺機能低下症では，無症候性なら免疫チェックポイント阻害薬の継続が可能である．内分泌専門医と連携のもと，甲状腺ホルモン薬（レボチロキシンとして25〜50μg/日より漸増）の投与を検討する．甲状腺機能低下に伴う症状を認める場合は，免疫チェックポイント阻害薬を休薬し，甲状腺ホルモンを投与する．状態が安定すれば甲状腺ホルモンを併用しながら免疫チェックポイント阻害薬を再開できる．irAEに対して甲状腺ホルモンを投与する場合，基本的には生涯にわたって投与することが必要とされている．

　なお，副腎機能も低下している場合，甲状腺ホルモンの投与によって副腎クリーゼを誘発することがある．このため，レボチロキシンの補充を検討する際はACTHおよびコルチゾールも評価し，必要に応じて副腎皮質ホルモン薬の投与を先行させる．

6 早期発見には患者中心の多職種連携が鍵

　免疫チェックポイント阻害薬によるirAE対策の原則は，症状の早期発見と早期対策である．免疫チェックポイント阻害薬の効果を最大限に引き出すため，irAEの症状把握にとどまらず，必要な検査が的確に実施されているか確認する．また，多様なirAEを適切にモニタリングするためには，患者を中心とした多職種による連携が重要であり，発現した種々のirAEに対し各専門医との連携が必要になる．施設の状況に応じて体制構築・維持を調整するなど，薬剤師が中心的な役割を担うべきである．

【参考文献】
1) Brahmer J et al：Nivolumab versus docetaxel in advanced squamous-cell non-small-cell lung cancer. N Engl J

Med, 373(2):123-135, 2015
2) Borghaei H et al：Nivolumab versus docetaxel in advanced nonsquamous non-small-cell lung cancer. N Engl J Med, 373(17):1627-1639, 2015
3) Carbone DP et al：First-line nivolumab in stage IV or recurrent non-small-cell lung cancer. N Engl J Med, 376(25):2415-2426, 2017
4) 日本臨床腫瘍学会　編：がん免疫療法ガイドライン第2版，金原出版，2019
5) Brahmer JR et al：ASCO management of immune-related adverse events in patients treated with immune checkpoint inhibitor therapy: American Society of Clinical Oncology Clinical Practice Guideline. J Clin Oncol, 36(17):1714-1768, 2018
6) Haanen JBAG et al：Management of toxicities from immunotherapy: ESMO Clinical Practice Guidelines for diagnosis, treatment and follow-up. Ann Oncol, 28(suppl. 4):iv119-iv142, 2017
7) National Comprehensive Cancer Network: Management of immunotherapy-related toxicities(immune checkpoint inhibitor-related toxicities). version 1. 2018（https://www.nccn.org）
8) Leach D et al：Enhancement of antitumor immunity by CTLA-4 blockade. Science, 271(5256):1734-1736, 1996
9) Nishimura H et al：Development of lupus-like autoimmune diseases by disruption of the PD-1 gene encoding an ITIM motif-carrying immunoreceptor. Immunity, 11(2):141-151, 1999
10) Larkin J et al：Combined nivolumab and ipilimumab or monotherapy in untreated melanoma. N Engl J Med, 373(1):23-34, 2015
11) Kato T et al：Nivolumab-induced interstitial lung disease analysis of two phase II studies patients with recurrent or advanced non-small-cell lung cancer. Lung Cancer, 104:111-118, 2017
12) Kotake M et al：High incidence of interstitial lung disease following practical use of osimertinib in patients who had undergone immediate prior nivolumab therapy. Ann Oncol, 28(3):669-670, 2017
13) Postow MA et al：Nivolumab and ipilimumab versus ipilimumab in untreated melanoma. N Engl J Med, 372(21):2006-2017, 2015
14) Freeman-Keller M et al：Nivolumab in resected and unresectable metastatic melanoma: characteristics of immune-related adverse events and association with outcomes. Clin Cancer Res, 22(4):886-94, 2016

〈池末　裕明〉

第6章 がん疼痛の薬物療法

第6章 がん疼痛の薬物療法

I 緩和ケア総論

1 緩和ケアとは

1-1 緩和ケアの理念と基本方針

　緩和ケアは，生命を脅かす疾患に直面する患者とその家族のQOL（人生と生活の質）の改善を目的とし，さまざまな専門職とボランティアがチームとして提供するケアである。

　シシリー・ソンダース博士はpain-relief（がんの痛みからの解放）を提唱した。強オピオイドを定期的に使用することによって，痛みを忘れること。すなわち，患者が，がんであることを自らも忘れ，日常生活に近づけることが重要であるとした。

　われわれ薬剤師はこの考えに基づき，可能な限り痛みのみならず，その他の不快な症状を薬物によって緩和する。その際，それらの薬物による副作用によってさらに苦痛を与えることのないように，また，薬物の限界も知り，不要な薬物の使用を避ける。さらに，患者や家族の意思を尊重し，薬物を使用しないという選択も考慮する。

　WHOの緩和ケアの定義は1990年に策定され，2002年に改定されている。さらに2018年6月に緩和ケア関連団体により日本語訳が改定された。表1にその定義[1]を紹介する。

表1　WHOの緩和ケアの定義（日本語定訳）

緩和ケアとは，生命を脅かす病に関連する問題に直面している患者とその家族のQOLを，痛みやその他の身体的・心理社会的・スピリチュアルな問題を早期に見出し的確に評価を行い対応することで，苦痛を予防し和らげることを通して向上させるアプローチである。 ●痛みやその他のつらい症状を和らげる ●生命を肯定し，死にゆくことを自然な過程と捉える ●死を早めようとしたり遅らせようとしたりするものではない ●心理的およびスピリチュアルなケアを含む ●患者が最期までできる限り能動的に生きられるように支援する体制を提供する ●患者の病の間も死別後も，家族が対処していけるように支援する体制を提供する ●患者と家族のニーズに応えるためにチームアプローチを活用し，必要に応じて死別後のカウンセリングも行う ●QOLを高める。さらに，病の経過にも良い影響を及ぼす可能性がある ●病の早い時期から化学療法や放射線療法などの生存期間の延長を意図して行われる治療と組み合わせて適応でき，つらい合併症をよりよく理解し対処するための精査も含む

〔日本緩和医療学会：WHOの緩和ケアの定義，日本語定訳：2018年6月緩和ケア関連団体会議作成
（https://www.jspm.ne.jp/proposal/word/who2018.docx（2022年6月閲覧）〕

1-2　がんと緩和ケア

1）早期からの緩和ケア

　「早期からの緩和ケア」という単語によって患者だけでなく医療者のなかでも，混乱が生じている。海外においては緩和ケアチームというよりサポーティブケアチームという名前の方が，依頼件数が増えるというデータもあり[2]，化学療法中のケアについては，「早期からの緩和ケア」がよいか，「サポーティブケア」がよいかは議論の余地がある。

　診断時の緩和ケアは，衝撃と混乱のなかにいる患者に寄り添うことであり，その後に経験する手術や抗がん薬，放射線治療に伴う苦痛や不安，さらには社会的苦痛に対応することである。

　薬剤師として最も重要な役割は，診断時から関わり，一緒に治療してきたことで築いた人間関係に立脚し，抗がん薬治療や適切な緩和ケアの提供などについての冷静で科学的な判断を行うことであると考える。

1-3　全人的苦痛（Total Pain）

　シシリー・ソンダース博士により提唱された概念で，がん患者は複雑な苦痛を体験しているため，その人を理解するためには，身体的苦痛，精神的苦痛，社会的苦痛，スピリチュアルペインという全人的な視点が重要であるとしている（図1）。また，身体的苦痛，精神的苦痛，社会的苦痛，スピリチュアルペインはそれぞれ独立したものではなく，互いに影響しあっている。

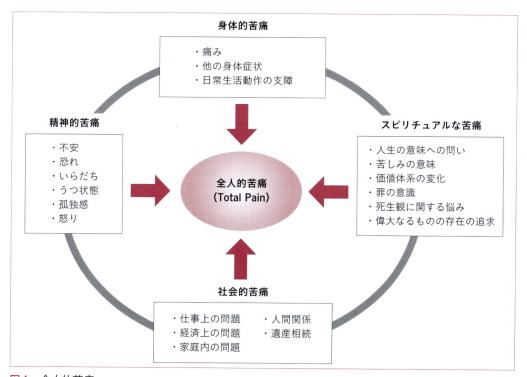

図1　全人的苦痛

1-4 がん患者の身体的および精神的苦痛

がん患者の代表的な身体的および精神的苦痛を表2[3]に示す。2013年にWHOは苦痛症状とその薬物療法について公表している（表3）[4]が，記載されている薬物は全世界で使用可能なものであり，日本においては最善とはいえないものもある。よって，緩和ケアに携わる薬剤師は，これらの苦痛に対する薬物療法を迅速かつ安全に遂行するための処方提案を行う必要がある。

2 医療用麻薬と薬剤師の役割

2-1 誤解の現状

医療用麻薬に対する誤解は非医療従事者のみならず，一部の医療従事者においても根強く存在する。

2008年，2012年にホスピス・緩和ケア振興財団が全国の男女1,000人に対して行った「医療用麻薬にどのようなイメージをお持ちですか」というアンケート調査によると，多くの人が副作用をはじめとする悪いイメージをもっていた。回答が最も多かったのは「痛みが和らぐ」（81.5％）で，

表2 頻度の高いがん患者の身体的および精神的苦痛

1.	痛み（神経障害性疼痛，内臓痛，骨痛）
2.	倦怠感
3.	食欲不振
4.	悪心
5.	嘔吐
6.	便秘
7.	下痢
8.	呼吸困難
9.	呼吸器うっ血
10.	口内乾燥
11.	しゃっくり
12.	発汗
13.	不眠
14.	不安
15.	抑うつ
16.	せん妄
17.	末期の不穏

〔IAHPC：IAHPC List of Essential Medicines for Palliative Care; Summary of Process for Editors of Pain and Palliative Care Journals. p.4, 2007〕

表3 薬物療法が推奨されている症状

症状
食欲不振
不安
便秘
せん妄
抑うつ
下痢
呼吸困難
倦怠感
悪心・嘔吐
痛み
気道分泌過多

〔International Association for Hospice and Palliative Care (IAHPC)：World Health Organization Essential Medicines in Palliative Care EXECUTIVE SUMMARY, 2013〕

次いで「最後の手段だと思う」（59.0％），「副作用がある」（49.4％）が続いた。一方，「寿命が縮むと思う」（13.7％），「中毒になる」（11.8％）は1割程度と少なかった（図2）。

がんの早期において，痛みの程度に応じてオピオイド製剤（医療用麻薬）を使用し，痛みがなくなれば中止することはよくあり，最後の手段であるという誤解を解く必要がある。

2-2 誤解による治療上の不利益

がん治療において疼痛治療が重要とされるのは，痛みを我慢することにより，食欲をはじめとする意欲が低下したり，睡眠が妨げられ，さらに全身状態の悪化がみられ，結果としてQOLの低下と寿命の短縮が起こるためである。よって，病期に関係なく痛みの程度に応じた疼痛治療は，重要となる[5]。

2-3 誤解の解消

疼痛治療が重要とはいえ，患者の理解のないまま薬物治療を開始しても，アドヒアランスの低下，レスキュー薬の不使用等，患者の利益が得られない可能性がある。加えて，オピオイドへの誤解を解消する方法は，患者ごとで異なる。患者，家族の思いを十分に傾聴して最適な説明と薬物選択が必要である。

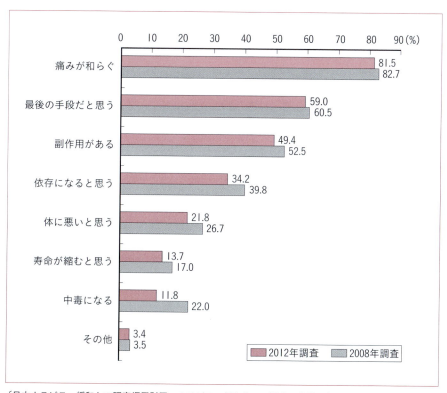

〔日本ホスピス・緩和ケア研究振興財団：ホスピス・緩和ケアに関する意識調査，医療用麻薬のイメージ．2012年度調査（https://www.hospat.org/research-305.html）（2022年6月閲覧）〕

図2 医療用麻薬のイメージ

2-4 薬剤師の役割

　終末期のがん患者に対する症状緩和は，可能な限り迅速にかつ安全に行われるべきである。限られた時間を不快な症状や悩み事で患者が煩わされることがないように，また薬物治療の副作用等により新たな苦痛を与えることがないように，適切に行う必要がある。

　薬物治療を行うにあたり最も考えなければならないことの1つに，生命予後がある（ミニコラム①参照）。生命予後を予測することで，薬物治療の選択が異なる。例えば，食欲不振に対するステロイドやスルピリドは予後2週間では効果はなく，副作用のリスクのみが増す。その時期は，食欲低下は自然な経過であることを，家族に説明することが重要である。その他，抗菌薬や輸液，利尿薬等，終末期に使用しない方がよい薬剤は多くある。

　また，スピリチュアルペインを抑うつや不安として，薬物治療を検討することのないように，薬剤師であってもスピリチュアルペインについては学ぶべきである。

　薬剤師は，医療用麻薬や鎮静といった，できれば聞きたくない言葉を使用しなければならない。患者・家族の話を傾聴し，その人たちが薬物治療を抵抗なく受け入れられるよう，その人たちにとって最善の医療を提供できるよう，医療者（チーム医療の一員）として努力するべきである。

ミニコラム ① 予後予測ツール──PPI

　予後予測ツールとして，PPI（Palliative Prognostic Index）がよく使用される（表4）。

　PPIの特徴は，医師の主観によらない客観的な予後予測が可能となることである。なお，PPIは表3の点数を加点した合計で算出する。

　合計得点が6より大きい場合，患者が3週間以内に死亡する確率は感度80％，特異度85％，陽性反応適中度71％，陰性反応適中度90％となり，合計点数が4未満の場合，患者が6週間以内に死亡する確率は，感度80％，特異度77％となる（10を超えると週単位，15を超えると日単位）。

　問題としては，PPIでの指標の中でせん妄の占める割合が高いことから，認知機能障害患者などせん妄の有無の判断が困難な場合は予測困難になる。また，別の指標であるPPS（Palliative Performance Scale，表5）では移動や活動性が重視されるため，食物摂取や意識状態に問題がある場合は評価が低くなり予後の短縮につながる。

　客観的な症状に基づいて予測するため客観性は高いが，長期予後の予測精度は低い。3週間内生存の予測に用いられる[1,2]。

【参考文献】
1) Morita T et al：The Palliative Prognostic Index: a scoring system for survival prediction of terminally ill cancer patients. Support Care Cancer, 7(3):128-133, 1999
2) Stone CA et al：Prospective validation of the palliative prognostic index in patients with cancer. J Pain Symptom Manage, 35(6):617-622, 2008

表4 PPI

PPS（表5）	10〜20	4
	30〜50	2.5
	≧60	0
経口摂取 （消化管閉塞のために高カロリー輸液を受けている場合は「正常」とする）	著明に減少（数口以下）	2.5
	中程度減少 （減少しているが数口よりは多い）	1
	正常	0
浮腫	あり	1
安静時の呼吸困難	あり	3.5
せん妄	あり※	4

※：薬剤が単独の原因となっているもの，臓器障害に伴わないものは除外する

表5 PPS

%	移動	活動性／病状	セルフケア	食物摂取	意識状態
100	正常	正常／変化なし	自立	正常	正常
90		正常／いくらか変化あり		正常／低下	
80		正常（努力が必要）／いくらか変化あり			
70	低下	通常の仕事困難／いくらか変化あり			
60		趣味や家事困難／かなりの進行あり	たまに介助が必要		正常／混乱
50	大部分車椅子	どんな作業も困難	かなり介助が必要		
40	大部分ベッド		大部分介助		正常／混乱／傾眠
30	すべてベッド	広範に病状進行	すべて介助	低下	
20				ごく少量	
10				口腔ケアのみ	傾眠／昏睡
0	死				

ミニコラム ②麻薬製剤を使用している患者への渡航手続き

　海外渡航の手続きについては，厚生労働省が発刊している「医療用麻薬適正使用ガイダンス～がん疼痛及び慢性疼痛治療における医療用麻薬の使用と管理のガイダンス～」[1]に書類も含め掲載されている。以下に，申請と許可，注意点について上記ガイダンスより抜粋する。

1）許可の申請
　許可を受けるには，麻薬携帯輸出許可申請書または麻薬携帯輸入許可申請書（携帯して出入国する場合は両方）を作成し，医師の診断書を添えて申請者の住所あるいは入港する港や空港を管轄する地方厚生（支）局麻薬取締部に提出する。なお，麻薬を携帯して海外に渡航し，飲み残した麻薬を持って帰国する場合などは，出国時と入国時にそれぞれ許可書が必要となる。

2）許可書等の交付
○ 申請書類に不備がなく，許可が行われた場合には，麻薬携帯輸出許可書または麻薬携帯輸入許可書（ともに日本語で記載）及び麻薬携帯輸出許可証明書または麻薬携帯輸入許可証明書（ともに英語で記載）が各1通ずつ交付される。
○ 出国時あるいは入国時に税関でこれらの書類を提示する。

3）渡航先での注意点
○ 渡航先によっては，主治医の診断書（英語）及び我が国の地方厚生（支）局麻薬取締部から発行された麻薬携帯輸出（輸入）許可証明書（英語）以外にも，書類や事前に相手国での許可手続きが必要な場合があるため，渡航先の国ではどのような手続きが必要か，事前に情報を得て，準備しておく必要がある。

【参考文献】
1) 厚生労働省医薬・生活衛生局 監視指導・麻薬対策課：医療用麻薬適正使用ガイダンス～がん疼痛及び慢性疼痛治療における医療用麻薬の使用と管理のガイダンス～．2017（http://www.mhlw.go.jp/bunya/iyakuhin/yakubuturanyou/dl/iryo_tekisei_guide2017b.pdf）（2022年6月閲覧）

【参考文献】
1) 日本緩和医療学会：WHOの緩和ケアの定義，日本語定訳：2018年6月緩和ケア関連団体会議作成（https://www.jspm.ne.jp/proposal/word/who2018.docx）
2) Dalal S et al：Association between a name change from palliative to supportive care and the timing of patient referrals at a comprehensive cancer center. Oncologist, 16 (1):105-111, 2011
3) IAHPC：IAHPC List of Essential Medicines for Palliative Care; Summary of Process for Editors of Pain and Palliative Care Journals.p4, 2007.
4) International Association for Hospice and Palliative Care（IAHPC）：World Health Organization Essential Medicines in Palliative Care EXECUTIVE SUMMARY, 2013
5) 日本ホスピス・緩和ケア研究振興財団：ホスピス・緩和ケアに関する意識調査，医療用麻薬のイメージ．2012年度調査（https://www.hospat.org/research-305.html）（2022年6月閲覧）

（岡本　禎晃）

2-1 痛みの分類

1 痛みとは

「痛み」とは「実際の組織損傷もしくは組織損傷が起こりうる状態に付随する，あるいはそれに似た，感覚かつ情動の不快な体験」と国際疼痛学会（IASP）は定義している。

付記として以下の6項目が加えられている[1]。

1. 痛みは常に個人的な経験であり，生物学的，心理的，社会的要因によって様々な程度で影響を受けます。
2. 痛みと侵害受容は異なる現象です。感覚ニューロンの活動だけから痛みの存在を推測することはできません。
3. 個人は人生での経験を通じて，痛みの概念を学びます。
4. 痛みを経験しているという人の訴えは重んじられるべきです。
5. 痛みは，通常，適応的な役割を果たしますが，その一方で，身体機能や社会的および心理的な健康に悪影響を及ぼすこともあります。
6. 言葉による表出は，痛みを表すいくつかの行動の1つにすぎません。コミュニケーションが不可能であることは，ヒトあるいはヒト以外の動物が痛みを経験している可能性を否定するものではありません。

〔日本疼痛学会：痛みの定義2020 日本語訳，2020（http://plaza.umin.ac.jp/~jaspain/pdf/notice_20200818.pdf）
（2022年6月閲覧）〕

痛みは①侵害受容性疼痛（侵害受容器への刺激により発生する痛み）と②神経障害性疼痛（感覚神経の障害により発生する痛み）に大別される（表1）。

表1 痛みの分類と性状

	侵害受容性疼痛		神経障害性疼痛
	体性痛	内臓痛	
痛みの部位	骨，筋肉，皮膚	内臓	神経
痛みの範囲	限局的	広範囲	神経の支配領域
痛みの表現	うずくような ズキズキ ヒリヒリ 鋭い痛み	ズーンとした 圧迫されたような 鈍い痛み	ビリビリ しびれるような 電気が走るような 焼けるような
治療薬	非オピオイド鎮痛薬 オピオイド 突出痛に対してはレスキュー薬が重要	オピオイド 非オピオイド鎮痛薬	鎮痛補助薬

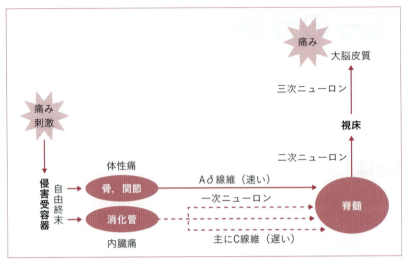

図1　侵害受容性疼痛における痛みの伝達のメカニズム

2　侵害受容性疼痛

　侵害受容性疼痛とは，末梢神経の末端にある侵害受容器への痛み刺激によって引き起こされる痛みであり，体性痛（体性組織の異常に伴う痛み）と内臓痛（内臓の異常に伴う痛み）に分けられる。

1）痛みの伝達のメカニズム

　侵害受容器への痛み刺激は，一次ニューロンにより脊髄に伝えられる。一次ニューロンは脊髄に入り，脊髄視床（二次ニューロン）とシナプスを形成する。痛み刺激を受け興奮した一次ニューロンからグルタミン酸等が放出され，二次ニューロン上のグルタミン酸受容体と結合し，視床に痛み刺激を伝え，視床から三次ニューロンを経由して大脳皮質体性感覚野に伝わり，痛みの強度と発生部位が認識される（図1）。
　体性痛はAδ線維とC線維により伝達され，内臓痛は主にC線維により伝達される。

(1) Aδ線維

　Aδ線維は太い有髄神経（1〜5μm：伝導速度10〜25m/sec）で伝導速度が速い。Aδ線維の末端（自由終末）に存在する受容器は主に機械的刺激（切る，叩く，刺す等）に反応する機械受容器である。そのため，痛み刺激を受けるとただちに痛みを感じ，鋭く針で刺すような明瞭で比較的短い痛みを伝えるのが特徴である。

(2) C線維

　C線維は細い無髄神経（0.3〜1μm：伝導速度0.5〜2m/sec）で伝導速度が遅い。C線維の自由終末には機械的刺激だけでなく化学刺激や熱刺激等に反応する多種侵害受容器（ポリモダール受容器）が存在する。不明瞭で鈍い遷延性の痛みが特徴である。

2）体性痛

　体性痛は体性組織（皮膚や骨，関節，筋肉，結合組織等）への機械的刺激で起こる痛みで，術後早期の創傷部の痛み，筋膜や筋骨格の炎症や攣縮に伴う痛み，骨転移による局所の痛み等が該当す

る。

　体性組織への損傷などにより起こり，急性または慢性的な痛みである。体性痛の痛み刺激は1つの脊髄分節に伝達されるため，痛みは損傷部位に限局し，圧痛を伴う。針で刺されたような痛みや，ズキズキする痛み，うずくような痛みが起こり，体を動かすと痛みが増強される。深部体性組織（骨や関節等）に病巣がある場合は関連痛（離れた部位に感じる痛み）が認められる場合がある。

　体性痛の治療薬には，抗炎症作用のある非オピオイド鎮痛薬やオピオイド鎮痛薬の定期的な投与に加え，突出痛のためのレスキュー薬が重要である。

3）内臓痛

　管腔臓器（食道，胃，小腸，大腸等）炎症や狭窄・閉塞，固形臓器（肝臓や腎臓，膵臓等）の炎症や腫瘍の直接圧迫，臓器被膜の急激な伸展が原因で発生する痛みである。

　内臓痛の侵害受容器を刺激する痛み刺激は，固形臓器では被膜の急激な伸展，管腔臓器では消化管内圧の上昇を伴う圧迫や伸展，炎症等による化学物質の放出による化学的刺激等である。内臓の痛み刺激は，1つの臓器から複数の脊髄レベルへ伝達されるため，痛みの発生部位は不明瞭で広範囲に痛みが発生する。また，悪心・嘔吐，発汗等を伴うこともある。

　治療には非オピオイド鎮痛薬とオピオイド鎮痛薬が用いられる。

❸ 神経障害性疼痛

1）神経障害性疼痛の特徴

　神経障害性疼痛は「体性感覚神経系の病変や疾患によって引き起こされる疼痛」と国際疼痛学会（IASP）は定義している。神経障害性疼痛では，障害された神経の支配領域においてさまざまな痛みや感覚異常が発生する（表2）。神経が損傷された支配領域では痛みや感覚異常が生じ，しばしば運動障害や自律神経の異常（発汗異常，皮膚色調の変化）を伴うことがある。

　鎮痛薬で効果が得られない場合があるため，鎮痛補助薬を併用する。

表2　神経障害性疼痛の特徴

	痛みの特徴
刺激に依存しない痛み	・焼けるような ・刃物で刺すような ・槍で突き抜かれるような ・ビーンと走るような
刺激に依存する痛み	・アロディニア（通常では痛みを起こさない刺激（「触る」など）によって引き起こされる痛み）
神経損傷による感覚異常	・痛覚過敏（痛覚に対する感受性が亢進した状態） ・しびれ感

（日本緩和医療学会 ガイドライン統括委員会 編：がん疼痛の薬物療法に関するガイドライン2020年版，金原出版，p.25-26，2020をもとに作成）

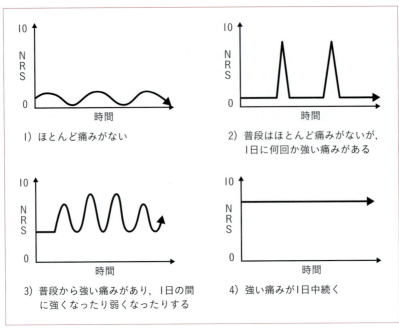

(日本緩和医療学会 ガイドライン統括委員会 編：がん疼痛の薬物療法に関するガイドライン2020年版, 金原出版, p.28, 2020)

図2 痛みのパターン・患者からみた痛み

❹ 痛みのパターン

1日の大半を占める平均的な痛みの持続痛と、一過性の痛みの増強である突出痛のさまざまな組み合わせで表される。(図2)

1) 持続痛

「1日のうち12時間以上持続する痛み」である。がん自体から、痛みの原因となるサイトカインが放出される。また、がん周囲の酸性環境による局所の侵害受容器の刺激亢進があると考えられる。鎮痛薬により緩和されてる持続痛と、鎮痛薬が不十分あるいは痛みの急速な増強のために緩和されない持続痛がある。治療やがんの進行に伴い持続痛の程度も変化するため定期的な評価は必要不可欠である。

2) 突出痛 (breakthrough pain)

「定期的に投与されている鎮痛薬で持続痛が良好にコントロールされている場合に生じる、短時間で悪化し自然消失する一過性の痛み」である。痛みの発生からピークに達するまでの時間は、おおよそ5〜10分程度と短く、持続する時間は30〜60分程度である。痛みの発症部位の約8割は持続痛と同じ部位であり、持続痛の一過性増強と考えられている。突出痛は**表3**のように分類できる。

表3 突出痛

1) 予測できる突出痛
2) 予測できない突出痛
   ①痛みの誘因があるもの
   ②痛みの誘因がないもの

5 痛みの臨床的症候群

5-1 がんによる痛みの症候群

1) 骨転移症候群

骨転移の発生頻度が高いがんは，肺がん，乳がん，前立腺がんである。脊椎，胸椎腰仙部，頚椎の順に発生頻度が高い。

2) 内臓痛症候群

管腔臓器，実質臓器，腹膜や後腹膜軟部組織の異常で発生し，病巣から離れた部位に関連痛を生じることがある。

3) がんの神経浸潤

がんが神経浸潤すると，侵害受容性疼痛と神経障害性疼痛が混在し除痛が難渋することがある。

5-2 がん治療による痛みの症候群

1) 術後痛症候群

術後痛症候群は手術療法が原因で生じる痛みである。
(1) 乳房切除術後疼痛症候群
(2) 広範囲頸部切除後疼痛
(3) 開胸術後痛

2) 化学療法誘発性末梢神経障害性疼痛

薬剤により臨床的特徴に違いがあり，発生頻度は10〜100%とばらつきがある。
病理学的所見としては，軸索障害，神経細胞体障害，髄鞘障害に分類される（表4）。

3) 放射線照射後疼痛症候群

放射線照射による末梢・中枢神経障害が痛みの原因である。

表4 抗がん薬の種類と神経障害の特徴

神経細胞の障害部位	誘発薬剤	臨床症状	特徴
軸索障害	パクリタキセル ビンクリスチン サリドマイド ボルテゾミブ	・四肢末梢の感覚障害を伴う痛み	・早期の薬剤中止で改善しやすい
神経細胞体障害	シスプラチン オキサリプラチン カルボプラチン	・四肢末梢の感覚障害を伴う痛み ・顔面や体感の神経も障害されることがある ・慣例刺激で誘発される痛み	・薬剤中止後も改善しない場合もある
髄鞘障害	インターフェロン-α	・運動障害が中心	・薬剤中止で改善しやすい

【参考文献】
1) 日本疼痛学会理事会：改定版「痛みの定義：IASP」の意義とその日本語訳について（http://plaza.umin.ac.jp/~jaspain/pdf/notice_20200818.pdf）（2022年6月閲覧）
2) 日本緩和医療学会 ガイドライン統括委員会・編：がん疼痛の薬物療法に関するガイドライン2020年版，金原出版，p28，2020
3) 日本緩和医療薬学会 編：緩和医療薬学，南江堂，2013
4) 日本緩和医療薬学会 編：臨床緩和医療薬学，真興交易医書出版部，2008
5) Treede RD et al：Neuropathic pain: redefinition and a grading system for clinical and research purposes. Neurology, 70(18):1630-1635, 2008
6) Bruera E et al(Eds)：Textbook of Palliative Medicine, Hodder Arnold, 2006
7) Jensen TS et al：A new definition of neuropathic pain. pain, 152(10):2204-2205, 2011
8) Payne R：Recognition and diagnosis of brekthrough pain. Pain Med, 8(Suppl.1):S3-7, 2007
9) McCarberg BH：The treatment of brekthrough pain. Pain Med, 8(Suppl):S8-13, 2007

（滝澤　康志）

2-2 痛みの評価

1 痛みの評価

　がん疼痛治療において，痛みを適切に評価することが最も重要である。痛みは患者自身の主観的，個人的体験であり患者自身が評価を行うところが他の治療とは異なる。また，痛みは精神状態や社会的要因などにも大きく影響を受けるため全人的な評価を含め継続的に行う必要がある。医療者と患者本人の疼痛スコア（強度）を比較したところ医療者は患者本人に比べ有意に低い疼痛スコア（強度）をつけているとの報告もあり，評価する際は注意が必要である。

2 痛みの原因の評価

　がん患者の痛みを身体所見，画像所見，血液検査所見，患者の訴え等から総合的に判断する（図1）。発症後数時間〜数日以内に不可逆的な臓器障害を起こし致命的となることもあるオンコロジーエマージェンシー（脊髄圧迫症候群，硬膜外転移，体重支持骨の骨折または切迫骨折，脳転移，軟髄膜転移，感染症，消化管閉塞・穿孔・出血）に関連して生じる痛みもあるため注意が必要である。

3 痛みの評価のポイント

　痛みの部位・範囲（どこが，どの位の範囲で），痛みの強さ，痛みのパターン，経過（いつから痛いのか），どのようなときに痛むのかを患者から聴きとることが，痛みの評価に最も重要なプロセスとなる。

1）痛みの強さを評価するツール
(1) 各ツールの特徴

　痛みの強さの評価をするには，一番強いときの痛み，一番弱いときの痛み，1日の平均的な痛み，安静時・体動時の痛みなどに分けて継続的に評価することが重要である。評価方法としては，NRS（Numerical Rating Scale），VAS（Visual Analogue Scale），VRS（Verbal Rating Scale），FPS（Faces Pain Scale）が用いられている（図2）。VASは筆記用具が必要であり，VRSは評価段階が少なく，加えて痛みの言語表現から痛みの経過を詳細に評価ができない可能性がある。またFPSは子供向けに開発されたツールで，顔の表情を選択して評価するため，イラストの表情から痛み以外の気分を反映する可能性がある。一般的にはNRSが広く使用されている。

　ひとりの患者の痛みの強さの評価には同一の評価方法を使用する。

患者氏名：テスト　テスト（ID：■■■■■）

緩和ケア実施計画書　　　　　病院保管用

氏名		性別		年齢		ID	
生年月日				歳			

主訴	
診断	1)　　　　　3) 2)　　　　　4)
現病歴	
既往歴	

身体症状　　　　　　　　　【重症度】　　　　　　　　　　　【痛みの部位、性状】
1. 痛み　　　安静時　□なし　□軽　□中　□重
　　　　　　体動時　□なし　□軽　□中　□重
2. 呼吸困難　　　　　□なし　□軽　□中　□重
3. 倦怠感　　　　　　□なし　□軽　□中　□重
4. 発熱　　　　　　　□なし　□軽　□中　□重
5. 口渇　　　　　　　□なし　□軽　□中　□重
6. 咳・痰　　　　　　□なし　□軽　□中　□重
7. 食欲不振　　　　　□なし　□軽　□中　□重
8. 嘔気・嘔吐　　　　□なし　□軽　□中　□重
9. 腹部膨満感　　　　□なし　□軽　□中　□重
10. 便秘　　　　　　 □なし　□軽　□中　□重
11. 尿閉、失禁　　　 □なし　□軽　□中　□重
12. 浮腫　　　　　　 □なし　□軽　□中　□重
13. その他（具体的に）
[　　　　　　　　　　　　　　　]

身体活動状態
全般　□ 0. 問題なし　　□ 1. 軽度の症状があるも、軽い労働は可能
　　　□ 2. 時に介助が必要、一日の半分以上は起きている
　　　□ 3. しばしば介助が必要、一日の半分以上臥床している
　　　□ 4. 常に介助が必要、終日臥床している

歩行　□問題なし　□要介助　□不可
排泄　□問題なし　□ポータブル　□要介助
食事　□問題なし　□要介助　□不可
入浴　□問題なし　□要介助　□不可

精神状態　　　　　　　　　【重症度】
1. 不安　　　□なし　□軽　□中　□重
2. 抑うつ　　□なし　□軽　□中　□重
3. せん妄　　□なし　□軽　□中　□重
4. 不眠　　　□なし　□軽　□中　□重
5. 眠気　　　□なし　□軽　□中　□重
6. その他（具体的に）
[　　　　　　　　　　　　　　　　　　　　　　　　]

その他の問題
　□家族
　□経済
　□仕事・趣味・交際などの活動や生きがい
　□その他　[　　　　　　　　　　　　　　　　　　]

本人の希望		家族の希望	

治療目標（優先順に）		②	③
(1)			

緩和治療・検査計画
　□薬物療法
　□精神療法
　□理学・作業療法
　□その他

備考	

説明日　　　年　　　月　　　日

本人の署名		家族の署名	
主治医		（　続柄　　　　　　　　　　　）	
緩和ケア医		精神科医	
緩和ケア担当薬剤師		緩和ケア担当看護師	

■■■■■■病院

同意-10

図1　総合的な痛みの評価を記載できる緩和ケア実施計画書

図2 痛みの評価ツール

> **ミニコラム ③ミニメンタルステート検査：MMSE**
>
> ミニメンタルステート検査（Mini-Mental State Examination：MMSE）は認知機能や記銘力を測定するスクリーニング検査の1つである。時間・場所の見当識，計算，図形模写等，11項目よりなるスクリーニング検査で，30点満点で21点以下の場合には認知症などの認知力障害がある可能性が高いと判断される。

(2) ツールの使用可能患者

認知機能が軽度低下した患者（MMSE：18点以上）においてはNRS，VAS，VRSを使用することが可能である。認知機能が中等度低下した患者（MMSE：10～17点）においてもNRS，VRSが使用可能であり，認知機能低下患者ではNRS，VRSを使用するのがよいとされている。認知症で自分の痛みを表現できない患者の痛みの強さの評価尺度としては，Pain Assessment in Advanced Dementia Scale（PAINAD：日本語版は未検証）がある。また，医療者による痛みの強さの評価ではSTAS-Jが信頼性・妥当性が確認されている評価方法である。また，痛みに加え生活への影響を評価するツールとして，Brief Pain Inventory（BPI）がある。

2) 痛みの評価のプロセス

(1) 痛みの部位

痛みの部位・範囲から原因を推測する。帯状疱疹，静脈血栓塞栓症等，がんと関連しない痛みを判別できる。

(2) 痛みの強さ

現在の痛みの強さだけではなく，痛くなる時間帯，体動時に痛みが変化するかどうかを患者から

聴き取る．定期的に投与している鎮痛薬の効果の切れ目に痛みが強くなる，リハビリをするときに痛くなるという場合もある．

(3) 痛みのパターン・性質
持続する痛みなのか，突然起こる一過性の痛みなのか，ズーンとした痛みなのか，電気が走るような痛みであるのか，痛みの性質を聴き取る．

(4) 痛みの経過
いつから痛いのかを把握することで，痛みの原因がわかる場合がある．

上記 (1)〜(4) を踏まえて，患者に最も適切な鎮痛薬を選択する．すでに鎮痛薬を使用している場合には，使用状況，薬剤の効果，副作用の有無を評価する．

3) 日常生活への影響
痛みによって日常生活や社会生活が妨げられないことが目標となる．特に睡眠への影響がないことを確認しておく．

患者一人ひとりの目標を確認したうえで，治療を継続することが求められる．

【参考文献】
1) 日本緩和医療学会 ガイドライン統括委員会 編：がん疼痛の薬物療法に関するガイドライン2020年版, 金原出版, 2020
2) Marquié L et al：Pain rating by patients and physicians: evidence of systematic pain miscalibration. Pain, 102(3):289-296, 2003
3) Hovi SL et al：Patients' and nurses' assessment of cancer pain. Eur J Cancer Care(Engl), 8(4):213-219, 1999
4) Puntillo K et al：Accuracy of emergency nurses in assessment of patients' pain. Pain Manag Nurs, 4(4):171-175, 2003
5) Williamson A et al：Pain: a review of three commonly used pain rating scales. J Clin Nurs, 14(7):798-804, 2005
6) Caraceni A et al：Pain measurement tools and methods in clinical research in palliative care: recommendations of an Expert Working Group of the European Association of Palliative Care. J Pain Symptom Manage, 23(3):239-255, 2002
7) Whaley L：Nursing Care of Infants and Children Third edition, Mosby, 1987
8) Closs SJ et al：A comparison of five pain assessment scales for nursing home residents with varying degrees of cognitive impairment. J Pain Symptom Manage, 27(3):196-205,2004
9) Warden V et al：Development and psychometric evaluation of the Pain Assessment in Advanced Dementia (PAINAD) scale. J Am Med Dir Assoc, 4(1):9-15, 2003
10) Miyashita M et al：Reliability and validity of the Japanese version of the Support Team Assessment Schedule(STAS-J). Palliat Support Care, 2(4):379-385, 2004
11) Cleeland CS et al：Pain assessment: global use of the Brief Pain Inventory. Ann Acad Med Singap, 23(2):129-138,1994

〔滝澤　康志〕

3-1 WHO方式がん疼痛治療

1 概要

　WHO（世界保健機関）方式がん疼痛治療法は，全世界のあらゆる国に存在するがんの痛みで苦しんでいる患者を痛みから解放することを目的として作成され，『がんの痛みからの解放』として1986年に第1版，1996年に第2版が出版，普及した[1]。この治療法の実践により，70〜80％の患者で効果的な痛みの軽減が得られることが明らかになっている。また，日本でもWHO式がん疼痛治療法の有効性が確認されおり，90％以上のがん患者の痛みが消え，残りの患者も痛みを軽減できたという結果を得ている。WHO方式がん疼痛治療法は，

> ① チームアプローチによる，がん患者の痛みの診断とマネジメントの重要性
> ② 詳細な問診，診察，画像診断などによる痛みの原因，部位，症状の十分な把握の必要性
> ③ 痛みの治療における患者の心理的，社会的およびスピリチュアルな側面への配慮と患者への説明の重要性
> ④ 症状や病態に応じた薬物または非薬物療法の選択
> ⑤ 段階的な治療目標の設定
> ⑥ 臨床薬理学に基づいた鎮痛薬の使用法

以上の6項目から構成される治療戦略である。
　薬剤師の関わりとしては薬物療法が中心となるが，神経ブロックや放射線療法など，非薬物療法についても念頭に置くことを忘れてはならない。

2 目標の設定

　疼痛コントロールの開始にあたっては，具体的な目標設定を行うことが大切になる。後述となるタイトレーションを行うにあたっても，目標が明確でなく，患者と医療者の思いが異なり過量投与となった場合には，患者が鎮痛薬への不信感を抱き，タイトレーションが進まないおそれもある。そのため，目標設定は段階的かつ患者と一緒に設定する。
・第一目標：痛みに妨げられることなく，夜間睡眠を確保する
・第二目標：日中安静時の痛みをなくす
・第三目標：体動時の痛みをなくす
　ただし，「痛み」は体が発する危険信号であることを忘れてはならない。骨転移による痛みの場合，転移部位に明らかな負荷がかかったときの痛みは完全に取り除くことが難しい。また，完全に取り除くことで病的骨折を誘発してしまう可能性にも気をつけたい。また，非薬物療法との併用の

重要性についても患者に理解を促す必要がある。

2-1　WHO方式がん疼痛治療の4原則

　WHO方式がん疼痛治療法は長年"5原則"として知られてきたが，2019年1月の改訂にて，「除痛ラダーにそって（by the ladder）」が項目としては削除され4原則となった（図1）。薬剤は痛みの強さに応じて選択し，生命予後の長短を考慮する必要はないことには留意されたい。

1）できるだけ経口投与で（by mouth）

　鎮痛薬の使用は経口投与を基本とする。経口投与の利点として，簡便であること，患者自身に疼痛治療への意識づけができることがある。また，投与量調整においては，仮に過量投与となってしまった場合にも，引き続き経口投与しないことで血中濃度が低下し，過量投与から離脱することが可能といった自然な安全機構が働く。一方，注射薬・貼付薬・坐薬など，他者が投与する方法ではこの安全機構が働かないこともあるため，やはり可能な限り経口投与が望ましい。

2）時刻を決めて規則正しく（by the clock）

　がん疼痛の特徴として，持続的な痛みであることが多いという点がある。薬物血中濃度が低下して効果に切れ目が生じないよう一定間隔で規則正しく投与し，血中濃度を安定させることが望ましい。

3）痛みが消える個別的な量で（for the individual）

　オピオイド鎮痛薬には標準投与量が存在しないため，鎮痛が得られるよう個別に投与量を設定する必要がある。

☐	**by mouth**　経口投与を基本とする	できるかぎり簡便な方法を選択　経口困難であれば早期に切り替える
☐	**by the clock**　時刻を決めて規則正しく	がん疼痛は持続的な痛みであり，薬剤の作用時間が途切れないように，一定間隔で規則正しく投与し血中濃度を安定させる
☐	~~**by the ladder**~~　~~除痛ラダーにそって~~	~~薬剤は痛みの強さに応じて選択し，生命予後の長短を考慮する必要はない~~
☐	**for the individual**　個々に合わせた投与量	鎮痛薬の必要量は患者ごとに大きく異なる　個々の患者の適量を求めるには効果判定を繰り返しつつ，調整が必要である
☐	**with attention to detail**　そのうえで細かい配慮を	以上の3点を守ったうえで，分かりやすい患者指導，副作用予防策の必要性と実施法，痛みの評価や患者の心の状態への配慮などを行う

（WHO guidelines for the pharmacological and radiotherapeutic management of cancer pain in adults and adolescents 2018をもとに作成）

図1　WHO方式がん疼痛治療の4原則

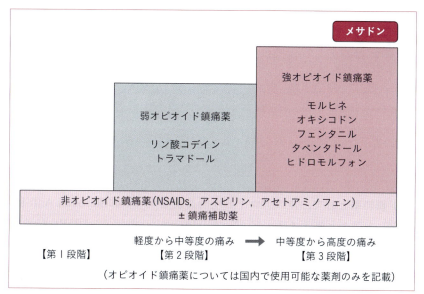

(世界保健機関　編，武田文和　訳：がんの痛みからの解放―WHO方式がん疼痛治療法―第2版，
金原出版，1996をもとに作成)

図2　WHO三段階除痛ラダー

4) そのうえで細かい点に配慮する（with attention to detail）

　前述の3点を踏まえたうえで，細かな配慮を行う必要がある。医療者の視点で鎮痛を得ることのみが目標となって患者が取り残されてしまうと，患者の服薬の自己中断の原因となり，結果として離脱症状を引き起こすなど，さらなる苦痛を引き起こしてしまう可能性がある。特に，オピオイド導入から時間が経過していても，患者がオピオイドに対して潜在的な不安を抱えていることもあり，心理面への配慮も必要となることを忘れてはいけない。

2-2　WHO方式三段階除痛ラダー

　前述のとおり，がん疼痛治療の原則から「除痛ラダーにそって（by the ladder）」が削除されたが，その理由として，三段階除痛ラダーの解釈が影響している（図2）。
　痛みの程度に応じて，三段階に分けられた鎮痛薬から選択して使用するという意味であり，明らかに高度の痛みであると判断された場合には，第三段階の鎮痛薬を最初から導入することを可能としている。痛みの程度が判別できない場合には，第一段階から順に使用して痛みをアセスメントしながら必要に応じてステップアップさせていく。
　なお，本図が階段状に示されていることから，必ずこのステップアップを経ないといけないという解釈をされてしまい，患者が除痛されるまでの時間が長くなってしまう現実があった。このラダーを正しく理解して活用されたい。

【参考文献】
1) 世界保健機関　編，武田文和　訳：がんの痛みからの解放―WHO方式がん疼痛治療法―第2版，金原出版，1996

（工藤　浩史）

3-2 非オピオイド鎮痛薬

1 概要

　非オピオイド鎮痛薬として，非ステロイド性消炎鎮痛薬（Non-Steroidal Anti-Inflammatory Drugs：NSAIDs）とアセトアミノフェン（N-acetyl-p-aminophenol：APAP）が挙げられる。前述の三段階除痛ラダーにおいては第一段階に位置づけられるが，第二段階・第三段階に位置づけられるオピオイドとは作用機序が異なるため相加効果が期待され，軽度の疼痛の場合は，初回投与としてNSAIDsの使用が推奨されている。また，オピオイドが投与されているにもかかわらず，十分な疼痛コントロールが得られていない，あるいは副作用のためにオピオイドの増量が困難な場合は，NSAIDsの併用が推奨される。

2 非ステロイド性消炎鎮痛薬（NSAIDs）

　NSAIDsは，ステロイド構造以外の抗炎症作用，解熱作用，鎮痛作用を有する薬物の総称である。炎症がある局所におけるプロスタグランジン（PG）の産生阻害により効果を発現する。組織が損傷を受けるとホスホリパーゼA_2により，細胞膜のリン脂質からアラキドン酸が遊離される。アラキドン酸はシクロオキシゲナーゼ（COX）やペルオキシダーゼを含むPGH合成酵素複合体の基質となり，PGE_2など種々の化学伝達物質が合成され，損傷組織へ放出される。PGはそれ自体に発痛作用はないが，ブラジキニンなどの発痛物質の疼痛閾値を低下させる。また，局所での血流増加作用や血管透過性の亢進，白血球の浸潤増加など，炎症を増強させる作用を有する。そのため，NSAIDsは遊離されたアラキドン酸からPGを合成する経路の律速酵素であるCOXの働きを阻害することで，抗炎症・鎮痛作用を発揮する。

　COXには，COX-1とCOX-2という2つのアイソザイムが存在する（図）。COX-1は正常細胞や組織に定常的に発現し，身体機能の維持に関与している。対してCOX-2は，炎症に伴いサイトカインや炎症メディエーターによって誘導されるが，腎臓や脳の特定の領域では定常的に発現している。胃粘膜の上皮細胞ではCOX-1が定常的に発現しており，細胞保護効果をもつPGの産生に関わっている。

　わが国で使用されているNSAIDsは，非選択的COX阻害薬と選択的COX-2阻害薬に分類されている。がん性疼痛などで長期にNSAIDsを使用する場合には，COX-2を選択的に阻害する薬を使用することで胃腸障害などの副作用の発現を抑えることができると理論的に考えられ，用いられてきた。実際に非選択的阻害薬と比較して，COX-2阻害薬を用いることで胃潰瘍の発現を減らすことができたという日本人での報告もある[1]。がん性疼痛においては鎮痛薬の使用が長期にわたる可能性が高いため，COX-2選択的阻害薬の使用が望ましいとされる。ただし，COX-2への選択性が

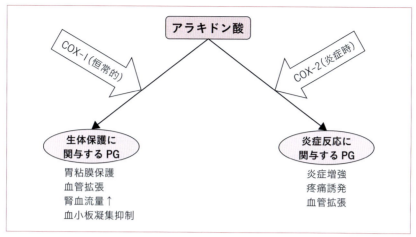

図　NSAIDsのCOX-1とCOX-2薬の違い

高いほど，心血管イベントの発症リスクが増大する[2]という側面に注意する。

NSIADsの使用にあたっては，このCOX選択性，剤形，投与方法などの薬物プロファイルと，患者既往を考慮して使用薬剤を決定する。

3 アセトアミノフェン（APAP）

APAPは解熱鎮痛薬として古くより用いられている薬剤であるが，その作用機序はすべて解明されていない部分がある。

中枢神経系におけるCOX-1，2阻害によるPG合成阻害や，カンナビノイド受容体の1つであるCB1受容体の活性化，中脳水道周囲灰白質のTRPV1（transient receptor potential cation channel, subfamily V, member 1）の活性化と，仮説段階のものもあり，さまざまな機序により鎮痛作用を示すと考えられているが，末梢におけるCOX阻害作用はほとんどないことから腎虚血作用がなく，安全性が高いとされている[3,4]。APAP静注製剤の臨床薬理試験の結果より，650mg以上の投与量において鎮痛効果の50%効果濃度（EC50）を上回るのに対し，解熱効果については，300mg以上でEC50を上回ることが示されており[5]，鎮痛目的では10～15mg/kg，解熱目的では300～500mg/回と設定投与量が異なることに注意する。

重篤な肝障害が発現するおそれがあるため，定期的に肝機能などを確認し，慎重に投与する。また，APAPを含むほかの薬剤（一般用医薬品を含む）との併用により，APAPの過量投与となるおそれがあることから，併用薬に注意する。

APAPは腎機能低下患者（クレアチニンクリアランス30mL/min未満）では，経口投与でAUC8-24hが約1.4倍増加するため低用量から開始する。注射薬は体重により投与量を調整する必要があるが，投与量にかかわらず15分間かけて点滴静注することで，経口投与時と同等の薬効を発揮する。なお，腎機能低下時には用量の減量や投与間隔を延長するなど同様に注意が必要である。

APAPはもともと小児用に使用されている薬剤であり，成人においては特に十分量を服用することで鎮静効果を示すため，服用錠数が多い場合には，その理由をしっかり説明し，理解を促すこと

が重要である。「1回量は1錠」と考えている患者，患者家族も多く存在するため，結果的に十分量が投与されず，薬が効かなかったと判断されてしまうケースがあることにも注意されたい。

【参考文献】
1) Sakamoto C et al：Comparison of gastroduodenal ulcer incidence in healthy Japanese subjects taking celecoxib or loxoprofen evaluated by endoscopy: a placebo-controlled, double-blind 2-week study. Aliment Pharmacol Ther, 37(3):346-354, 2013
2) Antman EM et al：Use of nonsteroidal antiinflammatory drugs: an update for clinicians: a scientific statement from the American Heart Association. Circulation, 115(12):1634-1642, 2007
3) Högestätt ED et al：Conversion of acetaminophen to the bioactive N-acylphenolamine AM404 via fatty acid amide hydrolase-dependent arachidonic acid conjugation in the nervous system. J Biol Chem, 280(36):31405-31412, 2005
4) Calignano A et al：Potentiation of anandamide hypotension by the transport inhibitor, AM404. Eur J Pharmacol, 337(1):R1-2, 1997
5) 熊谷雄治：アセトアミノフェン静注製剤TRM-1106の日本人健康成人男性を対象とした臨床薬理試験．臨床医薬, 29(10):875-887, 2013

（工藤　浩史）

3-3 オピオイド鎮痛薬

1 概要

　オピオイドとは，オピオイド受容体に作用しモルヒネ様作用を発現する物質の総称で，植物由来などのアルカロイドおよび内因性または合成ペプチド類がある。

　オピオイド受容体はGTP結合蛋白質（G蛋白質）共役受容体である。G蛋白質は三量体となっており，αβγサブユニットから形成されている。その刺激により，Gαを介してアデニル酸シクラーゼ（adenylate cyclase：AC）の活性が抑制され，Gβγを介してACの活性が促進される。このGβγを介してACの活性が促進されることにより，ホスホリパーゼC（phospholipase C：PLC）の活性化を介したプロテインキナーゼC（protein kinase C：PKC）やイノシトール三リン酸（Inositol trisphosphate：IP$_3$）の産生が増大，細胞内Ca^{2+}貯蔵部位からのCa^{2+}遊離が増大す

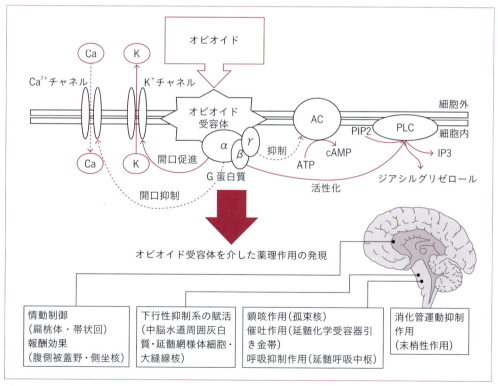

（日本緩和医療学会 緩和医療ガイドライン作成委員会　編：がん疼痛の薬物療法に関するガイドライン2014年版，金原出版，p.43，2014をもとに作成）

図　オピオイドの作用機序

る．オピオイド受容体の刺激による細胞内伝達としては，ACの抑制，Ca^{2+}チャネルの開口抑制，K^+チャネルの開口促進により過分極を生じ抑制性神経の調節が行われると考えられている（図）．

多くのオピオイドによる鎮痛作用は，μオピオイド受容体を介して発現する．μオピオイド受容体を介した鎮痛作用は，脊髄や視床，大脳皮質知覚領域における上行性痛覚情報伝達の抑制に加え，延髄－脊髄下行性ノルアドレナリンおよびセロトニン神経からなる下行性抑制系の賦活化などによる．また，μオピオイド受容体は情動制御にも関わっている．さらに，延髄呼吸中枢を介した呼吸抑制作用，孤束核咳中枢を介した鎮咳作用，延髄化学受容器引き金帯（chemoreceptor trigger zone：CTZ）を介した催吐作用，末梢神経系への作用として腸管膜神経叢におけるアセチルコリン遊離抑制による消化管運動抑制作用などが知られている．

μオピオイド受容体と同様に，δおよびκオピオイド受容体を介しても鎮痛作用が認められる．しかし，μオピオイド受容体を介すると多幸感が生じるのに対し，κオピオイド受容体を介すると嫌悪感を引き起こし，モルヒネなどによる精神依存を抑制する．また，δおよびκオピオイド受容体の活性化による呼吸抑制作用は，μオピオイド受容体によるものと比べ弱い．

各オピオイド鎮痛薬の受容体に対する結合親和性や代謝については**表1**および**表2**を参照されたい．

2 モルヒネ

1) 特徴

モルヒネはオピオイド鎮痛薬の代表であり，使用経験やエビデンスも豊富に存在する．鎮痛薬としてのみならず，呼吸苦を緩和する薬剤としても第一選択となる．その作用本体は，μオピオイド受容体を介するものである．肝臓でグルクロン酸抱合を受け，モルヒネ-6-グルクロニド（M6G）とモルヒネ-3-グルクロニド（M3G）へと代謝される．M6Gは活性代謝物でオピオイド受容体に親和性があり，強力な鎮痛作用を有する．対して，M3Gはオピオイド受容体への親和性はないが，ミオクローヌスやせん妄，モルヒネ大量投与時にみられる痛覚過敏やアロデニアなどへの関与が考えられている[1]．腎機能低下時には未変化体だけでなく，M6G，M3Gいずれも蓄積の可能性があり，副作用発現に注意が必要である．

2) 製剤

モルヒネは経口剤（速放剤，徐放剤），注射剤，坐剤と剤形が豊富であり，患者の病態に応じた選択が可能である．経口徐放製剤は，作用時間や徐放メカニズムが製剤ごとに異なるため，各製剤の特徴を理解する必要がある．

3 コデイン

1) 特徴

コデインはモルヒネと類似構造をもっており，鎮咳作用を目的として頻用されている．一部が肝臓でCYP2D6によりモルヒネへと代謝されることで，鎮痛作用を示す．しかし，1/10〜1/6程度の作用であること，日本人の20〜40％はCYP2D6活性が低い（poor metabolizerもしくは

表1 オピオイド受容体の結合親和性

受容体		μ受容体		δ受容体	κ受容体
		μ₁	μ₂		
主な発現作用		鎮痛, 縮瞳, 多幸感, 悪心・嘔吐, 尿閉, 掻痒感, 徐脈	鎮痛, 鎮静, 身体依存, 呼吸抑制, 消化管運動抑制	鎮痛, 鎮静, 縮瞳, 呼吸抑制, 消化管運動抑制, 悪心・嘔吐, 鎮咳, 利尿, うつ, 幻覚, 離人感, 気分不快	鎮痛, 鎮静, 身体依存, 呼吸抑制, 悪心・嘔吐
薬理作用の強さ	鎮痛作用	++		+	++
	鎮静作用	++		+	++
	消化管運動抑制	++		+	+
	呼吸抑制	+		−	−
	咳嗽反射抑制	+		−（悪化）	+
	情動性	+		+	−（嫌悪感）
	徐脈	+		−（頻脈）	+
	利尿作用	−（抗利尿）		−	+
細胞内情報伝達		cAMP産生↓・Ca²⁺チャネル↓・K⁺チャネル↑（Gi/oα依存的）PLC活性化・PKC活性化（Gβγ依存的）		cAMP産生↓・Ca²⁺チャネル↓・K⁺チャネル↑（Gi/oα依存的）PLC活性化・PKC活性化（Gβγ依存的）	cAMP産生↓・Ca²⁺チャネル↓・K⁺チャネル↑（Gi/oα依存的）
主な発現部位		大脳皮質, 線条体, 視床, 視床下部, 中脳, 橋-延髄（青斑核, 孤束核), 脊髄, 一次感覚神経など		大脳皮質, 線条体, 側坐核, 中脳など	線条体, 側坐核, 視床, 視床下部, 中脳, 橋-延髄（青斑核, 孤束核）脊髄など
オピオイド製剤の結合親和性	コデイン	+			
	トラマドール	+*			
	モルヒネ	+++			+
	オキシコドン	+++			
	フェンタニル	+++（μ₁>μ₂）			
	ヒドロモルフォン	+++			+
	タペンタドール	+			
	メサドン	+++			
	ペンタゾシン	++（P）		+	++
	ブプレノルフィン	+++（P）		++（P）	+++（P）

*：トラマドール自体に結合性はなく, 代謝物が部分作動薬として作用する
(P)：部分作動であることを示す

（日本緩和医療学会 緩和医療ガイドライン委員会 編：がん疼痛の薬物療法に関するガイドライン2014年版, 金原出版, 2014, 日本緩和医療学会 ガイドライン統括委員会 編：がん疼痛の薬物療法に関するガイドライン2020年版, 金原出版, 2020をもとに作成）

表2 オピオイド製剤の代謝

分類		一般名	代謝部位	腎排泄率（尿中未変化体）	主な代謝経路	代謝物（鎮痛活性の有無）
麻薬性鎮痛薬	弱オピオイド	コデイン	肝臓	約3〜16%	CYP2D6	モルヒネ（有）
		トラマドール	肝臓	約30%	CYP2D6	O-デスメチルトラマドール（有）
					CYP3A4	N-デスメチルトラマドール（無）
	強オピオイド	モルヒネ	肝臓	約8〜10%	グルクロン酸抱合	M6G（有）
						M3G*
		オキシコドン	肝臓	約5.5〜19%	CYP3A4	ノルオキシコドン（無）
					CYP2D6	オキシモルフォン（有）
		フェンタニル	肝臓	約10%	CYP3A4	ノルフェンタニル（無）
		ヒドロモルフォン	肝臓	約7%	グルクロン酸抱合	ヒドロモルフォン-3-グルクロニド*
		タペンタドール	肝臓	約3%	グルクロン酸抱合	タペンタドールO-グルクロニド（無）
		メサドン	肝臓	約21%	CYP3A4, CYP2B6	EDDP（無）
麻薬拮抗性鎮痛薬		ペンタゾシン	肝臓	約5〜8%	グルクロン酸抱合	ペンタゾシングルクロニド（無）
		ブプレノルフィン	肝臓	約1%	CYP3A4	ノルブプレノルフィン（有：弱い）

*：鎮痛活性はないが神経毒性を有するとの報告あり
EDDP：2-ethylidene-1,5dimethyl-3,3-diphenylpyrrolidine
（日本緩和医療学会 ガイドライン統括委員会 編：がん疼痛の薬物療法に関するガイドライン2020年版，金原出版，p.61，2020をもとに作成）

intermediate metabolizer)[2]ことから，増量による鎮痛効果増強を得にくい場合があり，鎮痛薬としての使用は鎮咳作用も期待する場合に考慮するとよい[1]。

2）製剤

コデインリン酸塩1%散は麻薬指定を受けていないこと，成分としては市販薬にも含まれていることから，処方・説明ともにしやすい。

❹ トラマドール

1）特徴

トラマドールはコデイン類似化合物であり，μオピオイド受容体への弱い親和性およびセロトニンおよびノルアドレナリンの再取り込み阻害作用により，鎮痛効果を発揮する。オピオイド受容体を介さない鎮痛作用を有することから，モルヒネよりも等鎮痛力価では安価であり，便秘・悪心などオピオイド受容体を介した副作用は少ない。ただし，投与量が増加するとセロトニン症候群の出現に注意が必要となる。また，μオピオイド受容体への作用はトラマドール自体ではなく，CYP2D6による代謝産物であるO-デスメチルトラマドール（M1）によるものが主であるため，コデイン同様に遺伝多型により鎮痛効果を得にくい場合があることに留意する。麻薬指定を受けていないことから処方しやすい。

2）製剤

経口剤（速放剤，徐放剤，アセトアミノフェンとの合剤）および注射剤がある。アセトアミノフェンとの合剤は，非がん性慢性疼痛にのみ適応を有することに注意が必要である。

⑤ オキシコドン

1）特徴

オキシコドンは半合成デバイン誘導体であり，薬理作用はμ受容体を介して発現する。モルヒネよりもバイオアベイラビリティが高い。主に肝臓でCYP3A4による代謝を受け活性を失うため，軽度の腎障害は問題ないが，未変化体の尿中排泄も存在するため，重度の腎障害時には蓄積に注意が必要である。また，血中濃度が変化するため，CYP3A4を誘導・阻害する薬剤との併用にも注意が必要である。

2）製剤

経口剤（速放剤，徐放剤）および注射剤がある。徐放剤は，モルヒネ徐放剤の10mgよりも低用量となる5mgであることから，三段解除痛ラダーにおける第二段階としても使用され，がん性疼痛へのオピオイド初期導入に広く用いられている。また，徐放製剤は乱用防止製剤が発売され，先発品では非がん性慢性疼痛へも適応拡大した。

⑥ フェンタニル

1）特徴

フェンタニルは合成オピオイドであり，μオピオイド受容体への親和性が高い。鎮痛用量では，オピオイドの代表的な副作用である便秘・悪心を生じにくく，ほかのオピオイドで副作用コントロールに難渋する場合にも使いやすい。しかし，鎮痛領域と傾眠領域の幅が少ない[3]ため，増量時に過量投与に気づけずに呼吸抑制を引き起こしてしまう可能性や，呼吸困難の症状緩和には有効性が乏しいことに注意が必要である。また，蛋白結合率が高いため，低栄養状態時に遊離型の血中濃度が上昇することにも注意が必要である。

肝臓でCYP3A4による代謝を受けて活性を失い，未変化体の排泄も少ない。そのため，重度腎障害患者においても使用しやすい。オキシコドン同様に，CYP3A4を誘導・阻害する薬剤との併用時には血中濃度上昇に注意が必要である。

2）製剤

貼付剤（1日用，3日用），口腔粘膜吸収剤（舌下錠，バッカル錠）および注射剤がある。貼付剤は内服困難時にも簡便に使用できるが，皮膚の状態や貼付部位により吸収量が影響を受けるため，皮膚のケアや貼付部位の確認を患者・家族に説明することも重要となる。また，口腔粘膜吸収剤はRapid onset opioids（ROO）とよばれ，その他の速放剤〔Short-acting opioids（SAO）〕に対してより速い効果発現を実現するため，持続痛がコントロールされている患者においても難渋する突出痛に使用する。内服薬ではないことに加えて，その使用方法も特殊なため，医療者・患者家族と

もに十分理解して使用する必要がある。

7 ヒドロモルフォン

1）特徴

　ヒドロモルフォンはモルヒネと類似構造をもつ半合成オピオイドであり，μ受容体に作用する。日本では歴史が浅いが，海外では1920年代から利用されている。主に肝臓でグルクロン酸抱合を受け活性を失い，未変化体の排泄も少ないため腎機能低下時にも影響を受けにくく，CYPを介した相互作用は問題とならない。

　欧州腫瘍学会のガイドラインにおいては，がん患者の呼吸困難の治療薬としてモルヒネとともに推奨されていた[4]。

2）製剤

　経口剤（速放剤，徐放剤）および注射剤がある。注射剤は高濃度となっており，その他のオピオイドよりも低流量での疼痛コントロールが可能で，持続皮下投与であっても十分に増量する事ができる。

8 タペンタドール

1）特徴

　タペンタドールは，トラマドールのμオピオイド作用とノルアドレナリン再取り込み阻害作用を強化し，セロトニン再取り込み作用を減弱させる。また，トラマドールとは異なりプロドラッグではないため，その効果発現に遺伝多型の影響は生じない。モルヒネ・ヒドロモルフォン同様にグルクロン酸抱合により代謝・排泄される。以上より，トラマドール同様にモルヒネよりも副作用が少なく，セロトニン症候群も生じにくく，薬物相互作用の可能性も少ない。

2）製剤

　徐放剤のみとなっており，薬物プロファイルとしては活用が期待されるが，レスキュー使用時や内服困難時には，他のオピオイドを用いなくてはならない。また，乱用防止製剤となっている。

9 メサドン

1）特徴

　メサドンは，μオピオイド受容体への作用とNMDA受容体拮抗作用により効果を発現する。わが国においては，その他のオピオイド鎮痛薬で除痛が困難な場合に使用する薬剤と位置づけられている。オピオイド換算比が確立しておらず，前オピオイド投与量にかかわらず少量から導入する。肝臓でCYP3A4および2B6により代謝を受ける。また，自己酵素誘導も行うことから血中濃度の予測が困難で，相互作用にも注意が必要である。なお，特徴的な副作用としてQT延長を有するため，循環器科との連携も重要となる。効果発現は30分程度であるが，半減期が30〜40時間と長く，

血中濃度が定常状態となるのに1週間程度要するため，増量判断も1週間間隔を空けて行う。

加えて，メサドンの処方時の注意点として，医師・薬剤師とも講習の受講・登録が必要である。

10 ペンタゾシン

1）特徴

ペンタゾシンはκオピオイド受容体に作動薬として，μオピオイド受容体に対しては拮抗薬もしくは部分作動薬として作用する。作用はほかのオピオイドと同様であるが，鎮痛効果には有効限界があること，ほかのオピオイド鎮痛薬と拮抗する可能性があること，また，多幸感など依存形成を認めるため，長期に投与を続ける必要があるがん疼痛には推奨されない。

2）製剤

経口剤と注射剤がある。経口剤には乱用防止のためにナロキソンが含まれ，麻薬に指定されていない。

11 ブプレノルフィン

1）特徴

ブプレノルフィンはμオピオイド受容体に作動薬として，κオピオイド受容体に拮抗薬として作用する。モルヒネと類似作用を示すが有効限界があること，悪心・嘔吐はモルヒネよりも強いこと，オピオイド受容体への結合もモルヒネより強く，ほかのオピオイドの作用に拮抗してしまうため，切り替えの際には退薬症状に注意が必要である。

2）製剤

坐剤，注射剤，貼付剤があり麻薬に指定されていない。また，貼付剤は非がん性慢性疼痛のみの適応となっている。

【参考文献】
1) Cherny NI et al（Eds）：Oxford Textbook of Palliative Medicine（6th edition）Oxford University Press, 2021
2) Ebisawa A et al：Two novel single nucleotide polymorphisms（SNPs）of the CYP2D6 gene in Japanese individuals. Drug Metab Pharmacokinet, 20 (4):294-299, 2005
3) Nakamura A et al：Distinct Relations Among Plasma Concentrations Required for Different Pharmacological Effects in Oxycodone, Morphine, and Fentanyl. J Pain Palliat Care Pharmacother, 25 (4), 318-334, 2011
4) Kloke M et al：Treatment of dyspnoea in advanced cancer patients: ESMO Clinical Practice Guidelines. Annals of Oncology. Ann Oncol, 26 (Suppl 5):v169-v173, 2015
5) 日本緩和医療学会 ガイドライン統括委員会　編：がん疼痛の薬物療法に関するガイドライン2020年版, 金原出版, 2020

（工藤　浩史）

3-4 オピオイドの使い方

1 タイトレーション

　タイトレーションとは鎮痛薬の適切な用量を設定することである。オピオイドの用量を増やすと眠気などの副作用が発現し，減らすと疼痛コントロールが得られない。痛みがなく，眠気がない状態を目指して，投与量の調整を行う。

　痛みのコントロールが不十分な場合，基本的には定期に使用している鎮痛薬の30～50％を増量するか，レスキュー薬として1日に使用した分を上乗せする。副作用がなければ痛みがとれるまで増量する。副作用がある場合には，増量でなくオピオイドスイッチング，投与経路の変更，鎮痛補助薬の追加などを検討する。痛みのコントロールが良好であっても，眠気が続く場合には減量が必要である。定常状態に達するまでに徐放性製剤では1～2日，貼付薬では数日かかることを考慮する。

　がん患者では，鎮痛薬の量が多いと，がんが進行しているのだと誤解する場合が多い。鎮痛薬の量は痛みの場所や性質によって鎮痛薬の量が決まることを説明するとよい。

2 レスキュー薬

　レスキュー薬とは，突出痛が出たときに，定時鎮痛薬に追加して使用する薬剤のことをいう。経口の場合には，即効性の薬剤を使用する。一般的には定時鎮痛薬と同じ成分のオピオイドを使用するが，患者の飲みやすい剤形を使用する。散剤，液剤が服用しづらい場合には，舌下錠，バッカル錠，錠剤も選択できる。レスキュー薬の投与量は，内服薬の場合には定期投与量の10～20％量，注射薬の場合には1時間投与量が基本となるが，個々の患者にあわせて投与量を決める。

　レスキュー薬の使用回数が多い場合には，オピオイド定期投与量の増量が推奨される。また，定時鎮痛薬の切れ目に痛みの訴えがある場合には，投与間隔の短縮，増量，鎮痛薬の種類の変更を検討する必要がある。体動時痛のように，必ず痛みが出るタイミングが決まっている場合には，レスキュー薬を予防的に使用するという方法も有効である。

　フェンタニル速放性製剤は，定時投与により持続性疼痛が適切に管理されている突出痛に使用するため，定時投与量にかかわらず初回投与量が決められている。最低量から開始し，突出痛の強さに応じて1回量を増量するが，追加投与までの時間や1日の使用回数に制限がある。そのため，追加投与するまでの時間に満たない場合に発現した痛みや1日の使用回数制限を超えた場合の痛みに備えて，ほかのレスキュー薬もあらかじめ準備しておくとよい。

　レスキュー薬は患者自身が痛みをコントロールして生活ができるという意味で重要である。

3 オピオイドスイッチング

がん疼痛の薬物治療において，オピオイド鎮痛薬による悪心や便秘，せん妄などの副作用により増量や継続が困難な場合，またはオピオイド鎮痛薬を増量しても十分な鎮痛効果が得られない場合に，他のオピオイド鎮痛薬へ変更することをオピオイドスイッチングと呼ぶ[1]。

3-1 等鎮痛力価換算

オピオイドスイッチングを行う際には，それぞれのオピオイド鎮痛薬の特徴を考慮し，等鎮痛力価となる換算量（図）に基づき1日用量を設定したうえで切り替えることを基本とする。ただし，オピオイド鎮痛薬の鎮痛換算比はあくまでも概算であり，すべての患者のどの状態にもあてはまるわけではないことに留意すべきである。特に，高用量のオピオイドを1回で切り替えると過量投与や退薬症状のリスクがあるため，数回に分けて段階的に行うことが望ましい。また，切り替え後は，疼痛の悪化や新たな副作用の出現に十分に注意を払って観察する必要がある。

1）モルヒネとメサドンの換算

メサドンは他のオピオイド鎮痛薬との交差耐性が不完全であるため，本剤と他のオピオイド鎮痛薬の鎮痛換算比は確立していない。モルヒネとメサドンの換算を表に示す。本換算表は目安であり，換算比は切り替え前のオピオイド鎮痛薬の投与量により大幅に異なる。患者の症状や状態，オピオイド耐性の程度，併用薬剤を考慮して適切な用量を選択し，過量投与にならないよう注意する。また，血中濃度が定常状態に達するまでに時間を要することから，初回投与後および増量後少なくと

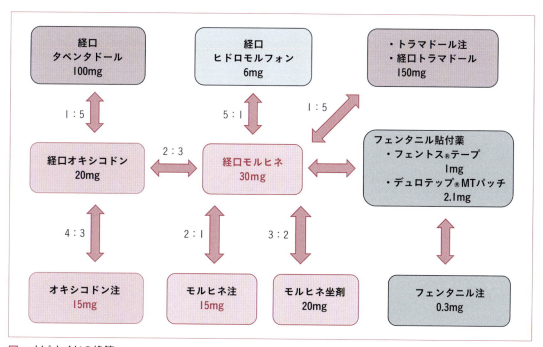

図　オピオイドの換算

表 モルヒネからメサドンへの換算表

	1日量		
メサドン塩酸塩	15mg	30mg	45mg
モルヒネ経口剤	60≦〜≦160	160＜〜≦390mg	390mg＜

(メサペイン®錠添付文書をもとに作成)

も7日間は増量を行わない。

【参考文献】
1) 栗山俊之 他：オピオイドスイッチング．がん疼痛の薬物治療に関するガイドライン2014年版（日本緩和医療学会 緩和医療ガイドライン委員会 編），金原出版，p.50，2014

(槙原 克也)

3-5 オピオイドの副作用対策

1 概要

オピオイド鎮痛薬にはさまざまな副作用があるが，主な副作用は悪心・嘔吐，便秘，眠気である。たとえ患者の疼痛緩和を目的にオピオイド鎮痛薬を使用し始めたとしても，副作用対策が不十分であると患者の拒薬につながり，疼痛緩和が得られなくなるため，副作用対策を確実に行うことが極めて重要である。

2 悪心・嘔吐

2-1 悪心・嘔吐の発現メカニズム

オピオイド鎮痛薬が第四脳室にある化学受容器引き金帯（chemoreceptor trigger zone：CTZ）のμ受容体を直接刺激すると，μ受容体が活性化されてドパミンが遊離し，これによりドパミンD_2受容体が活性化され，嘔吐中枢（vomiting center：VC）が刺激されて嘔吐が引き起こされる。

その他，オピオイド鎮痛薬によって前庭器にあるμ受容体が刺激されて遊離したヒスタミンがCTZやVCを刺激することや，胃の前庭部内にある末梢性神経路が刺激されることによって消化管運動が抑制され，内容物の停滞と胃壁の伸展が生じることで嘔吐が引き起こされる。オピオイド鎮痛薬による悪心・嘔吐は通常，投与初期や増量時にみられるが，多くの場合は数日以内に耐性ができて症状は消失する。

2-2 悪心・嘔吐の対策

1）制吐薬の種類と特徴

オピオイド鎮痛薬に引き起こされる悪心・嘔吐には制吐薬として，ドパミンD_2受容体拮抗薬が用いられる。第一選択薬としてプロクロルペラジンやハロペリドールといった中枢性ドパミンD_2受容体拮抗薬が用いられるが，錐体外路症状（アカシジア，ジスキネジア，振戦，筋固縮，無動など）の副作用があるため，錐体外路症状の少ない非定型抗精神病薬の使用も試みられている[1, 2]。また，食後に悪心・嘔吐が引き起こされる場合は，末梢性ドパミンD_2受容体拮抗薬であるメトクロプラミドやドンペリドン等消化管運動促進作用や胃排出促進作用のある薬剤が有効である。体動時に起こる悪心・嘔吐に対しては，抗ヒスタミン薬であるジフェンヒドラミン／ジプロフィリンやジメンヒドリナート，ヒドロキシジン等が有効である（表1）。

表1 オピオイド鎮痛薬による悪心・嘔吐に対する制吐薬

分類	薬剤	特徴
中枢性ドパミンD_2受容体拮抗薬	プロクロルペラジン ハロペリドール	第一選択
末梢性ドパミンD_2受容体拮抗薬	メトクロプラミド ドンペリドン	食後の悪心・嘔吐に有効
抗ヒスタミン薬	ジフェンヒドラミン／ジプロフィリン ジメンヒドリナート ヒドロキシジン	体動時の悪心・嘔吐に有効
非定型抗精神病薬	オランザピン リスペリドン ペロスピロン	保険適応外 錐体外路症状が少ない 他の制吐薬で十分制御できない悪心・嘔吐に対しても，有効であることがある

2）制吐薬の予防投与有効性と頓用・定期的投与

オピオイド鎮痛薬による悪心・嘔吐に対する制吐薬の予防投与の有効性については十分なエビデンスがないのが現状である。わが国のがん疼痛の薬物治療に関するガイドラインでは，オピオイド鎮痛薬を開始するときは，悪心・嘔吐について十分な観察を行い，悪心時の頓用として制吐薬をいつでも使用できる状況にしておき，悪心・嘔吐が継続する場合は制吐薬を定期的に投与することや，患者の状態によってはオピオイド鎮痛薬の開始と同時に制吐薬を定期的に投与してもよいとされている[3]。

3 便秘

3-1 便秘発現のメカニズム

オピオイド鎮痛薬による便秘は，腸管に存在するμ受容体（主にμ_2受容体）が活性化されることで小腸および大腸の蠕動運動が低下し，十二指腸の腸管分泌が抑制され，腸内容物の通過時間が延長することで水分の過剰吸収が生じることや，肛門括約筋の収縮力が増加することにより起こると考えられている[4]。便秘は鎮痛用量よりも低用量で発現し耐性はほとんど生じないため，継続的な対策が必要となる。

3-2 緩下剤の種類と特徴（表2）

オピオイド鎮痛薬による便秘の改善には腸管内の水分保持と腸管蠕動運動の促進がポイントとなる。

1）浸透圧性下剤

腸管内の水分保持によって便を軟らかくする作用のある浸透圧性下剤には，酸化マグネシウムやクエン酸マグネシウム等の塩類下剤やラクツロースやソルビトール等の糖類下剤がある。腎機能障

表2 オピオイド鎮痛薬による便秘に使用する主な緩下剤

分類		薬剤	特徴
浸透圧性下剤	塩類下剤	酸化マグネシウム クエン酸マグネシウム	腎障害時は高マグネシウム血症に注意が必要
	糖類下剤	ラクツロース D-ソルビトール	
	高分子下剤	マクロゴール4000	効果発現が比較的遅い
大腸刺激性下剤	経口剤	センノシド センナ ダイオウ ピコスルファート	連用で耐性を生じることがある
	経直腸剤	ビサコジル 炭酸水素ナトリウム グリセリン	
Cl⁻チャネルアクチベーター		ルビプロストン	慢性便秘症に対する適応
アニル酸シクラーゼC受容体アゴニスト		リナクロチド	慢性便秘症に対する適応 食前投与
胆汁酸トランスポーター阻害薬		エロビキシバット水和物	
末梢μオピオイド受容体拮抗薬		ナルデメジン	オピオイド鎮痛薬による便秘にのみ使用可能

害により高マグネシウム血症が懸念される場合は，糖類下剤が使用しやすい。一方，酸化マグネシウムはオピオイド鎮痛薬による便秘に対して明らかな効果を発揮するためには，1日1g以上の用量が必要という報告もある[5]。また，酸化マグネシウムはH_2ブロッカーやPPI（プロトンポンプインヒビター）の併用により緩下作用が減弱するため注意が必要である。さらに，2018年11月にマクロゴール4000が新たな浸透圧性下剤として発売された。腎機能障害のある患者にも比較的安全に使用でき，小児の用量設定もあるが，水に溶解してから服用する必要があり，初回自発排便発現までの日数の中央値は2日と報告されており[6]，ほかの緩下剤に比べると効果発現に時間がかかる。

2）大腸刺激性下剤

腸管蠕動運動を促進する大腸刺激性下剤にはセンノシドやピコスルファートなどの経口剤があり，経直腸的投与としてビサコジル，炭酸水素ナトリウム，グリセリン等の薬剤もある。

3）その他

ルビプロストンは小腸上皮に存在するCl⁻チャネルを活性化して，腸管内への水分分泌を促進し，便を軟らかくすることで便秘を改善する薬剤である。わが国では慢性便秘症に対する適応のみであるが，米国では2013年にオピオイドによる便秘に対する適応が認められており，オピオイドによる便秘に有用である可能性がある。また，リナクロチドはアニル酸シクラーゼC受容体と結合することで腸管分泌および腸管輸送能を促進し，かつ大腸痛覚過敏を改善することにより排便異常および腹痛・腹部不快感を改善する。食後に服用すると食事による腸管への水分分泌が加わることで，作用が増強し下痢の発現頻度が増加するため食前投与となっている。エロビキシバット水和物は回

腸末端部の上皮細胞に発現している胆汁酸トランスポーターを阻害する。胆汁酸の再吸収を抑制することで大腸管腔内に流入する胆汁酸の量を増加させ、水分および電解質を分泌し便秘治療効果を発現する。食事の刺激により胆汁酸が放出されるため、食前に服用する必要がある薬剤である。

さらに、腸管のμ受容体に結合してオピオイド鎮痛薬に拮抗することにより便秘を改善するナルデメジンはオピオイド誘発性便秘症の治療薬として高い効果が報告されている[7]。

緩下剤を用いても便秘が改善しない場合は、フェンタニル等の便秘のリスクが比較的低いオピオイド鎮痛薬へスイッチングすることを検討する。

④ 眠気

オピオイド鎮痛薬による眠気は投与初期や増量時にみられることが多いが、次第に耐性が生じて数日以内に自然に軽快することが多い。

通常、眠気が出現する用量は鎮痛用量よりも高用量であることから、痛みがなく眠気が極めて強い場合には、オピオイド鎮痛薬の過量投与の可能性を疑い減量を考慮する。

ただし、眠気の出現にはオピオイド鎮痛薬以外にもほかの薬剤や高カルシウム血症、低ナトリウム血症、感染症、肝性脳症、中枢神経系の病変などさまざまな原因が考えられるため、他の原因を除外しておく必要がある。また、腎機能が低下すると、モルヒネの代謝物であるM6Gが蓄積することによって眠気が引き起こされることもあるため、腎機能障害時にはモルヒネの減量やオキシコドン、フェンタニルへのスイッチングを検討する。

⑤ せん妄

オピオイド鎮痛薬によるせん妄は、投与初期や増量時にみられることが多い。ただし、せん妄はオピオイド鎮痛薬以外にベンゾジアゼピン系薬剤やステロイド、H_2ブロッカー、抗けいれん薬、抗うつ薬、抗コリン薬等が原因で起こる場合がある。また薬剤性以外に高カルシウム血症、低ナトリウム血症、感染症、脱水、肝・腎機能障害、貧血、中枢神経系の病変等が原因となっていることもあるため、まずは他の原因を精査し、対処しておく必要がある。薬物療法による対処では、ハロペリドールや非定型抗精神病薬の投与を検討し、オピオイド鎮痛薬が原因と考えられる場合は、オピオイド鎮痛薬の減量やオピオイドスイッチングを検討する。また、非薬物療法による対処として、患者の環境を変えることにより改善がみられることもある。

【参考文献】
1) Tonini M et al：Review article: clinical implications of enteric and central D2 receptor blockade by antidopaminergic gastrointestinal prokinetics. Aliment Pharmacol Ther, 19(4):379-390, 2004
2) Passik SD et al：A pilot exploration of the antiemetic activity of olanzapine for the relief of nausea in patients with advanced cancer and pain. J Pain Symptom Manage, 23(6):526-532, 2002
3) 浜野 淳 他：臨床疑問10. がん疼痛の薬物治療に関するガイドライン2014年版（日本緩和医療学会 緩和医療ガイドライン委員会 編）、金原出版、p149、2014
4) Herndon CM et al：Management of opioid-induced gastrointestinal effects in patients receiving palliative care. Pharmacotherapy, 22(2):240-250, 2002

5) Ishihara M et al：A multi-institutional study analyzing effect of prophylactic medication for prevention of opioid-induced gastrointestinal dysfunction. Clin J Pain, 28(5):373-381, 2012
6) モビコール®配合内用剤，インタビューフォーム（第7版）
7) Katakami N et al：Phase IIb, Randomized, Double-Blind, Placebo-Controlled Study of Naldemedine for the Treatment of Opioid-Induced Constipation in Patients With Cancer. J Clin Oncol, 35(17):1921-1928, 2017

（槙原　克也）

3-6 鎮痛補助薬

1 概要

1-1 作用と使用目的

　がん疼痛で使用される鎮痛補助薬とは，主たる薬理作用としては鎮痛作用を有さないが，鎮痛薬と併用することで鎮痛作用を高め，特定の状況下で鎮痛効果を示す薬剤のことを指す。

　多くの場合，オピオイド鎮痛薬で十分な鎮痛効果が得られにくい神経障害性疼痛等の難治性疼痛に対して用いられるが，異なる薬理作用を有する鎮痛補助薬を使用することでオピオイド鎮痛薬の用量を減らし，副作用を軽減する目的でも使用される。

1-2 種類と注意点

　がん疼痛治療では，鎮痛補助薬として三環系抗うつ薬やSSRI，抗てんかん薬，抗不整脈薬，NMDA受容体拮抗薬，コルチコステロイド等（**表**）が使用されるが，前向き試験等で検証された十分なエビデンスはなく，鎮痛補助薬として使用されているほとんどの薬剤には鎮痛薬としての保険適応がない。そのため，リスクとベネフィットを十分に理解したうえで，適応外使用として処方されているのが現状である。

　わが国では日本ペインクリニック学会が「神経障害性疼痛薬物療法ガイドライン」を作成している。本ガイドラインはがん疼痛のみならず，非がん患者の慢性的な神経障害性疼痛も含めた薬物療法指針であることに留意したうえで参考とし，患者の痛みの性状や部位，全身状態，臓器機能，薬剤の特徴も踏まえて適切な薬剤を選択すべきである。

2 三環系抗うつ薬

　ノルアドレナリンやセロトニンの神経終末への再取り込みを阻害することで神経伝達物質のシナプス間隙での量を上昇させ，痛みの伝達を抑制する下行性抑制系の賦活作用により鎮痛効果を発揮する。

　通常は，抗うつ作用を発揮する用量よりも低用量でかつ早期に鎮痛効果が認められ，特にアモキサピンには即効性がある。また，アミトリプチリンには末梢性神経障害性疼痛の適応がある。

　しかし，三環系抗うつ薬は眠気や口渇，便秘，排尿障害，霧視等の抗コリン作用，起立性低血圧，せん妄等の副作用に注意する必要がある。アミトリプチリンには重篤な副作用としてキニジン様心毒性があり，高齢者や多剤併用の場合にリスクが高くなる。

表 がん疼痛の鎮痛補助薬として使用される薬剤

薬効	分類	薬剤名	特徴
抗うつ薬	三環系	アミトリプチリン	抗コリン作用, 起立性低血圧, せん妄などの副作用あり
		アモキサピン	
		ノルトリプチリン	
	SSRI	パロキセチン	セロトニン症候群あり
		フルボキサミン	
	SNRI	デュロキセチン	
抗けいれん薬	GABA誘導体 (Ca^{2+}チャネルの$\alpha_2\delta$リガンド)	プレガバリン*	腎機能に応じた初期用量設定あり
		ガバペンチン	
		ミロガバリン*	
	Na^+チャネル阻害剤	カルバマゼピン	CYP3A4誘導作用あり
	GABAトランスアミナーゼ阻害薬	バルプロ酸ナトリウム	肝障害に注意
	ベンゾジアゼピン系	クロナゼパム	鎮静作用強い
抗不整脈薬	Na^+チャネル遮断薬	メキシレチン	消化器症状あり
		リドカイン	TDM対象薬
NMDA受容体拮抗薬		ケタミン	精神症状あり
副腎皮質ホルモン薬		ベタメタゾン	易感染性, 高血糖, 消化性潰瘍, 不眠, 精神症状などあり
		デキサメタゾン	

*：プレガバリンおよびミロガバリンはガバペンチンに類似構造をもつが薬効分類上は鎮痛薬

3 SSRI, SNRI

1) SSRI（選択的セロトニン再取り込み阻害薬）

　選択的セロトニン再取り込み阻害薬（Selective Serotonin Reuptake Inhibitors：SSRI）は，シナプスにおけるセロトニントランスポーターを選択的に阻害するため，ノルアドレナリンの再取り込みには影響を与えず，下行性抑制系の賦活作用により鎮痛効果を発揮する。

　がん疼痛緩和に使用されるSSRIには，パロキセチンとフルボキサミンがある。三環系抗うつ薬に比べて副作用は少ないが，投与初期に悪心，食欲不振，眠気，めまい等の症状が現れることがある。また，セロトニン症候群とよばれる頭痛，不安，焦燥感，興奮等の副作用が出現する可能性がある。

2) SNRI（セロトニン・ノルアドレナリン再取り込み阻害薬）

　一方，セロトニン・ノルアドレナリン再取り込み阻害薬（Serotonin and Norepinephrine Reuptake Inhibitors：SNRI）は，シナプスにおけるセロトニントランスポーターおよびノルアドレナリントランスポーターを阻害する。SSRIと同様に下行性抑制系の賦活作用により鎮痛効果を発揮するが，ノルアドレナリンの再取り込みも阻害するため，鎮痛効果はSSRIよりも強い。

　SNRIであるデュロキセチンは，うつ病の他に糖尿病性神経障害，線維筋痛症，慢性腰痛症，変

形性関節症の保険適用を有している。また，化学療法による神経障害性疼痛を緩和することが前向き比較試験で証明されている[1]。

4 γ-アミノ酪酸（GABA）の誘導体

プレガバリンは，抗てんかん薬のガバペンチンと類似したγ-アミノ酪酸（GABA）の誘導体であるが，薬効分類上は抗てんかん薬ではなく，神経障害性疼痛や線維筋痛症に対して保険適用を有する鎮痛薬として位置づけられている。プレガバリンやガバペンチンには，異なる作用機序により，それぞれ特徴的な副作用があるが，共通の副作用として，眠気やふらつき等に注意する必要がある。

1）プレガバリン

興奮性神経のシナプス前膜に存在する電位依存性Ca^{2+}チャネルの$α_2δ$サブユニットに結合することで，Ca^{2+}イオンの流入を抑制し，グルタミン酸等の神経伝達の放出を抑制することで，神経興奮を抑えて鎮痛効果を発揮する[2]。浮動性めまいや傾眠等が主な副作用として報告されており，転倒や転落に注意する必要がある。また，尿中排泄率は84〜98％と高く，他の薬剤との薬物間相互作用は少ないが，添付文書にクレアチニン・クリアランスに応じた初期用量の設定がなされている。しかし，腎機能に応じて減量したにもかかわらず，高齢者や低体重，腎機能低下のある患者で副作用の発現が有意に高いことが報告されており[3]，がん患者に対して使用する場合には眠気やめまい，転倒・転落に十分注意する必要がある。

2）ガバペンチン

これまで，ガバペンチンを含むさまざまな抗てんかん薬が鎮痛補助薬として用いられてきたが，がん疼痛に対して保険適用を有する薬剤はない。

ガバペンチンはプレガバリンと同様の作用機序を有するが，プレガバリンよりもバイオアベイラビリティが低く，プレガバリンの血中薬物濃度が線形動態を示すのに対し，ガバペンチンは，非線形性動態を示す[4]ことから，ある程度以上は増量しても十分な効果が得られないことがある。しかし，さまざまな疼痛に対する鎮痛効果のエビデンスは豊富にあり，がん患者の神経障害性疼痛に対するプラセボとの比較においても，明らかな有効性を示したエビデンスがある[5]。モルヒネや制酸薬との相互作用はあるが，他の薬剤との薬物間相互作用は少ない。腎排泄型の薬剤であり，添付文書に腎機能に応じた初期用量の設定がなされている。

3）ミロガバリン

プレガバリンと同じ作用機序で鎮痛効果を発揮し，末梢神経障害性疼痛の保険適用を有する薬剤である。初期用量として1回5mgを1日2回投与し，その後1回用量として5mgずつ1週間以上の間隔をあけて漸増し，維持用量として1回15mgを1日2回投与する。主な副作用として傾眠，浮動性めまい，浮腫，体重増加などがあり，プレガバリンと同様にクレアチニン・クリアランスにより投与量および投与間隔を調整する。

5 Na⁺チャネル阻害剤

1）カルバマゼピン

　細胞神経膜のNa⁺チャネルに作用し，神経細胞の異常興奮を抑制することにより，鎮痛効果を発揮する。三叉神経痛，帯状疱疹後神経痛，糖尿病性神経障害等で有効性が報告されている[6]。副作用として，めまいや骨髄抑制，皮疹等があり，重篤な血液障害のある患者や重篤な心障害（第Ⅱ度以上の房室ブロック，高度の徐脈）のある患者には禁忌となっている。また，カルバマゼピンはCYP3A4の酵素を誘導するため，CYP3A4で代謝される薬剤と併用する場合は注意が必要である。

6 GABAトランスアミナーゼ阻害剤

1）バルプロ酸ナトリウム

　GABAの分解酵素であるGABAトランスアミナーゼを阻害し，抑制性シナプスでのGABA濃度を上昇させて，神経細胞の興奮性を抑制することによって鎮痛効果を発揮する。抗てんかん薬のなかでは比較的鎮静作用は弱いが，副作用として肝障害や高アンモニア血症に注意する必要がある。また，カルバペネム系抗菌薬との併用により，バルプロ酸ナトリウムの血中濃度が低下することから，併用禁忌となっている。

7 ベンゾジアゼピン系

1）クロナゼパム

　GABA-A受容体の分子上にあるベンゾジアゼピン受容体に結合し，GABA神経伝達を活性化することにより神経細胞の興奮を抑制し鎮痛効果を発揮する。ベンゾジアゼピン系薬剤であるため抗不安作用が期待できるが，他の抗けいれん薬よりも眠気やふらつき等の副作用に注意が必要である。

8 Na⁺チャネル遮断薬

　抗不整脈薬のうち，Vaughan Williams分類のクラスIb群に位置づけられる薬剤は，末梢神経細胞の電位依存性Na⁺チャネルを遮断して神経細胞膜を安定化し，神経興奮を抑制することで鎮痛効果を発揮する。保険適用のある薬剤はなく，抗うつ薬や抗てんかん薬に比べると鎮痛効果のエビデンスレベルは低いため，他の鎮痛補助薬で効果が得られない場合に試みられる。

1）メキシレチン

　肝臓での初回通過効果が小さく，バイオアベイラビリティが約90％と高いため，経口薬として用いられる。副作用として，悪心・嘔吐や食欲不振，胃部不快感等の消化器症状やめまいがあり，重篤な刺激伝導障害のある患者には禁忌である。

2）リドカイン

　注射薬による持続注入により投与されるが，30分程度で間欠的に投与する方法もある[7]。副作用

として，血圧低下，徐脈，意識障害，中枢神経系の症状（せん妄，不安，興奮，振戦，知覚異常）等があり，重篤な刺激伝導障害のある患者には禁忌である．リドカインの有効血中濃度は1.5〜5μg/mLであり，10μg/mL以上になると中毒域で重篤な副作用が発現しやすくなるため，副作用が疑われる場合は血中濃度の測定が必要である．

⑨ NMDA受容体拮抗薬

N-methyl-D-aspartate（NMDA）受容体は，興奮性アミノ酸のグルタミン酸受容体のサブタイプの1つである．一次感覚神経終末からグルタミン酸が遊離され，脊髄後角表層にあるNMDA受容体を活性化することによって痛覚情報が伝達される．ケタミンはNMDA受容体に結合することでグルタミン酸と拮抗し，脊髄後角での痛覚伝達を遮断するだけでなく，オピオイド鎮痛薬の効果を増強し，オピオイド鎮痛薬の耐性や依存形成を抑制することができるため，オピオイド鎮痛薬との併用に適している．副作用として，めまいや眠気，ふらつきの他に悪夢や幻覚等の精神症状を来すこともあり，依存性を有していることから麻薬指定されている．また，脳圧を亢進させる可能性があるため，脳血管障害，高血圧，脳圧亢進症，重症の心代償不全の患者には禁忌である．

⑩ 副腎皮質ホルモン薬

副腎皮質ホルモン薬の抗炎症作用により，腫瘍による神経圧迫や脊髄圧迫，頭蓋内圧亢進，軟部組織浸潤，骨転移，管腔臓器内の浮腫や炎症による閉塞の痛みに対して有効である．腫瘍周囲の炎症や浮腫を緩和し，神経への圧迫や浸潤を改善することで鎮痛効果を発揮する．一方，副腎皮質ホルモン薬の使用にあたっては，口腔カンジダ症や高血糖，消化性潰瘍，不眠，易感染性，精神症状，骨粗鬆症，満月様顔貌等の副作用に注意する必要がある．

【参考文献】

1) Smith EM et al：Effect of duloxetine on pain, function, and quality of life among patients with chemotherapy-induced painful peripheral neuropathy: a randomized clinical trial. JAMA, 309(13):1359-1367, 2013
2) 越智靖夫 他：プレガバリン（リリカ®カプセル25 mg・75 mg・150 mg）の薬理学的特徴および臨床試験成績. 日薬理誌, 136(3):165-174, 2010
3) 成末まさみ 他：プレガバリンは腎機能を考慮した推奨用量でも腎機能低下患者の有害事象発生率が高い. 透析会誌, 48(3):155-161, 2015
4) Bockbrader HN et al：A comparison of the pharmacokinetics and pharmacodynamics of pregabalin and gabapentin. Clin Pharmacokinet, 49(10):661-669, 2010
5) Caraceni A et al：Gabapentin for neuropathic cancer pain: a randomized controlled trial from the Gabapentin Cancer Pain Study Group. J Clin Oncol, 22(14):2909-2917, 2004
6) Wiffen PJ et al：Carbamazepine for acute and chronic pain in adults. Cochrane Database Syst Rev, (1):CD005451, 2011
7) Backonja M et al：Response of central pain syndromes to intravenous lidocaine. J Pain Symptom Manage, 7(3):172-178, 1992

（槙原　克也）

4-1 呼吸困難

1 概要

呼吸困難はがん患者において発症頻度が高く，かつ難治性の症状である。進行がん患者の20〜70％で呼吸困難を合併することが知られており[1]，特に生命予後が数週間の患者や肺腫瘍患者で頻度が高い[2〜4]。呼吸困難の合併は，その症状そのものによる苦痛のみならず，生活の質の低下や日常活動動作の制限をもたらし，予後不良と関連することが指摘されている[5]。

2 呼吸困難の定義

呼吸困難は「呼吸時の不快な感覚」と定義される症状である。一方で，呼吸不全は「酸素分圧60Torr以下となる呼吸器系の機能障害，またはそれに相当する異常状態」であり，呼吸困難とは異なる症状である。呼吸困難は主観的な症状であり，必ずしも常に呼吸不全を伴うわけではない。呼吸困難を有する進行期のがん患者では，低酸素血症を伴っていたのは全体の40％程度であったとの報告もある[6]。

3 呼吸困難が発生するメカニズム

呼吸困難の発生には，呼吸調節機構の恒常性維持に必要な感覚受容器（機械受容器，化学受容器，呼吸中枢）が最も本質的な役割を果たしていると考えられている。現段階で呼吸困難の発生機序は，中枢－末梢ミスマッチ説（出力－再入力ミスマッチ説）が有力仮説として考えられている。これらは，中枢から呼吸筋への運動指令（出力）と感覚受容器からの求心性の情報（入力）に乖離あるいはミスマッチが存在する場合に呼吸困難感が発生するという説である。

4 呼吸困難の原因

進行がん患者における呼吸困難の原因は多岐にわたる（表1）。原因の分類としては，局所（心肺）に原因が存在するものと全身状態によるものに分けられる。さらに，"がん"と直接関連するものと関連しないもの，"がん治療"に関連するものに分けることができる。頻度が高いと考えられる原因には，原発性・転移性肺腫瘍の増大・がん性リンパ管症，胸水，肺炎，腹水や肝腫大による横隔膜の運動制限，心不全などがある。それ以外では，気道の狭窄・上大静脈症候群，心囊水，肺塞栓，横隔神経麻痺，気胸，貧血，胸膜播種・胸壁浸潤による胸郭の運動障害などがある。終末期では，複数の原因が重複して呼吸困難の原因となっていることが少なくない。

表1 呼吸困難の原因（緩和ケアの立場からの分類）

	局所における原因	全身状態による原因
がんに直接関連した原因	・肺実質への浸潤 　肺がん，肺転移 ・胸壁への浸潤 　胸壁の腫瘍，中皮腫 　悪性胸水 ・心囊 　悪性心囊水 ・主要気道閉塞（MAO） 　気管の圧迫 　上気道（咽頭，喉頭，鼻腔，口腔）での圧迫 ・血管性 　上大静脈症候群 　腫瘍塞栓 ・リンパ管性 　がん性リンパ管症 ・気　胸 ・肺　炎 　閉塞性肺炎 　気管食道瘻による肺炎 　日和見感染	・全身衰弱に伴う呼吸筋疲労 　がん悪液質症候群 　腫瘍随伴症候群 ・血　液 　貧　血 　過粘稠症候群 ・横隔膜の挙上 　横隔膜麻痺 　大量腹水 　肝腫大 ・発　熱
がん治療に関連した原因	・外科治療 　片肺切除 　肺葉切除 ・化学療法 　薬剤性肺障害 　心毒性 ・放射線治療 　放射線肺臓炎 　放射線性心膜炎	・貧　血 ・ステロイドミオパチー（筋症）
がんとは直接関連しない原因	・基礎肺疾患 　慢性閉塞性肺疾患（COPD） 　気管支喘息 　間質性肺炎 ・心疾患 　うっ血性心不全 　不整脈 　肺塞栓	・不安，抑うつ，精神的ストレス ・パニック発作 ・神経筋疾患

（日本緩和医療学会 緩和医療ガイドライン委員会：がん患者の呼吸器症状の緩和に関するガイドライン2016年版，金原出版，p.24，2016）

5 呼吸困難の評価

1）量的評価

　呼吸困難の強さを定量的に評価するためには，Numerical Rating Scale（NRS），visual analoguescale（VAS）が広く使用される。これらは患者の主観的な評価であり，自覚的な症状の改善を主目的としている緩和ケアの介入では最も重視される。また，同一対象内における呼吸困難の相対的な経時的推移を測定するのにも適している。一方で，測定値は対象者の主観性に大きく影響されるため，異なる群間での比較には限界がある。

表2 Cancer Dyspnea Scale（CDS）

あなたの息切れ感，息苦しさについておたずねします。
この数日間に感じられた息苦しさの状態にもっとも当てはまる番号に各々一つだけ○をつけてください。感じたまま第一印象でお答えください。

項目		いいえ	少し	まあまあ	かなり	とても
1	らくに息を吸い込めますか？	1	2	3	4	5
2	らくに息をはき出せますか？	1	2	3	4	5
3	ゆっくり呼吸ができますか？	1	2	3	4	5
4	息切れを感じますか？	1	2	3	4	5
5	ドキドキして汗がでるような息苦しさを感じますか？	1	2	3	4	5
6	「はあはあ」する感じがしますか？	1	2	3	4	5
7	身のおきどころのないような息苦しさを感じますか？	1	2	3	4	5
8	呼吸が浅い感じがしますか？	1	2	3	4	5
9	息が止まってしまいそうな感じがしますか？	1	2	3	4	5
10	空気の通り道がせまくなったような感じがしますか？	1	2	3	4	5
11	おぼれるような感じがしますか？	1	2	3	4	5
12	空気の通り道に，何かひっかかっているような感じがしますか？	1	2	3	4	5

※Cancer Dyspnea Scaleは，呼吸努力感，呼吸不快感，呼吸不安感の3つの尺度から構成される。点数が高得点程強い呼吸困難を示す
【点数計算方法】
①各尺度ごとに回答の点数を加算
呼吸努力感 ＝（項目4＋項目6＋項目8＋項目10＋項目12）－5
呼吸不快感 ＝15－（項目1＋項目2＋項目3）
呼吸不安感 ＝（項目5＋項目7＋項目9＋項目11）－4
②各尺度の点数を加算して総合的呼吸困難を算出
③最高得点
各尺度の最高得点：呼吸努力感：20点，呼吸不快感：12点，呼吸不安感：16点
総合的呼吸困難の最高得点：48点

〔Tanaka K et al：Br J Cancer, 82 (4):800-805, 2000〕

2）質的評価

　呼吸困難を自覚する感覚は，原因や機序により大きく異なることが知られており，その性状を感覚的に表現する場合，その特徴はいくつかのカテゴリーに分類することが可能である。Cancer Dyspnea Scale（CDS）は，がん患者の呼吸困難を多面的に評価する自記式調査票であり，呼吸努力感・呼吸不快感・呼吸不安感の3つのカテゴリー，12項目で評価する（表2）。

6 マネジメントの実際

　呼吸困難の治療アルゴリズムを図に示す。呼吸困難の治療においては，完全な症状緩和が難しい場合が多い。そのため，患者の意識状態やコミュニケーションできる程度，苦痛緩和のバランスを考慮し，患者個々に適した治療目標を設定する必要がある。また，オピオイドやベンゾジアゼピン系薬剤の使用は眠気を惹起させてしまう可能性があるため，呼吸困難の症状緩和と意識保持のどち

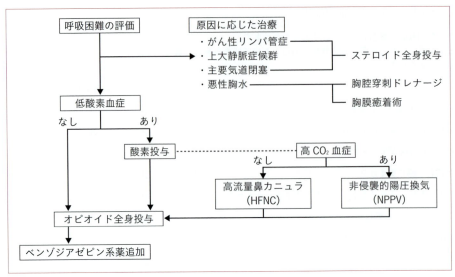

（緩和医療ガイドライン委員会　編：がん患者の呼吸器症状の緩和に関するガイドライン2016年版，金原出版，2016）

図　呼吸困難マネジメントのアルゴリズム

らを優先するかなど，患者および家族と相談していく必要がある。

6-1　原因に応じた治療

　呼吸困難の原因病態を評価し，治療可能であるか検討する。呼吸困難の原因が腫瘍による気管・気管支の閉塞の場合は，症状の緩和を目的として姑息的な薬物療法や放射線照射などを検討する。がん性リンパ管症，上大静脈症候群，主要気道閉塞の場合はコルチコステロイド全身投与を，悪性胸水貯留が原因であれば胸腔穿刺ドレナージによる胸水除去を検討する。悪性胸水の貯留により頻回な胸腔穿刺ドレナージが必要となった場合，全身状態が比較的良好で月単位以上の予後が見込める場合には，胸膜癒着術を検討する。

6-2　酸素療法

　低酸素血症を伴うがん患者の呼吸困難には，酸素療法を検討する。通常の酸素投与で効果が不十分な場合，患者の状態や希望および療養場所・施設の状況により，高流量鼻カニュラ酸素療法（HFNC）や非侵襲的陽圧換気法（NPPV）を検討する。高CO_2血症を伴う場合にはNPPVを，高CO_2を伴わない場合にはHFNCを用いる。低酸素血症を伴わないがん患者の呼吸困難に対する酸素吸入は推奨されていない。ただし，個々の患者において，気体の種類によらない（空気・酸素）吸入で呼吸困難が改善される可能性もあり[7]，患者へのメリットとデメリットを考慮して使用の有用性を判断する必要がある。

1）環境調整

三叉神経領域の冷風刺激により呼吸困難の改善が得られる可能性があることから，窓を開ける，扇風機やうちわなどで直接風を顔にあてるといった支援が臨床ではよく行われている。

6-3 薬物療法

1）オピオイド

呼吸困難に対する薬物療法の標準治療薬はモルヒネであり，無作為化比較試験で有効性が示されている[8]。モルヒネが呼吸困難を緩和させる作用機序はまだ十分に解明されていないが，呼吸中枢の知覚の低下，延髄呼吸中枢のCO_2に対する感受性の低下や呼吸リズムを抑制し，呼吸数を減少させることによる呼吸仕事量の軽減，有効な深呼吸の確保などが関与していると考えられている。

呼吸困難に対してモルヒネを開始する場合，投与量は疼痛に用いられる用量よりも少量で効果をもたらすとされている。少量のモルヒネで効果がなかった場合，どの程度まで増量が必要かについては明確な基準がない。基本的には眠気が誘発されない範囲内で，患者自覚的な呼吸困難の緩和が得られる量まで数段階に分けて慎重に増量を行う。モルヒネ開始時・増量時には，呼吸回数と酸素飽和度をモニタリングしながら呼吸抑制の出現に十分注意する必要がある。また，急性の呼吸不全を伴っている症例など，全身状態の悪い患者に対するモルヒネの有効性と安全性は必ずしも確立されていないことから，その適用については慎重に判断する必要がある。

モルヒネ以外のオピオイドの呼吸困難についての有効性は，まだ十分に検討されていない。ただし，オキシコドンの全身投与について，観察研究でモルヒネと同等の効果が報告されており，がん患者の呼吸困難を緩和する可能性が示唆されている[9]。オキシコドン全身投与に伴う有害事象は，医療従事者による十分な観察を行うことで許容されると考えられることから，腎機能障害合併時など，モルヒネの全身投与による有害事象が懸念される場合に，モルヒネの代替薬としてオキシコドンを使用することが推奨されている。

フェンタニルは，がん患者の運動負荷時の呼吸困難に対する予防効果について，全身投与，口腔内バッカル錠での効果が検討されているが，いずれもプラセボと比較して有意な効果の差を認めず，現時点ではがん患者の呼吸困難の治療薬として推奨されていない[10,11]。

また，ヒドロモルフォンについては，呼吸困難を改善する可能性はあるが[12,13]，十分な根拠が不足しており，その位置づけは明確には定まっていない。

2）ベンゾジアゼピン系薬

がん患者の呼吸困難には不安や不眠との関連性があることが示されており，オピオイドの効果が不十分な症例にベンゾジアゼピン系薬を試してみることは，治療選択肢の1つとなる。ベンゾジアゼピン系薬を使用する際は，オピオイドと併用して使用することが推奨されており，単独投与の有効性は証明されていない[14,15]。

3）コルチコステロイド薬

がん患者の呼吸困難を対象にしたステロイドの臨床試験の知見は限られている。呼吸困難を有するがん患者に対して，原因病態を問わず一律にコルチコステロイドの全身投与を行うことは推奨さ

れていない。しかしながら，がん性リンパ管症，上大静脈症候群，主要気道閉塞，気管支攣縮，化学療法・放射線治療による肺障害がある場合は，コルチコステロイドの全身投与を検討する。ただし，コルチコステロイドの投与開始後は，有効性と有害事象について慎重に評価し，無効例には速やかに中止することが前提とされている[15]。

【参考文献】

1) Solano JP et al：A comparison of symptom prevalence in far advanced cancer, AIDS, heart disease, chronic obstructive pulmonary disease and renal disease. J Pain Symptom Manage, 31 (1):58-69, 2006
2) Bruera E et al：Frequency of symptom distress and poor prognostic indicators in palliative cancer patients admitted to a tertiary palliative care unit, hospices, and acute care hospitals. J Palliat Care, 16 (3):16-21, 2000
3) Mercadante S et al：Epidemiology and Characteristics of Episodic Breathlessness in Advanced Cancer Patients: An Observational Study. J Pain Symptom Manage, 51(1):17-24, 2016
4) Dudgeon DJ et al：Dyspnea in cancer patients: prevalence and associated factors. J Pain Symptom Manage, 21(2):95-102, 2001
5) Cuervo Pinna MA et al：Dyspnea--a bad prognosis symptom at the end of life. Am J Hosp Palliat Care, 26(2):89-97, 2009
6) Dudgeon DJ et al：Dyspnea in the advanced cancer patient. J Pain Symptom Manage, 16(4):212-219, 1998
7) Abernethy AP et al：Effect of palliative oxygen versus room air in relief of breathlessness in patients with refractory dyspnoea: a double-blind, randomised controlled trial. Lancet, 376(9743):784-973, 2010
8) Ben-Aharon I et al：Interventions for alleviating cancer-related dyspnea: a systematic review and meta-analysis. Acta Oncol, 51(8):996-1008, 2012
9) Mori M et al：How Successful Is Parenteral Oxycodone for Relieving Terminal Cancer Dyspnea Compared With Morphine? A Multicenter Prospective Observational Study. J Pain Symptom Manage 62(2):336-345, 2021
10) Hui D et al：Effects of prophylactic subcutaneous fentanyl on exercise-induced breakthrough dyspnea in cancer patients: a preliminary double-blind, randomized, controlled trial. J Pain Symptom Manage, 47(2):209-217, 2014
11) Hui D et al：Effect of Prophylactic Fentanyl Buccal Tablet on Episodic Exertional Dyspnea: A Pilot Double-Blind Randomized Controlled Trial. J Pain Symptom Manage, 54(6):798-805, 2017
12) Clemens KE et al：Symptomatic therapy of dyspnea with strong opioids and its effect on ventilation in palliative care patients. J Pain Symptom Manage, 33(4):473-481, 2007
13) Charles MA et al：Relief of incident dyspnea in palliative cancer patients: a pilot, randomized, controlled trial comparing nebulized hydromorphone, systemic hydromorphone, and nebulized saline. J Pain Symptom Manage. 36(1):29-38, 2008
14) Clemens KE et al：Dyspnoea associated with anxiety--symptomatic therapy with opioids in combination with lorazepam and its effect on ventilation in palliative care patients. Support Care Cancer, 19(12):2027-2033, 2011
15) 日本緩和医療学会　緩和医療ガイドライン委員会　編：がん患者の呼吸器症状の緩和に関するガイドライン2016年版，金原出版，2016

(池田　宗彦)

4-2 胸水・腹水

I 胸水

1-1 概要

　胸水（Pleural effusion）は胸膜腔に存在する液体で，正常時も10〜20mL程度存在する。胸膜には肺表面を覆う「臓側胸膜」と，胸壁の内側を覆う「壁側胸膜」があり，その2枚の胸膜の間が胸膜腔である。臓側胸膜と壁側胸膜は近接しており，通常は区別することはできない。胸水は，呼吸に伴う肺と胸壁の間の摩擦を軽減する潤滑剤の役割を果たしている。胸水は壁側胸膜の毛細血管から産生され，壁側胸膜のリンパ管系から吸収されることにより恒常性を維持している。胸水の産生と吸収のバランスが崩れると胸水が貯留する。胸水が増加すると胸膜腔が拡大し，肺を圧迫する（図1）。圧迫された肺は換気機能が低下し，呼吸困難などの症状を呈する。

　胸水には漏出性胸水と滲出性胸水がある。漏出性胸水の主な原因は心不全，肝硬変などで，滲出性胸水の主な原因は悪性腫瘍，感染症，肺塞栓症などである。鑑別には，胸腔穿刺により胸水を採取し，生化学的所見（Light診断基準など），細菌学的所見（培養），病理学的所見（胸水細胞診による悪性腫瘍細胞の検出など）を要する。ただし，がん性胸膜炎の存在が明らかな場合など，胸水の要因が強く推認できる場合は，ベネフィットとリスクを勘案し，侵襲を伴う検査を行わないこともある。

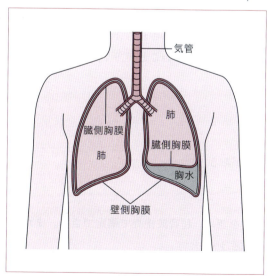

図1　胸水貯留による胸膜腔の拡大

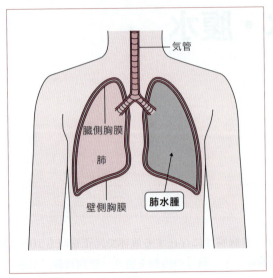
図2　肺水腫（イメージ図）

　なお，胸部に水分が貯留する病態として，ほかに肺水腫がある．肺水腫は肺の毛細血管から滲出した水分が肺（肺胞，間質）に貯留している状態をいう（図2）．肺水腫は心原性と非心原性に大別され，肺の換気機能への影響が胸水より大きく，緊急性が高い．
　本稿では，がんによる悪性胸水について述べる．

1-2　発生要因

　悪性胸水は，胸膜への腫瘍の浸潤や転移による胸腔内の炎症（がん性胸膜炎）によって生じ，予後不良である．悪性胸水は，腫瘍による病勢が制御できなければ繰り返し貯留する．悪性胸水の生じる機序は，胸膜の血管透過性亢進による胸水産生増加，腫瘍性の壁側胸膜リンパ管閉塞などによる胸水吸収低下である．悪性胸水はがん患者の約15％で生じ，その内訳は肺がんが約3割で最も多く，次いで乳がん，悪性リンパ腫の順で，これら3つのがん種で悪性胸水の75％を占める[1]．悪性胸水の治療は予後の改善にはつながらないことが多く，症状緩和が主体である．

1-3　症状

1）自覚症状
　呼吸困難，胸痛，咳嗽などがある．

2）所見
　聴診で呼吸音の低下・消失を認め，超音波検査で確定できる．また，胸部レントゲン画像，CT画像で透過性低下を認める（図3〜5）．

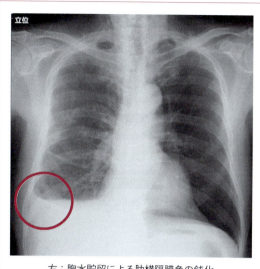 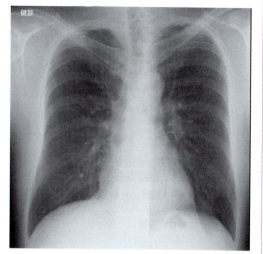

左:胸水貯留による肋横隔膜角の鈍化　　　　右:胸水なし

図3 胸水の胸部単純レントゲン画像

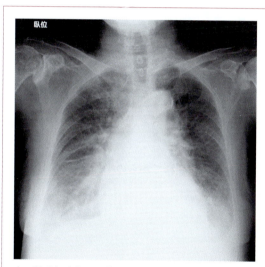 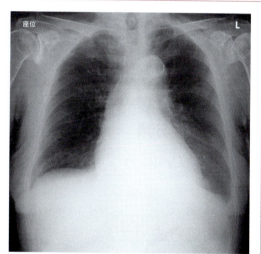

左:肺毛細血管から水分が漏出し,透過性が低下している　　　　右:肺水腫が改善した様子

図4 肺水腫の胸部レントゲン画像

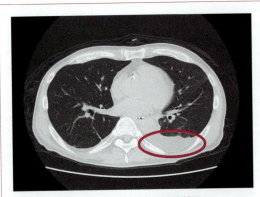 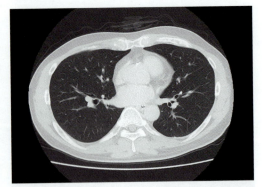

左：胸水貯留による透過性低下　　　　　　　　右：胸水なし

図5 胸水の胸部CT画像

表1 CTCAE v5.0　胸水

CTCAE v5.0 Term 日本語	Grade 1	Grade 2	Grade 3	Grade 4	Grade 5
胸水 Pleural effusion	症状がない；臨床所見または検査所見のみ；治療を要さない	症状がある；治療を要する（例：利尿薬/胸腔穿刺を要する）	症状があり呼吸障害と低酸素症を伴う；外科的処置を要する（胸腔ドレナージ/胸膜癒着術）	生命を脅かす呼吸障害/循環動態の悪化；気管内挿管や緊急処置を要する	死亡

〔有害事象共通用語規準 v5.0 日本語訳 JCOG 版より（JCOG ホームページ http://www.jcog.jp）〕

1-4　重症度分類

　胸水の重症度分類については**表1**のとおり。悪性胸水と診断されてからの平均生存期間は4〜9カ月である[2]。

1-5　対処方法

　無症候性の悪性胸水は，胸膜に侵襲を伴う処置を行う必要はない[3]。呼吸困難などの症状を有する場合，下記の処置を考慮する。

1）胸腔穿刺ドレナージ

　貯留している胸水を物理的に抜いて症状を緩和する。大量の胸水を急速に抜くと，圧迫されていた肺の急激な再膨張により，肺血流の再灌流および血管透過性亢進を生じて再膨張性肺水腫となるおそれがあるため，胸腔穿刺ドレナージは緩徐に行う。胸水には蛋白質（アルブミン，グロブリン）などが含まれており，胸腔穿刺ドレナージの反復は蛋白質喪失を伴うことを念頭に置いておく。排液した胸水を専用フィルターでろ過と濃縮を行い，再静注することがある。

2）胸腔留置カテーテル

繰り返し胸水が貯留する場合，胸腔内へカテーテル留置が試みられる。これにより，間歇的に胸水を排液できる。胸膜癒着術と比較して入院期間の短縮が得られるが，感染リスクがある[4]。

3）胸膜癒着術（タルクなど）

閉鎖した胸膜腔に化学的な炎症および線維化を起こし，壁側胸膜と臓側胸膜を癒着させて胸水再貯留と肺虚脱を防ぐことができる。癒着剤には，タルク（ユニタルク），OK-432（ピシバニール），テトラサイクリン，ミノマイシン，ブレオマイシン，ドキソルビシン，シスプラチンなどが用いられる。タルクは癒着成功率が高いと報告されている[5]。胸膜癒着術は，悪性胸水による呼吸困難などの症状コントロールが治療上優先され，胸腔穿刺ドレナージで肺が十分に再膨張し，呼吸困難などの症状緩和が得られ，かつ全身状態が比較的良好（ECOG PS2以下など）な場合に適応となる。胸腔穿刺ドレナージによって肺の再膨張が得られない場合，臓側胸膜と壁側胸膜が十分に接していないため癒着剤を投与しても癒着が起こらず，胸膜癒着術の適応とならない。胸膜癒着術による有害事象としては，胸痛，発熱，肺炎，感染症（膿胸）などがある[6]。特に高齢者や間質性肺疾患のある患者はARDS（急性呼吸促拍症候群，または急性呼吸窮迫症候群）のリスクが高いため，その適応は慎重に判断する[7]。

予測される生命予後は1カ月以上であることが望ましいとされている[8]。予後予測指標については，月単位の予後を予測するPaPスコア（Palliative Prognaosis Score）[9]，週単位の予後を予測するPPI（Palliative Prognostic Index）[10]などがある。

4）胸腔腹腔シャント（PPS），胸腔静脈シャント（PVS）

専用のポンプチャンバ付きカテーテルキット（デンバー・シャント）を皮下に埋設し，胸水を胸腔から腹腔へ移送する。腹膜は吸収率に優れるため，腹腔に移送された胸水は腹膜から再吸収される。腹水が存在する場合は，胸腔から静脈へカテーテルを留置することもある。デンバー・シャントは侵襲が高く，処置できる医療機関が限られる。また，症状緩和目的であり，根治性はない。治療順位も低く，胸腔穿刺ドレナージ後に肺の再膨張が得られない場合や，肺は再膨張してもすぐに再貯留する難治性胸水の場合，もしくは胸膜癒着術の適応がない場合で，なおかつ胸水による症状がQOLを損なう場合に適応を検討する。胸腔腹腔シャントにおける腹膜播種がケースレポートで報告されている[11]。

5）利尿薬

利尿薬が悪性胸水による呼吸困難を改善するというエビデンスはない。低カリウム血症や腎機能障害などの有害事象のリスクがあるため，悪性胸水による呼吸困難を改善することを目的とした一律的な利尿薬の使用は推奨されない[8]。

2 腹水

2-1 概要

　腹水（ascites）とは腹腔に存在する液体で，正常時も20〜50mL程度存在する。腹膜には，肝臓，胆嚢，膵臓，脾臓，消化器などの臓器の表面を覆う「臓側腹膜」と，腹壁の内側を覆う「壁側腹膜」がある。腹水は，臓器や組織間の摩擦を軽減する潤滑剤の役割を果たしている。腹水が通常量よりも多くなると腹部が膨隆し，波動や濁音界の移動が確認できる。腹水が少量の場合は超音波検査やCT画像で診断できる。

　腹水には漏出性腹水（非炎症性）と滲出性腹水（炎症性，腫瘍性）がある。漏出性腹水の主な原因は門脈圧亢進症，膠質浸透圧低下，有効循環血漿量の低下などで，滲出性腹水の主な原因は悪性腫瘍（がん性腹膜炎），細菌性腹膜炎，リンパ管閉塞による乳び腹水などである。鑑別には腹腔の試験穿刺を行い，蛋白濃度やアルブミン濃度，血球数と分画，培養を確認する。病態によってはアミラーゼの測定や細胞診も行い，鑑別を行う。ただし，がん性腹膜炎の存在が明らかな場合など腹水の要因が強く推認できる場合は，ベネフィットとリスクを勘案し，侵襲を伴う検査を行わないこともある。なお，腹水の原因として最も多いのは肝硬変による門脈圧亢進症である。本稿では，がんによる悪性腹水について述べる。

2-2 発生機序

　悪性腹水は，腹膜への腫瘍の浸潤や転移による腹腔内の炎症（がん性腹膜炎）によって生じ，予後不良である。悪性腹水は，腫瘍による病勢が制御できなければ繰り返し貯留する。悪性腹水の生じる機序は，腫瘍による腹膜の血管新生や透過性亢進による腹水産生増加，腫瘍性の門脈圧亢進，リンパ管閉塞などである。全腹水患者の10％程度が悪性腹水といわれ[12]，卵巣がん，子宮体がん，乳がん，大腸がん，胃がん，膵臓がんなどで生じる。液体が貯留すると血管内成分の腹腔内漏出が常に生じる。さらに，低アルブミン血症や血漿膠質圧低下が血管から腹腔内への液体喪失を助長する。

2-3 症状

1）自覚症状

　腹満感，腹囲増加，体重増加，食欲不振，嘔気，便秘，末梢浮腫などがある。大量腹水となると疲労感，脱力感，横隔膜に干渉した息切れなどがみられる。

2）画像所見

　腹水の画像所見については，図6のとおり。

3）検査所見

　血清腹水アルブミン濃度勾配（serum ascites-to-albumin gradient：SAAG）で漏出性腹水か滲

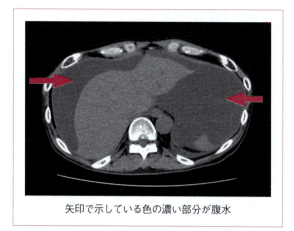

矢印で示している色の濃い部分が腹水

図6 腹水の腹部CT画像

表2 CTCAE v5.0 腹水

CTCAE v5.0 Term 日本語	Grade 1	Grade 2	Grade 3	Grade 4	Grade 5
腹水 Ascites	症状がない；臨床所見または検査所見のみ；治療を要さない	症状がある；内科的治療を要する	高度の症状；侵襲的治療を要する	生命を脅かす；緊急の外科的処置を要する	死亡

〔有害事象共通用語規準 v5.0 日本語訳 JCOG 版より（JCOG ホームページ http://www.jcog.jp）〕

出性腹水かを推定できる．SAAG 1.1g/dL 未満の場合には滲出性腹水の可能性が高く，感染や悪性疾患を疑う．SAAG 1.1g/dL 以上の場合に腹水の原因で最も多いものは門脈圧亢進症であり，通常は肝硬変が多い．また，腹水中蛋白濃度が極めて低値の患者は特発性細菌性腹膜炎の可能性が高くなる．腹水中赤血球数が高値の場合は，穿刺針による血管損傷，肝細胞がん，大網静脈瘤の破裂を疑う．腹水中多形核白血球が 250/μL 以上の場合は腹水感染が疑われるので腹水培養を行う．

2-4 重症度分類

腹水の重症度分類は表2のとおり．

2-5 対処方法

1）利尿薬

腹水軽減を目的としてフロセミド，スピロノラクトンなどが用いられるが，質の高いエビデンスはない．

2）腹腔穿刺ドレナージ

貯留している腹水を物理的に抜いて症状を緩和する．穿刺前に超音波検査で腹水の存在を確認し，

穿刺針で穿刺排液（ドレナージ）を行う。ドレナージはベッドサイドでも施行可能である。ドレナージを実施すると，患者の腹部膨満感などの自覚症状は劇的に改善するが，有害事象として循環血漿量減少，低血圧などを生じることがある。また，悪性腹水では血管透過性亢進により血中の蛋白質（アルブミン，グロブリン）が腹水中に漏出しており，ドレナージはそれらの蛋白質を喪失させる。腹水は，原疾患の改善がなければ再貯留するため，再貯留により再び血中の蛋白質が腹水中に移行し，血中の蛋白質が減少することで膠質浸透圧が低下，さらなる腹水の貯留要因となる。再貯留までの期間は数日〜2週間程度であり，繰り返しドレナージを行うことがある。ドレナージ量については現在のところ国際的なコンセンサスは得られていない。日本緩和医療学会の『がん患者の消化器症状の緩和に関するガイドライン（2017年版）』には，過去の観察研究ではドレナージ量は3〜6Lの報告が多いが，日本人に対して安全に施行できるドレナージ量は経験的には1〜3Lと記載されている。2021年に報告された，悪性腹水を有する終末期がん患者に対するドレナージ量の違いによる有効性と安全性を検討した多施設共同前向き観察研究[13]では，小容量（1,500〜2,500mL）のドレナージが行われた患者では，中等容量（＞2,500mL）のドレナージと比較して，次の穿刺までの期間（paracentesis-free survival：PFS）の短縮リスクは有意ではなかった。一方，最小容量（1,500mL未満）のドレナージでは，有意なPFSの短縮リスクであった。穿刺前後の腹部膨満感の数値評価尺度（NRS：0〜10）の差は，ドレナージ量が増えても有意に増加しなかった。いずれもGrade3以上の有害事象はみられず，Grade1〜2の低血圧が5.2%，Grade1〜2の腹壁からの漏出が7.8%に発生した。これらより，ドレナージ量1,500〜2,500mLは，PFSを短縮することなく苦痛軽減が得られる患者の益と害のバランスのとれた治療法であることが示唆された。実臨床においては多量（5〜6L程度）のドレナージを施行することがしばしば見受けられるが，前述の研究においてドレナージ量が5Lを超えた症例は1人であり，多量ドレナージによるPFS，QOLおよび予後への影響に関する質の高いエビデンスは不足している。今後，この領域の臨床研究のさらなる推進が期待される。

3）腹水濾過濃縮再静注法

腹腔穿刺ドレナージによる血中蛋白質の喪失を軽減するために，排液した腹水をフィルターでろ過し，成分を濃縮（10倍程度）して静脈内に戻す腹水濾過濃縮再静注法（Cell-free and concentrated Ascites Reinfusion Therapy：CART）が考案された。CARTは日本国内でのみ広く行われている緩和治療である[14]。

4）抗悪性腫瘍薬腹腔内投与

胃がん原発のがん性腹膜炎に対して，S-1併用でのパクリタキセル腹腔内投与（IP療法）と，標準治療であるSP療法（S-1＋シスプラチン併用療法）を比較した無作為化第Ⅲ相試験（PHOENIX-GC試験）がある[13]。全生存期間で統計的優位性は示せなかったが，サブグループ解析では大量腹水例でIP療法の有効性が示唆される結果となっている。また，3年時点の生存率ではIP療法が明らかに良好であった[15]。IP療法は保険適応外である。

5）腹腔静脈シャント（PVS）

再発を繰り返す難治性の悪性腹水に対する症状緩和目的で用いられる。専用のポンプチャンバ付

きカテーテルキット（デンバー・シャント）を皮下に埋設し，腹水を腹腔から静脈へ移送する。デンバー・シャントは侵襲が高く，処置できる医療機関が限られる。また，症状緩和目的であり，根治性はない。治療順位も低く，腹腔穿刺ドレナージ後に短期間で再貯留する難治性腹水で，予後3カ月以上を見込め，かつ腹水による症状がQOLを損なう場合に適応を検討する。有用性の報告もあるが，45.1％でPVSの機能障害が発生し，27.8％で凝固異常が発生したという報告がある[16]。質の高いエビデンスが不足しており，今後さらなる検証が必要である。

6）輸液量の調整

　生命予後が1カ月程度と予測される場合，1,000mLを超える輸液は腹水を悪化させ，患者に苦痛を与える可能性がある[17]。そのようなケースでは，500〜1,000mL程度の輸液量に調節することが患者の苦痛を緩和するために有効な可能性がある。なお，輸液量を減らすことで，エネルギーやアミノ酸などの投与量も減少するが，生命予後が限られている状態では代謝異常を生じている可能性が高く，その場合は十分なエネルギーやアミノ酸を投与しても生体内で有効利用することができない。かえって肝臓などにおける代謝負荷が増大する場合もあるため，腹水による患者の苦痛を軽減できるメリットと，輸液量を減らしたことによるデメリットを比較し，検討することが肝要である。

【参考文献】

1) 福井次矢・黒川清　監：ハリソン内科学 第5版，メディカルサイエンスインターナショナル，2017
2) Meriggi F：Malignant Pleural Effusion: Still a Long Way to Go. Rev Recent Clin Trials, 14(1):24-30, 2019
3) Feller-Kopman DJ et al：Management of Malignant Pleural Effusions. An Official ATS/STS/STR Clinical Practice Guideline. Am J Respir Crit Care Med, 198(7):839-849, 2018
4) Iyer NP et al：Indwelling Pleural Catheter versus Pleurodesis for Malignant Pleural Effusions. A Systematic Review and Meta-Analysis. Ann Am Thorac Soc, 16(1):124-131, 2019
5) Tan C et al：The evidence on the effectiveness of management for malignant pleural effusion: a systematic review. Eur J Cardiothorac Surg, 29(5):829-838, 2006
6) Zhang W et al：Complications of thoracoscopic talc insufflation for the treatment of malignant pleural effusions: a meta-analysis. J Cardiothoracic Surg, 16(1):125, 2021
7) Shinno Y et al：Old age and underlying interstitial abnormalities are risk factors for development of ARDS after pleurodesis using limited amount of large particle size talc. Respirology, 23(1):55-59, 2018
8) 日本緩和医療学会 緩和医療ガイドライン委員会　編：がん患者の呼吸器症状の緩和に関するガイドライン 2016年版，金原出版，2016
9) Maltoni M et al：Successful validation of the palliative prognostic score in terminally ill cancer patients. Italian Multicenter Study Group on Palliative Care. J Pain Symptom Manage, 17(4):240-247, 1999
10) Morita T et al：The Palliative Prognostic Index: a scoring system for survival prediction of terminally ill cancer patients. Supprt Care Cancer, 7(3):128-133, 1999
11) Baeyens I, Berrisford RG：Pleuroperitoneal shunts and tumor seeding. J Thorac Cardiovasc Surg, 121(4):813, 2001
12) Runyon BA：Care of Patients with Ascites. N Engl J Med, 330(5):337-342, 1994
13) Ito T et al：Optimal Paracentesis Volume for Terminally Ill Cancer Patients With Ascites. J Pain Symptom Manage. 62(5):968-977, 2021
14) Chen H et al：Effectiveness of Cell-Free and Concentrated Ascites Reinfusion Therapy in the Treatment of Malignancy-Related Ascites: A Systematic Review and Meta-Analysis. Cancers. 13(19):4873, 2021

15) Ishigami H et al：Phase Ⅲ Trial Comparing Intraperitoneal and Intravenous Paclitaxel Plus S-1 Versus Cisplatin Plus S-1 in Patients With Gastric Cancer With Peritoneal Metastasis: PHOENIX-GC Trial. J Clin Oncol, 36(19):1922-1929, 2018
16) Sugawara S et al：Radiological Insertion of Denver Peritoneovenous Shunts for Malignant Refractory Ascites: A Retrospective Multicenter Study (JIVROSG-0809). Cardiovasc Intervent Radiol, 34(5):980-988, 2011
17) Morita T et al：Association between hydration volume and symptoms in terminally ill cancer patients with abdominal malignancies. Ann Oncol, 16(4):640-647, 2005

（小川　大介）

4-3 消化器症状

1 悪心・嘔吐

1-1 概要

がん患者では，診断時から治療中，終末期にかけて，がん自体や治療の影響で多様な消化器症状を呈し，quality of life（QOL）に影響を及ぼすことが多い。進行がん患者の68％が悪心・嘔吐を経験し，人生の最期の6週間では，その有病率は40％以上となることが報告されている[1]。

1-2 悪心・嘔吐が発生するメカニズム

嘔吐は，何らかの原因により嘔吐中枢が刺激されると，迷走神経，交感神経，体性運動神経を介して出現する。胃の幽門が閉ざされ，食道括約筋がゆるみ，胃に逆流運動が起こり，それとともに横隔膜や腹筋が収縮して胃を圧迫し，胃の内容物が排出される。悪心は嘔吐と同様の刺激により発現し，嘔吐に至らないものと考えられているが，悪心を伴わない嘔吐もあり，不明な点が多くある。悪心・嘔吐を引き起こす神経伝達を図1に示す。神経伝達に関与する受容体としては，ドパミンD_2受容体，ヒスタミンH_1受容体，セロトニン$5HT_2$・$5HT_3$受容体，ニューロキニンNK_1受容体などがある。嘔吐中枢への入力には以下に示す4つの経路があると考えられている。

1）大脳皮質からの入力

精神的，あるいは感情的な要因，頭蓋内圧亢進や血管病変などが直接または間接的に嘔吐中枢を刺激し，嘔吐が引き起こされる。

2）化学受容器引き金帯からの入力

延髄第4脳室底には，化学受容器引き金帯（chemoreceptor trigger zone：CTZ）が存在する。血管が豊富で血液脳関門がないため，血液や脳脊髄液中の代謝物やホルモン，細菌毒素などさまざまな催吐性刺激を受ける。神経伝達物質としてはドパミン，セロトニン，サブスタンスP，薬物としては抗がん薬，オピオイド，ジギタリスなどが刺激となることが知られている。

3）前庭器からの入力

前庭には，ヒスタミン，ムスカリン受容体が分布している。体動や前庭の病変により前庭の受容体が刺激されると，コリン作動性，ヒスタミン作動性ニューロンにより，直接またはCTZを介して，嘔吐中枢が刺激される。

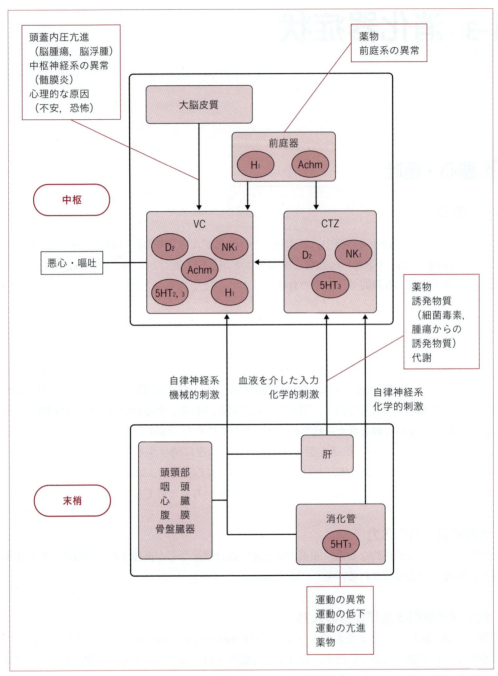

H₁：ヒスタミン受容体，Achm：ムスカリン受容体，5HT₂,₃：セロトニン受容体，D₂：ドパミン受容体，NK₁：ニューロキニン受容体，VC：嘔吐中枢，CTZ：化学受容器引金帯
（日本緩和医療学会 ガイドライン統括委員会 編：がん患者の消化器症状の緩和に関するガイドライン2017年版，金原出版，p.14，2017）

図1　悪心・嘔吐の神経伝達

4）末梢からの入力

　咽頭，心臓，肝臓，消化管，腹膜，腹部・骨盤臓器などの機械的受容体あるいは肝臓・消化管の化学受容器が刺激されると，迷走神経，交感神経，舌咽神経を介し，嘔吐中枢が刺激される。また，ドパミン刺激により消化管の運動は低下し，内容物停滞による消化管の進展から迷走神経，内臓神経を介して嘔吐刺激が伝達される。消化管閉塞があると，消化管運動により消化管の過進展が引き起こされ，嘔吐刺激が惹起される。消化液の分泌増加が加わると，消化管の進展が助長されることから，嘔吐刺激が増強すると考えられている。

1-3　悪心・嘔吐の原因

　終末期のがん患者の悪心・嘔吐の原因として，化学的要因，消化器系の要因，中枢神経系の要因に大別される（表）。原因は必ずしも1つではなく，複数が同時に存在することが多い。

1-4　悪心・嘔吐の評価

　悪心は主観的な感覚であり，他覚的な評価よりも主観的な評価を優先する。量的な評価では

表　がん患者における悪心・嘔吐の原因

		原　因
化学的	薬　物	オピオイド，ジゴキシン，抗けいれん薬，抗菌薬，抗真菌薬，抗うつ薬（SSRI，三環系抗うつ薬），化学療法
	悪心・嘔吐の誘発物質	感染（エンドトキシン），腫瘍からの誘発物質
	代謝異常（電解質異常）	腎不全，肝不全，高カルシウム血症，低ナトリウム血症，ケトアシドーシス
消化器系	消化管運動の異常	腹水，肝腫大，腫瘍による圧迫，腹部膨満，がん性腹膜炎，肝皮膜の伸展，尿閉，後腹膜腫瘍，放射線治療，早期満腹感
	消化管運動の低下	便秘，消化管閉塞
	消化管運動の亢進	下痢，消化管閉塞
	薬物による消化管への影響	消化管を刺激する薬物（アスピリン，NSAIDS），抗菌薬，アルコール，鉄剤，去痰薬
	内臓刺激	腹部，骨盤臓器の機械的受容体刺激，肝，消化管の化学受容体刺激
中枢神経（前庭系を含む），心理的	頭蓋内圧亢進	脳腫瘍，脳浮腫
	中枢神経系の異常	細菌性髄膜炎，がん性髄膜炎，放射線治療，脳幹の疾患
	心理的な原因	不安，恐怖
	薬物による前庭系への影響	オピオイド，アスピリン
	前庭系の異常	頭位変換による誘発（メニエール症候群，前庭炎），頭蓋底への骨転移，聴神経腫瘍
その他	原因不明	

（日本緩和医療学会 ガイドライン統括委員会　編：がん患者の消化器症状の緩和に関するガイドライン2017年版，金原出版，p.17，2017）

Numerical Rating Scale（NRS），visual analoguescale（VAS）が使用されることが多い。一方で，嘔吐はある適度他覚的な定量が可能な症状である。

1-5 マネジメントの実際

悪心・嘔吐の治療のアルゴリズムを図2に示す。

1）原因に応じた治療

悪心・嘔吐の原因が抗がん薬治療や放射線治療の場合は，それに対応する既存の国内外ガイドラインを参照し対応する[2]。脳圧亢進が原因の場合は，コルチコステロイド，D-マンニトール，濃グリセリンを投与する。電解質異常にはその補正，薬剤性の場合は原因薬剤の中止・変更の検討を行うなど，悪心・嘔吐を誘発しうる原因に対して，可能であればその対処を行う。また，便秘・消化管閉塞，腹水貯留に対しては各々に対する治療を行う。

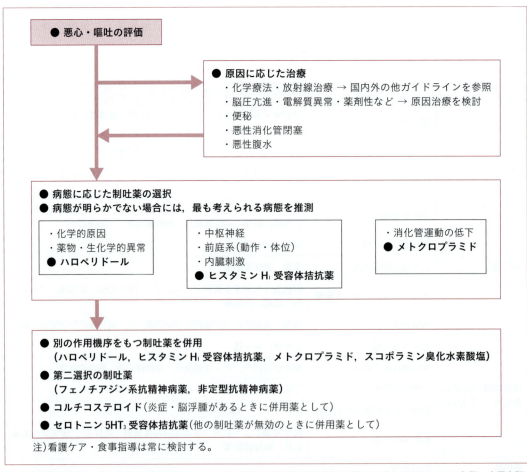

（日本緩和医療学会 ガイドライン統括委員会 編：がん患者の消化器症状の緩和に関するガイドライン2017年版，金原出版，p.46，2017）

図2 悪心・嘔吐の対応と治療

2）薬物療法

悪心・嘔吐に対し，想定される病態に適した制吐薬を選択する。第一選択薬として，悪心・嘔吐の原因が化学的な要因，薬物・生物学的異常の場合はハロペリドール，中枢神経，動作，体位により増悪する前庭系が原因の場合は抗ヒスタミンH_1受容体拮抗薬，消化管運動の低下が原因の場合はメトクロプラミドを選択する。

第一選択薬を投与・増量しても悪心・嘔吐が緩和できない場合は，再度原因を見直し，投与していない別の作用機序をもつ制吐薬（ハロペリドール，ヒスタミンH_1受容体拮抗薬，メトクロプラミド，スコポラミン臭化水素のいずれか）を選択し追加併用する。あるいは，第二選択薬としてフェノチアジン系抗精神病薬（クロルプロマジン，レボメプロマジン，プロクロルペラジン），非定型抗精神病薬（ペロスピロン，リスペリドン，オランザピン）への変更を検討する。また，脳浮腫がある場合にはコルチコステロイド，そのほかの制吐薬が無効のときには，セロトニン5HT$_3$受容体拮抗薬をそれぞれ併用薬として追加投与を検討する[3]。NCCNのガイドラインではノルアドレナリン・セロトニン作動性抗うつ薬であるミルタザピンも記載されており[4]，吐き気や睡眠障害など複数の苦痛な症状をもつがん患者において，有効な治療選択肢となる可能性がある[5]。また，薬物の効果が確実に得られるような投与ルートを選択する（経口投与できないときには，皮下注射か経静脈投与を検討する）。

3）非薬物療法

悪心・嘔吐の誘発因子の除去は重要である。嘔吐物や食品のにおい，排泄物，薬品や化粧品，芳香剤のにおいなど，悪心・嘔吐を引き起こす誘発因子をできるだけ除去する。悪心・嘔吐出現時は前屈位となることが多いが，症状が持続する場合は患者が安楽と感じる体位がとれるよう，ベッドのギャッジアップやクッションなどで工夫する。嘔吐時は嘔吐物による誤嚥を防ぐため，座位や側臥位などの姿勢で安静を促す必要がある。なお，衣類の締め付けは症状を引き起こしやすくなる。

また，口腔ケアも有効である。通常どおりの歯磨きやうがいが悪心・嘔吐を誘発する場合もあるため，少量のレモン水や冷水で数回に分けてうがいをするなど工夫を行う。悪心・嘔吐を体験している患者は，心理的にも不安を感じていることが多く，予後への不安を感じている場合もある。患者の状況にあわせた丁寧な説明や不安感への対処が必要となる。

❷ 悪性消化管閉塞

2-1 概要

悪性消化管閉塞は，腫瘍による機械的な通過障害から腸閉塞に至ったものの総称である。卵巣がん患者で51%，消化器がん患者では28%において悪性消化管閉塞が合併すると報告されている[6,7]。腸管内容物が増大することによって腸管内圧が上昇し，腸管上皮の傷害と消化管分泌亢進が生じ，腸管の浮腫とうっ血が惹起される。その結果，患者には消化管蠕動による間欠的な腹痛，腸管拡張による持続痛や悪心・嘔吐などによる身体的苦痛が生じる。

2-2　マネジメントの実際

1）適応の検討

　悪性消化管閉塞の外科治療，消化管ステント留置術の適応を専門家と検討する。現時点では，適応となる患者の選択については標準的な見解は得られていないため，患者ごとにその適応を判断する必要がある。一般的に，広範な腹膜播種病変，複数の閉塞個所，急速に貯留する腹水，予測予後不良などの所見があれば，手術適応はないと考えられている。

　多くの臨床現場では，悪性消化管閉塞の処置として経鼻胃管による消化管ドレナージが実施されているが，難治性の悪心・嘔吐が出現している患者で，薬物療法の効果が得られない場合やほかの治療の効果判定まで暫定的に試みる場合に実施し，3〜7日以上の長期的な経鼻胃管留置は可能な限り避けることが望ましいとされている。悪性消化管閉塞の患者でも，消化管ドレナージによって嘔吐の懸念なく液体の嚥下が可能となることから，水分などの摂取を患者が希望する場合も経鼻胃管の留置が選択肢になる場合がある。経皮胃管またはイレウス管が挿入されている患者で，今後もドレナージが必要な場合にPEG（経皮内視鏡的胃瘻増設術）／PTEG（経皮経食道胃管挿入術）が検討されるが，生命予後が2カ月以上見込める場合を適応の目安にするとされている[3]。

2）薬物療法

　悪性消化管閉塞の薬物治療には，コルチコステロイド，オクトレオチド，ヒスタミンH_2阻害薬・プロトンポンプ阻害薬，ブチルスコポラミン，制吐薬を患者の症状と状態にあわせて使用する[3]。各薬剤の使用順序や併用についての標準的な使用方法は定まっていない。

　コルチコステロイドは，腫瘍周囲の炎症性浮腫の軽減作用により狭窄が緩和することで，悪性消化管閉塞による症状を緩和すると考えられている。投与開始から3〜10日以内に効果判定を行い，有効性と継続の必要性を検討することが推奨されている。

　オクトレオチドは消化管内への消化液分泌の減少，腸粘膜における水分・電解質の再吸収促進，腸上皮からの水分分泌の抑制，腸蠕動の抑制によって，がんに伴う手術不能な消化管閉塞による悪心・嘔吐を改善すると考えられる。オクトレオチドは高価な薬剤であり，どのような症例への使用が適切かについてのエビデンスも不足していることから，投与開始後3〜7日以内に有効性を評価し，投与継続・中止について検討することが推奨されている。

　ヒスタミンH_2阻害薬またはプロトンポンプ阻害薬は，消化管閉塞により腸管内に滞留・逆流した胃分泌物が引き金となって惹起される悪心・嘔吐を改善すると考えられている[8]。

　ブチルスコポラミンは，悪心・嘔吐のある消化管閉塞の患者に疝痛が合併している場合，オクトレオチドの代替薬とする場合に投与を検討することが推奨されている。ただし，ブチルスコポラミンは麻痺性イレウスの患者には投与禁忌である。

　制吐薬については，どの薬剤が最も有用かについては明らかになっていない。消化管が完全閉塞している場合においては，メトクロプラミドは疝痛や穿孔を引き起こす危険があるために禁忌となることなど，各々の薬理作用や有害事象に留意した薬剤選択をする必要がある。

【参考文献】
1) Reuben DB et al：Nausea and vomiting in terminal cancer patients. Arch Intern Med, 146(10): 2021-2023, 1986
2) 日本癌治療学会：制吐薬適正使用ガイドライン2015年10月【第2版】一部改訂版ver2, 2, 2018（http://www.jsco-cpg.jp/item/29/）（2022年6月閲覧）
3) 日本緩和医療学会 ガイドライン統括委員会　編：がん患者の消化器症状の緩和に関するガイドライン2017年版, 金原出版, 2017
4) Dans M et al：NCCN Guidelines® Insights: Palliative Care, Version 2.2021. J. Natl. Compr Canc Netw, 19 (7)780-788, 2021
5) Kim SW et al：Effectiveness of mirtazapine for nausea and insomnia in cancer patients with depression. Psychiatry Clin Neurosci ,62 (1): 75-83, 2008
6) Feuer DJ et al：Surgery for the resolution of symptoms in malignant bowel obstruction in advanced gynaecological and gastrointestinal cancer. Cochrane Database Syst Rev, 4: D002764, 2000
7) Chakraborty A et al：Malignant bowel obstruction: natural history of a heterogeneous patient population followed prospectively over two years. J Pain Symptom Manage, 41(2): 412-420, 2011
8) Clark K et al：Reducing gastric secretions--a role for histamine 2 antagonists or proton pump inhibitors in malignant bowel obstruction? Support Care Cancer. 17(12): 1463-1468, 2009

（池田　宗彦）

4-4 倦怠感

I 概要

進行がんでは，32〜90％の患者が倦怠感を感じる[1]。National Comprehensive Cancer Network（NCCN）では，がんに伴う倦怠感（cancer-related fatigue：CRF）を「がん又はがん治療による苦痛を伴う持続性の主観的な感覚。最近の活動量とは不釣り合いで，日常生活の機能に支障を来す身体的，感情的，認知的な疲労感又は消耗感。」と定義している[2]。倦怠感は健常者においても生じるごく一般的な症状でありその要因は多岐に渡る。要因を特定し，その要因に応じて対処する。悪液質（cachexia，カヘキシー）による倦怠感は，休息により改善することは少ない。化学療法に起因する倦怠感は，治療終了や休薬により経時的に改善することが多い。英語を直訳すると倦怠感はmalaise，疲労はfatigueである。しかし，海外文献や海外ガイドラインにおいては，わが国の臨床で用いられる「倦怠感」は「fatigue」と表記されることが多い。

1-1 要因

貧血，電解質異常（低Na血症，低K血症，高Ca血症など），化学療法，放射線治療，発熱，感染症，胸水・腹水貯留，がん悪液質など

1-2 重症度分類

疲労および倦怠感の重症度分類は表のとおり。

表　CTCAE v5.0　疲労，倦怠感

	Grade 1	Grade 2	Grade 3	Grade 4	Grade 5
疲労 Fatigue	休息により軽快する疲労	休息によって軽快しない疲労；身の回り以外の日常生活動作の制限	休息によって軽快しない疲労で，身の回りの日常生活動作の制限を要する	—	—
倦怠感 Malaise	だるさがある，または元気がない	身の回り以外の日常生活動作を制限するだるさがある，または元気がない状態	身の回りの日常生活動作を制限するだるさがある，または元気がない状態	—	—

〔有害事象共通用語規準 v5.0 日本語訳 JCOG版より（JCOGホームページ http://www.jcog.jp）〕

1-3　がん悪液質

悪液質は，欧米の専門家によるコンセンサス会議で「基礎疾患によって引き起こされ，脂肪量の減少の有無にかかわらず，骨格筋量の減少を特徴とする複合的代謝異常の症候群である。」と定義された。その臨床症状として，成人では体重減少，小児では成長障害がみられ，食欲不振，炎症，インスリン抵抗性，筋蛋白分解をしばしば認め，飢餓，加齢による筋肉量の減少，うつ病，吸収障害や甲状腺機能亢進とは区別される。その診断基準として下記が提唱された[3]。

12カ月以内に5％以上の体重減少（あるいはBMI20kg/m²未満）に加え，次の5項目中3項目以上に該当
① 筋力低下
② 疲労感
③ 食欲不振
④ 除脂肪体重低値
⑤ 生化学検査値の異常
　a) CRP＞5.0mg/L，あるいはIL-6＞4.0pg/mL
　b) Hb＜12g/dL
　c) ALB＜3.2g/dL

その後，European Palliative Care Research Collaborative（EPCRC）ガイドライン2011により「がん悪液質は従来の栄養サポートで改善することは困難で，進行性の機能障害をもたらし，脂肪量の減少の有無にかかわらず，著しい骨格筋量の減少を特徴とする複合的な代謝障害症候群である。病態生理学的には，経口摂取の減少と代謝異常による負の蛋白，エネルギーバランスを特徴とする。」と定義され，その診断基準および進行度分類が提唱され，実臨床で広く用いられてきた[4]。EPCRCガイドライン2011におけるがん悪液質の診断基準と進行度分類を図に示す。

進行度は前悪液質，悪液質，不応性悪液質（不可逆的悪液質）の3段階に分類され，このうち前悪液質および悪液質の段階では栄養療法，運動療法，心理療法，薬物療法など集学的な早期の治療を必要とし，不応性悪液質（不可逆的悪液質）の段階では栄養療法に反応しないものとされた。

しかしながら，EPCRCガイドライン2011の診断基準には，悪液質と関連があるとされる血液学的所見（CRP，ALBなど）や症状（倦怠感，早期満腹感など）が考慮されていないこともあり，決定的なコンセンサスには至っていない。

がん悪液質の病態は複雑であり，腫瘍産生因子の蛋白質分解誘導因子（proteolysis-inducing factor：PIF）や炎症性サイトカイン（TNF-α，IL-1，IL-6など）が関係する全身の慢性炎症とされる。がん悪液質の状態では，中枢性の食欲不振に加えてインスリン抵抗性を生じてグルコースを効率よくエネルギー代謝に利用できなくなり，蛋白質分解によるエネルギー産生（蛋白異化）が亢進する。筋蛋白質の分解が促進されるため，サルコペニア（筋肉減少症）を呈する。

1-4　対処方法

まずは原因を検索する。血液中の電解質異常がある場合，その是正により倦怠感が改善すること

〔Fearon K et al：Definition and classification of cancer cachexia: an international consensus. Lancet Oncol, 12(5):489-495, 2011 をもとに作成〕

図　EPCRCガイドライン2011におけるがん悪液質の診断基準と進行度分類

がある。化学療法自体が倦怠感の要因となっている場合，数日間の安静で改善することがある。化学療法後に遅発性の悪心を制御する目的で，デキサメタゾン4～8mgを3～4日間内服することがあるが，その内服終了後に倦怠感を訴えることがある。内服ステロイド離脱に伴う倦怠感が疑われる場合，デキサメタゾンを減量して数日間追加内服すると改善することがある。貧血がある場合，血液中の鉄，フェリチン，葉酸，ビタミンB_{12}を測定し，基準値を下回るようであれば補充を行う。貧血が高度の場合，濃厚赤血球（RBC）の輸血を行う。がん化学療法による貧血に対して輸血を考慮する目安はHb 7～8g/dL未満といわれている[5]が，目安を下回っていても画一的に輸血する必要はなく，患者の症状により判断する。がん悪液質による倦怠感の場合，その対処に関して質の高いエビデンスはない。デキサメタゾン4mg/日の投与で倦怠感が改善したという報告があるが，14日間までのエビデンスである[6]。長期間のステロイド使用は易感染性，ステロイド骨粗鬆症などのリスクを伴うため，慎重に適応を判断する。

経口低分子グレリン様作用薬のアナモレリン（エドルミズ®錠）は，がん悪液質に適応をもつ世界初の内服薬である。食欲増進作用に加え，成長ホルモンの放出を促すため筋蛋白の合成が促進し，がん悪液質の進行抑制が期待できる[7]。保険適用には条件があるので添付文書を確認されたい。作用機序からは前悪液質の段階での使用が望ましい。

精神刺激薬に関するメタアナリシスで有用性が報告されたが，その後の無作為化比較試験（RCT）では中枢神経刺激薬のメチルフェニデートはがん関連の倦怠感の改善に有意差を示さなかった[8]。中枢神経刺激薬のモダフィニルのエビデンスは一貫性がなく，2つの試験で利益がないまたは重度の倦怠感のみの利益があると結論づけられている[9]。レボカルニチン製剤のL-カルニチン，黄体ホルモン製剤のプロゲステロン，選択的セロトニン再取り込み阻害薬（SSRI）のパロキセチンについては，倦怠感を改善させるというエビデンスは得られなかった[1]。非薬物療法として，運動療法，

カウンセリング，エネルギー温存・活動療法（ECAM）の有用性が報告されている[10〜13]。

【参考文献】

1) Henson LA et al：Palliative Care and the Management of Common Distressing Symptoms in Advanced Cancer: Pain, Breathlessness, Nausea and Vomiting, and Fatigue. J Clin Oncol, 38(9):905-914, 2020
2) NCCN Clinical Practice Guidelines in Oncology (NCCN Guidelines®) Cancer-Related Fatigue Version 2, 2022
3) Evans WJ et al：Cachexia: a new definition. Clin Nutr, 27(6):793-799, 2008
4) Fearon K et al：Definition and classification of cancer cachexia: an international consensus. 12(5):489-495, 2011
5) 厚生労働省医薬・生活衛生局：血液製剤の使用指針（平成31年3月），2019（https://www.mhlw.go.jp/content/11127000/000493546.pdf）（2022年6月閲覧）
6) Yennurajalingam S et al：Reduction of cancer-related fatigue with dexamethasone: a double-blind, randomized, placebo-controlled trial in patients with advanced cancer. J Clin Oncol, 31(25):3076-3082, 2013
7) Katakami N et al：Anamorelin (ONO-7643) for the treatment of patients with non-small cell lung cancer and cachexia: Results from a randomized, double-blind, placebo-controlled, multicenter study of Japanese patients (ONO-7643-04). 124(3):606-616, 2018
8) Bruera E et al：Methylphenidate and/or a nursing telephone intervention for fatigue in patients with advanced cancer: A randomized, placebo-controlled, phase Ⅱ trial. J Clin Oncol, 31(19):2421-2427, 2013
9) Jean-Pierre P et al：A phase 3 randomized, placebo-controlled, double-blind, clinical trial of the effect of modafinil on cancer-related fatigue among 631 patients receiving chemotherapy: a University of Rochester Cancer Center Community Clinical Oncology Program Research base study. Cancer, 116(14):3513-3520, 2010
10) Pleun J de Raaf et al：Systematic monitoring and treatment of physical symptoms to alleviate fatigue in patients with advanced cancer: a randomized controlled trial. J Clin Oncol, 31(6):716-723, 2013
11) Mustian KM et al：Comparison of Pharmaceutical, Psychological, and Exercise Treatments for Cancer-Related Fatigue: A Meta-analysis. JAMA Oncol. 3(7):961-968, 2017
12) Barsevick AM et al：A randomized clinical trial of energy conservation for patients with cancer-related fatigue. Cancer, 100(6):1302-1310, 2004
13) 日本リハビリテーション医学会：がんのリハビリテーション診療ガイドライン第2版，金原出版，2019

（小川　大介）

4-5 精神症状

1 概要

がんの告知を受けた患者においては，精神状態に影響することが少なくない。この頻度としては，6％がうつ病，32％がうつ病まで深刻ではないものの適応障害の状態にあり，3人に1人以上は臨床的介入を要する病的な抑うつ状態を呈する[1]。抑うつ状態は，患者の苦痛であるだけではなく，家族の苦痛，入院の長期化，QOLの低下，自殺のリスク上昇，治療アドヒアランスの低下につながる。そのため，患者の表情や言動を注意深く観察し，時に適切な介入が必要である。特に，がん患者の0.2～0.3％が自殺の転帰となる[2]。がん患者の抑うつの原因はさまざまであるが，がんによる心理社会的因子に加え，がんに伴う器質的因子（脳転移，腫瘍随伴症候群，高Ca血症，疼痛コントロール不良，副腎皮質ホルモン薬・抗がん薬などの治療的要因など）が抑うつ状態を引き起こすことが示唆されている。

本稿では，がん患者の精神症状の特徴や治療薬について概説する。

2 がん患者の抑うつ

がんの告知からの患者の精神状態の変化を図1および表1に示した。がん告知という悪い知らせに伴い，強い抑うつ状態が生じる場合が多い。通常は2週間程度で回復し，日常生活を再開する場合が多いが，数週間を経過しても抑うつ症状の回復が認められないケースもある。一般に精神的な影響は，再発時や治療手段がなくなりBest supportive careに移行するとき，余命宣告時などのほうが初回告知より大きいとされる。強い抑うつ状態が継続する場合はうつ病に該当し，うつ病の基準は満たさないものの，関連する身体・精神症状が持続し，日常生活に支障を生じているような状態は，適応障害とよばれる。

このようながん患者の抑うつは，有病率が高いが過小評価されがちであり，抑うつのスクリーニングが重要である。日本で妥当性が確認されているがん患者への簡便なスクリーニングとして，つらさと支障の寒暖計がある（図2）[3,4]。つらさと支障の寒暖計を用いてスクリーニングを行い，カットオフポイント（つらさ：4点，支障：3点）を超えた患者に精神科受診を推奨するという介入を実施すると，精神科受診率（介入未実施2.5％，実施後11.5％）が高くなることが報告されている[4]。このような結果から，スクリーニングの臨床導入が推奨されている。スクリーニングの導入が困難な場合にも，アメリカ精神医学会の精神疾患の診断・統計マニュアル（Diagnostic and Statistical Manual of Mental Disorders Fifth Edition：DSM-5）によるうつ病診断基準に患者が該当する場合には，精神保健の専門家に相談することが望まれる[5]。これは，表2に示す9つの症状の1と2を必須として，計5個以上の症状が2週以上持続すれば，うつ病と考えてよい。

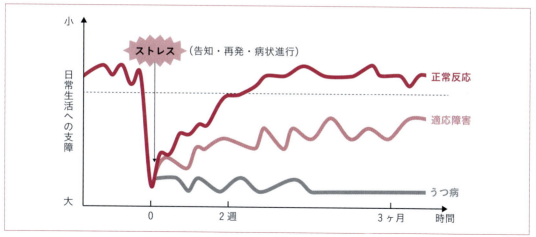

〔日本サイコオンコロジー学会　がんとこころの基礎知識より（https://support.jpos-society.org/manual/）〕

図1 がん患者の精神症状と日常生活への影響の経過

表1 がん患者の精神的反応推移（告知時および予後告知時，余命宣告時）

病名告知時	第Ⅰ相 （初期反応）	告知後 1週間以内	・告知された内容を認めないか，絶望感を経験する ・告知当日は，患者は混乱しているので介入は効果的ではない。1週間以内に面会の約束を得て，次の約束をもつことが一過性のうつによる自殺予防になる ・がん告知後の患者ショックは，治療が開始されるまで改善しにくい
	第Ⅱ相 （苦悩と不安）	告知後 1〜2週目	・苦悩，不安，抑うつにより不眠，食欲低下，情緒不安定，集中力に欠くなどの症状を呈する ・がん患者の多くが心の支えを家族としており，患者のみならず家族にも積極的に介入すべきである
	第Ⅲ相 （適応）	告知後 2週以降1 〜3カ月目	・第Ⅱ相から第Ⅲ相に立ち上がれない患者が大うつ病，適応障害 ・現実の問題を冷静に考えられるようになり，順応する ・この時期以降，上記症状を呈する精神的健全性が回復し，家族や大切な人との人間関係が改善，より親密となる場合もある
予後告知後 あるいは 余命宣告時	第Ⅰ相 （初期反応）		・予後について認めないか絶望感を経験 ・告知時よりもショックが大きい。死を自覚し，恐怖感を覚えるので最も精神的サポートが必要である
	第Ⅱ相 （苦悩と不安）		・病名告知時の苦悩と不安より大きい ・闘病生活全体を説明すること。緩和ケアに至る場合，転院する場合など患者は病院に見捨てられたと感じることが多い
	第Ⅲ相 （適応）		・死の受容に至ると心の安堵が訪れる ・家族や親しい人との関係が密になる

❸ マネジメント

　抑うつに対する治療としては，うつ状態を加速させる因子（不安，疼痛，仕事など社会活動，経済的不安の解消など）への対処を行い，必要に応じて薬物治療を行う。そのうち，抗うつ薬を用いた薬物療法については，消化器症状，せん妄，眠気，抗コリン症状や口渇などの有害事象も伴うことから，リスク・ベネフィットを考慮して開始する。

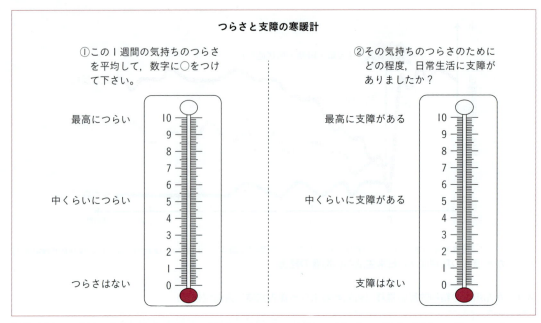

〔Akizuki N, et al: Development of an Impact Thermometer for use in combination with the Distress Thermometer as a brief screening tool for adjustment disorders and/or major depression in cancer patients. Journal of Pain and Symptom Management, 29(1):91-99, 2005〕

図2　つらさと支障の寒暖計（Distress and Impact Thermometer）

表2　うつ病の診断基準（DSM-5）

1. 気分が憂鬱，落ち込む（自他覚的に1日中）
2. 何をしてもつまらない（自他覚的に1日中）
3. 食欲がない，何を食べてもおいしくない
4. 眠れない・睡眠過多
5. イライラしてじっとしていられない
6. 周りに迷惑だ，自分の価値がないと思う
7. 疲れやすく，気力がでない
8. 集中できず，決断できない
9. 死にたいと思う

3-1　病態に合わせた薬物療法

1）適応障害

　適応障害（ストレスが原因で生じる抑うつ気分や不安を伴う情緒的障害）に対する薬物療法には，アルプラゾラムやロラゼパムなどのベンゾジアゼピン系抗不安薬により早期に睡眠を確保することが重要である。ベンゾジアゼピン系抗不安薬の副作用としては，筋弛緩作用によるふらつきや転倒，過鎮静，依存・耐性形成，せん妄などが起こりうるため，少量より開始して漸増し，改善すれば中止を検討する。治療困難な場合は，次に述べる抗うつ薬を使用する。

2）うつ病・抑うつ症状の強い適応障害

　うつ病や，抑うつ症状の強い適応障害では，選択的セロトニン再取り込み阻害薬（SSRI）やセ

ロトニン・ノルアドレナリン再取り込み阻害薬（SNRI），ノルアドレナリン作動性・特異的セロトニン作動性抗うつ薬（NaSSA）を少量から用いる。経口投与が困難な場合には三環系抗うつ薬であるクロミプラミンの注射薬があるが，強い抗コリン作用による尿閉や口渇などの副作用に注意が必要である。

3-2 各薬剤の特徴

1）SSRI

SSRIには，フルボキサミン，パロキセチン，セルトラリン，エスシタロプラムが使用できる。これらは，抑うつ状態でも不安や焦燥の強い患者に有効である。副作用としては，投与初期に嘔気・下痢などの消化器症状や，SNRIとともに自殺念慮や焦燥が一過性に高まるactivationは，自殺の転帰を増やす可能性があることに注意が必要である[6]。

2）SNRI

SNRIには，デュロキセチン，ミルナシプランが使用できる。これらは，意欲低下や活動性低下が目立つ抑うつ状態に適している。デュロキセチンは，神経障害性疼痛にも有効であり，神経障害性疼痛と抑うつを合併している場合にはよい適応となる。SNRIの副作用として，消化器症状に加え，起立性低血圧や，尿閉に注意が必要であり，前立腺肥大のある患者では，禁忌や慎重投与となっている。

3）NaSSA

NaSSAには，唯一ミルタザピンが使用できる。これは，抗うつ効果に加え，鎮静催眠作用，食欲増進作用，消化器症状抑制作用を有するため，不眠や悪心・嘔吐を併発している患者に使用しやすい。また，SSRIやSNRIの抗うつ効果発現が服用開始から2〜4週間必要なのに対して，NaSSAは1週間程度と早い。副作用として眠気・過鎮静が生じやすく，少量からの投与が望ましい。

SSRI，SNRIおよびNaSSA各薬剤の有効性と忍容性（副作用に耐え続けられるか）特徴を図3に示した[7]。

4）三環系抗うつ薬・四環系抗うつ薬など

イミプラミン，クロミプラミン，アミトリプチリン，アモキサピンなどの三環系抗うつ薬は，鎮静効果も高く，不安が強い場合の抗うつ作用が期待される。一方，口渇や便秘，起立性低血圧，せん妄などの副作用もほかの抗うつ薬に比べて強いためほかの抗うつ薬で無効な場合に検討する。三環系抗うつ薬に代わる薬剤としての四環系抗うつ薬は，ミアンセリンやマプロチリンがある。また，その他にトラゾドンがある。これらは，三環系抗うつ薬に比べ抗コリン作用は弱く，抗ヒスタミン作用をもつため，睡眠改善に効果が期待できる。また，スルピリドは，消化器症状を伴う食欲不振例などに効果が期待できる。

各抗うつ薬の有効性と忍容性（プラセボに対するオッズ比）のメタアナリシス結果を表3に示す[8]。

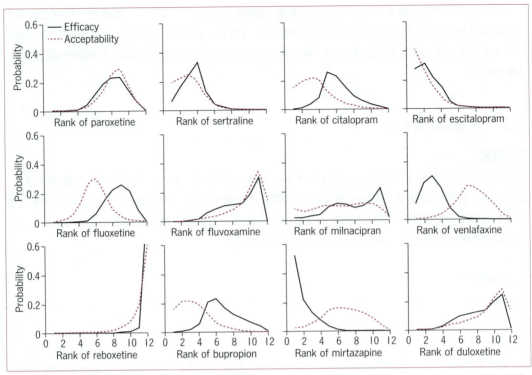

SSRI, SNRIおよびNaSSA12薬剤の効果と忍容性（非ドロップアウト率）の順位の確率をグラフにしている．横軸は順位，縦軸は確率，実線は有効性，点線は忍容性を示している．ミルタザピン，エスシタロプラム，ベンラファキシン，およびセルトラリンは，効果の順位が高く，エスシタロプラム，セルトラリン，ブプロピオン，およびシタロプラムは，ほかの残りの抗うつ薬よりも忍容性が高い．

図3　SSRI, SNRIおよびNaSSAの効果と忍容性[7]

　いずれの薬剤も抗うつ効果が現れるまでは，週単位の時間が必要である．これまで待てないケースが多く，抗うつ治療開始時よりベンゾジアゼピン系抗不安薬を併用することが望ましい（ただし，ベンゾジアゼピン系抗不安薬のみでの抗うつ効果は期待できない）．がん患者への抗うつ薬は，いずれ飲めなくなる可能性も考慮する．また，がん患者はすでに嘔気や倦怠感などの副作用を有しており，副作用が助長されやすい．さらに，身体的健常者に比べ少ない用量で効く場合が多いことから，少量から開始し，副作用の忍容性を確認しながら漸増するのがよい．いずれにしても，抗うつ薬を一律一様に処方することは適切ではなく，治療薬の選択は，投与経路や対象となる症状や予後の推定，身体状態，副作用プロフィールを個別的・総合的に評価し，QOLを低下させない治療計画が必要である．

表3 各抗うつ薬の有効性（左）と忍容性（右）

有効性	薬剤	有効性オッズ比※	95%信頼区間
高い ↑	アミトリプチリン	2.13	1.89〜2.41
	ミルタザピン	1.89	1.64〜2.20
	デュロキセチン	1.85	1.66〜2.07
	ベンラファキシン	1.78	1.61〜1.96
	パロキセチン	1.75	1.61〜1.90
	ミルナシプラン	1.74	1.37〜2.23
	フルボキサミン	1.69	1.41〜2.02
	エスシタロプラム	1.68	1.50〜1.87
	セルトラリン	1.67	1.49〜1.87
	トラゾドン	1.51	1.25〜1.83
	クロミプラミン	1.49	1.21〜1.85

※プラセボに対して有効であるオッズ比
いずれもプラセボに比べ有効性を認める

忍容性	薬剤	忍容性オッズ比※	95%信頼区間
↓	エスシタロプラム	0.90	0.80〜1.02
	アミトリプチリン	0.95	0.83〜1.08
	パロキセチン	0.95	0.87〜1.03
	ミルナシプラン	0.95	0.73〜1.26
	セルトラリン	0.96	0.85〜1.08
	ミルタザピン	0.99	0.85〜1.15
	ベンラファキシン	1.04	0.93〜1.15
	デュロキセチン	1.09	0.96〜1.23
	フルボキサミン	1.10	0.91〜1.33
	トラゾドン	1.15	0.93〜1.42
低い	クロミプラミン	1.30	1.01〜1.68

※プラセボに対してドロップアウトするオッズ比
クロミプラミン以外，プラセボと差なし

〔Cipriani A et al：Comparative efficacy and acceptability of 21 antidepressant drugs for the acute treatment of adults with major depressive disorder: a systematic review and network meta-analysis. Lancet, 391（10128）；1357-1366, 2018 をもとに作成〕

【参考文献】

1) Derogatis LR et al：The prevalence of psychiatric disorders among cancer patients. JAMA, 249(6):751-757, 1983
2) Fujimori M et al：Characteristics of cancer patients who died by suicide in the Tokyo metropolitan area. Jpn J Clin Oncol, 47(5):458-462, 2017
3) Akizuki N et al：Development of an Impact Thermometer for use in combination with the Distress Thermometer as a brief screening tool for adjustment disorders and/or major depression in cancer patients. J Pain Symptom Manage, 29(1):91-99, 2005
4) Shimizu K et al：Usefulness of the nurse-assisted screening and psychiatric referral program. Cancer, 103(9):1949-1956, 2005
5) American Psychiatric Association：Diagnostic and Statistical Manual of Mental Disorders, Fifth Edition: DSM-5. American Psychiatric Publishing, 2013
6) Hetrick SE et al：New generation antidepressants for depression in children and adolescents: a network meta-analysis. Cochrane Database Syst Rev, 5(5):CD013674, 2021
7) Cipriani A et al：Comparative efficacy and acceptability of 12 new-generation antidepressants: a multiple-treatments meta-analysis. Lancet, 373(9665):746-758, 2009
8) Cipriani A et al：Comparative efficacy and acceptability of 21 antidepressant drugs for the acute treatment of adults with major depressive disorder: a systematic review and network meta-analysis. Lancet, 391(10128);1357-1366, 2018

（佐藤　淳也）

第7章 がん薬物療法における薬剤師の役割

第7章 がん薬物療法における薬剤師の役割

I がん薬物療法概要(図説)

1 がん薬物療法における薬剤師の役割

　がん薬物療法は，支持療法薬の開発や治療環境の整備に伴い，現在では外来治療が主流となっている。外来治療は自宅での生活を続けながら治療を受けることができるため，患者のQOL向上に寄与する一方，自宅での副作用に対するセルフケアが肝心である。また，社会と関わりを持ちながら治療を継続するうえでは，経済的，社会的，精神的といったさまざまなサポートも必須となる。がん薬物療法に関わる職種は多岐に渡り，がん治療におけるチーム医療はもはや必須であることは言うまでもない。多職種連携を支えるのは，相互理解とプロフェッショナリズムである。薬剤師も自身の役割を理解し，その能力を十分に発揮し，発展させていくことが求められる。

　次頁の図では，外来化学療法を施行する患者の来院から帰宅までの流れと，薬剤師や多職種が関係する場面を示した。薬剤師は，患者が安全な薬物療法が受けられるよう，抗がん薬投与前から投与中，投与後にわたり，さまざまな役割を担い患者の治療を支えている。

　例えば病院薬剤師は，主にセントラル業務における抗がん薬投与に関わる安全性の担保・向上と，薬剤師外来や治療室における患者との面談や，薬学的管理を通して患者が安心して治療を受けられるようサポートを行う。栄養管理チーム(NST)や抗菌薬適正使用支援チーム(AST)，免疫関連有害事象(irAE)チームなど，職種横断的なチームによる問題指向型アプローチを行う場合もある。一方，保険薬局では，より患者居宅に近い場所で面談やテレフォンフォローアップなどのサポートを行う。がん薬物療法における薬剤師の役割が広がっていくことで，多くの場面で薬剤師が関与することになるため，薬剤師間の相互理解と連携がより一層求められる。

　本章では，がん薬物療法における薬剤師の役割として，実際に各臨床現場で薬剤師が行っている業務や活動を中心に概説する。

〈土屋　雅美，湊川　紘子〉

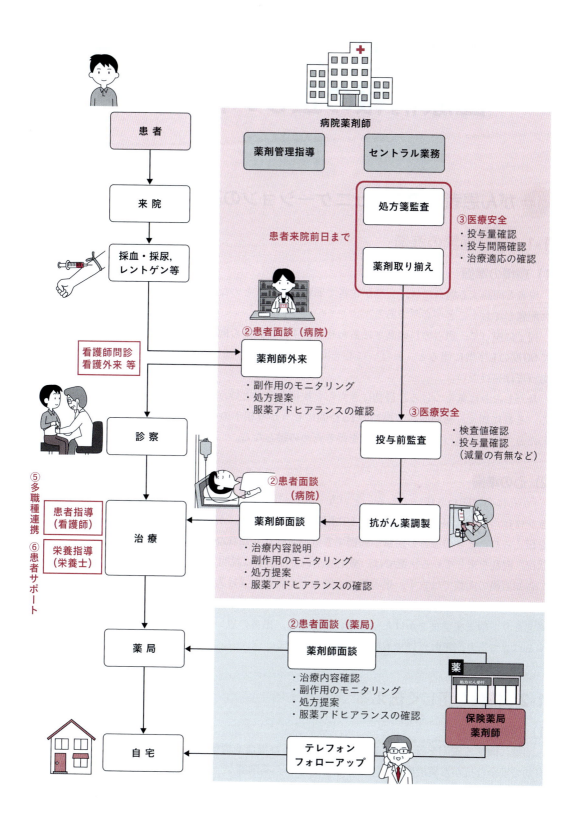

2 患者指導：コミュニケーション，医療情報の正しい伝え方

I がん患者とのコミュニケーションの基本

1-1 患者面談の準備

1) 環境の準備

患者と面談する場合には，会話が雑音で邪魔されることのないよう，あらかじめ面談場所の環境に配慮しておくことが必要である。

椅子に座って，患者の目の高さにあわせて話す。正面から向かい合って座るよりも，患者に対して90度のL字型に座ると，お互いに心を開きやすくなる。また，相手との間に障害となるものがあってはいけない。

身だしなみに気をつける，最初にきちんと挨拶をするということは医療従事者としての基本である。それに加え，初回面談の最初の15秒間にしっかり相手の目を見て話すことは，その後長期にわたって患者と関わるうえで，信頼を得るための鍵となる。

2) 心の準備

「がんは命に関わる疾病である」というイメージはいまだ根強く，がん患者とのコミュニケーションには，そのほかの疾病の患者以上に配慮が必要である。がんと診断されたときや，転移・再発を伝えられたときの患者の衝撃や動揺する気持ちは計り知れない。精神的にダメージを受けている状況，混乱を来している状況では，薬剤師がいくら丁寧に説明しても受け入れられない場合がある。

告知直後の面談ではまず，患者側に治療などの説明を受け入れる平静さがあるか，心の準備ができているかを確認してから説明を始める。患者の心が動揺しているときには，何を答えるべきかを考えたり，励ます言葉をかけたりするのではなく，患者の思いを聴いて受け止めることを最優先とするべきであり，それだけでも患者の心は落ち着く。

1-2 情報を正しく伝える

1) 情報の伝え方

治療に関する説明を行う際，誤った情報を伝えた場合や情報が正しく伝わらなかった場合には，有効で安全な抗がん薬治療を行うことができない。薬剤師が一方的に情報を伝えるのではなく，患者が正しく理解しているかどうかを随時確認しながら進める必要がある。伝えたことがすべて理解されていると思い込んではいけない。心理状態が不安定なときには，理解力が低下していることもある。

医療従事者があたりまえのように使っている専門用語には，患者にとって難解な言葉が多い。「標準療法」，「エビデンス」，「QOL」などの漢字やカタカナの用語を，最初から耳で聞いて理解することは困難である（表1）。相手の立場に立って，相手がわかる言葉に言い換える，説明を加えるなどの工夫を心がける。

　また，言葉の受け止め方，感じ方は人それぞれであり，そのときの心の状態によっても異なる。「がん」という言葉を何度も使うと不快に感じることもある。言葉による心の負担に配慮することも必要である。

2) 医療情報の正しい伝え方

　誰でも簡単にインターネットで医療情報を調べられるようになったが，検索結果の上位に表示される情報が正確で信頼できるとは限らない。不安を抱える患者は，多くのネット情報を目にして誤った情報を信じ，ますます不安に陥ることがある。

　広告や個人が発信した情報については，信頼できるかどうか注意する必要がある。疾患や治療に関わる誤った情報は，エビデンスに基づく治療を妨げ，医療従事者と患者の信頼関係を壊し，さらには患者の死亡リスクを高める可能性がある。なお，医療に関する広告を規制する医療法が2017年に改正され，2018年6月に施行された。

　薬剤師が相談を受けた場合には，どうしてその情報が誤っているのか，科学的根拠を示し，時間をかけて理解してもらうことが必要である。また，信頼できる正しい医療情報はどのサイトで探すとよいのか，標準治療はどこで調べられるのかなどを伝えられるとよい。

1-3　患者の話を聴く

　患者の訴え，思いを聴くことが次に重要なステップとなる。相手に集中して真剣に話を聴くことが重要である。

　医師に対して話しにくいことや時間がなくて話せなかったことを，薬剤師には話す場合も多くある。患者が何を不安に思い，どのような情報を求めているのかを把握したうえで，医師や看護師とは異なる角度でのアプローチが求められる。

表1　理解が難しい言葉の例

・QOL	・化学療法
・作用機序	・既往歴
・分子標的治療薬	・合併症
・支持療法	・浸潤
・標準療法	・イレウス
・エビデンス	・寛解
・血中濃度	・生検

1-4 双方向のコミュニケーション

1) 真のコミュニケーション

コミュニケーションの語源は「共有する」である。情報を共有し，患者の思いや不安を共有して初めて，コミュニケーションがとれたといえる。

患者に「伝える，聴く」ということを形式的に行っていては，真のコミュニケーションはとれない。傾聴，繰り返し，オープンクエスチョンなど，さまざまな手法やマニュアルがあるが，それは単に形式であり，そのとおりにすればうまくいくということではない。患者を心から大切に思う気持ちをもっていれば，結果として真のコミュニケーションにつながる。

2) マニュアルどおりとせず，想像力を駆使する

相手の状況に配慮することなく一方的に薬の説明をしたり，相手の話を聞いてそのまま聞き流したりすることは論外である。マニュアルどおりに説明するだけであれば，薬剤師でなくてもできる。

薬を服用するタイミングはその患者の生活に合っているかどうか，嚥下機能に問題はないか，一人暮らしの生活で自宅での副作用対策は可能かどうか，想像力を駆使してそこまで考えることで，初めて，抗がん薬の安全な使用のための支援が可能となる。患者一人ひとりの疾患の状況，家族の状況，理解力，家族のサポート体制，心の状態，要望や希望が異なることを理解し，それぞれに合わせたコミュニケーションが必要である。

がん医療において，医師が患者に対して悪い知らせを効果的に伝えるコミュニケーションの方法として，米国臨床腫瘍学会（ASCO）の公式カリキュラムの中でも取り上げられているSPIKESプロトコル[1]がよく知られている。さらに，日本人のがん患者の意向調査に基づいたものとして，SHAREプロトコルが考えられた（表2）[2]。患者の意向に重きを置いた方法である。われわれ薬剤師には悪い知らせを患者に伝えるという場面はほとんどないが，実際に患者に面談するときには共通するところがある。

今後の治療の過程において薬剤師の立場でいつでもサポートする，という意思を伝えることで，患者は安心感を得ることができる。

② 抗がん薬および支持療法の指導

1) 指導のポイント

薬剤師の役割は，有効な薬物療法が安全に実施，継続されるようサポートすることである。

患者への指導に際して最も大切なことは，正確な情報をわかりやすく伝えることである。治療の

表2 SHAREプロトコル

S（Supportive environment）支持的な環境設定
H（How to deliver the bad news）悪い知らせの伝え方
A（Additional information）付加的な情報
R（Reassurance）安心感
E（Emotional support）情緒的サポート

スケジュール，経口抗がん薬の使用方法，起こりうる副作用，その予防や対策，支持療法薬の使用方法，稀にしか起こらないが，起こると死に至るような重篤な副作用の初期症状など，説明する内容は多岐にわたる。重複服用など抗がん薬の服用方法の間違いが起きた場合や，重篤な副作用を見逃した場合には患者の生命に関わるおそれがあること，また，正しく服用されないと抗がん薬の期待する薬効が得られず，生命予後に影響することもあることから，コミュニケーションが重要である。

2）事前準備
（1）病院
病院での指導の場合には，患者との面談の前に，カルテからがん種，Stage，治療方針などを確認し，患者のがん薬物療法が治癒を目的としているのか，あるいは緩和・延命目的であるのかをあらかじめ確認しておく。併用薬，アレルギー，臨床検査値，身長，体重，体表面積などの情報，また，医師や看護師がこれまでに患者に話した内容，家族のサポート体制についても事前に把握しておくと面談がスムーズに進む。

①治癒目的の治療
治癒を目的としているのであれば，がん薬物療法を完遂させることを目標とする。
②症状緩和や延命目的の治療
症状緩和や延命が目的であれば，患者のQOLを維持することに目標を設定する。

（2）保険薬局
一般的に保険薬局においては，病院と比較すると入手可能な情報が少ないため，患者との面談の中で得られた情報は貴重である。安全に治療を行うためには，上記のような情報が必要であることを患者に理解してもらえるよう日頃から信頼関係を築くとともに，さらには病院との連携が望まれる。

3）服用方法，投与スケジュールの説明
抗がん薬の投与スケジュールや経口抗がん薬の服用方法は，がん薬物療法の遂行において最も重要な情報である。患者が用法どおり間違いなく服用できるよう，薬剤師はサポートしなければならない。また，服用時間がその患者の生活リズムに合っているか，高齢で嚥下障害がある場合に大きな錠剤を服用できるか，相互作用のある薬剤を服用していないかなどについても考慮する。

説明の際には，説明書を用いて必要なところに印をつける，書き込むなどの動作をしながら患者と一緒に進めていくことにより，患者の記憶はより確実になる。また，「すぐに」，「少し」，「数回」などの曖昧な言葉は使用せず，具体的な数値を示すとよい。

4）アドヒアランス向上のために
抗がん薬を正しく服用できるかどうかは，患者の安全と治療成績に大きな影響を与える。薬の効果についてわかりやすく説明することは，薬を服用する動機づけとなる。薬を正しく服用することが治療効果に影響することを理解してもらう。

5）副作用と支持療法薬

　副作用をいかに予防するか，重篤な副作用をいかに早期発見し対処できるかは，治療を安全に継続するうえでの重要な鍵となる。

　年齢，既往症，生活形態などにより，起こりうる副作用の種類，副作用リスクは異なるため，一人ひとりに合わせた説明が求められる。あらかじめ支持療法薬が処方される場合には，その使用方法についても説明する。重篤な副作用については，その初期症状を見逃さず，速やかに病院に連絡することを理解してもらう。どのような症状がある場合に病院に連絡するのか，どこへ連絡するのかを具体的に伝えておくとよい

３ 薬剤師の使命

　2014年より，要件を満たした薬剤師ががん患者に説明や指導，副作用のフォローをした場合に「がん患者指導管理料3」[注]が算定できるようになった。薬剤師には，がんの専門的知識が必要であることはもちろんであるが，医療人としての態度が求められる。「患者を指導している」という気持ちは捨て，患者に対する尊敬の思いを常に忘れてはいけない。

　患者が一番大切にしていることは何なのか，患者一人ひとりの希望や思いを受け止め，その人らしく生きられるために薬剤師という専門職として何ができるのかを考え続け，最後まで薬物療法に責任をもつことが，われわれ薬剤師の使命である。

注）2018年4月より「がん患者指導管理料 ハ」

【参考文献】
1) Baile WF et al：SPIKES-A six-step protocol for delivering bad news: application to the patient with cancer. Oncologist 5(4):302-311, 2000
2) 藤森麻衣子 他 編：続・がん医療におけるコミュニケーション・スキル，医学書院，2009

（川尻　尚子）

第7章 がん薬物療法における薬剤師の役割

3 がん薬物療法における医療安全

1 はじめに

「毒と薬は紙一重」という言葉がある。従来，殺細胞性抗がん薬をはじめとする抗がん薬は，その安全域の狭さと，安全域に近接（あるいはオーバーラップ）した毒性域から，特に取り扱いに注意が必要な薬剤として考えられてきた。近年では，標的分子のみに作用する分子標的薬の台頭により，この考え方が必ずしも当てはまらない薬剤も出てきたが，分子標的薬であっても致死的な副作用の報告は後を絶たない。例えば免疫チェックポイント阻害薬の心筋炎や，抗体薬物複合体であるトラスツズマブ デルクステカンによる間質性肺炎など，副作用プロファイルを熟知したうえで，副作用が発現した場合の対応が可能な施設でのみ治療を行うようにするなど，がん薬物療法の安全性の担保のためにさまざまな取り組みが行われている。このように，がん薬物療法を安全に遂行するためには，使用する薬剤の特性を十分に踏まえた対策を講じる必要がある。

表1に，がん薬物療法における安全管理の考え方を示す。本稿では，①の医薬品安全性情報の管理，②の医療安全・医療事故防止のための取り組み，管理について概説する。③の安全な労働環境確保のための環境管理（抗がん薬曝露対策）については，他書を参照されたい。

2 医薬品安全性情報の管理

2-1 副作用情報の収集

がん薬物療法を行ううえで使用する薬剤の安全性プロファイルを把握することは，医薬品安全性情報収集の第一歩である。容易にアクセス可能な情報源としては，各メーカーが作成している添付文書，インタビューフォーム，適正使用ガイドなどが挙げられる。独立行政法人医薬品医療機器総合機構（PMDA）の審査報告書は，どのようなデータに基づいて承認審査・薬事承認がなされたのかのプロセスも含めて記載がされているため，ぜひ手に取るべきであろう。本書のような成書も参考になるが，情報の新規性や更新頻度はほかの資料に劣ることがある点に注意が必要である。また，

表1 がん薬物療法における安全管理

① 医薬品安全性情報の管理
・副作用情報の収集，RMP（医薬品リスク管理プラン），医薬品副作用報告
② 医療安全・医療事故防止のための取り組み，管理
・ヒヤリハット，インシデントレポートの解析
③ 安全な労働環境確保のための環境管理
・抗がん薬曝露対策，働き方改革など

当該薬・レジメンの承認申請に使用された臨床試験の原著論文も参考になる。Supplemental materialとして臨床試験のプロトコルが添付されている場合もあるので，論文本文だけでなく添付資料も参照するとよいだろう。

　前述したような市販前の臨床試験のデータを解釈するうえで留意が必要なのは，これらは治験という限られた対象（多くの場合，治験の厳しい組み入れ基準に適合する，状態のよい患者）に対する投与成績であり，多様な患者背景（併存疾患，併用薬など）の患者や高齢者，全身状態が不良な患者に対するデータは不足している場合が多い。さまざまなバックグラウンドを有する患者に使用されることがある実臨床では，各種情報を参考にしつつ，患者個々の状況に応じた臨床判断が求められる。

2-2　医薬品リスク管理計画

　医薬品リスク管理計画（Risk Management Plan：RMP）は，「医薬品の開発から市販後まで一貫したリスク管理を1つの文書にわかりやすくまとめ，調査・試験やリスクを低減するための取り組みの進捗に合わせて，または，定期的に確実に評価が行われるようにするもの」[1]とされており，2012年4月にRMPを策定するための指針や様式が通知として発出され，実装された。RMPは個別の医薬品ごとに，
(1) 重要な関連性が明らか，または疑われる副作用や不足情報（安全性検討事項）
(2) 市販後に実施される情報収集活動（医薬品安全性監視活動）
(3) 医療関係者への情報提供や使用条件の設定などの医薬品のリスクを低減するための取り組み（リスク最小化活動）

をまとめた文書であり，当該医薬品について，リスク低減のためにどのような取り組みが行われているのかを把握することが可能である（図）。

　このうち，「安全性検討事項」については，開発段階で得られた情報や市販後の副作用報告から

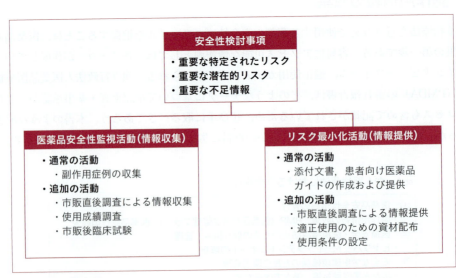

図　RMPの概念図

表2 RMPにおける「安全性検討事項」

重要な特定されたリスク	すでに医薬品との関連性がわかっているリスク ・臨床試験において本剤群で有意に発現している副作用 ・多くの自発報告があり，時間的関連性などから因果関係が示唆される副作用
重要な潜在的リスク	関連性が疑われるが十分確認されていないリスク ・薬理作用などから予測されるが，臨床的には確認されていない副作用 ・同種同効薬で認められている副作用
重要な不足情報	安全性を予測するうえで十分な情報が得られていないリスク ・治験対象から除外されているが，実地医療では高頻度で使用が想定される患者集団（高齢者，腎機能障害患者，肝機能障害患者，妊婦，小児など）における安全性情報

　明らかとなったリスクのうち，医薬品のベネフィット・リスクバランスに影響を及ぼしうる，または保健衛生上の危害の発生・拡大のおそれがあるような重要なものについて，「重要な特定されたリスク」，「重要な潜在的リスク」，「重要な不足情報」の3つのリスク・情報（表2）を特定することが製薬企業には求められる。これらはすなわち，実臨床で何に気をつけるべきか，情報が不足しているのは何かなどを把握する手がかりとなる。RMPの利活用については，日本病院薬剤師会より「病院薬剤師業務への医薬品リスク管理計画の利活用について」[2]が公表されており，RMPの特徴や利活用事例などが紹介されているので，こちらも参照されたい。

2-3　医薬品・医療機器等安全性情報報告制度（副作用報告）

　市販後医薬品安全対策の一環として，わが国では医薬品医療機器法に基づく医薬品・医療機器等安全性情報報告制度，いわゆる副作用自発報告制度があり，医療機関や製薬企業から規制当局への副作用報告が求められている。加えて2019年3月からは，患者副作用報告制度が正式に実施され，多面的な副作用情報収集が行われている。

　この副作用報告制度では，すべての医療機関および薬局に対し，医薬品・医療機器または再生医療等製品の使用による副作用，感染症，または不具合を発見した場合に報告を行うことが求められている。医薬品と副作用の因果関係が必ずしも明確でない場合でも報告することが勧奨されている。副作用報告は集積されたのち，薬剤疫学的手法で解析が行われ，必要に応じて安全対策活動が行われる。少数例であっても未知，重篤な副作用の場合，詳細な調査ののちに添付文書改訂や安全性情報の発出につながることもあるため，医療現場からの積極的な報告が求められる。

　近年，広く使用されるようになっている免疫チェックポイント阻害薬による免疫関連有害事象などの場合，その発現頻度の低さから，症例数が（実臨床と比較して）少ない治験では検出されず，市販後に広く使用されるようになって初めてリスクとして認識されたものもある。医薬品の市販後安全性対策においては，医療現場で発生した副作用などの情報を迅速に収集し，正確に評価したうえで医療現場にフィードバックするサイクルを継続することが重要である。

3　医療安全・医療事故防止のための取り組み

　抗がん薬による医療事故は，患者に重篤なアウトカムをもたらすことがしばしばあり，その防止

は医療安全上重要な課題である。1994年に米国ダナ・ファーバーがん研究所で起こった抗がん薬の過量投与による医療事故では，臨床試験中の乳がん患者2名にシクロホスファミド$4g/m^2$/4日間（$=1g/m^2$/日）投与するところを，誤って$4g/m^2$/日を4日間，すなわち4倍量を投与したため，1名は心不全により死亡，もう1名も不可逆的な心不全を発症した。本事例は，処方に際し処方医と指導医がダブルチェックを行い，薬剤師が調剤を行っていたが，プロトコルの投与量に関する記載が曖昧であったこと，病棟に当該試験のプロトコルを置いておらず，定義された投与量との違いをほかのスタッフが確認することができなかったことなどにより，事故を未然に防ぐことはできなかった。

わが国においても同様の事例が複数報告されており，これらの多くが抗がん薬の投与量設定，複雑な投与方法とその理解不足に起因している。日本医療機能評価機構の医療事故情報収集等事業の第66回報告書[3]では，外来化学療法室で行う抗がん薬治療に関連した事例の調査・分析が行われており，2018年1月〜2021年6月に報告された医療情報事故のうち，78件が外来化学療法に関連するものであった。その発生段階は投与時が最も多く，次いで処方・指示の段階であった。詳細は報告書を参考されたい。

これらの事故を防止するために，院内での統一した治療レジメンの登録，レジメン登録内容に基づいた，薬剤師による抗がん薬の処方箋監査，調剤・取り揃え時のチェック，調製時のチェック，投与前の看護師によるチェックなど，さまざまなチェック機構を設けることによりエラーを最小限にする工夫が行われている。近年では，医師が当日の治療実施指示を出す前に，薬剤師が検査値や患者の身体状況，オーダー内容のダブルチェックを行う施設もあり，安全ながん薬物療法の遂行に貢献している。施設の状況やシステム，マンパワーによって実施可能な範囲は異なるであろうが，がん薬物療法を安全に行うために関連部署，スタッフとも連携しながら業務を行うことが，薬剤師には求められる。

【参考文献】
1) 独立行政法人医薬品医療機器総合機構：医薬品リスク管理計画（RMP：Risk Management Plan）（https://www.pmda.go.jp/safety/info-services/drugs/items-information/rmp/0002.html）（2022年6月閲覧）
2) 日本病院薬剤師会医薬情報委員会：病院薬剤師業務への医薬品リスク管理計画の利活用について．2014（https://www.jshp.or.jp/cont/14/1215-3.pdf）（2022年6月閲覧）
3) 公益財団法人日本医療機能評価機構：医療事故情報収集等事業　第66回報告書．p.24-54, 2021（https://www.med-safe.jp/pdf/report_2021_2_T001.pdf）（2022年6月閲覧）

（土屋　雅美）

4-1 薬局の取り組み（I）

1 概論

　医療の進歩による外来がん化学療法の増加に伴い，保険薬局ががん治療に関わる処方箋を応需する機会も増加していると考えられる。保険薬局における調剤業務は従来，処方箋と患者ヒアリングからの情報を中心に行われていたが，がん治療の場合はそれだけでは不十分であることが多く，医療機関との情報共有が不可欠である。2020年4月には診療・調剤報酬改定による連携充実加算・特定薬剤指導管理加算2の新設の後押しもあり，各地域で効率的な患者情報の共有方法や連携の在り方が検討されている。

　一方，2020年9月に施行された改正医薬品医療機器法では，薬剤師は調剤時のみならず，薬剤の使用期間を通じて患者の服薬状況の把握や薬学的知見に基づく指導を行う義務があることが明確化された。がん化学療法は使用される薬剤の特性からみて副作用が起きる可能性が高く，服薬期間中の細やかなフォローアップによる患者支援が非常に有益となりうる領域である。

　以上のような背景から，今後，保険薬局においてさらに進展が望まれる業務について解説する。

2 医療機関から提供される患者情報の利活用

　連携充実加算の新設により，医療機関から保険薬局に向けてレジメン内容や副作用の発現状況，検査値といった患者の治療に関する情報が提示されるようになってきている。これらの情報を受け取った場合は，記載されている内容を処方鑑査，服薬指導，副作用モニタリングなどに活用する。例えば，内服抗がん薬のカペシタビンは，がん種・併用抗がん薬の有無などによって用法・用量の設定が異なるため，レジメン内容の確認が必須である。

　提供された情報を患者フォローに活かすためには，内服薬，注射薬のいずれであっても，レジメンに含まれる抗がん薬の特性（副作用など）は十分に理解したうえで業務にあたる必要がある。

3 服薬期間中の電話などによるフォローアップ

3-1 フォローアップの意義

　がん治療において保険薬局によるフォローアップの意義は極めて大きい。副作用が高頻度で発生することがその大きな要因だが，同時に患者は副作用に対し不安を感じていることが少なくない。保険薬局薬剤師は，身近な医療者として患者を支える役割が求められる（表）。

　外来がん化学療法は，入院治療のように常に医療者が身近にいる環境ではないため，患者は自ら

表　外来がん治療におけるフォローアップの主な目的

- 服薬状況の確認
- 副作用モニタリング
- 支持療法薬の適切な使用の支援
- 患者の不安感の軽減

支持療法薬を用いるなどして副作用の予防や対処を行わなくてはならない。これには患者や患者家族の副作用に関する正しい理解が必須であり，医療者が支援することが望ましい。また，「副作用などにより治療を中断すると病状が進行してしまうのではないか」などの不安から，患者が医療者に副作用を伝えず我慢してしまうこともある。医療者による適切な副作用評価の機会を増やすことで，副作用の早期発見，重篤化防止ができると考えられる。

3-2　フォローアップの対象患者とタイミング

がん治療のフォローアップについては，個々の患者の必要性に応じて行うことが望ましい。考慮すべき要素としては，薬剤の初回交付・用量変更後，レジメンの特性，患者の理解度・不安感の度合い，生活環境（同居家族の有無等）などが挙げられる。また，フォローアップを行うタイミングは，抗がん薬の副作用の好発時期を参考とする。細胞障害性抗がん薬の副作用の発現時期を図1に示す。

患者にフォローアップの同意を得る際は，電話などの日時をあらかじめ約束するとよい。筆者の勤務する薬局では，前述の要素を考慮のうえ，必要と思われる患者に対し，薬剤交付後3日〜1週間前後や次回来局までの中間日を目安に，電話によるフォローアップを申し出ることが多い。

❹ 副作用モニタリング

患者来局時，または服薬期間中のフォローアップ時には抗がん薬，支持療法薬の服薬状況，体調変化についてヒアリングする。その際，患者の体調変化は化学療法に起因するとは限らず，腫瘍そのものや手術などによる変化，併存疾患，オピオイド性鎮痛薬をはじめとする他剤の副作用などさまざまな可能性があること，かつこれらの要因が複合している可能性もあることに留意する。「体調変化＝抗がん薬による副作用」と結びつけるのではなく，あらゆる可能性を念頭に置き，視野を広くもつように意識しながらヒアリングする。

次に，ヒアリング内容から副作用の重症度を評価する。一般的にがん化学療法の副作用評価はCTCAE（有害事象共通用語規準）を用いる。評価後は重症度・緊急度に応じて適切な対応をとる。副作用が抗がん薬の減量・休薬基準に該当しないか，副作用への対策をとるにあたって患者の手元に支持療法薬があるか，といった視点でも確認を行う。

筆者の勤務する薬局では，患者の訴えから緊急性が高いと判断する場合は速やかに医療機関へつなげる行動をとり（主に電話で連絡），緊急性の低い場合は後述のトレーシングレポートによるフィードバックを行っている。判断がつかない場合は必要に応じて医療機関へ問い合わせるなどして疑義を解消し，患者が安全にがん治療を継続できるように支援している。

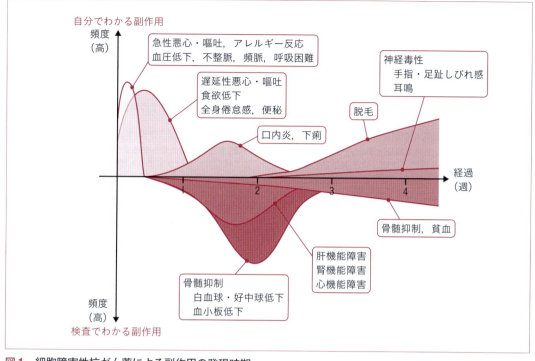

図1 細胞障害性抗がん薬による副作用の発現時期

5 トレーシングレポートを用いた患者情報のフィードバック

5-1　がん治療におけるトレーシングレポートの目的

　トレーシングレポート（服薬情報提供書）は，医療上の緊急性は低いが医療機関への報告が望ましい情報を提供するために用いられる文書である。がん化学療法中の患者が，次に医療機関を受診するまでの間の服薬状況や体調変化について電話などで確認した場合（特定薬剤管理指導加算2に準ずる業務），その結果を報告する内容となる。

　トレーシングレポートを発行する際は，その内容の有用性について十分に吟味を行う必要がある。情報をフィードバックする目的は，医療機関と連携し患者が安全に治療を受けられるよう支援を行うことであり，漫然とした情報提供とならないよう留意すべきである。レポートの書式などの情報提供の在り方について，あらかじめ医療機関側と協議しておくことも1つの方法である。また，医療機関における標準的な治療方針などを共有できるように，日頃から研修会などを通じて医療機関と保険薬局間のお互いの顔のみえる関係性が構築されていることが望ましい。

5-2　トレーシングレポート記載時の留意点

　トレーシングレポートの記載にあたっては，簡潔かつ伝わりやすい表現・ボリュームとなるように心がける（図2）。患者からのヒアリング内容をただ記載するのではなく，薬学的な観点から医

> 60代男性大腸がんstage Ⅳ，レゴラフェニブ服用中。家族への電話フォローアップ時，収縮期血圧150mmHg台であることが判明。降圧薬の服用なし。血圧上昇に伴う自覚症状なし。自宅での血圧測定はほとんどしていないことを聴取。一過性の血圧上昇か否かを判別するために定期的な家庭血圧の記録が必要と判断。以下の提案とした。
>
> > レゴラフェニブ服用中の○○様について，ご家族に○月○日副作用モニタリングを実施しました。高血圧 Grade2 相当の可能性がありましたのでご報告いたします。
> >
> > 「1コース目day14，自宅血圧が収縮期血圧150mmHg台。随伴症状なし。自宅での血圧測定は不定期のため高血圧が続いているかはわからない」とのことです。
> > レゴラフェニブは服用開始後1カ月以内の血圧上昇が特に多く認められるため，定期的な家庭血圧の測定・記録を行うよう，さらに急激な血圧上昇がみられた場合は速やかに病院または薬局へ知らせるよう指導いたしました。
> > 次回診察時，家庭血圧のご確認と降圧薬処方の必要性についてご検討くださいますようお願い申し上げます。

図2 トレーシングレポートの記載例（一部抜粋）

療者同士の情報共有に必要な要点を抽出する。副作用の重症度を客観的に伝えるためにはCTCAEなどの尺度を用いて記載する。処方提案などを行う際には，各種ガイドラインや適正使用ガイドなどを利用し，エビデンスに基づいた提案を行う。提案内容についてはその根拠や理由を明らかにし，患者に適用できないと判断したものについてもその理由について理解しておくことが薬剤師には求められる。

⑥ 外来がん治療における保険薬局薬剤師の役割と今後の展望

　医療機関での診察では，治療全般に関する話，検査結果，今後の見通しについてなど，医師と話すべき内容は多岐にわたるため，患者は前回診察との間に起きた体調の変化や残薬を伝えるタイミングを逃してしまうことも少なくない。だからこそ「患者が困りごとを気軽に話せる場所」としての機能をもつ保険薬局は，その利点を活かし，がん治療を行う患者を積極的にサポートすべきである。フォローアップにより得られた情報は薬学的観点から適切に分析し，評価を加えたうえで，必要に応じて医療機関にフィードバックすることが肝要である。保険薬局は医療機関と連携し，患者の安全・安心ながん治療により一層貢献していくことが求められる。

【参考文献】
1) 厚生労働省保健局医療課：令和2年度診療報酬改定の概要（調剤），2020（https://www.mhlw.go.jp/content/12400000/000608537.pdf）（2022年6月閲覧）
2) 日本薬剤師会：薬剤使用期間中の患者フォローアップの手引き（第1.1版），2020（https://www.nichiyaku.or.jp/assets/uploads/pharmacy-info/followup_1.1.pdf）（2022年6月閲覧）

（金澤　裕子）

4-2 薬局の取り組み（2）

1 そうごう薬局 天神中央店の病薬連携について

　そうごう薬局 天神中央店（以下，当薬局）は，特定薬剤管理指導加算2について2021年4月に算定要件を満たし，施設基準に係る届出を行った。主な処方箋発行元である地域がん診療連携拠点病院（以下，連携病院）からの，連携充実加算による情報提供書が提供され始めた2021年6月から算定を始めている。また，それ以前の2011年より，連携病院と病薬連携を行っており，トレーシングレポート，薬薬連携シート（連携病院と当薬局の薬剤師間の情報交換ツール）での情報交換を行ってきた。

　連携病院では，当薬局や近隣薬局との話し合いも踏まえて，連携充実加算・特定薬剤管理指導加算2を算定するにあたって，今までのトレーシングレポートとは別に，病院・薬局間で使用する情報提供書を新たに準備した（図1，2）。

　レジメンごとに情報提供書を作成している病院もあるが，連携病院作成のものはすべてのレジメンに対応でき，外来がん薬物療法にて起きる主な副作用を，CTCAEによるグレード評価したうえで記載できるようになっており，それ以外の副作用も追記できる。EGFRチロシンキナーゼ阻害薬・免疫チェックポイント阻害薬で起こりやすい副作用については，別欄に分けられている。また，検査結果，内服薬・注射薬の処方内容，医学薬学的管理上必要な事項についても記載する欄がある。病院からの情報提供書は，病院薬剤師から患者に手渡しされ，患者自身が処方箋とともに薬局に提出する流れになっているが，その利用目的は病院薬剤師より患者に説明し理解を得る。薬局からの情報提供書には，服用状況，病院に連絡すべき副作用の発生状況，医学薬学的管理上必要な事項を記載できるようになっており，主にFAXにて報告する。さらに，薬局からの情報に対する病院の対応の内容についての返信欄もある。

2 抗EGFR抗体薬を使用している大腸がん患者の皮膚障害についての事例

2-1 事例概要

　事例は大腸がん患者，70歳代女性。切除不能進行再発大腸がんの一次治療として，FOLFIRI＋Pmab療法を行っている。2年前に術後補助療法としてCAPOX療法を行っており，継続して担当している患者であった。

　1コース目の治療は病院内で行い，2コース目から外来での治療となった。2コース目day1に連携充実加算による情報提供書を患者が持参し，来局した（処方内容は図3を参照）。
情報提供書の「医学薬学的管理上必要な事項」には次の内容が記載されていた。

この情報提供書は、処方せんと一緒に保険薬局窓口へご提示下さい。

化学療法情報提供書（病院→薬局）

■■■■■■病院
TEL:■■■■■

ID（　　　　　）　レジメン（　　　　　　　　）　実施日（　　　　　）
氏名（　　　　　）様　（　　）コース　day（　　）　医師名（　　　　　）
　　　　　　　　　　　　　　　　　　　　　　　　薬剤師名（　　　　　）

有害事象	グレード	有害事象	グレード		有害事象	グレード
PS		便秘		抗EGFR薬投与中の方	ざ瘡様皮疹	
倦怠感		末梢神経障害（手）			皮膚乾燥	
発熱		末梢神経障害（足）			搔痒症	
食欲不振		筋肉痛・関節痛			爪囲炎	
悪心		HFS(手足症候群)		免疫チェックポイント阻害薬投与中の方	呼吸困難	
嘔吐		高血圧			咳嗽	
味覚異常		むくみ・腫れ			口渇	
口腔粘膜炎					神経系障害	
脱毛						
下痢						

CTCAE v5.0-JCOG

＊グレード：【直近の治療日〜昨日までの間で症状が最も強かった時状態】→【本日の状態】

検査結果

注射

処方

医学薬学的管理上必要な事項

＜保険薬局の方へ＞　この情報提供書に関して返信される際は、専用用紙をご使用下さい。詳細は当院ホームページにて掲載しております。
■■■■■病院　2020年4月 作成

図1　化学療法情報提供書（病院→薬局）

化学療法情報提供書（薬局→病院）

（注意）[░░░░░病院 化学療法情報提供書]の返信専用です
░░░░░病院

保険薬局	
FAX	
TEL	

→

░░░░░病院 地域連携室	
FAX	
TEL	

ID （　　　　　）	レジメン （　　　　　　　　　　　）
氏名（　　　　　）様	投与日（　　　　　）	医師名（　　　　　）
確認日（　　　　　）	（　　）コース day（　　）	対応者　□本人　□ご家族
薬剤師名　　（　　　　　　　　　　　）（　　　　　　　　　　　）

| 抗がん薬 服用状況 | □良好　□問題あり（　　　　　　　　　　　）□処方なし |
| 副作用対策の必要性 | □なし　□あり（　　　　　　　　　　　） |

有害事象	グレード	有害事象	グレード		有害事象	グレード
PS	0 1 2 3 未確認	便秘	0 1 2 3 未確認	抗EGFR薬 投与中の方	ざ瘡様皮疹	0 1 2 3 未確認
倦怠感	0 1 2 3 未確認	末梢神経障害(手)	0 1 2 3 未確認		皮膚乾燥	0 1 2 3 未確認
発熱	0 1 2 3 未確認	末梢神経障害(足)	0 1 2 3 未確認		掻痒症	0 1 2 3 未確認
食欲不振	0 1 2 3 未確認	筋肉痛・関節痛	0 1 2 3 未確認		爪囲炎	0 1 2 3 未確認
悪心	0 1 2 3 未確認	HFS(手足症候群)	0 1 2 3 未確認	免疫チェックポイント阻害薬投与中の方	呼吸困難	0 1 2 3 未確認
嘔吐	0 1 2 3 未確認	高血圧			咳嗽	0 1 2 3 未確認
味覚異常	0 1 2 3 未確認	むくみ・腫れ			口渇	0 1 2 3 未確認
口腔粘膜炎	0 1 2 3 未確認				神経系障害	0 1 2 3 未確認
脱毛	0 1 2 3 未確認					
下痢	0 1 2 3 未確認					

CTCAE v5.0-JCOG

医学薬学的管理上必要な事項

返信欄　病院薬剤師名（　　　　　）

□内容確認しました　□主治医に報告します　□病院薬剤師が介入します　□病院看護師が介入します

░░░░░病院　2021年7月 作成

図2　化学療法情報提供書（薬局→病院）

```
【処方箋】○○病院　消化器外科　保険医師名：○○医師
Rp1）酸化マグネシウム錠330mg           1回1錠　1日3回　毎食後　14日分
Rp2）ロペラミド錠1mg                   1回2錠　下痢時　6回分
Rp3）ヘパリン類似物質クリーム          25g　2本　保湿
Rp4）ヒドロコルチゾン酢酸エステル軟膏   5g　2本　顔　症状時1日2回
Rp5）ジフルプレドナート軟膏             5g　2本　体　症状時1日2回
Rp6）ベタメタゾン吉草酸エステル，ゲンタマイシン硫酸塩ローション
                                       10g　1本　頭　症状時1日2回
```

図3　処方箋内容

医学薬学的管理上必要な事項

　FOLFILI＋Pmab療法の1コース目を院内にて施行されております。副作用としては，食欲不振がありましたが，食事の量に影響があるほどではありませんでした。下痢が一度ありましたので，ロペラミドが処方されております。大腸がん術後から継続されている便通コントロールのために，酸化マグネシウムも処方されています。また，皮膚への影響があることと保湿の重要性をお伝えしています。1コース目では特に症状は出ておりません。今後悪化する場合もあるため，ステロイド薬の処方もあります。使用方法について薬局でも再度説明をお願いします。

　また，現時点での副作用についてはすべてグレード0の記載だった。

2-2　薬局での対応についての5つのポイント

〈ポイント①：ベースラインの確認・主な副作用とそれに対する対処の説明〉

　投薬時に当薬局では，そのレジメンで起きやすい副作用について，現在の状況（ベースライン）を確認している。

　FOLFIRI＋Pmab療法で起きやすい副作用は，骨髄抑制（白血球減少・血小板減少），悪心・嘔吐，食欲不振，下痢，口内炎，脱毛，皮膚症状，味覚異常などがある。各症状について，来局時点での状況を確認する。

　この患者の場合，1コース目において食欲不振，下痢があったが一過性であり，来局時には生じていなかった。また，皮膚障害はないことを確認した。支持療法としては，酸化マグネシウム，ロペラミド，ヘパリン類似物質，外用ステロイド薬が処方されていた。

　薬局では，イリノテカンによる下痢予防のための便通管理や皮膚障害に対する予防対策，悪化した場合の外用ステロイド薬の使用方法について指導した。

〈ポイント②：副作用の好発時期に基づいた電話フォローアップ日程の調整〉

　患者に対し，薬局において継続的なケアの実施と電話での体調確認について説明した。患者の同意と，電話日時を決めることが必要となる。電話のタイミングとしては，レジメンごとの副作用が

起きやすい時期を選ぶことが多い。この患者の場合，皮膚症状や下痢が出やすいday7に電話することとした（図4）。

〈ポイント③：電話フォローアップにおける副作用確認（グレーディング），服用状況・使用状況・残薬の確認〉

　FOLFIRI＋Pmab療法による皮膚症状や下痢が出やすいday7に電話したところ，day4より顔，首の周りにざ瘡様皮疹（Grade1）が生じていることを聴取した。下痢は起きておらず，酸化マグネシウムによる便通の調整状況は問題なかった（表）。

　保湿は顔・体に1日2回使用できていたが，外用ステロイド薬は副作用への抵抗感から使用していないことを聴取した。外用ステロイド薬の処方意図と正しい使い方について説明し，悪化させないように伝えた。再度day12に電話し，外用ステロイドを使用しているが，改善はしていないことがわかった。残薬を確認したところ，残薬量から保湿・ステロイド薬の使用状況は問題なく，次回外用薬の追加処方が必要であると判断した。

〈ポイント④：トレーシングレポート　根拠をもった処方の提案〉

　薬局から病院への情報提供書には，ざ瘡様皮疹がGrade1であることと，医学薬学的管理上必要な事項に以下のように記載した。

医学薬学的管理上必要な事項
day7：　ざ瘡様皮疹が顔，首の周りに，day4より生じていることを聴取しました（Grade1）。保湿薬のみで対処しており，外用ステロイド薬の副作用への抵抗感から使用していませんでした。手持ちの外用ステロイド薬についての処方意図と正しい使用方法について指導しました。理解していただいております。

来局時
・副作用を確認するための症状のベースを確認
・電話フォローに関して患者の同意を得る
・電話をする日時を決める

電話
・プライマリーニーズ（患者がいま最も困っていること，気になっていること）の把握
・レジメンごとに出やすい副作用，病院からの患者情報を元に副作用について優先して聞き取り
・その他，副作用項目について確認

対応
・緊急を要する副作用の発現→病院に連絡
・緊急を要しないが対応が必要→支持療法を適切に行えるよう指導
・特に副作用の発現なし→経過観察

図4　電話フォローアップのフローチャート

day12：ステロイド薬の使用状況を確認したところ，正しく使用されていましたが，ざ瘡様皮疹は改善しては悪化するの繰り返しとのことです。外用薬について残薬を確認したところ，ヘパリン類似物質軟膏・外用ステロイド薬が不足すると思われますので，次回の処方をお願いいたします。また，ベクティビックス®適正使用ガイドより，ざ瘡様皮疹がGrade2の場合は，ミノサイクリンの投与が対処法として掲載されています。次回の受診時の症状を確認いただき，ミノサイクリンの投与についてもご考慮いただければ幸いです。

病院薬剤部からの返信欄には，「医師へ外用ステロイド薬と，ミノサイクリンについての提案をしました」と返信があった。

〈ポイント⑤：患者の処方への理解度の確認〉

3コース目day1に来局。day12以降，ざ瘡様皮疹が続いており，医師の診察後ざ瘡様皮疹Grade2と診断され，2コース目の時と同じ保湿薬と外用ステロイド薬，ミノサイクリン錠100mg 1回1錠　1日2回　朝夕食後　14日分が追加処方された。

患者には，ミノサイクリンは抗菌薬であるが，ざ瘡様皮疹の炎症を抑える目的で処方されていることを説明して理解を得た。その後，来局時面談と，毎回day7付近での電話フォローを行っているが，ざ瘡様皮疹の悪化はなく（Grade1），ほかの副作用の出現については適切な対処をしながら，治療継続中である。

表　CTCAEv5.0 ざ瘡様皮疹

CTCAE v5.0 Term 日本語	Grade1	Grade2	Grade3	Grade4	Grade5
ざ瘡様皮疹	体表面積の＜10%を占める紅色丘疹および／または膿疱で，そう痒や圧痛の有無は問わない	体表面積の10～30%を占める紅色丘疹および／または膿疱で，そう痒や圧痛の有無は問わない；社会心理学的な影響を伴う；身の回り以外の日常生活動作の制限；体表面積の＞30%を占める紅色丘疹および／または膿疱で，軽度の症状の有無は問わない	体表面積の＞30%を占める紅色丘疹および／または膿疱で，中等度または高度の症状を伴う；身の回りの日常生活動作の制限；経口抗菌薬を要する局所の重複感染	生命を脅かす；紅色丘疹および／または膿疱が体表のどの程度の面積を占めるかによらず，そう痒や圧痛の有無も問わないが，抗菌薬の静脈内投与を要する広範囲の局所の二次感染を伴う	死亡

〔有害事象共通用語規準 v5.0日本語訳JCOG版（CTCAE v5.1 - JCOG）〕

（下川　友香理）

4-3 薬局の取り組み（3）

1 概要

　2020年9月の改正医薬品医療機器法により，薬剤服薬期間中の薬剤師による患者フォローアップが義務化され，患者の副作用発現状況や服薬状況に関して，処方医療機関へのフィードバックが求められている。2020年4月の診療報酬改定では，外来がん化学療法の質向上のための総合的な取り組みとして，病院では連携充実加算が，薬局では特定薬剤管理指導加算2が新設された。

　ひかり薬局大学病院前調剤センター（以下，当薬局）では2018年2月より，近隣の大学病院書式を活用したトレーシングレポート（以下，TR）による報告を開始した。

　当初，内服抗がん薬関連内容も同書式を活用していたが，同年12月に当薬局で内服抗がん薬専用TRを作成し，運用を開始した。さらに2020年9月に外来化学療法での連携強化のため，報告事項欄に「副作用モニタリング」を追記するなど当薬局で改変し，注射抗がん薬を含む抗がん薬関連内容に関して専用TR（図1）での運用を開始するとともに，特定薬剤管理指導加算2の算定を開始した。

　本稿では，外来がん治療患者において，当薬局が病院と連携して行った取り組みについて紹介する。

2 当薬局における外来がん治療患者に関する薬薬連携の流れ（図2）

①処方箋受付
　内服抗がん薬を含む処方箋は，記載されているプロトコル（レジメン）番号から，病院ホームページにて治療内容を確認する。

ポイント：内服抗がん薬単独療法の場合も，がん種，服用スケジュール（休薬期間）を確認することが可能。

②治療手帳の確認〔プロトコル（レジメン）に注射抗がん薬が含まれている場合〕
　プロトコル（レジメン）に注射抗がん薬が含まれている場合は，患者が病院から交付を受けた治療手帳を提示してもらい，治療内容，スケジュール，臨床検査値，副作用の発現状況を確認する。

ポイント：治療手帳は院内薬剤師，看護師が上記の情報を記入・貼付するほか，患者本人が体調を時系列で記録している。

③服薬指導
　休薬期間のある内服抗がん薬においては，内服・休薬期間のスケジュール管理，食後・空腹時などの用法，飲食物や薬との飲み合わせについて説明する。また，治療期間中に起こりうる副作用や発現時期，その予防と支持療法薬による対処方法，食事などの注意点について指導する。

【抗がん薬関連】服薬情報提供書

FAX:東北大学病院薬剤部DI室 022-717-7531
FAX の流れ:保険薬局 → 薬剤部 → 処方医師

東北大学病院 御中　　報告日： 20　年　月　日

| 担当医　　　　科 | 保険薬局名： |
| 先生 御机下 | 所在地：〒 |

交付年月日 20 年 月 日	電話番号：
処方 No.	FAX 番号：
患者 ID：	担当薬剤師名：　　　　　　　印
患者名：　　　　　様	（□かかりつけ薬剤師　□非　）

□ この情報を伝えることに対して患者の同意を得ています。
□ この情報を伝えることに対し患者の同意を得ていませんが、治療上必要だと思われますので報告いたします。
MMWIN 関連情報　（□ MMWIN 登録患者　□ 検査値　□ カルテ情報　□ その他（　　　　））
＊:当院では MMWIN への患者登録を推進しております。本レポート作成時に利用した MMWIN のカルテ情報の状況を記載ください。

下記の通り、ご報告いたします。ご高配賜りますようお願い申し上げます。

【治療内容】（　　　　　）療法
【確認時期】 □外来服薬指導時　□電話確認時（確認日　　　　　）

【報告事項】副作用モニタリング

項目	症状1	症状2	症状3	その他
□ 下痢(ベースラインより)	□ ≦+3回/日	□ +4～6回/日		□（　　）
□ 便秘	□ 便秘あり	□ 生活支障あり		□（　　）
□ 悪心・食欲不振	食事摂取量 □50%＞	□ 体重減少あり		□（　　）
□ 口内炎	□ 痛みあり	□ 食事変更必要あり		□（　　）
□ 皮膚症状	□ 赤み・発疹	□ かゆみ	□ かさつき	□（　　）
□ 手足症候群	□ 痛みあり	□ 生活支障あり		□（　　）
□ 疲労・倦怠感	□ 休息により軽快	□ 半日以上寝ている		□（　　）
□ 発熱・咳	□ 発熱	□ 空咳	□ 労作時息切れ	□（　　）
□ 末梢神経障害	□ しびれ	□ 生活支障あり		□（　　）
□ 血圧	□ 収縮期140≦/拡張期90≦			□（　／　）
□ 眼症状	□ 流涙	□ 違和感	□ かすみ目	□（　　）
□ その他の症状	（　　　　　　　　　）			

その他　□ 服薬状況　□ 残薬報告　□ 服薬指導内容　□（　　　　）

TR の特性上，次回診療時での活用を想定し，CTCAE v5.0 を参考に緊急対応が必要な Grade3 以上は除外し，Grade2 以下を具体的に示す内容とした。

下痢のGrade分類（CTCAE v5.0）

Grade 1	Grade 2	Grade 3	Grade 4	Grade 5
ベースラインと比べて＜4回/日の排便回数増加；ベースラインと比べて人工肛門からの排泄量が軽度に増加	ベースラインと比べて4-6回/日の排便回数増加；ベースラインと比べて人工肛門からの排泄量の中等度増加；身の回り以外の日常生活動作の制限	ベースラインと比べて7回以上/日の排便回数増加；入院を要する；ベースラインと比べて人工肛門からの排泄量の高度増加；身の回りの日常生活動作の制限	生命を脅かす；緊急処置を要する	死亡

□ ≦+3回/日　　□ +4～6回/日

〔ひかり薬局：抗がん薬関連書式 服薬情報提供書（2020年9月25日更新），有害事象共通用語規準 v5.0 日本語訳 JCOG 版より（JCOG ホームページ http://www.jcog.jp）をもとに作成。服薬情報提供書は東北大学病院薬剤部ホームページに掲載あり〕

図1　抗がん薬関連専用TR

```
①処方箋受付
    ※内服抗がん薬を含む処方箋はプロトコル番号から
      病院HPにて内容確認
    ↓
②治療手帳の確認（図3，注射抗がん薬を含む場合）
    ・プロトコル内容
    ・副作用発現状況確認
    ↓
③服薬指導
    ・服用方法
      内服抗がん薬（休薬期間，注意点など）
      支持療法薬（服用条件等詳細）
    ・副作用確認・指導（時期に合わせて）
    ・食事等注意点
    ↓
④電話フォローアップの説明
    ・電話フォローアップへの同意
    ・日程，確認項目を予約票（図4）へ記載
    ・予約票をお薬手帳へ貼付
    ↓
⑤電話フォローアップ
    ・服用状況（残薬状況）
    ・副作用モニタリング
    ・治療への不安等聴取
    ↓
⑥必要時トレーシングレポートにて病院に報告
    ・副作用モニタリング
    ・処方提案
    ※緊急時は電話にて連絡
```

図2 外来がん治療患者における薬薬連携の流れ

④電話フォローアップの説明

初回服薬指導時および必要時に，「自宅で過ごす服薬期間中に薬局薬剤師が電話でのフォローアップを行い，必要な情報を病院と連携して薬物療法のサポートを継続的に行うこと」について患者やその家族に説明する。継続的なサポートについて同意を得た場合，あらかじめ連絡日時，確認項目を予約票（図4）に記載し，お薬手帳に貼付する。

⑤電話フォローアップ

「処方日数の中間」または「治療内容による副作用の好発時期」を目安に電話フォローアップを実施する。服薬状況・残薬の確認，副作用モニタリング，支持療法薬の服用時期やタイミングを自己管理できるよう支援し，また，治療に対する不安などを聴取する。

ポイント：内服抗がん薬単独療法の場合も，治療内容により発現しやすい副作用，休薬期間を含む服用状況確認（残薬），併用薬確認などのため，必要時に電話フォローアップを行う。

⑥TRにて報告

副作用モニタリング結果とともに，必要時処方提案など次回の治療までに必要な情報を専用TRにて病院へ報告する。ただし，副作用の悪化，緊急時には病院へ電話連絡する場合もある。

ポイント
- 情報を整理して要点を簡潔に記載
- 患者から聴取した言葉や，薬剤師の説明内容はなるべくそのまま記載
- 有用な情報を伝える「報告」型と医療従事者に行動変容を求める「報告＋提案」型がある。

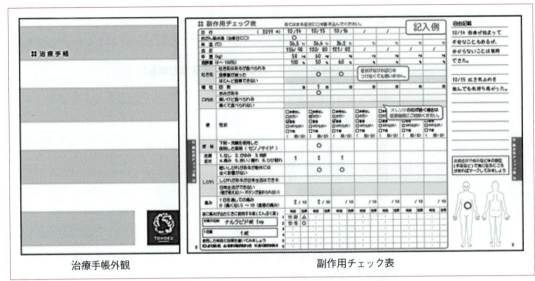

図3 治療手帳

〔東北大学病院薬剤部：治療手帳を活用した情報連携 より
(http://www.pharm.hosp.tohoku.ac.jp/Pharmacy/gairai.html#flow)〕

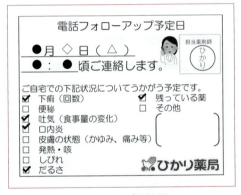

図4 電話フォローアップ予約票

③ 当薬局の病薬連携について

3-1 内服抗がん薬単独の場合

　当薬局におけるオラパリブ療法の介入事例について紹介する。
　オラパリブは，アントラサイクリン系抗がん薬およびタキサン系抗がん薬を含む化学療法歴のあるBRCA遺伝子変異陽性かつHER2陰性の手術不能または再発乳がんに使用される。なお，オラパリブは再発乳がん治療薬として，2018年7月に追加承認された。
　重大な副作用として，骨髄抑制や間質性肺疾患が発現する可能性があるため，特に導入初期には電話フォローアップによる副作用モニタリングが重要である。

【患者背景】40代女性，乳がんStage IV，肝・骨・リンパ節転移
・オラパリブ療法（オラパリブ600 mg/day）
　AC療法後のBRCA遺伝子変異陽性かつHER2陰性の閉経前手術不能両側乳がん患者に対し，オラパリブ錠150mg，1回2錠，1日2回の内服が開始となった。

【初回】day1，製薬会社作成の患者向け指導パンフレットに基づき，悪心・嘔吐，下痢，貧血などの高頻度の副作用について説明するとともに，服用中はグレープフルーツ含有食品を摂取しないよう指導した。

【介入1】day8の電話フォローアップにてGrade1の悪心があり，空腹時に強く，食事摂取で緩和することを聴取した。メトクロプラミドは効果がなく，胃酸過多による症状発現の可能性が考えられたことから，日本癌治療学会「制吐薬適正使用ガイドライン」を参考に，TRにて医師にプロトンポンプ阻害薬を処方提案した。day15，エソメプラゾールマグネシウム水和物カプセル20mg，1回1カプセル，1日1回が追加となり，悪心はGrade0〜1に改善した。

【介入2】day21の電話フォローアップにてGrade1の下痢があり，ブリストル便性状スケールでBSスコアが6程度であることを聴取した。下痢症状により生活に支障を来していたため，TRにて医師に整腸薬を処方提案した。day29にビフィズス菌製剤散，1回1g，1日3回が処方となり，患者に整腸薬について服薬指導するとともに，水分をこまめにとるよう指導し，症状はGrade0に改善した。その後，オラパリブ錠150mgは休薬や減量することなく継続できたが，day99に病勢進行のため治療変更となった。

　初回指導時に起こりうる有害事象の説明を行ったことから，電話フォローアップの際にも，体調変化についてスムーズに情報収集できたと思われる。

　この患者のように，導入初期に悪心，下痢などの自覚症状を伴う副作用が発現し，それによりQOLの低下，アドヒアランスの低下を招くリスクがあるため，早期の対応が重要である。TRでは，患者の訴えを整理して，要点を簡潔に記載し，報告する。また，処方提案を行う場合には，Grade評価（CTCAE v5.0），BSスコア，ガイドラインなどのエビデンスに基づいて記載する必要がある。

3-2　注射抗がん薬併用の場合

　当薬局におけるCapeOX療法の介入事例について紹介する。
　大腸がんは罹患率の高いがん種の1つであり，治療の選択肢も増えている。そのため，「大腸癌治療ガイドライン」により，術後補助薬物療法および切除不能進行再発大腸がんに対する化学療法のアルゴリズムを理解しておく必要がある。
　また，大腸がん治療のキードラッグについても頭に入れておくとよい。

【患者背景】60代男性，直腸がんStage IV，肝・肺転移
・CapeOX療法（カペシタビン：2週投与1週休薬，オキサリプラチン：day1，ベバシズマブ：day1，3週ごとに投与）
　直腸がん（RAS野生型）術後，肝転移術後再発，肺転移に対し，CapeOX療法が開始となった。糖尿病性腎症のため他病院より併用薬あり。

【初回】患者が持参した治療手帳の通信欄（医療機関から保険薬局への連絡事項）により，腎機能低下のため，体表面積1.856m^{2}に対しカペシタビンは1段階減量（3,600mg/day→3,000 mg/day）で開始したことを確認した。カペシタビンの服用方法（服用期間・休薬期間），起こりうる副作用とその発現時期，支持療法薬の使用方法，生活上の注意点（カペシタビン：手足への圧力や摩擦などの物理的刺激の回避，オキサリプラチン：冷感刺激の回避，ベバシズマブ：出血傾向に注意・血圧定時測定など）を説明した。

【介入1】3コース目のday1，Grade1の手指の亀裂あり。カペシタビンによる手足症候群の可能性を考え，適正使用ガイドを参考にベタメタゾン吉草酸エステル軟膏の使用について指導した。day8の電話フォローアップにて，指導したスキンケアにより手指の亀裂は改善したことを確認した。新たに足裏の過角化について聴取し，TRにて医師に保湿薬を処方提案した。4コース目のday 1にヘパリン類似物質クリームが処方となった。TRを確認した病院薬剤師が，院内でも保湿薬とステロイド軟膏によるスキンケアについて再度指導したことを治療手帳で確認した。

【介入2】5コース目のday8にGrade3の高血圧であることを聴取した。併用薬としてアジルサルタン40mg，1回1錠，1日1回を服用中であったが，ベバシズマブによる血圧上昇を懸念し主治医へ報告したところ，かかりつけ医との連携がなされて，アムロジピン錠2.5mg，1回1錠，1日1回が，かかりつけ医より追加処方された。患者には引き続き家庭血圧測定を促し，連日，収縮期血圧140mmHg，拡張期血圧90mmHgを超える場合には，早めにかかりつけ医に相談するように指導した。その後，血圧は良好にコントロールされ（Grade1），現在も治療を継続中である。

　手足症候群は予防とセルフケアが重要である。本事例は，病院と保険薬局の薬薬連携により手足症候群が悪化せず治療継続された事例である。この事例のように，副作用の早期発見や患者自身のセルフケア能力の向上が，患者の治療継続，精神的・身体的苦痛の軽減につながる。また，他病院から処方されている併用薬についての情報提供も有用である。
　ベバシズマブ投与中は，定期的に血圧のモニタリングを行い，血圧は140/90mmHg以下になるように薬剤師による介入を行う。この事例のように，高血圧治療薬をかかりつけ医で処方されている場合もあるため，他病院の情報についても医療機関へ報告する必要がある。

❹ 専門医療機関連携薬局（がん）として

　専門医療機関連携薬局（がん）は，専門的な薬学的管理が必要ながん患者に対して，がん診療連携拠点病院などとの密な連携を行いつつ，より高度な薬学管理や高い専門性が求められる特殊な調剤に対応できること，ほかの薬局に対する抗がん薬などの医薬品の提供，がんの薬物療法に係る専門性の高い情報発信や高度な薬学管理を行うために必要な研修などの実施をすることが求められている。
　がん治療は日々変化，進化している。最新情報をアップデートして，専門薬剤師を中心にがん患者の薬物療法を適切にサポートしていくことが重要である。また，専門的な薬学管理が対応可能となるよう，ほかの薬局の業務を支えるような取り組みも期待されているため，患者がどの薬局を利用しても安心で安全ながん薬物療法のサポートが受けられるよう地域の薬局と情報共有するなど連携推進し，外来がん化学療法の質向上に貢献することが求められる。

【参考文献】
1) 医薬品,医療機器等の品質,有効性及び安全性の確保等に関する法律
2) 厚生労働省保険局医療課:令和2年度診療報酬改定の概要(調剤),2020(https://www.mhlw.go.jp/content/12400000/000608537.pdf)(2022年6月閲覧)
3) 東北大学病院薬剤部ホームページ(http://www.pharm.hosp.tohoku.ac.jp/)(2022年6月閲覧)
4) 齋木啓子:医師が読みたいトレーシングレポート.調剤と情報,25(11):1658-1661, 2019
5) 中外製薬株式会社:手足症候群アトラス ゼローダ投与のマネジメント〈第4版〉(https://chugai-pharm.jp/content/dam/chugai/contents/material/zg/025/doc/aj_12191500.pdf)(2022年6月閲覧)
6) 濱 敏弘 監,青山 剛 編 他:がん化学療法レジメン管理マニュアル 第3版,医学書院,2019

(尾形 晶子)

4-4 薬薬連携に対する病院の取り組み

1 概要

新規治療の開発や支持療法の進歩により，多くのがん薬物療法が外来で治療可能となったことに加え，医薬分業が普及し，がん薬物療法における抗がん薬や支持療法薬が院外処方となっており，薬薬連携の重要性は増している。近年提唱されている「プロトコルに基づく薬物治療管理」（PBPM）は，医療機関と保険薬局の連携にも効果的な枠組みであり，厚生労働行政推進調査事業費の研究班（以下，厚労研究班）において，プロトコルに基づき医療機関と保険薬局が連携した経口抗がん薬管理の有用性が報告されている[1]。

PBPMの導入と地域薬剤師会との協力によって，連携体制を構築した例を紹介する。

2 外来化学療法トレーシングレポート活用プロトコル

栃木県立がんセンター（以下，当院）では，2018年からPBPMを導入している。現在6つのプロトコルを運用しているが，薬薬連携に関して，2019年から外来化学療法トレーシングレポート活用プロトコルの運用を開始した。

本プロトコルでは，対象の経口抗がん薬について医師から服薬指導依頼のあった患者に対して，病院薬剤師がお薬手帳に治療内容を記載しており（図1），保険薬局と連携している。本稿では，その連携事例などについて紹介する。保険薬局薬剤師は，同意を得られた患者に副作用確認の手引きを用いてテレフォンフォローアップを実施し，病院へトレーシングレポートを送信する。至急対応を要する場合は，電話連絡もあわせて行う。病院薬剤師は，トレーシングレポートの内容を確認，カルテに記録し，カルテのメッセージ機能を用いて医師へ報告する。この際，医師へ即座に報告すべきか，次回の診察前に面談を実施する必要があるか内容を評価し，必要に応じてトレーシングレポートを返信する。また，診察前面談の結果，処方提案がある場合は処方を仮登録し，医師へ伝達する。

したがって，本プロトコルでは，保険薬局薬剤師が副作用確認の手引きに従って評価・指導するとともに，病院薬剤師がアセスメントをして対応・処方仮登録する，という点について，医師と合意している。

3 栃木県薬剤師会との共同プロトコル作成

外来化学療法トレーシングレポート活用プロトコル開始に先立ち，県内の外来経口抗がん薬治療の均てん化を目指し，保険薬局を限定せず患者のかかりつけ薬局で同様の対応ができるよう，栃木

図2　望星薬局

【薬局の概要】
望星薬局は昭和50年10月に神奈川県伊勢原市で開局した保険調剤薬局です。大学病院の専門的で高度な処方箋を応需し，多くの患者に対応することから創業当時からコンピュータを導入して薬剤師の対人業務に力を入れてきました。1日平均600〜800名の患者が利用し，がん患者との関わりも多いため，近隣の医療提供施設と密な連携を行い，高度な薬学管理に寄与してきました。令和3年11月には専門医療機関連携薬局の認定を取得しています。

療の質の向上のため，「医療提供施設相互間の業務連携の推進」という役割の担い手となり，病院と薬局がともに連携への取り組みを進めていく必要がある。

筆者の所属している望星薬局では（図2），2014年から抗がん薬服用患者に対し電話によるフォローアップを行ってきた。開始当初は情報共有を目的とした病院と薬局間でのフィードバックは行っていなかった。その後，取り組みを見直し，現在は病院看護師や病院薬剤師と連携をとり，フォローアップした内容をトレーシングレポートにてフィードバックしている。

この取り組みを行うにあたり，病院との協議や薬局における準備について以下に示す。

1-1　連携を始めるための準備（図3）

1）対象とする疾患やレジメンを協議・共有する

薬局へ来局する全患者を対象とするのは現実的ではない。がん治療を行っている患者だけを対象としても，その背景はさまざまであり，起こりうる有害事象も多岐に渡る。また，フォローアップを実施する薬局薬剤師に十分な理解や知識がない状態も避けたい。そのため，あらかじめ病院と薬局の双方で連携対象となるがん種やレジメンなどを決め，対象とする患者背景を限定的にしておくことで連携をスムーズに行うことができる。

連携開始後，取り組みの流れや共有する情報などのブラッシュアップを繰り返し行う過程で，連携の質を保ちつつ，対象患者やレジメンの拡大，追加に努めていく。

2）病院と患者のニーズに応える取り組みを協議する

患者の薬剤使用期間中における介入を目的とした薬薬連携では，介入する間隔や介入する期間が取り組みのアウトカムを左右する要因となる。例えば，介入する間隔が短い場合，患者から聞き取った情報は随時更新されるため共有する情報量も多く，有害事象発現時には早期対応が可能となる。しかし，フォローアップは患者本人に直接確認を行うことが多いため，患者負担の増加が懸念され

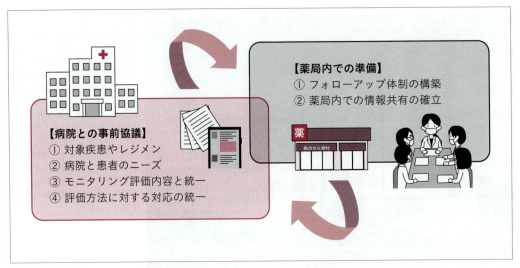

図3　連携を始めるための準備例

る。一方で，介入する間隔が長い場合は，有害事象発現のピークから時間が経過している場合があり，有害事象に気づくタイミングを逸してしまう可能性がある。

患者への介入間隔や回数，継続期間について目安は，病院とも協議を行い，それをもとに患者個別のニーズに合わせて総合的に判断し，実施する必要がある。

3) フォローアップ内容と評価方法

病院との取り組みでは，フォローアップの内容と評価基準は統一しておく。電話によるフォローアップを行う際に，患者に対して手当たり次第に聞き取り，情報をそのままフィードバックするのでは薬剤師の専門性が発揮されていない。患者の服薬状況や使用薬剤から想定される有害事象などを，あらかじめ病院と申し合わせした項目を聞き取り，評価を行う。評価は対応した薬剤師の主観だけにならないように，有害事象であれば評価基準としてCTCAE，痛みであればNRSなどを用いるとよい。

4) 評価に応じた対応の統一

フォローアップにより得られた有害事象は評価して終わるのではなく，評価に応じた対応もあらかじめ病院と薬局間で共有しておく。例えば，CTCAE評価でGrade1の場合は経過観察，Grade2では受診勧奨，Grade3では即時に医師へ報告するなど，薬局薬剤師の対応を決めておくことで，評価時点での対応を適切にとることができる。

1-2　薬局内における準備（図3）

1) 薬局内のフォローアップ体制の構築

複数名の薬剤師が在籍している薬局では，病院との取り組みを始める前に，フォローアップを行う目的や必要性を共有しておく必要がある。これは，新薬の登場や支持療法の発展により継続的な

フォローアップを必要とする患者が増え，1人の薬剤師だけですべての患者をフォローしていくことが難しくなってきているためである。担当薬剤師不在などにより確認できないケースをなくしていくためにも，複数名の薬剤師でフォローアップできる体制づくりを行う。

2）薬局内での情報共有体制の構築

対象とする患者の来局予定日やこれまでの薬物療法の経緯については薬局内でも情報の共有を行う。さまざまな療養背景をもつ患者を継続的にフォローアップし状態を確認していくためには，薬局内における対象患者の情報共有は必須である。

1-3　自施設の取り組みを地域包括的取り組みへ

1）提供情報の統一を図る

患者を中心に，病院と薬局による連携を継続していくなかで，医師や薬剤師など，多くの医療従事者と関わりをもつことになる。そのため，医療従事者から患者へ提供される情報や指導内容と薬局薬剤師が提供する情報に違いが生じると，患者当人を困惑・不安にさせかねない。

指導内容の一貫性を目的に，病院と薬局で使用する指導用資材は共通化を図る。また，地域の薬剤師会や専門医療機関連携薬局が使用する資材などの情報を発信することで，地域包括的に指導内容の均てん化につながる。

2）情報の共有化による継続した薬学的管理の実践

フォローアップを行った結果，把握した情報をフィードバックし，病院と共有する手段としては，電話やトレーシングレポート以外にもメールやSNSなどのICTの活用が挙げられる。これらのなかでトレーシングレポートについては，各医療提供施設が独自で作成し，Web上に公開しているケースもある。フィードバックする内容としては，薬剤使用期間にある患者の情報で病院が知りたい情報について漏れがないように聞き取りを行うが，病院と薬局で統一した様式のトレーシングレポートを用いてフォローアップをすることで共通した視点で連携を進めることもできる。

また，フォローアップの実施を試みて介入できなかったケースや十分に情報を聞き出すことができないケースもあるが，その実情をフィードバックすることも大切である。次の受診までの期間における患者状態の把握のためには，継続した薬学的管理が必要となる。

❷ 当薬局における取り組みの流れ

2-1　初回指導における患者説明

病院から提供されたレジメンがある患者，またはフォローアップを行う対象薬剤が処方されている患者に対しては，「病院と連携して薬剤使用期間中に電話でのフォローアップを行っている」ということを説明している。自宅や個人の携帯電話に医療従事者から電話がかかってくることに対する不安を除くためにも，その意義を説明し，理解してもらえるよう努めている。また，令和2年度の調剤報酬において，服薬情報等提供料や特定薬剤管理指導加算2の算定対象となることから，次

回会計時の支払金額が少し高くなることについても説明し，理解を得ている．

2-2　フォローアップの実施とトレーシングレポートによるフィードバック

1）フォローアップ実施までの注意点
- レジメンにより来局する日数は患者ごとに異なるためフォローアップを実施するタイミングに決まりは設けていない．患者の日常生活への影響も考慮したうえで，次回診察までの中間日を目安として日程は決めるようにしている．電話をかける時間帯については，患者にいくつかの候補を提示し，選択してもらうことで，患者自身が対応可能な時間帯を把握することができる．
- 薬局内での周知方法は，カレンダーなどを利用して，フォローアップの予定を周知している．

2）フォローアップを実施する際の注意点
- 有害事象の聞き取りだけにならないように注意しており，頓服薬の使用状況などからQOL低下は起きていないか？　食事の回数や内容，睡眠時間などからADLに変化がないか？　などの確認にも努めている（表1）．

表1　服用状況とADL変化について報告した症例

患者情報	70歳代男性，170cm，63.0kg，大腸がん
治療	IRIS＋Bev療法（S-1＋イリノテカン＋ベバシズマブ）
1コース　day1	〈患者状態〉 ・病院から渡されたレジメン情報の提出があり，来局当日からのIRIS＋Bev療法開始を確認．約1.5時間程度の点滴時間があるため，本人を院内へ残し，薬剤の受け取りは家族が来局． 〈対応〉 ・S-1とアプレピタントの内服の必要性やS-1による消化器症状，L-OHPによる下痢やBevによる血圧上昇などについて説明．医師からも血圧については注意があり，自宅での血圧測定を開始するように指示があったことを確認． ・電話によるフォローアップについて説明し，患者家族の了承を得る．
1コース　day8	〈患者状態〉 ・口腔粘膜炎，手足症候群，高血圧，倦怠感，流涙に関してはGrade1相当と評価． ・自宅での血圧測定を開始していることを確認し，数値も正常血圧内．処方されていた制吐薬であるアプレピタントを嘔気のイベントがないことから，自己判断にて2日分のうち1日分を服用していない事が発覚． 〈対応〉 ・アプレピタントに関しては，嘔気の有無にかかわらず服用するように指導し，トレーシングレポートにて病院へフィードバック．
2コース　day1	〈患者状態〉 ・自宅での定期的な血圧測定を続け，変動は大きくない． ・嘔気は強く感じておらず，アプレピタントからプロクロルペラジンの頓用処方へと切替となった． 〈対応〉 ・院内でもアプレピタントの服用がなかったことを確認し，使用レジメンが中等度催吐性リスク[3]であることからも，アプレピタントの使用が必須ではないことやコンプライアンスも考慮に入れた切替であることを理解した．
2コース　day2以降	〈患者状態〉 ・悪心・嘔吐に関する訴えなく治療を継続することができている．

表2 日常生活における注意を促した症例

患者情報	60歳代女性，154cm，59.0kg，乳がん
治療	EC療法（エピルビシン＋シクロホスファミド）
1コース day1	〈患者状態〉 ・来局当日からEC療法開始。 〈対応〉 ・高度催吐性リスクレジメン[3]であることから制吐薬の使用方法について指導と確認。
1コース day4	〈患者状態〉 ・便秘症状があり，ピコスルファートナトリウムの追加処方あり。 　患者より「主人との晩酌に付き合いたい。ノンアルコールビールなら飲んでも良いか？」と質問あり。 〈対応〉 ・その場での質問への回答は保留とし，電話によるフォローアップ時に回答することを説明。 ・電話によるフォローアップの実施と特定薬剤管理指導加算2の算定について説明し，患者も了承。
1コース day8	〈患者状態〉 ・ヨーグルトを食べ始めて改善し，便秘はGrade0。 ・悪心はGrade1 〈対応〉 ・ノンアルコールビールのうち，尿酸値を下げる目的でアンセリンが含有されている製品がある。この成分には腫瘍細胞内へのドキソルビシンの流入を増加させた報告[4]があることを説明し，ドキソルビシンの光学異性体であるエピルビシンを使用していることから，推奨として一部製品は控えるように説明した。
2コース day1	〈患者状態〉 ・便秘はGrade0 ・ノンアルコールビール飲料は気分的に摂取していない。 〈対応〉 ・避けるべき一部製品を覚えていることを確認し，意識的に避けることができていると判断。
2コース day2以降	〈患者状態〉 ・EC療法の完遂を確認。weeklyPTX治療への切替を聞き取り。 〈その後〉 ・治療切替後は院外処方がなくなったため来局頻度が減ったが，治療などへの不安がある際には患者からも電話相談がくるようになり，来局がない期間においても継続的に患者状態を把握することができている。

・薬剤使用期間中，特に自宅にいるからこそ気になるような日常における不安なども聞き取るよう努めている（表2）。

3）フォローアップ後の注意点

・把握した情報を次回診察に反映させてもらうため，フォローアップ実施後は早期にトレーシングレポートによるフィードバックを行うようにしている。
・薬局薬剤師から特に伝えたい提案内容には，下線や蛍光ペンなどを使用し強調してトレーシングレポートを作成することで，処方医などが視認しやすい工夫を行っている。
・フォローアップやトレーシングレポートの内容は薬歴にも記載し，実際にフィードバックに用いたトレーシングレポートはコピーでもよいので薬局内に保管し，情報共有を行っている。

2-3 次回来局時における注意事項

次回来局時には前回の指導内容，フォローアップ内容，処方医などへの提案内容を確認し，継続的な薬学的管理の実施に活かしている．

③ 問題点や課題への対応

実際に連携を進めるうちに浮き彫りとなる問題や課題もある（表3）．
一つひとつ連絡を取り合い，問題や課題を早期に解決することで理想的な形に近づく．もし，連携先の病院が連携充実加算の算定要件を満たしている医療提供施設ならば，「当該保険医療機関において外来化学療法に関わる職員及び地域の保険薬局に勤務する薬剤師等を対象とした研修会等を年1回以上実施すること．」という要件がある．この研修会は，病院内における連携体制を知る機会であり，取り組みを見直す機会にもなりうる．こういった繰り返しは病院と薬局が連携した取り組みをよりブラッシュアップさせ，多くの患者に質の高い医療として還元されることになる．

表3　問題点や課題

- 頓用の使い分けや使用タイミングへの認識の違い
- 薬局薬剤師が提案する処方追加内容のばらつき
- レジメンの提出を忘れてしまったときの対応
- 食事量などの患者主観による変化のGrade評価の妥当性
- トレーシングレポートに対する反応がない場合の薬局薬剤師の不安

④ まとめ

患者を中心とした包括的ケアでは多くの専門職が携わり，質の高い医療を提供するためにそれぞれが職能を発揮する必要がある．多職種連携を推進するために，医療提供施設である病院と薬局の連携は必須である．
これまでのような取り組みが多くの医療圏に広がっていくことを強く願う．

【参考文献】
1) 厚生労働省：患者のための薬局ビジョン～「門前」から「かかりつけ」，そして「地域」へ～．2015（https://www.mhlw.go.jp/file/04-Houdouhappyou-11121000-Iyakushokuhinkyoku-Soumuka/vision_1.pdf）（2022年6月閲覧）
2) 厚生労働省：がん対策推進基本計画（第3期）．2018（https://www.mhlw.go.jp/file/06-Seisakujouhou-10900000-Kenkoukyoku/0000196975.pdf）（2022年6月閲覧）
3) 日本癌治療学会：制吐薬適正使用ガイドライン2015年10月第2版一部改訂版（ver.2.2）．2018（http://jsco-cpg.jp/item/29/index.html）（2022年6月閲覧）
4) Sadzuka Y et al：Anserine induced advantage effects on the antitumor activity of doxorubicin. Food Chem Toxicol, 45(6):985-989, 2007

（久田　健登）

5-1 AYA世代，小児患者への介入

1 概要

　本稿では，患者介入のなかでも特に小児，思春期若年成人（Adolescents and Young Adults：AYA）世代患者への介入のポイントについてまとめる。AYA世代の年齢定義は学会や団体によって異なり，一定ではない（表1）。そのため，AYA世代に関する文献を調査する場合には，定義に注意する必要がある。なお，本稿におけるAYA世代の定義は，わが国のがん統計[1]にあわせ15〜39歳とする。

　小児期では，臓器の成熟だけでなく精神面の発達，体の発達もダイナミックである。一方，AYA世代は，臓器の成熟や体の発達はある程度進んでいるものの精神的には発達段階[2]であるTeenager，学校を卒業し，就職，結婚，出産……とライフステージが大きく変化する20代，30代を含む。そのため，患者のニーズもさまざまであることが報告[3]されている（表2）。さらに世代により罹患率の高い疾患も異なる（表3）。

表1　各団体によるAYA世代の定義

学会等	定義
SEER（アメリカ）[4]	15〜29歳
Canteen（オーストラリア）[5]	12〜25歳
Teenage Cancer trust（イギリス）[6]	13〜24歳
EUROCARE（欧州）[7]	15〜24歳

SEER：Surveillance, Epidemiology, and End Results

2 小児患者への介入

2-1 服薬指導前の注意

　小児患者への介入で重要なポイントは，児の年齢である。一言で小児といっても，新生児，乳児，幼児，学童期と非常に幅広く，段階ごとに介入方法を検討する必要があり，画一的な介入が難しいことは念頭に置く必要がある。小児患者に関わる場合には，児の年齢，成長発達についての情報は重要である。また，低年齢になればなるほど月齢も重要である。

　また，小児患者では成人と異なり，保護者の希望により児に「がん」であることを伝えていない場合も少なくない。小児患者へのがん告知の割合については約53％という報告[8]もある。また，

表2 治療中のAYA世代の悩み

	全体（n=132）		15〜19歳（n=5）		20〜24歳（n=15）		25〜29歳（n=24）		30〜39歳（n=88）	
1位	今後の自分，将来のこと	57.6%	今後の自分，将来のこと	80.0%	今後の自分，将来のこと	80.0%	不妊治療や生殖機能に関する問題	54.2%	今後の自分，将来のこと	53.4%
2位	不妊治療や生殖機能に関する問題	45.5%	後遺症・合併症のこと	80.0%	後遺症・合併症のこと	53.3%	今後の自分，将来のこと	54.2%	仕事のこと	43.2%
3位	仕事のこと	40.9%	学業のこと	60.0%	不妊治療や生殖機能に関する問題	46.7%	後遺症・合併症のこと	50.0%	不妊治療や生殖機能に関する問題	42.0%
4位	後遺症・合併症のこと	34.8%	不妊治療や生殖機能に関する問題	60.0%	仕事のこと	40.0%	がんの遺伝の可能性について	45.8%	体力の維持，または運動すること	31.8%
5位	体力の維持，または運動すること	29.5%	仕事のこと	40.0%	結婚のこと	40.0%	仕事のこと	33.3%	後遺症・合併症のこと	25.0%

〔厚生労働科学研究費補助金（がん対策推進総合研究事業）：思春期・若年成人（AYA）世代がん患者の包括的ケア提供体制の構築に関する研究〕

表3 罹患率が高いがん種順位（全がんに占める割合）

	1位	2位	3位	4位	5位
0〜14歳	白血病	脳腫瘍	リンパ腫	胚細胞腫瘍・性腺腫瘍	神経芽腫
15〜19歳	白血病	胚細胞腫瘍・性腺腫瘍	リンパ腫	脳腫瘍	骨腫瘍
20〜29歳	胚細胞腫瘍・性腺腫瘍	甲状腺がん	白血病	リンパ腫	子宮頸がん
30〜39歳	女性乳がん	子宮頸がん	胚細胞腫瘍・性腺腫瘍	甲状腺がん	大腸がん

〔国立がん研究センター：がん情報サービス，「がん統計」（全国がん罹患モニタリング集計（MCIJ））〕

同報告内では，当事者である患児に告知した場合に正確な病名が伝えられている割合について，造血器腫瘍，脳腫瘍を除く固形腫瘍でそれぞれ約70%，約63%と報告されているが，脳腫瘍では約32%と低い。さらに，告知をされていたとしても直接的な病名でなく「悪いできもの」，「血液の病気」などの別の言葉に置き換えて伝えている場合が多いことも報告[8]されている。

服薬指導にあたっては，患児にどこまで告知されているか，どのように告知されているかを正確に把握することが大切である。

2-2 介入のポイント

概要内で紹介したように，小児患者では血液疾患が多いため，治療薬である6-メルカプトプリンやニューモシスチス肺炎予防のスルファメトキサゾール・トリメトプリム配合薬が定期的な内服

薬として残ることが多い。また，治療によっては週1回のメトトレキサート服薬など，自宅で服薬が必要となることもあり，保護者に服薬しやすい・させやすい曜日やタイミングなどもあわせて確認する必要がある。さらに，服薬を忘れた場合の対応などもあわせて確認しておく必要がある。

　未就学児，学童期の児の服薬管理や治療管理は保護者が中心である。そのため，保護者の病識や理解が児の服薬アドヒアランスに影響する可能性も報告されている[9]。特に未就学児，就学児は血液疾患が多いため，維持療法になると自宅療養が多くなり，医療者よりも家族によるサポートが大きくなる。

　子ども，特に乳幼児に介入する場合に重要なことは，子どもの生活リズムを知ることである。成人の服薬指導と同様の説明をしようとすると，保護者は混乱してしまう可能性があるので留意する必要がある。例えば服用タイミングについて，「毎食後／前」や「眠前」などの説明をすると，いつ服薬させればよいのかわからなくなる可能性がある。未就学児の場合は，図に示したように睡眠時間も成人と大きく異なり，乳児では授乳回数も頻回であるため，成人と食事時間も異なることに留意する必要がある。乳幼児においては，食前・食後よりも服薬時間を決めることで，定期的な服薬ができるように支援する必要がある。

　また，児のライフスタイルだけでなく，保護者の仕事や兄弟構成を考慮した服薬タイミングを検討することも重要である。服薬困難や服薬拒否がある児に対しては，薬を服薬補助ゼリーやアイスクリーム等に混ぜるなどのマスキングを検討することもあるが，長期服薬管理が必要になることを鑑みると，入院治療時にできるだけ，複雑な服薬方法ではなくそのまま薬を内服できる，もしくは単シロップに混ぜるだけで服薬できる程度まで単純化できるよう支援していくことも大切である。

　また，小児科を有する病院では，採用医薬品を決定する際に味や規格を考慮して選択することも大切である。特に規格は，同じ薬剤であっても高濃度医薬品を選択することでかさを減らすことができ，服薬のしやすさが変化することもある。

　また，抗がん薬治療時のおむつの処理に関して保護者が心配する場合もある。「小児がん看護ケアガイドライン2018」[10]では，おむつなどの排泄物を処理する際には家族にもできるだけ個人防

年齢		睡眠時間	睡眠パターンの特徴	
新生児期	0カ月	16-20		短時間の睡眠・覚醒
	3カ月	14-15		昼夜の区別の出現
乳児期	6カ月	13-14		7-8割の夜間睡眠
乳幼児期	1歳	12		1-3時間の昼寝
幼児期	3歳	11-12		昼寝の減少
学童期	6歳	10-11		
思春期	12歳	7-8		睡眠相後退
	18歳			

（厚生労働科学研究費補助金　未就学児の睡眠・情報通信機器使用研究班　編：未就学児の睡眠指針，2018）

図　年齢ごとの睡眠の特徴

護具やそれに準じる対策を勧めている。しかし，おむつ交換の頻度が高いために毎回個人防護具が使用できる状況にない場合や，曝露対策を伝えることにより保護者を過剰に心配させる可能性もあるため，保護者の置かれている状況などを考慮し実現可能性の高い指導をする必要がある。

特に学童期の児では，化学療法による脱毛などの外見変化により「学校生活に戻る際にからかわれるのではないか？」と悩む場合もある。学校生活に戻る前に，あらかじめ看護師，チャイルド・ライフ・スペシャリスト，心理士，メディカルソーシャルワーカー，学校の先生など児に関わる多職種で協力して解決できるように準備をする必要がある。学校や友人に対し，どのように自分の病気や治療による副作用について伝えるかを一緒に考え，児の社会生活を支援することも大切である。

③ AYA世代患者への介入

AYA世代とひと言にいっても，その幅は非常に広いため，15〜19歳をA世代，20歳以降をYA世代と分けることがある[11]。思春期であるA世代と若年成人であるYA世代ではその介入方法は異なり，罹患しやすい疾患も異なる。A世代のがん患者では，小児と異なり，体の成長・発達はほぼ成人同様となっていることが多いが，精神的には未熟な部分がある。一方でYA世代は，体の成長発達や精神的な成熟度が進み，保護者に守られていた生活から社会に出て自立し始める年齢となる。年齢によっては進学，就職，結婚，出産などのライフイベントも発生する可能性もある。

A世代では，保護者中心の服薬管理から本人主体の服薬管理に変化する。そのため，患児になぜ服薬が必要であるかを理解してもらう必要がある。白血病治療に関して，維持療法移行後に服薬アドヒアランスが低下したことが報告されている。一般に白血病治療は，維持療法までは入院療養中心であるが，維持療法に移行すると自宅療養中心となる。特に，12歳未満より12歳以上で服薬アドヒアランスが低下しやすかったという報告[12]もあり注意が必要である。アドヒアランス低下は，治療強度の低下を引き起こし，再発リスクを直接的に上昇させることも報告[9,12]されている。また，感染症の予防のための抗菌薬投与などは，アドヒアランスの低下により重症感染症を引き起こす可能性もあるため，患児への服薬確認は重要である。

また，小児〜A世代の社会との接点は学校であることが多い。闘病に伴い，友人たちとの交流や共通の思い出が減ることで，社会との接点が断絶されたと思う児もいる。エリクソンのライフサイクル論によれば，A世代は仲間と過ごす時間や進学や就職を通してアイデンティティを形成していく時期でもある[2]。がん治療も重要であることはいうまでもないが，卒業式や受験・成人式は，児や保護者にとっての重要なライフイベントであることを医療者が認識することも大切である。治療を優先させるだけでなく，児の同世代との交流や思い出をつくるために，治療に大きな影響がない範囲で児やその家族のライフイベントを大切にする必要がある。

成長発達段階であったA世代から，YA世代では家庭や社会活動が中心となる。そのため，就労，結婚，子育て，介護などの多様な悩みが出てくる時期である。さらにこの世代は，社会的な支援に乏しく経済的に困窮することも少なくない。自分のことを中心に考える小児〜A世代から，自分以外の家族，社会が人生のウェイトのより多くの部分を占めるYA世代では，会社，パートナー，子どもへの病気の伝え方に悩むこともあるため，多職種による医療連携を通じてタイミングよく必要な情報を提供できるように調整することが重要である。

長期フォローアップ

　小児がんおよびAYA世代のがんの治療成績は飛躍的に向上している。がん治療を終えた患者たちでは，同世代と比較して，疾患そのものによる侵襲や各種治療による直接的，間接的な合併症である晩期合併症の影響があることから，その継続的な健康管理が必要である。小児がん経験者の晩期合併症の発生率は，治療後年数が経過するにつれ増加し，なにかしらの治療を必要とする重症以上の合併症が，治療後25年時点で約3割に出現するという報告[13]もある。最近ではAYA世代の長期フォローに関するデータも出てきており，小児同様，AYA世代でがんに罹患した患者においても，治療後，経時的に慢性疾患への罹患率が上昇し，がん罹患経験のない同世代と比較して高い傾向が報告[14]されている。

　小児がんでは，罹患後10数年が経過すると，慢性疾患などを診てもらう医療機関が小児科ではなく専門診療科となる。しかし，がん治療を行った児の年齢が低年齢であればあるほど過去の自身の治療について知らないケースがまだ多いのが現状である。小児科では，がん治療後のフォローアップを，がん治療を行った施設で成人になるまで定期的に実施していることが多い。晩期合併症の発生リスクは疾患，がんへの罹患年齢，治療内容によって異なり，個別性が高いため，児の成長の過程で年齢相応の疾患への理解を促し，ヘルスリテラシーの獲得を目指す必要がある。児が積極的に自分の健康に関わることで，成人期以降，ライフイベントに応じた必要な情報を適切なタイミングで受け取ることができる可能性が高くなる。日本小児がんグループは，治療サマリーやフォローアップ手帳のひな形を公開[15]しており，このようなツールを活用することも重要である。また，小児科で治療した患者が成人対象の診療科に移行した際にも，その診療科が晩期合併症について理解していないなどの問題もある。成人となった小児がん患者が治療サマリーを医療者に提供してきた場合に，どのようなことに注意が必要なのかを治療サマリーから検討し，適切な検査を進めるための支援も行えるようにする必要がある。成人対象の診療科で治療を受けているYA世代では，未だに長期フォローアップの概念が浸透していない現状がある。YA世代のヘルスリテラシーの獲得やそのフォローアップ体制のあり方については，今後も検討を進める必要がある。

　年齢にかかわらず，がん治療中，治療後の悩みは変化するものである。しかし，特に小児，AYA世代におけるがん治療中，治療後の悩みは大きく変化し，かつその悩みは多様である。画一的な介入でなく個々のニーズにあわせて最適なタイミングで必要な情報が手に入るような環境や体制づくりが望まれている。

【参考文献】
1) 国立がん研究センター　がん統計：小児・AYA世代のがん罹患（https://ganjoho.jp/reg_stat/statistics/stat/child_aya.html）（2022年6月閲覧）
2) Teicher MH et al：The neurobiological consequences of early stress and childhood maltreatment. Neurosci Biobehav Re, 27(1-2):33-44, 2003
3) 平成28年度厚生労働科学研究補助金（がん対策推進総合研究事業）「総合的な思春期・若年成人（AYA）世代のがん対策のあり方に関する研究」報告書（http://www.j-sfp.org/aya/results/results.html）（2022年6月閲覧）
4) Bleyer A et al：Cancer Epidemiology in Older Adolescents and Young Adults 15 to 29 Years of Age, Including SEER Incidence and Survival: 1975-2000. NIH Publication No. 06-5767, 2006
5) Canteen Australia（https://www.canteen.org.au/）（2022年6月閲覧）
6) Birch JM et al：Survival from cancer in teenagers and young adults in England, 1979-2003. Br J Cancer,

99(5):830-835, 2008
7) Gatta G et al：Survival of European children and young adults with cancer diagnosed 1995-2002. Eur J Cancer, 45(6):992-1005, 2009
8) 国立がん研究センター 厚生労働省委託事業：小児患者体験調査報告書 令和元年度調査. 2021（https://www.ncc.go.jp/jp/cis/divisions/health_s/project/pediatric/ped-all.pdf）（2022年6月閲覧）
9) Bhatia S et al：Nonadherence to oral mercaptopurine and risk of relapse in Hispanic and non-Hispanic white children with acute lymphoblastic leukemia: a report from the children's oncology group. J Clin Oncol, 30(17):2094-2101, 2012
10) 特定非営利活動法人 日本小児がん看護学会：小児がん看護ケアガイドライン2018（http://jspon.sakura.ne.jp/doc/guideline/Pediatric_Oncology_Nursing_Care_Guidelines_2018.pdf）（2022年6月閲覧）
11) 国立がん研究センター　がん情報サービス：AYA世代のがんについて〜15歳から30歳代でがんと診断された人へ〜（https://ganjoho.jp/public/knowledge/about_aya.html，2022年6月閲覧）
12) Marin D et al：Adherence is the critical factor for achieving molecular responses in patients with chronic myeloid leukemia who achieve complete cytogenetic responses on imatinib. J Clin Oncol, 28(14):2381-2388, 2010
13) Oeffinger KC et al：Chronic health conditions in adult survivors of childhood cancer. N Engl J Med, 355(15):1572-1582, 2006
14) Chao C et al：Chronic Comorbidities Among Survivors of Adolescent and Young Adult Cancer. J Clin Oncol, 38(27):3161-3174, 2020
15) 特定非営利活動法人 日本小児がん研究グループ：長期フォローアップについて（http://jccg.jp/about/clinicalresearch_list/tyouki-fu/）（2022年6月閲覧）

（文　靖子）

5-2 妊孕性への影響

I 概要

妊孕性とは，医学的には「妊娠する能力」および「生殖能力」のことを示す．

妊孕性を構成する要素はいくつかあり，女性の場合は子宮や卵巣が代表的な要素である．特に，卵巣内に存在する原始卵胞は，出生前にその数がピークに達し，出生後より減少する．そして，閉経時には1,000個以下程度となることが知られている．一方男性では，精巣機能により妊孕性が規定され，その変動要因としては精子形成能やアンドロゲン産生能が重要であることが知られている．さらに，勃起機能や射精機能も妊孕性の構成要素といえる．

男女にかかわらず，加齢による妊孕性の低下は知られている（図1）が，一部の抗悪性腫瘍薬を使用することで妊孕性がさらに低下することが知られている．特に女性では，抗悪性腫瘍薬によって卵巣機能が障害された結果，稀発月経や無月経となることも報告[1~4]されており，これを化学療法誘発性無月経という．また，特に卵巣毒性の高いことが知られるアルキル化薬や白金製剤は卵子数を減少させることが知られており，総投与量の増加に伴い，永続的な妊孕性の喪失の可能性が高くなる[4]．男性でもアルキル化薬により精原細胞数が減少し，総投与量が増加するに伴い長期の造精機能障害を生じる[3]．男女ともに関連するものとして，視床下部や下垂体を含む頭部への放射線

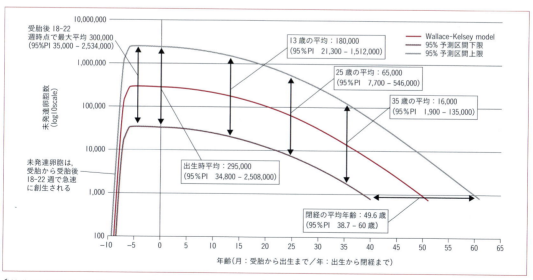

〔Wallace WH et al：Human ovarian reserve from conception to the menopause. PLoS One, 5(1):e8772, 2010をもとに作成〕

図1　加齢による卵巣予備能の低下[5]

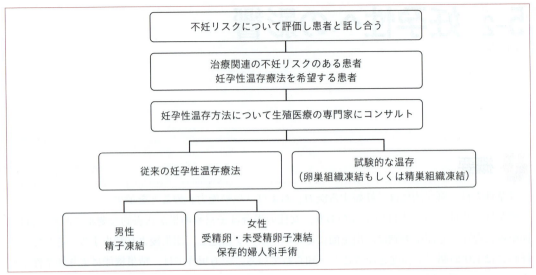

〔Loren AW et al: Fertility preservation for patients with cancer: American Society of Clinical Oncology clinical practice guideline update. J Clin Oncol, 31(19):2500-2510, 2013をもとに作成〕

図2　がん患者に対する妊孕性温存の評価と相談フロー

照射ではホルモン産生能を低下させることが知られており、排卵障害や造精機能障害などを引き起こす。つまり、直接的な卵巣や精巣への影響だけでなく、ホルモン産生に影響するような治療でも妊孕性低下を引き起こす可能性があることに留意する必要がある。

2006年、ノースウエスタン大学のWoodruffが、腫瘍学（oncology）と生殖医療（fertility）を結びつける「がん・生殖医療（oncofertility, オンコファティリティ）」という新しい用語を定義した[6]。がん・生殖医療は、「がん医療」と「生殖医療」という今まで連携が難しかった分野への橋渡しを目的とした、新しい医学分野である。

がん患者では、がん治療以外の理由で不妊治療を行う患者と比較し、多くの場合は短いタイムラインで意思決定をしていく必要がある。がん治療のスケジュールを立てるがん治療医と、不妊治療のスケジュールを立てる生殖医療医が連携し、患者の意思決定や各々の治療スケジュールを調整することで、患者に最適な治療を提供することができると考えられる。しかしながら、妊孕性温存治療は現時点ではいずれも保険適応外であるため、患者に情報提供する際には保険や費用に関する情報も併せて提供する必要がある。

米国臨床腫瘍学会（American Society of Clinical Oncology：ASCO）のがん患者に対する妊孕性温存の評価と相談フローを図2に示す。

2　小児における妊孕性温存

2-1　妊孕性に影響を与える可能性のある治療

小児がんの治療成績が飛躍的に進歩したことにより、治療後の晩期合併症についての問題提起がなされ、多くのコホート研究により治療後の妊孕性についての調査も進められている。小児がん領

域では，Children's Oncology Group（COG）の長期フォローアップガイドラインを参考にすることが多い。

後に述べるAYA世代とは異なり，二次性徴発来前（思春期前）の児に関しては，二次性徴発来後と妊孕性喪失リスクの高い治療についての考え方が異なる部分がある。これは，コホート研究の調査対象によるものと考えられる。妊孕性喪失リスクの高い治療について，COGとChildhood Cancer Survivor Study（CCSS）からの報告[7]をまとめた表を示す（**表1**）。

CCSSやセントジュード小児病院の報告[8]によれば，シクロホスファミド相当係数（Cyclophosphamide Equivalent Dose：CED）[9]で$5g/m^2$未満であれば妊孕性喪失リスクは低いとされている。CEDは，シクロホスファミドを$1g/m^2=1$としたとき，イホスファミドは約0.24，プロカルバジンは約0.85，メルファランは約40，チオテパは約50，ブスルファンは約8.8として換算される。

小児がん治療においては，アルキル化薬の使用頻度が高い。そのため診断後，治療計画がなされた段階で，治療全体の抗悪性腫瘍薬の総投与量を算出し，妊孕性喪失リスクを推定することが重要である。白血病治療においては，大量化学療法による前処置が必要になる造血幹細胞移植が行われなければ，妊孕性喪失リスクは低いと考えられる。一方，横紋筋肉腫をはじめとする小児固形腫瘍ではアルキル化薬の総投与量が多いため，妊孕性喪失リスクが高い。例えば，横紋筋肉腫ではVAC（ビンクリスチン，ドキソルビシン，シクロホスファミド）療法が実施されるが治療完遂時のシクロホスファミドの総投与量は$16.8g/m^2$以上となる。

なお，女児における白金製剤の妊孕性に関する影響は，学会や研究グループでリスクが定まっておらず，今後の治験などの結果が待たれるところである。

表1 妊孕性喪失リスクの高い治療

		COG	CCSS
シクロホスファミド	男児	・$7.5g/m^2$以上 ・移植前処置	・$5g/m^2$以上
	女児	・骨盤・全身照射やアルキル化薬との併用	・$11.3g/m^2$以上
イホスファミド	男児	・$60g/m^2$以上	・$25g/m^2$以上
	女児	・記載なし	・記載なし
アルキル化薬	男児	・ブスルファン$\geq 600mg/m^2$ ・MOPP療法$\geq$3コース	・プロカルバジン$\geq 3g/m^2$ ・CPA換算$\geq 5g/m^2$ 特に10gを超えると高リスク
	女児	・アルキル化薬との併用（投与量記載なし）	・ブスルファン投与 ・ロムスチン$\geq 411/m^2$
白金製剤	男児	・シスプラチン，カルボプラチン（投与量記載なし）	・CDDP$\geq 475/m^2$
	女児	・シスプラチン，カルボプラチン（投与量記載なし）	・有意な妊孕性低下なし
放射線：下垂体・骨盤・性腺	男児	・頭蓋照射$\geq$30Gy ・骨盤・精巣・全身照射やアルキル化薬との併用	・記載なし
	女児	・頭蓋照射$\geq$30Gy	・記載なし

〔宮地充 他：小児がん領域における妊孕性温存治療．京府医大誌，126(8)，555-564，2017をもとに作成〕

2-2 妊孕性の温存

小児の妊孕性温存は，二次性徴の有無で温存方法が異なる（図3）。二次性徴が発来し性成熟がされて以降は，AYA世代と同様となる。二次性徴発来前の患児の妊孕性温存療法としては，卵巣や精巣の組織凍結保存が第一選択となる。女児における卵巣組織凍結については，技術的に可能な段階ではあるが，日本においては臨床研究段階の治療と位置づけられており，卵巣組織凍結の実施にあたっては倫理審査を受けたうえで実施することが求められている[10]。また，卵巣組織凍結は外科的な手術となるため，時間的な問題から卵巣組織凍結を選択することが難しい場合や，ほかの手段よりも技術料が高額であることから経済的に実施が難しい場合がある。

一方で男児の精巣組織凍結は研究段階であり，ヒト以外の霊長類で，凍結した未熟精巣組織を使用した受胎および生児を得たという報告[11]がある。ヒト未熟凍結精巣組織を用いた検討についてはエビデンスの蓄積が待たれる。また，二次性徴発来後であったとしても，疾患や羞恥心等からマスターベーションによる精子採取が難しい場合もある。その場合は，精巣内精子採取術（testicular sperm extraction：TESE）による精子採取も選択肢となりうる。

患児が妊孕性喪失のリスクが高い治療を受ける必要がある場合，保護者にも情報提供を行うことが重要である。できること，できないことを医療チームが患者家族に説明したうえで，研究段階の治療であっても治療を受けたいという希望があれば専門医に紹介することも大切である。また，保護者からの意見の中には，「わが子が"がん"と宣告された苦しみの中で，妊孕性という遠い将来の説明を受けることで，長期生存の可能性がみえて嬉しいと感じた」というものもある。小児であったとしても，必要な説明を適切なタイミングで行うことが重要である。

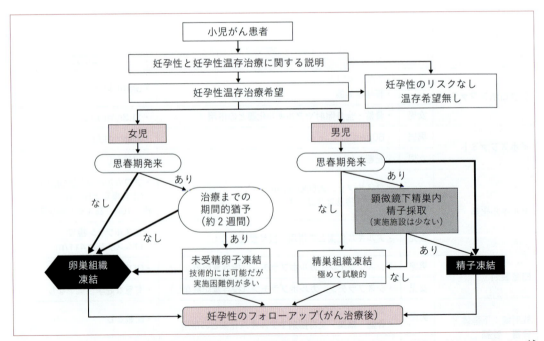

〔高江正道：小児がん患者の妊孕性温存．日本がん・生殖医療学会（http://www.j-sfp.org/childhood/preservation.html）〕

図3 わが国の現状を考慮した小児妊孕性温存の選択

3 AYA世代の妊孕性

3-1 妊孕性に影響を与える可能性のある治療

概要で述べた通り，性別によって妊孕性が受ける影響は異なることが知られている。また，抗悪性腫瘍薬だけでなく，手術や放射線治療も患者の妊孕性に影響を与える。妊孕性に与える影響が大きい治療モダリティとして，アルキル化薬（シクロホスファミド，イホスファミド，メルファラン，ブスルファンおよびプロカルバジンなど）の投与や造血幹細胞移植前の前処置で使用される全身照射（Total Body Irradiation：TBI）が報告[1]されている。

概要で述べたように，男性の妊孕性においては造精機能が重要であり，無精子リスクを生じる可能性がある治療前に，妊孕性についての説明や将来的な挙児希望の有無を確認する必要がある。各治療が造精機能に与える影響を表2に示す。妊孕性温存希望がある場合には，生殖医療専門医への紹介が重要となる。女性の場合は，概要でも述べたように特に年齢によって卵巣予備能が異なるため，同じ抗悪性腫瘍薬を使用したとしても，年齢によって妊孕性低下のリスクが異なる（表3）。

表2〜3は，ASCOのプラクティスガイドライン2013をもとに，男女の生殖機能に影響するがん治療についてリスクごとに示している。妊孕性に関するエビデンスはアップデートがすぐに進むわけではないものの，臨床試験の結果から副次的に解析されて明らかとなる場合も多い。例えば，結

表2 男性の造精機能に影響を及ぼす治療

影響	治療
長期の無精子症が一般的に生じる	・シクロホスファミド（7.5g/m²） ・MOPP＞3サイクル，BEACOPP＞6サイクル ・テモゾロミドまたはカルムスチンを含むレジメン＋頭部照射 ・アルキル化薬※＋TBI，アルキル化薬＋骨盤または精巣照射 ・精巣射線＞2.5Gy ・頭蓋照射＞40Gy ・TBI
無精子症が遷延，永続することがある	・重金属を含むレジメン ・BEP：2〜4サイクル ・シスプラチン＞400mg/m² ・カルボプラチン＞2g/m² ・散乱線による精巣照射：1〜6Gy
一過性の造精機能の低下	・アルキル化薬以外の薬剤を含むレジメン ・精巣照射：0.2〜0.7Gy ・アントラサイクリン系薬剤＋シタラビン
超低リスクもしくは影響なし	・ビンクリスチンを用いた多剤療法 ・放射性ヨウ素 ・散乱線による精巣照射＜0.2Gy
影響不明	・モノクローナル抗体（トラスツズマブ，ベバシズマブ，セツキシマブなど），チロシンキナーゼ阻害薬（エルロチニブ，イマチニブなど）

※シクロホスファミド，イホスファミド，メルファラン，ブスルファンおよびプロカルバジンなど

〔Loren AW et al：Fertility preservation for patients with cancer: American Society of Clinical Oncology clinical practice guideline update. J Clin Oncol, 31(19):2500-2510, 2013，日本癌治療学会 編：小児，思春期・若年がん患者の妊孕性温存に関する診療ガイドライン2017年版，金原出版，2017をもとに作成〕

表3 女性の永久無月経リスクのある治療

リスク	治療
高リスク（＞80%）	・シクロホスファミド総量：5g/m²（＞40歳） ・シクロホスファミド総量：7.5g/m²（＜20歳） ・MOPP＞3サイクル，BEACOPP＞6サイクル ・テモゾロミドまたはカルムスチンを含むレジメン＋頭部照射 ・アルキル化薬※＋TBI，アルキル化薬＋骨盤照射 ・全腹部あるいは骨盤照射＞6Gy（成人女性） ・頭蓋照射＞40Gy ・TBI
中リスク（20〜80%）	・シクロホスファミド総量：5g/m²（30〜40歳） ・AC 4コース（＜40歳） ・FOLFOX4 ・シスプラチンを含むレジメン ・モノクローナル抗体（ベバシズマブ） ・腹部・骨盤照射：5〜10Gy（思春期後）
低リスク（＜20%）	・ABVD，CHOP，CVP ・急性骨髄性白血病治療（アンスラサイクリン＋シタラビン） ・急性リンパ性白血病治療（多剤併用療法） ・CMF，CEF，CAF（＜30歳）
超低リスクもしくはリスクなし	・ビンクリスチン ・放射性ヨウ素
リスク不明	・モノクローナル抗体（トラスツズマブ，セツキシマブ），チロシンキナーゼ阻害薬（エルロチニブ，イマチニブ）

※シクロホスファミド，イホスファミド，メルファラン，ブスルファンおよびプロカルバジンなど
TBI：Total Body Irradiation（全身照射）
CMF：シクロホスファミド，メトトレキサート，フルオロウラシル
CEF：シクロホスファミド，エピルビシン，フルオロウラシル
CAF：シクロホスファミド，ドキソルビシン，フルオロウラシル
AC：ドキソルビシン，シクロホスファミド
ABVD：ドキソルビシン，ブレオマイシン，ビンブラスチン，ダカルバジン
CHOP：シクロホスファミド，ドキソルビシン，ビンクリスチン，プレドニゾン
CVP：シクロホスファミド，ビンクリスチン，プレドニゾン

〔Loren AW et al：Fertility preservation for patients with cancer: American Society of Clinical Oncology clinical practice guideline update. J Clin Oncol, 31(19):2500-2510, 2013をもとに作成〕

腸がんの術後薬物療法として化学療法にベバシズマブを上乗せする試験（NSABP C-08試験）の結果の中で，閉経前女性患者のうちベバシズマブ上乗せ群で高い卵巣不全（FSH30mIU/mL以上，β-HCG妊娠検査陰性と定義）が報告された[12]。海外の添付文書[13]においても，ベバシズマブ投与前に不妊のリスクについて説明するよう2011年9月に改訂がされている。なお，ベバシズマブ中断後に卵巣機能が回復した割合は22%であったことも同添付文書内に記載されている。このように最新の情報をキャッチアップすることも大切である。

また，男性に関しては，造精機能障害のみを表としてまとめているが，手術に伴う勃起障害，特に，後腹膜リンパ節郭清，前立腺全摘出術や骨盤内の手術等では射精障害や勃起障害を来す可能性がある。また，男性の性欲や性機能はテストステロンと密接な関係があることが知られており，抗アンドロゲン療法等のホルモン療法は勃起障害を引き起こすことが知られている[14]。さらに，アルキル化薬はDNA合成阻害作用をもつため，ライディッヒ細胞が障害される[15]ことによるテストス

テロンの低下や，シスプラチンやビンクリスチンの神経毒性が性機能に影響する可能性が報告[16]されている。

3-2 妊孕性の温存

妊孕性温存治療の方法は，男女で異なる（表4，5）。特に女性では薬物による卵巣刺激後の採卵など，妊孕性温存治療に時間を要することが多いため，がん治療のスケジュールと妊孕性温存のスケジュールをよく検討する必要がある。

男性では，精子凍結が最も確立された妊孕性の温存方法であり，マスターベーションによる精子

表4　男性における妊孕性温存の選択肢

精子凍結（マスターベーション法）	・大規模コホート試験の報告あり ・最も確立された採取・温存技術 ・外来で実施可能 ・凍結保存費用がかかる
精子凍結（マスターベーション法以外の方法）	・小規模なケースシリーズでの報告あり ・精巣，尿中からの採取，電気刺激法での採取
精巣遮蔽（放射線治療時）	・ケースシリーズのみ ・睾丸に照射される放射線を低減 ・遮蔽は放射線専門医の技術による
精巣組織の凍結保存	・臨床試験として行われるべき治療
ゴナドトロピン放出ホルモン（GnRH）アナログまたはアンタゴニスト	・化学療法または放射線療法中に精巣組織を保護するためにホルモン療法を併用することは現時点では有効性を支持するデータはない

（文献1，2，17をもとに作成）

表5　女性における妊孕性温存の選択肢

受精卵凍結	・最も確立した温存技術 ・採卵し体外受精させ受精卵を凍結 ・月経開始後，約10〜14日の卵巣刺激が必要 ・パートナーが必要 ・生殖補助医療と受精卵保存費用がかかる
未受精卵子凍結	・小規模なケースシリーズおよび症例報告あり ・未授精卵を凍結 ・月経開始後，約10〜14日の卵巣刺激が必要 ・受精卵凍結と比較し1/3〜1/4程度の妊娠成功率
卵巣組織凍結	・卵巣組織を凍結し再移植する方法 ・外科的治療 ・卵巣病変のリスクが高い場合には適さない
卵巣遮蔽（放射線治療時）	・ケースシリーズのみ ・卵巣に照射される放射線を低減 ・遮蔽は放射線専門医の技術による
卵巣の位置移動術	・放射線治療前に外科手術が必要 ・卵巣の血流変化や放射線の散乱により，成功確率は約50％程度とされる
ゴナドトロピン放出ホルモン（GnRH）アナログまたはアンタゴニスト	・小規模ランダム化試験，ケースシリーズ ・化学療法に併用して使用する

採取は安全性が高い。しかし，がん告知に伴う精神的なストレスや，原疾患に伴いスムーズな精子採取に至らない場合もある。治療スケジュールに余裕があれば，精巣内精子摘出などの方法も検討される。

女性では，受精卵（胚）凍結が最も確立された方法ではあるが，パートナーがいない場合には困難である。卵子凍結も確立された方法ではあるものの，その後の妊娠成功率は受精卵を使用した場合と比較して低いことが知られている。

また，臨床研究段階ではあるが，卵巣組織凍結も徐々に広まりつつあるものの，一部のがん種では凍結された卵巣組織に腫瘍細胞が混入するリスク[18,19]も指摘されていることから，組織凍結の適応は十分に検討する必要がある。

❹ 小児およびAYA世代への情報提供

がん治療に携わる医療者は，がん治療前から治療による不妊リスクを評価し，患者とのコミュニケーションをとることが大切であることは各種ガイドラインでも記載されている。しかし，15歳以上を対象としたがん患者やがん経験者を対象とした意識調査によれば，「妊孕性に関する情報が欲しかったものの，説明がなかった」と回答した割合は全体の約35％と報告[20]され，小児がん患者を対象とした調査によれば，「治療による生殖機能への影響についての説明」を治療前に受けていない患者は約46％と報告されている[20]。さらに，不妊リスクについて説明された患者であっても，妊孕性の温存などのオプションについての情報提供が不足していることや，がん種によって妊孕性に関する説明に関してばらつきがみられることが指摘されている。

また，AYA世代と同様に，小児における治療前からの妊孕性に関する説明の重要性は知られているが，患児が低年齢であればあるほど，患児や保護者にとって遠い将来の問題であると捉えられ，保護者からの質問が出にくい場合や，妊孕性温存療法の実施が後回しになることもある。これらの問題は主治医だけで解決することは困難であり，多職種による患者サポート体制が望まれる。同時に，がん・生殖医療に関わるヘルスケアプロバイダーの育成の必要性が指摘されている。

がん治療に関わる薬剤師は，小児，AYA世代がん患者や経験者に対して，適切な情報提供を行うことが求められる。また，がん生殖医療に特化したものではないものの，令和4年4月からの不妊治療の保険適用が開始された[21]。ここでいう不妊治療は生殖補助医療に関するものも含まれており，挙児希望があるがん患者やがん経験者にとっても選択肢の一つとなる可能がある。このような情報もタイムリーにキャッチし，患者のニーズに応えられるように準備することも重要である。

【参考文献】
1) Lee SJ et al：American Society of Clinical Oncology recommendations on fertility preservation in cancer patients. J Clin Oncol, 24(18):2917-2931, 2006
2) Loren AW et al：Fertility preservation for patients with cancer: American Society of Clinical Oncology clinical practice guideline update. J Clin Oncol, 31(19):2500-2510, 2013
3) Meistrich ML：Male gonadal toxicity. Pediatr Blood Cancer, 53(2):261-266, 2009
4) Chemaitilly W et al：Acute ovarian failure in the childhood cancer survivor study. J Clin Endocrinol Metab, 91(5):1723-1728, 2006
5) Wallace WH et al：Human ovarian reserve from conception to the menopause. PLoS One, 5(1):e8772, 2010

6) Oncofertility: Creating a Bridge Between Cancer Care and Reproductive Health（https://www.cancer.gov/news-events/cancer-currents-blog/2019/woodruff-oncofertility）（2022年6月閲覧）
7) Chow EJ et al：Pregnancy after chemotherapy in male and female survivors of childhood cancer treated between 1970 and 1999: a report from the Childhood Cancer Survivor Study cohort. Lancet Oncol, 17(5):567-576, 2016
8) Green DM et al：Cumulative alkylating agent exposure and semen parameters in adult survivors of childhood cancer: a report from the St Jude Lifetime Cohort Study. Lancet Oncol, 15(11):1215-1223, 2014
9) Green DM et al：The cyclophosphamide equivalent dose as an approach for quantifying alkylating agent exposure: a report from the Childhood Cancer Survivor Study. Pediatr Blood Cancer, 61(1):53-67, 2014
10) 日本生殖医学会 倫理委員会報告「未受精卵子および卵巣組織の凍結・保存に関する指針」（http://www.jsrm.or.jp/guideline-statem/guideline_2018_01.html）（2022年6月閲覧）
11) Study Advances Fertility Preservation Approach for Male Cancer Survivors（https://www.cancer.gov/news-events/cancer-currents-blog/2019/fertility-preservation-cancer-young-boys）（2022年6月閲覧）
12) Santaballa A：Multidisciplinary consensus on the criteria for fertility preservation in cancer patients. Clin Transl Oncol, 2021（ahead of print）
13) ＡＶＡＳＴＩＮ®（bevacizumab, 米国添付文書）（https://www.accessdata.fda.gov/drugsatfda_docs/label/2011/125085s225lbl.pdf）（2022年6月閲覧）
14) 日本性機能学会・日本泌尿器科学会 編：ED診療ガイドライン 第3版, リッチヒルメディカル, 2018
15) Chemaitilly W et al：Leydig Cell Function in Male Survivors of Childhood Cancer: A Report From the St Jude Lifetime Cohort Study. J Clin Oncol, 37(32):3018-3031, 2019
16) Voznesensky M et al：Understanding and Managing Erectile Dysfunction in Patients Treated for Cancer. J Oncol Pract, 12(4):297-304, 2016
17) Oktay K et al：Fertility Preservation in Patients With Cancer: ASCO Clinical Practice Guideline Update. J Clin Oncol, 36(19):1994-2001, 2018
18) Dolmans MM et al：Risk of transferring malignant cells with transplanted frozen-thawed ovarian tissue. Fertil Steril, 99(6):1514-1522, 2013
19) Rosendahl M et al：The safety of transplanting cryopreserved ovarian tissue in cancer patients: a review of the literature. J Assist Reprod Genet, 30(1):11-24, 2013
20) 厚生労働省：第1回小児・ＡＹＡ世代のがん医療・支援のあり方に関する検討会, 2017（https://www.mhlw.go.jp/stf/shingi2/0000186561.html）（2022年6月閲覧）
21) 厚生労働省：不妊治療の保険適用について, 2021（https://www.mhlw.go.jp/content/12404000/000718601.pdf）（2022年6月閲覧）

〔文　靖子〕

5-3 栄養：NST，悪液質

I 概要

1-1 がん悪液質とは

　悪液質は，慢性疾患による炎症を背景とした骨格筋量の減少を主徴とする複合的な代謝障害であり，がんの進行に伴って生じる悪液質を「がん悪液質」とよぶ。2011年のEuropean Palliative Care Research Collaborative（EPCRC）における国際的コンセンサスによれば，「がん悪液質は，通常の栄養サポートでは完全に回復することができず，進行性の機能障害に至る骨格筋量の持続的な減少（脂肪量減少の有無にかかわらず）を特徴とする多因子性の症候群」[1]と定義され，「過去6カ月以内に，①5％を超える体重減少，②BMI＜20の場合は2％を超える体重減少，③サルコペニアを合併している場合は，2％を超える体重減少のいずれかがある場合にがん悪液質と診断する」[1]とした。

　がん悪液質はがん患者の50〜80％に認められ，がん死亡原因の20％を占めると推定されている[2]。がん悪液質は，進行がん患者においてがん治療の初期であっても生じうる。がん悪液質による主な症状としては，体重減少，食欲不振，筋肉減少，疲労などがあり，生活の質（Quality of Life：QOL）を著しく低下させ，また，副作用や治療中断の増加，化学療法の効果減弱，治療期間短縮や全生存期間まで影響を及ぼす[3]。

　EPCRCにおける国際的コンセンサスでは，がん悪液質を前悪液質（Pre-cachexia），悪液質（cachexia），不応性悪液質（refractory cachexia）の3つのステージに分類（表1）[4]し，前悪液質（Pre-cachexia）からの早期介入を推奨している。また，代謝異常の程度により栄養サポートの目的や方法も変化するため，がん患者への適切な栄養サポートには，がん悪液質を念頭においた栄養管理が不可欠である。

1-2 がん悪液質の治療（薬物治療，非薬物治療）

　がん悪液質は多因子性の症候群であることから，その治療には薬物治療だけではなく非薬物治療（栄養療法，運動療法など）による複合的治療介入が推奨される。しかしながら，がん悪液質は多種多様な因子が複雑に関与しているために，単一薬剤による治療や非薬物治療単独では十分な効果を得ることができず，2020年までは標準治療は確立していなかった。

1) 薬物治療

　2021年4月に，わが国初の「悪性腫瘍（非小細胞肺癌，胃癌，膵癌，大腸癌）におけるがん悪

表1　EPCRCによるがん悪液質のステージ分類

ステージ	がん悪液質		
	前悪液質 (pre-cachexia)	悪液質 (cachexia)	不応性悪液質 (refractory cachexia)
介入	集学的な（薬物・運動・栄養・心理療法など） 早期介入が必要とされる		緩和的治療を主体とする
臨床的特徴	・過去6ヵ月間の体重減少≦5% ・食欲不振・代謝異常	・経口摂取不良／全身性炎症を伴う	・悪液質の症状に加え，異化亢進し，抗がん治療に抵抗性を示す ・PS不良 （WHOの基準でPS 3または4） ・予測生存期間＜3ヵ月
診断基準		①過去6ヵ月間の体重減少＞5% ②BMI＜20，体重減少＞2% ③サルコペニア*，体重減少＞2% 上記①，②，③のいずれか	

*DXA(dual energy X-ray absorptiometry)，BIA(bioelectrical impedance analysis)，CT，上腕三頭筋面積などにより診断.
（日本がんサポーティブケア学会　監：がん悪液質ハンドブック-「がん悪液質：機序と治療の進歩」を臨床に役立てるために，p.6，2019）

液質」を効能・効果とするグレリン様作用薬のアナモレリンが上市された。本剤は，脳下垂体に作用して成長ホルモンの分泌を促進し，また，視床下部に作用して食欲を亢進することで，がん悪液質患者の除脂肪体重（Lean Body Mass：LBM）および体重を増加させる作用が国内臨床試験で認められた。しかし，握力や歩行距離を改善させる作用は認められなかった[5]。

　薬剤の適正使用において，適応患者や副作用について十分な注意が必要である。まず，適応患者について，国内臨床試験では「ECOG-PS（Performance Status）0～2」で，「4カ月以上の予後が期待される患者」が対象のため，がん悪液質の早期あるいは末期の状態にある患者に対する有効性は検討されていない点，また，非小細胞肺がん，胃がん，膵がん，大腸がん以外のがん患者における有効性および安全性については検討されていない点に注意する。そして副作用（刺激伝導系抑制）だが，作用機序（ナトリウムチャネル阻害作用を有するため刺激伝導系に抑制的に作用）より，特に心疾患を有する患者には慎重投与，あるいは程度によっては禁忌となっている点にも注意を要する。

　アナモレリンに続く薬剤も次々と開発・臨床試験が行われている段階であり，今後の臨床試験の結果にも注視したい。

2) 非薬物治療

　「アナモレリンのみでは筋力回復などの改善が得られない」という点では，がん悪液質の治療は薬物治療のみではなく，非薬物治療（栄養療法，運動療法など）による複合的治療介入が必要である。現在，がん悪液質患者に対しての有効性や忍容性が確立された非薬物治療はないが，国内外でランダム化比較臨床試験が進行中であり結果が待たれる。

2 栄養療法に対するチーム医療

2-1 がん研有明病院の栄養サポートチーム（NST）の活動

　がん研有明病院（以下，当院）では，消化器外科医師を中心とし，歯科医師，薬剤師，管理栄養士，看護師，歯科衛生士，臨床検査技師，事務員によって構成される中央型（全診療科型）のNSTを立ち上げ，周術期患者をはじめ，がん化学療法患者や緩和ケア患者の栄養管理も積極的に実践している。

　当院では，入院時の栄養評価を看護師が担当し，電子カルテのNSTテンプレートで入院患者全員の初回スクリーニングを実施している。スクリーニング項目は①血清アルブミン値（3.0g/dL未満），②有意な体重減少（－5.0％/月）または体重測定不能，③絶食または食事摂取量が平常時の半分以下の患者を「栄養障害リスクあり（★印）」として抽出している（図1）。

　栄養障害リスクのある患者は，まず病棟（診療科）の医師，看護師，薬剤師，管理栄養士ら（いわゆる診療科型NST）が介入し，栄養状態の改善を図る。難渋例については，中央型（全診療科型）NSTへ検討依頼があがる（図2）。中央型（全診療科型）NSTの症例検討会時に円滑に討議できるよう，事前に栄養摂取状況ワークシートを作成する。症例検討会では，ワークシート内に電子カルテから自動で必要項目（年齢，身長，体重，血液検査値など）が「栄養管理シート」なるテンプレートに反映され，必要栄養量が自動計算される（図3）。そして，患者の食事内容や点滴内容，栄養補助食品の内容などを選択入力すると，必要栄養量に対する各栄養素の充足率が自動計算され，簡便かつ効率的に栄養プランを作成することを可能としている。それをもとに中央型（全診療科型）NSTコアメンバーで最終的な討議をし，栄養療法の提案を行っている。

　また，当院NSTは院内の「褥瘡対策チーム」，「摂食・嚥下障害対策チーム」，「緩和ケアチーム」などと密接に連携を図り，各チームから報告される栄養障害を来すリスク患者，あるいは来した患者への対応も行っている。

3 チーム医療（NST）で薬剤師が貢献するために

　がん悪液質への最適な薬物治療とその管理のためには，栄養療法も含めた集学的な治療介入によるチーム医療が重要となってくる。そのチーム医療（NST）において薬剤師として貢献するためのポイントを表2に示す。

　チーム医療では，職種の垣根を越えて各職種がオーバーラップしながら患者への治療を行うことが重要である一方，各職種の役割を明確にすることで，チーム自体の質の向上や目標決定につながる。NSTにおいて薬剤師が貢献するためのポイントは，がん患者の病態（がん悪液質）を考慮し，エビデンスに基づいた栄養療法（経静脈栄養・経腸栄養）を含めた薬物治療を適正に進めることである。

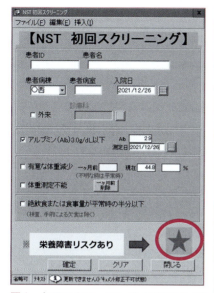

図1 初回スクリーニング（NSTテンプレート）：入院時に看護師が実施

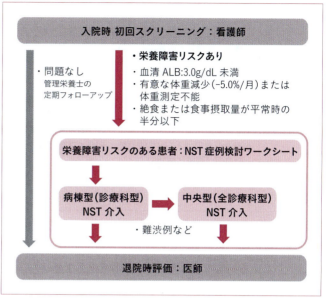

図2 入院時スクリーニングからNST症例検討までの流れ

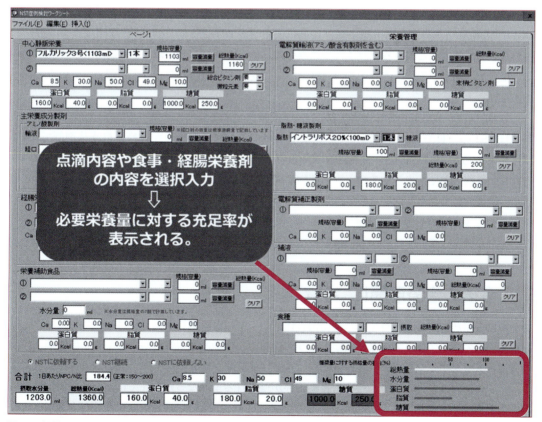

図3 栄養管理シート（NSTテンプレート）：NST対象患者に作成

表2 薬剤師がチーム医療（NST）で貢献するためのポイント

① 病態に応じた栄養剤（静脈栄養剤，経腸栄養剤）の選択と処方設計支援
② 食事・栄養剤と医薬品との相互作用の回避
③ 栄養療法に影響を及ぼす医薬品投与への対応
　例）悪心・嘔吐，下痢，便秘，味覚障害，嚥下機能低下，唾液分泌低下，腹部膨満感　など
④ 各チーム（褥瘡対策チーム，摂食・嚥下障害対策チーム，緩和ケアチームなど）に所属する薬剤師との連携力
⑤ 薬物治療のみならず，非薬物治療（栄養療法，運動療法など）に関する知識の習得
⑥ 患者の自己マネジメント（例：デバイス管理など）と栄養療法の必要性理解の向上のための（服薬）指導力

ⅰ）栄養療法（経静脈栄養・経腸栄養）における処方支援（表2-①, ⑤）
ⅱ）栄養療法含めた薬物治療における適正使用（表2-②, ③）
ⅲ）がん患者指導管理業務/病棟薬剤業務と栄養管理の連携（表2-④, ⑥）

ⅰ）「栄養療法（経静脈栄養・経腸栄養）における処方支援（表2-①, ⑤）」では，経静脈栄養法や経腸栄養法に関する基本的知識，特に各種輸液（例：電解質輸液，アミノ酸輸液など）や経腸栄養剤（食品栄養剤含む）の製剤的特徴を十分理解し，また，新規薬剤や非薬物治療の最新知見も踏まえたうえで，薬剤師の視点から最適な栄養投与経路の選択やがん悪液質に応じた処方設計支援などの栄養療法プランニングにあたる必要がある。

ⅱ）「栄養療法含めた薬物治療における適正使用（表2-②, ③）」では，薬剤師は経腸栄養剤のみならず，栄養療法に用いるデバイスや医療材料（輸液ラインなど）の適正使用，そして併用薬剤との相互作用回避や副作用確認とその対策といった安全管理の観点からも広く関わっていくことが求められる。

そして，ⅲ）「がん患者指導管理業務/病棟薬剤業務と栄養管理の連携（表2-④, ⑥）」では，薬剤師はNSTの一員であると同時に，病棟薬剤業務やがん患者指導管理業務を担う薬剤師であり，NSTにおける薬剤師も病棟薬剤業務やがん患者指導管理業務を切り離して考えることはできず，それらの業務の中で，患者やその家族へ薬物治療や栄養療法の必要性について説明，指導するとともに，継続的にモニタリングを行い，栄養学的な問題や改善すべき点を見つけ出し，それらの情報をNSTはじめ，他チーム（褥瘡対策チーム，摂食・嚥下障害対策チーム，緩和ケアチームなど）と共有（連携）していくことが大切になってくる。

4 今後の治療展開について

がん化学療法の中心を担ってきた細胞傷害性抗がん薬による進行がん治療は，免疫チェックポイント阻害薬の登場により大きな転換期となり，併用療法（細胞傷害性抗がん薬や分子標的薬，ほかの免疫チェックポイント阻害薬との併用）による治療戦略が増えた。また，適応がん種の拡大により，多くのがん種で進行期であっても長期生存が得られるようなった現在では，がん薬物療法の効果を低下させ，予後悪化へとつながるがん悪液質に対する治療の早期介入の重要性がより増してくる。そのため，これまで以上に，多診療科および多職種チームが，機能的かつ横断的に連携するこ

とが重要となる。

　アナモレリンの登場により，薬剤師もがん悪液質について正しく理解，評価し，積極的に治療介入することで，がんの悪化を予防し，がん患者のQOLや予後改善に貢献していける多職種チームの人材となりうるだろう。

【参考文献】
1) Fearon K et al：Definition and classification of cancer cachexia: an international consensus. Lancet Oncol, 12(5):489-495, 2011
2) Argiles JM et al：Cancer cachexia: understanding the molecular basis. Nat Rev Cancer, 14(11):754-762, 2014
3) Martin L et al：Diagnostic criteria for the classification of cancer-associated weight loss. J Clin Oncol, 33(1):90-99, 2015
4) 日本がんサポーティブケア学会　監：がん悪液質ハンドブック-「がん悪液質：機序と治療の進歩」を臨床に役立てるために，p.6，2019
5) Katakami N et al：Anamorelin（ONO-7643）for the treatment of patients with non-small cell lung cancer and cachexia: Results from a randomized, double-blind, placebo-controlled, multicenter study of Japanese patients. Cancer, 124(3):606-616, 2018

（蓑輪　雄一）

5-4 【AST】がんと感染症

I 抗菌薬適正使用支援チームについて

　抗菌薬適正使用支援チーム（Antimicrobial Stewardship Team，以下，AST）とは，抗菌薬治療をサポートする多職種（感染症医師，薬剤師，臨床検査技師，看護師，事務職員など）からなるチームである（図1）[1]。

　抗菌薬適正使用とは，医師が抗菌薬を使用するときに，個々の患者に対して治療効果が最大限になるよう導くとともに，有害事象をできるだけ最小限にとどめ，また漫然とした使用を避け，最適な感染症治療が完了できるようにする目的で，感染症専門の医師や薬剤師，臨床検査技師，看護師が主治医の支援を行うことである。不適切な抗菌薬の使用は耐性菌を発生させる原因となるため，抗菌薬適正使用を推進することは耐性菌の出現を防ぐ，あるいは遅らせることができ，医療コストの削減にもつながる[2]。

　2018年度診療報酬改定では，感染防止対策加算において，抗菌薬適正使用支援加算（入院初日に100点）が新設された[3]。さらに2020年度診療報酬改定では，入院時モニタリングを行う広域抗菌薬の対象が抗MRSA薬，抗緑膿菌活性を有する抗菌薬と具体的に明記され，上記加算を算定するにはこれら抗菌薬についてのモニタリングが必須となっている[4]。

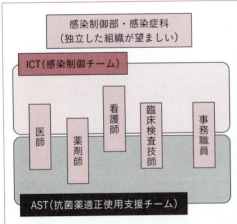

〔日本化学療法学会，日本感染症学会，日本環境感染学会，日本臨床微生物学会，日本薬学会，日本医療薬学会，日本TDM学会，日本医真菌学会，8学会合同抗微生物薬適正使用推進検討委員会：抗菌薬適正使用支援プログラム実践のためのガイダンス．日本化学療法学会雑誌，65(5):650-687, 2017，感染症学雑誌，91(5):709-746, 2017，日本環境感染学会誌，32(5):1-38, 2017，日本臨床微生物学会雑誌，27(4):227-266, 2017〕

図1 本邦における感染管理体制整備の目標

患者把握		モニタリングとフィードバック	
監視対象	把握方法*	検査項目	検討手段・内容*
特定抗菌薬使用	・届出制，許可制 ・抗真菌薬投与	抗菌薬選択 (経験的治療から根治的治療へ)	・アンチバイオグラム ・画像診断 ・バイオマーカー ・迅速診断（POCT） ・微生物培養検査 ・遺伝子検査
感染兆候	・血液など各種検体の微生物培養検査陽性 ・バイオマーカー陽性 （例：β-D-グルカン）		
特殊患者集団	・妊婦，新生児，高齢者 ・発熱性好中球減少症 ・免疫抑制剤使用 ・集中治療 ・臓器移植　など	抗菌薬の用法・用量	・TDM ・PK/PD理論活用
		抗菌薬の中止・変更	・長期投与（2週間超） ・投与経路（静脈/経口）
各種ガイドラインの活用，電子カルテや感染管理ソフトの導入，職員への教育・啓発			

（*網羅的に例示しており，各施設の状況に応じて取捨選択可能である）

〔日本化学療法学会，日本感染症学会，日本環境感染学会，日本臨床微生物学会，日本薬学会，日本医療薬学会，日本TDM学会，日本医真菌学会，8学会合同抗微生物薬適正使用推進検討委員会：抗菌薬適正使用支援プログラム実践のためのガイダンス．日本化学療法学会雑誌，65(5):650-687, 2017，感染症学雑誌，91(5):709-746, 2017，日本環境感染学会誌，32(5):1-38, 2017，日本臨床微生物学会雑誌，27(4):227-266, 2017〕

図2　AS（抗菌薬適正使用支援）における介入プロセス

抗菌薬適正使用における基本プロセスの概略としては図2のようになるが[1]，特殊集団としてのがん患者は免疫低下による易感染状態であり，発熱性好中球減少症も来たしやすい。これらの要因も含め，検討することが重要である〔第5章　1-1．好中球減少症（発熱性好中球減少症を含む）参照〕。

2 医療関連感染症について[5]

感染症は市中感染症と医療関連感染症の大きく2つに分類される。

医療関連感染症とは，かつては「入院48時間以降の新規に発症した院内感染症」とされていたが，現在では在宅医療や介護施設に関連した感染症も含まれている。頻度が多いものは，カテーテル関連血流感染，カテーテル関連尿路感染，医療関連肺炎（特に人工呼吸器関連肺炎），手術部位感染，*Clostridium difficile*感染であり，耐性菌の関与が市中感染症よりも多いこと，また，不適切な抗菌薬使用で*Clostridium difficile*感染が増加するリスクがあることから，ASTによるサポートが必要である。

3 ASTの実際

抗緑膿菌活性を有する抗菌薬（以下，広域抗菌薬）および抗MRSA薬使用患者の把握が必要で

X病院　2018年1月～12月　アンチバイオグラム　　　　X病院AST　2019.3.7

菌名	解析株数	ペニシリン					セフェム					カルバペネム		他βラクタム		アミノグリコシド			キノロン		抗MRSA			マクロライド		その他				
		PCG	ABPC	ABPC/SBT	AMPC/CVA	PIPC/TAZ	CEZ	CTX	CAZ	CFPM	CMZ	IPM	MEPM	AZT	MPIPC	GM	TOB	AMK	CPFX	LVFX	VCM	TEIC	LZD	EM	AZM	MINO	ST	CLDM	RFP	CL
Staphylococcus aureus (MSSA)	285	-	-	100	-	-	100	-	-	-	-	100	-	R	100	73	-	-	-	82	100	100	100	78	-	98	99	77	99	R
Staphylococcus aureus (MRSA)	230	R	R	R	R	R	R	R	R	R	R	R	R	R	0	37	-	-	-	17	100	100	100	18	-	62	99	20	99	R
Coagulase-negative Staphylococci	272	-	-	22	-	-	22	-	-	-	-	22	-	R	22	38	-	-	-	32	100	99	100	-	-	97	75	-	97	R
*Streptococcus pneumoniae**	55	98	-	-	-	-	-	100	-	98	-	-	89	R	-	-	-	-	-	98	100	-	-	16	15	25	75	47	98	R
Enterococcus spp.	336	72	75	-	-	-	R	R	R	R	R	-	-	R	-	R	R	R	-	-	99	100	99	-	-	35	R	R	46	R
Enterococcus faecalis	215	99	100	-	-	-	R	R	R	R	R	100	-	R	-	R	R	R	-	-	100	100	100	-	-	31	R	R	53	R
Enterococcus faecium	96	8	11	-	-	-	R	R	R	R	R	-	-	R	-	R	R	R	-	-	100	100	99	-	-	24	R	R	10	R
Escherichia coli	584	-	51	62	-	96	67	77	85	79	98	99	99	79	-	90	-	99	-	64	R	R	R	R	R	89	76	R	R	-
Escherichia coli（ESBL）	129	-	0	40	-	90	0	0	34	3	95	99	99	5	-	78	-	98	-	14	R	R	R	R	R	84	50	R	R	-
Klebsiella pneumoniae	314	-	4	81	-	96	73	93	96	94	98	99	99	94	-	97	-	100	-	98	R	R	R	R	R	90	88	R	R	-
Enterobacter cloacae complex	105	-	R	R	R	78	R	56	62	84	R	95	99	64	-	94	-	100	-	94	R	R	R	R	R	89	83	R	R	-
Pseudomonas aeruginosa	248	-	R	R	R	97	R	R	95	93	R	88	92	87	-	87	98	97	89	90	R	R	R	R	R	R	R	R	R	100
Haemophilus influenzae	50	-	30	58	88	-	-	100	-	100	-	-	100	-	-	-	-	-	100	100	-	-	-	-	-	-	72	-	-	-

感受性率(%S)は、各患者につき初回検出株のみを用いて計算。
*S. pneumoniae：表中のPCG/CTX/CFPMは非髄膜炎基準。髄膜炎基準では、PCG 60%/CTX 89%/CFPM 72%。
MRSA検出率：43%、*E. coli* ESBL産生率：21%。
表作成基準：アンチバイオグラム作成ガイドライン version 1、感受性判定基準：CLSI M100-S26

～80%　80～89　90%～
自然耐性　R
未検査あるいは臨床的に無効　－

（AMR 臨床リファレンスセンター 感染症教育コンソーシアム：アンチバイオグラム作成ガイドライン，p.5，2019）

図3　アンチバイオグラムの例

あるが，これについては図2にも記載されているように，電子カルテおよび感染管理システムの導入が有用である。

抗菌薬を開始する際には，感染臓器を特定することが重要であり，使用理由をカルテに明確に記載することを，ASTより主治医に注意喚起していく。抗MRSA薬やカルバペネム系広域抗菌薬に関しては，使用状況のモニタリングに加えて，届出制もしくは許可制とすることも考慮する。主治医に適切な微生物検査を適正に活用させ，正確な診断を得ることが重要である（図3）。

抗菌薬投与開始前に血液培養については，血液採取量が増えることによる血液培養の感度の向上や，皮膚常在菌が検出された場合のコンタミネーションの判断から，2セットを採取することの重要性が提唱されており[6]，肺炎では良質な喀出痰検体が得られる場合，抗菌薬開始前に喀出痰を提出することが重要である[7]。

最適治療を目指したさまざまな方策としては，以下のようなものが考えられる。

- 用量，投与回数の最適化
- 最適治療としての併用療法
- 最適治療としての狭域化（de-escalation）
- 投与期間の最適化
- 最適治療としての静注薬からの経口薬へのスイッチ

de-escalationできる条件としては，①培養検査で起因菌が特定されていること，②①で特定された起因菌の感受性検査結果が判明していること，③現時点で使用している抗菌薬よりも狭域の抗菌薬が存在すること，④患者の状態が改善していることなどが挙げられる。

表1 AST薬剤師のタイムスケジュール例

8：30〜10：00	・前日までの新規広域抗菌薬使用患者をシステムにて確認（主に薬剤師）
10：00〜10：15	・多職種（医師，看護師，検査技師，薬剤師）によるミーティング
10：15〜10：30	・ミーティング終了後，（医師，看護師，検査技師，薬剤師）前日までに新規に開始された広域抗菌薬使用患者について確認し，支援の必要性を検討 ・支援が必要な場合は，介入時期・介入内容などを検討し，適切なタイミングで介入を行う
10：30〜14：30	・広域抗菌薬使用患者のカルテ確認 ⇒抗菌薬使用状況について確認，支援が必要な患者の抽出 ・届出制の管理など
14：30〜15：00	・抗菌薬の血中濃度測定解析
15：00〜15：30	・多職種（医師，看護師，検査技師，薬剤師）によるミーティング
15：30〜16：30	・支援が必要な患者や主治医から相談のあった患者についての検討，カルテ記載 ・翌日担当者への申し送り

　AST薬剤師の1日のスケジュール例として表1に示す。医師，薬剤師，看護師，検査技師の多職種が毎日決まった時間に集合し，培養情報や，新規に開始された抗MRSA薬およびカルバペネム系広域抗菌薬患者などについて情報共有を行うことが重要である。感染管理システムより抽出した広域抗菌薬の開始について適正であるか，主に医師，薬剤師で検討を行う。具体的な確認内容としては，感染臓器の特定（使用理由の明確化），投与量の妥当性，培養検体提出の有無，de-escalationの可否などについてである。また，すでに広域抗菌薬が開始されている患者に対しては，培養結果や臨床状況についても考慮したうえでde-escalationの可否，escalationや併用療法の必要性，投与中止の可否，投与継続の必要性，静注薬からの経口薬へのスイッチ，投与期間などについては多職種にて検討を行う。また，その際，薬剤師が行った抗MRSA薬などの血中濃度測定解析結果もあわせて検討を行う。主治医へフィードバックが必要な場合，ASTからのアプローチ方法として，抗菌薬の用法・用量については薬剤師より，抗菌薬の選択，抗菌薬の中止などについては医師より行うなどの役割分担も必要であると考えられる。

　そのほか，AST薬剤師の役割としては，診療報酬上求められる抗菌薬適正使用の教育・啓発や，外来における急性気道感染症・急性下痢症の患者数把握と抗菌薬使用状況の確認，他施設からの相談応需などがある[4]。

　具体的なASTの介入事例について，以下に示す。

3-1　AST介入事例①

・食道がん　Stage I　T1bN0M0（UICC8th）　70歳代　男性（図4）

　開腹食道亜全摘・胸骨後経路胃管再建・リンパ節郭清・胃管瘻造設術を行った術後8日目の夕食後に38.3度の発熱あり，頸部創を開放したが排膿なし。緊急で造影CTを施行したところ，左肺下葉浸潤影あり，肺炎と診断されたため，血液培養2セット，喀出痰培養が採取され，アンピシリン・スルバクタム（ABPC/SBT）3g/6時間ごとで治療が開始された。2日間治療後，炎症所見の改善が認められないことから，主治医は抗菌薬をピペラシリン・タゾバクタム（PIPC/TAZ）4.5g/6時間ごとに変更した。

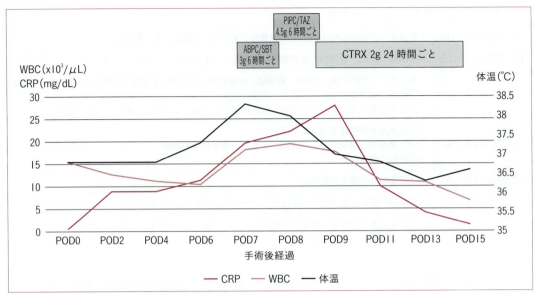

図4 AST介入事例①の経過

【介入1】

抗菌薬開始前に提出された喀出痰培養検体より，βラクタマーゼ非産生アンピシリン耐性インフルエンザ菌（BLNAR）が検出されたため，セフトリアキソン（CTRX）2g/24時間ごとへの変更を主治医に提案し採択された（表2）。

【介入2】

CTRX投与5日間後，解熱し，心拍数・血圧・呼吸数・酸素飽和度など臨床所見が正常範囲内であったため，主治医に抗菌薬中止を提案し，採択された。

表2 AST介入事例①で検出されたBLNARの感受性結果

薬剤名	BLNAR
ABPC	R
SBT/ABPC	R
MEPM	S
CTRX	S
CFPM	S
CAZ	S
LVFX	S

3-2 AST介入事例②

・急性前骨髄球性白血病再発　40歳代　男性（図5）

入院後，メトトレキサート＋シタラビン療法施行し，day8より好中球減少Grade4となっていた。day12の夜間に悪寒戦慄を伴う39.5度の発熱あり，前日の採血結果より好中球数は50であったため，発熱性好中球減少症疑いにより血液培養2セット採取のうえ，セフェピム（CFPM）が1g/12時間ごとで開始された。

【介入1】

CFPM開始時の腎機能がクレアチニンクリアランス115mL/min（Cockcroft& Gault式）であったため，2g/12時間ごとへの増量を主治医に提案し，採択された[8]。

【介入2】

CFPM開始前の血液培養2セットより *Klebsiella pneumoniae* が検出され，感受性結果を確認し

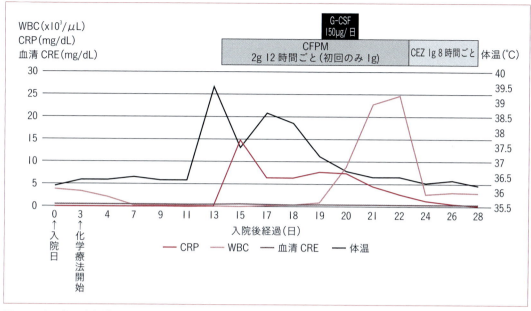

図5 AST介入事例②の経過

たところ，セファゾリン（CEZ）へ感性であった（**表3**）。また，好中球数は1670に回復していたため，好中球数回復後のde-escalationとしてCEZ 1g/8時間ごとを主治医に提案し，採択された。

【介入3】
全身検索より，頻度の多い肺炎，カテーテル感染，尿路感染症やドレナージの必要な膿瘍形成などは否定され，フォーカス不明のグラム陰性桿菌菌血症として抗菌薬（CFPM，CEZ）を14日間投与することを主治医に確認し，投与を完遂した。

表3 AST介入事例②で検出された *Klebsiella pneumoniae* の感受性結果

薬剤名	BLNAR
ABPC	R
SBT/ABPC	S
MEPM	S
CEZ	S
CTRX	S
CFPM	S
CAZ	S
LVFX	S

④ まとめ

ASTによる抗菌薬適正使用を推進するには，多職種がそれぞれの役割を発揮するのはもちろんのこと，連携して主治医へアプローチまたは院内周知していき行動変容を促すことが重要である。これにより，抗菌薬の適正な使用量への是正が行われ，耐性菌発現の減少や患者の死亡率の減少などにつながると考えられる[9]。

【参考文献】
1) 日本環境感染学会 他：抗菌薬適正使用支援プログラム実践のためのガイダンス．日本化学療法学会誌, 32(5):1-38, 2017（http://www.chemotherapy.or.jp/guideline/kobiseibutuyaku_guidance.pdf）（2022年6月閲覧）
2) Cao H et al：An institutional review of antimicrobial stewardship interventions. J Glob Antimicrob Resist, 6:75-

77, 2016
3) 2018年度診療報酬改定 中医協答申「個別改定項目について」(https://www.mhlw.go.jp/file/05-Shingikai-12404000-Hokenkyoku-Iryouka/0000193708.pdf)
4) 2020年度診療報酬改定 中医協答申「個別改定項目について」(https://www.mhlw.go.jp/content/12404000/000601838.pdf)
5) 矢野(五味)晴美:医療安全と診療の質 I. インシデント・アクシデントの現状 3. 院内感染の頻度と予防. 日本内科学会雑誌, 101(12):3386-3395, 2012
6) 岡崎充宏 他:血液培養−採血から培養結果の解釈まで−(総説). Sysmex Journal Web, 10(3):1-6, 2009
7) Mandell LA et al:Infectious Diseases Society of America/American Thoracic Society consensus guidelines on the management of community-acquired pneumonia in adults. Clin Infect Dis, 44(Suppl 2):S27-S72, 2007
8) 感染症診療の手引き編集委員会 編:感染症診療の手引き—正しい感染症診療と抗菌薬適正使用を目指して 新訂第4版, シーニュ, 2021
9) 青木眞:レジデントのための感染症診療マニュアル第4版, 医学書院, 2020

(櫻井　美満)

5-5 免疫関連有害事象マネジメント（中小規模病院向け）

1 概要

　免疫チェックポイント阻害薬（ICI）による免疫関連有害事象（immune-related adverse event：irAE）は，その病態や発生機序において未解明な部分も多く，未だマネジメントの難易度は高い。近年，併用療法（抗がん薬，ICI同士など）といった新たな治療戦略も普及し，免疫療法をとりまく環境は，irAE対策を含めさらなる複雑化をみせている。治療の最適化のために，有害事象を適切に管理し治療効果の最大化を図ることは，がん薬物療法に共通の課題である。

　irAEと治療効果にある程度の相関や持続性があることも特徴の1つとされており，irAEを適切にマネジメントしながら治療を継続することは重要である。irAEマネジメント方法の確立には，irAEの早期発見・対応を可能とするためのシステムの構築と多職種連携によるチーム医療が必須とされ，厚生労働省の「最適使用推進ガイドライン」では，施設要件として副作用対策のチーム医療体制整備について言及されており，複数診療科の医師，看護師，薬剤師などによる多職種連携が必要最低限の措置として求められている。

2 免疫療法に対するチーム医療

2-1 新潟県立がんセンター新潟病院の取り組み

　新潟県立がんセンター新潟病院（以下，当院）では，各領域（呼吸器，内分泌，血液，消化器，皮膚，泌尿器，頭頸部などほぼ全診療科）の専門医，および看護師・薬剤師・臨床検査技師によって構成される免疫療法サポートチーム（Team iSINC：Immunotherapy support in Niigata Cancer Center）を立ち上げ，免疫チェックポイント阻害薬を安全に使用するためのシステム作りに取り組んでいる。

　Champiatらはi rAEに対峙するため，①予防する（Prevent），②予測する（Anticipate），③発見する（Detect），④治療する（Treat），⑤観察する（Monitor）——が重要であると述べており[1]，当院のiSINCではこれに準拠し，特に早期発見・治療を可能とする環境作りと，これらの教育を重視したチーム活動を展開してきた。当院のiSINCが目指すものと活動の実際を紹介する。

2-2 セルフマネジメントを促す患者教育

　irAEは発症時期がいまだ明らかでないということもあり，患者のセルフマネジメント教育とそれを支援する対策が重要である。iSINCでは，患者説明同意文書や患者教育用のツールを使用しな

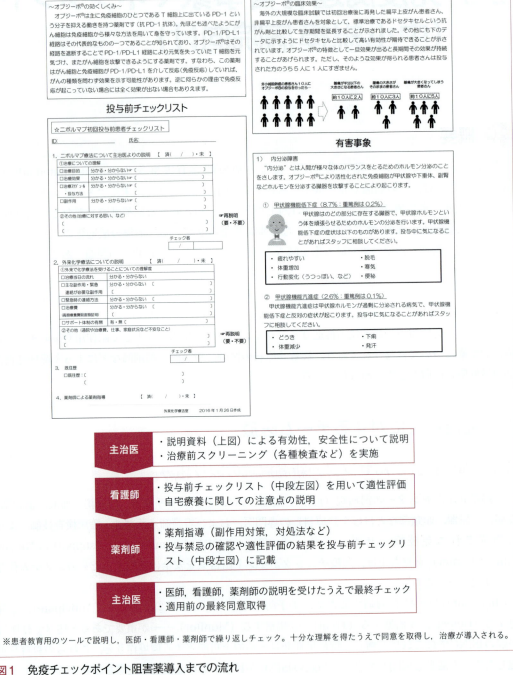

図1 免疫チェックポイント阻害薬導入までの流れ

がら繰り返し説明し，医師・看護師・薬剤師で患者の理解度のチェックをしている．患者の十分な理解を得たと確認できた段階で，免疫チェックポイント阻害薬での治療が導入される（図1）．また，治療中に患者が体調に異変を感じた際に，当院にすぐ連絡してもらい，スタッフが迅速に対応できるよう，早期発見・対応のための注意喚起シート「体調がおかしいときに」（図2）を患者に配布

免疫チェックポイント阻害剤投与中の患者さまへ

「体調がおかしいときに」

あなたが現在投与されている免疫チェックポイント阻害剤（ヤーボイ、オプジーボ）は稀ではありますが、重篤な副作用が起こることがあります。以下のような症状があった時には、日中は外来に、夜間・休日は救急外来に相談してください。

特に気をつけるべき症状
①咳が増えた、息切れが強くなってきた、高熱が出ている（38℃以上）。
②明らかに疲れやすくなった。だるくて動けない。
③下痢が続いている（1日4回以上）。強い腹痛がある。血便がある。
④手足に力が入らない。ものが二重に見える。
⑤そのほか、よくわからないが体調が悪い。

その際には以下の流れに沿って外来の看護師に現在の症状を伝えてください。
お電話する際には受診券を用意してください。
①あなたの名前とID
②あなたの主治医の名前はなんですか？
③病名はなんですか？
④投与されている薬剤（ヤーボイ、オプジーボ）はなんですか？
⑤④の薬剤はいつから投与されていますか？
⑥今困っている症状はなんですか？
　i．いつ頃から
　ii．どのような症状があって
　iii．どのように変化していますか（どのように悪くなっています）？

ちょっとした症状が重篤な副作用の始まりである可能性があります。
遠慮せずに病院に相談してください。

日中の連絡先　　　　（各科外来の電話番号を記載）
夜間・休日の連絡先　（病院代表）

※シート内の説明は，平易な表現で，なるべく幅広く，早期の段階で対応できるような呼びかけになるよう工夫。

図2　注意喚起シート「体調がおかしいときに」

し，病院に連絡するタイミングや連絡先について説明を行っている。

irAEとして発症する劇症1型糖尿病を含む血糖異常の管理は特に重要であり，尿糖試験紙の購入および検査法・対処法についてもあわせて指導している。

2-3　患者もスタッフも安心して使用できる環境作り

診療科やスタッフ間でのフォロー体制に差が生じないよう「適正管理のてびき」（図3-a）を作成した。このなかで，投与適応基準や必要な検査，検査結果の解釈などをまとめ，スタッフの意思統一を図っている。また，irAE専用の検査項目を電子カルテにセット登録し，その内容をチェックシート（図3-b）として運用している。チェックシートでは，問診結果と検査値をリンクして評価できるよう工夫し，スタッフ間での情報共有ツールとしても活用している。このほか，irAEの緊急対応時に備えて「救急対応マニュアル」を整備し，関わるスタッフの専門性等にとらわれずに対処できるよう「救急外来トリアージシート」（図4）を作成した。初期対応から，評価・診断・治療をスムーズに実践するために活用している。さらに電子カルテの機能を利用することで，免疫チェックポイント阻害薬を投与中であることを把握できるような工夫も行っている。現在，各種ツールを用いて，より質の高いフォローにつなげていくための教育用クリニカルパスを運用している。

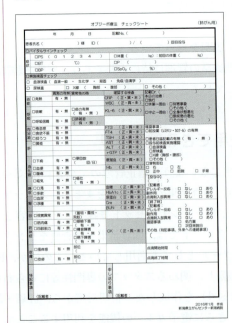

図3-a

図3-b

※投与適応基準や必要な検査，結果の解釈等をまとめた「適正管理のてびき」(3-a)にて治療管理。外来化学療法時においては，専用のチェックシート(3-b)を用い，問診結果と検査値をリンクしてアセスメントできるよう配慮している。医師・看護師・薬剤師で情報共有する。

図3 適正管理のてびき(3-a)と専用のチェックシート(3-b)

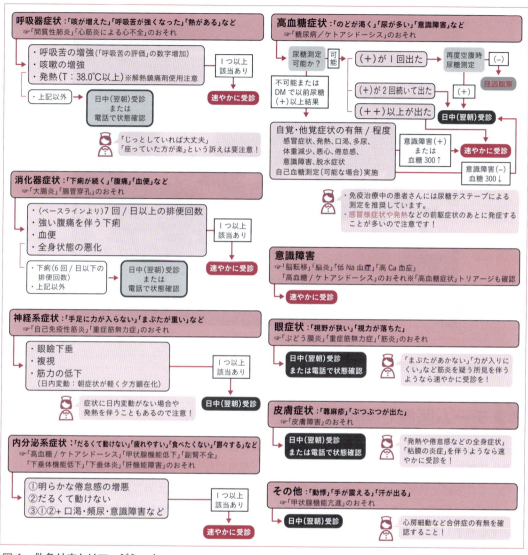

図4 救急外来トリアージシート

2-4 教育システムの確立

　チームカンファレンスの実施，電子カルテのメーリングリストを活用した緊急時アラートと情報共有，症例経験をもとに，院内外における医療スタッフや患者を対象とした教育・周知啓発活動に取り組んでいる。定期的な院内講演会などを通じて，免疫チェックポイント阻害薬およびirAE対策における基礎知識の習熟を図るとともに，ツールの運用法をレクチャーするといった業務内容の周知にも役立てている（図5）。また，院外活動として，病院薬剤師や保険調剤薬局薬剤師を対象とした，Case studyでの参加型研修会なども実施し，臨床経験の共有と相互のスキルアップを図っている。

院内のほぼすべての職種から積極的な参加がある。

図5 定期的な院内講演会の開催

③ チーム医療で薬剤師が貢献するために

　近年，MedinaらはirAEマネジメントにおける薬剤師の役割について報告[2]しており，その中で病態や特徴の認識，アセスメントと鑑別の重要性，基本的な対処と治療方法への理解について強調した。これらは，ファーマシューティカルケアを実践する薬剤師にとって，有害事象マネジメント全般における重要な示唆と思われる。irAEチーム医療において，薬剤師として貢献するためのポイントを列挙した。

(1) 病態と薬物治療，副作用管理に関する幅広い知識の習得と自己研鑽
(2) 患者のセルフマネジメント能力の向上を促す，質の高い服薬指導の実践
(3) 専門医との早期連携を橋渡しできるようなコミュニケーション能力
(4) irAEの早期発見に寄与し得る臨床推論と鑑別のスキル
(5) 最新情報の収集とアップデート

④ 現状と今後の展望

　適応がん種の拡大，併用療法（ほかの免疫チェックポイント阻害薬や抗がん薬，分子標的薬などとの併用）といった多様な治療戦略の登場で，irAE対策はさらなる複雑化をみせてきたが，マネジメントの質的向上も課題である。従来の有害事象対策に加えて，多彩な様相を呈するirAEに対峙するため，これまで以上に，多診療科および多職種が機能的に連携することが重要である。一方で，限られた資源や人材といった理由からチーム活動を展開できず，症例適用に至っていないという施設も多いと思われる。当院も，神経内科などの診療科がないため近隣の大学病院の協力は必須

	system	staff
Basic	**組織（チーム）形成** ・運用マニュアル ・患者指導ツール ・検査セット ・irAE対策 ・教育・啓発活動（院内） など	**Basicスキル修得** ・病態や特徴の理解 ・モニタリングの手法 ・鑑別のスキル ・基本的なマネジメント など
Advanced	**連携強化と広域展開** ・緊急対応の標準化 ・アラートシステム ・ロードマップ ・施設・地域連携 など	**人材育成とチーム拡充** ・サーバントリーダー擁立 ・Basicスキルの普及 ・教育・啓発活動（院外） ・情報交換・共有 など

図6　チームビルディングのスキーム

であり，チームマネジメントが当院のみで充足されているとは言い難い。図6は当院が検討してきた事業展開であり，現在も進行中である。できるところから少しずつ取り組み，拡充を図っていきたい。

【参考文献】
1) Champiat S et al : Management of immune checkpoint blockade dysimmune toxicities: a collaborative position paper. Ann Oncol, 27(4):559-574, 2016
2) Medina P et al : The Role of Pharmacists in Managing Adverse Events Related to Immune Checkpoint Inhibitor Therapy. J Pharm Pract, 33(3):338-349, 2020

（吉野　真樹）

第7章 がん薬物療法における薬剤師の役割　5 多職種チームの中での薬剤師の役割

5-6 がんゲノム医療・遺伝子診断

1 はじめに

　ヒトの染色体23対は，約30億個の塩基対からなる約24,000種類の遺伝子で構成されている。1990年に開始された「国際ヒトゲノム計画」は，約10年の年月をかけてヒトゲノムの完全解読に成功し，ゲノム情報の医療への活用に関心が向けられてきた。2005年頃からは解析装置の開発が進み，次世代シークエンサー（Next Generation Sequencer：NGS）の登場により，ゲノム解析の高速化・低コスト化が可能となった。NGSの登場による技術革新とともに，2015年には厚生労働省にゲノム医療実現推進本部が設置され，ゲノム情報の臨床への活用が進められてきた[1]。なお，DNAを構成する塩基の配列は，特定の個人を識別するに足りる情報として個人情報保護法の対象となっているため，ゲノム情報の取り扱いには注意が必要である。

　がんゲノム医療は，新しい医療分野である。そのため医療保険制度は，診療報酬改定により制度設計や保険点数が大きく見直されていく可能性もある。本稿では，2021年8月時点の診療報酬や制度設計に基づいた，がんゲノム医療における薬剤師の役割について記載している。

2 がんゲノム医療を取り巻く環境

2-1 がんゲノム医療を提供する病院の推移とその役割

　ゲノム情報のがん領域への活用は，ゲノム医療を必要とするがん患者が，全国どこにいても，がんゲノム医療を受けられる体制の整備を目的に2017年よりはじまり，2018年2月には11施設のがんゲノム医療中核拠点病院（以下，中核拠点病院），同年3月には100施設のがんゲノム医療連携病院（以下，連携病院）が指定された。なお，2021年8月現在，中核拠点病院の12施設，中核拠点病院の下に新設されたがんゲノム医療拠点病院（以下，拠点病院）の33施設，連携病院181施設とあわせて全国226施設となっている。

　中核拠点病院の機能は多岐にわたり，診療・臨床研究・治験の実施，新薬などの研究開発，がんゲノム医療の一連の流れを自施設で実施，連携病院との協力，そして人材育成が求められている。また，連携病院の機能としては，中核拠点病院と連携したがんゲノム医療の提供，遺伝子カウンセリングの実施，がんゲノム医療に関する情報提供などが求められている。

2-2 がん遺伝子パネル検査

　2019年6月，がん遺伝子パネル検査「OncoGuide™ NCCオンコパネルシステム」と

「FoundationOne® CDxがんゲノムプロファイル」の2種類が保険収載され，従来まで主に先進医療として限られた患者に提供されていたがんゲノム医療を，より多くのがん患者が利用できるようになった．また，新しい検査手法として，血液検体を利用したがん遺伝子パネル検査「FoundationOne® Liquid CDxがんゲノムプロファイル」が2021年8月に保険収載された．各がん遺伝子パネル検査の詳細は，表1～3に示す．

3 がんゲノム医療の流れ

がんゲノム医療の流れを図に示す．医師は検査を希望する患者の適応を判断した後，患者に検査内容の説明を行い，同意を取得する．2021年8月現在，がん遺伝子パネル検査の対象となる患者は，標準治療がない固形がん，または局所進行もしくは転移があり標準治療が終了した（終了見込みを含む）固形がんであること，患者の全身状態（Performance Status：PS）が良好で，次の新たながん薬物療法を希望している場合に限られている．

がん遺伝子パネル検査に用いる検体は，過去の手術検体より採取された腫瘍組織を用いることが多いが，組織のホルマリン固定方法が適切でない，あるいは検体自体が古すぎてDNAが損傷しているなどの理由で，十分な結果が得られない可能性がある．また，血液検体を用いる「FoundationOne® Liquid CDxがんゲノムプロファイル」は，がんの症状や病態により本来ある遺伝子変異が検出されないことがあるので注意が必要である．遺伝子パネル検査により得られたがんゲノムに関する情報は，患者の同意を得たうえでがんゲノム情報管理センター（Center for Cancer Genome and Advanced Therapeutics：C-CAT）に報告・集約される．

C-CATより報告書が到着したら，中核拠点病院および拠点病院ではがんゲノム医療の専門家が

表1 がん遺伝子パネル検査の特徴

検査名	OncoGuide™ NCC オンコパネルシステム	FoundationOne® CDx がんゲノムプロファイル	FoundationOne® Liquid CDx がんゲノムプロファイル
対象検体	腫瘍組織＋末梢血	腫瘍組織	血液検体
対象がん腫	固形がん	固形がん	固形がん
検出対象遺伝子	124遺伝子	324遺伝子	324遺伝子
検体条件	5μm×10枚（16mm²以上を推奨）腫瘍細胞比率20%以上 血液検体：2.0mL×2本	25mm²の場合：4～5μm×10枚（それ以下は1mm³になるように枚数調整）腫瘍細胞比率30%以上を推奨	血液検体：8.5mL×2本
コンパニオン診断機能	なし	あり	非小細胞肺がん：活性型EGFR遺伝子変異，EGFRエクソン20 T790M変異，ALK融合遺伝子，ROS1融合遺伝子 固形がん：NTRK1/2/3融合遺伝子 前立腺がん：BRCA1/2遺伝子変異
生殖細胞系列変異の区別	○	─	─

表2 FoundationOne® CDxのコンパニオン診断としての適応疾患・薬剤リスト

遺伝子変異など	適応疾患	関連する薬剤名
活性型EGFR遺伝子変異	非小細胞肺がん	アファチニブ, エルロチニブ, ゲフィチニブ, オシメルチニブ
EGFRエクソン20 T790M変異		オシメルチニブ
ALK融合遺伝子		アレクチニブ, クリゾチニブ, セリチニブ
ROS1融合遺伝子		エヌトレクチニブ
MET遺伝子エクソン14スキッピング変異		カプマチニブ
BRAF V600EおよびV600K変異	悪性黒色腫	ダブラフェニブ+トラメチニブ, ベムラフェニブ
ERBB2コピー数異常（HER2遺伝子増幅陽性）	乳がん	トラスツズマブ
KRAS/NRAS野生型	結腸・直腸がん	セツキシマブ, パニツムマブ
高頻度マイクロサテライト不安定性		ニボルマブ
高頻度マイクロサテライト不安定性	固形がん	ペムブロリズマブ
NTRK1/2/3融合遺伝子		エヌトレクチニブ
BRCA1/2遺伝子変異	卵巣がん, 前立腺がん	オラパリブ
FGFR2融合遺伝子	胆道がん	ペミガチニブ

（2021年8月現在）

表3 FoundationOne® Liquid CDxのコンパニオン診断としての適応疾患・薬剤リスト

遺伝子変異等	適応疾患	関連する薬剤名
活性型EGFR遺伝子変異	非小細胞肺がん	アファチニブ, エルロチニブ, ゲフィチニブ, オシメルチニブ
EGFRエクソン20 T790M変異		オシメルチニブ
ALK融合遺伝子		アレクチニブ, クリゾチニブ, セリチニブ
ROS1融合遺伝子		エヌトレクチニブ
NTRK1/2/3融合遺伝子	固形がん	エヌトレクチニブ
BRCA1/2遺伝子変異	前立腺がん	オラパリブ

（2021年8月現在）

集まり，遺伝子解析結果を検討する会議（以下，エキスパートパネル）が開催される．連携病院は，連携している中核拠点病院または拠点病院のエキスパートパネルに参加する．エキスパートパネルにおいて議論された結果は，主治医より患者へ伝えられる．患者が検査を希望してから検査を実施し，結果説明まではおおよそ4〜8週間かかる．

　2021年8月現在，がんゲノムプロファイリング検査の保険点数は計56,000点であり，検査会社に検体を提出した際に8,000点，エキスパートパネルを経て検査結果を患者に説明した際に残りの48,000点が算定可能な仕組みとなっている．

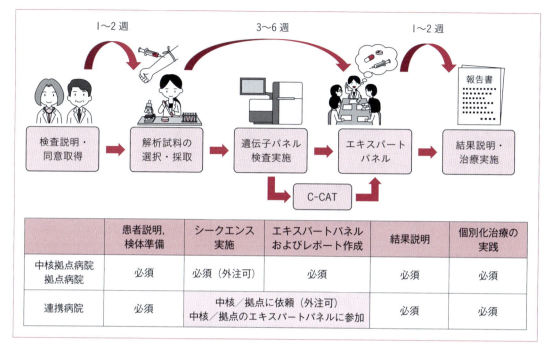

図　がん遺伝子パネル検査の流れと医療機関の提供体制

4 エキスパートパネルの実際（聖マリアンナ医科大学病院の場合）

　エキスパートパネルは，原則として提出されたすべての症例に関して行われる。はじめに患者の基本情報（年齢・性別・がん種など）や治療歴などが主治医から報告され，続いて検体試料の品質について病理医または臨床検査技師から報告される。その後，遺伝子パネル検査で検出された遺伝子変異の結果が提示される。遺伝子変異に関しては，体細胞変異（somatic mutation）だけでなく生殖細胞系列変異（germline mutation）も指摘される可能性がある。

　OncoGuide™ NCCオンコパネルシステムでは，腫瘍組織と同時に末梢血のDNAも解析するため，腫瘍細胞のみに存在する体細胞変異なのか，生まれつきもっている遺伝子に変異のある生殖細胞系列変異なのかを識別することができる。FoundationOne® CDxがんゲノムプロファイルの場合は，腫瘍細胞のみの解析になるため，エキスパートパネルの中で生殖細胞系列変異の可能性を議論し，必要な場合は追加の検査を行う。がん遺伝子パネル検査により得られた生殖細胞系列変異は二次的所見（secondary findings）とよばれ，結果説明の際に患者に説明を行うかどうかを，遺伝専門医や認定遺伝カウンセラーと確認する。これらを確認した後，検出された遺伝子変異の生物学的意義づけ（がん化能など特定の形質獲得に寄与するか）を行い，遺伝子変異に対応する治療薬の確認，患者の基本情報を考慮したうえで，対応する具体的な治療候補薬の治療効果に関するエビデンスレベルおよび承認状況，治験状況を踏まえた薬剤の到達性（実際に投与可能な薬剤があるかどうか）を議論する。表4および表5は，このときに指標とする分類案の一例である。エキスパートパネルでは，エビデンスレベルと薬剤の到達性から総合的な判断を行い，最終的な推奨治療を決定する。一般的に，推奨治療とするエビデンスレベルはC以上とされる。また，がん遺伝子パネル検

表4 治療効果に関するエビデンスレベル分類

基準	日本三学会	米国三学会	造血器腫瘍	EPWG案
当該がん種，国内承認薬がある遺伝子変異	1A		A	A
当該がん種，FDA承認薬がある遺伝子変異	1B	A	A	A
当該がん種，ガイドライン記載されている	1B	A	A	A
当該がん種，統計的信憑性の高い臨床試験・メタ解析と専門家間のコンセンサスがある	2A	B	B	B
異なるがん種，国内またはFDA承認薬あり	2B	C	C	C
異なるがん種，統計的信憑性の高い臨床試験・メタ解析と専門家間のコンセンサスがある				C
（がん種にかかわらず）規模の小さい臨床試験で有用性が示されている		C	D	C
臨床試験の選択基準に使用されている		C	C	—
（がん種にかかわらず）症例報告で有効性が示されている	3A		D	D
前臨床試験（in vitroやin vivo）で薬剤の治療効果との関連が報告されている	3B	D	D	E
がんに関与することが知られている	4			F
薬剤耐性変異				R

〔第2回がんゲノム医療推進コンソーシアム運営会議，会議資料より
（https://www.mhlw.go.jp/content/10901000/000486799.pdf）2022年6月閲覧〕

表5 薬剤の到達性の指標

番号	指標詳細
1	当該がん種において，当該バイオマーカーを適応とした国内承認薬が存在する
2	当該がん種において，当該バイオマーカーを受け入れ基準とした国内臨床試験が存在する
3	他がん種において，当該バイオマーカーを受け入れ基準とした国内承認薬が存在する
4	当該がん種において，当該バイオマーカーを受け入れ基準とした海外臨床試験が存在する
5	がん種にかかわらず，当該バイオマーカーを適応としたFDA承認薬が存在する
6	上記にどれもあてはまらない

〔第2回がんゲノム医療推進コンソーシアム運営会議，会議資料より
（https://www.mhlw.go.jp/content/10901000/000486812.pdf）2022年6月閲覧〕

査でコンパニオン診断が存在する遺伝子変異が発見され，該当する医薬品の投与が適切であると判断された場合，あらためてコンパニオン診断を行う必要はない[2]。

5 エキスパートパネルにおける薬剤師の役割

がんゲノム医療中核拠点病院などの整備に関する指針において，エキスパートパネルの構成員リストは，下記のように規定されている[3]。

① がん薬物療法に関する専門的な知識および技能を有する診療領域の異なる複数名の医師
② 遺伝医学に関する専門的な知識および技能を有する医師
③ 遺伝医学に関する専門的な遺伝カウンセリング技術を有する者
④ 病理学に関する専門的な知識および技能を有する複数名の医師
⑤ 分子遺伝学やがんゲノム医療に関する十分な知識を有する専門家
⑥ 次世代シークエンサーを用いた遺伝子解析等に必要なバイオインフォマティクスに関する十分な知識を有する専門家
⑦ 検討を行う対象患者の主治医

　上記のとおり，職種としての薬剤師は構成員に含まれていない。しかしながら，エキスパートパネルに出席しているすべての医師が，必ずしも対象患者のがん種に精通しているとは限らず，未使用の標準治療薬や推奨された治療薬の保険適用，治験の実施状況などは，臓器横断的に抗がん薬に精通している薬剤師の支援が有効である。また，実際に推奨薬で治療を行う際にはレジメン登録が必要になる場合もあり，治療中も副作用のモニタリングなど，薬剤師が必要とされる場面は多くある。エキスパートパネルに薬剤師が参加し，薬学的視点から抗がん薬の選択決定に係わることは重要であると考える。

　特に薬剤師が重要な役割を担うのは，推奨治療薬が適応外，未承認薬の場合である。2021年に改正された医療法施行規則第9条の20第2項第3号ロでは，「未承認等の医薬品の使用に関し，当該未承認等の医薬品の使用の状況の把握のための体系的な仕組みの構築並びに当該仕組みにより把握した未承認等の医薬品の使用の必要性等の検討の状況の確認，必要な指導及びこれらの結果の共有」と記載されている。標準治療がないがん患者や，標準治療を終了しているがん患者がパネル検査の対象となっていることから，保険適用となっている標準治療薬はすでに投与済みになっていることがほとんどであり，エキスパートパネルで推奨される抗がん薬は適応外や未承認薬であることが多い。そのため，推奨治療を行う際にはこの規定を遵守する必要があり，薬剤師は医薬品情報やエビデンスの収集など薬学的な支援を行うことが求められる。

❻ がんゲノム医療の抱える課題と薬剤師の役割

　がんゲノム医療は，遺伝子パネル検査が保険収載されたことにより日常診療の一つとなったが，その制度の複雑さなどから多くの課題を抱えている。遺伝子パネル検査の対象患者は，保険適用の条件に従うとがん患者全体の1％程度であり，また，遺伝子パネル検査の結果から治療薬が見つかるのは，治験薬や適応外使用を含めても10％前後と報告されている[4,5]。がんゲノム医療は，がん種横断的な遺伝子変異に基づき治療薬の選択が行われるが，一部の施設・患者で実施されるにとどまっているため，治療医も普段使用することのない薬剤の処方や管理を行うことになる。今後，多くの患者が遺伝子パネル検査を利用することで，多くのがん種と遺伝子変異の関係が明らかになり，既存の薬剤の新しいがん種への適用や新しい機序の治療薬が開発されることが予想される。そのとき，それらの薬剤を使用した治療を患者が安心して受けるためには，薬剤師が薬の専門家として薬の特性を理解し，レジメンの整備を行い，副作用の説明，支持療法の検討などを行うことが求められる。がんゲノム医療における薬剤師の役割は，薬の専門家として遺伝子パネル検査の結果に基づ

く治療薬選択を支援し，医師，看護師などの多職種と協力して，患者が安心して治療を受けられる環境をつくることである．

> **ミニコラム①中核拠点病院が取り組むがんゲノム医療に基づく臨床研究**
>
> がんゲノム情報に基づく診療や臨床研究・治験の実施が求められる中核拠点病院では，国立がん研究センター中央病院が調整事務局となり，2021年8月現在，がんゲノム医療中核拠点病院12施設で行う多施設共同研究「遺伝子パネル検査による遺伝子プロファイリングに基づく複数の分子標的治療に関する患者申出療養（NCCH1901）」が進行中である[6]．本研究は，わが国で薬事承認済み，あるいは評価療養として実施されている遺伝子パネル検査を受け，がんの発症原因となっている遺伝子異常を有することが判明した患者を対象に，それぞれの遺伝子異常に対応し，エキスパートパネルにて推奨された抗悪性腫瘍薬の適応外使用を患者申出療養制度に基づいて投与，治療経過についてのデータを収集することを目的としたものである．本研究の結果，高い有効性が期待できる抗悪性腫瘍薬が見つかった場合は，今後の治験立案や承認提案の参考データとして使用される予定となっている．

【参考文献】

1) 首相官邸ホームページ：健康・医療戦略推進本部，ゲノム医療実現推進協議会（https://www.kantei.go.jp/jp/singi/kenkouiryou/genome/genome_jitsugen.html）（2022年6月閲覧）
2) 厚生労働省保険局医療課「疑義解釈資料の送付について（その15）」（令和元年6月4日）（https://www.mhlw.go.jp/content/12400000/000515343.pdf）（2022年6月閲覧）
3) 第2回がんゲノム医療推進コンソーシアム運営会議「エキスパートパネル標準化案」，平成31年3月8日（https://www.mhlw.go.jp/content/10901000/000486814.pdf）（2022年6月閲覧）
4) Sunami K et al：Feasibility and utility of a panel testing for 114 cancer-associated genes in a clinical setting: A hospital-based study. Cancer Sci, 110 (4):1480-1490, 2019
5) 第3回がんゲノム医療推進コンソーシアム運営会議「遺伝子パネル検査の実態把握調査の報告」（厚生労働省健康局がん・疾病対策課），令和元年12月5日（https://www.mhlw.go.jp/content/10901000/000573712.pdf）（2022年6月閲覧）
6) 臨床研究等提出・公開システム「遺伝子パネル検査による遺伝子プロファイリングに基づく複数の分子標的治療に関する患者申出療養（NCCH1901）」（https://jrct.niph.go.jp/latest-detail/jRCTs031190104）（2022年6月閲覧）

（櫻井　洋臣，計良　貴之）

くくなる。ファンデーションは一度に塗り隠すのではなく，薄く均一に塗布し，少しずつ重ねて塗るとよい。最後に仕上げ用のパウダーを重ねることで，化粧もちもよくなる。また，ファンデーションは石けんでは落ちにくいものが多く，石けんを使用する前にクレンジングなどの洗浄剤を使用する。

2) マニキュア：爪の色素沈着

爪の色素沈着にはカラーマニキュアが勧められる。紫外線で硬化するジェルネイルもあるが，長もちさせるために自爪を削る処理を行うことや，ジェルを剥離する際に負担がかかるので，自爪が薄い場合は勧められない。手指・手背に色素沈着があると，パステルカラーなどの淡い色は爪が強調され，かえって色素沈着が目立ちやすくなる。テラコッタなどのブラウン系や，ピンクでもコーラルピンクなどオレンジ系の色を使用すると肌になじむことが多いが，ネイルケアが患者の生活や治療意欲へのモチベーションとなることもあるので，色選びは個人の好みを尊重する。

カラーマニキュアはそのまま使用すると自爪が黄色に変色することがあるため，
① ベースコート（爪の変色を防ぐ）
② カラーマニキュア（数回重ね塗りすると発色がよくなる）
③ トップコート（カラーマニキュアが長もちする）

の順に塗布することが勧められる。
※ベースコートにはトップコートの機能を兼ねた商品もある。

カラーマニキュアは週に一度は除光液で色を落として爪の状態を確認し，爪床の感染（緑色爪・排膿・浸出液など）がある場合は速やかに皮膚科を受診する。有機溶剤の除光液は，現在ではオイルなどの爪を保護・保湿をする成分が配合されているものが多いが，除光液の使用を躊躇する場合は，お湯につけるだけで剥離できるフィルムタイプの水溶性ネイルの使用が勧められる。

❹ 紫外線対策（日焼け止めの選択）

紫外線暴露は，色素沈着だけではなく皮疹増強因子にもなるため，セツキシマブなどのEGFR阻害薬を使用する場合にも，日焼け止めの使用を勧めることが大切である。

日焼け止めはUVA防止効果を示すPA（＋〜＋＋＋＋：多いほど効果が高い），UVB防止効果を示すSPF（数値が大きいほど効果が高い）で表記される。屋外で過ごすことが多い場合はPAやSPFが高いものが適しているが，一度塗りで防げるわけではなく，数時間ごとに塗り直すことが勧められる。

ウォータープルーフタイプは水や汗で落ちにくいが，適切に落とさないと皮膚トラブルの原因にもなるので，顔にはクレンジングなどの洗浄剤の使用を勧める。

小児用や「石けん落ち可能」と表記された日焼け止めは原則としてクレンジング剤は不要だが，水や汗で落ちやすく屋外ではこまめに塗り直す必要があるので，患者のライフスタイルなどを考慮する。

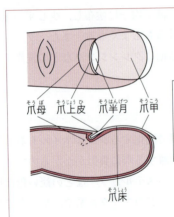

図3 爪の構造

爪母：爪甲を形成する組織
爪上皮：「甘皮」ともよばれ，細菌の侵入を防ぐ
爪半月：形成されたばかりの爪甲（見えないこともある）
爪甲：爪母より形成されたケラチン組織
爪床：爪甲を乗せた皮膚組織

5 爪の変形

　一般的に"爪"とよぶ部分は「爪甲」といい，爪甲は爪母で形成され，皮膚組織である爪床の上を滑るように前方に押し出されて延びる。爪甲は爪床に付着している状態にあり，簡単に剥がれる組織である（図3）。

5-1　剥離・脱落

　カペシタビンやタキサン系抗がん薬など手足症候群を起こしやすい薬剤は，爪床の炎症などが原因で爪甲が剥離・脱落することがある。剥離しかけた爪甲は，衣服などに引っかかると痛みを伴うため，テープや絆創膏などで止めておくよう指導する。その際には清潔を保ち，防水性・通気性のよい製品を用いることが推奨される。

5-2　亀裂

　カペシタビンなどの副作用で爪甲が菲薄化・脆弱化することがある。脆くなった爪甲の強化には，マニキュアの①ベースコート，②トップコートの順に塗布し対応できる。
　亀裂が入った爪甲には，ベースコートを塗布した後，乾く前に爪に合わせてカットしたティッシュを乗せ，その上からトップコートを塗布することで保護・強化することができる（ティッシュはトップコートを含むと白さが消え透明になる）。強度をあげたい場合はもう一度ティッシュ→トップコート塗布を繰り返してもよい。

アピアランスケアに関連する介入症例

【ケース1】

　32歳女性。乳がんの術前薬物療法により脱毛・色素沈着があるが，いつも華やかなメイクやファッションで来院される。そのことに触れるとご本人より「医療用のウィッグは黒やダークブラウンなど暗い色しかないから，全然自分らしくない。脱毛は仕方ないし，休職している今だからこそ，逆にいろんなおしゃれウィッグを着けて髪型を楽しんでいる。メイクやネイルケアをすると，『女子力』が上がった気がして気持ちも前向きになれる。点滴をしていない時は患者であることは忘れたいから」と笑顔で話された。化学療法導入時に脱毛に対して医療用ウィッグの紹介をしがちだが，必ずしも医療用にこだわる必要はなく，患者の「自分らしさ」に合わせたアピアランスケアと情報提供が必要であると感じた症例である。

【ケース2】

　54歳男性。大腸がんでパニツムマブ＋FOLFOX療法が開始となった。治療開始時より皮膚症状対策をきちんと行っており，屋外（海上）での作業が主であることから日焼け止めもこまめに使用していたが，5コース目施行前に外来看護師より顔の皮疹が増悪していると情報提供があり，主治医からも診察に同席するよう依頼があったため同席。皮疹は体幹にも出現していたが，顔は膿痂疹・膿疱が多発しており，当日の治療延期・皮膚科へのコンサルテーションを提案した。

　皮疹が軽減し，治療再開となった際にスキンケアについて確認したところ，使用している日焼け止めでは石けんで落ちづらい商品であること，また，洗顔時に石けんを使用していなかったことがわかり，石けんで落としやすい商品の紹介とこまめな塗布，洗顔時は石けんを使用するよう説明。皮膚症状は皮膚科フォローのもと症状の増悪なく治療が継続できた。

　日焼け止めの特徴と使用後のケア（落とし方も含めて）についての説明・情報提供も必要であると感じた症例である。

【ケース3】

　47歳男性。大腸がんでベバシズマブ＋XELOX療法をされている。カペシタビンによる爪の脆弱化について，化学療法室看護師より介入依頼があり，確認すると爪甲が菲薄化していた。患者からも亀裂が入りやすくなっていると訴えがあり，ベースコートなどを用いた爪の補強について情報提供した。マニキュアはドラッグストアや量販店などでも購入できることを説明するが，化粧品コーナーには1人で行きづらいと話され，患者家族（妹）に購入してもらうこととなった。使用するアイテムの説明だけではなく，購入時のイメージなども考慮した情報提供が必要であると感じた症例である（ほかの購入方法としては，店員に事情を説明し商品を選んでもらう，または通信販売などの方法もある）。

【参考文献】

1) 国立がん研究センター中央病院　アピアランス支援センター（https://www.ncc.go.jp/jp/ncch/division/appearance/）（2022年6月閲覧）
2) 野澤桂子　他　編：臨床で活かす　がん患者のアピアランスケア，南山堂，2017

（山本　紗織）

6-2 就労支援

1 はじめに

みなさんは，自分の会社（病院・薬局）の就業規則を読み込んだことがあるだろうか。がん患者の就労支援を考えるうえで，社会制度はもちろんのこと，患者の会社の就業規則に合わせた支援が重要となる。例えば，病気休暇や時短勤務は会社が決める制度である。また，自営業の方では，患者自身で対応が求められる。そのため，薬剤師だけで対応できるケースは少なく，医療ソーシャルワーカー（Medical Social Worker：MSW）との連携は必須である。

2 がん患者の就労状況

2-1 就労状況

がん診断時に収入のある仕事をしていた割合は，60歳未満で84.7%，60歳以上は34.7%と報告されている[1]。がんと診断された際，職場や仕事上の関係者に話をしていた割合は81%で，多くの患者が仕事関係者に話している状況がある。特に若年がんの患者では，95%で話をしていた。話した相手は，所属長・上司（81.1%），同僚（53.8%），部下（18.3%），人事労務担当（12.0%），会社の医療スタッフ（3.1%）であった。がんの治療中に，職場や仕事上の関係者から「治療と仕事を両方続けられるような勤務上の配慮があったか」については，65%であったとの回答していた。なお，社内制度の利活用をしていた患者は，36.1%だった。具体的状況を表に示した。

若年がん患者では，短時間勤務や時間・半日単位の休暇制度の利用者割合が高く，仕事の合間を使って治療を両立する傾向が高い可能性が考えられた。

2-2 退職・廃業

収入のある仕事をしていたがん患者の19.8%が退職・廃業をしている[1]。治療過程のどのタイミングで退職・廃業しているかを図1に示した。実に50%以上が，治療開始前に退職・廃業をしていることが浮き彫りとなっている。治療開始前の退職・廃業には，治療の見通しに対する不安なども影響しているといわれており，いち早く就労に関する医療者の介入が必要と考えられる。また，11%は治療中に退職・廃業しており，治療による有害事象コントロールの必要性があることが示唆される。なお，退職・廃業したうち，再就職・復業した割合は19.7%である一方，再就職・復業の希望はあるが現時点では無職が22.5%にのぼる実態も明らかにされている。一度退職・廃業すると，体調が万全でない状況での再就職は難しいケースも多く，特に希望の職種での再就職は困

表 社内制度の利活用の詳細

	若年がん患者	一般がん患者
両立の相談窓口	0.6%	1.6%
時間単位，半日単位の休暇制度（定期的・不定期に取得する休暇）	31.3%	17.9%
時差出勤（長さは所定の労働時間で出勤をずらす）	6.7%	5.7%
短時間勤務制度（所定労働時間を一定期間，短縮する制度）	21.9%	8.9%
在宅勤務（テレワーク）	2.4%	2.6%
試し出勤（長期間休業していた者に対し，復職時に一定期間，時間や日数を短縮した勤務を行うこと）	10.0%	7.9%
その他	1.0%	1.2%
上記のものは何も利用していない	48.6%	64.5%

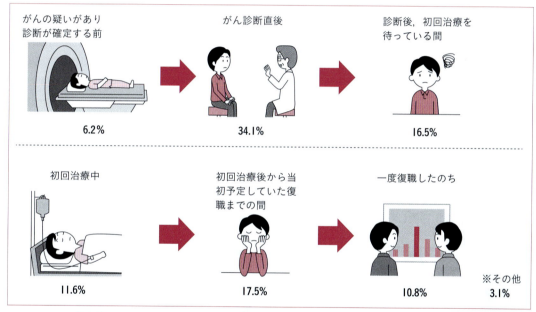

(国立がん研究センター がん対策情報センター：患者体験調査報告書 平成30年度調査, p.85, 2020をもとに作成)
図1 退職・廃業のタイミング

難といわれている。そのため，患者への情報不足による退職・廃業を避けることが重要である。

❸ 医療者の支援状況

　患者の退職・廃業が一番多い治療開始前に，病気のことや療養生活に関して誰かに相談することができていたかについては，76.3%ができたと回答しており，相談が必要だったができなかった割合は3.7%，相談する必要がなかった割合は20%だった。相談相手は，自分の家族69.8%，主治医66.9%，友人13.2%，看護師9.9%，医師・看護師以外の医療スタッフ7.4%となっている。主治医に相談している割合は高いが，逆に主治医以外の医療者に相談している割合は低く，治療開始前に

患者がさまざまな支援を受けられる機会が限られていることがわかる。特に薬剤師は、医師・看護師以外の医療スタッフ（7.4％）のなかに入ると考えられるが、薬物治療が実際に始まる前の段階では、関わりが少ないことが考えられる。

❹ 両立支援に関する社会制度

4-1　保険診療上の両立支援の流れ

　2020年度の診療報酬改定で、図2に示す支援体制について診療報酬での算定が可能となった[2]。患者は、勤務する職場などの産業医などに相談し、①勤務状況を記載した書類を作成し、②その文書を主治医に渡す。主治医は、③治療の状況や就業継続の可否などについて主治医の意見を求める際の様式（図3)[3]に意見などを記載する。この様式には、現在の症状（通勤や業務遂行に影響を及ぼしうる症状や薬の副作用など）、治療の予定（入院治療・通院治療の必要性、今後のスケジュール［半年間、月1回の通院が必要等］）などを記載する必要がある。

4-2　経済的支援

　先にも述べてきたが、公的な支援制度は多岐にわたる。例えば、医療費に関しては、患者が加入している公的医療保険の担当窓口で申請する高額療養費制度、限度額適用認定証、高額療養費貸付

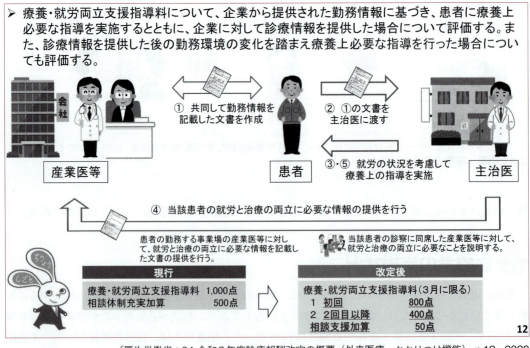

図2　保険診療における治療と仕事の両立支援の流れ

〔厚生労働省：04 令和2年度診療報酬改定の概要（外来医療・かかりつけ機能），p.12, 2020
（https://www.mhlw.go.jp/content/12400000/000605491.pdf）〕

患者氏名		生年月日	年　　月　　日
住所			

病名	
現在の症状	（通勤や業務遂行に影響を及ぼし得る症状や薬の副作用等）
治療の予定	（入院治療・通院治療の必要性，今後のスケジュール（半年間，月1回の通院が必要，等））
退院後／治療中の就業継続の可否	□可　　　　　　　（職務の健康への悪影響は見込まれない） □条件付きで可　（就業上の措置があれば可能） □現時点で不可　（療養の継続が望ましい）
業務の内容について職場で配慮したほうがよいこと（望ましい就業上の措置）	例：重いものを持たない，暑い場所での作業は避ける，車の運転は不可，残業を避ける，長期の出張や海外出張は避ける　など 注）提供された勤務情報を踏まえて，医学的見地から必要と考えられる配慮等の記載をお願いします。
その他配慮事項	例：通院時間を確保する，休憩場所を確保する　など 注）治療のために必要と考えられる配慮等の記載をお願いします。
上記の措置期間	年　　月　　日　～　　　年　　月　　日

上記内容を確認しました。
　令和　　年　　月　　日　　（本人署名）＿＿＿＿＿＿＿＿＿＿＿＿＿＿＿＿＿

上記のとおり，診断し，就業継続の可否等に関する意見を提出します。
　令和　　年　　月　　日　　（主治医署名）＿＿＿＿＿＿＿＿＿＿＿＿＿＿＿＿

（注）この様式は，患者が病状を悪化させることなく治療と就労を両立できるよう，職場での対応を検討するために使用するものです。この書類は，患者本人から会社に提供され，プライバシーに十分配慮して管理されます。

図3　治療の状況や就業継続の可否等について主治医の意見を求める際の様式例

制度などがある。生活支援に関しては，患者が協会けんぽや健康保険組合に加入している場合は傷病手当金を申請できる。自営業などの方が加入している国民健康保険は，傷病手当金の申請はできないので注意が必要である。なお，傷病手当金は，従来，支給日から1年6カ月間の期間内のみ，一定条件を満たす場合に支給されてきたが，2021年1月1日からは，通算で1年6カ月まで支給可能となったため，注意が必要である。薬剤師が直接手続きに関わるケースは少ないと考えられるが，通院している医療機関のMSWに相談することで必要な窓口を紹介可能なことを伝えることは重要である。

❺ 各支援体制と薬剤師の役割

がん患者の就労を取り巻く環境や，社会的支援制度などについて述べてきた。ここからは，薬剤師がどのような形で就労支援に関わることができるかについて考える。

5-1　がん治療に関連する就労への影響

桜井ら[4]の報告では，就労継続に影響を及ぼした背景要因の第1位は「体力低下」，第2位は「価値観の変化」，第3位は「薬物療法に伴う副作用」となっており，薬物治療における副作用対策は患者の就労に直接影響する。また，心は診断直後に，身体的落ち込みがなくても大きく落ち込む。外来通院中は，放射線や抗がん薬治療により身体的落ち込みがあり，それに伴い，心の落ち込みも認められる。心のケアの側面からも外来通院中の副作用対策は非常に重要である。

5-2　治療に関する患者の理解

患者自身が，第三者に説明できる範囲は，病名96.7％，治療内容90.0％，現在の体調と管理方法59.7％，薬剤名40.3％，半年の見通し35.7％，配慮事項25.3％であった[4]。薬物治療では，薬剤名，半年の見通し，配慮事項が関連するが軒並み低い数値であり，患者個々に合わせた情報提供の必要性が考えられる。特に見通しや配慮事項は，就労において企業が知りたい情報であり，的確な情報提供が求められている。ただし，患者の理解度は個人差があるといわれている。患者自身で抗がん薬の副作用を経験しながら働き方を計画し，マネジメントできる場合は，患者の求めに応じて必要な情報を提供すればよい。また，多くの患者は的確な治療期間や副作用発現時期の見通し，その対処と就労上への影響をアドバイスすることで，就労への対応が可能である。逆に一部の患者は，複雑な問題を抱えていることがあり，早期から相談支援センターと情報共有を図り対応する必要がある。

また，患者の多くは，復職してしばらく経過すると治療開始前と同じパフォーマンスで仕事をすることを望むケースが多く，実際できる範囲とのギャップに悩むケースも多いため，復職後の継続的なケアが重要となる。

	ドイツ	フランス	スウェーデン
	公的保険は一般労働者・年金受給者・学生などを対象とした一般制度と自営業者を対象とした農業者疾病保険。一定所得以上の者・公務員は強制適用ではない。2009年以降，公的医療保険未加入者に，原則として公的医療保険または民間保険への加入を義務づけ。	職域ごとに強制加入の多数の制度があり，国民の99％をカバー。対象外のフランス人・外国人は普遍的医療カバレッジ（給付）制度の対象となる。	税方式による公営のサービス。財源は広域自治体（ランスティング）の税収が約7割，国からの補助金が約2割を占める。初期医療は公立・私立の診療所が行い，専門医療はランスティングが運営する病院が行う。
	全国民の約85％（自営業者・高所得者は任意加入）	全国民の99％	全国民
	社会保険方式	社会保険方式	税方式
	・総額請負制（保険者から保険医協会に一括支払。保険医協会から個々の医師に対しては出来高払い）	・出来高払い制	ランスティングによる予算割り当て
	・特定の療養は1件あたりの包括払い制 ・その他の給付は1日あたりの定額払い制	・公的病院は総枠予算制 ・私的病院は1日あたりの定額払い制	
	10.50％	11.20％	9.40％
	3,737ドル	3,696ドル	3,470ドル
	高度医療・新薬については公的保険がカバーしていないが民間保険はカバーしている場合もある。	登録を受けた医師は国の定める診療報酬を超過する請求が認められ，この部分は自己負担となる。薬剤費は薬効に応じた償還率（65％〜15％）で公的保険がカバーし，残りが自己負担となる。自己負担をカバーする民間保険は普及率が8割を超える。	ランスティングが自己負担額を設定するが，法により上限が定められている。

〔関西広域連合：平成25年9月9日道州制のあり方研究会（第6回会合）「資料2-4 諸外国の医療保険制度の比較」，2013より一部抜粋（https://www.kouiki-kansai.jp/material/files/group/3/1378455555.pdf）〕（2022年6月閲覧）

3-2　費用対効果評価の選定基準と対象について

　対象品目の選定基準は，医療保険財政への影響度を重視する観点および薬価・材料価格制度を補完する観点から，革新性が高く，財政影響が大きい医薬品・医療機器を費用対効果の主な対象とする。一方，治療方法が十分に存在しない希少な疾患のみに用いられる品目（指定難病，血友病およ

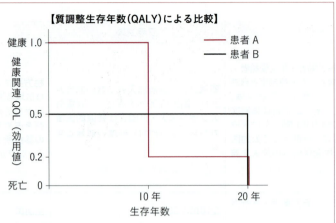

《20年間のQALY比較におけるシナリオ例》
患者A：10年間健康状態であったが，難治性疾患を発症して日中の半分ほどを臥床状態で過ごす期間が10年続いた。
患者B：病気により片腕を失い，合併症を患いながら20年間過ごした。

※患者Aおよび患者Bの20年間における質調整生存年の比較は効用値の積分の差であり，
　(患者A：1.0×10＋0.2×10＝12)−(患者B：0.5×20＝10)＝2 QALY
　健康関連QOLにおいて，患者Aのほうが「2 QALY高い20年間の生活であった」という考え方になる。

図1 健康関連QALYと効用値

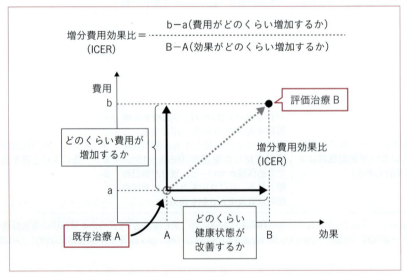

〔平成25年2月27日中央社会保険医療協議会 費用対効果評価専門部会資料：福田敬参考人提出資料「効果指標の取り扱い（その3）」〕

図2 増分費用対効果比のイメージ

びHIV感染症を対象），および小児のみに用いられる品目（日本における小児用量・用量承認が取得されている品目）は除外される[4]。

3-3　費用対効果評価の対象品目

2021年5月時点において，①テリルジー，②キムリア，③ユルトミリス，④ビレーズトリエアロスフィア，⑤トリンテリックス，⑥コララン，⑦ノクサフィル，⑧カボメティクス，⑨エンハーツ，⑩ゾルゲンスマ，⑪エンレスト，⑫エナジア，⑬リベルサス，⑭テリルジー200エリプタ，⑮エムガルディ，⑯イエスカルタ，⑰ポライビー，⑱ダラキューロ，⑲アリケイス，⑳ブレヤンジの20品目が挙げられ，半数以上が外資系医薬品である[5]。

3-4　費用対効果評価の現状と今後

2019年4月より運用が始まった費用対効果の分析プロセスは，非常に時間がかかることが取り上げられ，初期ルールである「企業分析→専門組織での確認→公的分析→専門組織での総合的評価」という流れに異論が挙がった。相対的な観点で企業分析を評価，ならびに再分析・追加分析を指示しやすくするため，「企業分析→公的分析→専門組織での確認→必要があれば再分析・追加分析の指示→専門組織での総合的評価」と見直す方針となった[6]。今後，合理化と透明性が改善され，評価の加速に期待する。

4　医療経済評価に向けた薬剤師の役割

2014年，米国臨床腫瘍学会は，肺がん，乳がん，膵がん，大腸がんについて，clinically meaningful outcomeを定義し，比較試験では統計学的な有意差ではなく「臨床的に意味のある差」を求めるべきという提言を行ったが[7]，現状において提言の具現化は達成されていない。米国では，費用対効果（1年間あたりの質の高い生活に対する価格に上限を設ける考え方）は好まれておらず，米国食品医薬品局（Food and Drug Administration：FDA）は，新薬や新しい機器の承認において費用を考慮していない。抗がん薬治療などの高額な介入を伴う慢性疾患を抱える患者ではとりわけ，医療費に対する懸念が大きい。米国における個人の自己破産のうち，57〜68％が医療に関係する出費が原因と推定され，がん医療における商業主義が問題となっている[8]。

わが国の医療費適正化に向け，費用対効果評価を発展させるためには，医療消費者（国民）の医療参画への意識改革，正しい費用対効果評価の認知向上，ならびに医薬品（治療法）において高額医薬品のみに限定しない価値評価拡大が必要と考える。田村らの報告[9]より，実地医療における患者健康関連QOL（効用値）の測定と「一般化」に向けたdata base構築は国家レベルでの取り組みとすべき課題であり，特に，薬剤師によるreal-worldの効用値測定集積は公平なQALY算出へ寄与する職能につながると考える。

5 まとめ

　医療費問題は喫緊の課題である。医療経済の主軸である費用対効果評価は、10年以上の審議・検討を重ねるも、数種類の医薬品に対する試行導入に留まり、再審議が提案されるなど本格的な取り組みに至っていない。また、わが国独自の「疾患横断的な健康関連QOL」の開発と一般化が確立していないことも要因である。特に、費用対効果の要素である『効果』のデータは、医療機関、保険薬局、訪問看護等のさまざまな場面から、健康関連QOLの経時的推移情報を収集できるシステムの開発、ITとAIを駆使した蓄積データの解析をもって、医薬品（薬物療法）の真の価値を評価できると考える。

　新しい研究・開発分野であり、あらゆる医療人が共通言語をもって取り組むべき課題である。

【参考文献】

1) 厚生労働省：令和元年度 国民医療費の概況－結果の概要－．2021（https://www.mhlw.go.jp/toukei/saikin/hw/k-iryohi/19/dl/kekka.pdf）（2022年6月閲覧）
2) 新時代戦略研究所（INES）：財政の持続可能性と整合的な新たな薬価制度改革案（プレスリリース：2021年5月28日）（http://inesjapan.com/wp/wp-content/uploads/2021/05/document-20210528.pdf）（2022年6月閲覧）
3) 福田敬：医療技術評価の政策応用の実態－試行的導入から制度化へ向けて－．薬剤疫学、23(1):3-10, 2018
4) 厚生労働省：中央社会保険医療協議会 総会（第421回）議事次第（中医協 総-1-1参考　元.8.28）（https://www.mhlw.go.jp/content/12404000/000540829.pdf）（2022年6月閲覧）
5) 厚生労働省：中央社会保険医療協議会 総会（第479回）議事次第（中医協 総-6 参考2　3.5.12）（https://www.mhlw.go.jp/content/12404000/000777813.pdf）（2022年6月閲覧）
6) 厚生労働省：中央社会保険医療協議会 費用対効果評価専門部会（第54回）議事次第，費用対効果評価の分析・評価の流れ【見直し案】（https://www.mhlw.go.jp/content/12404000/000808914.pdf）（2022年6月閲覧）
7) Ellis LM et al：American Society of Clinical Oncology perspective: Raising the bar for clinical trials by defining clinically meaningful outcomes. J Clin Oncol, 32(12):1277-1280, 2014
8) Gallagher C et al, 清水千佳子　他　訳：がん医療の臨床倫理、医学書院，p.275-292, 2020
9) 田村和夫：厚生労働科学研究費補助金（がん対策推進総合研究事業），総括研究報告書（令和2年度），高齢者がん診療指針策定に必要な基盤整備に関する研究（https://28f559a1-817a-41e4-86dc-fdb25a5edd42.filesusr.com/ugd/a2a2d7_ceb032bfc82446aaba604edd4b83b0dc.pdf）（2022年6月閲覧）

（清水　久範）

※細字は一般名，**太字**は商品名

英数字

5-FU ……………………………………… 105, 113, 288, 407
L-アスパラギナーゼ ……………………………………… 264, 685

あ

アービタックス ……………………………………………… 158
アーリーダ ………………………………………………… 257
アイクルシグ ……………………………………………… 195
アキシチニブ ………………………………… 206, 208, 453, 454
アキャルックス …………………………………………… 239
アクチノマイシンD ………………………………………… 570
アクラルビシン ………………………………………… 144, 149
アザシチジン …………………………………………… 106, 115
アザチオプリン ……………………………………………… 48
アズレンスルホン酸ナトリウム …………………………… 619
アセトアミノフェン ……………………………………… 793
アタザナビル ……………………………………………… 140, 518
アテゾリズマブ ……… 268, 272, 330, 332, 347, 363, 398
アドセトリス ……………………………………………… 180
アドリアシン ……………………………………………… 149
アナストロゾール …………………………………… 246, 248
アナモレリン ………………………………………………… 905
アバスチン ………………………………………………… 155
アパルタミド ……………………………………………… 253, 257
アピキサバン ……………………………………………… 644
アビラテロン ……………………………………………… 252, 257
アファチニブ ……………………………… 183, 189, 322, 324
アフィニトール …………………………………………… 224
アブラキサン ………………………………………… 66, 126
アフリベルセプト ベータ ……………… 153, 155, 437, 665
アプレピタント ……………………………………… 595, 886
アベマシクリブ …………………………………………… 221, 227
アベルマブ …………………………………… 268, 271, 454, 460
アムルビシン ……………………………………………… 144, 150
アリミデックス ………………………………………… 248
アリムタ ………………………………………………… 109
アレクチニブ ……………………………………… 197, 202, 326
アレセンサ ……………………………………………… 202
アレムツズマブ …………………………………… 169, 170, 516
アロマシン ……………………………………………… 248

い

イキサゾミブ ……………………………… 230, 237, 531, 535
イクスタンジ …………………………………………… 257
イサツキシマブ ………………………………………… 167, 168
イストダックス ………………………………………… 239
イストラデフィリン ……………………………………… 518
イダマイシン …………………………………………… 151
イダルビシン ……………………………………………… 145, 151
イトラコナゾール ………………………… 57, 210, 516〜518

イノツズマブ オゾガマイシン ……………………… 175, 181
イピリムマブ ………………… 269, 272, 332, 439, 453, 475
イブランス ……………………………………………… 226
イブリツモマブ チウキセタン ……………………… 163, 165
イブルチニブ ……………………………………… 210, 216, 516
イホスファミド ……………………………………………… 90, 95
イマチニブ ………………………………………… 190, 194, 521
イミフィンジ …………………………………………… 272
イムブルビカ …………………………………………… 216
イリノテカン ………………………………… 49, 137, 138, 140
イリノテカン リポソーム化製剤 ……………………… 137, 141
イレッサ ………………………………………………… 188
インライタ ……………………………………………… 208

う

ヴァンフリタ …………………………………………… 216
ヴォトリエント ………………………………………… 209

え

エキセメスタン …………………………………………… 247, 248
エクザール ……………………………………………… 129
エドキサバン ……………………………………………… 644
エトポシド ………………………………………………… 144, 150
エヌトレクチニブ ………………………………… 213, 217, 329
エピルビシン ……………………………………………… 144, 151
エベロリムス ……………………………………………… 219, 224
エムプリシティ ………………………………………… 173
エリスロマイシン ………………………………… 57, 210, 518
エリブリン ………………………………… 122, 129, 363, 572
エルプラット …………………………………………… 135
エルロチニブ ……………………………………… 183, 188, 324
エロツズマブ ……………………………………………… 172, 173
エンコラフェニブ ………………………………… 221, 227, 438
エンザルタミド …………………………………………… 252, 257
エンハーツ ……………………………………………… 181
エンホルツマブ ベドチン ……………………………… 687

お

オキサリプラチン ………………………………… 132, 135, 728
オキシコドン ……………………………………………… 799
オクトレオチド …………………………………………… 836
オシメルチニブ …………………………………… 183, 189, 323
オダイン ………………………………………………… 256
オニバイド ……………………………………………… 141
オビヌツズマブ …………………………………………… 163, 165
オプジーボ ……………………………………………… 270
オラパリブ ………………………………… 230, 234, 413, 874
オランザピン ……………………………………………… 597, 686
オンコビン ……………………………………………… 128

か

カイプロリス	237
ガザイバ	165
カソデックス	256
カドサイラ	65, 179
カバジタキセル	120, 127, 448
ガバペンチン	812
カプマチニブ	212, 217, 328
カプレルサ	209
カペシタビン	49, 104, 111, 116
カボザンチニブ	207, 209, 399
カボメティクス	209
カルセド	150
カルバマゼピン	813
カルフィルゾミブ	229, 237
カルボプラチン	131, 135, 412, 459, 728
カンプト	140

き

キイトルーダ	271
キザルチニブ	211, 216
ギルテリチニブ	211, 216
キロサイド	110
キロサイドN	110

く

クラリスロマイシン	57, 210, 517, 518
クリゾチニブ	196, 202, 326
グリベック	194
クロナゼパム	813
クロルマジノン	251, 256

け

ケトコナゾール	57, 210, 518
ゲフィチニブ	182, 188, 323
ゲムシタビン	101, 104, 111
ゲムツズマブ オゾガマイシン	174, 178

こ

ゴセレリン	240, 242
コデイン	796
ゴナックス	250

さ

サークリサ	168
ザーコリ	202
ザイティガ	257
サイラムザ	155
サリドマイド	258, 260
ザルトラップ	155
サレド	260

三酸化二ヒ素	262, 263, 650

し

ジェブタナ	127
ジェムザール	111
ジオトリフ	189
ジカディア	203
シクロスポリン	518, 656, 675, 698
シクロホスファミド	90, 94
シスプラチン	130, 134, 459, 659, 728
シタラビン	101, 103, 110
シプロフロキサシン	285, 518, 580
シメチジン	57, 145, 151, 518
ジャカビ	217
ジルチアゼム	128, 234, 518
シロスタゾール	518

す

ステント	208
スチバーガ	209
ストレプトゾシン	92, 97, 687
スニチニブ	205, 208
スプリセル	194

せ

ゼヴァリン	165
ゼジューラ	235
セツキシマブ	157, 158, 438
セツキシマブ サロタロカンナトリウム	231, 239
セリチニブ	197, 203
ゼルボラフ	225
ゼローダ	111, 116

そ

ゾスパタ	216
ゾラデックス, ゾラデックスLA	242
ソラフェニブ	204, 208, 399
ゾリンザ	238

た

ダウノマイシン	148
ダウノルビシン	143, 148
ダカルバジン	92, 97
タキソール	125
タキソテール	124
タグリッソ	189
タクロリムス	518, 675, 699
ダコミチニブ	185, 189
ダサチニブ	191, 194, 522
タシグナ	195
タフィンラー	225
ダブラフェニブ	220, 225

タブレクタ ……………………………… 217
タペンタドール ………………………… 800
タモキシフェン ………………… 52, 243, 245
ダラキューロ …………………………… 168
ダラザレックス ………………………… 168
ダラツムマブ ……………………… 166, 168
タルセバ ………………………………… 188
ダロルタミド ……………………… 253, 257

ち

チオテパ …………………………… 93, 98
チカグレロル …………………………… 518
チラブルチニブ …………………… 210, 216

て

ティーエスワン …………………… 105, 112
テガフール・ウラシル …………… 103, 109
テガフール・ギメラシル・オテラシルカリウム … 53, 105, 112
デガレリクス ……………………… 249, 250
デクスラゾキサン ……………………… 722
テセントリク …………………………… 272
テプミトコ ……………………………… 217
テポチニブ ………………………… 212, 217
テムシロリムス …………………… 219, 224
テモゾロミド …………………… 92, 97, 278
デュルバルマブ …………………… 268, 272

と

トーリセル ……………………………… 224
動注用アイエーコール ………………… 134
ドキシル ………………………………… 151
ドキソルビシン …………………… 143, 149
ドキソルビシン塩酸塩リポソーム化製剤 … 145, 151
ドセタキセル ……………… 119, 124, 288, 412, 727
トラスツズマブ …………………… 159, 161
トラスツズマブ　エムタンシン …… 174, 179
トラスツズマブ　デルクステカン …… 176, 181
トラマドール …………………………… 798
トラメチニブ ……………………… 220, 226
トリセノックス ………………………… 263
トリフルリジン・チピラシル …… 104, 112, 441
トレチノイン ……………………… 262, 263, 650
トレミフェン ……………………… 243, 245

な

ナベルビン ……………………………… 128

に

ニボルマブ ………………………… 267, 270
ニュベクオ ……………………………… 257
ニラパリブ ………………………… 231, 235
ニロチニブ ………………… 192, 195, 521, 685

ニンラーロ ……………………………… 237

ね

ネクサバール …………………………… 208
ネシツムマブ …………………… 157, 158, 340
ネダプラチン …………………………… 288

の

ノギテカン ………………………… 137, 141
ノルバデックス ………………………… 245

は

パージェタ ……………………………… 161
ハーセプチン …………………………… 161
ハイカムチン …………………………… 141
パクリタキセル ……………… 119, 125, 288, 412, 727
パクリタキセル（アルブミン懸濁型） …… 120, 126
パゾパニブ ………………………… 206, 209
パニツムマブ …………………… 157, 158, 438
パノビノスタット ………………… 229, 238
バベンチオ ……………………………… 271
ハラヴェン ……………………………… 129
パラプラチン …………………………… 135
バルプロ酸ナトリウム ………………… 813
パルボシクリブ …………………… 221, 226
バンデタニブ ……………………… 206, 209

ひ

ビーリンサイト ………………………… 170
ビカルタミド ……………………… 251, 256
ビジンプロ ……………………………… 189
ビダーザ ………………………………… 115
ヒドロモルフォン ……………………… 800
ビニメチニブ …………………… 222, 227, 438
ビノレルビン ……………………… 121, 128
ビラフトビ ……………………………… 227
ピロカルピン …………………………… 744
ビンクリスチン …………………… 121, 128, 727
ビンデシン ………………………… 121, 127, 727
ビンブラスチン …………………… 122, 129, 727

ふ

ファリーダック ………………………… 238
ファルモルビシン ……………………… 151
フィルデシン …………………………… 127
フェアストン …………………………… 245
フェソロデックス ……………………… 245
フェマーラ ……………………………… 248
フェンタニル …………………………… 799
ブスルファン ……………………… 91, 95
ブプレノルフィン ……………………… 801
ブリグチニブ …………………………… 327

ブリナツモマブ	169, 170
フルオロウラシル	49, 105, 113
フルコナゾール	518, 644
フルタミド	251, 256
フルダラ	114
フルダラビン	106, 114
フルベストラント	244, 245
フルボキサミン	57, 518, 811, 845
ブレオ	148
ブレオS	149
ブレオマイシン	143, 148, 149
プレガバリン	812
ブレンツキシマブ ベドチン	175, 180, 550, 728
プロカルバジン	93, 98
プロスタール	256

へ

ベージニオ	227
ベクティビックス	158
ペグフィルグラスチム	581
ベサノイド	263
ベスポンサ	181
ベネクレクスタ	235
ベネトクラクス	230, 235, 517, 518
ベバシズマブ	152, 155, 398, 413, 436, 637
ベプシド	150
ペミガチニブ	393
ペムブロリズマブ	267, 271, 287, 289, 330, 439, 453, 551
ベムラフェニブ	219, 225
ペメトレキセド	102, 109
ベラパミル	518
ベルケイド	236
ペルツズマブ	159, 160, 161
ベレキシブル	216
ペンタゾシン	801
ベンダムスチン	93, 98, 557

ほ

ポートラーザ	158
ポサコナゾール	518
ボシュリフ	195
ホスアプレピタントメグルミン	518
ボスチニブ	192, 195, 522
ポテリジオ	173
ポナチニブ	193, 195, 523
ポマリスト	261
ポマリドミド	258, 259, 261
ボリコナゾール	210, 518
ボリノスタット	229, 238
ボルテゾミブ	229, 236, 728

ま

マイロターグ	178
マブキャンパス	170

み

ミコナゾール	518
ミロガバリン	812

め

メキシレチン	813
メキニスト	226
メクトビ	227
メサドン	800, 803
メスナ	91
メソトレキセート	108
メトトレキサート	101, 108, 660
メルカプトプリン	50, 106, 115
メルファラン	92, 96

も

モガムリズマブ	171, 173
モルヒネ	796, 803

や

ヤーボイ	272

ゆ

ユーエフティ	109

ら

ラステット	150
ラニチジン	518
ラニムスチン	92, 96
ラムシルマブ	153, 155, 400, 437
ランダ	134

り

リツキサン	165
リツキシマブ	163, 165, 517
リドカイン	813
リトナビル	518
リムパーザ	234
リュープリン	67, 242
リュープロレリン	241, 242

る

ルキソリチニブ	212, 217
ルビプロストン	606

れ

レゴラフェニブ	206, 209, 399, 440

レトロゾール	50, 247, 248
レナリドミド	259, 260
レブラミド	260
レボホリナート	113, 141, 376, 381, 406, 433, 435, 437
レンバチニブ	207, 209, 398, 637
レンビマ	209, 637

ろ

ロイケリン	115
ロイナーゼ	265
ローブレナ	203
ロズリートレク	217
ロミタピド	194, 518
ロミデプシン	230, 239
ロルラチニブ	198, 203
ロンサーフ	112

わ

ワンタキソテール	124

索引

A

ABL-TKI耐性変異 ･･････････････････････････････ 21
Active targeting（能動的標的化） ･･････････････ 64
ADCにおける微小管阻害薬 ････････････････････ 122
AKIN分類 ･･････････････････････････････････ 660
ALK-TKI耐性変異 ･･･････････････････････････ 20
ALK融合遺伝子検査 ･････････････････････････ 312
Ann Arbor分類 ････････････････････････ 548, 554

B

BCNU wafer ･･･････････････････････････････ 277
BP製剤 ････････････････････････････････････ 694
BRAF遺伝子変異検査 ････････････････････････ 313
BRAF阻害薬 ･･･････････････････ 43, 219, 438, 655
BTK阻害薬 ････････････････････････････････ 210

C

Calvert式 ･････････････････････････････････ 131
Cancer Dyspnea Scale（CDS） ･･･････････････ 817
CD20標的作用 ･････････････････････････････ 162
Child-Pugh分類 ･･･････････････････････････ 395
CINV（chemotherapy induced nausea and vomiting）
 ･･ 590
Cockcroft-Gault式 ･････････････ 30, 131, 656, 657
CTCAE ･････････････････････････････････ 4, 5
CYP2D6遺伝子多型 ･･････････････････････････ 52

D

DDW-J 2004薬物性肝障害ワークショップのスコアリング
 ･･ 628
DOAC ････････････････････････････････････ 644
Durie-Salmon分類（DS分類） ････････････････ 525

E

ECOG-PS ･･････････････････････････････････ 5
EGFR-TKI耐性変異 ･･････････････････････････ 20
EGFR遺伝子検査 ･･･････････････････････････ 312
ERCC1遺伝子多型 ･･･････････････････････････ 53
European Palliative Care Research Collaborative（EPCRC）
 ･･････････････････････････････････････ 839, 904

F

FAB分類 ･･････････････････････････････ 478, 498
FCGR遺伝子多型 ････････････････････････････ 53
FLT3阻害薬 ･･･････････････････････････････ 211
FPS（Faces Pain Scale） ･･･････････････････ 785

G

GABAトランスアミナーゼ阻害薬 ･･･････････････ 811
GCP省令 ･･････････････････････････････････ 86
Genevaスコア ････････････････････････ 641, 642

Goldie-Coldmanの仮説 ･････････････････ 17, 18

H

HER2検査法 ･･･････････････････････････････ 373

I

IMDC criteria ････････････････････････････ 451
International Staging System（ISS） ･･･ 525, 527
ISH法 ････････････････････････････････････ 373

J

JAK阻害薬 ････････････････････････････････ 212

K

KDIGO分類 ･･･････････････････････････････ 660
Khoranaスコア ･･････････････････････ 641, 643
Ki-67 ････････････････････････････････････ 355

L

Lugano分類 ･････････････････････････ 548, 555

M

MET遺伝子エクソン14スキッピング検査 ･････････ 313
MET阻害薬 ････････････････････････････････ 212
MSKCC criteria ･･･････････････････････････ 451
mTORセリン・スレオニンキナーゼ阻害作用 ･･････ 218

N

Na$^+$チャネル遮断薬 ･･･････････････････････ 813
Na$^+$チャネル阻害薬 ･･･････････････････････ 813
NaSSA ･･･････････････････････････････････ 845
NMDA受容体拮抗薬 ････････････････････････ 814
Norton-Simon理論 ･･････････････････････････ 16
Novo-TTF 100Aシステム ･････････････････････ 280
NRS（Numerical Rating Scale） ･･･････････ 747
NTRK融合遺伝子検査 ････････････････････････ 313

P

Pain Assessment in Advanced Dementia Scale（PAINAD）
 ･･ 787
Passive targeting（受動的標的化） ･･････････････ 62
PD-L1免疫組織化学染色 ･････････････････････ 313
Philadelphia染色体 ･･････････････ 190, 479, 519
PPI（Palliative Prognostic Index） ･･････ 776, 825
PPS（Palliative Performance Scale） ････････ 776

R

RECIST ･･･････････････････････････････････ 4
Revised ISS（R-ISS）分類 ･･･････････････ 525, 527
RIFLE分類 ････････････････････････････････ 660
Rome IV診断基準 ･･････････････････････････ 601
ROS1融合遺伝子検査 ････････････････････････ 313

S

SAVED Score ·· 643
SHAREプロトコル ································ 854
SPIKESプロトコル ································ 854
St.Gallen サブグループ分類 ··················· 356

V

VAS（Visual Analogue Scale）················ 785
VRS（Verbal Rating Scale）··················· 785

W・その他

Wellsスコア ··· 642
WHOの緩和ケアの定義 ·························· 772
WHO方式がん疼痛治療の4原則 ············· 790
WHO方式三段階除痛ラダー ··················· 791
$α_1$-酸性糖蛋白質（AGP）······················· 24

あ

悪性消化管閉塞 ····································· 835
悪性体液性高Ca血症（HHM）················ 691
アナフィラキシー ···························· 733, 734
アミノプテリン ····································· 101
アルコール性肝障害 ·························· 396, 627

い

一酸化窒素 ·································· 633, 647, 649
遺伝性乳がん卵巣がん症候群 ··················· 365
医薬品・医療機器等安全性情報報告制度 ···· 859
医薬品医療機器等法／薬機法 ············· 74, 86
医薬品リスク管理計画（RMP）··············· 858
インターバル腫瘍減量手術（IDS）··········· 411

え

栄養サポートチーム（NST）·················· 906
エストロゲン製剤 ·································· 641
エリスロポエチン製剤 ······················ 641, 749
遠隔臓器診断 ·· 353
炎症性サイトカイン ············· 670, 700, 732, 839

お

オッディ括約筋 ····································· 388
オピオイドスイッチング ························ 803
オピオイド誘発性便秘症（OIC）············· 601
オンコロジック・エマージェンシー ··· 677, 691

か

介入研究 ·· 73
化学放射線療法 ···················· 12, 285, 294, 344
化学療法情報提供書 ·························· 866, 867
化学療法誘発性末梢神経障害性疼痛 ········ 783
核酸アナログ製剤 ····················· 622, 623, 625

下垂体機能障害 ······················ 272, 696, 762, 764
がん悪液質 ······································ 839, 904
簡易倦怠感調査票（Brief Fatigue Inventory（BFI）日本語版
 ··· 748
がん遺伝子パネル検査 ············ 45, 481, 924, 927
観察研究 ·· 73
患者のための薬局ビジョン ····················· 882
肝中心静脈閉塞症（VOD）········ 91, 174, 629, 630
肝動注化学療法（TAI）····················· 13, 397
肝動脈化学塞栓療法（TACE）······ 144, 394, 397
がん光免疫療法 ····································· 294
カンプトテシン誘導体 ······················· 49, 176
肝類洞閉塞症候群（SOS）················· 91, 629

き

急性腎障害（AKI）······················ 191, 657, 660
急性尿細管障害 ······························· 654, 657
胸腔静脈シャント（PVS）····················· 825
胸腔穿刺ドレナージ ·················· 818, 824, 825
胸腔腹腔シャント（PPS）····················· 825
胸腔留置カテーテル ······························· 825
胸膜癒着術 ······································ 818, 825
局所性骨溶解性高Ca血症（LOH）······ 691, 692
局所薬物療法 ···································· 8, 13

く

クライオセラピー ·································· 618

け

蛍光ガイド下手術 ·································· 277
経尿道的腫瘍切除術（TUR-Bt）·············· 666
経尿道的膀胱腫瘍切除術（TURBT）········ 456
血小板減少症 ···················· 106, 175, 229, 655
結晶誘発性腎症 ······························· 654, 657
血栓性微小血管症 ···························· 654, 657

こ

コア針生検（CNB）······························ 353
抗菌薬適正使用支援チーム（AST）····· 850, 910
甲状腺刺激ホルモン（TSH）抑制療法 ······ 307
光線力学療法 ·· 277
抗体依存性細胞傷害（ADCC）··· 157, 166, 169, 171
広汎子宮全摘出術 ···························· 421, 427
抗利尿ホルモン不適合分泌症候群（SIADH）··· 695, 696
高齢者評価 ·· 32
骨転移症候群 ·· 783
コルチコステロイド薬 ···························· 819
コントロールドリリース（放出制御）····· 61, 66
コンパートメントモデル解析 ··················· 26

さ

サイトカイン放出症候群 ········· 169, 170, 732, 734, 763

左室駆出率（LVEF） ……………………… 220, 651
サリドマイド薬害事件 …………………………… 258
三環系抗うつ薬 ……………………………… 810, 845

し

試験開腹術 ……………………………………… 410
持続痛 ………………………………… 782, 799, 835
質調整生存年（QALY） ………………… 945, 948
重粒子線治療 …………………………………… 445
出血性膀胱炎 ……………………… 90, 660, 666
術後痛症候群 …………………………………… 783
術後薬物療法 ………………………… 9, 10, 317, 356
術前薬物療法 …………………………… 8, 175, 356
準広汎子宮全摘出術 ……………………… 421, 427
上皮機能変容薬 …………………………… 605, 606
自律神経障害 ……………………… 594, 603, 610, 727
侵害受容性疼痛 ……………………… 779, 780, 783
神経障害性疼痛 …………………………… 781, 810
進行期決定開腹手術/一次的腫瘍減量手術（PDS） ……… 410
人工唾液 ………………………………………… 743
浸透圧性下剤 ……………………………… 604, 806
浸透圧性脱髄症候群（ODS） ………………… 697

す

ステロイド・スペアリング ……………………… 597

せ

赤血球造血刺激因子製剤（ESA） ……………… 585
セロトニン・ノルアドレナリン再取り込み阻害薬（SNRI）
………………………………………………………… 811
穿刺吸引細胞診（FNA） ………………………… 353
全人的苦痛（Total Pain） ……………………… 773
選択的セロトニン再取り込み阻害薬（SSRI） …… 811, 840
前立腺全摘除術 ………………………………… 444

そ

組織内照射（小線源療法） ……………………… 445
外照射 ………………………………… 307, 423, 445

た

ターゲティング（標的指向化） ……… 61, 62, 65, 66
体性痛 ……………………………………… 779, 780
大腸刺激性下剤 …………………………… 606, 807
タイトレーション ……………………… 749, 789, 802
タキサン系薬 …………………………………… 119
多重遺伝子アッセイ …………………………… 355
胆汁酸トランスポーター阻害薬 ……… 605, 606, 807
単純子宮全摘出術 ………………………… 421, 427

ち

治験施設支援機関 ………………………………… 87
治験審査委員会 …………………………………… 87

チトクロムP450 ……………………… 56, 59, 183
直腸型下剤 ……………………………………… 607

て

低出力レーザー ………………………………… 619

と

等鎮痛力価換算 ………………………………… 803
糖類下剤 …………………………………… 605, 807
突出痛（breakthrough pain） …… 779, 782, 799, 802
トレーシングレポート ……… 863, 878, 880, 886

な

内臓痛症候群 …………………………………… 783
内分泌療法薬 ……………… 2, 221, 224, 226, 647, 649

に

二次的腫瘍減量手術（SDS） …………… 411, 414
尿中未変化体排泄率 …………………………… 25
妊孕性温存手術 ………………………………… 411

は

バイオアベイラビリティ ………………………… 22
バイオマーカー ………………………………… 38, 40
播種性血管内凝固症候群 ……… 498, 585, 587

ひ

非ステロイド性消炎鎮痛薬（NSAIDs） ……… 792
ピリミジン代謝拮抗薬 ………………………… 103
ビンカアルカロイド系薬 ……………… 19, 121, 743

ふ

副腎皮質ホルモン薬 …………… 675, 685, 722, 814
腹水濾過濃縮再静注法 ………………………… 828
ブリストル便形状スケール ……… 601, 602, 610
プリン代謝拮抗薬 ………………… 101, 106, 114
プロドラッグ ……………………………… 65, 67
分布（distribution） …………………………… 23

ほ

放射線照射後疼痛症候群 ……………………… 783
ポリファーマシー ……………………………… 31

ま

末梢性T細胞性リンパ腫 ……………………… 180
末梢性μオピオイド受容体拮抗薬 …………… 607
麻痺性イレウス ………………… 121, 604, 836
慢性腎臓病（CKD） ……………………… 634, 656

み

ミニメンタルステート検査（MMSE） ……… 787

や

薬物動態学的相互作用 …………………………… 55, 178, 272
薬力学的相互作用 ………………………………………… 55

よ

葉酸代謝拮抗薬 ………………………………… 99, 101, 108
四環系抗うつ薬 ………………………………………… 845

ら

ラジオ波焼灼療法（RFA）……………………………… 396
卵巣予備能 ……………………………………………… 895, 899

り

利益相反の管理 ………………………………………… 88
リスク低減卵管卵巣摘出術（RRSO）………………… 411
臨床研究の分類 ………………………………………… 72
臨床研究法 ……………………………………………… 75
臨床研究法施行規則 …………………………………… 87
倫理指針 ………………………………………………… 87

れ

レチノイン酸症候群 ………………………… 262, 263, 650

初版 執筆者一覧

編集代表

遠藤　一司　　加藤　裕芳

編集委員（五十音順）

内田まやこ	大橋　養賢	川尻　尚子	櫻井　洋臣	清水　久範
土屋　雅美	縄田　修一	野村　久祥	狭間　研至	藤田行代志
湊川　紘子	山口　拓洋			

執筆者（五十音順）

青柳　吉博	青山　　剛	池末　裕明	石井　岳夫	石原　正志
板垣　文雄	板垣　麻衣	市倉　大輔	伊與田友和	臼井　浩明
宇田川涼子	内池　明博	内田まやこ	大神　正宏	大里　洋一
大谷　俊裕	大塚　昌孝	大橋　養賢	小笠原信敬	岡野　朋果
岡本　禎晃	小倉　敬史	柿本　秀樹	片倉　法明	加藤　裕久
香取　哲哉	金子　　健	川﨑　敏克	川尻　尚子	川澄　賢司
北見　紀明	木本　真司	組橋　由記	栗原　竜也	小枝　伸行
小暮　友毅	小室　雅人	近藤　直樹	阪田　安彦	櫻井　洋臣
笹津　備尚	佐藤由美子	篠原　　旭	清水　久範	下川友香理
菅　　幸生	鈴木　賢一	鈴木　真也	須藤　洋行	砂田　和幸
高田　慎也	高橋　　郷	滝澤　康志	竹中　翔也	竹野美沙樹
立松三千子	田中　康裕	玉木　慎也	玉木　宏樹	塚川麻利子
辻　　大樹	土屋　雅美	堤　　大輔	徳丸　隼平	鳥越　一宏
中川　俊作	長久保久仁子	中澤　寛仁	中島　寿久	中田　英夫
中山　季昭	縄田　修一	丹羽　里実	野添　大樹	野村　久祥
野村　充俊	橋口　宏司	橋本　直弥	葉田　昌生	花香　淳一
林　　稔展	葉山　達也	原　　友子	日浦寿美子	日置　三紀
平畠　正樹	藤田行代志	藤宮　龍祥	船崎　秀樹	槇枝　大貴
牧野　好倫	槙原　克也	益子　寛之	松井　礼子	松尾　宏一
湊川　紘子	宮澤　憲治	宮本　康敬	村田　勇人	望月　伸夫
守屋　昭宏	矢内　貴子	山口健太郎	山口　俊司	山口　拓洋
山本　弘史	吉澤　朝枝	吉田　幹宜	吉野　真樹	米村　雅人
和田　　敦				

臨床腫瘍薬学　第2版

定価　本体10,000円（税別）

2019年3月25日　初版発行
2022年9月20日　第2版発行

編　集　日本臨床腫瘍薬学会

発行人　武田　信

発行所　株式会社じほう

101-8421　東京都千代田区神田猿楽町1-5-15（猿楽町SSビル）
振替　00190-0-900481
＜大阪支局＞
541-0044　大阪市中央区伏見町2-1-1（三井住友銀行高麗橋ビル）
お問い合わせ　https://www.jiho.co.jp/contact/

©2022　　　　　組版　（株）明昌堂　印刷　シナノ印刷（株）
Printed in Japan

本書の複写にかかる複製，上映，譲渡，公衆送信（送信可能化を含む）の各権利は株式会社じほうが管理の委託を受けています。

JCOPY ＜出版者著作権管理機構　委託出版物＞
本書の無断複製は著作権法上での例外を除き禁じられています。
複製される場合は，そのつど事前に，出版者著作権管理機構（電話 03-5244-5088，FAX 03-5244-5089，e-mail：info@jcopy.or.jp）の許諾を得てください。

万一落丁，乱丁の場合は，お取替えいたします。
ISBN 978-4-8407-5455-2